MIJN MEMOIRES
VAN KEIBERG TOT BLANDIJNBERG

Dr. Leon ELAUT

MIJN MEMOIRES

Van Keiberg tot Blandijnberg

UITGEVERIJ ORION, BEVEREN
UITGEVERIJ B. GOTTMER, NIJMEGEN

ISBN 90 264 0224 4

De familie Elaut en de uitgevers wensen speciaal professor Dr. Ada Deprez hun dank te betuigen. Zonder haar nooit aflatende aandacht en zorg zou dit werk het licht niet hebben gezien.

INHOUD

MIJN MEMOIRES

Het is vandaag donderdag 6 januari 1977, Driekoningenfeest.

Vóór twaalf dagen, tweede Kerstdag 1976, ben ik negenenzeventig jaar geworden. Kinderen en kleinkinderen hebben opa met bloemen en complimentjes bedacht. Ze waren allen om ter liefst, en oma was druk in de weer om ze met het meest geschikte kerstboomcadeautje gelukkig te maken.

Ik ben dus in mijn tachtigste jaar, de vierde leeftijd, zegt men, die van de sterken (Psalm 90, 20). De derde is al voorbij.

Nooit was het bij mij opgekomen gedenkschriften aan het papier toe te vertrouwen, ik stond er huiverig tegenover. Een dagboek over wat in mijn leven is voorgevallen, heb ik niet bijgehouden en ik moet alles uit het geheugen neerpennen. Gelukkig staan veel zaken scherp in mijn herinnering getekend, bijna met dag en uur.

Wel heb ik over enkele gebeurtenissen wat geschreven of gedrukte documenten bewaard, maar een verzamelaar van zulke dingen ben ik nooit geweest. Al zie ik thans wel in dat het een belangrijke brok archiefbronnen zou geweest zijn, waaruit een would-be historieschrijver had kunnen putten voor een klusje geschiedenis van driekwart twintigste eeuw.

Of mijn leven zo opmerkelijk was dat zijn beloop verdient te worden opgetekend, laat ik in het midden. Een ander kan daarover oordelen, ik niet.

En ik voel mij evenmin door een zulkdanige nood aan katarsis gedrongen dat ik mij van spanningen moet ontdoen die mij anders zouden ongelukkig maken voor de dagen, die mij in dit leven nog overblijven.

Dat ik mij nu aan het schrijven zet, is in hoofdzaak hieraan toe te schrijven, dat ik het gevoelen heb een taak volbracht te hebben die af is. Niets anders rest mij thans dan een blik in de achteruitkijkspiegel van mijn negenenzeventig jaar te werpen, en in alle deemoed vast te stellen dat de wagens van de anderen voorbijsnellen, zonder op de gemoedsstemming van een oud man acht te slaan.

Heel wat memoires heb ik in mijn leven gelezen en ik heb er altijd veel genoegen aan beleefd. Maar die lectuur, waarvan men beweert dat zij een bewijs van vervroegde seniliteit is, heeft er mij nooit toe verleid zelf te proberen iets van die aard ineen te knutselen. Doch toen ik laatst van mijn vriend en studiegenoot Dr. Roger Soenen vernam dat hij zijn levensherinneringen schreef, en bovendien een hooggeleerde vriend-hoogleraar van mening was dat ik ook zoiets moest doen, ben ik gewoon bezweken.

Omdat Driekoningendag mij in de passende romantisch-huiselijke stemming brengt, is het thans zover.

Deze memoires zijn in de allereerste plaats bestemd voor mijn kinderen. Of zij ooit zullen gedrukt worden, vraag ik mij niet af.

In de loop van de laatste vijftig jaar heb ik mij, in diverse omstandigheden, ten aanzien van zoveel personen die mijn levensweg gekruist hebben, en ten aanzien van zoveel gebeurtenissen vrijmoedig geuit in woord en geschrift, dat ik het overbodig acht het vuur dat onder de as verborgen lag op te rakelen en die dingen op een rijtje te zetten. Daarmee mezelf op een voetstuk plaatsen, is mij een gruwel.

Mijn gezin heeft alles meegeleefd en meegevoeld, zich erom verheugd of zich eraan geërgerd, en ik vraag mij af of het niet beter is dat alles in mijn hart te bewaren en het vanzelf te laten ondergaan in de afgrond van de vergetelheid.

Maar is er iemand op deze wereld die in de verafgelegen en onbereikbare uithoeken van zijn hart niet een ziertje ijdelheid koestert die hij niet de baas kan, die hem belaagt en parten speelt? Kennelijk heb ik de indruk dat ik vandaag over dat ziertje ijdelheid gestruikeld ben. Of, zoals het in de diepte-psychologie heet, aan een onweerstaanbare drang bezweken ben, en de fatale stap heb gezet door mij aan het schrijven van gedenkschriften te wagen.

Heb ik nu alle bruggen achter mij opgeblazen om mijn terugtocht te beletten, of zal ik, op een bepaald ogenblik, door een andere onweerstaanbare drang vastgekneveld, mijn papieren niet stukscheuren en in het vuur werpen?

Doch, om niet tegenover hen die te eniger tijd deze bladzijden onder ogen krijgen, de indruk te wekken dat ik van de regen in de drop ben terechtgekomen, en mij een airtje van belang poog te geven, zal ik maar met de deur in huis vallen.

Aan mijn rechterzijde ligt de dikke Van Dale in mijn bereik. Hij is sedert jaren mijn trouwe kameraad. Voor mij op mijn schrijftafel staan de foto's van mijn vrouw en die van mijn kleinkinderen. Ik ben dus goed omringd.

Buiten is het druilerig weer. Op straat, naast mijn werkkamer, raast een druk verkeer, het hindert mij niet, behalve het paffende geknal van de motorfietsen, die over de stenen gieren en op mijn zenuwen werken: geluidshinder!

Onafwendbaar staat mij voor de geest de uitspraak van Tomas Hamerken: valde cito erit tecum factum, zeer vlug zal het met u gedaan zijn.

Wanneer het met iemand naar de tachtig loopt, gaat het inderdaad zeer vlug, en het zal weldra met mij gedaan zijn.

Naast de uitspraak van Hamerken, plaats ik die van koning David (Vulg. Pas. 70,15): quia non cognovi litteraturam, introibo in potentias Domini.

Nee, ik heb geen literatuur willen plegen. Dit, althans, kan ik de lezer van deze memoires in alle oprechtheid verzekeren.

DE ERFDIENSTBAARHEDEN

René de Clercq dichtte: „Ik ben van de buiten / ik ben van den boer!"
Ik zeg het nog eenvoudiger: ik ben een boerenzoon.

Geboren te Gentbrugge op 26 december 1897, tweede Kerstdag, op de voutekamer van een typische boerenwoning, Kasteelstraat 16. In de balk boven de haard stond het jaartal 1789 gebeiteld, het jaar van de Franse Revolutie. Mijn geboortehuis werd in 1966 afgebroken, het lag op honderd meter van de E3-viaduct, vlak tegenover het Gentbrugse gemeentehuis; het werd aan de verburgerlijking van de buurt prijsgegeven.

De Kasteelstraat had haar welverdiende naam te danken aan een zevental kastelen, die met hun rijke beboming, en hun door rododendrons beplante wallen aan dat stuk Gentbrugs grondgebied een verrukkelijk uitzicht schonken. Thans is daar nauwelijks nog een spoor van terug te vinden.

Toen hun spruit op die tweede Kerstdag van het jaar 1897 ter wereld kwam, waren mijn ouders al zestien maand getrouwd. Vader was zevenendertig, moeder negenentwintig. Moeder had al meer dan één kaars voor Onze Lieve Vrouw ontstoken en was naar de Heilige Moeder Anna te Bottelare op bedevaart gegaan, omdat zij vond dat de huwelijkszegen lang uitbleef. Bovendien waren haar man en zijzelf niet meer van de jongsten!

Zij leefden dus oprecht in blijde verwachting wanneer ik op komst was. Bij hen woonden mijn grootouders in, zoals dat toen meestal het geval was. Nooit was er herrie met de oude lui, ze hielpen in de huishouding, zorgden voor de moestuin, wachtten thuis wanneer de anderen op het veld waren en hielden een oogje in het zeil zodat alles ordentelijk verliep.

Het was vier uur in de morgen toen ik het levenslicht aanschouwde. Dat licht was een petroleumlamp, die vader tijdens de gebeurtenissen in de hoogte hield om de dokter en de baker bij te lichten.

Ik ben dus door een geneesheer op de wereld geholpen, dokter August van Bockxstaele uit Ledeberg. Vader was hem een paar uren na middernacht uit zijn bed gaan halen, wanneer de baker vond dat de dingen zich toespitsten; hij was al in de vooravond binnengelopen en had voorspeld dat het een „spelletje voor vannacht" zou worden. De prognose was juist.

Achterwaarster was Serafine van bij de kerk, een vrouwtje dat met bakerdiensten, tegen negen stuivers per dag en de kost, datgene poogde bij te verdienen dat haar echtgenoot aan nutteloze borrels besteedde.

Het schijnt dat de geboorte vlot van stapel liep, dat de spruit van goede makelij was, dat hij zijn bestaan met het nodige geschreeuw bevestigde, dat de navelstreng volgens de regels van de kunst werd doorgeknipt en onderhouden, dat hij na een eerste wasbeurt naast de moeder in het bed werd gelegd. Moeder en kind waren welvarend.

Een wieg was niet voorhanden. Naar vaste traditie mocht de wieg maar komen wanneer het kind er was. Vader trok dan naar een Ledebergse mandemaker en kwam met een tenen wieg op zijn schouder naar het huis in de Kasteelstraat. Zo was aan het heersende bijgeloof voldaan.

Ik werd 's namiddags onder de kapmantel van Serafine ten doop gedragen; peter was mijn grootvader aan vaderszijde, meter was mijn grootmoeder aan moederszijde. Het was de onderpastoor die mij doopte.

Dokter van Bockxstaele bezocht negen dagen lang de kraamvrouw en zag toe dat alles naar wens verliep. Serafine was van oordeel dat ik van de spanader moest gesneden worden, de dokter voldeed aan haar wens. Op de tiende dag, toen moeder van haar kerkgang thuis kwam, ging Serafine de dokter betalen: vijfentwintig frank. Zij kreeg één frank drinkgeld en gelukkig als een prinses was ze weg, met haar salaris van negen stuivers per dag. Bij de andere klanten moest ze met minder tevreden zijn, zegde zij.

Ik zal wel opgegroeid zijn zoals het kindje Jezus, in dagen en in wijsheid. In alle geval heb ik moeder horen vertellen dat ze mij gedurende acht maand aan de borst heeft gevoed, tot ik er op zekere dag genoeg van had en andere kost lustte.

Gentbrugge, mijn geboorteplaats, was op het einde van de negentiende eeuw een gemeente van een goede tienduizend inwoners van een tamelijk gevarieerd patroon. Waar ze tegen de stad aanleunde was de gemeente tamelijk dicht bebouwd, met o.m. een aantal fabrieken, maar aan de oost- en zuidzijde lag een weidse vlakte, ingenomen door graslanden en akkergronden met de daarbij horende hofsteden, de kastelen en de buitenverblijven niet te na gesproken.

Grote verkeersaders waren de Oude en de Nieuwe Brusselsesteenweg, aan beide kanten bezoomd door bloemisterijen met witte serres. Deze waren een voorname bron van welvaart, en verschaften een broodwinning aan de helft van de bevolking. Te Gentbrugge had Louis van Houtte omstreeks het midden van de negentiende eeuw zijn internationaal vermaard tuinbouwbedrijf tot bloei gebracht en aan de gemeente een cachet geschonken dat haar beroemd heeft gemaakt, en tot aan de Eerste Wereldoorlog is bijgebleven. Ook dat behoort tot het verleden.

Naast al degenen die met de bloemisterij de kost verdienden, leefden te Gentbrugge staatsbeambten en arbeiders die bij de spoorwegen en in het Arsenaal een dagtaak vonden. De rest van de bevolking was vrij heterogeen: kasteelheren, boeren die in de melkproduktie een ruim bestaan hadden, bedienden, fabrieksarbeiders, een handvol zelfstandigen en ambachtsbazen.

Ondanks die verscheidenheid hingen ze tamelijk goed aaneen en vormden een gemoedelijke maatschappij zonder door heftige problemen dooreengeschud te worden.

De gemeente bestond feitelijk uit twee kernen, het oude Center, waar het gemeentehuis lag en de neogotische kerk, met een uitgestrekte begraafplaats errond. De andere kern was de Arsenaalwijk, op een drietal kilometer van het Center, langs de Brusselse Steenweg. Die was gegroeid rondom de werkhuizen van de Belgische Spoorwegen die er in de jaren 1880 gebouwd werden en het aanzien hadden gegeven aan een woonkern met haar eigen St.-Eligiusparochiekerk.

Op de huizen van een paar brouwers en bloemisten na, was het Arsenaal een gemeenschap met een proletarisch uitzicht, met vele rijen lage huisjes en een Houten Barak, de Berlen Jan, die ooit een beruchte afspanning was geweest.

Aan de achterkant van de staatswerkhuizen lag de Moscou-wijk, het meest samengepakte stratencomplex van de hele gemeente, samen met een volkje in schamele huizen. In menig gezin werd er meer jenever gedronken dan water, er werd geruzied, gehuwd en ongehuwd door mekaar geleefd.

De boerderij van mijn ouders lag tussen het Center en het Arsenaal, en behoorde parochiaal tot dit laatste. Zoals de meeste boerderijen ten zuiden van Gent was het landbouwbedrijf op de zuivelproduktie gericht. Mijn vader hield een dozijn melkkoeien, en elke morgen deed hij met de melkkar zijn ,,ronde'' op de Brusselsesteenweg, over Ledeberg en de Keizerspoort, tot in de Gentse Brusselsestraat en het Klein Begijnhof van de Lange Violettenstraat.

Hij vertrok al voor zevenen en was omstreeks tienen weer thuis. Uit blinkende koperen kannen mat hij de gevraagde hoeveelheid verse melk in de pan van de huisvrouw tegen zes cent (0,12 fr.) de pint. Hij had die melkronde van zijn moeder overgenomen in het begin van de jaren negentig. Zij deed het toen met de hondekar, maar vader vond dat ,,paard en kar'' bij de klanten aanzien gaf, en dat er een paar koperen kannen bij konden die meer geld in het laatje zouden brengen.

Hij was daarmee de eerste moderne melkboer te Gentbrugge. Hij zou op zijn boerderij meer dan eens de toon aangeven. Zo was hij ook de eerste die het vlegeldorsen door een ,,paarden-dorsmachine'' verving, en die tot ontsteltenis van de andere boeren ,,chimieke vette'' op zijn akkers en meersen uitstrooide.

Rond de hofstede van de Kasteelstraat lagen ruime weiden waar de koeien graasden. De molenaar die met zijn ketserskar het graan kwam afhalen en het meel terugbracht, zette wekelijks een paar zakken lijnmeel en zemelen af, want het melkvee schafte ,,bate naar de mate'' die het zelf te verorberen kreeg. Vader hield nooit munten op stal, die werden zo vlug mogelijk van de hand gedaan, want er hielp geen vetmesten aan.

Graan en vruchten waarop vaders boerenbedrijf teerde, leverde de Keiberg: inderdaad een wat hoger gelegen uitgestrektheid waar veel keien lagen. Het was het hoogstgelegen punt van de gemeente, tien meter boven de zeespiegel.

In Vlaanderen was er meer dan één Keiberg. Ook Gentbrugge heeft de zijne. Het is niets meer dan een zandige grondverheffing, een stuk duin uit de voortijd, zoals de Gentse Zandberg er ook een is. Op de Gentse Zandberg is de hoofdplaats van Vlaanderen in de loop van de eeuwen tot stand gekomen. Op de Gentbrugse Keiberg hebben mijn ouders in het zweet huns aanschijns gezwoegd en geploegd, hebben mijn grootouders, vanuit hun berooidheid hier aangekomen, een menselijk bestaan opgebouwd en voor hun nakomelingschap een matige welstand voorbereid waarvan onder meer ikzelf de vruchten heb geplukt.

Dat was het Gentbrugge zoals ik het in de eerste jaren van deze eeuw heb gekend. Ik kende elk huis, elke boom, elke oude en volwassen man of vrouw, elk kind, we kenden de paarden en de koeien van onze buren, hun honden en katten, en de kleur van hun kippen. Naar de kasteelheren keken we met schroom en eerbied op, we namen onze pet af, wanneer we de heer of mevrouw Groverman tegenkwamen.

Er waren te Gentbrugge prachtige beuken- en eikendreven, van de akkers stegen leeuweriken pijlsnel in de lucht, in de kasteeltuinen zongen nachtegalen om het meest, er stroomden heldere beekjes waar we met een touw en een pier stekelbaarsjes visten, op de sloten kringden in de zon de zilveren ,,schrijverkens'', boven het watervlak scheerden de ijsvogels op zoek naar voedsel, we hoorden de spechten met hun snavel op de boomstammen kloppen.

We liepen blootsvoets over de akkers, langs de kouterslagen, de graskanten en de mennegaten zonder onze voeten te bezeren. Mijn eerste schoeisels waren houten klompen, en die ,,kloefen'' werden voor meer doeleinden gebruikt dan datgene waarvoor ze door hun makers waren bestemd.

Die van het Center keken op die van het Arsenaal met misprijzen neer, onze parochiekerk noemden ze oneerbiedig 't Kapelleken, we hadden maar één onderpastoor, zij drie. De fanfare De Neerschelde had haar lokaal op 't dorpsplein, zo'n weelde kenden wij niet. De burgemeester en de politiecommissaris woonden op het Center, wij hadden maar een veldwachter.

Tussen het Center en het Arsenaal lag slechts een aardeweg, het Schooldreefje, een slijkbaan 's winters, een stofbaan 's zomers. Wie met zijn eigen gerei op het Center wilde komen, moest een omweg van drie kilometer maken om het doel te bereiken. Dat was onder meer het geval wanneer een lijkstoet naar de gemeentelijke begraafplaats op het Center moest.

Die van het Arsenaal waren met dat ongerief vergroeid, en de vroede gemeentevaderen hebben pas na honderd jaar eraan gedacht dat het beter kon. Zelfs wanneer in 1909 de burgemeester krachtens de wisselvalligheden van de gemeentepolitiek een Arsenalenaar was, kwam er in de situatie geen verandering, al was het inwonersaantal al tot meer dan dertienduizend gestegen.

Tot op dat ogenblik was in het tellurisch uitzicht van onze Gentse randgemeente geen grote wijziging merkbaar. Met haar drie spoorwegstations — Noord, Zuid, Merelbeke — en haar zeven overwegen die meer gesloten dan geopend waren, was het imago van de bevolking nagenoeg hetzelfde gebleven. Al wat Gentbrugge deed was: in een toestand van bewuste zelfbeperktheid wachten op wat komen zou, op wat het van buitenuit zou te beurt vallen of opgedrongen worden.

Met Louis van Houtte had de gemeente, omstreeks 1850, vanuit haar atavisme een sprong naar wereldvermaardheid gemaakt, omstreeks 1900 lag ze nog altijd in een cataleptische gestoldheid binnen de sierlijke boog waarmede de Schelde haar territorium omvatte.

Met deze dithyrambische ontboezeming neem ik voorlopig afscheid van dat plekje Vlaamse grond waarop mijn wieg geschommeld werd.

MIJN VOORZATEN AAN VADERSZIJDE

Een van mijn verre familieleden heeft de stamboom van de Elauts tot in de zestiende eeuw kunnen opmaken. Ik vind het een hele prestatie want zelf had ik de moed daartoe niet kunnen opbrengen. De wieg van het geslacht stond te Oordegem. In de achttiende eeuw is een Elaut te Antwerpen gaan wonen en hij heeft er fortuin gemaakt. Hij gaf zijn naam aan een straat in de buurt van de Paardenmarkt. In de zestiende eeuw is een andere Elaut naar Zeeland uitgeweken, om welke reden weet men niet. De naam is daar tot Elout of Elewout gemuteerd, en nog al eens met de naam van een andere familie verbonden, b.v. Elout de Soetewoude. Verder is onze stamboomvorser niet geraakt.

Mijn grootouders heb ik veel over hun jeugdjaren horen vertellen, en mijn eigen ouders die hun grootouders hadden gekend, heb ik vaak beluisterd.

Al die dingen heb ik tamelijk goed onthouden, veel beter dan hetgeen ik verleden jaar of voor een paar maanden heb beleefd. Wat jeugdige hersencellen opvangen blijft vaster hangen. Van wat wij op gevorderde leeftijd horen en zien, vliegt veel voorbij dat in de grijze stof of in de kernen van het diëncefalon niet beklijft. Het is een wet die ik door mijn professor in de psychologie, wijlen J. van Biervliet, meer dan vijftig jaar geleden met grote nadruk hoorde verkondigen. Ik ga dus op dat geheugen af.

Te Oordegem en in de omgeving wonen nu nog talrijke Elauts, naast andere wier naam hetzij Elout hetzij Eloot gespeld wordt. Of die uit hetzelfde protoplasma voortgekomen zijn, durf ik niet zweren.

Mijn overgrootouders waren Amand Elaut en zijn vrouw Maria Catherina Braeckman; ze woonden te Oordegem, op de Kluize, een wijk op een halve kilometer zuidwestwaarts van het dorp. Het waren kleine boerenmensjes in een schamel huisje dat ze toch hun eigendom mochten noemen; ze wonnen de kost voor hun gezin op een akkertje van een paar gemet en voor de rest uit wat de huisvlijt met het weven van laken en lijnwaad opbracht. Breed hadden ze het niet en mijn grootvader hoor ik nog zeggen hoe ze onder de pannen sliepen, 's winters nauwelijks genoeg hadden om zich warm toe te dekken en hoe ze soms zwarte sneeuw hadden gezien.

Amand Elaut moet een moedig man geweest zijn; tweemaal heeft hij zijn vrouw in het kraambed verloren en hij was telkens opnieuw in het huwelijk getreden. Menig kind is vroeg gestorven. Zijn zoon Pieter Johannes Elaut was mijn grootvader. Hij werd op 15 februari 1824 te Oordegem geboren. Een andere zoon was August Elaut. Die twee zijn in de jaren 1850 naar Gentbrugge gekomen en daar getrouwd. Grootvader Pieter Elaut heb ik goed gekend; hij woonde met zijn echtgenote thuis bij ons in. Ik was negen jaar oud toen hij op 31 augustus 1906 overleed.

Grootvader was een lange, magere man die in zijn Oordegems dialect goed kon vertellen en die ik graag beluisterde. Schrijven kon hij alleen zijn naam, lezen kon hij een beetje maar het zal niet veel geweest zijn; maar in de kerk nam hij altijd een misboek mee, een met grote drukletters, hij hield het soms verkeerd; toen ik hem er op attent maakte, stemde het hem korzelig. Hij droeg in de familie de bijnaam van ,,onze grote'' want hij was een uitzondering op de regel van de Elauts die niet van de grootsten zijn; het schijnt dat hij zijn lichaamslengte van zijn moeder had.

Pieter Elaut had van zijn vader het huisweven geleerd. Te Oordegem op De Kluize waren al de mannen wevers. Geen kortwoonst waar geen weefstoel stond, er was wedijver onder hen om het mooiste stuk laken dat ze wekelijks naar Aalst of Gent, zelfs tot in Brussel aan de man trachtten te brengen.

Grootvader vertelde hoe hij als twintigjarige 's vrijdags om vier uur 's morgens vanuit Oordegem met de kruiwagen te voet naar de Gentse Lakenhalle opstapte en daar voor zijn geweven laken kopers zocht, hoe er geboden en afgeboden werd door de voortverkopers en de kleermakers, die er zich in stoffen kwamen bevoorraden. Hij kocht een provisie garen voor een week, en samen met de anderen uit Oordegem, Erpe en Erondegem trokken ze huiswaarts met hun kruiwagen, en de stuivers op zak.

Veiligheidshalve gingen ze in groep, want langs de Brusselsesteenweg huisde een onguur en hongerig volkje, dat het op de geldbeugel van de wevers gemunt had. Op zijn eentje had hij het niet aangedurfd naar huis te keren. Te Melle aan De Appel hielden ze halt en spraken de knapzak aan; om vier uur in de namiddag waren ze weer thuis.

Nog dezelfde avond werd een nieuwe boom opgezet, en 's anderendaags, vóór dag en dauw, winter of zomer, liet Pieter Elaut de schietspoel gaan, vóór het kleine raam gezeten, wanneer het nog donker was bij de brandende lijmstok, die een stinkende rook en een zwak licht in de weefstoel verspreidde.

Met het kleine gewin van de huisweverij, en met hetgeen de landbouw op zijn akkertje opbracht, kon Amand Elaut zijn gezin grootbrengen; een koetje schafte melk en een varkentje schafte spek. Wanneer alles goed ging hadden groot en klein hun buikje vol en konden zij zich warmen bij de haard. Daar werd de paternoster gebeden en commentaar gehouden over het dagelijkse doen en laten van de buurtschap.

Met Driekoningen werden pannekoeken gebakken. Met Oordegemkermis werd een konijn of een haan geslacht, en rijstpap gemaakt. Daarmee was het hoogtepunt van het jaar voorbij, kon de schietspoel snorren, het koren en de aardappelen groeien in weer en wind.

Toen kwamen de hongerjaren van 1844 tot 1848, de aardappelplaag en het teloorgaan van de huisarbeid. Amand Elaut en zijn gezin werd zwaar getroffen. Wanneer mijn grootvader daarover vertelde, en verhaalde hoe ze honger hadden geleden, kwamen de tranen in zijn ogen, en zweeg hij een wijl. Velen gingen uit stelen bij wie het beter hadden; wij hebben het niet gedaan, verzekerde hij met trots, maar met een krop in zijn keel van aandoening, na meer dan zestig jaar.

Tot overmaat van ramp ging het schamel huisje op een nacht in de vlammen op; we moesten in ons hemd bij de buren vluchten en toezien hoe op een half uur heel de inboedel, met twee weefgetouwen door het vuur verslonden werd. We waren de armste mensen van heel Oordegem geworden! Vader overleed kort nadien, en met de stiefmoeder moesten we, zo goed en zo kwaad als het ging, naar een uitkomst zoeken.

De stad lokte. Te Gent waren er textielfabrieken die wellicht wevers konden tewerkstellen. En te Gentbrugge boerde een familielid, een man zonder kinderen, Francis Beeckman. Zou die geen volk kunnen gebruiken dat van werken hield en van de boerenstiel iets afwist? Pieter en August Elaut trokken er met hun zuster Rosalie heen en konden aan de slag. Kort daarop kwam hun halfzuster Stefanie zich bij hen vervoegen in de Kasteelstraat.

Ze hielpen het wrakke boerderijtje er bovenop, ze gingen nog hier en daar de oudere boeren bij oogst-, hooi- en zaaitijd een handje toesteken, ze verdienden een stevige stuiver, ze waren ferme kerels en toffe jongens, ze konden maaien en pikken voor twee, trokken voorbeeldig rechte voren met hun ploeg, ze waren overal katje van de baan.

Toen er in 1848 herrie was geweest in het land en revolutiegeruchten aan de grens gonsden, werd te Oordegem zoals elders een burgerwacht geïmproviseerd. Ze zou langs de Brusselsesteenweg toezicht houden en zodra er onraad was of vreemd gedoe, onmiddellijk rapporteren naar het gemeentehuis. Wapenen had de manschap niet, maar met vorken en gaffels en een band op de mouw van hun blauwe kiel moesten ze het gezag handhaven, en vooral de diligenties in het oog houden, vanaf Oordegemberg tot aan de grens met Wetteren en Melle.

De boerenzonen vonden het niet plezierig, maar ze hielden er de pret in. Een olijkerd als Pieter Elaut werd tot chef van de boerenpatrouille aangesteld en de lol was van de partij. Ik hoor hem nog altijd vertellen hoe hij commandeerde: marche van de kassei, de koets is daar! Of: zachtjes met de kanons, forsig met 't muziek! Hun paramilitaire pomperijen waren van korte duur, want na een paar weken was de rust in het land teruggekeerd.

Pieter en August Elaut en hun zusters Rosalie en Stefanie beredderden de Gentbrugse boerderij van Francis Beeckman, maar hadden er niet genoeg aan voor hun onstuimige werklust. Rosalie trouwde met Karel Haenebalcke, die op de Oude Brusselsesteenweg, vlak tegenover Louis van Houttes bloemisterij een boerderijtje had, maar zijn geld verdiende met op alle boogschieterijen de eerste prijs weg te kapen. Stefanie verrichtte dienstbodenwerk op de gemeente. August werd tuinier op het kasteel van de Voordries.

Pieter ging in het boeren op, deed de melkronde, verzorgde het vee en was manusje van alles. Hij zocht stilaan naar zelfstandigheid want hij vond dat hij op eigen benen kon staan, maakte in 't Klein Begijnhof waar hij melk bracht kennis met een vrome dochter die de huishouding verzorgde bij een alleenwonend begijntje.

Het verder beloop van de fysiologische onderstromingen die het levenslot van elke sterveling bepalen, naast de samenlevingsinstinkten die de mensen naar elkaar stuwen, maakten dat er huwelijksplannen gesmeed werden en dat Pieter Elaut op 12 mei 1858 op het gemeentehuis van Gentbrugge trouwde met Johanna Catharina van Damme, en op 18 mei in de parochiekerk door pastoor Ch. Welvaert met haar in de echt verenigd werd.

Toen ze ten ondertrouw bij de pastoor gingen, vroeg de parochieherder aan grootvader hoe hij zijn christelijke plichten kweet en of hij dagelijks zijn gebeden bad. Waarop Pieter antwoordde dat zijn aanstaande vrouw een zeer godvruchtig mens was, en bad voor twee. Aan antwoordparaatheid heeft het de Elauts nooit ontbroken.

Ze trouwden bij Francis Beeckman in, maar keken ondertussen naar een ander nestje uit, omdat ze liever op eigen vleugelen wilden vliegen. De kans deed zich kort nadien voor: het jonge paar trok naar Gent op de Visserij, en begon daar een boerenbedrijf met warmoezerij. Het viel mee, ze werkten vlijtig, vergaarden een appeltje tegen de dorst, kochten er hun eerste kinderen. Daar werd hun oudste zoon, Gustaaf, op 1 juli 1860 geboren, en daags nadien in St.-Baafsparochie ten doop gehouden. Hij was mijn vader.

*

* *

Nu moet ik mijn grootmoeder van vaderszijde ten tonele brengen, de echtgenote van Pieter Elaut.

Zij stamde uit de kleine burgerij van de Oostvlaamse Denderstreek, blijkbaar met meer wind in de broek dan met centen in de beurs, en die om redenen waarover grootmoeder niet veel losliet, wat vervallen was. Zij heette Johanna Catharia van Damme, was te Voorde op 11 maart 1826 geboren als dochter van Celestinus van Damme en Coleta Zerck. (Zo luidt de spelling op het huwelijksboekje, maar in de stamboomgegevens van de familie is het altijd ,,Serck'').

Celestinus was kantonnier en zijn vrouw vanuit tamelijk goeden doen. Zij hadden een gezin van zes dochters. waarvan Catharina de derde was. Zij hadden het niet breed maar hielden er toch een zekere air van vervlogen standsvoornaamheid op na. Ze spraken graag over de rijke lui van de streek, ze maakten dat hun kinderen konden lezen en schrijven, ze leerden hun wat werken was. Celestinus stierf toen hij pas vijfenveertig was. Zijn weduwe was verplicht voor haar oudste dochters een baan te zoeken om het gezinsinkomen op peil te houden, en aan iedereen het zijne te kunnen geven.

De derde dochter kwam te Gent in het Klein Begijnhof, en werd aan de goede zorgen van een rijk begijntje toevertrouwd. Zij was iets minder dan gezelschapsdame, maar iets meer dan dienstmeid. Het maandloon van twintig frank ging naar Voorde en kwam best van pas.

Catharina leerde Gent en het wereldje van het Klein Begijnhof kennen, werd in het vrome spoor gehouden, ging wel naar vespers en lof, maar kreeg geen begijnengedachten. Ze zette haar zinnen op Pieter de melkboer, trouwde uit bij begijntje Recq, zorgde dat haar jongste zuster, Virginie, haar plaats kwam innemen en verhuisde naar Gentbrugge.

Zo voer het gezin Pieter Elaut-Catharina van Damme op hoop van zegen in het jaar 1858 de lotgevallen tegemoet. Een tijdje later zaten ze weer op de Visserij, ze boerden en warmoezenierden, kregen kinderen en waren tevreden. Pieter zwoegde voor vrouw en kroost, moeder Katrien stond aan het roer van de boot, ze hield dat roer in haar handen en deed zoals de sterke vrouw van de Bijbel.

Hiermee heb ik mijn voorzaten aan vaderszijde voorgesteld, en ze, binnen het raam van hun kleine belangetjes, aan hun eigen beperkte gezichtskring gebonden wezens, in de samenleving van hun tijd geplaatst. Hoe stond het aan moederszijde?

MIJN VOOROUDERS AAN MOEDERSZIJDE

Mijn moeder was een Maertens.

De familie was omstreeks het jaar 1815 uit dat deel van Oostakker dat sinds 1875 de zelfstandige gemeente St.-Amandsberg is, naar Gentbrugge komen wonen. Het was een zekere Livinus Maertens, metser van beroep die daar zijn geluk beproefde, een goede broodwinning en een huisvrouw vond.

Hij vestigde zich bij het dorpsplein, liet zich liever aannemer dan metser noemen, was bovendien herbergier en een stukje boer, hij stond zijn man in de gemeenteraad en wist van aanpakken. Na enkele jaren had hij het zover gebracht dat hij de bezitter was van een strook grond en woningen vanaf de Kerkstraat tot aan de Snoekstraat, of zo als het in de familie mondgemeen was, vanaf Het Zwaantje tot aan De Snoek, twee van ouds bekende Gentbrugse stamkroegen. Daar woonde hij in een van zijn huizen.

Hij had een gezin van vijf kinderen. Wanneer de tijd daartoe gekomen was, fladderden zij uit het ouderlijke nest, niet te ver vandaan, de zoons bleven te Gentbrugge hangen, terwijl de dochters hun echtelijke gading te Ledeberg vonden. Ze trouwden, de ene met een zekere Ivo van Driessche, de andere met een zekere Jules Praet.

Een van de zonen van Livinus Maertens was Augustinus, niet te groot van scheut schijnt het, maar nogal aan de vinnige kant. Hij werd te Gentbrugge geboren op 24 november 1826, op het gedoente van zijn ouders, tussen De Snoek en Het Zwaantje, op de plaats waar de toenmalige Ongerijstraat begon en samen met de Kerkstraat een ronde hoek vormde, op vijftig meter van de oude kerk en het hek van het kerkhof. Een echter Gentbruggenaar dan mijn grootvader Augustinus Maertens kan iemand moeilijk zijn.

Er waren op dat moment te Gentbrugge achthonderd inwoners. Daar er ter plaatse geen school bestond, trok Stien met zijn broers en zusters elke dag te voet op hun holleblokken naar St.-Pieters te Gent, waar de familie Piers de Raveschoot een schooltje voor volksonderwijs in stand hield. Ze leerden goed lezen, schrijven en rekenen, ze waren daar bijzonder fier op, want het was te Gentbrugge geen algemene regel.

Augustinus werd metser-aannemer zoals zijn vader, maar aangezien de plaatselijke bouwlustige klandizie onder zijn broers verdeeld geraakte zodat voor hem maar een mager broodje overschoot, zocht hij een bijverdienste in de landbouw en vond hij wat hij nodig had om als zelfstandig man door het leven te gaan: een geschikte boerenplaats.

Hij stapte in het huwelijksbootje met Stefanie Elaut, de halfzuster van die andere Gentbrugse boer Pieter Elaut, die bij de Kasteelstraat zijn bedrijf had. Stefanie was te Oordegem geboren op 11 maart 1835. Met haar broers kwam ze te Gentbrugge in de jaren 1850 werkgelegenheid zoeken wanneer het verloren gaan van huisarbeid de buitenlieden het leven moeilijk had gemaakt.

De boerderij van het gezin Augustinus Maertens-Elaut was niet al te groot. Ze lag in Den Bosch, midden in het agrarische Gentbrugge, langs de aardeweg naar Heusden, vlak bij het domein Conincksdonck. De kasteelheer P. de Sloovere was de eigenaar van de hoeve en een deel van het land. Hij had de reputatie een hard, winzuchtig man te zijn. Die niet onverdiende roep hangt nog altijd als een kwade herinnering na bij wat, na honderd jaar, aan boeren te Gentbrugge overgebleven is.

De Sloovere had zijn reuzenfortuin met de vlashandel opgebouwd, hij kon een vijfde van het Gentbrugse grondgebied zijn eigendom noemen, en oefende een schrikbewind onder de pachters uit; ze hadden maar één verlangen, zo gauw mogelijk uit zijn klauwen verlost te zijn en het elders te proberen. Grootvader Augustinus Maertens maakte van de nood een deugd, maar zwoer in zijn binnenste dat hij zich niet eeuwig door ,,Sloover'' zou laten ringeloren en op de kop zitten. Hoe hij daarin schitterend geslaagd is, vertel ik zo.

Op tweehonderd meter van hun huis, bij dezelfde Heusdense aardeweg, wat meer dorpwaarts, lag een bloemisterij met een paar hectaren grond, waarvan de eigenaar op de fles was gegaan. Iedereen zegde: dat ontsnapt aan de klauwen van De Sloovere niet. Stientje Maertens zei niets, maar trok naar notaris De Nayer, en wat daar werd bedisseld mogen alle sluwerds gissen. Een stroman die De Sloovere evenmin in zijn hart droeg, al had het er de schijn niet van, kwam op de openbare verkoping van het goed tegen de smous van Conincksdonck zodanig opbieden dat die er niet wijs uit werd, vermeende dat die man het voor eigen gebruik deed, dus in elk geval de zaak aan Maertens ontsnappen zou; hij zag van verder bieden af.

Wanneer het uitkwam dat Maertens toch de nieuwe eigenaar was, droop De Sloovere af als een geslagen hond. De andere boeren lachten in hun vuist. Stientje Maertens verkocht De Snoek, behield Het Zwaantje en betaalde tot de laatste frank. Hij verhuisde zodra hij kon, betrok de vervallen bloemisterij, maakte er een ordentelijke hofstede van; hij weigerde De Sloovere geen goedendag, maar genoot in stilte van het succes. Dat gebeurde in 1881.

In Den Bosch hernam alles zijn gewone gang. Maertens stond erop aan zijn kinderen een goede opvoeding te geven door ze naar een betalende school te laten gaan, en zelfs de meest begaafde van zijn dochters naar de Normaalschool van St.-Niklaas te sturen, waar ze een diploma van onderwijzeres haalde.

Het gaf hem een zeker aanzien in het dorp. De pastoor die een nieuwe kerk bouwde, kwam erop af en wist ondanks veel gezucht van moeder Stefanie, doch met goedvinden van Augustinus, honderd frank voor het huis van God los te krijgen. Wellicht ter wille van die vrijgevigheid werd grootvader een tijdje later tot lid van de Gentbrugse kerkfabriek gepromoveerd. Was hij niet een voorbeeldig huisvader met een gezin van acht kinderen, zes dochters en twee zonen?

Een van die dochters, de tweede, was mijn moeder, Julie Maertens. Ze werd te Gentbrugge geboren op 3 augustus 1868, in Den Bosch, op de boerderij die haar vader toen van kasteelheer P. de Sloovere pachtte.

Den Bosch was tot in het begin van deze eeuw, toen ik er als knaap uit de boerenstand honderden keren in alle seizoenen kwam en ging, een heerlijk stuk natuur. Tot omstreeks het jaar 1875 paalde de wijk aan een van de menigvuldige kronkels van de Schelde, voordat de rivier ten zuiden van Gent werd rechtgetrokken en een minder grillige bedding kreeg.

De boerderij van mijn grootvader lag aan het jaagpad, waar de scheepstrekkers de aken voortsjouwden toen er nog geen stoomtractie bestond. De naaste buur was een beruchte kroeg, De Zwarte Flassche, een pleisterplaats voor de scheepstrekkers, waar de ploegen elkander aflosten. In de tapperij werd geborreld, gekwanseld en gedobbeld; achtervolgde wildstropers vonden er een schuiloord en de boerenknechts stonden bij Treze in het krijt. Op elk uur van de dag en de nacht was er logies te vinden op de hooizolder.

De Zwarte Flassche was een rustpunt voor zwervers en wandelaars, ze stond op de Belgische legerstafkaarten tot in 1930, toen ze al lang verdwenen was, aangetekend als „cabaret''. Voor de Gentbruggenaars die naar Heusden wilden, was ze een trefpunt. Telken jare grepen er op het einde van de meimaand de grasvendities plaats, en met de wijkkermis, het Zomerlief genaamd, werd er in een tent gedanst.

Wanneer de doorsteek van de Schelde een feit was, en de overblijvende dode arm van de stroom stilaan gedempt werd, stond men voor één grote vlakte van tweehonderd hectare, een echt paradijs voor vogels en wild, een onoverzienbare weide waar gemaaid en gehooid werd, waar van juni tot september alle geuren van Gods wijde natuur in de lucht hingen. Er woonden slechts boeren in Den Bosch, de enige verbinding met de buitenwereld was een onverharde veldweg waar de zware karren sporen nalieten en die 's winters tot een echte modderweg ontaardde.

Die weg was in de jaren 1890 het twistpunt van de Gentbrugse dorpspolitiek. De boeren uit Den Bosch vroegen allang een harde bestrating, maar burgemeester K. de Guchteneere stak er een stokje voor: waarom hadden de boeren een kasseiweg nodig, ze reden toch al honderd jaar en meer naar hun land zonder die kasseiweg!

Grootvader Stientje Maertens nam dat niet. Toen zich te Gentbrugge een politieke partij aanmeldde die de bestrating van Den Bosch in haar kiesprogramma opnam, was hij haantje-de-voorste om voor die partij bij de andere boeren propaganda te maken. Maar hij stond op gevaarlijk terrein. Pastoor Simoens was met de nieuwlichters van het zogenaamde Gemeentewelzijn niet bijzonder opgetogen, omdat hij de geestelijke belangen van zijn schapen niet beveiligd achtte. Hij oefende druk uit op grootvader.

Nadat de stembrieven geteld waren kwam het Gemeentewelzijn zegevierend uit de kiesstrijd, en werd zijn lijstaanvoerder de liberaal Edmond Block burgemeester in 1892. Het werd nu voor Stientje Maertens buigen of barsten. De brave man die met zijn groot gezin elke avond rond de haard de rozenkrans bad, werd verplicht ontslag te nemen als lid van de kerkfabriek. Omdat hij iets aan het wankelen had gebracht, zoals dat thans heet. Ik geef er niet veel om, sprak hij zichzelf moed in, wat zat ik daar te doen, pastoor Simoens spreekt Frans met mijnheer Lefèvre, en ik versta ze niet.

De harde steenweg in Den Bosch was er binnen het jaar, het zijn nog altijd dezelfde kasseistenen van 1892, vanaf de Krekelstraat, waar de viaduct van de E3 begint, tot aan Heusdenbrug. De automobilist van 1978 die voorbij Coninckdonck passeert, weet er alles van.

Dat was mijn grootvader aan moederszijde. Grootmoeder was een zorgzame, eerbare vrouw die haar man naar de ogen zag. Samen hielden zij hun zes dochters op het pad der deugd, geen een is mislopen of is moeten trouwen, zo pochte mijn moeder toen ze al tachtig jaar was; ze was er fier op, niet iedereen op Gentbrugge kon dat zeggen, voegde ze erbij, want het is gebeurd dat drie van de acht Lievevrouwmeiden die in de processie het Mariabeeld hielpen dragen, binnen het jaar moesten trouwen.

Beproevingen werden Stientje Maertens en zijn vrouw niet gespaard. Florimond, de enige zoon die volwassen werd en de spil was van het boerenbedrijf waar het aan geen vrouwvolk ontbrak en al vrijers over de drempel kwamen, stierf aan een longontsteking op vierentwintigjarige leeftijd. Het was een harde slag waar het gezin lang onder leed. Stientje Maertens droeg zijn leed met de stoicijnse gelijkmoedigheid van de echte christen. Hij boerde voort met zijn dochters, tot hij uitverkocht geraakte en naar het dorp ging rentenieren in zijn geboortehuis, tussen De Snoek en Het Zwaantje. Hij stierf er op 12 maart 1900.

*
* *

Vermits ik in dit familieverhaal over mijn grootouders en ouders niet alles tegelijkertijd vertellen kan, moet ik, om orde op zaken te stellen, de draad van het relaas hervatten waar ik hem verlaten heb, in het begin van de jaren 1860 toen Pieter Elaut met zijn jonge vrouw, kort na hun huwelijk, op de Gentse Visserij was gaan wonen.

De naam Visserij gold in die tijd voor de twee oevers van de rivier. De oostelijke oever is sedertdien de Lousbergkaai geworden, omdat daar het Lousbergsgesticht werd gebouwd, een hospitium voor invalide textielarbeiders, dat thans een rusthuis voor bejaarde mannen en vrouwen is. Om voor dit gesticht plaats te maken, werden gronden onteigend en moesten de omwonenden verhuizen. Voor het gezin Pieter Elaut was het maar een halve tegenslag. De Gentbrugse verre neef, Francies Beeckman, een Napoleonist, werd een dagje ouder en kon het op zijn hoeve niet langer bolwerken; hij had geen kinderen, zijn vrouw was gestorven en hijzelf kon moeilijk uit de voeten. Hij wenste zijn zaak over te laten, maar zou graag op het erf blijven inwonen. Dit bleek geen onoverkomelijk bezwaar te zijn, er was plaats genoeg.

De overname werd geregeld en Pieter Elaut kwam in 1865 naar de Gentbrugse Kasteelstraat. Hij was nu een echte landbouwer met een bedrijf van twaalf hectare magere grond maar met goede gebouwen, en een vaste melkronde. Hij nam er een knecht bij, moeder Katrien zorgde voor het beleid en haar man voor de veldarbeid, er kwamen nog een drietal kinderen bij; malheuren in de stallen bleven niet uit, maar al bij al zagen de mensen dat Pieter Elaut flink boerde, de wind in de zeilen had en een goede boterham verdiende.

In tegenstelling met Stientje Maertens, mijn moeders vader zat mijn vaders vader niet op zijn eigen hofstede. Hij had er geen complexen van waardoor hij zich minderwaardig ten opzichte van de anderen voelde.

Het was te Gentbrugge een uitzondering dat een boer geen huurpachter was. De ontwikkeling van de sociale en politieke omstandigheden had gemaakt dat de meeste Gentbrugse gronden die ooit tot het onroerend bezit van abdijen of van de adel behoord hadden, werden opgekocht door de nieuwe rijken dic de Franse bezetting uit de grond had gestampt. Velen hadden rechtstreeks of onrechtstreeks een stukje uit de koek van het zwarte goed meegehapt en waren een aparte klasse gaan vormen, die er in het algemeen warm inzat.

Heel het grondbezit van het landelijke Gentbrugge vond daarin zijn oorsprong. Nauwelijks zou men maar een paar eeuwen moeten achteruitgaan om vast te stellen dat de Keiberg en de Zandvleug, waar mijn grootouders hebben gezaaid en geoogst, ooit deel hebben uitgemaakt van seigneuriale of abbatiale bezittingen. De meeste nieuwe grondbezitters vestigden een buitenverblijf te midden van hun goed, leefden als landheren van wat de pacht opbracht, kwamen er jagen en bevoorraadden zich in dienstmeiden en allerlei voordelige karweitjes.

Mijn grootouders hadden een ingeboren eerbied voor hun landeigenaars. Dat behoorde tot hun opvatting van de welgemanierdheid die zij hun kinderen inprentten, en tot hun verlangen van niet tot het gemene volkje gerekend te worden. Zowel van moeders- als van vaderszijde waren zij daaraan zeer gehecht, maar het ontaardde nooit tot ogendienst. Zij namen geen blad voor de mond om het een kasteelheer te zeggen of hun kantje te verdedigen, maar ze deden het altijd op een beleefde manier.

Hun dochters hebben ze nooit gaan laten dienen op het kasteel, daar waren ze in de grond te fier voor, en ze wisten bovendien maar al te goed dat sommige kasteelheren en hun jonge zonen van boerensnoepgoed hielden. Wij zijn boeren, orakelde Stientje Maertens, maar fatsoenlijke boeren. Wanneer de heer Groverman een kindermeisje vroeg aan moeder Katrien, klonk het kordaat maar beleefd: ,,Dat nooit, mijnheer, ik kan mijn dochter te huis best gebruiken''. En gaan deed die dochter niet.

Maar wanneer een zoontje van mevrouw Lauwick tegen de pokken moest ingeënt worden en de vaccinatie van arm op arm nog de voorkeur genoot, was dezelfde grootmoeder bereid een van haar jongens die juist een koepok op zijn arm droeg daarvoor ter beschikking te stellen. Die royaal toegestane gunst werd even royaal door de edele dame met een gouden napoleon beloond. Maar een van haar dochters mocht niet op het kasteel gaan dienen.

Kasteelheren hadden het niet zelden op hun manier met elkaar aan de stok. Mijnheer Groverman, een messire, kon mijnheer Lefèvre, een ridder, moeilijk luchten omdat die een sportje hoger op de ladder van de adel stond. Om mijnheer de ridder te duivelen liet messire op zijn grond een rij van twaalf proletarische huisjes bouwen op minder dan honderd meter van de ridderlijke woning. De huurders van die huisjes betaalden een maandelijks huurgeld van tien frank; dit bedrag werd tot acht frank verminderd, wanneer de huurders in hun stalletje een geitebok hielden. De bedoeling was de heer ridder bestendig aan de onfrisse uitwasemingen van de geitebokken te herinneren.

*

* *

Grootvaders oudste zoon, Gustaaf, die een snuggerd was, mocht te Gent naar de Rijksmiddelbareschool om zich een beetje bij te werken in het Frans, en de meisjes gingen naar de gemeentelijke dagschool waar ze uitmuntten in vlijt en godsvrucht.

Grootmoeder Katrien was een stipte huisvrouw, ze week niet af van nauwgezette opvoedkundige regels en gaf de atavistische deftigheid der Van Dammes uit Voorde niet prijs. Ze had een afschuw van platte boersheid en wilde dat het er in haar huis fatsoenlijk toeging. Boven de deur hing de bekende muurplaat met een open oog in de driehoek en de spreuk: God ziet mij, hier vloekt men niet. Zij stond er letterlijk op, zowel tegen eigen volk als tegen vreemden die in huis kwamen. Haar twee jongste dochters traden in het klooster te Viane-Moerbeke, waar ze heen geloodst werden door een oudere kennis die de kunst verstond nonnen en paters aan de haak te slaan.

Grootmoeder was in de hoogste hemel, maar Pieter Elaut vond dat hij vier armen op de boerderij moest missen, en dat de meegegeven kloosterlijke bruidschat van vierduizend frank op drie jaar tijds (in 1884 en in 1887) nogal gepeperd was. Zijn vrouw bracht hem tot zwijgen en samen gingen ze de postulanten, die nog geen twintig jaar oud waren, aan Moeder-Overste te Viane afleveren. Ze zijn daar als de gelukkigste zielen ter wereld hun hele leven gebleven en overleden na meer dan vijfenzeventig jaar kloosterleven, de laatste in 1964.

Mijn vader en moeder hebben vanaf hun jeugd, tussen de ervaringen die boerenkinderen van christelijken huize in goede en kwade dagen meemaken, slechts één akelige herinnering bewaard: die aan de beruchte schoolstrijd welke in het land beroering bracht, veel fanatisme heeft gekweekt, families tegen elkaar in het harnas heeft gejaagd en pijnlijke indrukken op het gemoed van hen die erbij betrokken waren, heeft nagelaten.

Bij mijn moeder in het bijzonder ging een griezel door haar leden, wanneer zij vertelde hoe zij de officiële gemeenteschool moest verlaten, nadat de onderpastoor haar vrome ouders onder druk was komen zetten. Op die officiële school werd catechismusles gegeven, werden de gebeden aangeleerd, werd vóór en na de klas rechtstaand gebeden. Zo'n goddeloze school moest moeder verlaten, wilde zij niet met een scheef oog bekeken en de sacramenten ontzegd worden, later niet kerkelijk huwen en niet kerkelijk begraven worden.

Als deemoedige christenen zonden Stientje Maertens en Pieter Elaut hun kinderen naar een zogenaamde christelijke school; de kinderen vonden dat het onderwijs er minder goed was en dat het godsdienstonderricht geen haar verschilde met wat ze in hun vroegere niet-christelijke school hadden ondervonden.

Het voor indrukken en aandoeningen ontvankelijke gemoed van kinderen tussen twaalf en vijftien jaar werd door alles wat de schoolstrijd van 1879 tot 1884 meebracht, geweldig geschokt. Ze hebben frustraties ondergaan die ze moeilijk zijn kwijtgeraakt, ze hadden dingen meebeleefd die ze in de oprechtheid van de hun op alle tonen ingeprente christelijke waardigheids- en verdraagzaamheidsprinciepen, bezwaarlijk konden goedkeuren. Zij hebben die frustraties nooit verkropt of het stilzwijgen kunnen opleggen. Mijn vader die een diepgelovig man was, en daar meer dan eens blijk van gegeven heeft in zijn negentigjarig leven werd altijd opstandig wanneer hij over de schoolstrijdjaren sprak.

Toen hij in 1882 te Brussel in de grote betoging tegen het ministerie van de goddeloze scholen mede opmarcheerde en tegen het schorremorrie vocht om aan de afranseling te ontsnappen, was hij nooit te spreken over de dweepzucht van sommige katholieken; ze hadden stinkend ongelijk het op die onchristelijke wijze op de spits te drijven, waren zijn eigen woorden. Hij moest de Rijksmiddelbareschool verlaten voor het St.-Lievensinstituut, waar hij niet aardde en als een verlopen geuzenboertje werd bejegend. Toen de keus voor een college voor mij ter sprake kwam, wilde hij van St.-Lievens niet weten. Zo diep zat het er, na veertig jaar, nog in.

Was het dan te verwonderen dat hij het met de gemeenteraadsverkiezingen van 1891 met zijn eigen vader en met Stientje Maertens op wiens dochter hij een oogje had, opnam tegen de willekeur van burgemeester Karel de Guchteneere en voor het onklerikale Gemeentewelzijn van Edmond Block stemde, onder de leus: een kassei in Den Bosch?

WERKEN, SPAREN, VERKEREN, TROUWEN

Naarmate Gods zon op Gods bomen en landen scheen, en Gods water over Gods daken liep, waren te Gentbrugge, zowel in Den Bosch als in de Kasteelstraat, twee boerenfamilies flink uit de kluiten gegroeid. Ze waren met elkander verwant. Pieter Elauts halfzuster was met Stientje Maertens gehuwd; ze kwamen goed overeen, maar liepen elkanders drempel niet plat. Wanneer het spande op het veld, staken ze elkander een handje toe, en betaalden zo met gesloten beurzen.

Ze leefden mee met de gebeurtenissen in buurt of gemeente, en stonden hun stuk in de samenleving. Mijn vader had een mooie baritonstem en werd door de koster voor het doksaal aangeworven. Hij pochte er zijn leven lang op dat hij ooit met de jonge Emiel Hullebroeck in het Gentbrugse parochiekoor gezongen had. In de Neerschelde, de dorpsfanfare, ging hij vroeg op. Eerst speelde hij bugel, maar met zijn twintig was hij trombone. Hij was er trots op dat hij in het jaar 1876 in de lijkstoet van burgemeester Louis van Houtte de treurmars hielp spelen.

In 1879 zou hij loten. Zijn moeder vond het erg als hij een dienstplichtig nummer zou trekken en had voor hem een man gekocht, zoals dat heette, die tegen twaalfhonderd frank in zijn plaats militaire dienst zou doen. 't Viel echter mee; hij trok nummer 222, was vrij van legerdienst, maar de twaalfhonderd frank waren eraan besteed. Voor zijn broer Emiel ging het op dezelfde manier, die trok er zich uit met nummer 162, en de twaalfhonderd frank waren ook gaan vliegen.

Het spreekt vanzelf dat het gezelschapsleven van levenslustige jonge mannen in de laatste decennia van de negentiende eeuw anders was dan nu, maar het liet hen niet ongemoeid. Zelf kwam Pieter Elaut graag onder de mensen, en de oudste zoon had een aardje naar zijn vaartje. Werken tijdens de week, maar de boog mag niet altijd gespannen staan. Wanneer thuis het signaal op veilig stond en op het veld of in de stal geen onraad broeide, ging het erop los. In alle deftigheid, geen loederswerk, vermaande moeder Katrien, maar luidruchtig mocht het, als het werk er niet onder leed.

De Neerschelde die in haar glorietijd van het ene festival naar het andere trok, nam onder meer deel aan een concertdag in het Zeeuwse Middelburg en plukte er lauweren. Na de uitvoering zaten de muzikanten op de Markt een glaasje te drinken en geraakten in een kijfpartij gewikkeld met verhitte Hollanders. Een van hen schimpte op vaders neus, die inderdaad niet van de kleinste was, waarop vader met de gevatte tegenstoot antwoordde: dat is een neus zoals die van mijn koning, van wie de uwe een schop onder zijn botten heeft gekregen. De Gentbruggenaars werden door de muziekmeester weggeloodst ten einde erger te voorkomen.

Vader was nogal vaak degene die de laatste man de zak opgaf, maar 's anderendaags was hij de eerste uit de veren.

Wanneer op de Arsenaalwijk een nieuwe kerk gebouwd werd, was vader erbij of omtrent voor alle goede diensten. Pastoor Henri Bouckaert had aan zijn onderpastoor L. Geltmeyer met wie hij overhoop lag, de bouwtaak opgedragen, maar hem geen geld gegeven. Die onderpastoor was een fantastisch iemand, die uit alle hout pijlen wist te maken. Bij de Brusselsesteenweg maakte hij een kwezel een stuk grond op christelijke wijze afhandig, verkocht en ruilde zo behendig dat hij de vrome zielen een aardig sommetje afsnoepte zonder zijn pastoor lastig te vallen, en hij daarmee de meester van de situatie bleef.

De Sperre, zo heette die onderpastoor in de wandeling vanwege zijn lange gestalte, toog aan 't werk, mobiliseerde aannemer, metselaars en timmerlui, kroop zelf op de stellingen, commandeerde, predikte in een afgedankte danszaal die als noodkerk dienst deed, dat men 't ijzer moest smeden terwijl het heet was, gaf vanop zijn preekstoel elk zijn taak. De boeren zouden stenen vanuit de steenbakkerijen bij de Schelde aanvoeren, hout op de Dok gaan halen, dakleien in het station gaan lossen.

Pieter Elaut en zijn zoon kregen ruim hun portie. Vader moest, met paard en kar, vanuit St.-Pieterskerk veertig afgedankte kerkstoelen naar Gentbrugge halen, en van Mariakerke een gammele biechtstoel. Wanneer het klokje in het goederenstation aankwam, werd hij aangewezen om het met de kruiwagen op zijn plaats te brengen. De vriendschap met De Sperre werd door niets verstoord, de twee verstonden elkaar best. Toen in de jaren 1930 aan een straat naast St.-Eligiuskerk de naam van Pastoor H. Bouckaert gegeven werd, meende vader dat het onverdiend was en liet het horen: de enige naam die hier past is die van onderpastoor L. Geltmeyerstraat, zegde hij luidop. Het was te vergeefs.

Zo reilde en zeilde het op dat hoekje van een Gentse randgemeente, zo wentelden kleine dingen onder kleine mensen in een grote wereld, overeenkomstig de onberekenbare drijfkrachten die van de natuur, van de endocriene klieren, van de sociale instincten uitgaan en hun determinerende prikkels op de mens in daden omzetten.

Mijn grootouders hadden hun rol grotendeels uitgespeeld, rijk waren ze met hun handenarbeid niet geworden, wel hadden ze door hun arbeid op de Vlaanderse zandgrond van de Keiberg, een klein bezitje bijeengezwoegd en bijeengehouden over alle lotgevallen van ondankbare ekonomische omstandigheden heen. Hun droom was aan hun kinderen meer na te laten dan hetgeen waarmede zijzelf begonnen waren. En ze zijn daarin geslaagd.

Stientje Maertens, met zes dochters op zijn eigen gedoente had het niet gemakkelijk. Toch hield hij het hoofd boven water, kon hij zijn stand ophouden en ten slotte op het dorp met zijn vrouw op hun goed gaan leven. Pieter Elaut legde het met zijn energieke vrouw zo aan boord dat zij op de Keiberg, die zij letterlijk met het zweet huns aanschijns hadden gedrenkt, een rij woningen lieten bouwen waar zij hun spaarcenten instaken met de hoop op hun oude dag van de opbrengst te leven.

Dat het een onaanvechtbare investering was, zou na honderd jaar nog volop blijken. Zijn kapitaal op het Grootboek uitzetten tegen twee ten honderd rente, trok Pieter Elaut en zijn vrouw maar matig aan. Als ze het toen niet bij het goede eind hadden gehad, zouden hun kinderen ten laste van het Armbestuur in de wereld achtergebleven zijn. Boeren bezitten vaak het vermogen verderop liggende dingen te zien en scherp te onderscheiden. Is het intuïtie, of is het de aartsvaderlijke gave van inzicht, begrip, geestelijke beheersing in haar allereenvoudigste vorm?

*

* *

Intussen draaiden te Gentbrugge de twee nog bestaande windmolens voort en maalden ze langzaam hun meel, terwijl de bloemisterijen als paddestoelen uit de grond opschoten, welig bloeiden, jaarlijkse kooplieden uit Duitsland en Engeland naar de gemeente lokten en grote hoeveelheden sierplanten naar alle hoeken van het Europese Westen verzonden. Louis van Houtte, de schepper van die weelde, stond in het brons gestandbeeld op de plaats waar hij weleer zijn befaamde inrichting het aanzijn had gegeven.

Maar de wereld kan zich niet instandhouden zo er niet getrouwd wordt. Mijn grootouders die met huwbaar volk thuis zaten, wisten er alles van, want de vrijers kwamen erop af. Julie, een van die dochters, werd het hof gemaakt door een boerenzoon uit Melle, maar toen hij vroeg hoeveel zij meebracht, kreeg hij op staande voet de bons met het antwoord: ,,Als je mij neemt voor mijn geld, krijg jij de rest ook niet''. De oude Maertenstrots zat erin.

Pieter Elauts oudste zoon bleef op de pachthoeve van de Kasteelstraat en zette met zijn vader en moeder het bedrijf voort; hij beredderde veld en stal, verzorgde de melkronde, scheen niet gehaast om zijn zinnen op een vrouw te zetten. Niet dat de nood wet breekt, maar hij zag op de duur in dat hij het nest uitvliegen moest. Hij loste het anders op en bracht zijn levensgezelllin naar het eigen nest.

Na het avontuur met Charles L. Everaert, scheen het in de familie een uitgemaakte zaak dat hij aan Julie van Stientje Maertens een uitstekende vrouw zou hebben. Zelf vond hij ze niet mis, maar zette er geen spoed achter. Julies zusters haalden de neus op als neef Gustaaf te dikwijls op bezoek kwam, en dat de huwelijkskandidaat een halve neef van de Maertens was, stond ze helemaal niet aan, ze hoopten in stilte dat het spreekwoord van ,,neef en nicht vrijen dicht, maar trouwen niet licht'' zou bewaarheid worden. In de hooi- en oogsttijd, wanneer er veel werk was in Den Bosch, kwam Gustaaf een handje helpen, maar in het stille jaargetijde zag men hem niet zoveel. Dat duurde zo een jaar of twee en van trouwen werd weinig gesproken.

Tot het opeens menens werd. De bezoeken namen toe en beiderzijds zagen de ouders in dat men de jongelui best hun gang kon laten gaan, ze waren oud en wijs genoeg om te weten wat ze deden; ze waren de jongste niet, hij was zesendertig, zij achtentwintig, toen de beslissing viel; ze gingen er allebei over akkoord dat het de liefde was die ze al zolang naar elkander bracht. De bruidegom woonde één kilometer van de bruid, er lag meer dan één water tussen hen, het waren zeven sloten, niet zeer diep, en die moest Gustaaf over wilde hij zijn Julie in Den Bosch een bezoekje brengen.

Over hun bloedverwantschap maakten de huwenden zich niet druk, ze wimpelden de bezwaren af met de uitvlucht dat ze in de grond maar halfneef en -nicht waren.

Bij de pastoor ging het minder vlot, want er moest te Rome ontheffing van een zeker kerkelijk voorschrift aangevraagd worden. Na een maand kwam de dispensatie. Van het paar werd verwacht dat zij Sint-Pieterspenning met een bijdrage zouden indachtig zijn, die de pastoor moest bepalen. Vijftig frank vonden ze gepeperd, maar de bruidegom zei dat zijn bruid hem meer waard was. Pastoor Simoens vond het ook en, voegde hij erbij: als ge ooit een zoon krijgt, geef hem de naam van de paus. Ik was die zoon, en zo draag ik de naam van het toen regerende opperhoofd der Heilige Roomse Kerk, Leo XIII. Mijn tweede naam, Jozef, hebben mijn tantes-nonnen, uit vroomheid voor de kuise echtgenoot van Maria, op voorhand bedongen.

Er werd getrouwd. Op het gemeentehuis werden de zaken op een namiddag tussen twee boodschappen in afgewikkeld. Het trouwboekje draagt, i.d. 2 september 1896, de stempel ,,Administration Communale de Gendbrugge (Fl. Or.)''. Het kerkelijk huwelijk werd ingezegend in de St.-Simon en Judaskerk van Gentbrugge Center, parochiekerk van de bruid, op 3 september 1896. Pastoor Simoens schreef onderaan op het trouwboekje: Contraxerunt coram me.

Veel drukte werd er niet gemaakt, een misje te zes uur in de morgen was evengoed als een mis met meer beslag. Koster Teurrekens stond in het kerkportaal te kleppen toen het paar met de getuigen uit de vigilante stapte. Vader vroeg of hij de kosten van de dienst kon regelen. Het kon: negen frank. Ze werden fluks betaald, plus één frank drinkgeld. De overgelukkige koster is pas omstreeks de middag van die royale fooi uit De Snoek thuisgeraakt.

Een huwelijksreis was niet voorzien, doch het paar vertrok met de trein van halfnegen uit Merelbekestation naar Viane-Moerbeke, op bezoek bij de twee zusters van de bruidegom, die daar in het klooster waren. In de kussens van de toenmalige tweede klas, heen en terug tegen vier frank per persoon. Ze kwamen in de avond, bij donkeren terug. Vaders nieuwe schoenen hadden hem de gehele dag zozeer gekweld, dat hij er niets beters op vond dan het schoeisel uit te trekken en een eind blootsvoets over de kouterslagen van de Keiberg naar huis te gaan. Ze namen hun intrek in de Kasteelstraat nummer 16, de oude trouwe stal, waar Pieter Elaut en zijn vrouw in 1865 hun zate hadden neergezet.

Bij het jonge gezin woonden de ouders van de man in. Zijn moeder die rijk aan mensenkennis was, legde vanaf de eerste dag haar gezag in de handen van de jongeren. Zij trok zich van de huishouding of van de kookpot niets meer aan, en kort nadien liet ze ook de kas aan de nieuwe meesteres over. Pieter Elaut die altijd alles goedvond wat zijn vrouw bedisselde, onthield zijn zegen niet.

De huwelijksboot die onder de vlag Gustaaf Elaut-Julie Maertens van wal gestoken was, kon varen op de aloude Gentbrugse wateren.

*

* *

Vanaf dat ogenblik werd het elkeen duidelijk dat een nieuwe stuurman aan het roer stond, die een andere koers zou varen dan zijn ouders en de boeren uit de omgeving. Hij ontpopte zich als een vooruitstrevend man. Zonder heimwee had hij van De Neerschelde afscheid genomen en zijn trombone verkocht. Men had het jonge paar een serenade gebracht en het traditionele koffieservies als huwelijkscadeau aangeboden. De muzikanten werden op een ton bier getracteerd, en wanneer die leeggedronken was, trok iedereen naar huis.

Vader zou zich volledig aan zijn bedrijf wijden. De koster moest zich maar schikken in een andere tegenzanger voor de kerk. Al een vijftal jaren werd de melkronde met kar en paard gereden, dat ging vlugger en bracht meer op. Van zijn eigenaar verkreeg hij dat de runder- en paardestallen vergroot werden. Gehuurde vlegeldorsers waren al te grillig en konden, als het hun geviel, zowel twee zakken als maar één zak graan uitkloppen. Een dorsmachine zou het vlotter doen, en de paarden stonden toch op stal.

De oudere boeren kwamen even neuzen naar het ongewone ding, zegden niets, maar bestelden er ook een. Een karn laatste model stond gauw in het boterhuis. Hollandse melkkoeien gaven meer en beter melk; de jonge boer Elaut ging ze zelf te Zelzate aan de grens aankopen en bracht ze met de late avondtrein tot aan het Gentbrugse station, vlak in de buurt. Wat niets opbracht werd van de hand gedaan. Wat wilt ge met een miserabel beestje van een paard aanvangen? Veredeld zaaigraan gaf een rijkere oogst. Voor de hooitijd in de Scheldemeers aan De Zwarte Flassche, is het voordeliger maaiers uit Den Bosch op daghuur aan te werven, die schieten beter op, zetten zelf het hooi in oppers en besparen de boer veel zorg. Intussen kon men beter voor het melkvee zorgen, want daar ligt de voornaamste baat.

Al na een jaar gaf eenieder er zich rekenschap van dat er levendiger bloed in het oude bedrijf van Pieter Elaut vloeide, de ouden namen het niet zonder verbazing waar. Wie er buiten stond, vroeg zich af of het allemaal zou blijven duren, maar Gentbrugge evolueerde niettemin naar een nieuwe tijd.

Vader verdiepte zich daar niet in, en zijn vrouw nog minder. Ze deden hun best, werkten vlijtig, kwamen onder de mensen, gaven elkeen het zijne, deden hun plicht in de kerk, ontvingen bezoek van familieleden, namen op tijd en stond een beetje ontspanning, want ze hadden uitstekende thuiswachters. Wanneer er een tegenvaller was, werd er niet oneindig gelamenteerd. Vader sprak de verzekering aan en poogde zo het verlies te beperken, terwijl de boeren maar bleven kniezen over de bijdrage.

Eindelijk meldde hun eerste spruit zich aan. Elkeen was blij. Hij zou met Kerstmis 1897 geboren worden. Vader zegde dat hij van de Engel des Heren vernomen had dat het een zoon ging zijn, en iedereen was overtuigd dat het een dochter zou zijn. De zwangerschap verliep zonder veel bezwaren, maar moeder had wat last van lusten naar de meest ongewone dingen. Dokter Van Bockxstaele werd erbij gehaald die het met goede raad en een paar flesjes (Potio Rivière ?) in orde bracht. De baker werd besteld, er was gezorgd voor navelschrooien, luiers, hemdjes en het nodige voor de bussel. Alleen de wieg moest wachten, die mocht maar komen als het kind er was, aan die oude regel werd de hand gehouden. Grootmoeder Katrien vond dat men op de zegen van de Heer niet mocht vooruitlopen.

Een maand of vier voor ik geboren ben, overleed te Munte de vrouw van Pieter Elauts broeder August; de man van tachtig jaar zat heel alleen. Er werd familieraad gehouden. Grootmoeder Katrien, die niet vergeten was wat August ooit voor haar man en haar in kwade dagen gedaan had, gaf de doorslag en August Elaut werd opgenomen in het huis van de Kasteelstraat. Mijn vader zegde wel niet neen, al was hij toch van mening dat het wat te veel kon worden voor zijn vrouw, die nu een kind verwachtte. Maar grootmoeder nam alle bijkomende zorgen voor haar rekening. Ze argumenteerde dat ze maar zeventig jaar was, dat nonkel August geen kinderen had; hij zal naar geen oudemannenhuis gaan, we zijn niet van het soort mensen om zoiets te dulden, God zou ons straffen.

Die uitspraak deed het. Nonkel Gust kwam met have en goed inwonen, hij kreeg een bed in de kamer van grootmoeder en een plaats aan de gemeenschappelijke tafel. Hij betaalde een frank per dag voor kost en inwoon en was de gelukkigste man ter wereld. Mijn moeder vond het goed, ze dacht wel bij zichzelf: ik heb nu drie bejaarde mensen in mijn huis, zou die éne meer ons leven bederven. Later heb ik haar horen zeggen dat zij nooit spijt gevoeld had, want Nonkel Gust was een buitengewoon schappelijke man.

Twee jaar nadien is hij overleden. Hij bedong een uitvaart met brood aan den arme: was hij ooit zelf niet arm geweest? De gehuwde kinderen van zijn broeder Pieter erfden elk een meubelstuk, daarmee was zijn huisraad die op de zolder stond weggeruimd. Hij heeft onze kleine meer dan eens in slaap gewiegd, was het slotwoord, wanneer later de naam van Nonkel August Elaut in de familiekring vernoemd werd. Die kleine was ik.

Zo dachten, voelden en deden ze vóór tachtig jaar in de Vlaamse boerengezinnen met de bejaarde grootouders die alleen vielen; het besef van wat men eershalve doen en laten moest, besliste over de zaak. Bloedverwantschap was voor hen geen ijdel woord, men vergat niet licht wat de ouden van dagen te eniger tijd uit naam van die bloedverwantschap zelf gedaan hadden, men rekende in stilte op dezelfde tegemoetkomingen en wenste gemeten te worden met de maat waarmede men de anderen mat. Dat was bruikbaar menslievendheidspragmatisme.

Op 12 maart 1900 overleed mijn grootvader Stientje Maertens in het Gentbrugse huis waar hij geboren was, tussen De Snoek en Het Zwaantje, hij was 74 jaar. Zijn vrouw en drie dochters bleven er wonen. Een, Eveline, zou huwen met Emiel de Clercq uit Merelbeke en daar met hem gaan boeren; Mathilde was onderwijzeres op de gemeentelijke meisjesschool; Leonie, bijgenaamd de metsersknaap omdat ze de metselaars die karweitjes kwamen opknappen een handje toestak.

NAAR EEN ANDERE BOERDERIJ

We zijn 1900, nemen afscheid van de negentiende en staan op de drempel van de twintigste eeuw.

Als door een erfelijke prikkel gedreven, stond vader allang op de uitkijk naar een grotere boerderij dan degene waarop hij zat, met beter land dan De Keiberg, waar hij intensiever zijn hartstocht voor het echte landbouwbedrijf kon uitleven. Hij voelde zich in staat een slag te doen in zijn leven. De kans deed zich voor en hij nam ze waar.

Op het uiteinde van Gentbrugges grondgebied, bij de grens met Melle, lag een hofstede van achttien hektare, met uitstekende weiden, met akkers die niets beters vroegen dan flink bewerkt te worden. Er zat een boer op die liever lui dan moe was, wiens kinderen hun eigen gangen ging en die de oude lui lieten stikken.

Het erf was het eigendom van de Gentse advokaat Leo van Aelbroeck, de laatste spruit van een familie die in de agrarische geschiedenis van de Nederlanden een voorname rol had gespeeld. Voorzaat Jan Louis van Aelbroeck (1755-1846), een landbouwekonoom uit het oude regime, had te Gent in de Administratie opgang gemaakt en in 1804 te Gentbrugge het domein Conincksdonck met vele landen en weiden voor een appel en een ei aangekocht. De bezittingen waren in de loop van de jaren uiteengebrokkeld; het grootste deel kwam in de handen van P. de Sloovere terecht, maar de boerderij van de Waeytens was aan de laatste telg Van Aelbroeck gebleven.

Toen het bekend werd dat de peeënboer het opgaf en zijn pacht niet meer betalen kon, schoot vader als een pijl uit de boog recht naar Van Aelbroeck, met een vast plan in zijn hoofd, hij legde zijn kaarten op tafel, vroeg kordaat een boel vergrotingen en verbeteringen aan het huis, de stallen en de schuur, ten einde van het verwaarloosde gedoente een ordentelijke boerenplaats te maken; hij wilde een jaarpacht voor vijftien jaar aangaan (d.i. tot en met Kerstmis 1915) tegen 100 fr. per hectare.

Leo van Aelbroeck schrok een beetje van de ongewone handelwijze van die kandidaat-pachter, hij kon zijn oren niet geloven maar stemde ermee in. De pachtakte werd opgesteld want zeker is zeker. De aannemer ging aan de slag en met maart 1900 kon al verhuisd worden. Voor de Kasteelstraat nr. 16 was inmiddels al een opvolger opgedaagd.

Het nieuwe adres luidde: Kasteelstraat nr. 20. De boerderij stond wat afgelegen, de naaste buren woonden op driehonderd meter, het waren allemaal bloemisten, maar er was een stevige aardeweg, met een dubbele rij eeuwenoude eiken, die naar de Brusselsesteenweg leidde. Wie over de gracht sprong, stond op Melle en daar lagen een drietal boerderijtjes, rond De Roskam, een oude herberg die aan de wijk haar eigen naam had gegeven.

De nieuwe boerenwoning lag wat verheven in het midden van het land en de weiden, ze was omgeven door een krans van hoge lindebomen en dat schonk haar van verre een zekere distinctie. De horizont reikte ten allen kante aan buitenverblijven met donkergroene hoge beboming. Het dichtstbijgelegen kasteel was het buitenverblijf van de familie De la Kethulle de Rijhove, laatste restant van een berucht Gents patriciërsgeslacht. Het was omgeven door brede wallen en met de buitenwereld slechts door een met beuken en dicht struikgewas bezette toegang verbonden, de Kromme Dreef genaamd. De patriciërs van weleer wisten hoe zich aan de blikken van hun horigen te onttrekken en zich in de ivoren toren van hun standsbewustzijn op te sluiten.

Akkers en weiden van de oude Waeytenshoeve droegen een eigen naam: Veldekens, Biest, Driebunder, Houtstuk, Moordheide, Bos. Thans, na driekwart eeuw, is hun landelijk karakter verdwenen, De eikendreven zijn heuse straten geworden, ze heten Edward Anseelelaan, Jules Destréelaan, Arthur van Laethemstraat. Ze zijn beiderzijds volgebouwd met nette woonhuizen. De Waeytenshoeve zelf werd in 1970 gesloopt. Op de plaats waar ze stond, staat nu een moderne villa. Op de Biest, de Driebunder, de Bos en het Houtstuk hebben de Broeders van Liefde in de jaren 1960 hun St.-Gregoriusinstituut gebouwd, een modelinrichting voor het bijzonder onderricht van gehandicapten en gehoorgestoorden.

Op die zuidelijke toenmalige landelijke Gentbrugse uithoek kwamen mijn ouders wonen vanuit een meer centraal gelegen punt van de gemeente. Mijn grootouders verhuisden mee, in het aangepaste woonhuis was er geen plaats tekort. Vader had zolderkamertjes laten bijbouwen waar hij knechts kon onderbrengen. Al het volk onder één dak was zijn stelregel, dan ben ik ze de baas en zie wat er op mijn hof omgaat. Leo van Aelbroeck had zijn nieuwe huurder royaal de vrije hand gelaten, hij was er trots op dat hij de schoonste pachthoeve van Gentbrugge de zijne kon noemen.

Toen mijn ouders in 1900 op het Van Aelbroeckserf gingen wonen, was ik een goede drie jaar oud. Moeder drukte het op haar manier uit; onze kleine had juist zijn eerste broek aan. Het moet zijn dat zij bijzondere redenen had om haar mannelijke spruit zesendertig maand in een rokje te laten rondlopen, al was zoiets op dat ogenblik van de christelijke tijdrekening algemene regel. Van de verhuizing en de overbrenging van de inboedel en de dieren zijn ternauwernood in de allerverste oorden van mijn geheugen wat schemerige beelden blijven hangen.

Hoe dan ook: de eerste duidelijke indrukken die dat geheugen opgevangen en bewaard heeft, zijn met het milieu en de mensen van de hofstede verbonden. Daar is mijn bewustzijn ontloken tot besef, tot het weten en het erkennen van de dingen, niet het minst van mijn eigen bestaan, van mezelf. Ik geloof niet dat er in mijn psychologisch leven een overgang heeft plaats gehad, zoals er voor mijn grootouders en ouders een overgang is geweest van de ene boerderij naar de andere. Het komt me voor alsof ik altijd op het Van Aelbroeckerf gewoond heb en daar begonnen ben kennis en vriendschap met de wereld aan te knopen.

Die wereld was eigenlijk maar een wereld in miniformaat: ouders, grootouders, het bedrijf van een boerderij met knechts, komende en gaande man, molenaar, veekooplieden, de pastoor, familieleden, Leo van Aelbroeck, de geneesheer, de veldwachter en de anderen die over de drempel kwamen, een vrij stereotype handel en wandel met weinig hoogtepunten.

De centrale figuur was mijn vader, met mijn moeder in zijn schaduw. Zij vormden een harmonisch paar, wat de ene te weinig had, werd door de andere bijgepast. Energie met schuchterheid, wilskracht met volgzaamheid, doorzetting met omzichtigheid, lef met bescheidenheid, hoge woord met zwijgzaamheid, vlotheid met aarzeling, geldingsdrang met ingetogenheid. Breng dit alles bij elkaar, maak er een gemiddeld van, en daar heb je het gedragspatroon waarin het leven van mijn ouders zich heeft afgespeeld.

Vader was van fysiek een taaie, niet groot, niet dik, doch pezig, met fikse knuisten van handen die nooit ruw deden. Ik heb hem tot zijn vijftig jaar nooit één dag ziek geweten. Hij stelde zich niet roekeloos aan gevaar bloot en schold het werkvolk uit dat onvoorzichtig was of de dieren ruw behandelde. Een koewachter die met vloeken en schoppen zijn onhandigheid op de runderen afreageerde, en daarvan een gewoonte maakte, vloog met klikken en klakken buiten. Beesten zijn maar beestig, als ge er beestig mee omgaat!

Moeder keek naar haar man met eerbied op; hij was de baas, zij de bazin, de meesteres van het huis, de vrouw van de baas die niet bazig was, nooit bazig keek wanneer hij zijn wil doorzette en de beslissing nam. Zij heeft hem nooit één beslissing euvel genomen of daarover gezanikt, maar hem wel eens uit schroomvallige angst voor de zakelijke gevolgen wat ingetoomd, en hij heeft het haar nadien nooit doorgestoken. Zij was een vrome natuur, bad in stilte, terwijl vader in allerhaast een kruisteken sloeg en daarmee, zonder meer, zijn dag begon.

Moeder droeg zorg voor haar volk, stipt op uur en tijd was alles klaar. Ieder kreeg zijn deel zonder nutteloze woorden, ze gaf altijd een antwoord en verwees dan naar de baas. 's Morgens vóór vader met de melkronde vertrok, wist elke knecht wat hij doen moest, de baas commandeerde meer met zijn ogen en men begreep wat hij wilde, hij had een waarderende blik voor wie goed werkte, maar liet horen dat men de boel geen tweemaal moest verknoeien. Zijn wet was: wie hier goed kost en loon krijgt, moet ook goed werken.

Grootvader en grootmoeder liepen er ongedwongen tussen in, hielpen waar het paste, deden het gemakkelijkste of wat ze liefst deden, bemoeiden zich niet met het werkvolk. Grootvader lustte graag een borrel, kreeg die op tijd en stond, terwijl grootmoeder dagelijks een half gebedenboek uitprevelde, en soms met een ,,vader!'' haar tachtigjarige man bemoederde.

's Zondags trok grootvader naar de hoogmis, nam me mee maar vertrouwde mij toe aan zijn vrome schoonzuster, tante Virginie, die vlak naast de pastorie woonde, die mij fraaie manieren leerde in de kerk en mij moest koest houden terwijl de pastoor Gods woord verkondigde. Grootvader kreeg van tante Virginie een potje warm bier met bruine kandijsuiker daarin, ikzelf een beschuitje van Huntley en Palmers, zoals de Kleine Johannes bij Frederik van Eeden.

Grootmoeder ging alleen 's zomers naar de kerk, ze droeg dan haar beste veelkleurige schouderdoek, die mijn vrouw als een sierlijk legdoek over haar vleugelpiano spreidt. Vaak kreeg ze bezoek van de pastoor thuis. Ze trokken zich samen terug in de beste kamer, kwamen na het godvruchtig onderhoud weer in de woonkamer, ik kreeg een kruisje op mijn voorhoofd met de vermaning braaf te zijn en goed te leren op school.

Af en toe kwam de gezinsdokter August van Bockxstaele uit Ledeberg bij moeder op visite. We zagen hem komen aanrijden in een hoge tweewielige sjees met kap, naast zijn koetsier gezeten. Het verder scenario speelde zich af in moeders slaapkamer; ik werd door grootmoeder in de huiskamer aan de praat gehouden, en daarna moest iemand naar Ledeberg bij de apotheker de voorgeschreven geneesmiddelen gaan halen, drie kilometer ver.

Het gebeurde ook dat ikzelf de aanleiding was van 's dokters bezoek. Hij werd er vlug bijgehaald, want vader zag gauw wanneer het ernst was, en moeder was één bange zorgzaamheid. Had ze ooit geen broertje aan de kroepziekte verloren? Grootmoeder dikte die zorg nog aan want zij had een dochtertje van vijftien jaar dat aan de kroep gestorven was, naar 't kerkhof zien dragen. Er hing over ons huis een angstgevoel voor de difterie, die in de eerste jaren van de twintigste eeuw gevoed werd door telkens terugkerende epidemieën, gepaard met waarschuwingen vanwege de overheid tot de bevolking gericht, met affiches en pamfletten.

Tot op zekere dag vader vond dat het niet in de haak was met mijn keel en hij met mij naar dokter Van Bockxstaele reed, van daaruit bij dokter J. Broeckaert bij 't Gentse Zuidstation verwezen werd, met een briefje voor de huisarts terugkwam met de boodschap dat het difterie was, en dat dokter Broeckaert zelf na zijn spreekuur dokter Van Bockxstaele zou gaan afhalen en zij serum zouden inspuiten.

Van dit haastig gedoe heb ik onthouden hoe ik bij invallende avond een met twee paarden bespannen gesloten koets met aangestoken kaarslantaarns in de eikendreef zag naderen, naar ons huis draaien, hoe twee heren uitstapten, hoe ze plechtig binnentraden, mij een vriendelijk handje toestaken, hoe ik een stond later op moeders schoot gezeten mijn hemdje voelde in de hoogte lichten, ergens tussen mijn schouderbladen een prik kreeg en pijn had, wat geschrei veroorzaakte, waarna ik van vier zijden uit gesust werd en nu gauw genezen zou.

En hoe de twee heren, nadat ze hun handen in een lampetkan gewassen hadden en door vader weder begeleid tot aan de deur, door de eikendreef vertrokken met de koets en de aangestoken lantaarnen zoals ze gekomen waren. Dat was in de herfst van 1901. Dokter J. Broeckaert had gewaarschuwd dat er na een drietal weken een verlamming op de oogspieren of in de keel kon optreden. Het viel zo uit. Ik heb moeder horen zeggen dat ik een paar dagen afschuwelijk scheel keek, dat mijn ogen vanzelf toevielen en ik niet zag waar ik liep. Het viel allemaal mee, na een maand was ik weer zo gezond als een bliek.

Veel bezoek had ik niet ontvangen, want familie en kennissen bleven, voorzichtigheidshalve, uit de buurt. Ik hoorde rondom mij zeggen dat bezoeken gevaarlijk konden zijn en de ziekte verspreiden, maar dat begreep ik niet.

NAAR SCHOOL

Met de lente van 1902 zou ik naar school gaan, naar de pastoorsschool in de St.-Genoisstraat. Er bestond een gemeentelijke bewaarschool, maar die kwam niet in aanmerking. Er heerste wel geen schoolstrijd, doch door de goede relaties met de parochiegeestelijkheid en de veelvuldige huisbezoeken van de pastoor zelf bij grootmoeder, lag dat voor de hand.

Het was een hele weg, maar de oplossing was gauw gevonden: ik zou meegaan met Irma Verbrugge, de rosharige dochter uit de dichtstbij gelegen bloemistenherberg, waar vader na het werk soms een borrel dronk. Irma Verbrugge ging naar de grote meisjesschool, ze was een zorgzame meid en nam nog een paar kleuters mee, die ze na schooltijd weer thuisbracht. Ze woonde juist op de hoek van de eikendreef, een gedroomde oplossing.

Op het pastoorsschooltje waren er twee klassen, elk met een onderwijzeres, juffrouw Coralie voor de kleinsten en juffrouw Margriet voor de grootsten. Ik kwam natuurlijk onder de bevoegde hoede van juffrouw Coralie. Toen de nieuweling voor de eerste maal in de klas verscheen, werd hij op de lessenaar van de onderwijzeres getild en kreeg hij een welkomstliedje toegezongen. Ik weet nog dat het mij niet veel plezier verschafte en de waterlanders voor de dag deed komen.

Ik geraakte vrij goed aan de schooldiscipline gewend. Bidden had ik thuis geleerd, matjes vlechten vond ik flauwe kul en goed voor meisjes, armenzwaaiend op stap marcheren beviel mij meer, dat was manhaftig; wanneer mijnheer pastoor op bezoek kwam, moesten we de aangeleerde buigoefeningen op het vingerknippen van juffrouw Coralie in onberispelijke orde uitvoeren, waarna wij op de speelplaats werden vrijgelaten.

Op het eind van mijn eerste schooltrimester was er prijsuitdeling. We kregen een nummertje uit te voeren, mijnheer pastoor was er met de onderpastoor, naast enkele dames die in de handen klapten. De prijzen in dat volksschooltje werden volgens de regels van het utiliteitsbeginsel uitgekozen en om geen afgunst op te wekken, kreeg elk kind hetzelfde pakje mee naar huis. Er zat een peperkoek in, een paar wollen kousen, een gebreid borstrokje en sajetten onderbroek, een puntzakje doopsuiker. Zes weken vakantie, ook kinderen van vijf jaar zijn daarmee gelukkig. En wij naar huis, niet zonder van de doopsuiker te snoepen en onderweg een hap uit de peperkoek te peuteren.

Thuis was ik niet bijster welkom met mijn prijs: vader geraakte uit zijn humeur wanneer het sajetten onderbroekje en het gebreide borstrokje te voorschijn kwamen. De zelfstandige boer was in zijn eergevoel gekrenkt: men moet mijn kind met zo'n spullen niet bedenken, ik kan zijn onderbroek zelf betalen, ik neem dat morgen allemaal mee naar 't wijf van Cies Lagon. Ik stond er beteuterd bij en zou geweend hebben. Het onweder dreef voorbij als grootmoeder Katrien oordeelde dat die beroepsbedelares uit Moskou er gelukkig mee zou zijn.

Na de grote vakantie had mijn zelfstandigheid zich al zover van de moederlijke bezorgdheid van de brave Irma Verbrugge losgemaakt, dat ik in het mannelijk heir van de knapenschap opgenomen, in de hoogste afdeling van 's pastoors bewaarschool de eerste plaats in de rij mocht innemen. Het werd aangezien als een kommandopost. Ik trok mij Irma Verbrugge niet meer aan en ging als de kleinste rakker uit de bende zelfbewust met de anderen mee, en dan verder door de dreef alleen naar huis.

Ik zou met Kerstmis 1902 vijf jaar worden, men hield mij voor dat ik geen kleine jongen meer was, beleefd en gemanierd moest zijn, altijd met twee woorden antwoorden op de vragen die men mij stelde.

Op de boerderij kende ik de hoeken en kanten van schuur en schelven, wist ik hoeveel koeien we hadden, hoe ze heetten, ik kende op het oog het verschil tussen een os en een stier. Voor paarden had ik een voorliefde, vader was een fijne kenner en ik was geboeid wanneer ik de kwaliteiten van onze fokmerries hoorde afwegen tegen die van August van Oostende. Vader trok naar alle paardenkeuringen, alleen uit liefhebberij, hij bezat een oud boek over ,,paardenkennis'' en een ander over paardeziekten. Hij kende de namen van de kampioenen die te Brussel de ereprijzen wegkaapten. Met Indigène de Fosteau was ikzelf zo goed vertrouwd als met Astrakan; ik wist of het een vos, een bruine, een grijze of een schimmel was.

Hengsten, ruinen en merries waren voor mij begrippen, meer dan individuele dieren. Ik was vol bewondering wanneer de paardeknecht een achttienmaander liet draven, en ik stond naast de kopers te luisteren wanneer zij de prijs met vader aan 't bedingen waren. Wanneer een merrie paardig was, zag ik dat even goed als de boever en het schiep voor mij geen problemen. Ik mocht meerijden op de treemkar naar hengstenboer Stevens te Destelbergen en het dekken van de merrie door Beau Liseron was voor een boerenjongen van zeven jaar een gebeurtenis zoals een andere uit de kalender van de seizoenen.

Bij de thuiskomst vertelde ik moeder over mijn verbazing dat die hengst zo'n grote ,,pisser'' had. Ze heeft mij dat zelf verteld toen ze al in de tachtig was en kon er hartelijk om lachen. Pastoor van Pottelsberghe de la Potterie, een fijne aristocratische meneer, kwam grootmoeder regelmatig een bezoek brengen; hij vroeg dan of ik leerde, of ik bij juffrouw Coralie of bij juffrouw Margriet zat, en hij wilde ook weten wat ik later wilde worden. Het antwoord luidde: hengst, mijnheer pastoor.

Dat waren de uitvloeisels van een spontane openhartigheid, die zelf het gevolg was van de ongeremde opgang van een boerenkind in de wisseling van de dingen, waarmede het op elk uur van de dag of de nacht in aanraking komt.

De buitenjeugd kan zich veel vroeger en veel beter dan de stadsjeugd zelfstandig verplaatsen of oriënteren binnen haar natuurlijk milieu. Rekening houdend met het minder ingewikkelde leefpatroon van 1903, is het begrijpelijk dat men toen knapen van vijf jaar liet boodschappen doen, daar waar men ze thans nauwelijks op vijftig meter alleen op een vertrouwde weg laat naar school gaan.

Vroeg mocht ik naar de Roskam gaan winkelen, ik kreeg een papiertje mee met de bestelling en de centen in een lapje gewikkeld. Als het zo geviel mocht ik bij mijn tante Virginie een zende van de laatste slacht gaan afgeven. Ik kreeg dan een fooitje van een stuiver, een koekje en een compliment.

Met Nieuwjaar 1903 mocht ik alleen naar het Center bij mijn meter gaan nieuwjaarwensen aanbieden en ik had daarvoor een versje uit het hoofd geleerd. Het was een heel einde, maar de baan liep rechtdoor en ik had de weg dikwijls met moeder afgelegd. Ik was welkom, zegde mijn versje op, zat aan aan de koffietafel met krentebrood en kreeg tot afscheid een rood lederen portemoneetje met daarin een wit blinkend halvefrankstukje. Fier als een pauw daarmee naar huis. Maar toen ik daar mijn nieuwjaarscadeautje wilde voor de dag halen, kwam ik tot de vaststelling dat het portemoneetje en het witte blinkend halvefrankje verloren waren.

De vaststelling van dit verlies was de eerste grote teleurstelling van mijn leven, ik vergeet ze nooit, ik heb erover aan mijn kinderen verteld, en ook aan mijn kleinkinderen het trieste verhaal van mijn eerste schrijnende ervaring niet onthouden. Zo diep heeft dit feit in mijn kindergemoed een wond geslagen, waarvan het litteken nog niet verdwenen is, dat de herinnering aan dit verlies opduikt telkenmale ik langs die weg passeer.

Op 11 september 1903 stierf mijn meter, de moeder van mijn eigen moeder, de weduwe van Stientje Maertens en de halfzuster van mijn grootvader. Mijn kinderverdriet was niet te scheiden van dat portemoneetje met het blinkende halvefrankje.

Grootmoeder Katrien ging het lijk groeten; ik mocht mee, het was de eerste maal in mijn leven dat ik tegenover een dode stond, ik was niet bang, en het aanschouwen van de dode op het grote bed heeft mij niet bijzonder aangegrepen. Ik zag wenen en weende mee uit sympathie met het verdriet van de anderen. Ik was ook op de uitvaart en zie nog voor mijn geest de lijkkist in de grafkelder verzinken. Op de begrafenismaaltijd was bij de kinderen van de familie die alle samen aan eenzelfde tafel aanzaten het verdriet ver te zoeken, we deden ons te goed aan de broodjes met kaas en ham, en dronken van de koffie of van het bier zoals de groten.

Mijn grootmoeder was op 68-jarige leeftijd overleden aan de gevolgen van de suikerziekte. Lang was ze niet ziek geweest, maar de dokter zegde dat ze de kwaal in de ,,hoogste graad'' had.

TE SINT-MARIA-LATEM

Ik zou na de grote vakantie van het jaar 1903 naar de gemeentelijke lagere jongensschool gaan. Er bestond er geen andere op de Arsenaalwijk. Was daar niet het forse betoog en de tussenkomst van een bazige nicht van vaderszijde geweest, de dochter van een van grootmoeder Katriens vele zusters, tante Rosalie. Zij had het altijd met vader goed gemeend, had de familie veel diensten bewezen, ze was een weldenkende vrouw van diep christelijken huize. Ze leefde op een kamer in het klooster te St.-Maria-Latem, was er de ongekroonde moeder-overste. Driemaal per jaar kwam ze naar Gentbrugge en was altijd welkom, ze bracht voor grootvader Pieter Elaut pijptabak mee, voor grootmoeder Katrien babbelaars, voor moeder zette ze zich aan 't breien, vader kreeg sigaren, ik een doos speculaasjes, uit de bodem van haar korf diepte ze een mattetaart op. Ze bleef nooit langer dan een week en logeerde bij tante Virginie, woonde 's ochtends een paar missen bij, kibbelde er over godvruchtige zaken, en was om halfnegen in de Kasteelstraat.

Ze werd destijds naar St.-Maria-Latem meegetroond toen De Sperre, de Gentbrugse onderpastoor-bouwer, op die landelijke parochie in het Zottegemse pastoor benoemd werd. De weergaloze berekenaar bij Gods genade had onder zijn parochianen een ongehuwde rentenierende boerendochter die er warmpjes inzat, en die hij op dezelfde christelijke wijze als hij in de jaren tachtig te Gentbrugge gedaan had, een stuk grond wilde afhandig maken met de verzwegen bedoeling daarop een klooster met school enz. te bouwen. Voor de te spelen rol had hij onze tante Rosalie gekozen. Ze werd gezelschapsjuffer van juffrouw Constance en de rest volgde vanzelf. Het klooster met de school kwam er, voor Rosalie was een kamer voorzien en ze kreeg een legaat voor bewezen diensten.

Tante Rosalie wist het zo aan boord te leggen en mijn ouders ervan te overtuigen dat ik te St.-Maria-Latem een fijne school had, dat zij voor alle goede zorgen instond, dat het zonde Gods was die jongen een half uur ver naar een Gentbrugse school te zenden, dat ik in het klooster waar zij alles te zeggen had, mocht inwonen en zoveel andere dingen, dat vader en moeder het goedvonden.

Pastoor Geltmeyer had dat natuurlijk bij voorbaat beraamd, want matant deed niets zonder zijn zegen.

De enige die niet akkoord ging, was grootvader Pieter Elaut, maar tegen de diplomatie van tante Rosalie was hij niet opgewassen. Het gevolg was dat ik te St.-Maria-Latem met pak en zak werd afgeleverd, in mijn eerste kostschool, nog geen zes jaar oud.

Het was zo onverwachts en plotseling aangekomen, dat ik mij geen rekenschap gaf van het gebeurde. Tante Rosalie bemoederde mij onberispelijk, leerde mij pastoor Geltmeyer kennen, naast het Latemse wereldje dat voor mij heel nieuw en anders was dan het Gentbrugse.

Ik woonde in het klooster, was omgeven door nonnen die anders gekleed waren dan mijn tantes-nonnen te Viane. Ik moest op de bovenverdieping gaan slapen op de kamer van Tante Rosalie, naar beneden komen eten en daarna weer naar boven: wat een strakke levenswijze!

Van ravotten in stal of schuur was geen spraak, paarden of koeien waren er niet, wel een paar schapen die een man uit de buurt kwam melken. Ik mocht mee op bezoek en boodschap in het dorp en kwam daarna als een fatsoenlijke jongen met tante weer thuis.

Tante was evenwel zo'n fijne opvoedster dat ze besefte dat knapen bij knapen horen en dat het verkeerd was mij in dat exclusieve vrouwenmilieu te betuttelen.

Naast het klooster woonde Gustje van de Velde, een boertje dat er nog een paar stielen bijdeed, timmerman-doodkistenmaker, voerman en kerkbediende; hij had een groot gezin en een van zijn kinderen, Maurits, was zo oud als ik. Volgens tante Rosalie de gedroomde kameraad voor haar neefje uit Gentbrugge. Ik kwam met Maurits van de Velde in dezelfde klas terecht. Het was een gemengde kloosterschool, waar kloosterzusters onderwijs verstrekten. We zaten bij zuster Adriana in de laagste klas.

We leerden bidden en zingen, letters schrijven, tellen aan het telraam en al het andere dat op het programma van een lagere school in het jaar 1903 voorkwam. De eerste letters die ik leerde lezen en schrijven waren de i, de o, de a en de j. Schrijven deden we op een schoollei met een griffel; dat had het grote voordeel dat wanneer iets mis was, we speeksel bij de hand hadden en met een veeg van de vinger op de lei dadelijk de vergissing konden goedmaken.

De meisjes zaten aan een kant, de jongens aan de andere kant van de klas; we kregen dezelfde leerstof. Het bracht mee dat we ook aan de breilessen van zuster Adriana deelnamen. We kregen houten breipriemen, een bol met dik rooskleurig breigaren, en weg waren we op maat zingend: steekje oprapen, draadje overslaan, steekje laten vallen. Ik vond dat niet onprettig. Na een maand hadden we een vaatdoek gebreid en we mochten die naar huis meenemen als bewijs van onze vlijt en kunde.

Het Latemse milieu boeide mij, het verschilde nogal van het Gentbrugse. Na korte tijd kende ik de mensen, de huizen en de dingen. Tante Rosalie wist overal het fijne van; bemoeiziek als ze was kwam ze overal. Ze hielp de gezinnen in nood en kon moeilijk nalaten ze de les te spellen, doch ze maakte zich uit de voeten bij degenen van wie ze wist dat ze met haar goede raad niet gediend waren. Ze leerde mij lezen en schrijven, meer dan ik uit de lessen van zuster Adriana kon opsteken. Ofschoon ze een oogkwaal had die haar halfblind maakte, kon ze breien en haken als geen ander en wist altijd waarheen met de produkten van haar vlijt. Zij had bestendig hoofdpijn en gebruikte snuiftabak als geneesmiddel. Zij bezat een zilveren snuifdoos waaruit ik soms een snuifje heb gegapt.

Uit St.-Maria-Latem heb ik onvergetelijke herinneringen bewaard aan pastoor L. Geltmeyer, een zeer origineel man. Ik heb over hem ooit een artikel geschreven in *Zottegems Kultureel Jaarboek* (1953-1954) en daarin de dingen gememoreerd die ik meegeleefd heb en de vele andere die ik over hem en zijn daden uit de mond van zijn parochianen die hem goed gekend hebben, opgetekend had. Bij de brug over de Zwalm exploiteerde hij een steenbakkerij met de opbrengst waarvan hij de restauratie van zijn vervallen kerk heeft bekostigd. Hij was een eigendunkelijk man, die met velen in botsing kwam en die het o.m. met zijn koster dikwijls aan de stok heeft gehad. Over de rol die hij o.a. in de schooloorlog van 1879-1884 gespeeld heeft, wordt in het boek *La lutte scolaire en Belgique* van Pierre Verhaege (1905) heel wat verhaald.

Toen ik St.-Maria-Latem al lang verlaten had, ben ik vaak bij mijn tante Rosalie op bezoek geweest en telkens heb ik ook pastoor Geltmeyer bezocht. Op het einde van zijn leven had hij met iedereen vrede gesloten. Hij is in maart 1919 op tachtigjarige leeftijd gestorven, ik ben naar zijn begrafenis geweest. Aan al degenen die ooit iets van zijn legendarische krachtpatserijen gehoord hebben, heb ik zijn graf getoond tegen de buitenzijde van het koor der St.-Maria-Latemse parochiekerk, waar het nog te zien is.

Een achttal maanden ben ik aan de goede zorgen van mijn tante Rosalie toevertrouwd geweest. Men vond het te Gentbrugge meer dan welletjes; vader zei dat het toch niet kon blijven duren, mijn grootouders misten iets in huis, grootvader Pieter Elaut dacht luidop: ge moet die jongen naar huis halen.

Vader spande in, bracht mij met mijn spullen, incluis tante Rosalie, naar Gentbrugge. Na een week vertrok zij, alleen, naar St.-Maria-Latem; ze was naar het schijnt niet zeer gelukkig. Wie bijzonder gelukkig was, was mijn moeder. Aan mijn afwezigheid had ze moeilijk kunnen wennen, en nu was ze weer heel blij.

TERUG TE GENTBRUGGE

Ik waarschijnlijk ook. St.-Maria-Latem was een intermezzo in mijn knapenleven, de eerste kennismaking met een wereld die verder lag dan de beperkte Gentbrugse horizont. Die nam me nu weer op. Ik werd naar de gemeentelijke jongensschool van de St.-Genoisstraat gestuurd, ik kon al lezen, schrijven en tellen, en nadat men mijn capaciteiten had getest, werden die solide genoeg bevonden om het ver gevorderd schooljaar 1903-1904 af te ronden in de laagste klas bij meester Dierickx. Na de grote vakantie zou ik overgaan naar 't tweede studiejaar bij meester A. Mertens, die, omdat hij een bril droeg, op de school als Den Bril bekend stond.

De jongensschool maakte deel uit van een door het gemeentebestuur opgetrokken en beheerd scholencomplex in de St.-Genoisstraat; dat waren de lagere jongensschool met vier klassen, de lagere meisjesschool met vier klassen en een bewaarschool met twee klassen. De pastoorsschool lag er vlak naast, maar die behelsde maar twee klassen, ik had ze al doorlopen voordat ik naar St.-Maria-Latem ging.

In een gemeente die de schoolstrijd van 1879-1884 al lang achter de rug had, was in de jaren na de eeuwwisseling daarvan niets meer te merken. Burgemeester was Edmond Block, een bijzonder verdraagzaam man van liberalen huize. Hij behoorde tot het pluralistische Gemeentewelzijn en voor niets ter wereld zou hij een schooltjesstrijd op zijn gemeente geduld hebben. Hij leefde in volmaakte vrede met de twee pastoors van zijn gemeente, maar liep de drempel van Gods kerk niet plat. Hij was erevoorzitter van De Neerschelde die de processie opluisterde en voor alle goede werken ging zijn beurs open.

De onderwijzers van de gemeenteschool waren gediplomeerden van een vrije normaalschool. Er werd in de klas vóór en na de les luidop gebeden, de meester gaf catechismus en elke zaterdagmorgen kwam de onderpastoor ons daarover ondervragen. Niemand was van die les ontslagen, iedereen kende de tien geboden Gods, de zeven sakramenten, de zeven hoofdzonden, de geestelijke en de lichamelijke werken van barmhartigheid, de acht zaligheden en de vijf geboden van de Heilige Kerk.

De schoolbevolking van de St.-Genoisstraat was een exacte weerspiegeling van de bevolking van de Arsenaalwijk. Zelfs de brouwers en de autochtone bloemisten zonden hun kinderen naar de Gemeenteschool, want er werd uitstekend onderricht verstrekt en ze had de reputatie dat er tucht heerste. Schoolhoofd was V. van Onderbergen.

Alle knapen kwamen op houten klompen. Die moest men in de gang laten voor men de klas betrad, zodat men op kousevoeten de lessen volgde en desnoods aan het bord geroepen werd. Alleen de onderwijzers droegen schoenen. Een jongen die met een lederen schoeisel aan op de speelplaats verscheen, plaatste zichzelf buiten de schooljongensgemeenschap en zou het niet lang volhouden, want zijn schenen kregen het hard te verduren; in dat opzicht was van enig standenverschil niets te merken. Wanneer de school uit was, trokken de rijen langs de stoepen huiswaarts en de houten blokken maakten op de stenen het kenmerkende geluid, waardoor men wist hoe laat het was.

Ik heb op de gemeenteschool van de St.-Genoisstraat drie klassen afgelopen. Het tweede leerjaar bij meester A. Mertens, het derde leerjaar eveneens bij hem, want hij is met zijn klas meegegaan; het vierde leerjaar bij meester P. Thienpont, bijgenaamd De Koster, omdat hij ook dat ambt in de Eligiuskerk waarnam.

Meester Mertens was uit Sinaai-Waas en liet ons dat soms horen. Hij was nogal aan de zenuwachtige kant, hij stond altijd met zijn benen te wiebelen en 's zomers als het warm was in de klas, gebruikte hij een waaier om zich wat koelte toe te wuiven. Hij had een buitengewoon mooi handschrift en spande zich in om van ons evenveel schoonschrift te verkrijgen. Met mij is dat in alle geval niet gelukt. Hij had altijd een plat liniaal in de hand en wanneer hij tussen de banken liep, gebeurde het niet zelden dat het hout ergens onzacht op terechtkwam; de zwaarste tuchtstraf bestond erin dat wij hem de geopende handpalm moesten bieden waarop dan zijn liniaal neersloeg. Wanneer hij er niet in slaagde een gebalde vuist open te krijgen, moesten de kneukels het maar ontgelden.

Meester Mertens was een uitstekend onderwijzer. We leerden bij hem vaderlandse geschiedenis, aardrijkskunde, het metriek stelsel, zelfs zinsontleding. De eerste keer in mijn leven dat ik iets over de tegenwoordige tijd vernam, was het bij hem. Hij vertelde het een en het andere uit de gewijde geschiedenis, van Noë en zijn ark, van Abraham en van Samson. Wij hingen aan zijn lippen.

In het aanleren van hoofdrekenen was hij sterk en ik weet nog goed hoe ik daarin telkens de baard werd afgedaan door de zoon van metselaar Schiettekatte. Die kon met meters, decameters, decimeters en centimeters helemaal van buiten omspringen; hij haalde telkens alle punten, maar met de t's en de d's van de onvoltooid verleden tijd geraakte hij het noorden kwijt.

We kregen zangles van meester Thienpont, de koster. In 1905 moest de school deelnemen aan een cantate op de Gentse Kouter ter gelegenheid van de vijfenzeventigste verjaring van de Belgische Onafhankelijkheid. We zongen *Naar Wijd en Zijd* en kwamen naar huis met grote dorst.

De school van de St.-Genoisstraat was de ontmoetingsplaats van de meest uiteenlopende kindertypes. Het onderwijs was in die jaren niet verplicht; het gebeurde soms dat een halve klas ontbrak. Men spijbelde voor een peulschil, omdat een jongen in het huishouden moest medehelpen, of helemaal niets te eten had, of door een dronken vader op straat was gejaagd en daar bleef kattekwaad uithalen.

Om het sparen aan te moedigen bestond er een schoolspaarkas waar men elke maandagmorgen zijn spaarcenten kon binnenbrengen die door de hoofdonderwijzer op een spaarboekje werden ingeschreven. Het waren meestal stukken van vijfentwintig centiemen of een halve frank. Ik kreeg van moeder een hele frank mee, het werd door de meesten met wantrouwende blik bekeken.

Wanneer iemand een zilveren muntstuk aanbood, liet meester Van Onderbergen, voordat hij het aannam, het stukje op de arduinen klasdrempel vallen om door de klank de echte van de valse stukken te onderscheiden. Het viel voor dat hij het stukje weigerde met de misprijzende opmerking: „Slecht geld!"

Op de speelplaats kwam het niet zelden tot vechtpartijtjes; de vechtersbazen werden door de meester hardhandig gescheiden, moesten met de handen op het hoofd in de hoek van de speelplaats het einde van de speeltijd afwachten. Het gebeurde meer dan eens dat de gestraften na de school, op straat, hun opgekropte vijandschap in daden omzetten en elkaar weer te lijf gingen en daarbij liefst hun klompen als vechtmiddel gebruikten. Wanneer ze uitgeraasd waren en elkander met weerwraak van elkanders vader hadden bedreigd, dreef het onweer over.

In de maand april 1906 werd het land opgeschrikt door een scheepsramp die aan veel jonge mannen het leven kostte. Het schoolschip *Graaf de Smet de Naeyer* verging in de Golf van Gaskonje. Slechts enkele opvarenden werden gered, onder hen de scheepsarts, Dokter A. Molitor, zoon van een Gentbrugs bloemist. Ondanks de vaderlandse rouw, was er vreugde op het Arsenaal. In de kerk had een plechtige dankmis plaats waarop dokter Molitor aanwezig was; de hele schoolbevolking nam eraan deel, en we kregen een halve dag vrijaf.

Het zal kort voordien geweest zijn dat de beruchte Amerikaanse Far-Westheld Buffalo Bill, na een toernee door Europa, met zijn tenten, paarden en Indianen op het militair oefenplein te Gentbrugge was beland. Aan het einde van zijn publicitaire krachten en zijn geldmiddelen, besloot hij wat hem overgebleven was, publiek te verkopen en met zijn berooide Roodhuiden naar Amerika terug te keren. Hij gaf een laatste voorstelling waarop de schoolkinderen gratis toegang hadden. Onder de tent werd geschoten, met lasso's geworpen, en de gelaarsde Buffalo Bill ontving er het laatste applaus van zijn falikant afgelopen Europareis.

's Anderendaags kwam zijn boeltje onder de hamer: paarden, zadels, tenten enz. werden voor een appel en een ei verkocht. Vader kocht een mooie zweep voor één frank. Zo eindigde te Gentbrugge het avontuur van de man die honderdduizenden buffels brutaal had neergeschoten en de Indianen van hun levensmogelijkheden, uit loutere wellustdrang, had beroofd.

*

* *

Het vierde leerjaar deed ik in 1906-1907 bij meester P. Thienpont, de koster. Hij had de reputatie zeer streng te zijn. Dat was hij, en bovendien niet van de zachtaardigsten. Hij riep en schold; wie niet vlot meekon, was een ezel, een stommerik, een luiaard. Wie geen zakdoek bij zich had en een snotbel uit de neus had hangen, ging hij een brandend lucifertje voorhouden; wie die snotkaars aan zijn mouw afveegde, vloog de klas uit en moest het vuil bij de pomp van de speelplaats gauw wegnemen.

Meester Thienpont kende geen aanzien des persoons, en schold liefst op de knapen van zijn familie of goede kennissen die toevallig in zijn klas zaten. Het was soms de aanleiding tot gekibbel, maar hij bleef de situatie de baas. Zijn faam een allerbeste onderwijzer te zijn, haalde het op de klachten, bij hem moest men leren, willen of niet.

Ik heb onder zijn ijzeren tucht een jaar geleefd; ik moest thuis niet klagen over de gekregen meppen of de verloren punten, de meester kreeg onveranderlijk gelijk, en ik even onveranderlijk ongelijk: ge moet maar opletten.

De afstand van de St.-Genoisstraat naar de Kasteelstraat bedroeg vijfentwintig minuten, waarvan een groot stuk langs de Brusselsesteenweg, een belangrijk verkeerstrajekt vanuit Oostende naar het hart van het continent. Daar was op elk uur van een etmaal altijd voor groot en klein wat te beleven.

Aan schoolgaande knapen die viermaal per dag voorbijgingen ontsnapte niet veel van wat er gebeurde. Er was druk gerij en geros van de meest uiteenlopende aard, melkkarren, zware vrachtwagens, sjezen, vigilanten, mestkarren, diligences, leurderskarren, petroleumketels met klingelende bel, handkarren, verhuiswagens, huifkarren enz.

Zowat om het uur tufte een toeterende auto over de hobbelige straatstenen, meestal een open wagen met warm ingepakte dames en heren. Die genoten een bijzondere belangstelling, want meer dan een tiental automobielen per dag kwamen er niet voorbij. Wanneer een automobiel pech had, kroop de chauffeur onder de wagen om de motor in orde te maken; het was een hele vertoning die de wijsneuzen allerlei commentaar ontlokte, en de schoolknapen niet kon weerhouden ook even een begerige blik te gaan werpen op het onderstel van het ontredderde ding.

's Zomers genoten de open landauers met heren en dames op uitstap de bijzondere aandacht van de potsen- en kurenmakers. Op hun handen steunend wentelden ze enkele keren met de benen in de lucht en kwamen altijd op hun voeten terecht; ze hielden de heren in het oog om te zien of hun geen cent toegeworpen werd. Zo er niets kwam, riepen ze het rijtuig lelijke woorden achterna. Ik heb mij ooit maar eenmaal aan zo'n spelletje gewaagd, ondanks vaders vermanende vinger: gemeen volk. Een statige gesloten koets kwam uit de richting Melle aangeschommeld. Met kennersblik hadden we gediagnostiseerd dat het groot volk moest zijn, er zaten inderdaad een paar heren in, met kleurrijke gewaden aan. We molenwiekten om het meest , de benen in de lucht, keken uit naar de centen; er kwam niets. Tot het rijtuig de Kerkstraat inreed, voor de kerk stilhield en er een dikke bisschop uitstapte die op Vormseltoernee was.

Langs de Brusselsesteenweg lag een fietspad, dat om de tien meter afgebakend was door aardeterpjes van een kleine meter hoog: een gedroomde gelegenheid om daarop te wippen, ofschoon het verboden was; bovendien een uitstekende plaats om van daaruit de schoolmeisjes te plagen die op die heuveltjes niet durfden treden; die heuveltjes verschaften een bevoorrechte aanvalsplaats om vlegelachtige plagerijen uit te halen. Ik durf niet zweren dat ik nooit aan die plagerijen heb meegedaan en de schooltassen van het vrouwvolk niet uit de hand heb gerukt. Het was een manier om zich te laten gelden, en die drang zit in elke levenslustige knaap.

Op het eind van het trimester kregen we een schoolrapport mee naar huis; het werd door vader scherp ontleed. Toen kwam reeds aan het licht dat het rekenen niet mijn sterkste zijde was. Tegen Victor van Oostende moest ik het afleggen met veel punten. Lichamelijke kastijdingen heb ik in die dagen niet gekregen, maar vader kon mij kapittelen op een wijze die lang in mijn geheugen hing, zodat de waterlanders voor de dag kwamen. Ik moest nogal vaak te slordige huiswerken overdoen, maar als ik hem uitleg vroeg over hectogrammen en vierkante decimeters geraakte hij daar niet wijs uit. Dat bestond niet in mijn tijd, zegde hij.

Hij kon beter rekenen met stappen, Gentse roeden, Aalsterse dagwanden en gemeten, en wanneer dat moest in aren en hectaren omgerekend worden, gebruikte hij daarvoor een gedrukte tabel, die hij uit het weekblad *De Landbouw* geknipt had.

De jaarlijkse prijsuitdeling was in de Gentbrugse gemeenteschool van het Arsenaal een hele gebeurtenis. Er werd geoefend en gerepeteerd voor een feestelijke begeleiding en de koster leerde ons een lied aan. Hoe we onze prijs zouden afhalen bij de burgemeester en de schepenen werd ons voorgedaan: buigen, drie stappen voorwaarts, de prijs ontvangen, dank u, mijnheer de burgemeester, drie stappen achterwaarts, weer buigen. Die prijsuitdeling had op een zondagnamiddag plaats in het begin van de maand augustus.

De gemeenteschool bezat geen zaal die groot genoeg was voor de gelegenheid, en het was in de zaal van de pastoorsschool die tevens feestzaal van de toenmalige Antisocialistische Bond was, dat de prijsuitdeling gehouden werd. Stel u zo iets voor in het jaar 1978, waar de scheiding tussen vrij en officieel onderwijs in alles scherp wordt doorgetrokken.

Burgemeester Block zat de prijsuitdeling voor. Hij was vooraf de pastoor in de pastorie gaan afhalen, kwam in open rijtuig over de Brusselsesteenweg met hem de St.-Genoisstraat ingereden, en ze zaten naast elkaar op de eerste rij. Na afloop vertrokken de beide heren al groetend in de open herenkoets, de pastoor werd naar huis gebracht door de burgemeester. Dat ceremonieel heb ik vele malen meegemaakt tot het, na het overlijden van Burgemeester E. Block, in 1909, anders werd, en voor de plechtige prijsuitdeling van de officiële gemeenteschool de meer centraal gelegen danszaal van Pier de Stercke werd afgehuurd.

Na het eind van het schooljaar 1906-1907 in de Gentbrugse gemeenteschool van de St.-Genoisstraat, kreeg mijn schooljongensleven plots een andere wending. Daartoe droegen heel wat faktoren bij, mijn leeftijd, mijn leerlust, de familiale toestand, het verlangen naar hoger dat mijn vader bezielde. Hoe het allemaal op zeker ogenblik convergeerde en uitliep op de keuze van een kostschool voor de nog niet eens tienjarige boerenknaap die ik was, vertel ik te gelegener tijd.

Thans moet ik een viertal jaren met mijn levensherinneringen achteruit en een oogslag werpen op de omlijsting van personen en omstandigheden die, achteraf beschouwd, determinerend zijn geweest voor de levenskeuze die mijn ouders voor hun jongen hadden voorbereid.

HET VOLLE LEVEN VAN EEN BOERENJONGEN

Tot 1904 was ik de enige zoon en het enige kind van mijn ouders. Het was van meet af aan hun innigste wens geweest het daarbij niet te laten. Het was bij die wens gebleven, ofschoon ze alles deden opdat hij werkelijkheid zou worden, maar de zegen bleef uit. Ze legden het in Gods hand; daarover een dokter raadplegen kwam bij hen niet op, ze lieten het aan de natuur over.

Tot de natuur zich over hen ontfermde en in het jaar 1905 een zwangerschap werd vastgesteld, meer dan zeven jaar na de geboorte van hun eerste kind. Er was vreugde bij allen die het vernamen, al meenden een paar ongehuwde tantes dat het leeftijdsverschil tussen nummer één en nummer twee nogal aan de hoge kant lag. Vader snoerde hen de bek. Grootmoeder Katrien die bij ons inwoonde zag er de vinger Gods in, wat door haar man, grootvader Pieter Elaut niet tegengesproken werd; hij vond altijd alles goed wat zijn vrouw goedvond.

Hoe het met de blijde verwachting ging weet ik niet, maar feit was, dat het na drie maand een miskraam werd; het werd mij zo niet gezegd, en van de komst van een broertje of een zusje wist ik evenmin iets af. Moeder bleef weken te bed, dokter Van Bockxstaele kwam bijna elke dag, onze tante Maria, vaders zuster die weduwe was, kwam in het huishouden bijspringen en de oudjes deden van hun kant wat ze konden om het grote bedrijf in gang te houden.

Tot ik op zekere dag met grootmoeder op haar kamer, bij het licht van twee kaarsen moest bidden voor de goede afloop, want de huisarts zou met een Gentse specialist op visite komen en bij moeder een ,,kuising'' verrichten. Zo heette het in de volksmond. Met dat woord heb ik bij mijn schoolkameraden meer dan eens gepocht. Vanuit het raam zag ik op een morgen de artsen in een met twee paarden bespannen rijtuig de eikendreef uitkomen, recht naar ons huis. Een grote meneer met een hoge hoed op, en dokter A. van Bockxstaele, de huisarts. Later heb ik vernomen dat de specialist, dokter Lucien Colson was, een bekend chirurg en vrouwenarts. Wat er in de huiskamer verricht werd, kan ik me thans voorstellen. Vader vertelde dat moeder op de tafel werd gelegd, dat ze door dokter Van Bockxstaele met chloroform onder narcose werd gebracht en dat Dokter Colson de kuising had verricht.

De heren vertrokken zoals ze gekomen waren, nadat vader honderd frank aan de chirurg en vijftig frank aan de huisarts had betaald. Het gevolg was eenvoudig: moeder genas, na een week was ze op de been en na één maand weer dezelfde zorgende vrouw. Het ernstige gedoe waarvan ik het fijne niet snapte, heeft in het ontwakend bewustzijn van een knaap die tot de ,,jaren van discretie'' was gekomen sporen nagelaten. Ik kreeg o.m. een ontzettende eerbied voor de geneesheren en voor hun kunde; bovendien was er iets losgeslagen waarvan ik mij slechts veel later heb rekenschap gegeven, nadat het op de bodem van mijn onderbewustzijn was blijven liggen en krachtens de dieptepsychologische wetten uiteindelijk naar de oppervlakte is gestegen om deel uit te maken van de bewuste levenservaringen.

Het medisch gebeuren met moeder was een kortstondige onderbreking in de dagelijkse bioritmiek van een boerenbedrijf, waarvan de seizoenen het ritme bepalen. We gingen naar school, vader deed elke morgen met de melkkar zijn ronde en te elf uur stonden de geschuurde melkkannen weer netjes in een rijtje op het ,,berdbankje''.

Vader bracht winkelwaar mee, deed de boodschappen, liet zich onderweg scheren, en 's avonds na het werk ging hij een paar keer in de week naar de Roskam een borrel drinken.

Hij maakte er een erezaak van sterke paarden van een goed kweekras in zijn stal te hebben, maakte van zijn paardeknecht Frans de stotteraar de beste boever van de omtrek zoals dat paste voor de grootste boer van de gemeente. Leo van Aelbroeck kwam om de maand zijn hofstede bezoeken, er werd dan overlegd wanneer de canada's in de lange dreef het best zouden gesnoeid worden of de dakpannen van woonhuis, schuur en stallen hun strijkbeurt krijgen.

Elk jaar op Kerstavond kwam de eigenaar zijn pacht ontvangen. Moeder zorgde stipt dat alles tot de laatste cent klaar lag, zeventien hectare en eenentachtig are, dat maakte 1781 frank. Vijfentachtig gouden napoleons werden op rijtjes gesteld, plus vier briefjes van twintig en één enkele frank. Leo van Aelbroeck telde het na, haalde een op voorhand geschreven kwitantie voor de dag, stak het geld in een bruine beurs die in de binnenzak van zijn lange overjas verdween. Ik heb dat tafereeltje op zijn minst tien keer aangekeken. Moeder vroeg hem eens die oneven frank te laten vallen of aan de kleine te geven voor zijn spaarpot. Het kon er niet af.

Wanneer een varken geslacht werd en ik thuis was, mocht ik aan het touw helpen trekken om het dier op de grond te krijgen zodat de slager het kon kelen en laten doodbloeden. Mijn taak was het naar de tantes bij de kerk, de bloedworsten, de ,,hoofdvlak'' en het stuk braadvlees van de slacht te brengen; ik kon toen al genoeg rekenen om te begrijpen wie de dikste fooi gaf en rangschikte mijn tantes volgens de graad van hun edelmoedigheid ten opzichte van neeflief. De oude tante Virginie was de vrijgevigste, van moeders zusters stond tante Mathilde, de onderwijzeres het best aangeschreven, de gierigste was tante Leonie, de metselaarsknaap.

Wanneer de veearts van Merelbeke een veulen of een kalf kwam snijden, mocht ik ook een touw vasthouden en toekijken hoe de lubber tewerk ging. Het gaf mij een gevoel van superioriteit, dat ik niet naliet bij de lummels uit de St.-Genoisstraat, die van die dingen geen benul hadden, te laten gelden.

Op onze hoeve kwam allerlei zonderling volkje over de drempel. Elke maandagmorgen te zeven uur was er de bedelaar Macharusje die de gekregen boterhammen in zijn rugzak opborg, zijn bakje koffie leegdronk, luidop een vaderons bad en de zegen van Ons Heer beloofde voor de brave mensen die hem hielpen.

Een zesmaandelijkse klant was Poliet Bracke, oudgediende van het Franse Vreemdelingenlegioen, die in Indochina gezeten had; hij was een rondtrekkende mandenmaker en deed het nodige verstelwerk, hij bracht zelf de wissen mee die hij ergens gestolen had, hij sliep op de schelf, weigerde een andere slaapstee en na een halve week was hij weer de baan op. Ik was van hem niet weg te slaan en hing aan zijn lippen, want vertellen kon hij over zijn avontuurlijk leven. Als het maar voor de helft waar is, zei vader, zal het al erg genoeg zijn. Op een zekere nacht sloeg de waakhond geweldig aan het blaffen en grollen; vader stond op, nam zijn tweeloop met een lantaarn en wilde weten wat er scheelde. Hij vond niets ongewoons, maar 's anderendaags ontdekte men in het wagenhuis de ligplaats van een man in 't stro. Poliet Bracke vertelde een paar jaar nadien dat hij mijn vader daar met een geladen geweer en een lantaarn voor hem had zien staan.

Veekooplieden, kalverkutsen en paardenprossers kwamen af en toe even neuzen om te vernemen of er niets op stal stond dat klaar was voor de markt. Op de vlakte die zich vanaf onze boomgaard tot nagenoeg tot aan Heusdenbrug uitstrekte, zat er indertijd nogal wat wild, hazen en patrijzen. Carlos de Sloovere had er jachtrecht, maar hij schoot er meer naast dan op. Wie het veel beter deden waren de Heusdense laveiers die land en weiden afstroopten. Op een dinsdagmorgen kregen twee te paard patrouillerende rijkswachters op hun disteltoernee vier stropers in de gaten en gingen er in volle galop op los. De Heusdenaars sloegen op de vlucht en schoten eerst hun tweeloop in de richting van de wetsdienaars leeg. Terwijl de paarden steigerden en door de afsluitdraad van de weiden gehinderd werden, wisten de stropers door de bosjes te ontkomen en in hun huisje bij de Heusdenbaan veiligheid te vinden. Wanneer de gendarmes daar, na een hele omweg te hebben gedaan speurend voorbijreden, lagen de kerels rustig in hun moestuin onkruid te wieden.

Omstreeks hetzelfde tijdstip in het jaar 1906 heerste een epidemie van hondsdolheid. Geen dier mocht ongemuilband op straat te zien zijn, of het werd door de politie en de kantonnier onmiddellijk neergeschoten. Veldwachter, politiecommissaris en rijkswachters patrouilleerden geregeld door de velden op zoek naar zwervende honden. Luus de Baard, de voddenkoper stoorde zich niet aan de politievoorschriften en had moeten aanzien dat drie trekhonden die voor zijn kar gespannen waren, in volle straat door champetter Hoste neergehaald werden. De champetter werd door Luus grondig vervloekt en door de toeschouwers beknibbeld; Luus was geruïneerd, zegde men, maar daags nadien had hij drie gemuilkorfde trekhonden voor zijn kar en leurde voort.

De akeligste dingen werden over de hondsdolheid verteld; men ging St.-Hubertus, patroon tegen de razernij, te Melle vereren. Op 3 november werd St.-Huiberechtsbrood gewijd, men moest het rechtstaand nuchter eten, anders had het geen effect. Gedurende weken heerste er een echte angstpsychose voor de hondsdolheid onder de bevolking.

Op een namiddag zat ik thuis mijn huiswerk te schrijven, grootmoeder Katrien las in haar gebedenboek en het volk was aan het dorsen in de schuur, toen daar plots een grote zwarte hond, kwijlend en met open muil in het openstaand deurgat verscheen. Geroep! Het geschrokken dier liep weer de straat op, de weide in, en ik naar de schuur het beleefde uitschruwelen. Vader was met een sprong bij zijn geweer, kreeg de hond in het zicht, liep hem achterna en we zagen door het raam hoe hij hem met één schot neerlegde. Een knecht ging een put graven, het kreng erin werpen en dichttrappen. Daar was ik natuurlijk bij, en zou het 's anderendaags op school in alle geuren en kleuren voortvertellen.

Omstreeks dezelfde tijd meldde zich een zelfde scenario als dat met dokter Colson thuis aan. Dokter Van Bockxstaele verscheen elke dag of zo, er waren ernstige gezichten, moeder bleef te bed, tante Maria kwam opnieuw een handje toesteken, tot ik op zekere dag naar Merelbeke bij mijn tante Eveline een dag vrijaf kreeg en 's avonds mocht naar huis komen. Ik vernam toen dat een zekere dokter Fredericq met dokter Van Bockxstaele waren gekomen, dat er opnieuw een kuising werd verricht, dat alles goed afgelopen was en dat moeder vlug zou genezen. De prognose was inderdaad juist en na een paar weken hernam het leventje in de Kasteelstraat zijn gewoon gangetje, ging ik naar school en was iedereen blijkbaar gezond.

De bekende wandelaars die vanuit Den Bosch door de canadadreven naar de Brusselsesteenweg afzakten, af en toe bleven staan om hun ogen de kost te geven aan vruchten en vee, waren als uitgeschilderde portretten op een kleurrijke achtergrond van landschappelijk schoon die voor altijd mijn jeugdige verbeelding aan stoffeloze banden vastsnoerden.

Politiecommissaris Gustaaf van der Cruyssen, een schoolvriend van vader en zijn medetrombone in De Neerschelde, kwam vaak een praatje slaan. Een zekere meneer

Colson, hoge piet op de Registratie, kwam elke dinsdagmiddag, klokslag vier uur, even uitblazen, hij dronk een glas karnemelk waarvoor hij een stukje van tien centiem in mijn spaarpot stopte en informeerde naar bekende dingen. We wisten dat hij ongehuwd was, op de Coupure woonde, naast zijn familielid dokter Lucien Colson. Hij was als iemand van den huize geworden, en het zou ondenkbaar geweest zijn als hij op een dinsdagnamiddag niet klokslag vier uur de huiskamer binnenstapte.

De uitgestrekte vlakte vanaf de Brusselsesteenweg tot Heusdenbrug, tot de gekasseide straatweg van Den Bosch en verderop tot de Schelde, met haar dreven, sloten met elzenkanten, akkers en afgesloten weiden, was een uitgelezen terrein voor de militaire veldoefeningen. Er ging geen week voorbij zonder dat het voetvolk van het tweede Linie daar kleine oorlog voerde; soldaten verscholen zich achter de bomen om dekking te zoeken tegen een ingebeelde vijand, anderen rukten in verspreide orde als tirailleur over de weiden voort, kropen onder de prikkeldraad, namen een loopje, lieten zich om de twintig meter op de grond vallen, gebaarden te schieten. Daartussen liepen officieren commanderend rond. Het was niet zeldzaam dat er met losse patronen geschoten werd naar een geheimzinnig doel. Straatjongens liepen graag de soldaten achterna die dat niet onprettig vonden. Ik was er meer dan eens bij en vroeg aan een sergeant of ik ook eens mocht schieten met een soldatengeweer; hij stak een patroon in de loop, deed mij aanleggen, mikken en de trekker overhalen. Wat een sensatie!

Niet altijd verliep het exerceerspel even vreedzaam. De boeren hadden er meestal een hekel aan; het geweergeknal schrikte het grazend vee in de weide op dat onrustig werd; ze gingen de officieren vragen de luidruchtigheid te doen ophouden. Vader werd het gedoe op zekere dag te gortig wanneer een halve compagnie infanteristen een partij klaver platliep. Hij naar de kapitein, die geen woord Nederlands verstond, maar begreep waarover het ging. Vader stond hem in het Frans te woord, een overblijfsel van de Rijksmiddelbare school en Sint-Lieven. De sabelsleper zei dat hij en zijn manschappen défenseurs de la patrie waren. Waarop vader even snel als vliegen klappen repliceerde et surtout les mangeurs de la patrie. Het ene woord bracht het andere mee, de soldaten verlieten ten slotte het terrein, terwijl de kapitein zich iets liet ontvallen als espèce de sale flamin, wat vader het passend wederwoord in de mond legde van espèce d'emmerdeur wallon.

In de augustusmaand 1906 had een overlijden in de familie plaats.

Ik was met vakantie bij mijn tante Rosalie te St.-Maria-Latem en beleefde nog eens de contacten uit 1904 met pastoor Geltmeyer die tot over zijn oren in de zorgen zat met de restauratie van zijn kerk, met de Van de Veldes en het heuvelige landschap van de schone Zwalmstreek. De terugreis was voor 1 september gepland. Ik vertrok met tante per trein te St.-Denijs-Boekel, wij stapten te Zottegem over en zouden met de boemeltrein tot Merelbeke rijden, waar de paardeknecht ons zou opwachten met het rijtuig; dat was op een klein halfuurtje van de Kasteelstraat. Onderweg vertelde de knecht aan tante dat grootvader Pieter Elaut gestorven was; ze begon te bidden, daarna te wenen en daar ik het gesprek gehoord had, werd het bij mij eveneens hoog water.

Toen we thuis aankwamen, zagen we van verre de luiken van grootvaders kamer gesloten, we werden op de drempel ontvangen door ongewoon talrijke familieleden, onder wie de twee kloosterzusters uit Viane, die thuis mochten blijven tot de dag vóór de begrafenis van hun vader. Er lagen doodsberichten op tafel en een paar tantes waren druk aan het adressen schrijven.

We gingen in de sterfkamer, waar grootvader op het bekende bed als een bleekgele gestalte uitgestrekt lag. Ik was er meer door aangedaan dan door de dood van mijn grootmoeder drie jaar tevoren. Dit was de tweede dode die ik in mijn leven zag. Ik had altijd veel van mijn grootvader gehouden en vond het vooral erg dat dit overlijden mij zo onverwacht getroffen had.

Tussen al het ongewone gestommel door vernam ik hoe het gegaan was. Grootvader was tot twee dagen voor hij stierf altijd dezelfde bezige man geweest. Op de maandag van Ledebergs Ajuinmarkt was hij er te voet heen gegaan, had de traditionele resem ajuin als bewijs van zijn uitstap naar huis meegebracht, enz. Twee dagen later was hij plots 's nachts onwel geworden, dokter Van Bockxstaele sprak van cholerine of zomerdiarree, en gezien de hoge ouderdom van levensgevaar. De familie werd gealarmeerd, de pastoor kwam hem bedienen en 's anderendaags vroeg in de morgen van 31 augustus 1906 is grootvader gestorven; hij was de tweeëntachtig voorbij.

Ik moest drie dagen achtereen bij mijn tante Maria gaan logeren. De uitvaart had plaats op maandag 3 september. Grootvader werd uitgedragen op de schouders van buren en vrienden; de geestelijkheid kwam het lijk thuis afhalen en trok zingend door de eikendreef en langs de Brusselsesteenweg naar de St.-Eligiuskerk. Het was snikheet. Na de lijkdienst ging het naar het kerkhof op het Center, drie kwartier ver, met kruis en vanen. Op twee van die vanen stond te lezen: ,,Heden ik — morgen gij!'' Onderweg werd driemaal halt gehouden, de lijkdragers ruilden hun plaats met anderen, de pastoor bad ondertussen een paar vaderonzen, tot de begraafplaats werd bereikt. Grootvader werd niet in een grafkelder, maar in de aarde begraven; grootmoeder Katrien had het zo beslist in een geest van christelijke deemoed, zij ook wilde later in de aarde begraven worden. Er was een rouwmaal voor de familie, met belegde broodjes, koffie of bier. De kinderen zaten samen aan een lange tafel, waar het tamelijk luidruchtig was.

Onder de aanwezige familieleden was een verre neef van grootvader, Frederik Elaut, uit Oordegem te voet naar de begrafenis van ,,kozijn Pier'' gekomen, een kranig man van tweeënzeventig met een eerbiedwaardige profetenbaard. Hij vertelde van de familie, van de Kluize te Oordegem waar hij woonde, van zijn kinderen. Hij was de zoon van Tiste Elaut, kozijn Pier was de zoon van Amand Elaut, hij legde van naaldje tot draadje uit hoe het in het verleden met de Elauts te Oordegem ineenzat. Dat is mij toen grotendeels ontsnapt. Elkeen was een en al oor voor het verhaal, hij was een fijn mens en bekoorde door zijn zachte stem met een sterk Oordegems accent; hij was een gewezen jachtwachter.

Hij was van Oordegem gekomen in een zwarte pandjesjas, met een gedeukte bolhoed op. Het deed de hele familie een beetje meewarig naar hem opzien. In het naar huis gaan liep hij bij nicht Katrien nog even binnen om goedendag te zeggen. Toen deze hem zag met de gedeukte bolhoed op, had ze de lumineuze inval de beste bolhoed van haar overleden echtgenoot aan kozijn Frederik cadeau te geven. Wat deze met grote dankbaarheid aannam.

Daarna vertrok hij naar Oordegem, drie uur te voet, op een hete zomerse namiddag. De gedeukte bolhoed bleef tot mijn groot jolijt in de Gentbrugse Kasteelstraat achter. Ik zou kozijn Frederik later nog een paar keer terugzien, maar dan had hij geen ingedeukte bolhoed op.

De dood van mijn grootvader Pieter Elaut, die mijn peter was, schiep tijdelijk een leemte in het huis van de Kasteelstraat. Zijn zoon Emiel kwam horen of hij het aandeel uit zijn vaders bezit kon krijgen. Hij woonde te Ledeberg in de Nieuwstraat, was een slager, had vier zoons, liet zijn vrouw en kinderen het meeste werk verrichten terwijl hij op straat liep of in de herbergen hing. Hij droop af uit schaamte voor het eenparige verzet van de anderen. Tante Maria voerde het hoge woord. Ze zei: ,,Zolang moeder leeft, wordt niet geraakt aan haar bezit en haar inkomen''. Het bleef daarbij.

Grootmoeder Katrien was blij met de oplossing. Ze bad haar dagelijkse gebeden, nu ook voor vader; ze had alleen maar spijt dat ze haar vijftigjarig huwelijksjubileum niet had mogen vieren. Ze bleef in de Kasteelstraat inwonen, ontving enkele vrienden van weleer, de pastoor, haar kleinkinderen, ze bemoederde wat zonder zich op te dringen, was trots op de bloei van het boerenbedrijf van Taaf, haar oudste, ze keek hem naar de ogen en ze was de eerste om voor zijn gezag te buigen. Voor mij was ze een en al zorg. Ze speelde kaart met mij met een ernst of het bestaan van de wereld ervan afhing; tot ergernis van mijn vader liet ze me nooit winnen. Hij moet ernstig leren spelen, luidde haar antwoord.

*
* *

Door het heengaan van mijn grootvader was een stukje, hoe klein ook, uit mijn pril leventje van onvolgroeidheid weggevallen. Hij had mij weten geboren worden, ik was in zijn nabijheid opgegroeid, in het waas van mijn allerverste herinneringen is hij de altijd aanwezige. Hij nam mij mee op zijn speurtochtjes in moestuin, boomgaard en stallen. Elke zaterdagnamiddag trok hij naar de barbier en 's zondags naar de hoogmis. Hij kreeg van zijn vrouw één frank mee, tegen twaalven was hij thuis, vertelde wat hij vernomen had, hij lustte een borrel en van het zakgeld hield hij niet veel over, want hij tracteerde royaal. Tistje Bockstaele die van zijn vrouw maar een kwartje meekreeg, week niet van zijn zijde.

Toen hij, op het eind van zijn leven, wat vroeger dan gewoonlijk thuiskwam, vond grootmoeder Katrien die regelmatig zijn zakken inspecteerde, soms een paar onopgebruikte stuivers waarmede ze hem in de loop van de week trakteerde. Hij rookte zijn pijpje van zelfgekweekte tabak, zat rond de kachel met de anderen, hij was bang voor bliksem en onweer want zijn Oordegemse thuis was ooit door blikseminslag afgebrand, hij gruwelde wanneer hij daaraan terugdacht en sloeg een kruis bij elke bliksemflits.

In arbeid en eenvoud heeft deze man zijn leven doorgebracht; hij was een stille filosoof, hij wist en zag hoe zijn vrouw de zaken goed beredderde. Waarover zou hij zich bekommeren en angstig maken? Haar zaken waren de zijne. Zij gaf hem de plaats en de eer die hem toekwam, ze sprak altijd over ,,vader'' op een toon van ontzag, en hij zei nooit ,,moeder'' anders dan op een toon van mannelijke innigheid.

*
* *

Half september 1906. Een drukke vakantie was voorbij. Ik keerde terug naar de gemeentelijke jongensschool van de St.-Genoisstraat, en kwam in de klas van meester Prudent Thienpont, de ontzaginboezemende Koster. Ik zou ook het eerste jaar lering volgen tot voorbereiding van de eerste communie die gewoonlijk in de loop van het elfde levensjaar gehouden werd, en volgens de toen vigerende kerkelijke voorschriften, werkelijk de eerste was.

Die lering werd in de gemeenteschool zelf gehouden door de onderpastoor E.H. Frans de l'Arbre, een nogal joviale kerel. We moesten elke week een les van de catechismus leren en op de vragen het goede antwoord geven. Daar grootmoeder

Katrien thuis mijn les overhoorde, schiep dat weinig problemen. De knapen uit Moskou hadden het niet zo gemakkelijk, ze rekenden erop dat wij het hun zouden opsteken, wat dan ook regelmatig geschiedde als de onderpastoor het zelf niet deed.

De Koster hamerde het ons in. We kregen zelfs Franse les. De uitblinker van de klas was Richard de Vylder, hij liep altijd met de eerste plaatsen weg. Ik volgde op een veilige afstand, want tegen de kleppers uit het De Vyldersras was er niets te beginnen. In mijn klas zaten knapen van de Kattenberg en de Zavelhuizen, volbloed Arsenaalse rakkers, de zoons van slager Frans van de Noordgate, de zoon van Marie de Roepkele, in mijn klas zat o.m. Zot Juulke, het Dikhoofd, zaten Loot en Moot van de mandemaker, zeker niet allen even begaafd, maar met dezelfde onderwijzershartstocht van de Koster achternagezet tot in de honderd- en de duizendtallen, tot in de enkelvoudige en samengestelde breuken. Daar duizelde het mij soms, en de onbarmhartige Koster heeft mij zijn didaktische vernederingen niet onthouden wanneer ik het spoor bijster was.

Een rekenkundige knobbel was mij niet aangeboren. Mijn tante Mathilde, de onderwijzeres, probeerde er iets aan te doen, maar veel eer heeft ze van haar neefje niet gehaald; rekenkundige schoolwerken overdoen was dagelijkse kost; als ik er zo eentje kreeg van de Koster, voegde vader er nog eentje bij. Het verbeterde enigermate, doch schitterend was het niet; het verdroot mij zo zeer dat ik, om van het gezeur af te zijn, begon te oefenen met de vraagstukken die in mijn rekenboek stonden en aan Tante Mathilde nog meer oefeningen vroeg. Men vond dat al een vooruitgang, waarvan het succes aan de methodes van de Koster toegeschreven werd.

Met Klaasdag werden de kinderen van de gemeenteschool met een krentenbroodje en één sinaasappel bedacht. Vóór de school uit was, waren de krenten al een stuk uitgevingerd en hadden de Kattenbergers en die van de Zavelhuizen de helft van hun krentenbrood opgegeten. Thuis had ik een paar lage lederen schoenen gekregen, met een sluitriempje en een gesp zoals de fietsers die droegen; ik zou die aandoen om naar school te gaan. Wanneer ik 's anderendaags op de speelplaats kwam en men zag dat ik lederen fietschoenen droeg, waren die het mikpunt van de algemene verachting en van slinkse trappen op het nieuwe leder van mijn Sinterklaasgeschenk. Ik verkoos dan, veiligheidshalve, weer op mijn klompen naar school te gaan.

Zo ging en kwam herfst, winter, lente en zomer. Met de Kruisdagen trok de veldprocessie voorbij met kruisen, vanen en zingend kerkvolk; ik moest met moeder naar de eerste mis van zes uur en daarna mee in de sliert. Op de boerderij heerste het ritme van de jaargetijden. Vader en moeder, grootmoeder Katrien, de knechts waren gegrepen in hun dagelijkse taak, en ik liep daartussen als deelgenoot. Vader was een zesenveertigjarige man, het kloppende hart van zijn klein gezin, waar er geen kinderen meer zouden bijkomen. Hij was een geziene boer bij wie men graag raad kwam vragen, en die daarop trots was.

Zijn kennis van paarden werd bijzonder op prijs gesteld en ingeroepen. Hij had een paar uitstekende fokmerries en men kwam een veulen bespreken voordat het geboren was. Zijn twaalf prima koeien hadden veel bekijks. Zijn oogsten waren altijd gelukt. Hij huurde pikkers uit Scheldewindeke, maar binden en stuiken deed hij met eigen volk en dan spande het op het hof. De korenmijten maakte hijzelf, werk van de baas, evenals het zaaien.

De ekonomische slagader van zijn bedrijf was de melkproduktie, daar moest het van komen, daaraan werd het andere ondergeschikt gemaakt. Tarwe werd niet gezaaid, de Gentbrugse grond deugde daarvoor niet, alleen rogge en ander veevoeder, en haver voor de paarden; varkens werden alleen gekweekt voor de eigen slacht. Er werd thuis gekarnd, moeder was de bazin van de boterkelder. De kippen waren er om eieren te leggen, de niet-legsters werden nauwgezet geïdentificeerd en gingen de pot in. De klokhennen werden op uitgelezen eieren te broeden gezet,.en de kuikens vroegtijdig geselecteerd en geringd.

In de stallen had elke koe boven haar kop een bordje hangen met de datum van kalving en dekking. Vader hield het in 't oog, niets ontsnapte hem en moeder was evenzeer op orde gesteld. Wanneer de oogst gestuikt in rijen stond, werd het stoppelveld omgeploegd en de rapen gezaaid, het onmisbare wintervoeder dat rijke melk verschaft. Wanneer het loof uitstond, werden wiedsters gehuurd, soms twintig tegelijk, de volksvrouwen kwamen erop af, tegen zes cent per uur en hun vieruurtje; moeder hield van elk de werkuren bij en op zaterdagavond kwamen ze het loon ophalen. Zo schoten de dingen op, want niets stond vader en moeder zozeer tegen als achterop te geraken met het seizoenwerk. Klaar met de zaaitijd vóór St.-Elooi was boerentrots: wie slaapt in de zaaitijd, vindt geen maaltijd.

Zelf ging ik in het boerenbedrijf op. Ik mocht mee naar de Wetterse paardenmarkt en kreeg een kapper bier met een harde mastel. Wanneer een rund verkocht werd, was ik er aan en bij; hoe een koe kalfde had voor mij geen geheimen; samen met de anderen trok ik mee aan het zeel om de poten van het kalf. In de wiedtijd droeg ik de koffie en de boterhammen naar het veld. Wanneer het laatste hooi of graan werd binnengehaald, zat ik boven op het voer met de mei; het volk kreeg twee borrels van de fles, waarmede moeder klaarstond. Krenterig waren mijn ouders niet, maar er mocht niet gelanterfant worden.

Na de prijsuitdeling van augustus 1907 overzag vader de situatie van zijn gezin, van zijn bedrijf, dacht hij na over de toekomst. Hij zat zeven jaar op zijn hofstede, halfweg de pachttijd die liep tot eind 1915. Zijn zoon van 10 jaar zou wel zijn enig kind blijven. Leren deed die niet zo slecht. Zou hij voor de boerenstiel in de wieg gelegd zijn? Moeder had een druk leven, had veel last van migraine, kon met de knechts en het vreemde volk moeilijk over de baan, want die verbeuzelden hun tijd als de baas uit het gezicht was.

Dat maakte het haar dubbel lastig. Vader was geen harteloos man, hij was niet hooggeleerd, maar las met grote aandacht het enige blad dat in huis kwam, *De Landbouw;* hij wilde hogerop, minder voor zichzelf dan voor zijn enig kind. Hij wist wat hij bezat; hij huurde een kluis in de Banque de Gand op de Kouter te Gent en berekende wat hij zou bezitten op het eind van de aangegane pachttijd. Zou hij een nieuwe pachttermijn aangaan? Dat zeker niet. Hij besliste dat ik geen boer zou worden, dat ik verderop zou, in elk geval niet mijn broek verslijten als een pennelikkertje op een kantoor, ik zou naar een college, het kon niet anders dan op een kostschool. Moeder vond dat ik zo jong was, nog geen tien jaar. Maar het moest, vader wist hoe anderen het deden, waarom de onze niet, dus geen kletspraat.

NAAR HET COLLEGE VAN EEKLO

Er werd rijkelijk overlegd. Tante Mathilde, een wijze vrouw, werd geraadpleegd, ze vond het ogenblik geschikt en gaf vader gelijk. De pastoor, die wekelijks bij grootmoeder Katrien op visite kwam, hoorde van de zaak; hij werd in vertrouwen genomen en meende dat een boerencollege voor een boerenknaap van mijn leeftijd een uitstekende school zou zijn. Hij gaf zijn voorkeur te kennen voor het bisschoppelijk college van Eeklo. Tante Mathilde trok naar haar Merelbeekse zuster waar een volle neef van mij, Jules de Clercq, voor dezelfde vraag stond, ze had wat meer weerstand te overwinnen, maar beslist werd dat Jules en ik samen half september naar het college van Eeklo zouden gaan.

Jules de Clercq was een goed jaar ouder dan ik en had al zijn eerste communie gedaan. Die eerste communie was een mijlpaal in het leven van een jong mens. Hij kan zijn eerste communie in het college zelf doen, zei de pastoor, en mijn ouders dachten dat zoiets meeviel. Grootmoeder Katrien zag mij node vertrekken, ze was haar medekaarter kwijt, maar legde zich neer bij de gedachte dat het zo best was.

Vader, moeder en tante Mathilde trokken naar Eeklo, schreven de twee in voor het schooljaar 1907-1908, kwamen terug met de hele boel onmisbare inlichtingen. Kostprijs 450 fr 's jaars, matras, beddegoed, lampetkom en -kan, zoveel handdoeken, zoveel servetten, lepel, vork, tafelmes, kousen, winterjas, paraplu enz. Toen ik dat alles aanhoorde, was ik meest geïmponeerd door het feit dat ik te Eeklo met een servet aan tafel zou zitten.

Er werd over niets anders meer gepraat dan over dat college, zelf was ik niet meegeweest, aan mij had men niets gevraagd, alles was buiten mij om, over mijn hoofd, heengegaan. Ik moest het goedvinden en bereidde mij manhaftig voor op wat komen zou. Men hield mij voor dat ik nu een hele kerel was, dat ik mij met eigen middelen uit de slag moest trekken en weten te redden. Moeder en grootmoeder waren in de weer om mijn uitzet te maken en te zien dat niets ontbrak; ik kreeg naald, draad en knopen mee, schrijfboeken en potloden.

De koffer werd een week voor het vertrek door vader naar het Gentse Garenpleintje gebracht, waar de voerman naar Eeklo hem zou meenemen en in 't college bestellen. De rest zou volgen. Die rest was ikzelf, met een benepen hart, ofschoon uiterlijk wat aanmatigend wanneer ik aan mijn schoolkameraden aankondigde dat ik naar het college van Eeklo ging.

18 september 1907 was het zo laat. Ik zou met moeder, samen met Jules de Clercq, over Gentbrugge Center naar het Dampoortstation gaan en van daaruit naar Eeklo vertrekken. We waren alle twee met pakken geladen en namen de trein, een kaartje kostte 45 cent, voor mij halve prijs omdat ik nog geen tien jaar was. Ik telde de stations: Muide, Wondelgem, Evergem, Sleidinge, Waarschoot, Eeklo. Op een klein halfuurtje waren we ter bestemming.

Op dezelfde trein zat Alfons Teurrekens, zoon van de Gentbrugse koster. Hij was al meer dan vier jaar op het Eeklose college; hij zegde dat wij het er gauw zouden gewoon zijn, dat het er buitengewoon goed was. Wij trokken door de lange, brede Stationsstraat, een heel einde tot aan het Patersstraatje, en stonden na twintig minuten voor de poort van het college in de Zuidmoerstraat. Die poort stond wagenwijd open, er was een druk heen- en weer geloop en gesjouw met koffers en pakken. De superior ontving ons. Een eerbiedwaardig, korpulent man met hoogrood gezicht, Ch. Smet. Welkom in het college.

De kleinere nieuwelingen werden opgevangen door moeder-overste, aan een andere zuster toevertrouwd en naar de slaapplaats begeleid voor uitpakken, bed opmaken, koffers en honderd aanbevelingen. Ik lag op de onderste dormter, bed 120, Jules de Clercq had nummer 119. We konden na de uitpakkingsceremonie met het college kennismaken: daar was de eetzaal, daar de grote studiezaal, daar de kapel, daar de klassen. We hoorden iets over de dagindeling: om zes uur opstaan, om halfnegen in bed enz.; lessen, wandeling, bezoekuren, studietijd. Ga maar vrij in de stad, om zeven uur moet iedereen binnen zijn en begint het voorgoed.

We gingen een eindje de stad in, maar moeder moest te vijf uur en zoveel haar trein halen. Alfons Teurrekens was als een grote meneer een pint gaan drinken, maar hield ons in de gaten en bracht ons tijdig in de veilige haven: het Bisschoppelijk St.-Vincentiuscollege te Eeklo. Het afscheid van moeder was niet veel zaaks; ze hield zich dapper, wij ook. Goed leren en braaf zijn, was haar laatste woord, en schrijven dat ge 't gewoon zijt.

We waren ter bestemming. Vaarwel Gentbrugse gemeenteschool van de St.-Genoisstraat. Tot later Kasteelstraat, tot later vertrouwde mensen, tot later vertrouwde beelden van mijn gelukkige kinderjaren. Een nieuwe wereld zou ons inpalmen, opzuigen, meeslepen, insmelten, een andere vorm geven. We wisten niet welke, we waren kneedbaar als deeg, tot alles geschikt, behalve tot opstandigheid. We liepen nog wat op de speelplaats rond, als vreemde eenden in de bijt, als vreemde wezens, aan niemand bekend, en we kenden ook niemand behalve Alfons Teurrekens, die was hier blijkbaar thuis, en al door zijn klasgenoten in beslag genomen. Er liepen een paar geestelijken rond; wie ze waren, wisten we niet. Van een surveillant hadden we tevoren nooit gehoord; wat zijn rol en taak was, was ons onbekend.

Te zeven uur ging de grote bel in een hoek van de speelplaats. Het rumoer viel enigszins stil, men plaatste zich op twee rijen bij de deur van de eetzaal, men noemde dat de refter. Men ging binnen en repte zich om het even hoe naar een plaats. De groten namen de kleinen ergens mee, duwden ons tussen de anderen in; toen dat gedaan was, tikte de aanwezige pastoor een paar keer met zijn sleutels en begon te bidden, in het Latijn. Ik begreep er niets van; iedereen ging zitten, knechts brachten borden met kaas, met bruine boterhammen enz.. We konden aan de slag, met lange tanden; ik vond dat het mager was, en hoopte dat het morgen beter zou zijn.

Na een goed kwartier was het afgelopen. Sleutel. Gebed. Speelplaatswandeling tot acht uur. Sleutel. Op rijen. Naar de kapel. Houten knielbanken. Avondgebed, altijd door dezelfde pastoor. Gewetensonderzoek; wat is dat? Plots orgelmuziek en zang; samenzang: Ave Jesu, pastor fidelium, adauge fidem omnium in te credentium. Zegen van de dikke superior. Op rij naar de speelplaats, elk in zijn alkoof. Uitkleden. In bed. Plots het gaslicht uit. Alleen in een vreemde wereld, tussen drie berden en een wit afsluitgordijn. Een lampetkom en -kan, een waterpot onder het bed. Een kastje voor de klederen, een kruisbeeld aan een spijker, een voetkarpetje voor het bed.

Dan werd de aandoening mij te machtig en ik heb geweend; het kon mij niet schelen dat anderen het hoorden. Maar het viel stil. Ik sliep in tot de ochtendbel allen wekte. Er was gestommel, gewas en geplas. Een andere pastoor kwam kijken hoe het ging, hij was vriendelijk, vroeg of ik goed geslapen had, zei dat ik mee moest gaan met de anderen zodra de bel ging.

Daar ging ze. Naar de grote studiezaal. Morgengebed; meditatie; wat is dat? Alles in het Frans. Onze Vader en Wees Gegroet, die had ik al bij de Koster geleerd; maar nu. Het wenen stond mij nader dan het lachen. Wanneer het morgengebed met meditatie gedaan was, naar de refter. Dampende koffie, hopen boterhammen. Het kropte niet meer. Op de koer, even luchten, een kwartiertje speeltijd. De bel, op rij naar de kapel. Mis van de H. Geest, met drie priesters. Naar beneden in de grote zaal. Afroeping van de klassen. Telkens er een groep klaar was, trad de pastoor vooruit, trok met zijn volgelingen naar zijn klaslokaal.

Ik, Jules de Clercq en een klis anderen uit het achtergebleven klein grut, we waren de tiende groep. Onze naam viel eindelijk; een leek-onderwijzer nam ons mee naar zijn klas. Hij verdeelde ons in twee afdelingen: we waren de Derde en de Vierde Voorbereidende of, zoals we straks zouden vernemen, het Derde en het Vierde Frans. Al de anderen waren de Latijnse klassen.

Ik zat in de allerlaagste afdeling, het Vierde Frans, Jules de Clercq ook. Onze meester was Frans de Sutter. Hij woonde te Maldegem-Donk, stamde uit een onderwijzersfamilie, kwam elke dag met de trein naar het college. De lessen begonnen. Wat ik leerde was niets nieuws; ik had het allemaal reeds te Gentbrugge gehoord. Een ding was verschillend: de ontzettend grote schoolwerken, die moesten ons bezighouden in de studie, vier uren en drie kwart. We zaten met zowat honderdvijftig leerlingen, de groten achteraan, op twee rijen stompzware, onestetische zwarte boevenbanken, in een lange zaal waar, van op zijn verheven katederbak, de surveillant toezicht uitoefende.

Na één dag wist ik al wat een surveillant was, het alom aanwezige oog, op de slaapzaal, in de kapel, op de speelplaats, in de refter, op de wandeling. Hij ontbrak alleen in de klas, en daar was het Meesterke de grote heer.

De Superior zweefde daar boven, bemoeide zich niet met het detailwerk, maar wist alles. Men noemde hem zeer eerbiedig De Baas; hij had daarvan al de fysische kenmerken. Zijn woon- en slaapkamer lag boven de keuken, in het geometrische centrum van het college. Van daaruit had hij een overzicht over de speelplaats, kon horen wat er in de klassen omging, was op één stap van de spreekkamers, had een blik op de kamers van de leraars. Zijn rechterarm was de surveillant van de internen, zijn linkerarm de surveillant van de externen. Deze laatsten waren ten hoogste met vijftig; halfinternen bleven alleen 's middags op het college eten en hun schoolwerk maken, om zeven uur waren ze weg; ze waren slechts met een tiental.

Tweemaal in de week, de dinsdag- en de donderdagnamiddag was er wandeling; we gingen in rij in het midden van de Stationsstraat of de Molenstraat, vielen daarna in klasgroepen uiteen. We stapten een uur ver tot Waarschoot, tot Lembeke, tot Balgerhoeke, tot Adegem-Veldekens en Kruipuit, langs Schipdonkse Vaart, in het Leen, en keerden terug. We kenden weldra Eeklo met zijn toegang- en zijn uitgangswegen op ons duimpje. De Eeklose straatjeugd riep ons achterna: collegeschijters.

In dit stereotiep wereldje met zijn stereotiep levenspatroon, met zijn stereotiepe mensen en gebouwen, was ik na een paar weken opgenomen en ingeburgerd. Mijn neef Jules de Clercq kon moeilijk wennen. Mij kwam het na korte tijd voor dat ik in het Eeklose college een nieuwe thuis gevonden had, waar ik kon aarden. Aan huiselijke tucht was ik gewoon, en voor het gezag had ik een aangeboren respect. Ik kreeg soms straf, maar bij knapen horen straffen zoals vlooien bij een hond. De kwaliteit van mijn geschrift verbeterde er niet op, maar mijn rekenkundige kennis won erbij.

De zinsontleding ging een bijzondere richting uit; men leerde verbuigen naar de naamvallen: onderwerpsvorm, de vader; bezitsvorm: des vaders; doelvorm, den vader; voorwerpsvorm, den vader. Een voorafbeelding ten slotte van wat het in de humaniora worden kon met: nominatief, vocatief, genitief, datief, accusatief, ablatief. Dat was hier nieuw en dat had ik te Gentbrugge niet geleerd. Op een beschaafde uitspraak werd geen nadruk gelegd, tussen de andere dialecten floreerde het echte Eeklose in al zijn rijkdom.

Wat mij, na een maand reeds, als een doorn in het vlees stak, was de verplichting Frans te spreken, ondereen op de speelplaats, op de wandeling enz. Men had mij even goed kunnen verplichten Chinees te praten.

Het hatelijke signum bestond op het Eeklose college niet, we hoorden van zijn bestaan af en wisten dat het hier al een tiental jaren verdwenen was. Maar Frans praten met Jules de Clercq bv., daar kwam niets van terecht, bij hem nog minder dan bij mij. We raapten wel stukken zinnen op om ons uit de slag te trekken: du pain s'il vous plaît? puis-je aller à la cour s'il vous plaît, monsieur le surveillant, pour satisfaire mes besoins? rendez-moi la balle, Louis! Puis-je aller faire couper mes cheveux, s'il vous plaît? Maar dat is nog geen Frans praten.

Superior Charles Smet predikte om de veertien dagen, maar vooraf was er een soort kapittel, waar op de tekortkomingen aan het reglement gewezen werd, en het Frans spreken was een van de onveranderlijke tema's die te berde kwamen. Hij deed dat altijd in zijn Waaslands Nederlands. Hoe wilde men dat wij vlot Frans zouden spreken na zes maand college te Eeklo?

Die eis vervolgde ons als een boze geest, en hij heeft ons tot bitterheid gedreven en tot inwendig verzet om het hen ooit betaald te zetten. Wanneer ik op Nederlands praten betrapt werd door Monsieur le Surveillant en een Frans sermoen moest aanhoren zonder er veel van te begrijpen, sprongen de tranen in mijn ogen. Dat het mij ergerde, durfde ik naar huis niet schrijven, want de brieven passeerden door de handen van de Superior, en dan stond mij een nieuwe Franse saus te wachten. Verkroppen was de enige uitkomst, en intussen dan maar Frans leren.

Alle lessen in de Voorbereidende Afdeling waren in de moedertaal, het was maar in de hoogste klas dat we rekenen en geschiedenis in 't Frans kregen. Wat nu de Franse lessen zelf in de vier studiejaren van die voorbereidende afdeling betreft, die waren zozeer geïntensifieerd, op spraakkunst en zinsbouw toegespitst, op de bijzonderheden en de finesses van het Frans taaleigen gericht, dat we als het ware doorkneed waren van echte Francité.

Dat kenmerk is ons bijgebleven, in die mate zelfs dat ik degenen die met hun Franse parlessanterij hoog oplopen, dikwijls heb uitgedaagd in een moeilijk dictee, mijn Franse taalkennis met de hunne te meten.

De uitspraak van het te Eeklo geleerde Frans, ja dat was een ander paar mouwen, en hier moet ik de duimen leggen, het accent van het Belgische Frans ben ik niet kwijt geraakt. Nooit heb ik mij de echte Franse tour de gueule kunnen eigen maken.

Dat ik te Eeklo als een volwaardige eenheid van de collegebevolking, die toen niet meer dan tweehonderd leerlingen telde, tamelijk vlot meekon, was toe te schrijven aan de atmosfeer die er heerste. Het eeuwige gezeur over het verplicht Frans praten nam ik mee in de rekening, alle knapen van mijn leeftijd worstelden met dezelfde moeilijkheid. De huistucht was draaglijk voor iemand die van kindsbeen af geleerd had op het eerste woord te gehoorzamen.

De Eeklose wereld waarin ik plots verplaatst werd, was een verrijking; ik voelde het bewust aan als de inbezitneming van een boel dingen, die ik onbewust assimileerde om ze nooit meer kwijt te geraken. Het milieu, de mensen, het geleerde; de ingeslotenheid van het collegeleven zelf namen de plaats in van hetgeen ik tien jaar lang te Gentbrugge had ervaren. De onbenulligste zaken hadden een weerslag op het gemoed van een jongen, die uit een boerenmilieu in een ander boerenmilieu, in een zogeheten boerencollege was beland.

In de Molenstraat stonden te dien tijde drie draaiende windmolens; in de Stationsstraat en op de markt passeerden om het uur de puffende trammetjes van de buurtspoorwegen. De Brugsesteenweg liep door dennen- en brembossen met daartussen in de boekweitvelden. Te Balgerhoeke zaten in de lage huisjes langs de straat jonge meisjes het haar van de gedroogde konijnevellen te snijden voor de viltbereiding; te Waarschoot zagen we huiswevers voor hun getouwen aan de slag. Te Eeklo in de Collegestraat werden de runderen in de winkel zelf geslacht en liet men het bloed in de straatgoot wegstromen; op Blommekens stonden de zwingelaars voor hun molens te trappen tussen de vlaskroten en de wegstuivende lemen; in de Boelare beukten neergebogen knapen met boothamers het aangevoerde vlas voor de zwingelaars klaar. Langs de Schipdonkse Vaart zagen we mannen tot aan hun buik in het water op de rootkasten zwoegen om de vlasschoven uit het water te halen en er hing daar de ondefinieerbare lucht sui generis die het rootproces meebrengt.

Op het Kruispunt van de Brugse Vaart, de Molenstraat en Boelare stond K. Lodewijk Ledeganck in het brons gestandbeeld; de ganzenpen die hij in zijn hand hield betekende dat hij een dichter was geweest.

Vanop zijn kamer voor het raam, zat de honderdentweejarige August Commergo het Eeklose gebeuren gade te slaan en het begijntje dat hem verzorgde, deed hem met zijn hand saluutjes wuiven wanneer de wandeling van het College voorbijging. ,,De College'', zei men te Eeklo.

Dit waren onder tientallen andere, de Eeklose alledaagsheden die mijn leergierige geest troffen, die met de Gentbrugse alledaagsheden vergeleken, leidden tot een som van gewoonheden die mijn verbeelding aanscherpten, mijn zucht om meer te kennen en beter te weten stoffeerden en mijn begripsvermogen ontwikkelden.

In de loop van mijn eerste Eeklose trimester kreeg ik een paar keren bezoek van vader en moeder. Ze waren ermee in hun schik, dat ik in het voor mij toch nieuwe en ongewone milieu opgenomen was en niet vroeg om met hen terug naar huis te keren. Het schoolrapport was goed, ik stond aan het hoofd van de klas, het was in hun ogen de bevestiging dat het onderwijs van de Koster uit de gemeenteschool van de Gentbrugse St.-Genoisstraat van de bovenste plank was.

Op tweede Kerstdag 1907 werd ik tien jaar, en op Nieuwjaarsavond gingen we met een week vakantie na een trimester van een dikke drie maand. Ik trof thuis de oude vertrouwde omgeving met Grootmoeder Katrien en de hele handel en wandel die zoveel verschilde van het Eeklose collegeleventje. Ik vertelde over dat leventje aan wie het horen wilde.

Tijdens die vakantie werd de voorbereiding op mijn Eerste Kommunie druk besproken. In het college volgde ik de lering, door Superior Smet zelf geleid. De datum was sinds mensenheugenis de dinsdag na Passiezondag en zou op 8 april 1908 vallen. We kregen het Bijvoegsel voor de Eerste Kommunikanten van de Mechelse Catechismus te doorworstelen, zeven weken lang, elke dag tijdens de ochtendspeeltijd een half uur vragen en antwoorden. We waren met zijn tienen. De internen onder ons kregen een zaterdag en een zondag vrijaf, teneinde het nodige thuis in orde te laten maken dat bijtijds op het college moest zijn, waar zuster Josephine speciaal met de zorgen voor de eerste communicanten was belast. We kregen een brief van de Superior mee waarin vader en moeder op de grote dag van het Eerste Communiefeest werden uitgenodigd.

Zoals alle ouders waren de mijne al van te voren opgetogen met die dag die voor hun kind van een enorme betekenis was. Men hield ons en alle mensen voor dat dit de belangrijkste dag van iemands leven was, en we waren er vast van overtuigd. Grootmoeder Katrien die de christelijke traditie in ons gezin vertegenwoordigde, bad elke dag een speciale paternoster voor mij, zoals zij na haar middagdutje haar gewone dosis straffe koffie dronk. Ze zou het nog graag beleven, mij mijn eerste communie te weten doen en had vijftig frank in mijn spaarpot gestopt als haar bijdrage voor mijn zilveren rozenkrans en nieuw gebedenboek.

Wanneer ik dan met mijn extra-verlof thuis was, trok moeder met mij op een zondagmorgen naar kleermaker Eduard Dua in de Sasstraat om het zwarte pak te passen waarvoor zij een maand te voor de maat had laten nemen. Voort ging de tocht naar Gent, bij Leonie de Mutse, voor een zwarte bolhoed; wat heeft die jongen voor een groot hoofd, was haar reaktie toen ze haar voorraad bolhoeden voor eerste communicanten had bovengehaald en eindelijk het passende exemplaar voor mijn brachycephale schedel gevonden had. Daarna naar de Lange Munt, waar ik helemaal in het nieuw gestoken werd: stijf wit hemd, manchetten met sluitknoppen van doublé, stijve boord met wit zijden vlinderdasje, kousen, schoenen enz. Er zou op die dag geen stip aan mij zijn, die niet nieuw was. Het werd allemaal, keurig ingepakt, op 't college besteld.

*

* *

Tot ik, op een ochtend, na het ontbijt, op de spreekkamer geroepen werd en daar voor mijn tante Leonie, de metselaarsknaap, stond, met naast haar Superior Smet. Een pijnlijke verrassing, wanneer ik te horen kreeg dat grootmoeder Katrien gestorven was, dat ik voor drie dagen mee naar huis zou gaan, en op de avond van de begrafenis om zeven uur weer op het college moest zijn.

Voor de middag was ik in de Kasteelstraat, waar een ongewone drukte heerste. Daar waren de twee tante-nonnen uit Viane, naast een stel nonkels, neven en nichten, daar was ook Tante Rosalie. Ik hoorde spreken over lijkdragers en de begrafenis. Op het kraakwitte bed in haar kamer lag de dode met de witte kanten slaapmuts op die zijzelf had klaargemaakt ,,tegen dat er iets voorviel''. Met een palmtakje mocht ik wijwater sprenkelen, kruisgewijs over het bleke lichaam, en toen ik al die strakernstige gezichten rondom mij zag, en de lieve grootmoeder er niet was om mij zachtjes te verwelkomen bij mijn thuiskomst uit het college, schoten mijn ogen vol tranen.

Intussen vernam ik hoe het gebeurd was. Grootmoeder had zich, vóór drie dagen, in de namiddag plots ongesteld gevoeld, ze was in haar zetel gezakt, had naar de pastoor gevraagd, haar rozenkrans in de tafellade gezocht en nog enkele nauw verstaanbare woorden gezegd: vader, Miel, Taaf, kinderen. Haar armen waren dan lam gevallen. Ze werd bediend, dokter Van Bockxstaele zegde dat het zware ,,attaque'' was, dat ze geen dag meer zou leven. Ze is gestorven op 11 maart 1908, dag op dag tweeëntachtig jaar oud.

Uitvaart en begrafenis waren precies dezelfde als die van haar man, Pieter Elaut, twee jaar tevoren. Ze werd uitgedragen door de buren op de lange weg naar de gemeentelijke begraafplaats te Gentbrugge Center, en ter aarde besteld boven haar echtgenoot. Haar twee dochters kloosterzusters waren de dag voordien al naar 't klooster afgereisd, volgens de regel mochten ze niet op de uitvaart aanwezig zijn.

Opnieuw was kozijn Frederik te voet van Oordegem gekomen en had elkeen voor zich ingenomen door zijn zacht gesprek over de eigen familie, over kozijn Pier en nicht Katrien. Hij droeg de bolhoed zonder bluts, die hij twee jaar voordien uit de nalatenschap als aandenken aan kozijn Pier had meegekregen.

Op de dag van de begrafenis was ik 's avonds op het voorgeschreven uur terug te Eeklo. Alles was zo vlug voorbij.

Grootmoeder Katrien staat in mijn herinnering als een lieve en krachtdadige vrouw, met een geloof dat bergen verzet, die haar gezin met wijze beslistheid heeft bestuurd. Ze gaf ieder het zijne, ze was mild voor wie in nood verkeerde, maar liet zich door niemand in de doeken leggen, ze was ongeveinsd en bezat een grote mensenkennis.

Wanneer ze uitging, droeg ze een wijde laken kapmantel en op haar hoofd een modieuze vrouwenmuts, met een pareltje of een zedig bloempje, want een tikkeltje koket was ze wel. Haar haar droeg ze op twee vlechten opgerold rond haar oren die erbij stonden als twee tuiten. De afhangende linten van haar muts waren altijd kraaknet in een sierlijke brede strik gevouwen. Wat ik afschuwelijk vond, was de straffe koffie waar ze dol op was. Ze klutste vooraf een ei in haar grote drinkkom, roerde het om met bruine suiker en goot ze dan vol met de eerste doorloop van de gezette koffiekan. Vader plaagde haar met zo'n aftreksel dat goed was om een paard zijn veulen af te drijven.

Toen ik met de eerstvolgende vakantie thuiskwam en grootmoeder Katrien daar niet meer ontmoette, besefte ik een wijle welke goede jeugdvriendin ik verloren had, maar begreep tevens dat de wereld voortgaat en zich het verdriet van een tienjarige niet aantrekt.

EERSTE COMMUNIE

Drie weken na de dood van grootmoeder deed ik mijn Eerste Communie in de kapel van het Eeklose college. We waren met tien, drie internen en zeven externen. Ik kan ze nog allen opnoemen. De internen: Gustaaf Houdaer uit Gent, Oktaaf Burggrave uit Waterland-Oudeman, ikzelf uit Gentbrugge. De externen uit Eeklo: de gebroeders Marcel en José Lowie, zonen van dokter Lowie, Maurits Baele, Jan Baudts, Louis Magerman, Jean Stradiot en Louis Duvieusart.

We waren door superior Smet voorbereid. Een buitengewone biechtvader was besteld, de overal in Eeklo bekende Recollet Pater Tiburtius. Toen we hem zagen aankomen, blootsvoets in zijn sandalen, dikbuikig, met een rode neusdoek die uit zijn linkermouw hing, hadden wij de indruk dat we wel zware knapen moesten zijn om zo'n exemplaar op onze zondigheid afgestuurd te krijgen. Het viel erg mee; na een kwartier waren de zonden van het tiental vergeven en de penitenties gebeden.

De vooravond van de grote dag, waren de drie internen plots het voorwerp van de toegewijde zorg van zuster Josephine. We werden op een ons onbekende kamer meegenomen; daar lagen al elks klederen op een tafel netjes klaar. Er werd warm water aangebracht, we werden uitgekleed op onze broek na, kregen een flinke wasbeurt van het hoofd tot de navel, dan afgedroogd en een proper hemdje aangeschoten. Van aan de navel tot de knieën gebeurde er niets. Naar beneden toe was het opnieuw een stevige wrijfbeurt. Het avondmaal voor ons drieën stond klaar in de kleine spreekkamer, dan naar de huiskapel voor het gebruikelijke avondgebed met het gewetensonderzoek dat vrij lang uitviel. En naar bed. Kort daarna was het het gestommel van de internen die naar boven kwamen. We sliepen in, met de waarschuwing niet samen met de anderen op te staan.

Toen die dan beneden waren, stond zuster Josephine aan ons bed, nam ons mee naar de was-kleedkamer en we werden in ons Eerste Communiepak gestoken. We voelden ons opgedirkt in een onwennig kostuum met stijve boord enz. Wanneer de zeven externen er waren, ging het naar de collegekapel, waar de leerlingen al op hun plaats zaten, en met achteraan ouders en familieleden. Superior Smet was de officiant, hij predikte en er was gezang. Na afloop van de plechtigheid in de kapel was er ontmoeting en gelukwensing in de grote spreekkamer. Vader en moeder waren er en hadden de mis bijgewoond, ze waren van voor zessen uit Gentbrugge vertrokken.

Vader haalde een gouden uurwerk voor de dag dat hij mij schonk namens mijn twee tantes uit Gentbrugge Center, moeder schikte het met de bijhorende ketting in mijn ondervestzakje. Op de tafel in de eetkamer van de leraren stond het krentenbroodontbijt klaar en werden de Eerste Communieprentjes rondgedeeld. De altijd bereidwillige lieve Tante Mathilde had het mijne opgesteld en de versjes gedicht. Het luidde:

Tot blijde Herinnering
aan de
Eerste H. Communie
van Leon Elaut
gedaan den 7 april 1908
in het Bisschoppelijk College
te Eecloo.

O schoonste dag van gansch mijn leven,
Hoezeer heeft Jezus mij bemind,
Dat Hij, mijn God, zich heeft gegeven
Tot spijs aan mij, onwaardig kind.

Maar Gij ... wat vraagt Gij van mij weder?
Wat schenk ik U voor zooveel goed?
,,Mijn Kind'' Zoo fluistert Gij mij teeder,
,,Geef mij uw hart'' — O Jezus zoet!

Hoe zou ik U mijn hart niet schenken,
Dat hart, dat Gij verkoost tot woon?
Aan U mijn leven, doen en denken!
'k Leg alles dankend voor uw troon.

Laat mij mijn Ouders zijn ten zegen,
Hun hart behagen door mijn deugd,
Met bloemen strooien hunne wegen,
Hun immer schenken eer en vreugd.

Er was een plechtige hoogmis en daar was de celebrant de retorikaleraar E.H.R. de Vildere, opzettelijk gekozen om indruk te maken door zijn mooie tenorstem en de weergaloze wijze waarop hij de Latijnse misteksten zong. Wanneer hij met de prefatie uitpakte, zou zelfs Caruso geluisterd hebben; het was muisstil in de kapel en elkeen kwam onder de indruk van de welluidendheid van zijn stem die de diepe zin van de woorden vertolkte. Die man kende geen noot muziek zo groot als Eeklo's hoofdkerk.

's Middags zaten de internen-eerste-communicanten met hun ouders aan in de eetkamer van de leraars; om halfdrie was er vesper en lof door de leerlingen gezongen. Waarna ik mee naar huis mocht voor een dag. We waren allen opgetogen en vader dankte de Superior in het bijzonder voor de mooie viering.

Na anderhalve week school stond de paasvakantie voor de deur. Voor de eerste keer in mijn leven volgde ik met de andere leerlingen de diensten van de Goede Week die in het college in hun volle uitgebreidheid werden gevierd. In het bijzonder op paasmorgen, waar te vijf uur opstaan werd gebeld om de lange ceremoniën te kunnen meemaken. We hoorden er nog eens de nachtegaal van het college, meneerke De Vildere, die zijn lijfstuk *Exultet* uitjubelde. Na afloop en een haastig ontbijt ging het in één rush naar het station, naar huis voor een vakantie van meer dan drie weken. Het was een lang trimester geweest, met veel wederwaardigheden.

In de Kasteelstraat was de leegte na grootmoeders overlijden al overbrugd. De vertrouwde kamer, waar ze zo lang als meesteres had getroond, en waar ze gestorven was, werd mij toegewezen. Ik schiep er mijn wereldje van fantasie, ik kreeg een tafel die ik de mijne mocht noemen, waar ik wat schrijfbehoeften en boekjes borg, waar vader ook zijn papieren samen scharrelde, met bovenop de *Almanak van Snoeck* in zijn blauwe omslag, en in de laden de gebedenboeken van het gezin. Elke morgen moest ik eerst het vakantiewerk maken dat ons was meegegeven, geen kleine kluif, maar vader zag toe dat het niet vergeten werd. Ik beklaag nu nog meester De Sutter die al de werken van zijn veertig vakantieknapen na te zien en te verbeteren kreeg. Ik heb het stille vermoeden dat hij die berg papier zal gelaten hebben voor wat hij was.

Het was in 1908 een late Pasen (19 april) en het voorjaar was opvallend mooi. Vader had het in zijn hoofd gekregen een fiets te kopen en te leren rijden. Daar hij achtenveertig was, kostte het hem veel moeite zich op het ijzeren paard overeind te houden, maar hij slaagde er eindelijk in. Hij kocht een „Trois-fusils BSA'' bij Jules Matthijs te Melle voor 225 fr., nadat Jules hem het fietsrijden geleerd had. Die fiets met zijn volle uitrusting, o.a. een carbidelamp Solar, was het voorwerp van verbaasde bewondering bij de andere boeren. Veel heeft vader er niet op gereden, hij liet hem na een paar jaren aan mij over. Slechts in 1910 heb ik daarop mijn eerste zelfstandige fietsesbattementen gemaakt, toen ik dertien jaar was!

Op de eerste zondag van mei was het in Den Bosch wijkkermis. Er was veel volk op de been: volksspelen, grote drukte in de hippodroom van boer Janssens, wandelconcert van De Neerschelde, 's avonds dans in een tent op een weide ter hoogte van de Zwarte Flassche. Ik maakte het mee zoals een knaap van tien jaar dat te dien tijde deed: ik mocht een paar keer op een ezel een ritje rijden, aan de makronkes draaien voor een vel makrons, op de schommel zitten, op de draaimolen meetoeren, kaarsjeschieten en bij Lange Jan rijstpap eten.

Tegen zes uur was het voor mij afgelopen. In de danstent zette de draaiorgel er volle kracht achter en kwamen de danslustigen afgezakt. Men moest eerst door een soort voorkroeg voor men de dansvloer bereikte, het was berekend op de bierverkoop. Dat was geen spek voor mijn bek, en de aftocht werd geblazen.

De volgende morgen rond zes uur stond Pier, de oudste boerenzoon uit de Roskam, op het hof met het vreselijk verhaal dat Karel van Hoorde in de loop van de nacht vermoord was: doodgeschoten door de zoon van Steel, de steeldraaier bij Heusdenbrug. Karel was de sympatieke zoon van Jan van Hoorde en Filla, keuterboertje naast de beek die de grens uitmaakt tussen Melle en Gentbrugge. Die mensen stonden dag en nacht paraat als er dringend volk nodig was, vader sprak bij hen het laatste woord wanneer over het enige paard of een koe een beslissing moest genomen worden.

Karel was naar de meikermis in Den Bosch geweest, had er met Steel woorden gehad over aangelegenheden des harten, ze hadden elkaar in het oog gehouden en nageteld of de gemeenschappelijke dulcinea niet meer met de ene dan met de andere danste. Toen Steel de meeste punten bleek te scoren, en met de meid naar huis trok, was Karel van Hoorde hen achternagegaan. Wanneer hij omstreeks één uur in de morgen voor Steels woning zijn mededinger stond uit te dagen, was deze buitengesprongen en had zijn tweeloop op twee meter afstand vlak in Karels buik leeggeschoten. Karel was voor de deur van Steel doodgebloed, de buren hadden hem op zijn moeder horen roepen en hadden het dode lichaam op een kruiwagen in volle nacht naar zijn huis gevoerd. Politie, rijkswacht en zo meer kwamen er aan te pas.

Felle beroering was er in die anderszins stille uithoek van Melle, op een klein uur gaans van het dorpscentrum. Elk had zijn eigen commentaar en ging kijken naar de plaats waar het gebeurd was; vader ook wanneer hij van zijn melkronde thuiskwam en ik mee met hem. De plas gestold gedroogd bloed was er te zien op het pad dat naar Steels woning leidde, tussen de bloeiende paasbloemen, hij moest blijven liggen tot het parket geweest was. Het parket kwam in de voormiddag, een stel heren van wie we de geheimzinnige gangen door de haag in de gaten hielden.

In de namiddag zou men de lijkschouwing verrichten. Het waren andere heren, men haalde het in witte lakens gewikkelde lijk van Karel uit het huis, droeg het naar de leeggemaakte paardestal waar al een lijkkist was binnengebracht, en een tafel op schragen klaargemaakt. Er werden emmers water naar de houten pomp gehaald, de deur gesloten en champetter Tjampens hield de wacht. Na een goed half uur was het afgelopen, werd de gezegelde lijkkist het huis binnengedragen, kwam men opnieuw water halen aan de pomp en vertrokken de heren met de vigilante waarmede ze gekomen waren.

Twee dagen later werd Karel van Hoorde begraven, gedragen op de schouders van de buren tot aan Mellekerk, langs de lange Brusselse Steenweg. Elkeen keek de treurige lijkstoet achterna: een vermoorde jonge man van vierentwintig jaar. Zes maand later had te Gent het proces plaats voor de boetstraffelijke rechtbank, Steel kreeg tien maand. Na zes maand was hij vrij. Over het gebeurde kraaide geen haan meer.

Na die beroerde paasvakantie zat ik weer te Eeklo, voor het laatste trimester van mijn eerste schooljaar. Dezelfde superior, dezelfde surveillanten, dezelfde knapen, dezelfde meester, dezelfde sympatieke tredmolen. Alleen de speelplaats was veranderd, als het ware omgekeerd door de aanleg van een vijftal bolpleinen met stik. Dat zou, in de plaats van het balspel, ons zomerspel worden. De ouderen hadden hun bol liggen, de zware dikke Eeklose bol. Er was ook een plein voor de platte krulbol; die genoot mijn voorkeur en ik zou mij daar oefenen.

Bovendien ging men om de twee weken naar Lembeke waar de dinsdag bij veekoopman Weytinck aan het Stationstraatje, de gaaipers voor het college was voorbehouden. De ouderen brachten boog en pijlen mede en er werd ijverig geschoten. De niet-schieters konden bollen of ronddrentelen, men kreeg een vieruurtje met krentenkoeken en een biertje en om zes uur was men op terugtocht naar het college, langs de stofbaan en de hobbelige straatweg die naar Eeklo leidt.

In het begin van de maand juni had de jaarlijkse retraite van het college plaats. Ze werd door redemptoristen gepredikt. Een nieuwe kennismaking voor mij, vier sermoenen daags door mannen met een kruisbeeld op hun borst achter de omslag van hun paterskleed. Een onder hen had een stem die door hart en nieren drong, pater Van Wesemael, een niet te grote man met korte nek, grijzend krulhaar, van wie men na een half uur al wist dat hij in Brazilië missionaris was geweest en daar oog in oog had gestaan met een witte tijger. Hij predikte over de dood, de hel, de doodzonde en deed meer dan één traantje vloeien. Hij predikte zoals hij dat gewoon was in de grote volksmissies, waar het er meer op aan kwam hard te slaan dan juist te slaan om zielen te winnen voor Christus' rijk, en de verdwaalde zielen terug naar de schaapstal te halen.

Na afloop van de retraite liep het als een vuurtje rond dat zeventien van de twintig uitgaande retorikastudenten zouden priester worden. Het Eeklose college kon destijds voor een pastoorsfabriekje doorgaan.

St.-Pietersdag betekende trimestrieel verlof; daarna ging men aan de slag voor de laatste proefwerken van het jaar. Het was een drukke periode. De tucht was voorbeeldig. Na het avondmaal haalde men tafeltjes uit de grote zaal naar de koer en werd er kaart gespeeld: whisten en jassen. Voor surveillant Arthur Himschoot van de internen was het een uitstekende gelegenheid om op Nederlandssprekenden jacht te maken. Wie was in staat om een kaartspel bij te houden in het Frans en daar de surveillant zelf een hartstochtelijk kaartspeler was, vond hij er genoegen in van de ene tafel naar de andere op speurtocht te gaan, de beste spelers aan het werk te zien en toe te kijken dat men niet meer dan een halve cent per slag riskeerde; voor meer spelen was verboden.

Dat brengt er mij toe te vertellen hoe het verliep aan de tafel waar ik, met Fons Roete uit Evergem, aan het spel was en hoe wij daar opeens ten overstaan van de surveillant in de verlegenheid zaten.

De kaarten werden zwijgend gedeeld; elk keek de zijne in, en dan moesten wij wel iets zeggen. Daar ons bod te lang uitbleef, omdat niemand van de vier wist hoe hij het in 't Frans moest verwoorden, schoot de inquisiteur uit: ,,Voyons, jouez donc, prononcez-vous''. Ik zat met mijn hand vol schoppen en zou die kleur spelen en zei ,,picques'' zonder één woord meer. Fons Roete die meende dat ik ,,picko'' bedoelde en dus voor één slag speelde, wachtte sprakeloos 't verder verloop af, de anderen zwegen eveneens. Ik begon mijn spel; het draaide uit op een gekke warboel, Fons wierp woedend zijn kaarten op tafel en zei: ,,Vous un mal carteur''. De surveillant trok er lachend vandoor; zodra hij uit de voeten was, werd het geschil in de moedertaal effengepraat.

De maand juli bracht het naamfeest van de superior en de laatste veertien dagen was het op het college één feestroes. Er werd voor prijs met de bol gespeeld, te Lembeke voor prijs gaaigeschoten, en de kaartspelers kregen ook een kans. Op de speelplaats werd een rebus opgehangen, voor wie het snelst de oplossing vond. Ze luidde: het Grieks is voor het verstand gelijk de bretels voor de broek. Voor de winnaars van deze wedstrijden was er een eenvormige beloning, een pijp; maar in verschillende vormen en afmetingen, volgens de bekomen punten.

Voor het naamfeest van de superior staken de afzwaaiende retorikaleerlingen de jaarlijkse collegerevue ineen. Ze maakten zich vrolijk met wat er in 't afgelopen jaar binnenshuis voorgevallen was, en namen de nukken van sommige leraars op de korrel. Hun schalkse teksten waren vooraf aan de censuur van surveillant Himschoot onderworpen.

Mijnheer Grégoire Cornelis, de leraar van de hoogste voorbereidende klas, die een duivenhok op het college had en wiens goede, zowel als minder goede speelbeurten nauwkeurig bekend waren, moest het het meest ontgelden. Surveillant Rufin Brijs van de externen, die in de collegetuin, waartoe de leerlingen geen toegang hadden, een volière met allerlei vogels bezat, was een lijster kwijt en daar werden tot groot jolijt spotlustige zinspelingen op gemaakt in verband met de lessen over landbouwhuishoudkunde die hij voor de hoogste klassen gaf.

Er waren kermisspelen op de speelplaats, in de vooravond werd een papieren luchtbal opgelaten, 's avonds werd een vuurwerk afgeschoten en danste de collegebevolking in een kring rondom de glunderende dikke Superior.

Ondertussen werd druk gerepeteerd voor de toneelopvoering van de prijsuitdeling. Men speelde *De Blindgeborene* van A. Walgraeve, er was een koor dat zong: ,,Olav, on s'en souvient encore de la Mer du Nord''.

Daar de zaal van het college te klein was, had de prijsuitdeling in de parochiale feestzaal van de Kaaistraat plaats. De deken zat voor. Retorikaleraar De Vildere riep de uitslagen af. Er was een primus perpetuus: Xavier Nassaux, een Waal uit Bouffioux die alle eerste prijzen had weggekaapt. Hij was heel het jaar door mijn tafelchef geweest, had mij nette manieren en een beetje Frans geleerd, hijzelf sprak uitstekend Nederlands. Hij werd priester in het bisdom Doornik; later was hij president van het Groot Seminarie en ei zo na bisschop.

De laagste klas kwam het laatst aan de beurt. Ik was de eerste, Jules de Clercq de tweede. Ik trok met een pak prijsboeken naar huis; vader die ons bij de uitgang van de zaal opving was fier als een pauw. Voor 45 cent trein tot aan de Dampoort. Vandaar met een open rijtuig tot Gentbrugge Center bij de twee tantes, en zo tot in de Kasteelstraat waar elkeen om het gelukkigst was. De oogst was twee dagen voordien binnengehaald en nu stond ik daar met de oogst van mijn eerste studiejaar in de voorbereidende afdeling van het Bisschoppelijk College te Eeklo.

De vakantie verliep rustig met het komen en gaan van en naar de boerderij, met het meegaan daar waar er voor een nieuwsgierige knaap wat te vangen was. We gingen naar Viane, op bezoek naar de molen van Edward Kerkaert te Heusden, naar Wetterenjaarmarkt, naar Merelbeke-kermis bij moeders zuster. Mijn ouders zorgden voor afwisseling en wisten het altijd zo te regelen dat ik meekon.

Half september 1908 was het de reis naar Eeklo. Ik werd al in staat geacht ze alleen af te leggen. Het vooraf te betalen schoolgeld werd door moeder in de binnenzak van mijn jas uit vrees voor verlies, met een witte rijgdraad veilig weggestopt. Het scenario van het voorgaande jaar speelde zich in hetzelfde tempo af. Superior Smet vond moeders attentie met mijn binnenzak zeer sympatiek en telde de meegegeven briefjes na. 's Avonds te zeven uur zat ik weerom op de transportband die het rustige gedisciplineerde opvoedingssysteem van een Vlaams boerencollege anno 1908 kenmerkte.

Twee dagen nadien schreef ik naar huis dat ik het gewoon was en dat ik in de tweede voorbereidende klas zat, met dezelfde meester Frans de Sutter. Ik sliep in dezelfde alkoof, werd in 't oog gehouden door dezelfde surveillanten, die na een week opnieuw de zweep van het verplicht Frans hanteerden. Opstaan, morgengebed, ontbijt, mishoren, lessen, studie, wandelen, lange schoolwerken maken, eten, spelen, avondgebed, slapen gaan. Een trimester van half-september tot nieuwjaar, een paar bezoeken van thuis, brieven schrijven met de uitslagen van de proefwerken, brieven krijgen met wat burennieuws en veel aanbevelingen om goed te leren, braaf te zijn om een deftige jongen te zijn, en zo door het leven te gaan. Vader die altijd die brieven schreef, kon wijs vermanen, en ik nam het altijd en allemaal stipt ter harte. Wanneer het voldoende gevroren had, kregen wij 's namiddags ijsverlof en mochten we gaan schaatsen op de dichtgevroren wallen van de Huysman-hoeve op de weg naar Kaprijke.

Vlak voor de nieuwjaarvakantie op tweede Kerstmisdag gaven de leerlingen van de poësisklasse een Guido-Gezelle-avond. De inleiding luidde: Gezelle is dood, neen Gezelle leeft nog, leve Gezelle! Ik weet dat het mij allemaal geweldig boeide, het klonk als hemelse muziek in mijn oren en zeeg neer op mijn gemoed als een vruchtbare dauw.

Het accent van de voorgedragen teksten, van de gezongen liederen, van de referaten lag op de woorden, Vlaanderen, Vlaams. Nooit had ik de woorden zo intens voelen meezinderen met iets dat in mij leefde. Wanneer ik daar thans, na zeventig jaar over nadenk, ben ik vast overtuigd dat daar, op die avond van tweede Kerstmis 1908, mijn elfde verjaardag, het eerste flamingantisch vonkje is losgesprongen en mij in lichtelaaie heeft gezet voor dingen die mijn jeugd, mijn mannenjaren en mijn ouderdom hebben bezield, nog bezielen en zullen bezielen tot mijn laatste snik.

ONDER ERFGERECHTIGDE KINDEREN

I

Omdat deze memoires een volledig relaas beogen te geven van hetgeen in mijn familie is voorgevallen, laat ik de draad van het relaas over de Eeklose jaren en het andere een wijle liggen, om in het kort iets te vertellen over het regelen van de nalatenschap van mijn grootouders beiderzijds. Deze regeling liep niet altijd van een leien dakje. Menselijke hebzucht treedt nergens beter aan het licht dan bij de boedelscheiding van de ouderlijke goederen onder de kinderen. Wanneer men van iemand zegt, dat hij een eerlijk en fatsoenlijk mens is, luidt soms de reaktie daarop: Hebt u er al mee geërfd? Ik wil dat gezegde hier aanhalen.

Hoe die boedelscheiding aan moederszijde zou geschieden, was reeds voor het overlijden van mijn grootouders Stefanie Maertens-Elaut in 1903, op een minnelijke wijze door onderling akkoord vastgesteld. Grootmoeder Stefanie had het bezit dat haar man Stientje Maertens en zijzelf vergaard hadden, in zes gelijke parten gerangschikt. Deze parten, op papiertjes uitgeschreven, werden in haar schoot dooreengeschud en door haarzelf als lot uitgetrokken. Wat er te voorschijn kwam, was als door de Voorzienigheid naar elks verlangen beschikt. Aan mijn moeder viel het oude vaderhuis ten deel, waar Stientje Maertens in 1826 geboren was en waar hij in 1900 overleed, waar in oktober 1903 zijn echtgenote sterven zou.

De aan mijn moeder toegevallen kavel bestond uit een woonhuis met tuin, naast twee kleine huisjes, waarvan een herberg, Het Kelderke, omdat het een paar trapjes onder straatniveau lag. De ligging, in de toenmalige Ongerijstraat, met uitzicht op het Kerkplein, was uitstekend. De woningen zelf waren goed onderhouden, maar zeer oud; ze werden na de eerste wereldoorlog door mijn vader verkocht.

In het oude vaderhuis waren de twee ongehuwde dochters, Mathilde Maertens en Leonie Maertens, blijven wonen. Ze werden aldus huurders van mijn ouders. Nadat Mathilde Maertens in 1913 gestorven was, is Leonie Maertens er blijven wonen tot in 1917, toen een onverkwikkelijk geschil tussen haar en mijn vader geleid had tot een gerechtelijk uitzettingsbevel, dat door deurwaarder Tack uit Ledeberg werd uitgevoerd.

Dit was het eindverhaal over dat deel van het onroerende bezit van mijn grootouders, dat zich uitstrekte vanaf Het Zwaantje tot aan De Snoek. Het Zwaantje bestaat niet meer, De Snoek is er nog, op de hoek Kerkplein-Koningin Astridstraat, de ex-Snoekstraat, naam die helaas omstreeks 1936 plaats moest maken voor een andere. De aloude Snoekstraat vond ik al in een dokument uit 1750 vermeld. De gemeentebestuurders van 1936 hadden niet veel begrip voor de historische waarden van hun gemeente, zij hadden toch beter de naam van Koningin Astrid aan een nieuwe laan of straat kunnen geven, in plaats van de eerbiedwaardige Snoeckstraat van de kaart te schrappen.

Bekrompenheid huist overal. Zo hebben zij ook de oude Gentbrugse Ongerijstraat geschrapt en vervangen door een Emmanuel Hielstraat, de naam van een derderangsdichter die nooit iets met Gentbrugge te maken had.

Het oude Maertensgoed tussen De Snoek en Het Zwaantje, is sedert 1903 stilaan verbrokkeld. Enkele delen zijn nog in het bezit van achterkleinkinderen van Stientje Maertens; het zijn woningen die hun vroegnegentiende-eeuws karakter bewaard hebben, in het begin van de aloude Kerkstraat gelegen.

Mijn ouders hebben hun aandeel van de nalatenschap verkocht, wanneer de panden stilaan verkrot waren. De opbrengst van die verkoop (40.000 fr) heeft het o.m. in staat gesteld mijn medische studie en lange buitenlandse specialisatie te bekostigen. Het is dan ten slotte zo gelopen dat mijn grootouders, postuum, tot de verwezenlijking van mijn academische opleiding en carrière hebben bijgedragen. Dat vergeet ik niet. Daarom schrijf ik het hier dankbaar neer, opdat ook mijn kindskinderen het zouden weten.

II

Aan vaderszijde is de boedelscheiding minder vlot verlopen. Na de dood van grootvader Pieter Elaut in 1906 werd beslist het onroerend bezit niet te verdelen en het volle genot van de opbrengst aan grootmoeder Katrien van Damme te laten. Dat onroerend bezit bestond uit elf woonhuizen met tuintjes in de Keiberg- en Bruiloftstraat. Grootmoeder Katrien heeft haar kinderen van haar inkomsten altijd goedgeefs mede voordeel laten trekken, zij was mild en haar linkerhand wist niet wat haar rechterhand wegschonk. Pastoor van Pottelsberghe de la Potterie wist dat ook en hij kwam erop af, wanneer op zijn niet rijke parochie ergens nood was.

Wanneer na haar dood tot de verdeling van de nalatenschap overgegaan werd, stelde vader aan zijn broeder en zusters voor dat indien niemand onder hen de elf woonhuizen wilde kopen, hijzelf voor het hele onroerende goed dertigduizend frank wilde geven. Zijn zusters gingen akkoord, doch zijn broeder Emiel vond dat het goed meer waard was, en best openbaar verkocht werd.

Notaris Louis van Reysschoot zou zich met de zaak gelasten, nadat ook de vrederechter er niet in geslaagd was de tegensputterende erfgenaam tot een schikking in der minne te bewegen.

De verkoping had op het Ledebergse Vredegerecht plaats. Vader oordeelde dat het ogenblik gekomen was om de droom van zijn leven te verwezenlijken, hij wilde te genen prijze het bezit van zijn ouders in vreemde handen zien terechtkomen. Met een vriend sprak hij af dat hij die eigendom volstrekt wilde kopen, en vroeg hem op de verkoopdag in zijn plaats een bod op de gezamenlijke huizen te doen. Wanneer dan puntje bij paaltje kwam, werd de verkoop finaal toegeslagen voor een totaalbedrag van vijfentwintigduizend frank, omdat er niemand was die een hoger bod deed. De stroman verklaarde aan de handelende notaris dat hij niet voor zichzelf had gekocht, maar namens Elaut Gustaaf.

De slotsom was, dat het goed voor vijfduizend frank minder was verkocht dan vader enkele maanden voordien onderhands had willen geven. Wie in deze aangelegenheid mostaard hadden gegeten, waren de mede-erfgenamen. Ze waren niet opgetogen en begrepen maar al te best bij wie de schuld gelegen was. Tante Maria Elaut, vaders zuster, voer onvriendelijk uit tegen vaders optreden, doch wanneer de tranenvloed over was, begreep ze beter de hele toedracht.

Nonkel Emiel Elaut, de grote gedupeerde, zwoer een eeuwige haat tegen zijn broer, schold hem voor dief, en ging nog meer aan de drank. De tantes kloosterzusters gaven hun broeder Gustaaf gelijk; maar moeder overste betreurde dat de twee nu elk duizend frank minder erfden. Dat alles is gebeurd in het najaar 1908.

NOG UIT DE EEKLOSE EN GENTBRUGSE ANNALEN

Na de nieuwjaarsvakantie 1908-1909 zat ik opnieuw in de vertrouwde omheining van het Eeklose college, als een visje in een aquarium waar voor zuurstof, licht en voeding aan de inwonende gasten wordt gezorgd. We hadden maar één zaak zelf te doen, dat was goed leren. We kregen op tijd en stond geestelijk voer voorgeschoteld en men verwachtte van ons dat wij zouden toehappen. We deden het spontaan, als schakels uit een reflexketen.

Voor de assimilatie van de voedingsingrediënten zorgden actieve enzymen die langs de latente kanalen van erfelijke aanleg en individuele kneedbaarheid hun tonische werking uitoefenden. We reageerden als brave knapen die nog niet aan de puberteitsdrang toe waren, en gingen op in de onbenulligste dingen die in ons gemoed de afmeting van wereldschokkende gebeurtenissen aannamen. We schrikten alleen maar terug voor de foefjes die met straffen werden bekeurd.

Na de zaterdagmorgenles was er de wekelijkse voetwasserij. We vonden er een duivels genoegen in te drummen voor de deur waar de reinigende ablutiеs moesten plaatsvinden. Wanneer de surveillant ter plaatse verscheen, pakte hij er een vijftal bij de kraag, zond ze naar de speelplaats met het gevolg dat voor hen de hygiënische voetwasserij voor een week was uitgesteld. Dat was toegepaste hygiëne anno 1909.

Het baarde ons geen hoofdbreken, we waren gelukkig dat het geen andere sanctie voor gevolg had, we hadden voor de deur van het waslokaal iets afgereageerd en de surveillant het land opgejaagd. Daar kwam het op aan; met nette voeten of met vuile voeten, het maakte geen verschil.

Een van de levende taferelen die het Eeklose collegemilieu om de drie maanden beroerden, moet hier beschreven worden omdat het enig in zijn soort was en zich geen tweemaal op honderd jaar in dezelfde voorwaarden elders had kunnen voordoen, te weten het trimestrieel bezoek van de diocesane inspekteur.

De eerbiedwaardige kanunnik wiens taak het was toe te zien dat alles naar de voorschriften van de wet en de gevestigde reglementen geschiedde, was Eugeen de Lepeleer, een gecultiveerd man, schrijver en dichter, die o.m. naam had gemaakt als vertaler van Fr.W. Webers *Dreizehn Linden* (1900). Wat hem nog meer bekendheid bezorgde was zijn uitzonderlijke corpulentie. De Eeklose superior Charles Smet was ook niet van de minst zwaarlijvigen, en de oudste collegeleraar Karel Walckiers die zowat voor de vice-superior doorging, was ook met buikomvang goed besteld.

Wanneer de inspekteur op het college verscheen en de ronde van de klassen maakte, vergezelden hem de superior en Karel Walckiers. Het was een uniek schouwspel dit volumineus driemanschap over de speelplaats te zien evolueren. Men berekende dat ze samen 350 kilogram wogen: een aangenaam doelloos tijdverdrijf voor collegeleerlingen. Het ergste was dat we moesten doodserieus blijven, wanneer ze samen de klas binnentraden, onze schriften inzagen en vragen stelden. Alleen de olympische vrees voor een berisping hield ons in bedwang.

Het inspectiebezoek was een van de hoogtepunten van de trimesteriële belevingen, de sensatierijke onderbreking in een banale alledaagsheid, het stimuleerde de studieijver, scherpte de eetlust, was niet zonder invloed op onze godsvrucht en verstevigde het gevoel samen te horen in een leefgemeenschap die haar solide plaats had op het vasteland.

Die rimpelloze gerustheid kreeg plots een onverwacht schokje tijdens de paasvakantie 1909, toen we thuis in het dagblad lazen dat superior Ch. Smet tot deken van Geraardsbergen benoemd was en op het college opgevolgd werd door Carlos Borreman, leraar van de Latijnse Zesde.

Toen we drie weken later uit vakantie terugkeerden was de mutatie al voltrokken. Van de vertrouwde baas was er geen spoor meer te zien. Op zijn kamer was de nieuwe titularis al geïnstalleerd: hij deed alsof hij al jaren in het vak geroutineerd was.

Carlos Borreman was een heel ander type dan Charles Smet. Hij was Aalstenaar van geboorte en stamde uit een bourgeoisfamilie. Hij was een slanke opgeschoten verschijning, had hoogblond haar dat een beetje kroesde, droeg altijd manchetten en onderstreepte zijn aristocratisch voorkomen door opvallend dikwijls naar zijn gouden zakhorloge te kijken. In zijn zachtaardige blik speelde de autoriteit en de argeloze wilskracht van een man die geen twijfel liet bestaan over wat hij wilde en niet wilde. Hij had een groot en duidelijk geschrift en schreef met paarse inkt.

Wie had het in zijn hoofd gehaald deze statige figuur op het boerencollege van Eeklo los te laten?

Vanaf het eerste uur deed hij alsof er niets gebeurd was. Feilloos ging alles zijn gangetje. Alleen de archaïsche tinnen sauspannen en de gietervormige blikken koffiekannen verdwenen na een maand; het was de eerste ingrijpende verandering door de nieuwe superior doorgevoerd.

Het laatste trimester van mijn tweede jaar te Eeklo verliep zoals de vorige: bolpleinen, gaaischieting te Lembeke, naamfeest van de superior. De plechtige eremis van E.H. Achiel Verleye die de superior in de Latijnse Zesde was opgevolgd zorgde voor een zweempje minder banaliteit.

De prijsuitdeling verschafte me weer in rood, en blauw, en groen karton gekafte boeken, mitsgaders het open rijtuig vanaf de Dampoort naar Gentbrugge, een gelukkig ouderpaar en 's anderendaags de tijdeloze tiktak van de ouderwetse slingerklok in de boerenkeuken van de Kasteelstraat.

De herinnering aan een gebeurtenis uit de grote vakantie van 1909 is mij in het bijzonder bijgebleven, de inhuldiging van burgemeester Maurits Verdonck, de opvolger van wijlen Edmond Block die in 't voorjaar gestorven was.

Burgemeester Verdonck was bloemist, specialist in de orchideeënteelt. Hij woonde aan de Brusselsesteenweg, vlakbij de grens met Melle, in vogelvlucht slechts twee boogscheuten van onze hofstede. Hij behoorde tot de politieke groepering van het Gemeentewelzijn, was van liberale Franssprekende Gentse huize, de verpersoonlijking van de ingewekenen door het bloemisterijbedrijf naar Gentbrugge gelokt.

Als exponent van die typische tak van nijverheid op de gemeente, was hij iemand met een zekere achterban. Voor de rest een week figuur zonder ruggegraat, die op de gemeente niet veel verwezenlijkt heeft en na enkele jaren geluidloos verdwenen is; het verval van de bloemisterij na de Eerste Wereldoorlog heeft ook hem getroffen. In zover is hij tenslotte ook de exponent geweest van een te loor gegane welvaart en het symbool van de ontluistering van een sociale stand die het hoog in de bol had.

De inhuldiging van de nieuwe burgemeester was een groots en kleurrijk vertoon, waarvoor de hele gemeente haar beste beentje had voorgezet. Alle inwoners zonder onderscheid pakten uit met vlaggen, wimpels, festoenen, er was klokkengelui en de kanonnen bulderden er feestelijk-vrolijk op los. Vader had in een van de hoge linden rondom ons huis een driekleur laten ophangen.

Er was een feeststoet met praalwagens, fanfares, wuivende schoolkinderen, fikse in het hagelblank gestoken turners. Vooral de bloemisten waren in hun schik omdat een van de hunnen burgemeester was van de bloemistengemeente Gentbrugge. Ze hadden de mooiste bloemen geschonken om de wagens te versieren; op de breidels van de paarden en de zwepen van de koetsiers zaten begonia's. Er was geen knoopsgat op heel Gentbrugge zonder een bloem, en de fuivers liepen al vóór de middag met een dahlia op hun scheefstaande hoed.

De stoet reed, tussen een haag van sparren, laurieren en palmen, van het Arsenaal naar het Center. Vele malen moest de burgemeesterlijke koets stilhouden om de buurtschappen toe te laten bloemstukken te schenken en complimenten voor te dragen. Zelfs de pastoors boden de gelukwensen van hun parochianen aan en smeekten de Heer dat Hij de nieuwe burgervader met de zegeningen des hemels zou overladen.

's Avonds was er verlichting a giorno, geen vensterraam zonder een vetpotje dat tot na middernacht in de zwoele lucht te walmen stond tussen opgehangen lampions van gekleurd papier.

Het was een onvergetelijke dag van opgefokte verrukking, welke op de twaalfjarige knaap die voor de eerste keer van zo iets getuige was, een grote indruk maakte.

Wanneer ik tien en vijftien jaar nadien daaraan terugdacht, en te Gentbrugge de politieke capriolen van burgemeester Maurits Verdonck heb gezien, waardoor hij tenslotte een speelbal werd in de hand van arglistige antiklerikale dorpspolitici, heb ik bij mezelf gezegd dat zijn voorganger op het gemeentehuis, Edmond Block, toch uit een ander liberaal hout gesneden was.

*

* *

Voor de derde maal toog ik na de grote vakantie (1909-1910) naar Eeklo, waarvan het college voor mij als de succursale van het Gentbrugse vaderhuis was. We kwamen in de tweede voorbereidende, en stonden voor het eerst voor een priesterleraar, Richard van Waeyenbergh, die, omdat hij zo dun en mager was, de vleinaam van Richarke had gekregen. Hij was van Drongen-Baarle.

Zijn priesterlijk apostolaat bestond erin een veertigtal vlegels onderricht te verstrekken in de fundamentele kennis die onontbeerlijk is om door het leven van de twintigste eeuw te gaan: moedertaal, rekenen, geschiedenis, aardrijkskunde en, in Vlaanderen, de onmisbare dosis Frans. Daarnaast de summa van menselijke gedragingen die men wellevendheid noemt.

Richarke was een mensgeworden tweedimensioneel diminutivum, waarbij alleen de breedte en de dikte in de berekening betrokken waren; de lengte kon erdoor. Overal staken de beenderen door, men zou gezegd hebben een wandelende huid met een skelet van binnen. Richarke had grijze ogen van een innemende goedheid. Zijn haar was navenant het persoontje, schraal, bijna kleurloos; op het aangezicht waren niets dan hoeken, uitstekende jukbeenderen, spitse neus, oortjes met scherp aangeslepen tragus- en helixranden, met doorschijnende schelpen, een mond zonder lippen. Die scherpe kanten zouden niet merkbaar geweest zijn als de natuur voor het bindweefsel had gezorgd, dat zij op dezelfde plaatsen bij de andere stervelingen zo kwistig verdeelt.

Onder Richarkes soutane die van een blinkende korrektheid was, staken de schouderbladen en de wervels hun kammen en beenreliëfs vooruit. Zijn singel was de eenvoud zelf, en die droeg hij nooit breed uitgestreken, maar altijd tot een bijna gewrongen koord om zijn middel aangespannen: die singel had geen houvast op de romp en zakte tot op de heupen. In het rechterzakje van de soutane zat een nikkelen horloge zonder ketting, in het linkerzakje een eindje potlood niet langer dan een pink en op de uiteinden aangescherpt.

Met zijn langgenagelde magere vingers kon hij dat potlood feilloos uitvissen om op onze schriften de fouten te onderstrepen. Richarke was linkshandig; als hij soms aan een muurbalspel deelnam of met de krulbol naar de stek doelde, gaf dat een vreemde indruk van asymmetrie die pijn deed. Toch was hij verbazend handig, zijn bol zwenkte met een ongedwongen elegantie rond de stek en hij kon uit de hoop precies dat hout wegschieten dat eruit moest.

Richarke was zijn smaldeel jochies goed de baas zonder ze te terrorizeren. Hij gaf alle vakken, en wanneer hij goed gemutst was een half uurtje wellevendheidsles, de woensdagnamiddag vlak voor de turnles van Fix. Die wellevendheidsles was een ontspanning waar we zeer op gesteld waren, want Richarke vertelde fijn en illustreerde die les met voorbeelden. Terwille van de eigen opluchting waaraan hij sterk nood had, sprak hij dan graag Gents. Hij deed zulks vooral wanneer zijn spijsvertering meeviel. We wisten dat hij aan de maag leed en soms verschrikkelijk veel last had, wanneer een ,,underdone potato'' zoals bij Scrooge in Ch. Dickens' *Christmas Carol,* hem dwarszat.

Richarke had er het handje van weg ons ontzettend lange studiewerken te geven, zijn leus was: een ferme devoir houdt er het fatsoen in, is bevorderlijk voor het verstand en de werklust. De man had de roekeloze moed de overweldigende massa papier die zijn veertig hummels elke morgen afleverden, in te kijken en de fouten daaruit op te vissen; hij zag scherp toe dat van de vijftien opgegeven vraagstukken er niet eentje tussen de plooien was weggevallen. Laten wij een postume hulde brengen aan het tot in de puntjes huiswerken corrigerende Richarke. Hij heeft dat twaalf jaar volgehouden en daarom wil ik met deze regelen zijn aandenken eren.

We moesten bovendien nog boeken lezen en hij zette maar zijn handtekening op ons bibliotheekbriefje, wanneer er onder de acht titels ten minste vijf Franse voorkwamen. We lazen toen *De Vinger Gods,* maar ook *L'Ermite de Isola Bella.*

Door het eeuwig veel schrijven is ons geschrift bij Richarke lelijk in de knel geraakt; om ons schoonschrift heeft hij zich niet erg bekommerd, alleen maar pennen tot onze tong uit onze mond hing.

Richarke was een vooruitstrevend man want hij bezat een vulpen; hij was de enige leraar die er een had, met een gouden pen en daarvoor gebruikte hij een speciale blauw-paarse inkt die naderhand zwart werd. Die vulpen werd het vertreksignaal voor een vulpenhandel op het college: een van Fotos zoons uit Maldegem wist er een half dozijn te plaatsen in onze klas tegen 0,75 fr per stuk, waar men een pen van eender welk model kon opzetten en die men vulde door aan een knop te draaien aan het bovenuiteinde, terwijl men de pen in een gewone inktpot gedoopt hield.

Zo staat in onze geest die leraar in al zijn schrale eenvoud als een uitgedroogd korstje brood. We kenden hem op de draad, want jongens van twaalf jaar zijn terribel en kerven met meedogenloos observerende en met scherpe kennersblik in de diepte van 's leraars gemoed. We wisten perfect aan de soms vale kleur die zijn slechte maag over de anderszins al weinig frisse en droge huid van zijn aangezicht wierp, hoe het met zijn spijsvertering gesteld was.

Richarke heeft zijn term leraarschap in St.-Vincentiuscollege geklopt, en toen hij voor het parochiaal ministerie rijp geoordeeld werd, kreeg hij een benoeming tot onderpastoor te Ertvelde. Toen ik hem voor het laatst zag, kwam hij van het bisdom terug waar hij zijn benoeming juist in ontvangst had genomen. Ik stelde mij voor, maar hij had mijn naam en mijn persoontje uit het oog verloren: sinds zes jaar waren er in de grote reeks zoveel anderen bij hem voorbijgetrokken met hun bergen studiewerk, hun geheugenlessen en hun kwajongensmanieren.

Te Ertvelde is hij niet lang geweest. Korte tijd na zijn aankomst werd hij geopereerd. Wat er gebeurd is, weet ik niet, doch Richarke was al rijp voor de onderpastoorshemel.

We hebben een stuk leven van dat eenvoudige mensenkind uit Drongen-Baarle, dat in Eeklo's college in de lagere afdeling klas gegeven heeft aan honderden kattekwaad uithalende knapen in de verf gezet, niet omdat het zo buitengewoon schitterend was, noch omdat die leraar torenhoog boven de anderen uitstak door zijn didaktische kwaliteiten, noch vanwege de ongewone magerheid van zijn fysisch persoontje, noch omdat hij op ons zo'n enorme invloed uitgeoefend heeft, maar om in de herinnering het beeld op te roepen van de priester-leraar uit de lagere afdelingen van onze colleges van voor driekwart eeuw. Dat soort leraren is thans uitgestorven. Dat ze niet meer bestaan, of ternauwernood, is een aanwinst voor de onderwijsmethodes en een valorisatie van de priesterstand.

We kunnen ons best voorstellen dat het geen prettige karwei moet zijn voor een priester, die toch geen onderwijzersopleiding gekregen heeft en zich wellicht een andere vorm van apostolaat heeft gedroomd, in een klas te staan en lager onderwijs te verstrekken aan knapen die van de dorpsscholen komen, met de opdracht ze stilaan in een deeg te kneden dat voor het ontvangen van de beginselen der humaniora in de trog te gisten wordt gelegd.

Die leraarstaak heeft hun veel kwaad bloed gezet, ze hebben bergen huiswerken gecorrigeerd, de regel van drie en de renteberekeningen in al hun vormen in onze hersenen geperst, ze hebben catechismus aan de lopende band opgevraagd en strafwerken met de grote lepel uitgedeeld. Ze hebben in de colleges een hoop geestelijk timmerwerk opgeknapt, dat in de anonieme dagtaak wordt opgeslorpt en zelfs geen memento op hun bidprentje waardig wordt geacht. Ze worden daarna uitgezonden in de wijngaard des Heren, oogsten er geen of veel bijval, tot ze in de schoot van de aarde neergelegd worden gelijk Richarke, en niemand meer over hen spreekt dan tot de avond van hun min of meer plechtige uitvaart: in paradisum.

Op onze colleges zijn honderden Richarkes aangeschoven, elkander opvolgend als de bladeren op de bomen met de lente en de herfst. Ze hebben de kennis van de eenvoudige dingen verschaft die voor de Grote Wetenschap verbleken. Voor dat fundament-leggen zijn wij alle Richarkes dankbaar.

Het land heeft destijds op stelten gestaan met een schoolstrijd en onder de as is het vuur niet uitgedoofd. Het ging om de gedachte, meer dan om de subsidies, want men zou zich anders niet zo druk gemaakt hebben aan beide zijden van de barrikade. Men vraagt zich af of het onderwijs van onze colleges in het verleden dan zo slecht is geweest, dat men er al dat kabaal bij gemaakt heeft. Mij zal men het niet aanpraten, al ga ik akkoord dat men thans niet meer in dezelfde wereld leeft als vóór 1914, toen men aan diploma's minder belang hechtte en een diploma ook niet zoveel betekende.

De Richarkes hadden geen andere pedagogische titels en pretenties dan hun eigen humaniora en hun seminarieopleiding, dat volstond toen en kon ook volstaan. Daarmede hebben zij heel wat fatsoenlijke lui op de samenleving losgelaten die het verder geschopt hebben dan zijzelf; zo moet het zijn, dat is het bewijs dat zij uitstekende leraars en opvoeders waren. Het zou onverantwoord en onbillijk zijn, het zou een onwaarachtige bejegening van de feiten behelzen, de historie van de pedagogiek in het Vlaamse land te schrijven, zonder aan de Richarkes, aan hun werking en aan hun invloed aandacht te schenken en hun de passende waardering te onthouden, uit geringschatting of uit compassie.

Zo de Richarkes geen helden waren, ze waren toch mannen van de dagelijkse plicht, ze hebben geen roem gezocht, geen grootheid, geen schittering, ze hebben alleen de plichten van hun staat volbracht.

Mocht Dante zijn *Divina Comedia* opnieuw schrijven, dan zou hij een plaats inruimen in de mystieke kringen van zijn hemel voor de Richarkes waaraan niemand denkt in de huidige tijd, en in zijn vagevuur zou hij al degenen te roosteren leggen die hun dagelijkse taak verwaarlozen om nevengeschikte, zij het zogezegd hogere, taken te vervullen.

*
* *

Over mijn leraar van de tweede voorbereidende heb ik uitvoeriger gehandeld, omdat ik hem als het prototype beschouw van een beeld in het opleidingssysteem van het verleden, waarin ons geleerd werd dat ,,le participe passé d'un verbe s'accorde en genre et en nombre avec le complément direct quand celui-ci précède'' en dat er maar vijf werkwoorden zijn die in de derde persoon enkelvoud van de tegenwoordige tijd geen t hebben, te weten: hij wil, hij kan, hij mag, hij zal en hij is.

Richarke loodste ons langs de klippen van het schooljaar 1909-1910. Maar er waren ook stroomversnellingen. Superior Borreman liet met zich niet sollen; hij zond er een van het college weg die met een surveillant al te luidruchtig had geruzied. Degenen die de collegekost te eentonig vonden, gaf hij de raad met de volgende vakantie thuis te blijven. Zijn tweewekelijkse zondagnamiddag conferentie hield hij beurtelings in het Frans en in 't Nederlands, en wie op Nederlands spreken betrapt werd, mocht niet mee in de stad wanneer er familiebezoek was.

Hij zou ook een bouwheer zijn en aan het college bij de voorzijde van de Zuidmoerstraat een nieuwe vleugel toevoegen. We volgden met belangstelling hoe de werken vorderden, hoe de nieuwe bouw een torentje kreeg, met bovenop de smeedijzeren letters B.K.H.V.: Bisschoppelijk Kollege Heilige Vincentius. Op die initialen werden allerlei varianten bedacht, waarvan er een luidde: beste kanonballen hier verkrijgbaar, meer een zinspeling op de gehaktballen die nogal vaak op het collegemenu verschenen. Een minder inschikkelijke accomodatie luidde: Borreman kweekt hier varkens.

In de loop van de maand december 1909 bracht de dood van koning Leopold II wat leven in de brouwerij. We kregen geen dagbladen te lezen, doch er werd het een en het ander in de klas verteld. Ook van de troonwisseling werden we op de hoogte gehouden, al bleef alles in een vaag relaas met een detailloze les van vaderlandse geschiedenis. Naar huis schreef ik de kranten te bewaren, zodat ik tijdens de nieuwjaarsvakantie kon lezen hoe het allemaal gebeurd was.

Dat heb ik niet nagelaten, er was geen lectuur tekort, want vader had nog voor aanvullend leesvoer gezorgd met een geïllustreerd tijdschrfit. In alle kranten stond de lange herderlijke brief van de aartsbisschop, kardinaal Mercier. Het was een grote ode, vol lyrische ontboezemingen over de grote koning die het land verloren had, over zijn koloniale politiek enz. Ik snapte het niet allemaal, doch het opende voor mij een zekere horizont, waarvan ik mij de schreeuwerige kleurtekening nog herinner. Over het privé-leven van de gestorven koning waren er zinspelingen waarvan ik niets snapte, over zijn morganatisch huwelijk in extremis snapte ik nog minder, en dat hij in overeenstemming met de goddelijke en de kerkelijke wetten naar de eeuwigheid was vertrokken, snapte ik helemaal niet.

Ik heb er thuis geen uitleg over gevraagd, ik voelde wel dat er iets haperde met Leopold; ik had ervaren dat over die dingen, volgens het woord van Paulus, onder eerbare lieden liefst niet gesproken wordt. Die stelregel werd bij ons zwijgend toegepast, hetzij uit intuïtie, hetzij uit atavistische argwaan voor de duivel, die met verlokkingen tot overtreding van het zesde en negende gebod in de Kasteelstraat niet veel kans had. Slechts veel later heb ik het fijne van de laatstondige Leopoldistische levendigheden vernomen.

Ik eindigde onder Richarkes zorgzame hoede het schooljaar 1909-1910 met de eerste prijs in de uitmuntendheid, en toog naar Gentbrugge met hetzelfde ceremonieel waaraan vader mij gewoon had gemaakt. Kozijn Jules de Clercq was, traditiegetrouw, tweede; hij zou niet naar Eeklo terugkeren, hij werd extern in het Gentse St.-Amandusgesticht.

Als beloning beloofde vader dat ik met hem meemocht naar de Brusselse Wereldtentoonstelling. Een week nadien was het zover. Nicht Valentine de Vuyst, met wie ik altijd goed had kunnen opschieten, die veel thuis kwam en met haar zuster van kindsbeen af speelgezel was geweest, ging ook mee. We vertrokken te acht uur uit Gent-Zuid. Bij aankomst te Brussel nam vader een taxi naar de Expositie, betaalde anderhalve frank plus een fooi van vijfentwintig centiem.

Het was een weergaloze verrassing, de eerste keer dat ik met de auto reed; wat een taxi was, realiseerde ik mij pas, wanneer het puffende ding verdween en wij tussen de pleisteren wereld van de tentoonstellingspaviljoenen stonden te gapen. We liepen rond, werden moe en kregen grote honger van het kijken en van het vele verbluffende; we hadden belegde boterhammen mee en spraken de knapzak aan in de bierhalle van Oberbayern waar kleurrijke muzikanten op schuiftrompetten vrolijke deuntjes lieten horen en hupse meisjes in Beierse klederdracht grote potten schuimend bier aanrechtten.

Na die verpozing ging de rondgang voort; paviljoenen werden bezocht waar men overvloedig beladen werd met folders en landkaarten, waar men koekjes snoepte, Italiaanse frisse dranken proefde, hete Arabische koffie slurpte. We reden met een minitreintje tegen een kwartje frank voor een hele rondrit door de lanen van dit reusachtige kermisplein. In de parkjes hielden jolige fanfaren er de stemming in, het liep er vol met eigenaardig volk, negers en Chinese vrouwtjes met een lange haarvlecht en popvoetjes, Arabieren, halfbloeden, Zeeuwse boerinnen met bloedrode armen en goudplaten in hun haarkapsels, Franse soldaten met rode broek, Tyrolers met een veder op hun hoedje, en tientallen andere vreemde gasten die niemand kon thuiswijzen.

We zwierven door hoge hallen waar machines van de meest diverse soorten luidruchtige bewijzen ten beste gaven van wat de moderne techniek vermocht en waar men de uitleg beluisterde waarmede praatzieke demonstranten hun koopwaar probeerden aan de man te brengen. In de Belgische paviljoenen werd Frans gesproken. We kwamen in het paviljoen van de schone kunsten, waar schilderijen en beeldhouwwerken te bewonderen waren; het was er niet zo druk, men kon van op zetels en canapees rustig zitten kijken naar de heerlijkheden die te pronk gesteld waren onder een gezochte belichting.

Voor de eerste keer van mijn leven zag ik daar de naakte lichamen van mannen en vrouwen uitgebeeld, roze en als lillend van leven. Het zette mijn verbeelding in beweging en liet ze niet los. Vader kreeg het wellicht in de gaten, want hij loodste ons naar zediger oorden, waar men dorst kon lessen en de rest van onze boterhammen oppeuzelen.

Van in de vooravond was het één gespetter van veelkleurig licht en kakelend geluid. Verzadigd bliezen we de aftocht. We waren te elf uur thuis en droomden die nacht van taxi's, Beiers bier en schone kunsten.

De Brusselse Wereldtentoonstelling van 1910 is in mijn herinnering blijven voortleven als een ongeëvenaarde krachtpatserij van menselijk vernuft, we vertelden erover tot de tijdsafstand het allemaal toedekte en zelfs het beeld van die mysterieuze sprookjeswereld vervaagde.

L. VAN HOUTTEFEESTEN VAN 1910

Alsof er aan de uiterlijke schittering in die grote vakantie van 1910 geen einde ging komen, werd te Gentbrugge de honderdste verjaring van Louis van Houttes geboorte herdacht (Ieper 1810-Gentbrugge 1876), de man die in de gemeente en in heel het Gentse gewest welstand had gebracht, de grondlegger van de vaderlandse tuinbouw.

Het was meer dan een lokale aangelegenheid, ze groeide uit tot een hulde zoals er weinig geweest zijn, en zoals Gentbrugge er sindsdien geen meer heeft gezien, die zelfs de burgemeestersinhaling van 1909 in de schaduw stelde. Het werd een ontplooiïng van alle energieën om het vernuft en de grootste verwezenlijkingen van Gentbrugges grootste burger ten aanschouwe van zijn landgenoten in het licht te plaatsen.

Deze hulde is een hoogtij geworden waar de bloem, het sierlijkste, kleur- en vormrijkste sieraad uit de plantenwereld, het middenpunt van was, een spontane opwelling van liefde voor de schoonheid, en van dankbaarheid voor hem die het allemaal ter beschikking van eenieder heeft gesteld.

Tientallen wagens en beeldrijke groepen hebben het geniale werk van Louis van Houtte aanschouwelijk gemaakt en zijn onder de heerlijkste augustuszon door de straten van Gentbrugge getrokken. Bij het standbeeld op het Van Houtteplein, op de plaats zelf waar hij zijn bedrijf had gevestigd en vanwaar zijn werk over heel Europa is getogen, heeft een keur van bevoegde mannen zijn roem verkondigd en de dank van de samenleving vertolkt. Op het Kerkplein heeft een cantate datgene uitgejubeld waartoe het gesproken woord niet in staat was.

Het klinkt allemaal hoogdravend en dithyrambisch, maar niemand zal ontkennen dat Louis van Houtte onder de Gentbruggenaren nooit meer levend is geweest dan op die dag. Het was een kleurrijk delirium waarvan het orgelpunt vier jaar is blijven aanhouden, en dat helaas in het krijgsgewoel van de Eerste Wereldoorlog is uitgedoofd.

Gentbrugge is nooit die slag te boven gekomen en het zou misplaatst zijn een hulde aan Louis van Houtte op touw te zetten in deze tijd en op de plaats waar niets meer aan hem herinnert dan verweerde gebouwen en tot puin vervallen loodsen.

Gentbruggenaars die de Louis van Houttefeesten van 1910 bijgewoond hebben, zijn uiterst schaars geworden. De anderen weten niet wie hij was en wat hij voor het land heeft betekend. Alleen de bloemen leven voort, ze ,,vertalen en vertolken'' met de weelde van hun kleuren en aromen, geruisloos de naam Louis van Houtte ,,als de ziele luistert'' naar de stem van de historie.

*
* *

September 1910. Hervatting van de lessen te Eeklo. Ik heb nu drie jaar college achter de rug en ga het laatste jaar van de voorbereidende afdeling in. Superior Borreman is een gevestigde macht, met zwier neemt hij zijn taak waar, en houdt alle radertjes van zijn college flink in gang. Superior van een bisschoppelijk college zijn is geen sinecuur. Een taakverdeling in het bestuur van zijn instelling is er niet, hij moet voor alles zorgen, voor de hongerige magen van tweehonderd man, voor de tucht, voor het leerprogramma, hij moet aardappelen kopen, erop waken dat de godsvrucht niet verslapt, het schoolgeld innen, de ouders te woord staan, naar begrafenissen gaan, op zijn leraars toezicht houden, de orde handhaven onder meiden en knechten, de rekeningen betalen, en ga maar voort. Hoed af voor hem en zijn collega's van Vlaanderen die de taken van opvoeder, geestelijk raadsman, boekhouder en groentenboer cumuleren.

De leraar die zijn leerlingen voor het schooljaar 1910-1911 op de drempel van zijn klas opwachtte, is Gregoire Cornelis, een solide brok mens die van geen kleintje vervaard is. Hij staat bekend voor zijn bonkige manieren, welke hem een bijnaam hebben bezorgd die ik liever niet neerschrijf maar die naam kan men vinden in vers 44 van het *Dies Irae*. Op zijn schouders rustte de taak zijn leerlingen in staat te stellen het onderricht van de humaniora met vrucht te volgen. Dat onderricht was toentertijde op weinig na in 't Frans.

Mijnheer Gregoire, zo heette hij buiten de studentikoze kringen, deed zijn uiterste best teneinde onze tekort schietende Franse kennis bij te werken, en hij deed dat uitstekend, vooral voor de uitspraak. Onze lippen in zo'n plooi zetten om een seval in een redelijk cheval te metamorfoseren, was een krachttoer. Hoevelen zijn toen niet gestruikeld dat de tranen van razernij uit hun ogen sprongen met le chasseur chasse avec son chien de chasse? Mijnheer Gregoire was met geen boerenfrans tevreden, het moest op zijn Académie Française's klinken om de Eeklose bourgeois te beschamen: une grosse pomme kon door zijn beugel niet tot ze tot une groosse pomme was gemuteerd. Wat werd er niet gezweet op soixante-dix tot soixante-dix-neuf, en quatre-vingt-dix tot quatre-vingt-dix-neuf, in de plaats van septante tot septante-neuf of nonante tot nonante-neuf?

Mijnheer Gregoire had een hekel aan slordige schriften, vieze tanden, vuile handen, ongeknipte rouwnagels, ongekamd haar, ongewassen halzen en boeken met ezelsoren. Als hij dat zag, bulderde hij, kon hij uitpakken met een resem verfijnd klinkende scheldwoorden waar we kop noch staart aan vonden en die ons verplichtten in de Larousse te gaan kijken, waar ze niet altijd te vinden waren. Zo is onze Franse woordenschat er rijker op geworden, en zijn de oudleerlingen van mijnheer Gregoire heden nog in staat het op een Brusselaar te halen in het gedistingeerde schelden. Op lamzakkerij en lunterigheid zat hij met de ongenadige roskam van zijn stekelige rondborstigheid.

In één vak was mijnheer Gregoire niet sterk, in de rekenkunde. Ook mij heeft hij in dat verderf meegesleept. Een wat ingewikkelde deling van breuken ging zijn petje te boven. In de vraagstukken met interest, procent en kapitaal zette hij zijn regel van drie altijd verkeerd op; die waarin de ene haas sneller loopt dan de andere, of die waarin de ene kraan op zoveel uren en de tweede op zoveel uren het vijvertje vult enz. volstonden om mijnheer Gregoire klein te krijgen tegenover een paar snuggeren, die daarmee beter over de baan konden dan met de imparfait du subjonctif van het werkwoord jaser. Dan was hij zacht als een lammetje, hij die anders uitschoot met de hoornen in de aanslag om wie zijn gezag in de weg stond, tegen de grond te stoten.

Mijnheer Gregoire was de man die voor de zang en de muziek op het college instond. Hij handhaafde de orde op het doksaal, sloeg de maat, trok de registers, zong voor met een mooie stem. Hij was de incarnatie van het Gregoriaans. Als hij en E.H. de Vijldere katoen gaven in de kapel, de ene de zuiverste tenor en de andere de sonoorste bariton van het Meetjesland, was het of twee nachtegalen het aan de stok hadden om de eerste prijs in het vogelconservatorium weg te kapen.

Wanneer het repetitie was ter voorbereiding van de prijsuitdeling of het feest van de superior, haalde mijnheer Gregoire de partituren uit de kast, koos de zangers uit, scheidde de tenoren van de alto's en vloog uit in Jupiterse toorn als er één valse noot opging. Wee hem die had durven lachen! Een zangrepetitie onder zijn leiding was de ernstigste zaak van de wereld, terwijl zij in de colleges van de rest van de wereld één grote lol is. Voorzingen en de toon aangeven was voor mijnheer Gregoire een wellevendheidsprestatie; als hij in zijn handen kletste om er de maat in te krijgen, wist elkeen dat het ernst was en dat er niet veel nodig was opdat ze verder de maat zouden gekletst hebben op het een of ander aangezicht.

Mijnheer Gregoire was een weergaloos duivenkenner, hij had zijn duivenhok op het college; de til lag juist boven de kamer van E.H. Walckiers. Het was niet ongewoon van op de speelplaats af en toe de kop van de leraar achter de neerhangende tralies van de duivenslag te zien voorbijgaan. Hij kende zijn beestjes, zoals een herder zijn schapen kent, en zij kenden hem; hij was hierin een man van het evangelie (Joan. X, 14).

En wij kenden ze ook; we hebben in navolging van Streuvels' *Stafken* ook wel eens gedacht dat er niets zo schoon is als een hagelwitte duif in een helderblauwe hemel. Mijnheer Gregoire kon een duif vasthouden met kennis van zaken, haar pennen openstrijken alsof het een zijden Japanse waaier was, minuten lang naar de kop en in de ogen kijken zoals een ziener in een Indische diamant; op zoek naar een raadsel vol geheimzinnige wijding, en ze daarna met een moederlijke tederheid weer in haar korf zetten.

De zondagmiddag in de zomer als er vlucht was, wist het collegevolk, behalve de superior en de surveillant, die niet wisten wat wij wisten, dat wij het wisten wanneer ze gelost werden en hoe laat ze zouden toestuiken. We zaten dan gewoonlijk aan tafel, en zij die het konden zien van op hun plaats hielden meer de til in het oog dan hun bord met bouilli en worteltjes.

Of mijnheer Gregoire al dan niet in de prijzen gevallen was, konden we 's anderendaags ochtends opmaken uit de manier waarop hij het schrift van onze huiswerken nakeek. Als zijn gespikkelde duivin te laat binnengekomen was, kon dat maar goed gemaakt worden met een extra oplettendheid onzerzijds, en een feilloze geheugenles; in alle geval viel die morgen de rekenles weg, want die zou zijn humeur in alle galtonen gezet hebben tot ergernis van zijn en ons sympatisch zenuwstelsel.

In de Zuidmoerstraat en in het Hondekotstraatje woonden zijn duivelopers, schuwe kerels die nooit voor een ander leraar van het college hun pet zouden afgenomen hebben, voor de eerbiedwaardigheid van superior Borremans ternauwernood aan hun klep tikten, maar voor hem rechtveerden en hun vette muts van het hoofd schoven.

Mijnheer Gregoire had ook zin voor het sociale, zijn duivenmelkersinstinct was daar een eerste uiting van. En plots kreeg hij zijn kans, toen hem een voordrachtenreeks over landbouwkunde ten deel viel. Het doceren op het college alleen was hem te benauwd; hij droeg zijn kennis uit onder de boeren van het Meetjesland. Hij hield lezingen op het platteland over akkerbemesting, veeteelt, veredeling van graangewassen, aanleg van weiden. Hij vergat bijna zijn duiven om de boeren de kwaliteiten van een goede melkkoe in te scherpen, om de varkenskwekers van Waarschoot en Lembeke wijs te maken hoe zij een zwijn moesten aanzetten. Meer dan ooit werd hij de mijnheer Gregoire die in het contact met de mensen van het land datgene vond, wat de studentenschriften en de schoolboeken hem niet konden verschaffen.

Ook deze Eeklose leraar heb ik in het bijzonder in deze gedenkschriften ten tonele gevoerd, omdat ik hem uit de cyclus van de vier studiejaren lager onderwijs niet kan wegdenken. Niet voor de muziek heeft hij mij geestdriftig gemaakt, helaas ook niet voor reken- en wiskunde, wel voor kordate standpunten, de rechtlijnigheid, voor een stukje branie, voor de onberispelijke spraakkunst. In zijn zozeer geliefd, zuiver Frans tongvalwerk heb ik hem helaas niet kunnen evenaren.

Het studiejaar bij mijnheer Gregoire werd voor mij een tegenvaller. De collegebevolking werd verschillende keren geplaagd door epidemieën van roodvonk en andere erythemaziekten; tot tweemaal toe werden de grote dormters en de ziekenkamer door de stadsdiensten ontsmet, elkeen passeerde dagelijks voor een keelonderzoek bij dokter A. Haemers; ik werd voor twee weken naar huis gezonden.

Omdat ik koorts had, bestendig vermagerde en geen eetlust had, werd ik bijzonder in 't oog gehouden, ik mocht niet mee op de collegewandelingen. Het had natuurlijk zijn weerslag op de studieresultaten en van de eerste plaats in de uitmuntendheid viel ik op de vijfde. Vader vond het jammer, maakte er evenwel geen drama van en oordeelde dat mijn gezondheid meer waard was dan een pak prijsboeken. Toen ik met de paasvakantie thuis was, ging hij met mij bij Dr. Broeckaert die hem geruststelde en alleen maar aandrong op goede voeding. Om mijn eetlust te bevorderen, schreef hij een fles voor, en toen vader vroeg of levertraan voor mij goed was, kreeg hij ten antwoord: ,,Geef die jongen liever dagelijks een paar haringen''. De raad werd opgevolgd en na een drietal weken was ik er bovenop.

VAARWEL DE BOERDERIJ

Ondertussen was er thuis een grote wijziging op til, die de toekomst van ons gezin, en de mijne niet het minst, een andere richting zou geven.

Vader had al vaak gezegd aan allen die het wilden horen, dat hij niet tot het eind van zijn pachttermijn, dit is tot Kerstmis 1915, zou blijven boeren, en zijn zaak zou overlaten wanneer hij de man aantrof die in zijn schoenen kon staan en voor de overname van de hele levende en draaiende inboedel genoeg zou betalen.

Voor iemand, van kindsbeen af met hart en ziel aan het landbouwbedrijf verknocht, was dat geen lichtzinnig besluit, doch het logische uitvloeisel van omstandigheden waarin het leven hem en zijn gezin hadden geplaatst. Moeder was niet goed tegen het harde ritme van onze boerderij bestand, zij nam alles zeer ter harte, leefde bestendig in spanning en als onder druk, en ze kon de geringste tegenkanting van knechten en werklieden niet van zich afzetten, het waren zorgen die haar zwaar kwelden en aanvallen van migraine veroorzaakten waaronder ze veel leed.

Vader die een medelijdend hart had, besefte dat hij zoiets geen jaren mocht aanzien, dat er maar één uitweg was, te weten de boerderij vaarwel te zeggen. Hij maakte er geen staatszaak van die hij over de daken uitschreeuwde, maar het stond vast, en hij zou de geschikte gelegenheid afwachten.

Op 1 juli 1910 was hij vijftig jaar geworden, en in diezelfde nazomer kreeg hij een ,,verandering'', iets dat een tijdelijke verstramming in zijn linkerbeen had veroorzaakt en zijn tong als aan banden had gelegd. Het was gelukkig van voorbijgaande aard, maar zette hem tot matiging aan en stijfde hem in zijn besluit. Hij had maar één kind gekregen, zag in dat de spruit genoeg begaafd was om te leren en in die richting zijn levensweg zou vinden. Waarom hem het boerenbedrijf willen opdringen? In vaders hoofd speelden allerlei vage toekomstdromen waarin hij niet klaar zag, maar die ooit realiteit konden worden.

Vader was bovendien iemand die zich niet koesterde in ongegronde verwachtingen. Hij kon vooruitzien en beleggen, hij zou zich nooit gewaagd hebben in een avontuur dat hem zou verplichten het leven van een krenterig renteniertje te leiden. Hoewel hij niet in weelde baadde, had hij een supreme afkeer voor inhaligheid die met een schrale beurs gepaard gaat; de grote Jan uithangen lag hem evenmin. Hij berekende voor zijn vrouw, voor zichzelf en voor zijn kind een materiële welstand die hij in de gegeven omstandigheden zonder kopbreken over wat de dag van morgen brengen zou, in de samenleving gemakkelijk kon ophouden. Hij was ervan overtuigd dat de inkomsten uit het samengegaarde bezit hem en zijn gezin die veilige zekerheid kon verschaffen. Vooruit dan maar. Hij was geen besluiteloos mens.

Een paar liefhebbers kwamen neuzen, maar toen ze de situatie overzagen en hoorden welke eisen de afgaande boer stelde, bonden ze in en lieten van zich niet meer horen. Tot omstreeeks midden maart 1911, een Westvlaamse boer uit St.-Kruis bij Brugge lust had toe te happen. Het kwam tot een akkoord. Hij zou voor de overname twintigduizend frank betalen en kreeg daarvoor heel het boerenbedrijf zoals het reilde en zeilde, dieren, vruchten, werktuigen en gerij inkluis. Vader en moeder zouden alleen hun klederen en linnen, de meubelen van twee slaapkamers meenemen, en een paar maand bij de nieuwe pachter blijven inwonen om hem op de hoogte te brengen, zodat ze tegen september konden verhuizen. De eigenaar Leo van Aelbroeck vond alles goed, maar nam de gelegenheid te baat om de jaarpacht met vijfhonderd frank te verhogen. Ook daarin stemde de aankomende pachter toe.

Wanneer alles in kannen en kruiken was, stelde moeder ook haar eis: onze jongen zal niet langer intern blijven, we houden hem thuis, maken dat hij te Gent kan naar het college gaan. Het was een pak van haar hart als vader onmiddellijk akkoord ging; hij ook oordeelde dat het de beste oplossing was, en op staande voet besliste hij: we zenden hem bij de jezuïeten op het St.-Barbaracollege.

Ik vernam het allemaal wanneer ik met de paasvakantie thuis kwam. De tribulaties van het ziek zijn gingen met de haringen van dokter J. Broeckaert voorbij; een ander tema hield de geesten bezig, het vertrek uit de Kasteelstraat, het afscheid van de boerderij, de aanstaande woning, het vooruitzicht op een andere school, het toekomstig leefpatroon.

In het laatste trimester te Eeklo was ik er niet langer met mijn hart bij en lette niet veel meer op de studie, ik vond alleen maar genoegen in de Franse lessen van mijnheer Gregoire, die de eisen intenser dan ooit opdreef en zijn leerlingen tot conversatie verplichtte. Hele namiddagen hadden we conversatie over de vakken van het lessenrooster en dat beviel mij sterk. Ik voelde mij in het Frans grondvast worden en durfde een gesprek aangaan over de banale dingen van het collegeleven. Zo iets was volkomen naar de zin van Mijnheer Gregoire, en hij liet het horen.

Een van onze klasgenoten was een Syriër, Toufik Barrakat, die in Eeklo was beland met de bedoeling een christelijke opvoeding te vinden en Frans te leren. De eerste kon hij inderdaad nergens beter halen, doch de tweede moest hij nu toch niet op een boerencollege in het hartje van het Meetjesland komen zoeken.

Het was voor hem een bijzondere zegen dat hij in de klas van mijnheer Gregoire was terechtgekomen; de goede bloed die elkeen graag mocht, kletste van loutere pret op zijn dijen wanneer wij hem in de conversatieles het verschil wijsmaakten tussen Anvers port de mer, en Eeklo mère des porcs. Het deed mijnheer Gregoire glimlachen.

Onze leraar had een zwak voor schoonschrift, en toen hij tot zijn groot ongenoegen vaststelde dat hij met zijn leerlingen op dat gebied niet veel eer kon halen, verwees hij naar Toufik Barrakat die werkelijk een fraaie hand schreef, un exemple à suivre! We keken langs onze neus naar de Syriër, die gelukkig was als een emier.

Op de jaarlijkse retraite predikte de befaamde pater Bloete. We gingen een laatste keer naar Lembeke boogschieten, vierden het feest van de baas, repeteerden het koor voor de prijsuitdeling. Op de avond van 11 juli werd een piano uit een klas op de speelplaats gerold en zongen we, tot het donker werd, Vlaamse liederen ter herdenking van de Guldensporenslag.

Voor we naar de prijsuitdeling trokken in de zaal van de Kaaistraat, namen vader en moeder met mij afscheid van het college, ze dankten de superior die, zegde hij, mij node zag gaan, me veel succes toewenste op St.-Barbara, de laatste rekening werd betaald. Samen pakten wij matras, peluw, oorkussen en de andere spullen in, vestigden de nodige adressen op zakken en koffers, en zorgden ervoor dat de ophalingsdienst van de spoorweg ze kwamen opladen: bestemming Gentbrugge-Zuid, tarief III.

Voor de prijsuitdeling was een bijzondere krachttoer voorzien, de opvoering van *De Verloren Zoon* van Jozef van den Berghe, een toneelspel in vijf bedrijven dat de ronde van alle amateurtoneelgroepen van Vlaanderen deed en heel het kunstminnend Eeklo op de been bracht. De zaal was barstensvol. Wat de spelers ervan terecht gebracht hebben weet ik niet. Wel weet ik dat het stuk door de Gentbrugse toneelmaatschappij

De Korenaar in 1922 met succes werd opgevoerd, en in *Het Volk* te Gent de prijs voor de beste speler, Roger Seghers, wegkaapte. Ik speelde er de bescheiden rol van de eerste slaaf.

In de vroege namiddag bracht het open rijtuig drie gelukkige mensen naar de Kasteelstraat, zonder prijsboeken.

Wie mij vraagt wat Eeklo's St.-Vincentiuscollege in mijn leven betekend heeft, zal ik zonder aarzelen antwoorden: zeer veel. Ik ben er van 1907 tot 1911 tevreden geweest, ik heb er mij geen ogenblik als een vreemde of een ontheemde gevoeld. Ik ben er, nog geen tien jaar oud, als een onbeduidende boerenjongen door mijn ouders geplaatst, omdat zij hoger mikten dan de andere boeren uit hun omgeving, en zij wegens hun druk bedrijf mij thuis niet konden schenken wat zij nodig achtten.

Ik heb te Eeklo de volledige cyclus van de voorbereidende afdeling die de knapen voor de humaniora klaarstoomt, doorgemaakt. Ik heb er alles geleerd wat daartoe onontbeerlijk is, en blijkbaar niet zonder goed resultaat. Na vier jaar ben ik teruggekeerd, op de drempel van de puberteit, met een lading kennis en wellevendheid die mij in alle omstandigheden van nut is geweest.

Ik ben er Vlaamsgezind geworden en dat waardeer ik als een grote weldaad, die de grondslag heeft gelegd voor een belangrijke voortvarende activiteit.

Ik heb er een christelijke en sociale visie op het leven ontvangen, die ik vermeen nooit in mijn houding en mijn daden te hebben verloochend, of omgebogen tot mijn profijt.

Met dankbaarheid en liefde bewaar ik aan het college van Eeklo uit de jaren 1907-1911 de allerbeste herinnering, aan mijn leraars, aan mijn klasgenoten, aan de onestetische gebouwen, aan de schrale speelplaats zonder groen, aan het starre huisreglement, aan de lange studiewerken, aan de stevige collegekost, aan de vuile voeten, aan de bolpleinen, aan het pedagogisch werk dat er door mensen en milieu werd verstrekt. Zij boetseren het verstand en het gemoed van wie er ontvankelijk voor is. Het is de geest die levend maakt, en die geest waaide ook in het bisschoppelijk college te Eeklo.

*
* *

Het hoofdstuk over Eeklo's college zou niet compleet zijn, als ik niet een drietal leraars vermeldde die aan de instelling een bijzonder pittoresk karakter hebben verleend.

Eerwaarde heer Edgar Pattijn, leraar van de vierde Latijnse. Hij woonde niet op het college maar in de stad, wat hem de titel van extra-muros bezorgde. Hij had een vaardige pen en schreef onder de deknaam van Bert van Mettengen *Onze Jongens van 1798* en andere heimatboekjes. Hij ging door als de hofnar onder de lokale geestelijkheid. Wanneer kanunnik De Lepeleer op inspectie kwam, plaatste Edgar Pattijn de minst goede leerlingen aan de muurzijde van de klas, en schoof de banken dan zo dicht tegen de wand dat de zwaarlijvige inspecteur onmogelijk kon passeren en de bedenkelijke schriften met de studiewerken inkijken.

Eerwaarde heer Odilon Hanssens, leraar in de Poësis, afkomstig van St.-Niklaas, gaf o.m. *De Verstrooide Gedichten* van zijn stadsgenoot Arthur Scheiris uit. Hij was Vlaams legeraalmoezenier in 1914-1918 en stierf als diocesaan proost van de maatschappelijke werken in zijn geboortestad. Een grote mijnheer!

Eerwaarde heer Karel Walckiers, leraar van de derde Latijnse van 1894 tot 1936; legendarisch als het hoofdpersonage van de Karolingers, d.z. diegenen welke hem als leraar hadden, en over zijn tics, zijn uitspraken en vooral over de manier waarop hij *Boerke Naas* van Gezelle voordroeg, nooit uitgepraat zijn. Op het college was hij de onvermoeibare werver voor de missionaire Congregatie van Scheut. Van vele tientallen Scheutisten heeft hij de intrede begeleid. Zijn biechtstoel was even legendarisch als zijn leraarsambt. Hij was van Meerbeke en wist op de man af hoeveel priesters die parochie in de loop van de eeuwen had voortgebracht.

OP DE GENTBRUGSE KEIBERG

De grote vakantie 1911 was niet zoals de andere, het verschil was groot.

Na heel wat mogelijkheden onder ogen te hebben genomen, beslisten mijn ouders in een van de bescheiden huizen van de Keibergstraat te gaan wonen. Moeder woonde graag in de nabijheid van de kerk en dat gaf de doorslag, vader was haar hierin ter wille. Zij zou elke dag naar de mis kunnen gaan, in vroomheid en met stille discretie haar levensavond draperen.

Vader was eenenvijftig, zij was drieenveertig, wel betrekkelijk jong om op rust te gaan. Dat rusten was nu precies hun hoofdtaak niet, zij wilden voor hun enig kind zorgen; die was mossel noch vis en had volgens de normen van hun levenswijsheid nog meer dan tien jaar te wachten voordat hij ooit in staat zou zijn op eigen vleugelen te vliegen.

Vader droomde ervan zich ergens te nutte te maken en wilde volstrekt niet op een stoel zijn dood zitten afwachten. Hij zou wel niet meer boeren, maar toch met het boerenbedrijf in nauw contact blijven, en alleen datgene doen wat hij gaarne deed. In zijn tuintje erwten en tabak telen, hij zou naar paardenwedstrijden gaan, in zijn stamcafé onder de mensen komen, kletsen, vergaderingen bijwonen, van verre een beetje aan dorpspolitiek doen, een boer uit de nood helpen maar niet voor zwaar werk, rondkuieren en parochienieuwsjes vissen. Hij verveelde zich nooit een ogenblik. Hij las ook graag en wist waar hij zijn lectuur moest vandaan halen.

We verhuisden eind augustus 1911 en betrokken de woning nr. 5 in de Keibergstraat, vlak naast het huis waar de zuster van vaders moeder woonde, een meer dan tachtigjarige ongehuwde vrouw die veel in de kerk zat, alle paters en nonnen uit heel Gent van vóór vijftig jaar gekend had, voor de rest een klappei die op alle niet zeer kerkse mannen en vrouwen wat wist te zeggen. Vader zag wel dat onze tante Virginie niet lang meer zou talmen om het tijdelijke met het eeuwige te ruilen en dacht eraan na haar dood haar huis te gaan betrekken en daarin wat aanpassingen te laten uitvoeren die het een schappelijker voorkomen zouden geven.

Er werd een geheel nieuwe huisraad aangekocht, stoelen, tafels, enz., het leek wel op een uitzet voor jonggehuwden, en de familie had er plezier in. Moeder was zielsgelukkig en heeft nooit een aanval van migraine meer gehad, het was voor haar als een bevrijding uit het vagevuur dat ze van de boerderij weg was.

Precies op 1 september 1911 ging vader met mij naar het St.-Barbaracollege in de Gentse Savaanstraat om mij als leerling in de zesde Latijnse te laten inschrijven. We werden te woord gestaan in het Nederlands door de rector, Pater G. Donnet, een aartsernstige, statige figuur die alle inlichtingen nopens mijn persoontje en mijn vroegere scholing nauwgezet optekende. Een schuchtere vraag zijnerzijds om mijn Frans te testen, werd blijkbaar niet te slecht beantwoord, want hij hield er notitie van, en wanneer vader hem nog meer uitleg, in het Frans, verstrekte, werd ook dat opgetekend.

Het was al vroeger beslist dat ik kwart-intern zou zijn, dat ik dus in de voormiddagen de avondstudie zou blijven. Het scheen mij, en moeder ook, een zware dobber; pas thuis te half één voor het middagmaal en te half acht voor het avondmaal, maar vader besliste het zo, hij wenste dat alles gedaan was wanneer ik thuiskwam en wilde niet geplaagd zitten met lessen leren en huiswerk maken, noch voor mij noch voor hem. Het jaargeld voor de kwart-internen bedroeg tweehonderd frank.

Op 19 september 1911 was het om kwart vóór acht op het college de heropening van de klassen. Ik kreeg een attest dat ik leerling van St.-Barbaracollege was en kon daarmee bij de directie van de Gentse Tramwegen een schoolabonnement bekomen tegen vijfentwintig frank per jaar. Alles was klaar om scheep te gaan voor een zesjarige vaart op de wateren van de Latijns-Griekse humaniora onder het stuurmanschap van de s.j.

Zelden heb ik mijn vader zo innig tevreden geweten als toen wij van St.-Barbara terug op de Gentbrugse Keiberg waren; hij beschouwde het als een van de bijzonderste prestaties van zijn leven dat hij zijn zoon bij de jezuïeten klassieke humaniora kon laten studeren. Hij had daar een hoge dunk van en pakte ermee uit zonder superieur te doen.

Hij was filosoof genoeg om geen te hoge verwachtingen te koesteren, want hij wist hoe broos de dingen van deze wereld zijn; hij had veel blaaskaken die met de capaciteiten van zoonlief hoog opliepen in het zand zien bijten, en nam zich voor erop te waken dat hij zoiets niet zou tegenkomen. Hij gaf een sermoentje ten beste met dit hoofdtema: goed leren, veel werken, luisteren naar de meesters, niet hoogmoedig zijn en voor dit alles Gods hulp niet versmaden, wij hebben veel gedaan voor u, het hangt van u af wat uit u groeien zal. Hij was soms een beetje patetisch, maar het duurde gewoonlijk niet lang, en hij keerde er niet gestadig op terug.

Ons klein gezin koesterde zich spoedig in de gezellige nederigheid van de kleine woning in de Keibergstraat en leefde in een blijde verwachting die zich toespitste op de kennismaking met de nieuwe school en het gewijzigde leefritme door dit alles veroorzaakt, zo erg verschillend van de handel en wandel die de onze jarenlang geweest was. Het zou wennen worden.

SINT-BARBARACOLLEGE TE GENT

Toen ik met een nieuw pakje aan op de speelplaats van St.-Barbara verscheen, zag ik hoe een pater die ik als Père Préfet hoorde aanspreken, de leerlingen naar de klaslokalen wegwijs maakte, het scheen zijn levenstaak te zijn. Ik hoorde geen woord Nederlands. Ik vroeg: Sixième Latine, wat het prompte antwoord uitlokte, à l'autre cour en haut du grand escalier. Ik daarheen met de stroom van de anderen mee. Boven de trap werd ik opgevangen door een andere pater die op zijn kartonnetje keek, mijn naam niet vond en mij naar de naastbij gelegen deur verwees, waar nog een andere pater wel mijn naam op zijn kartonnetje vond, mij een plaats aanwees in zijn klas en pontificeerde dat dit de Sixième B was. Die moest voorzeker onze leraar zijn. Het duurde niet lang of ik wist dat hij pater Verschueren was.

De bel ging. Naar de Mis van de H. Geest. Trap af, de speelplaats over, de kerk binnen. Het was een publieke kerk, met een brede middenbeuk voor de leerlingen.

Na de mis werden we in de massa meegetroond naar de grote zaal, waar de rector ons opwachtte en een toespraak hield voor zijn chers élèves. We moesten werken, studeren en bidden: être pieux est le premier devoir d'un élève du Collège Ste Barbe. Daarmee was het nieuwe schooljaar ingezet. De rector verliet de zaal na zijn toespraak en een andere pater stond recht; hij riep per klas de namen van de leerlingen af: Rhétorique, Seconde, Troisième, Quatrième, Cinquième A, Cinquième B, Sixième A, Sixième B. Pater Verschueren trad vooruit en nam ons mee, à l'autre cour, en haut du grand escalier, waar een plaatje boven de deur aanwees dat dit het klasselokaal van de Sixième B was.

We kregen de lessenrooster gedicteerd en tal van andere dingen die onontbeerlijk zijn voor de goede gang van de klas, o.m. een lijst met de schoolboeken. Met een klein dicteetje en de opgave van een huiswerkje dat onze kennis van zinsbouw en woordontleding op het oog had, was de eerste morgen op St.-Barbara gevuld. 's Namiddags hadden de externen en kwart-internen vrijaf, en trokken de internen op wandeling.

Heel dit vormelijke ingraven in de eerste stellingen op het opvoedkundige oefenterrein van een jezuïetencollege in het jaar 1911 te Gent, verliep in het Frans, ook tijdens de speeltijd. Het berokkende mij geen moeilijkheden, men had het mij voorspeld. Het was de consequente toepassing van een staatkunde, die heel het land in zijn greep hield. Het was het eerste onderscheid met het Eeklose college.

Het werd nog bevestigd door de schoolretraite die kort daarop gepredikt werd, door een jezuïet natuurlijk, want andere predikanten kwamen hier niet op de kansel. Alles van a tot z in het Frans.

Na korte tijd bleek de leraar van de Sixième B een meevaller te zijn. Pater Jozef Verschueren was een Kempenaar, breed en groot van formaat, met een flinke neus waarop meer dan één chirurgische operatie duidelijke littekensporen had nagelaten, zodat het orgaan zijn symmetrie verloren had. Hij was geweldig op precisie gesteld, hij had o.m. een voorraad papiertjes bij de hand waar hij aantekeningen op schreef en in een speciaal mapje wegborg. Het maakte ons in den beginne wantrouwig, en slechts later hebben we begrepen waarvoor het allemaal diende.

De tweede dag maakten we kennis met de Latijnse naamvallen en kwam rosa op bezoek. Daags nadien hing vooraan op de klasmuur een dik papier met de naamvalsuitgangen van enkelvoud en meervoud gespijkerd, en werden de weifelaars met een gebaar zonder woorden, ernaar verwezen. Wanneer de les opgevraagd werd, hing pater Verschueren er een landkaart voor, die verdween nadat de ondervraging voorbij was.

Toen de vijf verbuigingen en de vier vervoegingen aan de beurt gekomen waren, hing heel de voorwand met een stuk Latijnse spraakleer bedekt, waarvoor al de landkaarten van de klas nauwelijks volstonden om ze er in tijden van nood weg te stoppen. Dat was maar éne van de didactische knepen van pater Verschueren. Ze was inslaand. En ze verried toen al de gerichtheid van de auteur van het bekende *Modern Woordenboek* (1930).

Vanaf het eerste uur had pater Verschueren door, wie onder zijn leerlingen van huize uit Nederlandssprekend waren. Hij gaf hun loef door in de les een vraag in het Nederlands te stellen of een moeilijkheid in het Nederlands te verklaren. Het had een tweetaligheid in onze klas tot gevolg waaraan niemand aanstoot nam. Er was zelfs een Duitssprekende in de klas en de leraar hielp hem over zijn onbeholpenheid in de taal van Goethe.

Naast onze klasleraar die alleen Latijn en Frans gaf, hadden we een leraar voor rekenen, de heer H. Lievens; voorts een leraar voor geschiedenis, een voor aardrijkskunde en een voor Nederlands, het waren surveillanten die deze vakken onderwezen, blijkbaar met de bedoeling hen niet helemaal van het lesgeven te vervreemden en ze nuttig voor te bereiden op een later leraarschap in de traditionele ratio studiorum van het Gezelschap Jesu. Deze vakleraren waren een ander onderscheid met de bisschoppelijke colleges waar één klasseleraar voor alle vakken instond.

Godsdienstles kregen we op zondagmorgen na de hoogmis. Het veroorzaakte een boel gestribbel vanwege sommige ouders die het benard vonden dat hun geijkt rustdagschabloon daardoor in de war werd gestuurd. Het bezwaar moet door het collegebestuur niet onderschat geweest zijn, want het jaar nadien werd de godsdienstleer in het rooster van de weekdaglessen opgenomen. Het Lof op de zondagnamiddag om 15.30 uur was voor de externen, de kwart-internen en de half-internen verplicht; inschikkelijkheden waren voorzien voor hen die op een grote afstand woonden, maar op het feest van het H. Hart moesten allen aanwezig zijn, waar ze ook vandaan kwamen. Pas na de tweede wereldoorlog is het zondagnamiddaglof weggevallen.

Elke zaterdag kregen de leerlingen een rapport naar huis mede. Het was een eenvoudige kaart, waarvan de kleur verschilde naargelang van de behaalde punten. Een rode kaart behoorde tot de goede soort, doch er waren drie variëteiten: très bien, met gouden letters, indien men alle punten verdiend had, très bien, met zwarte letters, voor wie 18 of 19 op 20 had gehaald, bien voor wie 15 of 16 op twintig kreeg. De gele kaart: pas assez bien, was voor wie een zware straf had opgelopen. Een witte kaart, mal, was voorbehouden voor uitzonderlijk zware gevallen; een grijze kaart, très mal, heb ik nooit weten geven.

Voor die halfinternen en kwartinternen die in de studie bleven, bestond een identiek kleur- en puntensysteem. We moesten de maandagochtend de door de ouders ondertekende kaarten afgeven. Het was le père préfet die op zaterdagnamiddag de ronde van de klassen deed, de kaarten met of zonder commentaar, en desnoods met dreigende stemverheffing, uitdeelde.

De père préfet, d.i. de man die voor de tucht instond, is een centraal figuur op een jezuïetencollege. De rector kregen we slechts een paar keer op één trimester te zien, maar de tuchtprefect was een alomtegenwoordig wezen, wiens kamer-kantoor in de hoek van de speelplaats lag, naast de grote ingangspoort, zodat hem niets van wat er gebeurde ontsnappen kon. Op zijn deur kon de vermanende driehoek die in sommige Vlaamse huiskamers hing, ,,God ziet mij, Hier vloekt men niet'' geprijkt hebben. Hij was een geduchte persoonlijkheid, die voor alle vergunningen en overtredingen het ultieme woord had.

Hij beschikte over het admittatur, een papiertje waarop hij met zijn paraaf alles of niets ratificeerde van wat men ter verontschuldiging inbracht. Wanneer een leerling het ergens te bont maakte, werd hij naar le père préfet verwezen als naar de opperrechter, voor de straf of voor de kwijtschelding. Men wist dat deze laatste louter op papier bestond en dat een leraar of surveillant nooit bij le père préfet in het ongelijk werd gesteld.

Op de zes jaren die ik op St.-Barbara doorbracht kende ik maar één tuchtprefect, pater Victor Declerck, een Westvlaming uit Kortrijk. Hij hield er een ijzeren tucht op na; ik heb met hem nooit een conflict gehad, en alle vergunningen die ik vroeg, werden mij toegestaan; ik heb vele kaarten très bien gekregen, slechts één keer een carte jaune. Ik zal later vertellen in welke omstandigheden.

Pater prefect had bestendig een kleine handbel op zak, een tik daarvan was voldoende om ons te doen uitkijken vanwaar de vermaning kwam, die bel sneed onmiddellijk alle kwade neigingen de pas af.

Voor het uitoefenen van zijn gezag beschikte de prefect over een viertal surveillanten, als wachtposten in de studie en op de speelplaats uitgezet, die de goede orde handhaafden. Zij waren het spiedend oog en oor tijdens hand- en voetbalspel, zij deden speel- en studietijd vlot als een gesmeerd uurwerk op de sekonde na verlopen. De dagagenda op een jezuïetencollege is een vernuftig berekend cartesiaans systeem, waarbij al de inwonenden een rol te vervullen hebben en die ze ook met nauwgezette Ignatiaanse plichtzin vervulden.

Aan het hoofd staat de rector in zijn door niemand bestreden ivoren toren, waar alle draden geruisloos samenkomen. De tuchtprefect weet wat hem te doen en te laten staat. De studieprefect weet dat ook en zal zich voor niets ter wereld met tuchtzaken inlaten. De minister zorgt voor de stoffelijke zaken en let erop dat de knechts ordelijk hun werk verrichten. De procurator zorgt ervoor dat de geldmiddelen binnenkomen. De leraars en surveillanten hebben hun taak en daarbuiten niets. Een stel oudere paters hebben een geestelijke taak, ze zijn de biechtvaders, de vrome raadgevers en zieleleiders voor degenen die hun hulp inroepen. Het is een heerlijke taakverdeling waarvan het rendement niet gering kan zijn. In een bisschoppelijke kollege was dat alles op de schouders van één man gelegd; het is gelukkig veranderd.

De kennismaking met het jezuïetenmilieu op St.-Barbara was voor mij een aangename ervaring, het oriënteerde mijn discretievermogen naar horizonten waarvan ik vroeger geen benul had, en dit op een ogenblik dat men als knaap van veertien jaar voor indrukken meer openstaat dan op welk ander tijdstip. De puberteitsdrang doorwroet, gelijk een mol in de lente, de kalme grasvelden van de bewuste en de onderbewuste psychische en fysische natuur, en laat sporen na.

Ik gaf er mij op dat moment geen rekenschap van, maar ik moet bekennen dat het milieu van college en huiskring door de atmosfeer die er heerst een richting gegeven hebben aan de demonische neigingen die in elk mensenvlees hun parten spelen, een richting die al was zij voorzeker de ideale niet, toch een fatsoenlijke is geworden.

We kregen in de zesde Latijnse, onder de aandrijvende stuwing van Pater Verschueren, meer belangstelling voor hetgeen voorviel buiten de afgesloten glazen stulp van het college. De klerikale agitatie van het Gentse dagblad *Le Bien Public* en zijn beruchte hoofdredacteur Guillaume Verspeyen deed mijn oren spitsen.

Op 2 juni 1912 zouden er algemene wetgevende verkiezingen plaatshebben, waarvan men ons zegde dat ze de toekomst van het katoliek onderwijs op het spel zetten. Op de jaarlijkse Oostakker-Lourdes bedevaart van het college vroeg le père préfet ons een tientje van de paternoster voor de goede afloop van die verkiezingen te bidden. Toen we op 3 juni in de klas verschenen, pronkte pater Verschueren met *Le Patriote* die op zijn eerste bladzijde blokletterde met ,,l'échec piteux'' door de oppositiepartijen tegen de regering De Brocqueville opgelopen. In de plaats van over twee, beschikte zijn katolieke regering nu over twaalf zetels voor haar volstrekte meerderheid. Te Gent werd Alfons Siffer verkozen.

Thuis zette vader mij de politieke conjunctuur van de dag uiteen, met Helleputte, de Brocqueville, Eedje Anseele, Schollaert, Beernaert, Woeste, Hij nam mij mee naar een meeting in het Gentse Landbouwershuis waar minister Helleputte het woord voerde. Het was de eerste keer in mijn leven dat ik een minister in levende lijve zag en hoorde. Helleputte sprak in een sterk Gents getint Nederlands.

Een jaar voordien had vader mij al meegenomen in datzelfde Landbouwershuis op het Gouden Leeuwplein, waar de drie kraaiende hanen, Frans van Cauwelaert, Louis Franck en Kamiel Huysmans over de vervlaamsing van de Gentse Universiteit waren komen spreken. Al deze dingen openden voor mij kleurrijke uitzichten op de maatschappij, en ze boeiden mij geweldig.

Als reactie op hun politieke nederlaag van 2 juni 1912 riepen de socialisten de algemene werkstaking uit. In Gent zagen we een grote betoging door de straten trekken waarin gezongen werd: ,,Leve de algemene werkstakinge, we zullen Brocqueville zijnen kop afwringe!'' Père Préfet had ons gewaarschuwd geen provocerende houding aan te nemen en ons niet te laten meeslepen in tegenmanifestaties: ,,Il faut rester dignes en face de l'adversaire, et donner partout le bon exemple d'une parfaite tolérance''.

Indien het eerste jaar St.-Barbaracollege een bonte afwisseling bezorgde in mijn extracurriculaire ervaringen en begrippen, onderging ik tevens de invloed van het typisch opleidingspatroon dat de oude humaniora kenmerkt, dat door de jezuïeten zo sterk werd beklemtoond en toen strikt doorgevoerd.

De zins- en woordenanalyse, grondslag van het Latijnse en later van het Griekse taalonderricht, waren vakken die mij geweldig lagen en waarvan ik de knepen manipuleerde als speelgoed. Men zet daarmee geen wiskundige reeksen op, en bepaalt ook de inhoud van een afgeknotte piramide niet, maar zij laat toe de wonderbare samenhang van een denkproces te volgen, te achterhalen en te reconstrueren. Zoiets bekoorde mij, al stonden de verschillende stappen van het analysewerk bij mij nog maar in hun psychologische kinderschoenen.

Het spel van vocatieven en ablatieven, van conjunctieven en indicatieven, van deponentia en passieven vond ik een bekoorlijk geestelijk schaakbord. We werden in de eerste weken al door pater Verschueren op de proefbank gezet met oefeningetjes van dit soort: het verschil tussen bonus agricola en bona agricola. Poeta cantat patriam moesten we in de lijdende vorm zetten, en degenen die niet een patria cantatur a poeta op zijn papiertje had staan, viel van een carte très bien op een carte bien, en zo hij de week nadien recidiveerde, luidde het pas assez bien, want de pater had de eerste kemel feilloos op zijn strookje genoteerd.

Nederlands kregen we van pater Servranckx, surveillant van de kwart-internen; hij pronkte graag met een Hollands tintje in zijn uitspraak, en voor de leesoefeningen uit *Zuid en Noord* nam hij altijd een auteur uit het Noorden, Bernardus van Meurs of Justus van Maurik. Zijn lijfstuk was *Waar is Mama?* van Johanna van Woude. Wanneer Servranckx ergens niet te zien was, neusden we rond al vragend: waar is mama?

Wiskunde is niet de speerpunt van het humaniora-onderwijs in de jezuïetencolleges. Ze hadden goed de lessen door vakleraars te laten geven, het bleef een zwakke plek in hun blazoen. Al hebben er veel wiskundige knobbels op hun banken gezeten, toch was voor de meesten de wiskunde een blok aan het been, dat ze zonder geestdrift zes jaar lang meesleepten. Ik was in dat geval en moest al de moeite van de wereld doen om bij te blijven, het was een oud zeer en er was niet veel zalf aan te strijken.

Ik heb het mijn leven lang als een tekort aangevoeld en betreurd. Ik bewonder de boven vele grenzen uitstijgende waarde van de matematische wetenschappen, ik geloof oprecht dat er zoiets bestaat als een matematische gedachte, maar haar kern is mij te hard om er te kunnen binnendringen. Het maakt mij niet ongelukkig, maar een beetje jaloers, het spijt mij ten slotte dat het niet in mijn wieg lag bij mijn geboorte.

Turnen en lichaamsoefeningen stonden niet op het programma van de humaniora. Wie voor die dingen iets voelde kon altijd terecht met private lessen in de turnzaal. Er kwam een schermmeester van het Vierde Lansiers de mannen met blauw bloed in de aderen oefenen in de nobele kunst van het floret, en wie in de hoogste klassen zaten konden met een houten geweer spelen als voorbereiding op de Garde Civique, tegen zoveel frank per uur.

Op de speelplaats liepen groot en klein dooreen. We mochten Nederlands of Frans praten naar believen doch het ene noch het andere blonk uit door dialectloze zuiverheid. Ons Nederlands was doorspekt met Franse woorden en het Nederlandse taaleigen was onbestaand. Niemand maakte ons attent op taalcorrectheid.

Met karnaval en halfvasten was er toneel. Jezuïeten hebben altijd in hun opvoedkundig systeem aandacht aan toneelopvoeringen besteed; vanaf de zeventiende eeuw werden ze in hun colleges in eer gehouden. St.-Barbara stelde de eeuwenoude traditie op prijs door met de leerlingen voor het voetlicht te treden, om de beurt in het Frans en in het Nederlands, en de ouders uit te nodigen. Het was telkens een kleine hoogtij en le père recteur zat voor.

Godsvrucht en religieus beleven bij de leerlingen werden scherp, ofschoon discreet, geobserveerd; mis bijwonen, biechten en communiceren, waren een cultusbeeld dat ten allen tijde de voorrang kreeg, maar het moest een mannelijk cultusbeeld zijn; kwezelarij werd als de pest verafschuwd en belachelijk voorgesteld. Jezuïeten schitteren niet door lange liturgische kerkdiensten, ze zijn de mening toegedaan dat O.L. Heer er de voorkeur aan geeft, goed en kort gediend te worden, maar op het doksaal werden zang en muziek piekfijn verzorgd, en er werd jacht gemaakt op de mooiste stemmen.

Wereldsgezinde feesten en gedenkdagen kwamen op St.-Barbara niet in aanmerking. De Gentse Kermis werd geen knip voor de neus waard geacht en ging ongemerkt voorbij, behoudens de laatste zware wedstrijden. De nationale feestdag van 21 juli werd zelfs niet vernoemd; die dag was het naamfeest van St.-Victor, de patroonheilige van le père préfet, en dit wist pater Verschueren ons na het gebed te zeggen, meer niet en het beroerde ons niet diep.

Zo ging het schooljaar 1911-1912 in de sixième B voorbij. Op de prijsuitdeling, de eerste donderdag van augustus 1912, was ik de vierde in uitmuntendheid en haalde ik acht accessits. Vader en moeder waren komen luisteren hoe het verliep, vooraf was er een toneelvoorstelling. Pater E. van Hoeymissen, préfet des études, riep de jaarresultaten af, na met zijn sonore stem de plechtige sacrale formule te hebben uitgesproken: ,,A la plus grande gloire de Dieu, au bonheur des familles et de la jeunesse, à la prospérité de la patrie, distribution solennelle des prix aux élèves du Collège Sainte Barbe''. Er was dat jaar een primus perpetuus in de retorika, Léon Dupont de Gand; tweede was Charles Calewaert de Deinze.

We hadden grote vakantie tot einde september; we namen afscheid van pater Verschueren. Het daaropvolgende schooljaar was hij niet meer op het college, hij werd in het raderwerk van de training van het Gezelschap Jesu opgenomen, en zou wel ergens ter wereld terechtkomen om zijn jezuïetenrol onder een andere gedaante voort te spelen. Met interesse heb ik zijn lange ambtelijke carrière in de Societeit gadegeslagen. In de loop daarvan is hij ooit een jaar op St.-Barbara terug geweest, maar hij is er moeten ophoepelen omdat hij te rechtlijnig Vlaamsgezind was, plooibaar is hij nooit geweest. In 1963 werd hij lid van de Belgisch-Nederlandse Spellingcommissie, maar na een jaar nam hij ontslag omdat die commissie niet progressief genoeg was naar zijn zin.

Ter gelegenheid van een Vlaams Wetenschappelijk Congres te Gent heb ik pater Verschueren eens ontmoet en hem herinnerd aan de Sixième B van 1911-1912. Toen hij mijn naam vernam, haalde hij een papiertje te voorschijn en noteerde alles wat ik hem vertelde, precies zoals hij dat vijfentwintig jaar voordien deed. Pater Jozef Verschueren was een merkwaardig man. Ik breng hem hier een dankbaar saluut; hij stierf in 1965.

GENTBRUGGE IN PERIPLANATISCH BLIKVELD

In de maand februari 1912 was tante Virginie van Damme overleden; zij woonde naast ons. Zij was de jongste zuster van grootmoeder Katrien en was met de plattelandsexodus van de jaren 1850 haar oudste zuster naar Gent gevolgd. In het Klein Begijnhof was zij in de dienst van begijntje Justine Recq getreden en zij had ze ,,uitgeleefd''. Een jaarlijks bezet van achthonderd frank werd haar uitbetaald door het klooster van Viane-Moerbeke, waar twee van vaders zusters waren ingetreden, en dat door begijntje Recq bij zijn stichting rijkelijk was gedoteerd.

Met dat legaat leefde tante Virginie als een nederige dienstmaagd des Heren in de schaduw van St.-Eligiuskerk en de pastorie. Zij had alles voor haar uitvaart en begrafenis geregeld, incluis de lijkkist die door de pastoor betaald werd. Een suikertante was zij niet, want de suiker was bij haar overlijden opgebruikt. De erfenis die alleen uit wat huisraad bestond, was gauw verdeeld.

Het was al vroeger beslist dat ons gezin in haar huis zou gaan wonen. Vader liet het opknappen, er kwam een mansardekamer, een veranda en andere aanpassingen, een elektrische verlichting werd gelegd, wat toen blijk van een zekere welstand betekende. We namen er onze intrek in de zomer van 1912, het was voor jaren mijn thuis; mijn ouders zijn er blijven wonen tot 1951, ikzelf met hen tot mijn huwelijk in 1931; adres Keibergstraat 3.

Het was de verwezenlijkte droom van mijn moeder, waar zij al haar wensen ten volle kon voldoen, voor zoverre dit menselijk mogelijk is. Rondom een Leuvense stoof en met allerlei kleine gerieflijkheden die het leven gemakkelijk maken voor een vrouw die in haar man en haar kind al haar betrachtingen kan behartigen en vervullen, en dit het hoogste goed acht.

Toen vader in 1911 het boerenbedrijf vaarwel zegde, stond het bij hem vast dat hij niet onledig zou blijven. Hij zou zich nuttig maken waar hij kon en het graag deed. Maar even vast stond het bij hem dat hij alles onvergoed zou doen; hij verafschuwde niets zozeer als kleine profijtjes op te strijken, daardoor voor een winstjesjager door te gaan en als een paprentenier beschouwd te worden. Het was zijn hoogste eergevoel en hij is het tot zijn laatste stond getrouw gebleven.

Te Gentbrugge was hij lid van de plaatselijke Burgersbond. Er waren wel voorbeeldiger leden dan hijzelf, maar sinds hij een rustende boer was, volgde hij regelmatig het verenigingsleven van de Burgersbond. Hij kwam er in aanraking met oude vrienden en leerde er nieuwe kennen. Het gebeurde dat hij mij meenam naar een spreekbeurt of een feestje, waarvan hij ook moeder niet uitsloot.

Het was de tijd dat te Gent energiek van de professionele organisatie van de middenstand werk werd gemaakt. De voornaamste ijveraar was een ingenieur, Karel van der Cruyssen, die te Gentbrugge kwam spreken en naar mannen zocht die aan die organisatie een passende vorm konden geven.

Zo kwamen ook de Gentbrugse boeren ter sprake, die toen nog een tamelijk aantal vertegenwoordigers telden; de bloemisten hadden een beroepsvereniging die hun belangen ter harte nam, waarom de boeren niet. Het viel bij vader niet in dovemansoren, hij was wel geen boer meer, maar het sociaal instinct dat in elke zelfstandige aanwezig is was wakker geschud en appelleerde aan het bewustzijn van zekere plichten

ten opzichte van de anderen.

Karel van der Cruyssen moet van zekere zijde op vader attent gemaakt geworden zijn, want nog geen week later stond hij in de Keibergstraat te pleiten voor de stichting van een afdeling van de Boerenbond te Gentbrugge. Hij ging ook pleiten bij boeren die nog met twee voeten in het bedrijf zaten. Het gevolg was dat minder dan één maand nadien, op 13 oktober 1912, de Gentbrugse Boerenbond zijn werking begon onder de naam en de leuze ,,Yver baart Vlijt''. Die datum en die naam vond ik in het bewaarde archief van de Boerenbond zelf. Voorzitter was Frans Veys, landbouwer, Bosstraat; secretaris Désiré Couvreur, scheepsmeter aan de Gentse haven, wiens vrouw en kinderen een boerderij dreven in de Kasteelstraat; penningmeester Gustaaf Elaut, Keibergstraat.

Vader stak zijn hele ziel in die Boerenbond. De werking bestond hoofdzakelijk in het aankopen van veevoeder, het aanvragen en controleren van de monsters, de dagen en de plaats van de levering vastleggen, de betaalde sommen van de boeren innen, de leveranciers te woord staan en betalen, de ledige zakken terugkrijgen, voor het geld zorg dragen, met de secretaris een hele boel schrijfwerk regelen en uitnodigingen schrijven. De kas van de Gentbrugse Boerenbond bestond in de tijd uit een sigarenkist, die moeder met heilige zorg omringde en ergens in haar kasten wegstopte. Het sprak vanzelf dat ik ook mijn deel kreeg in het schrijfwerk en in het tellen van het ontvangen geld.

Een van de boeren die de Boerenbond met een slecht oog bekeek, geen lid wilde worden en op alles en allen vitte, had zich op zekere dag ondoordacht laten ontvallen dat de bestuursleden aan de Boerenbond goede zaakjes deden en smeergeld van de leveranciers ontvingen. Het viel bij vader op geen blauwe steen, en hij zou de lasteraar wel de mond snoeren bij een passende gelegenheid. De eerstvolgende zondag, wanneer na de hoogmis de boeren in Het bronzen Paard samenkwamen en de bediller er ook zijn glas kwam drinken, werd hij door vader openbaar uitgedaagd, en toen hij als een klein kind met de mond vol tanden wat stotterde, de huid zo vol gescholden dat hij nooit meer na de hoogmis in Het bronzen Paard verscheen.

Het ordelijke beheer van de Boerenbondkas was geen aangename dobber en het heeft vader kopzorgen gebaard om alles netjes tot de laatste cent sluitend te houden met de eenvoudige boekhouding die hij erop nahield. Hij heeft het ambt van penningmeester twee jaar waargenomen, tot aan de Eerste Wereldoorlog toen de Boerenbond zijn werking stillegde. Hij was in de grond blij, want hij ergerde zich te veel aan de bekrompenheid, twistzucht en wrok van sommige boeren. Na de oorlog heeft hij zijn papieren en wat er in de kas overgebleven was, aan zijn opvolger overhandigd.

Op zondag 3 december 1972 werd te Gentbrugge het zestigjarige bestaan van de Boerenbond herdacht, met een plechtige mis, ontvangst op het gemeentehuis, een feestmaal in de Garde Civique. Voor de gelegenheid had men mij gevraagd de feesttoespraak te houden, als zoon van een der stichters uit 1912. Ik heb het met groot genoegen gedaan en de stichting van de Boerenbond zoals ik ze meegemaakt heb in geuren en kleuren uiteengezet. Gentbrugse boeren behoren thans bijna volledig tot het verleden, in 1972 waren ze nog met acht, ze waren allen lid van de Boerengilde, de opvolgster van de Boerenbond uit 1912.

Niet alleen in de Boerenbond stond vader ten dienste van de landbouwers. Men sloeg zijn kennis van het bedrijf hoog aan en deed vaak een beroep op hem, voor het schatten van vruchten en alaam, wanneer een boer zijn hofstede verliet, voor het kiezen van een paard of een stuk vee dat zou gekocht worden. Het is gebeurd dat een kasteelheer van bij de Dries 's nachts vader uit zijn bed haalde om bij een kalvende koe te komen, omdat veearts L. Créteur uit Merelbeke weigerde op te staan en de heer ridder naar Elaut had verwezen. 's Anderendaags vertelde mij een klasgenoot uit de Sixième B, zoon van de heer ridder, dat alles met een voorspoedige geboorte geëindigd was.

Voor de gepresteerde nachtelijke hulp kregen we twee dagen nadien een mand appelen thuis; die heeft vader aanvaard. Het was onder boeren het gewone honorarium voor dergelijke prestaties. Het was altijd welkom.

*

* *

Nooit heb ik mij zo intens Gentbruggenaar gevoeld als in de eerste jaren van mijn humaniora. Ik verkeerde niet meer eenzijdig in het landbouwersmilieu, ontmoette nu meer mensen uit diverse standen, kwam overal op de gemeente, luisterde aandachtig en observeerde scherp.

Hoge pieten kruisten onze wegen niet vaak, en zoals vader met relatieve eerbied zegde: onder de kasteelheren hebben we geen eieren liggen. De buurt waar we woonden was geen aristocratisch stadskwartier; de ontmoetings- en raakvlakken met de wriemelende en wroetende man van de straat, hij weze Jan met de pet, de pennelikker met de bolhoed, de bakker met de witte trui of de smid met het lederen schootsvel, verschaften een gevarieerd proefveld voor onvergetelijke waarnemingen.

Die waarnemingen zijn o.m. uitstekend weergegeven in de bijnamen die de Gentbruggenaars aan hun medeburgers niet bespaarden. Ze gaven graag een bijnaam, zowel op grond van een kenmerkende eigenschap van hun persoon, als van hun beroep, van hun familie, van hun afstamming, van hun karakter.

Meestal zat daar niets anders dan goedmoedse humor achter, soms ontzag, vrees of naijver, maar altijd de onbewuste neiging om met één schilderachtig woord het essentiële van iemands fysische of psychische persoon weer te geven.

Laten we met de politie beginnen. Prins Albert was de bijnaam van de adjunct-politiecommissaris C. de Bruyckere, een statige ambtenaar, kaarsrecht zoals de erfprins, later koning Albert. Geen vergelijking tussen fysische personen was ooit treffender dan die. Remi de Nachtwaker en Gustje de Agent waren anderssoortige figuren uit het Gentbrugse politiekorps, de veldwachter was Sjampetter Hoste, zijn funktie en zijn familienaam volstonden als persoonsbewijs.

Bij de onderwijzers van de St.-Genoisstraat waren er twee met een bijnaam: de Bril, omdat hij een bril droeg, wat toen blijkbaar niet zoveel voorkwam, en de koster. Later is op de gemeenteschool Tampoeske verschenen, hij was van het Center overgekomen en had zijn bijnaam meegebracht, hij was aan de kleine kant.

Bij de spoorwegovergang aan de Brusselsesteenweg heette een van de overwegwachters Karel de Zot, die aan de Magerstraat was de Eenarm. In de buurt van die laatste overgang was een fabriekje van linnengoed, waarvan de baas het hoog in de bol had, hij heette Baron Chemise.

De visleurder van 't Arsenaal was Jan de Hollander, en een vrouw uit Moskou, die met van alles leurde, heette Tsietse Olie. We kenden Sofietje Spek uit het snoepwinkeltje, en Marie de Roepkele, de groentenvrouw, zo geheten omdat zij luidruchtig was in het aanbevelen van haar koopwaar. Mie Schepper hield een winkel van rokersartikelen, haar dochter was Coralie van Mie Schepper. Zwarte Sylvie was een naamgenote van mij, haar voornaam en haar haarkleur volstonden om ze te identificeren. Haar man stond als de Sefrein (serre-frein) bekend, omdat hij bij de spoorweg het, nu afgeschafte, ambt van remmer waarnam.

De Schoenpinne was de schoenmaker tegenover het Arsenaal, waar ook Manke Stanse woonde; van haar wist men dat er niemand beter dansen kon, uren in het rond, hoewel ze maar een vuist groot en kreupel was. We kenden Trees uit De Appel, Mietje Scheire, de Corseemaakster, Mina Loddekens, de Krulle, Tiste Pinne, Louise Duive uit de herberg Het Duifje. Voorts Miekske, Pier de Beeste, die een ezel had waarmee hij op zijn karretje naar zijn veld reed, zijn vrouw was Elodie van Pier de Beeste. Deze was nogal koket van aard; wanneer ze de straat overstak, bleef zij halfweg staan, tilde haar bovenrok omhoog om haar witte met kanten bezette onderrok te laten zien die zij opvallend ten aanschouwe van iedereen afstofte.

Er waren Luus de Baard, de Wetteraar, de Makronkas, Vien Toot, Stap en Half, de Kromme, Piepedoe, Scheepken, Cies Beulink, Vien Waeyt, Ivootje van Belle, Marre Bert, Kleine Kleppe, Manse Leire, Karel de Zage, Schele Dees, Nest en Frans de Hakkeleir waren beruchte boerenknechts; Pier Ladjiene was de kalverkuts. We kenden Witte Evarist en zijn zoons Kar, Nest en Meer van Witte Evarist. Er was een blond Lenietje, Roste Ko, de Zwarte Bakker, Zwarte Irma van Louis de Hovenier, naast de brouwersgast Zotte Louis, en er was een Zotte Kamilla.

Van de meeste onder hen wist niemand de familienaam. Hoevelen stonden alleen met hun voornaam in de samenleving bekend: Serafine, Emma Gerard, Natalie, Isidoor van Natalie, Elodie Miek, Sander? Er woonden een viertal Zulma's vanaf het Bronzen Paard tot aan Nayersdreef. Wie kende Jantje Koetsier niet? Hij maakte overigens deel uit van de gemeenteraad, en zijn kinderen waren Anna en Valentine van Koetsierkes. Zij droegen die naam omdat hun vader, vijftig jaar voordien koetsier op het kasteel geweest was.

De dochters van het kasteel werden respectievelijk als de Dunne en de Dikke gewaarmerkt, en de zoon was de Kromme. Victor de Koolmarchand zorgde voor de brandstof, Fons de Beenhouwer voor de vleeswaar, Pier de Bakker voor het brood, Pros Gazet voor de dagbladen. Wiete Maes was de metselaar en Pier de Beirboer had ook zijn beroep, naast Peet de Vuilkar. De Deinzenaar en de Brusselaar waren bekende herbergklanten. Er waren drie bakers: Rika, Lenie de Brugse en Reine Prot, er was een geneesheer, Karnemelkpapje genoemd, omwille van het dieet dat elke patiënt voorgeschreven kreeg.

Er was een Tjeef de Machinist, en Karel de Stoker, een Poliet de Tramman; de portier van de staatswerkplaatsen was Matthieu, zonder meer, want wie had op Gentbrugge nog zo'n voornaam? Er waren twee haarkappers, Poliet uit de Houten Barak en Isidoor van bij de Roete, de eerste sneed uw haar tegen vijf cent, de tweede tegen zeven cent en half. In de Kasteelstraat woonden Pier de Groenselboer, Manse de Beer en Lange Domien.

De bloemisten van de Brusselsesteenweg droegen geen bijnaam, ze behoorden zowat tot de hogere stand, de meesten waren inwijkelingen, geen geboren Gentbruggenaars. Maurits Verdonck, een Gentenaar die orchideeën kweekte, werd eerbiedig door eenieder als mijnheer Maurits aangesproken, maar toen hij burgemeester werd, was hij alleen nog de Burgemeester en verzwond zijn echte naam; zijn kinderen waren Suzanne en Albert van de Burgemeester. Vlak tegenover hem woonden Stansken en de Advokaat, een tweetal typische vertegenwoordigers uit de kleinere bloemistenstand, zonder Tuur de Vogelvanger te vergeten, die tussen de twee zijn huis had.

De Gontrodestraat, Moskou, de Kattenberg en de Zavelhuizen hielden er een bijzondere menselijke folklore op na. Matte Thienpont was een specialist in bloemistartikelen, de Knape uit de Bond was de huisbewaarder van het parochiehuis. Hij die houtafval aan de man bracht was Kappelink, de huisschilder stond omwille van zijn kleine gestalte als Nestje de Kladpotter bekend, Smid Vermeulen was Oskar de Smet. Iemand die vroeger melk verkocht had, heette dertig jaar nadien nog Cieske de Melkboer; een vrouw met een fors stemgeluid heette Marie Lawijd.

Een geestelijk gehandicapte in de jongensschool noemde men Zot Juulke, een ander het Dikhoofd; voorts waren daar een Lotsoor, een Snotkaars, een Ratte, een Hakkelaar ontbrak niet en er was ook een Krukke. De zoontjes van metser Schiettecatte waren de Grote en de Kleine Katte, zonder de Paardemuil te vergeten. De zoontjes Leon en Edmond van de mandenmaker heetten Loot en Moot de Mande.

Samen met die allersympatieke Arsenaalse Gentbruggenaars heb ik leren lezen, schrijven en rekenen; we moesten Gendbrugge in die tijd met een d schrijven. Met hen heb ik tafels van vermenigvuldiging opgedreund, heb ik geruzied en gevochten. Samen gingen we meikevers uit de haag schudden, hebben we met de knikkers en met de ,,engelus'' gespeeld, aan het haar van de schoolmeisjes getrokken, catechismus opgezegd, van de lat gekregen bij De Bril, en zoveel keer honderd regels geschreven van: ,,Ik zal niet meer spreken in de klas''.

Wanneer iemand met een bijnaam bedacht werd, was het nooit met de vooropgezette bedoeling hem te krenken, maar krachtens de noodzaak hem te identificeren in een maatschappij die, uit de aard van omstandigheden, beperkt was en haar negentiende-eeuwse bekrompenheid nog niet ontgroeid was. Het begin van de twintigste eeuw viel voor die samenleving pas in 1914, met het begin van de eerste wereldoorlog.

Het geven van bij- en toenamen is een historisch en universeel verschijnsel, even oud als de wereld, het zal slechts met het einde van de wereld verdwijnen. Marcus Tullius werd door de Romeinen Cicero genoemd, omdat hij met een sissertje sprak; Willem van Oranje is als Willem de Zwijger de geschiedenis ingegaan, zoals Karel de Stoute, Willem de Veroveraar en Filips de Munteschroder. Onze eerste koning heette onder het volk Schele Pol, onze tweede Manke Pol. Adenauer werd Der Alte genoemd, zijn opvolger Der Dicke, generaal De Gaulle was Le Grand Charles. In het Evangelie leest men dat de apostel Thomas, Didymus genoemd werd, dat is zoveel als Thomas De Kloot.

Het was niet als een kleinering bedoeld, doch als één afreageren van een allerintiemste emotie bij de buitenstaander tegenover de grote omes. De afstand tussen een vleinaam en een bijnaam is uiterst klein, soms onbestaand. De bijnaam aan Gustje de Agent gegeven, diende meer om het opvallend contrast te onderstrepen tussen de plechtige commissaris Prins Albert die bij elkeen ontzag inboezemde, en de ondergeschikte politieman die even graag gezien werd. Daartegenover was er Remi de Nachtwaker, een reus van een kerel, de zachtmoedigste ziel van de gemeente, voor wie men geen betere bijnaam kon bedenken dan die van zijn specifiek beroep.

In de bijnamen ligt een diepzinnig stuk psychologie, onuitroeibaar. Alva was de Bloedhond, Esopus zal de Bult blijven. Wie kende destijds de Wase volksvertegenwoordiger uit Stekene, Boerke Van Brussel niet?

Een centrale figuur uit de Arsenaalse samenleving, reeds van vóór honderd jaar was Tiste Pinne, zo genoemd omdat hij het spitse hoofddeksel van de toenmalige volksmens droeg, en tot zijn laatste levensdag (omstreeks 1930) gedragen heeft; hij was de laatste kroeghouder van De Bruiloft. Zijn vrouw was Emma Pinne, zijn vele kinderen erfden allen zijn bijnaam, zijn kleinkinderen ook. Hijzelf heette Jan Baptist, een van zijn kleinzoontjes was al Jean.

Pastoor van St.-Eligius was E.H. Van Pottelsberghe de la Potterie, een edelmoedig priester die op de proletarische Arsenaalswijk zijn persoonlijk fortuin gelaten heeft, de volksmond maakte er Lapotterietje van, want groot was hij niet. Zijn huishoudster was Jeanette van de pastoor. Er waren een koster, een onderkoster en een stoeltjeszetster; dat volstond om ze op de maatschappelijke ladder een plaats en een naam toe te kennen, toen de identiteitskaarten nog niet bestonden.

Elk straatgeluid stemde overeen met de persoon of het ding die het geluid voortbrachten. Het fluitje van de kolenventer onderkende men op afstand uit tien andere. Voddenman en zandleurder hadden elk hun kenmerkende roep, het waren geen nachtegalen, maar ze hadden een onvervreemdbaar accent. Men hoorde aan het ratelen van hun gammele kar of het Tsietse Olie, Slappe Bekaert, of Vodde Ligge was. De petroleumkar van Dikke Remi hoorde men in de verte aanrukken, want zij had een bel met een stalen klepel, die bij elke stap van het paard op de straatstenen, een forse galm liet horen. 's Vrijdags was het de ratel van Gust de Mosselman, 's maandags de schelle zeis van Scharesliep, elke ochtend omstreeks elf was het de toeter van Pros Gazet, en de zondagochtend zegde men: ,,'t Is de Volksstem die roept''. Een leurende groenteboer was er niet, want elk had zijn tuintje met prei en radijsjes.

's Morgens vóór zevenen waren er al de melkboer met zijn koperen kannen, en de Wetterse bakker; men kon ze uit elkaar herkennen aan 't hossebossen van hun voertuig, en zo wist elke huisvrouw wanneer het haar beurt was om bij de deur het proviand voor de dag binnen te halen. De zondagnamiddag rinkelde het ijskarretje van Pier van Manke Stanse.

Weinig gezinnen waren er aan wie niet een toenaam verbonden was, die dan elke huisgenoot in zijn dagelijkse handel en wandel meenam, de man naar zijn werk, de kinderen naar school, en de vrouw op boodschap.

Onvergetelijke Arsenaalse figuren waren omstreeks 1912: Sterre, Frans de Paardeknecht, Juul de Bult, Lieza van Dokske, den Duits, Kietje.

Het was een wereld op zichzelf, met haar deugden en haar ondeugden, coherent in een status die voor altijd gevestigd scheen, en waartegen vreemde invloeden van buitenuit niets vermochten. Het is evenwel anders gelopen. Op zekere dag drong het tot ieders bewustzijn door dat hierbeneden niets bestendig is, en dat het aanschijn van de wereld altijd door gewijzigd wordt. Het is het gelukkige lot dat aan Gentbrugge beschoren was, zoals het sinds eeuwen in de sterren geschreven stond.

Ik groet u Gentbrugge, felix patria!

NAAR DE VIJFDE LATIJNSE

Een stuk van de grote vakantie 1911-1912 brachten we te Merelbeke door. Twee zusters van moeder waren er getrouwd met twee gebroeders; ze boerden gemoedelijk op een hofstee die veertig jaar voordien uit een stokerij was verbouwd.

Omdat vader daar uit louter tijdverdrijf tijdens de oogst een handje was gaan toesteken en het zowel voor hem als voor de broeders en de zusters meegevallen was, werd ons gevraagd af en toe te komen: het huis was groot genoeg, we mochten naar believen verschijnen en verdwijnen, helpen of lui zijn. Het werd zonder formeel akkoord beiderzijds aanvaard. De zaterdagnamiddag gingen we naar Gentbrugge, de maandag vertrokken we naar Merelbeke, maar sloegen soms een week over. Persoonlijk vond ik dat niet zo slecht. Het verliep vlot want de ooms en tantes waren eensgezind om ons langer te Merelbeke te houden dan wij en zij eerst gepland hadden.

Goed half september 1912 kwam aan het Merelbeekse interludium een eind. Een nieuw schooljaar stond voor de deur. Ik zou de vijfde Latijnse beginnen. Het traditionele ceremonieel bracht mij na een uurtje vóór het klaslokaal dat uitgaf op een collegetuin in zakformaat. De leraar was pater Leon Droesbecke die de samengevoegde Sixième A en Sixième B van het vorig jaar toegewezen had gekregen, ze waren al enigszins uitgedund, maar toch zelfstandig gebleven. Cinquième A en Cinquième B hadden elk een twintigtal leerlingen; ik bleef in de B.

Onze leraar was een heel ander type dan pater Verschueren. Hij was uit Zottegem en gewoon Frans te spreken. Hij zag er tamelijk juveniel uit, niet bijzonder mededeelzaam noch spraakzaam. We kregen van hem Latijn, Frans, Nederlands, Grieks; de kleine vakken gaf naar jezuïetentraditie de surveillant, wiskunde de heer Lievens. De zondagse godsdienstles was afgeschaft en opgenomen in het wekelijkse lessenrooster. Het had een lichte wijziging in de ochtendagenda voor gevolg gehad; de lessen zouden voortaan van halfnegen tot elf uur duren met tien minuten onderbreking om negen uur vijftig.

Voor het overige verliep alles volgens hetzelfde ritme. Het collegebestuur was niet gewijzigd, le père recteur G. Donnet en le père préfct V. Declerck hielden de teugels stevig in de hand. We konden studeren, spelen en godvruchtig zijn; alles was naar dit doel gericht, daarin lag de kwintessens, de ware inhoud van het mundiaal geroemde opvoedingssysteem der jezuïeten.

We hadden gauw de indruk dat pater Droesbecke niet zo progressief in zijn onderricht was als pater Verschueren en minder naar contacten met zijn leerlingen zocht; hij bleef graag op zijn kateder zitten en het bord schrok hem enigszins af.

Spoedig maakten we kennis met de *De Viris illustribus Urbis Romae,* met Mucius Scaevola en Porsenna, later met de Romeinse consul Marius. In het derde trimester met Cornelius Nepos en Themistocles, Neocli filius, Atheniensis. De Latijnse spraakleer werd helemaal doorgeploegd; de analyse logique was het stokpaardje van onze leraar, hij hamerde het ons drie trimesters lang in, in het Frans en in het Nederlands. De meest ingewikkelde volzinnen ging hij overal opdiepen en die kregen we als boter bij de vis voor onze studiewerken opgediend. Zo schiep hij tussen de A en de B van zijn klas een zekere wedijver die leven in de brouwerij bracht. Persoonlijk heb ik dat altijd een boeiende geestessport gevonden.

Aan Nederlandse en Franse grammatica heeft pater Droesbecke niet veel aandacht besteed. Hij zette alles op de analyse en raadde ons aan veel te lezen, het is de beste manier om een taal onder de knie te krijgen. Hij had een afschuwelijke hekel aan de verhalen van Conan Doyle die toen in waren, maar liep hoog op met René Bazin en Alphonse Daudet. Ik las op zijn aanraden *La Terre qui meurt,* en ondervond dat mijn Franse woordenschat niet bijzonder groot was. Bazin is mij bijgebleven als een bloedloze schrijver zonder warmte. Toen Guillaume Verspeyen in november 1912 stierf, was er een halve namiddag voorlezing uit zijn geschriften, en voor studiewerk kregen we een paar ingewikkelde volzinnen te ontleden uit een hoofdartikel van *Le Bien Public.*

Het Nederlands dat we van pater Droesbecke kregen beperkte zich tot een vertaling van Streuvels en anderen, wat de Franssprekenden moest in staat stellen er iets van te begrijpen. Streuvels was zijn letterkundige lijfwacht. We hebben bij hem gelezen van Horieneke, van het nieuwe hoedje van Spoorke, en natuurlijk van Stafke, het duivenliefhebbertje. Ik geloof dat hij daarmee het hele schooljaar gevuld heeft, behoudens *Boerke Naas* van Guido Gezelle, en *Meester Huyghe* van Rosalie Loveling.

Een nieuwigheid in de cinquième was het Grieks. Van in den beginne heb ik ervan gehouden en in de proefwerken spraakkunst, vertaling en thema haalde ik altijd de eerste plaats. Pater Droesbecke was de geknipte man om ons in de doolgangen van het Grieks de weg te wijzen. De spraakkunst van Janssens-Van de Vorst leerde hij ons inkijken als een prentenboek. De medialis, de optatief, de aorist en de dualis hadden voor ons op het einde van het jaar geen geheimen. De werkwoorden op -mi liet hij voor de quatrième, maar voorspelde ons veel heerlijks in dat nieuwe kapittel.

In het jaar 1913 had te Gent de grote Wereldtentoonstelling plaats. De ouders ontvingen van het collegebestuur een omschrijven waarin gewaarschuwd werd voor de zedelijke gevaren waaraan hun kinderen in zulke Exposition Internationale blootstonden, weshalve het aan de leerlingen van le Collège Sainte Barbe verboden werd zonder hun ouders of een verantwoordelijke volwassene de Wereldtentoonstelling te bezoeken.

Vader had voor hemzelf, voor moeder en voor mij een toegangsabonnement voor heel de duur van die grote kermis aangekocht. Samen bezochten we o.m. de Floralia in de grote hal en liepen bijna elke zondagnamiddag van de maand mei de paviljoenen en de stands af; men ontmoette altijd iemand die men kende en de dag eindigde meestal in het Burgershuis, een drank- en eetgelegenheid waar men tegen een civiele prijs eten en drinken kon. Het zat er altijd bomvol en het was of heel Gentbrugge als op afspraak daar rust en verkwikking zocht.

Gedurende zes maand was heel het gezelschaps- en amusementsleven van de stad en omgeving naar de Expositie verlegd. Er hadden culturele en sportieve manifestaties bij de vleet plaats, niemand kon het bijhouden om al het merkwaardige te volgen. Er was binnen de omheining van de tentoonstelling een Senegalees Dorp met heuse grote, koolzwarte negers, negerinnen en kinderen, waarvan er vele in de stad rondzwierden en een zekere aantrekkingskracht op de jonge bevolking uitoefenden. In de Minardschouwburg werd een revue *Zwart en Wit* opgevoerd waarin met de gevolgen van dat samenhokken de draak gestoken werd. Dat was natuurlijk geen spek voor een collegebek.

In de Vlaamse pers heerste een ogenblik opwinding. In het Franse parlement had een minister een heel bijzondere subsidie ten gunste van de Exposition Universelle de Gand aangevraagd en bekomen, omdat in die stad de université de langue française gevaar liep haar Frans karakter te verliezen door de vernederlandsing, en dit door een meer actieve Franse deelneming kon voorkomen worden.

De bekende Franse bariton Jean Noté was tijdens een luidruchtig aangekondigd en gepropageerd festival komen zingen, het lokte herrie uit en de kunstenaar werd door een groep flaminganten uitgefloten. We hoorden en lazen dat allemaal zonder onmiddellijke reactie onzerzijds, doch het zette onze flamingantische hersenwindingen aan het peinzen, in die mate zelfs dat wij het nog niet vergeten hebben, al is het vierenzestig jaar geleden.

Op een juninamiddag na de studie bekroop mij de lust op mijn eentje een kijkje te gaan nemen op de Expositie. Ik had het thuis gevraagd, waar er geen bezwaren geopperd werden. Nauwelijks was ik een kwartier door de lanen aan het slenteren of daar botste ik op le père recteur du Collège Sainte Barbe. Ik groette natuurlijk, hij groette terug, niet zonder mij van het hoofd tot de voeten scherp op te nemen. De schok was zo geweldig dat ik op staande voet de Expositie verliet en naar huis ging, waar ik mijn ontmoeting vertelde. Er was berusting beiderzijds, zonder meer.

Het was alsof 's anderendaags le père Préfet mij stond op te wachten: ,,Mon cher Leon, vous êtes allé seul à l'Exposition, hier après l'étude de l'après-midi, le père recteur vous a rencontré; je ne comprends pas pareille chose de votre part, vous saviez que c'est défendu, qu'en disent vos parents? Vous le leur avez dit, j'espère''. — ,,Oui, père préfet''. — ,,Eh bien, vous aurez une carte jaune, pour mauvaise conduite, et vous passerez la matinée et l'après-diner de dimanche prochain au séquestre jusqu'à cinq heures''. Pater Droesbecke bekeek mij meer aandachtig dan hij gewend was, zonder één woord te spreken, wanneer ik in de klas verscheen; de zaterdag daarop had ik een gele kaart, pas assez bien, die moest ik door vader genaamtekend terugbrengen.

's Zondags werd ik om tien uur in een hokje van de sekwester opgesloten met mijn boeken, om twaalf uur werd ik door de surveillant gelost, en was om twee uur opnieuw op post tot vijf uur.

De sekwester is een door glas aan alle kanten afgezonderde ruimte, een paar vierkante meter groot, met een stoel, een tafel en een inkpot van de meest kale vorm en kleur die men zich voorstellen kon; om het half uur loopt een surveillant voorbij die u aankijkt met het meest onmeedogend gezicht van de wereld, en soms vraagt: ,,Ça va?'' Er zijn zo vier hokjes naast elkaar, alle van dezelfde cachotachtige bouw. Die zondag was ik de enige bewoner. Het was er rustig en ik heb mij geen ogenblik verveeld. Er was de dag nadien wedstrijd in Préceptes et Auteurs Latins en op de kort daarop volgende prijsuitdeling prijkte ik met de eerste accessit op de lijst van de bekomen uitslagen.

Het was de enige keer dat ik op St.-Barbaracollege een carte jaune heb gekregen. Thuis maakte men er geen drama van, vader zei dat ik maar moest boeten en dat de straffen voor iedereen gelijk zijn. Later ben ik nog dikwijls naar de Exposition Universelle geweest, maar nooit meer alleen. Op de duur stak het vader en moeder tegen dat ze mee moesten; ze waren blij wanneer de expositie begin november haar deuren sloot.

De klap op de vuurpijl van de enorme kermis was een demonstratie, op St.-Denijsplein, van de ,,looping the loop'', een acrobatische stunt waarbij het vliegtuig een volledige cirkel op zichzelf beschrijft, zodat de piloot op zeker ogenblik op zijn rug komt te liggen. Vader trok er met mij naartoe, hij wilde de halsbrekerij zien. We zagen inderdaad hoe de vliegenier tientallen keren, van uit een horizontale stand vertrekkend, een volledige cirkel beschrijft, rechtopstaat en weer in een horizontale stand terechtkomt; het was de Franse aeronaut Charles Pégoud die te Gent voor de sluiting van de Wereldtentoonstelling die stunt uithaalde. Er werd een volksliedje op gemaakt: ,,En Pégoud die vliegt oomhuuge, oom zijn kunsten te tuuge, eerst op zijnen buik, tons op zijne rugge, en alzuu vliegt hij de Expositie uit!''

Van de prijsuitdeling van de Cinquième B (1912-1913) kwam ik thuis met de derde plaats in de uitmuntendheid; ik was er een plaats op vooruitgegaan. Het collegetoneel speelde *Le Luthier de Crémone* van François Coppée. De primus perpetuus in de retorika was Paul Struye de Gand, tweede was Georges van Severen de Wakken.

Aan pater Leon Droesbecke heb ik geen herinnering bewaard die uitblinkt door sentimentaliteit. Hij was tegenover degenen die van Vlaamssprekenden huize waren van een welwillende neutralitieit; tegenover de Franssprekenden was hij meer uitbundig maar hij kon ze op hun donder geven wanneer ze uitpakten met drukte en opschepperij, en niets anders te bieden hadden dan dat.

Hij was in de grond een nederig mens. Hij heeft in mij niets nagelaten dan de liefde voor het juiste woord en de correcte zinbouw. Bij de splitsing van de Belgische jezuïetenprovincie in 1930, is hij tot de zuidbelgische provincie gaan behoren; hij heeft een groot deel van zijn leven te Brussel in het Collège St.-Michel doorgebracht en is op hoge leeftijd gestorven. Hij was de laatste van mijn collegeleraars die ter ziele is gegaan (1974?).

*
* *

Op 26 maart 1913 stierf tante Matilde Maertens, moeders zuster, aan de gevolgen van een tuberculeuze pneumonie, gekompliceerd met hartlijden en zware oedemen. Zij was zevenendertig jaar oud, ongehuwd en woonde samen met haar zuster Leonie, de metselaarsknaap, in het oude Maertenshuis van Kerkplein-Ongerijstraat. Bij testament legateerde zij haar bezit aan tante Leonie, die daardoor nog meer aanmatigend werd dan ze voordien al was. Tante Matilde was een zachtmoedige vrouw, door iedereen graag gezien; door haar bazige zuster werd ze meer dan eens geterrorizeerd.

*
* *

De grote vakantie 1913 was zeer huiselijk; het familieleven werd door mijn ouders bijzonder op prijs gesteld, ze waren de mening toegedaan dat ze voor de ontspanning van hun spruit zoveel mogelijk zelf moesten zorgen en daaraan deelnemen, zonder hem te betuttelen, te bevaderen en zeker niet te bemoederen. Ze hadden de mond niet vol over opvoeding tot zelfstandigheid, maar ze wisten dat moederskinderen bedorven kinderen zijn. Ze lieten mij mijn gangen gaan maar ze moesten weten waar die gang leidde. Ik kreeg zakgeld, maar het liep niet over. Ik mocht fietsen waarheen ik wilde, maar moest op tijd en stond thuis zijn. Moeder ging elke zondag naar vesper en lof, en had graag dat ik haar voorbeeld volgde; vader ging er niet heen en verplichtte mij ook niet erheen te gaan.

Indien er iets te doen was in de buurt trok ons drietal er naartoe. Te Melle had een muziekfestival plaats waaraan de Gentbrugse Neerschelde deelnam. De sympatie voor vaders fanfare was zo sterk, dat we te Melle de eer van het oude muziekkorps hielpen ophouden; we waren de enigen niet.

Wetterenjaarmarkt was voor alle paardenliefhebbers een hoogdag; moeder bleef thuis, maar ik had het ervoor over te vijf uur op te staan, te zeven uur uit Merelbeke-station te vertrekken en te acht uur op Wetteren-Dries mijn ogen de kost te geven aan de massa paarden, veulens, jaarlingen, achttienmaanders, ponys, zelfs ezels en muilezels die daar samengestroomd waren. Vreemde kooplieden, vooral Duitsers, roomden de markt af en kochten de mooiste en beste dieren op. We aten een broodje met ham aan een kraampje, stonden om twaalf uur in het station, en waren om één uur thuis, waar over ontmoetingen en wederwaardigheden een halve dag nagepraat werd.

Nooit te vergeten waren in het warme seizoen onze zondagnamiddagwandelingen door de Gentbrugse heerlijkheden van Dries, Bosch, Coningsdonck, Baashout. Een eerste halte was de hippodroom van Boer Jansens, waar het nooit aan volk ontbrak en waar we niet zelden leerlingen van het college tegen het lijf liepen, die er ook met hun ouders op uitstap waren. Moeder en ik dronken een Chaffart, vader zijn glas Dubbel dat toen zes cent kostte. Daarna ging de tocht onfeilbaar naar Heusden-Brug, het einddoel en de pleisterplaats van vele Gentenaars. Er stonden altijd open rijtuigen met slapende koetsiers en haveretende paarden op klanten te wachten. Onze staminee lag aan de overzijde van de Schelde, waar de gewezen koster van Heusden met zijn vrouw en vier deftige dochters een palinghuis hielden. We waren vaste klanten; het is onmogelijk te berekenen hoeveel keren wij daar vóór de Eerste Wereldoorlog gekomen zijn en paling hebben gegeten.

De gewezen koster van Heusden was een jeugdvriend van vader, hij sprak met een geweldig hese stem, had daarvoor zijn beroep moeten opgeven en was aan de Brug een estaminet begonnen dat goed draaide; de Heusdenaars zegden van hem dat zijn roeper van het harde zingen gebarsten was. De paling in het groen was er uitstekend. Een bord paling met een boterham kostte een halve frank, en het glas bier vijf cent. Wanneer het donker begon te worden trokken we er vandoor, en het gebeurde ook dat we ons met een open koets lieten thuisbrengen.

Thans is Heusden-Brug een vergeten oord, de brug werd in september 1914 opgeblazen, de herstelde voorlopige houten brug werd in 1918 in brand gestoken, pas in 1930 werd een nieuwe brug gelegd, die vloog in 1940 in de lucht. Er werd een vaste brug gelegd in 1965, maar niet meer op de oude plaats. Van de drie palinghuizen is er een overgebleven. De Schelde stroomt er altijd voorbij, maar ze stinkt op afstand, en haar water is zwart als inkt. Sinds de Ringvaart er kwam, varen er geen boten meer voorbij.

We namen een stukje oogstvakantie bij de Merelbeekse familie. Ik ging met de koewachters mee naar de weidse graslanden tussen Zwijnaarde en Schelderode, zag de steenbakkers aan het werk bij hun veldovens, hoorde de zwepen knallen. De koejongens keken mij met kwade ogen aan, ze zouden het die Gentse indringer op hun domein betaald zetten; ze zochten ruzie zodat ik het na een paar weken veilig oordeelde weg te blijven, want tegen zo'n kerels voelde ik mij met de analyse logique van pater Leon Droesbecke niet opgewassen.

Rapen zetten, aardappelen rooien, de schoof keren waren karweitjes waarmede ik van huis uit vertrouwd was en ik stond mijn stuk naast de anderen. Wat ik het liefst deed, was het vieruurtje naar het veld brengen, dat was minder lastig; een korenveld nalezen en de vergeten aartjes garen vond ik maar een flauwe bezigheid. Waar droog aardappelloof in brand werd gestoken, was ik erbij om de knollen in het vuur te bakken en ze nadien op te smullen. De doordringende geur van het brandend loof hing tot 's avonds in mijn kleren.

Merelbekekermis, op de tweede zondag van september, spreidde over de gemeente een bijzondere atmosfeer van uitbundigheid, heel de bevolking wierp de remmen los, het veldwerk viel stil, er werd geschuurd en geplast, rijstpap gemaakt, krentenbrood gebakken en vla in de oven gezet.

Op de Plaats verschenen mallemolens, schietbarakken en speelgoedkramen; op een uitkant stond een man met ,,ankers en zonnen'' de spelers te verlokken, en een ander op een paraplu kaarten te spreiden: verboden kansspelen! De maandag, na de dienst voor de overleden parochianen, was er rondgang van de fanfare. De dinsdag was er jaarmarkt en geitenkeuring door een provinciale jury en daarna de uitreiking van de prijzen voor de bezitters van de schoonste dieren: Pauline den Boer was de onbesproken laureate en defileerde met het bekroonde eksemplaar voor de burgemeester.

Wat mij in het bijzonder trof, waren de zingende en dansense slierten mannen die over de baan laveerden en halfdronken van het ene danslokaal naar het andere trokken. Het waren kermisvierende seizoenarbeiders die, uit Frankrijk na een maandenlange afwezigheid teruggekeerd, nu op hun manier de bloempjes buitenzetten. Zij hadden hun zuurgewonnen centen afgegeven, maar genoeg opzij gehouden om kermis te vieren. Het waren geen zielsverheffende tonelen: dronkemanskuren, smerige liedjes, vechtpartijen, nachtelijk gebrul, gevloek zonder eind. Ik had een paar maand tevoren pater Strackes *Arm Vlaanderen* gelezen. Hier was het dat in het kwadraat.

Het was een lange en bonte vakantie, met veel afwisseling. Zij duurde tot de laatste dag van september.

De eerste oktober 1913 stelde ons ter beschikking van pater Alfons Deschamps in de quatrième , met haar afdelingen A en B; B bleef de mijne. De leraar was ons bekend; hij was het die op het college het dirigeerstokje zwaaide, op het doksaal en bij elke gelegenheid waar gezongen of gemusiceerd werd. Hij gaf ons de vier talen en dat maakte van hem dé klasleraar bij uitstek.

Pater Deschamps was een Brabander, een dokterszoon uit Lubbeek, niet te groot niet te klein met een opstaande kuif, ingoede ogen, met oren die altijd luisterden en, naar we dachten, tonen zochten waar er geen te horen waren. Hij sprak zijn leerlingen altijd met hun voornaam aan, behalve wanneer hij kregel was, en dan luidde het: ,,Monsieur Elaut''. Hij sprak wel liefst Nederlands, maar met de Franstaligen sprak hij Frans; Grieks gaf hij altijd in het Nederlands, dat moest zo vanaf de vierde, zoals ook de aardrijkskunde.

In die vierde Latijnse voelde pater Deschamps zich als een vis in het water. Julius Caesars *De Bello Gallico* was zijn didaktisch lijfstuk, voor het Grieks was dat het Lukasevangelie, en in het derde trimester de *Anabasis* van Xenofoon. De stof die hij uit die twee partituren van zijn leraarsbedrijvigheid onderwees, kende hij op zijn duimpje, en de regels van Janssens en Van de Vorst, die op elk geval van een moeilijke conjunctief van toepassing waren, klopten als een flitslicht wanneer hij het correcte antwoord kreeg.

We moesten nooit een verklaring van dat antwoord geven, het paradigma volstond: Alexandrum vicisse certum est, Socrates accusatus est quod corrumperet juventutem ... We waanden ons honderdduizend man sterk wanneer wij onze spraakkundige pijlen op pater Deschamps' stellingen afschoten en doel troffen; dan was hij de gelukkigste mens ter wereld, kletste van welbehagen met de rug van zijn rechterhand in de palm van zijn linkerhand en zegde met zijn onmelodieuze stem: ,,Très bien, Leon''.

Hij wist al de moeilijke zinswendingen van Caesar en Xenofoon zitten. Ik geloof niet dat hij ooit verder gelezen heeft dan de geschiedenis van de slag aan de Samber met de Nerviërs, en die andere van de Eburonen met Cotta en Labienus. Behalve wellicht de lotgevallen van Caesar met zijn brug over de Rijn, want daar pochte hij geweldig mee, en hij gelastte Louis Ligy, de eerste van de klas, om ons met een speciale studie daarover te vergasten op een namiddag, wanneer de algebrales van pater Bleuset wegviel. Dan bracht hij kaarten en plattegronden van zijn kamer mee, en we kregen een demonstratie van de manier waarop de Romeinse veldheer met staken, balken, pinnen en mutsaards die brug over de stroom van Germanje sloeg om er zijn legioenen overheen te brengen. Dat was op het einde van het laatste trimester, wanneer de proefwerken voorbij waren, het was de sluitsteen van mijn vierde Latijnse.

Ook Nederlands en Frans kregen we van pater Deschamps. Dat Nederlands waren enkele correcte uitdrukkingen. Zo leerde hij ons zeggen ,,dank zij'' in plaats van ,,dank aan'', ,,antwoorden op'' en niet ,,antwoorden aan''. Zijn en onze auteur was Conscience; we lazen *De Loteling* in de klas. Onze literaire smaak cultiveerde hij met de lectuur van de brief van Trien aan haar lief Jan, wanneer Pauwken de inktpot uitstort over het vel schrijfpapier. Met Streuvels kon hij niet goed opschieten, hij vond hem te stug en niet deftig genoeg.

Het Frans dat pater Deschamps ons bijbracht was iets verder geëvolueerd dan het Nederlands. Daar was het hoogtepunt ,,J'aime le son du cor, le soir au fond des bois'' van Alfred de Vigny. De beste declamator van de klas, André de Baets, moest het gedicht met klavierbegeleiding van de heer Wante, voordragen op het naamfeest van le père recteur.

In dat jaar van mijn vierde Latijnse had er voor de humaniora een proefwerk in de Franse en de Nederlandse spelling plaats. Er heerste daarover een geweldige opwinding op het college. Pater van Hoeymissen, de studieprefect, had een dictee ineengestoken waarin al de moeilijkheden van de spraakkunst waren samengepakt. Wie de eerste plaatsen van het Franse dictee weggekaapt hadden weet ik precies niet meer, maar de derde plaats viel onze quatrième ten deel. Pater Deschamps was in zijn nopjes: de winnaar, een Gentse volksjongen, is later redakteur aan *Le Soir* geworden. Er zaten kleppers in mijn klas.

Pater Deschamps leerde ons ook op voet van vrede te leven met de taal van Hellas. Met de stamtijden leerde hij ons goochelen; we lazen op het eind van het tweede trimester vlot de hoofdstukken uit Sint Lucas: epeidèper polloi epicheirèsan anataxasthai ... Bij 't begin van het derde trimester kochten we een splinternieuwe *Anabasis* met de verklarende woordenlijst van pater Geerebaert, en weg waren we met Artaxerxes en Kuros, de twee zonen van Darios en Parusatis, tegen zoveel parasangen en stadiën per dag.

Dat Grieks komt mij nog af en toe van pas wanneer ik Hippokrates in zijn moedertaal lees, of wil wegwijs geraken in de arkanen van de geneeskundige nomenklatuur, zoals die in de loop van de verleden eeuw en in het begin van deze werd opgesteld met haar hormonen, anafylaxie, idiosynkrasie, hemoklasie, paradontose, sklero-iridodialyse, torakopneumografie, dermatofytoses en cholecysto-jejunostomie.

Wie beweert dat het Grieks volkomen nutteloos is voor wie geneesheer wil worden, kan gelijk hebben, maar ik houd tegen eender wie vol dat men nooit een algemene medische cultuur bezitten kan — die verdwijnt eilaas, met veel andere dingen, bij onze artsen — zo men niet, een eindje althans, in het geestelijk domein van het oude Griekenland binnengedrongen is. Voor die algemeen medische cultuur zette de oude humaniora de deur open, en pater Deschamps ben ik voor dat stukje van mijn geestesbezit erkentelijk.

We zaten voor het leraarstreetje van pater Deschamps toen hij zijn tweede jaar in de vierde Latijnse stond. Hij was dan een hoogblond patertje, nog niet uit de dertig gewassen en vurig als een renpaard; hij kon zich boos maken ondanks al zijn beminnelijkheid. Wanneer er in zijn klas gebromd werd, schoot hij uit zijn krammen, het werkte op de gehoorzenuw die bij hem zeer gevoelig was; dan werd hij onbarmhartig en zou, zoals Caesar met de Eburonen deed, tot zijn laatste leerling vermoord hebben met de meest onmenselijke straffen.

Maar 's anderendaags riep hij de verweten brommers bij zich, sprak zijn spijt uit voor de grote straf, schold alles kwijt en vroeg zelfs aan de vergiffeniskrijgende geen berouw of belofte van beterschap. Hij leed meer onder die straf dan de gestrafte zelf, en omdat wij dat wisten, en hij wist dat wij het wisten, vielen de grootste vlegels voor een tijdje stil, de tijd van een Ave Maria, zoals het kleine Ernestje bij de goede oude tante van *Ernest Staas*.

Die *Ernest Staas* van Tony Bergmann was nog een van pater Deschamps' lievelingsboeken. We hielden er meer van dan van *De Loteling*. Hij las het bijna helemaal voor in de klas; de geschiedenis van mijnheer Van Bottel, van Plus en Stuyck, boeide ons geweldig. Maar de pater sloeg met uiterste zorg het hoofdstuk over de lieve Bertha over. Sommigen waren dat te weten gekomen, omdat ze het boek elders hadden te lezen gekregen. Pater Deschamps, uit heilige schroom voor het kwaad dat daaruit voor ons gemoed kon voortvloeien, riep de enkelen bij zich, ze mochten dat wel zonder gewetensangst lezen zegde hij, maar het gewraakte hoofdstuk kon niet vóór de hele klas luidop door hem gelezen worden; zij mochten er met de anderen niet over praten dat zij het gelezen hadden. Ge ziet dat van hier, brave pater Deschamps!

Ik zou mijn leraar niet volkomen recht doen, indien ik het muzikale talent van pater Deschamps niet in herinnering bracht. Wat hij voor het college gedurende de drieëndertig jaar van zijn verblijf aldaar op dat gebied gepresteerd heeft, werd trouwens reeds gedaan door Lambrecht Lambrechts in *Muziekwarande*. Alle muziekkenners van Gent en verre daarbuiten waren hem te vriend en zijn prestaties als dirigent werden buitengewoon gewaardeerd; die betekenden heel wat meer en reikten verder en dieper dan de vierde Latijnse van de muziekwetenschap.

Pater Deschamps was een geboren musicus, zijn oor stond altijd gescherpt naar geluiden en klanken. Wanneer de beruchte voddeman van de Savaanstraat en ommelanden driemaal in de week zijn aria ,,Hedde gien vodde, ijzer en biene ligge?'' afdreunde, richtte 's paters oor zich automatisch naar de kant waar het bekende geluid vandaan kwam, het spel van de hoofdtijden van lambanomai viel een paar sekonden in zijn hersenen stil, om de cellen van zijn grijze stof toe te laten al de toonschakeringen van de tenorstem op te vangen en te doorgronden. Hij wist wat er in de ziel van die bullen- en beenderenvent omging bij het beluisteren van zijn omroepstem, hij trilde een fractie van een minuut mee met 's mans gemoedsbewegingen. Pas daarna ging hij voort met de verklaring van Xenofoon, met Mijnheer Van Bottel, Jan de Loteling, le son du cor, of de tribulaties van de Franse spraakleer.

Pater Deschamps wilde elkeen in zijn koor inlijven, hij wist de mooie stemmen in elke klas zitten, hij hield repetities, haalde een la uit een minuskuul mondharmonikaatje, sloeg de maat, kletste met de rug van zijn rechterhand in de palm van zijn linkerhand, sloop als een fretje geruisloos tussen de zingenden door op jacht naar een valse stem, had er algauw eentje te pakken, deed hem voorzingen en als het niet honderd procent in de toon was van de akkoorden, klonk het vriendelijk woord: ,,Je vous remercie, mon cher Leon, à la prochaine occasion''. Dat overkwam mij op de repetitie van het fameuze Turkse koor uit *Le Bourgeois Gentilhomme* van Molière. En buiten stonden we vooraleer we 't wisten.

In de quatrième, op het doksaal en op zijn kamer waar een harmonium stond, lag het werkgebied van pater Alfons Deschamps; daar lag zijn drievoudig paradijs op aarde. Julius Caesars *De Bello Gallico,* Xenofoons *Anabasis* en wat eenvoudige boeken uit de Nederlandse en Franse literatuur waren de horizon van zijn geleerdheid.

De knepen uit de spraakleer van de vier talen waren de geheimen waarmede hij ons vertrouwd maakte, zodat we, nog hedentendage, de perikelen daarvan met veel gratie en gemoedsrust kunnen omzeilen. Maar de hoogste sferen van de muziek, de elegantie en de tint van stemmen en instrumenten wist hij haarfijn te ontlokken en als geen een te doen weergeven door zijn koren en zijn geliefde Gentse tenor Joseph Verniers.

Drieëndertig jaar is hij leraar geweest van de vierde Latijnse, van 1912 tot 1945, een hele mensengeneratie. Ik geloof dat hij toch een paar jaren in de derde heeft gestaan, de overheid vond dat de man promotie verdiende, maar de pater voelde er zich als een vreemde eend in de bijt en smeekte op zijn blote knieën om naar zijn quatrième te mogen terugkeren. Het is de grootste en enige promotie die hij ooit gekregen heeft. 't Was maar best zo, want in Livius en Homeros voelde hij zich niet thuis, hij maakte van die derde een vierde, en dat was de bedoeling niet; in de grammatica was hij in zijn element, tegen de syntaxis was hij niet opgewassen.

Wanneer hij op het einde van de Tweede Wereldoorlog zwaar ziek viel, zijn ziekte geleidelijk naar een uremie evolueerde en zijn geest stilaan in de nevelen van het coma wegdwaalde, waren het Julius Caesar noch Xenofoon, maar muziekherinneringen die doorheen de zeldzame opklaringen getuigenis van het schone leven van pater Alfons Deschamps aflegden.

Het laatste trimester in de quartième B eindigde op een ongewone ontknoping. We gingen met het college op schoolreis naar Antwerpen: dierentuin, etentje in de grote warenhuizen van de Tietz-bazar, rondvaart op de Schelde.

In de maand mei was te Drongen le père Adolphe Petit overleden. Pater Deschamps voorspelde dat de vrome man, een oudleerling van St.-Barbara ooit zalig en heilig zou verklaard worden. In 1977 is het nog altijd niet het geval, wel is hij goed op weg.

We hoorden o.m. van de goedkeuring van de wet-Poulet op de leerplicht tot 14 jaar. Die naam Poulet werkte op onze lachspieren.

De jezuïetenorde was in 1914 juist honderd jaar hersteld en dat werd op grootse wijze gevierd. Gerard Cooreman, voorzitter van de Kamer, hield een plechtige toespraak op de speelplaats, hij noemde de paters de canonniers de la Compagnie de Jésus. Telkens hij het woord Jésus uitsprak, nam hij zijn hoge hoed af; ook dat werkte op de duur op onze lachspieren, we wisten zelfs te zeggen dat hij een keer vergeten was zijn hoed af te nemen. Er was een Frans en een Nederlands koor, en zoveel meer. Blijvend monument van dit hoogtij was een rijk verlucht gedenkboek, door de oud-leerlingen en leerlingen met lezenswaardige prozastukjes volgepend.

Wanneer einde juni 1914 de Oostenrijkse kroonprins Frans Ferdinand en zijn genoten te Serajevo vermoord werden uitte pater Deschamps de vrees dat die moord de aanleiding kon zijn tot een oorlog. Het klonk onwezenlijk in onze oren. Wat het in feite geworden is, hebben twee mensengeneraties ondervonden.

De plechtige prijsuitdeling had op 1 augustus plaats; men speelde *Jacques V et les Douglas* met Albert Docker en August de Schrijver. Ik was de tweede in uitmuntendheid. Louis Ligy, de zoon van een bekend Gents advokaat en generaal van de Burgerwacht, was eerste. In heel mijn humaniora ben ik nooit zo vooraan gekomen.

Men moest met de toneelopvoering opschieten, fluisterde men achter de schermen, want de militaire overheid had tegen 1 uur de grote zaal opgevorderd om er gemobiliseerde soldaten in te kwartieren. Toen alles afgelopen was, stonden er heus op de grote speelplaats al twee voeren stro te wachten om afgeladen te worden: slaapgelegenheid voor piotten en lansiers.

Ik kan van de vierde Latijnse geen afscheid nemen zonder even onze leraar geschiedenis te vermelden, pater A. Fraeys. Hij was van Franssprekende Brugsen huize, een buitengewoon fijnzinnig mens, die de bijnaam van La Joconde kreeg omdat hij zo wondergoed op de Mona Lisa van Leonardo da Vinci geleek, het beruchte schilderij dat in 1913 uit het Parijse Louvre gestolen werd.

Hij was surveillant van de kwart-internen en kreeg als nevenopdracht het onderwijzen van de histoire du moyen-âge in de vierde. Met welk didaktisch talent die man er voor ons allemaal iets van terecht heeft gebracht, vergeet ik niet. We zagen duizend jaar geschiedenis, vanaf Clovis tot aan de ontdekking van Amerika, voor onze geest afrollen in kwart-eeuwse perioden, en met zulke aantrekkelijke duidelijkheid, dat zijn lessen telkens als een geestelijke lekkernij werden tegemoet gezien.

Pater Fraeys is later naar Rome geroepen, waar hij in het centraal bestuur van zijn orde als historicus een rol heeft gespeeld. Het verwondert mij niet. Toen hij zijn laatste geloften aflegde, heeft hij van de leerlingen van de quatrième latine het boek *Histoire de Gand* van Victor Fris, dat toen juist verschenen was, cadeau gekregen. Hij was er gelukkig mee.

Pater Fraeys was een enthousiast bewonderaar van Godefroid Kurth, hoogleraar in de geschiedenis te Luik; op zijn aanraden heb ik in de vierde Kurths boek *Clovis* gelezen; die lectuur is mij bijgebleven als een fantastische belevenis van indrukken, onuitwisbaar!

DE EERSTE WERELDOORLOG

Niemand gaf er zich op 1 augustus 1914 rekenschap van dat een nieuw tijdstip in de wereldgeschiedenis aangebroken was. De gebeurtenissen volgden elkaar met een duizelingwekkende snelheid op; ze werden door de vaderlandse historici te boek gesteld.

De vakantie begon in een spannende atmosfeer waar verrassingen en onvastheid allerhande de bovenhand hadden. Het begon met de mobilisatie van enkele militieklassen. We lazen van diplomatieke nota's, van oorlogsverklaringen vanwege Oostenrijk, Rusland en Duitsland, begrepen maar half wat het betekende.

Op 4 augustus kwam België in de dans en vielen de Duitsers ons land binnen. Die werden nu volop de vijanden, de trouwelozen, de mannen van het vodje papier. Engeland en Frankrijk sprongen ons bij; zij werden onze verbondenen en grote vrienden. Koning Alberts oproep verscheen in alle dagbladen: ,,Vlamingen gedenkt de Slag der Gulden Sporen''. Algemene bevlagging, nooit zoveel driekleuren gezien. Ik had er eentje op mijn fiets.

Pastoor van Pottelsberghe de la Potterie predikte over het vaderland, schandvlekte Duitsland en zijn keizer, weende van aandoening wanneer hij over de Belgische soldaten sprak, legde liefdeverklaringen af voor onze bondgenoten die ons niet in de steek lieten. Ik dacht bij mijzelf dat ik hem twee maand te voren nog horen donderen had op het goddeloze Frankrijk waar de scheiding tussen kerk en staat was uitgesproken en kloosterlingen aan de deur werden gezet. Veel duizelde om mij heen.

De kerken bij ons werden nooit meer bezocht dan in die dagen, het was alsof iedereen tot inkeer kwam en boete wilde doen voor een collectieve zondigheid ... Die oorlog was een straf van de hemel voor de uitspattingen van de mensen. Het was een collectieve opwelling van vroomheid.

Na een paar dagen stonden de kranten vol over de heldhaftige weerstand van het Belgische leger te Luik, waar de forten de indringer tegenhielden. Elkeen geloofde het. Op de Brusselsesteenweg was het dag en nacht een gerij en geros van voertuigen, een komen en gaan van soldaten. Er werden nog een paar klassen meer onder de wapens geroepen, tot en met de klas van 1898; vrijwilligers meldden zich aan, de Burgerwacht patrouilleerde, maar had geen pluim op haar hoed. Er was sprake dat de klas van 1914 zou gemobilizeerd worden. De forten van Luik hielden stand. Men las en hoorde dat de Ulanen, Duitse ruiters die al voorbij Luik op verkenning gezien waren, als mussen door de onzen werden neergeschoten.

Vader en moeder bleven in al dat druk gewoel paradijselijk kalm; moeder ging meer dan ooit ter kerke, en 's avonds werd gebeden opdat wij voor ongelukken zouden gevrijwaard blijven, maar niet voor het vaderland. Dat vaderland was een onbestaand begrip voor mensen zoals zij; het sprak ze niet aan, zij waren zonder appél aan het vaderland opgegroeid, een koning was een menselijk iets dat men kon aanschouwen, waarvoor men zich warm kon maken, maar een vaderland was een onwerkelijk iets, dat in hun opvatting gelijkstond met belasting betalen en bijgevolg ten allen prijze moest worden geschuwd.

De oorlog duurde al drie weken, en de forten van Luik hielden stand ... in de dagbladen. Tussen de regels lezen kon de man van de straat niet, hij begreep maar niet dat Leuven, Aarschot en straks Dendermonde in brand stonden. Er werd gevochten te St.-Margriet-Houtem waar het Gentse infanterieregiment zich bijzonder onderscheiden had. Generaal Leman was de grote held van de Luikse verdediging. We leefden in een roes van kunstmatige krijgsglorie die de werkelijkheid verdoezelde.

Er werd al gehamsterd; men betaalde vijftig frank voor een zak graan, de pastoor laakte het als diefstal en verplichtte tot restitutie. De halfoogstprocessie was een ongeziene manifestatie van publieke godsvrucht.

We gingen, tussen de herrie door, bij de Merelbeekse familie ons jaarlijks handje bij het oogstwerk toesteken en zagen ook daar dezelfde onrust en onbewustheid. Paus Pius X was gestorven en een van de Merelbeekse papevreters vertelde dat de Paus de Duitse wapens gezegend had. Vader kon het niet geloven en vroeg aan de man of hij het zelf gezien had; neen, maar hij had het in *Vooruit* gelezen.

Intussen hadden de Duitsers de Leuvense Universiteitsbibliotheek in brand gestoken omdat burgers op de Duitse soldaten geschoten hadden.

Te Merelbeke waren wij op 24 augustus 1914 getuige van een massale uiting van hysterische vrees. Ergens in de grensstreek tussen Wallonië en zuidelijk Oost-Vlaanderen, waar Duitse Ulanen gezien werden, waren personen op de vlucht geslagen en hadden vol uitzinnige angst dingen verteld die achteraf onwaar bleken te zijn geweest. Maar ze hadden onderwijl anderen aangetast die ook begonnen te lopen, wat op de wegen die naar het noorden leidden een echte volksuittocht veroorzaakte.

Te Merelbeke stuwde op de Hundelgemsesteenweg een dichte massa mannen, vrouwen en kinderen noordwaarts, zonder precies te weten waarheen. De meesten waren in werkkleding, zo van het veld of uit hun woning weggerend; ze hadden wat schamele huisraad bijeengegrabbeld, of sleurden op kruiwagens, hondespannen en driewielkarren eetwaren en beddegoed mee. Er zaten kinderen bovenop met een vogelkooi, terwijl anderen met touwen de stootkarren voortsjouwden. Als het allemaal niet zo zielig aandeed, had men zich bij het zien van sommige taferelen krom gelachen.

Door een toeval werd de vlucht te Merelbeke een wijl opgehouden; men raadde de voortvluchtenden aan terug te keren en wees ze op het onbesuisde en radeloze van die vlucht: niemand had de Duitsers gezien, ze waren meer dan tien uren hier vandaan, ze zullen toch iedereen niet vermoorden en heel het land in brand steken.

Een Lembergse molenaar, een van moeders oude kennissen, stond te lamenteren dat hij juist zijn brood in de oven had gestoken toen zijn buur bij hem binnengestormd kwam en hem aangezet had te vluchten omdat de Duitsers op komst waren. De man liet plots zijn gegrien varen en keerde op zijn stappen terug, hij berekende dat zijn brood gaar zou gebakken zijn als hij thuiskwam. Ik zie hem nog altijd in zijn witte plunje op die schone zomerse namiddag van 24 augustus 1914 opstappen naar zijn verlaten broodoven. Wie zou niet lachen bij de spontaniteit die onze Lembergse molenaar overkwam wanneer hij aan zijn oven brood dacht, en die het haalde op alle overwegingen, ook op die van het naderend gevaar.

De roekeloze vlucht van Bartjesdag werd in de dagbladen druk besproken; men gaf de bevolking de raad niet meer zo onberedeneerd te reageren op ijdele geruchten, en alleen zijn woning te verlaten wanneer van overheidswege daarop aangedrongen werd.

We bleven niet langer te Merelbeke, want vader oordeelde het veiliger thuis. Men wist nooit wat er kon voorvallen in zo'n onzekere tijd. De Brusselsesteenweg bood bovendien afwisseling genoeg, er was altijd wat te zien en te horen. Onze ingeboren nieuwsgierigheid werd niet teleurgesteld; geen uur ging voorbij zonder sensationele nieuwtjes, zonder onverwachte ontmoetingen, zonder militairen van alle wapens; er liepen zelfs Franse zoeaven in Turkse klederdracht met wijde rode pofbroeken. Ineens ging het nieuws dat op het oefenplein bij het Arsenaal een Engelse kolonne ruiterij was aangekomen, daar zou kamperen en 's anderendaags naar Aalst oprukken.

Wij daarheen. Het waren in kaki gestoken ruiters met Arabische paarden, ze droegen kepies met rood bovenvlak; het waren fijn uitgedoste heren met beenwindels in plaats van lederen slobkousen. Bij de bewoners haalden ze water voor hun paarden en voor zichzelf; ze maakten een drankje klaar, dat enkele kenners als tee identificeerden. Anderen namen een koud zitbad in een ruim linnen bekken; het deed onze haren te berge rijzen dat Gentbrugse vrouwen daar stonden op te kijken zonder weg te vluchten.

Er was tamelijk verschillend commentaar bij de omstaanders die de Engelse kampeerplaats gade sloegen. De enen vonden het een goed uitgeruste troep want ze hadden veel geweren, lansen en sabels; de meesten opperden de mening dat men niet met zijden kousen en zo'n prachtige zadels naar de oorlog gaat. Tegen de avond moesten de Engelsen plots vertrekken vanwaar ze gekomen waren, in alle geval niet in de richting van Aalst.

Ik was eens naar het college gaan neuzen hoe het daar gesteld was. Op de speelplaats stonden wagens en veldkanonnen, waarbij mannen van de Garde Civique de wacht hielden. Van paters was er geen spoor te bekennen, en toen ik bij de portier navraag deed over pater Deschamps, veinsde hij van niets af te weten.

Tegen begin september nam de militaire drukte op de Brusselsesteenweg geweldig toe. Belgische wielrijders en ruiterij gingen en kwamen in beide richtingen; de strategische wijsneuzen hadden precies uitgekiend dat er meer gingen dan er kwamen, wat dan betekende dat er troepenbewegingen op til waren, die de Duitsers zouden tegenhouden en terugslaan. De Belgen waren immers op adem gekomen en de verbondenen rukten aan voor een grote slag. Waar ze het nieuws vandaan gehaald hadden, zegden ze niet.

Militaire operaties waren er inderdaad, zelfs in de buurt, op korte afstand. Heusdenbrug werd opgeblazen, Mellebrug eveneens. Het begon dus te spannen. De Burgerwacht werd achteruitgetrokken, detachementen infanterie rukten aan; de bevolking juichte, bracht boterhammen en koffie. Wanneer halt gemaakt werd, ondervroeg men de manschappen, maar die waren zwijgzaam en blijkbaar vermoeid, ze hielden zich op afstand, het waren jagers te voet, meestal Walen.

Op 7 september 1914 liep de mare dat er tussen Melle en Kwatrecht gevochten werd; het werd bewaarheid wanneer men gewonden met ambulantiewagens Gentwaarts zag voeren. Fijne luisteraars hadden op stille plaatsen het verre geweervuur en het geratel van machinegeweren gehoord. Ik kon het op de bloemisterij van Pol Thienpont, waar het rustig was, ook horen.

Er liep een officier met een vijftal manschappen door de bloemisterij, naar zijn zeggen zou hij een weg voor de aftocht van het voetvolk klaarmaken en zorg dragen dat de weg openbleef, zodat in geval van nood de troepen niet langs de Brusselsesteenweg zouden moeten aftrekken en rechtstreeks aan Duits vuur blootstaan. Het zag er in alle geval ernstig uit. De gapers werden schaarser, maar nog talrijk genoeg. Moeder waarschuwde: binnen blijven, maar vader ging liever op verkenning en nam mij mee.

Wat er onderwijl elders in Europa en in het land zelf aan gang was, drong tot ons niet door. Van de Luikse forten sprak geen mens meer, alle hoop was op de versterkte plaats Antwerpen gevestigd, er bestond zelfs een neiging onder de bevolking om daar veiligheid te zoeken: Antwerpen is onneembaar, zo'n fortengordel! Achteraf gezien bleken het allemaal kwakkels te zijn die op verkeerde voorlichting berustten en waarin de openbare opinie opgefokt was, de brave Belgen grootgebracht werden, leugens ten slotte waarin wij allen, op een allerzeldzaamste uitzondering na, geloofd hebben.

Hoe dan ook, er bestond geen twijfel over, te Melle werd gevochten, men wist zelfs te zeggen waar aan weerszijden van de Brusselsesteenweg, bij de Twaalf Huizen, juist voorbij Melle-pensionaat, voor men aan Kwatrecht-station toe is. Het was in de namiddag van 7 september 1914. Aan de Bruiloft viel plots een militaire auto stil waarin een krijgsgevangen Duitse officier zat, naast twee andere Duitsers. Het liep als een vuurtje rond en de hele buurt van St.-Eligius en de Keiberg was weldra op de been; elkeen keek de Duitsers met belangstelling aan, zij keken geamuseerd naar ons; weer drie man minder.

Tegen de avond viel het geweervuur uit de richting van Melle stil, men concludeerde dat de Duitsers in aftocht waren. Het was niet helemaal mis, want Mellenaars die het gevecht van ver aan de gang hadden gezien en voorzichtigheidshalve veiliger oorden opzochten, zegden dat Belgische lansiers en jagers tot voorbij Kwatrecht-station waren opgerukt en de Duitsers op de hielen zaten.

Er kwamen groepjes Belgische soldaten afgezakt, niet in een gesloten kolonne zoals ze vertrokken waren. De mannen zagen er vermoeid uit, ze vroegen de weg naar de Gentse Leopoldkazerne, rustten wat uit op de voetpaden, aten en dronken wat ze kregen, zelf hadden ze niets bij, bijzonder mededeelzaam waren ze niet, ze repten zich met ransel en geweer voort, of kropen op een militaire wagen die ze oppikte en meenam.

Opvallend was het drukke autoverkeer in de richting van Melle. Degenen die het fijne van alles beweerden te weten, zegden dat ze de gouverneur van de provincie en de burgemeester van Gent hadden zien voorbijrijden in gezelschap van de officier die als krijgsgevangene in de vroege namiddag naar Gent was gevoerd. Aan de Gentbrugse gemeentegrens, voor zijn woning, stond burgemeester Verdonck met zijn schepen Lefèvre de Tenhove met hun sjerpen aan, alsof ze iemand opwachtten. Ze haddden veel bekijks, niemand wist wat ze in het schild voerden. Ook nadat de duisternis ingevallen was, hield de drukte onverminderd aan.

Wie op de ochtend van 8 september op jacht naar nieuwtjes rondneusde, vernam slechts dit éne: de Duitsers zijn achteruitgetrokken, het slagveld te Melle is verlaten, alle huizen liggen platgebrand, een stuk van het pensionaat is verwoest.

Alsof het nieuws met de snelheid van een elektrische stroom voortgelopen was en een weldoende reaktie had opgewekt, stroomden honderden opgeluchte nieuwsgierigen te voet en per fiets langs de Brusselsesteenweg Mellewaarts, ze gingen dit slagveld bezoeken. Kort na de middag nam de stroom toe, het geleek kermisstoet, soldaten waren bijna niet meer te zien. Ik ging mee met de vloed, fietsend onder de massa, de vier kilometers naar Melle die ik zoveel keren had afgelegd. Overal stonden de gapers andere gapers na te kijken. De bloemisten besproeiden hun azalea- en begoniaperken alsof er niets gebeurd was op hoop van betere tijden.

Te Melle hield een vooruitgeschoven Belgisch ruiterijdetachement het gemeentehuis bezet, de mannen waren druk in de weer, zadelden hun paarden alsof ze elk ogenblik zouden vertrekken. De stroom nieuwsgierigen stuwde feller naar Kwatrecht. Ik stapte mee, met de fiets in de hand. Voorbij het pensionaat was het een desolatie, de platgebrande Twaalf Huizen en een boerderijtje tegen de spoorweg, lagen nog te roken, er werden varkens en koeien begraven. Men vertelde dat de Duitsers hun doden hadden meegenomen, de onze lagen in het klooster opgebaard. Het was één verontwaardiging, bij elke puinhoop werd gevloekt.

Plots een geweldige donderslag bij heldere hemel, één gil: ze zijn daar! Honderden zetten het op een loop. Toevallig stond ik nogal dicht aan de Kwatrechtse kant en zag werkelijk een viertal grijsbruine uniformen op het fietspad kalmpjes voorrijden. Ze moeten geschrokken zijn, want ze stapten van hun ijzeren paard, keken naar de weghollende menigte, beraadden zich onder elkander, maakten rechtsomkeert.

Ze zullen over hun ongewone ontmoeting met een massa onschadelijke burgers gerapporteerd hebben. In een vloek en een zucht was heel Melle leeggelopen, en meteen ik ook in één ruk naar huis; de ruiters aan het gemeentehuis waren al verdwenen. Op minder dan één uur was de Brusselsesteenweg van Melle tot Gentbrugge kaal geveegd. De Duitsers zijn slechts één maand nadien teruggekeerd.

Op het oorlogsterrein was er intussen veel voorgevallen dat de militaire operaties tussen Gent en Aalst en verderop, beïnvloed heeft. De slag aan de Marne had de Duitse opmars naar Parijs gestuit en tot grootscheepse terugtochtmaneuvers verplicht.

Maar er was ook wat anders gebeurd. Emiel Braun, de Gentse burgemeester was de naar zijn stad oprukkende Duitse bevelvoerder, generaal von Boehm, tegemoet gereden, had te Oordegem met hem een onderhoud gehad, en bekomen dat hij Gent niet zou innemen en zijn legerafdeling meer westwaarts zou leiden. Doch alleen mits een soliede aderlating in natura, graan, brood, haver, hooi, stro en allerlei voedingswaren. Braun had toegestemd en beloofd dat over vierentwintig uren alles zou geleverd worden op de plaats die door de generaal was bepaald, te Beerlegem.

Zo geschiedde. Ik heb op de Hundelgemsesteenweg de beruchte optocht van volgeladen wagens gezien, er kwam geen einde aan, het was een raadsel hoe men het allemaal op één dag had bijeengekregen.

Ik vond in *La Flandre Libérale* van 9 september 1914 het lijstje van de geleverde goederen: 10.000 liter bier, 100 liter mineraal water, 150.000 kilogram haver, 100 fietsen, 10 motorfietsen, 25 binnenbanden voor auto's, 20 kilo watten, 10 rollen verbanden van 40 meter elk, 20 dozen sublimaatpillen, 100.000 sigaren. De Burgerwacht zou ook haar wapens en munitie neerleggen.

De leeglopers zagen er met gemengde gevoelens tegen op; waarom moeten wij de Duitsers een handje toesteken en hun troepen bevoorraden? In alle geval stonden de Gentse kranten vol lof voor burgemeester Braun, de redder die zijn stad voor een groot onheil had behoed. De bevolking voelde het aan als een verlichting en piekerde niet over de patriottische toedracht van wat de burgemeester gedaan had. De gebeurtenissen volgden elkander in zo'n snel tempo op, dat Melle en Oordegem vlug in de vergeethoek verdrongen werden.

Wij te Gentbrugge hadden de indruk dat een pak van ons hart was weggenomen. Pastoor Van Pottelsberghe predikte de zondag daarop dat de oorlog vlak voor onze deur was stilgevallen, op Onze Lieve Vrouwdag van 8 september. Niemand had daaraan gedacht, zegde hij, maar was het geen bijzonder gebaar van de hemel ten onzen opzichte?

De schermutselingen ten zuiden van Gent hielden op. De tram naar Melle reed zoals gewoonlijk tot aan zijn eindpunt. Het slagveld werd verder bezocht, maar niet met zo'n drukte als op 8 september. Ik fietste ongehinderd tot Wetteren, bezocht zelfs mijn tante Rosalie te St.-Maria-Latem, er waren nergens Duitsers te bespeuren. Al de aandacht ging naar de onaantastbare vesting Antwerpen. Door een uitval van de Belgen waren de Duitsers daar teruggeslagen. Men vocht thans in de buurt van Vilvoorde en Mechelen. Te Gentbrugge werd bekend dat de zoon van notaris L. van Reysschoot te Weerde gesneuveld was; voor zijn plechtige lijkdienst was heel de gemeente op de been.

Naast de krijgsverrichtingen, waarvan de ware betekenis door de kranten werd verdoezeld, hield te Gentbrugge een ander probleem veel mensen in spanning: wat met de bloemisterij? Augustus en september waren precies de maanden van intensieve verkoop en verzending, naar Engeland en vooral naar Duitsland. Dat was nu gedaan, de bloemisten bleven met hun bloemen en planten zitten, er was geen enkele begonia verkocht, een echte ramp indien de oorlog voortduurde. Wat zal het deze winter worden, zal het de moeite lonen de serrres te verwarmen, zal men aan briketten geraken? Voor de meesten nam het dramatische verhoudingen aan, het was een zaak van leven of dood. Dat was het onderwerp van vele zorgwekkende gesprekken, zozeer zelfs dat de oorlogsfeiten erbij verbleekten.

Thuis bleef alles rustig. We baden elke avond voor moeders vele intenties en namen er de oorlog met zijn tribulaties bij, we hadden niets te kort, we konden gaan waar we wilden. Druppelsgewijs was het tot ons doorgesijpeld dat de Duitsers in Brussel waren. We begrepen er de betekenis niet van. Dat ze hier niet waren, was voor ons het enige dat telde.

We stelden ons betrouwen op Antwerpen, de Duitsers zullen daar van een kale reis thuiskomen, de forten houden stand. Gentbrugse soldaten die even voor een halve dag ertussenuit hadden kunnen glippen, vertelden hoe het zat, tussen vier ogen waren ze niet opgetogen en ze vertrokken met lood in hun schoenen.

Op St.-Barbara waren soldaten de baas op de speelplaats en in de klassen. Pater prefect was van mening dat de lessen niet zouden beginnen op de vastgestelde datum van 1 oktober 1914; on verra! Ik slenterde op straat, ging bij de vogelvangers zitten die hun netten zoals naar gewoonte op de Keiberg hadden gelegd en op vinken en gorsen zaten te loeren, terwijl op de Brusselsesteenweg militaire konvooien in beide richtingen reden. De vogelvangers hadden er nauwelijks aandacht voor, zo banaal was het geworden.

Op 1 oktober begon St.-Barbara niet. De speelplaats lag eenzaam, op de rommel na die de inkwartiering had achtergelaten.

Begin oktober was er meer leven en beweging op de Brusselsesteenweg merkbaar. Auto's met Franse officieren reden Mellewaarts. Dat had iets te betekenen; baliekluivers hebben een fijne neus. Ook Engelsen kwamen afgezakt, maar ze keerden spoedig terug. De Fransen werden talrijker, in mariniersuniform, met blauwe baretten en bovenop een rode pompon, ongewoon voor de Gentbruggenaars die nooit zoiets gezien hadden.

De Fransen trokken in gesloten gelederen in de richting van Melle. Wanneer ze even halt maakten en Nederlands hoorden praten, gaven ze blijk van wantrouwen; wanneer men ze in het Frans aansprak, antwoordden ze ontwijkend, heel entousiast waren ze niet, waar ze heen trokken wisten ze niet: au feu. Een officier die burgemeester Verdonck te woord stond, zegde dat zij fuseliers-marins waren, maar meer was er niet uit te krijgen.

De mariniers hadden machinegeweren mee op wagens die door muilezels getrokken werden. Ze waren aan de kleinere kant, met blozend aangezicht en bruingetaande huid, goed bewapend. Na een eerste bataljon kwam er een tweede. Dan pas schoten de Gentbruggenaars wakker, ze begonnen toe te juichen: Vive la France. De officieren groetten beleefd terug, de manschappen marcheerden tuchtvol door; wanneer ze buiten de huizen waren, verlieten ze hun pasgang en zag men sigaretten opsteken.

Ik vergeet nooit hoe daar onder de Vive la Fance-juichers ook Pastoor Van Potelsberghe de la Potterie en zijn onderpastoor stonden, ik kon mijn ogen niet geloven en dacht aan het goddeloze Frankrijk waarmede de pastoor gewoon was zijn preken te kruiden en zijn parochianen tegen de goddeloze republiek in het harnas te jagen. Hoe knoopt men dat aaneen, met hetgeen hier gebeurt? Maar had ikzelf niet gejuicht? Thuisgekomen voelde ik mij een beetje beschaamd.

Mijn schuldgevoelens gingen gauw over. Het was voor iedereen duidelijk dat er opnieuw in de buurt zou geborsteld worden, het duurde niet lang voordat men wist dat het weerom te Melle was, op dezelfde plaats als op 7 september. Er liepen hier wel Belgische soldaten, maar het waren de Franse mariniers die het ginder te verduren hadden. De Duitsers drongen aan, men moest ze ten allen prijze tegenhouden. De Gentse burgemeester was nu niet te horen of te zien.

Daags nadien hoorden de scherpe luisteraars weer de machinegeweren ratelen, maar veel heviger dan in september, het hield met de nacht nauwelijks op. 's Anderendaags begon het opnieuw, met af en toe een korte onderbreking. Ambulantiewagens reden op en kwamen met gewonden terug naar de Gentse ziekenhuizen. Vluchtende Mellenaars wisten te vertellen dat het veel erger was dan de eerste keer, dat de Fransen felle vechters waren, dat er in Melle-dorp een heel Frans bataljon in reserve lag, dat de Duitsers zware verliezen leden, dat het treffen precies weer tussen het pensionaat en Kwatrechtstation plaats had.

Op de Brusselsesteenweg rondom De Bruiloft voelde men zich niet op zijn gemak, men keek elkaar ondervragend aan en kwam minder buiten. Dagbladen waren niet te krijgen, men moest het stellen met allerlei geruchten, men geloofde alles wanneer het nieuws gunstig was, men geloofde het niet wanneer het ongunstig was. Antwerpen hield meer dan ooit stand voor de enen, voor de anderen was het al gevallen. Gent, Lokeren, Zelzate, Zaffelare zaten vol Belgische soldaten, wat hebben die daar te verrichten?

Wij hadden andere zorgen, en genoeg, met wat te Melle gaande was. Het was er zeker niet pluis, het stonk er geweldig want al wie ginder vandaan kwam, zette een ernstig gezicht op. Een paar Fransen per fiets, die in Het Bronzen Paard een glas gaan drinken, zijn niet van veel zeggen en spoeden zich gauw voort. Men voert vanuit Gent proviand aan naar Melle. Het gevecht is er al drie dagen aan de gang. De avond van de derde dag is het bijzonder druk en trekken afzonderlijke mariniers onafgebroken in de richting van Gent. Aan het Arsenaal worden ze door tramrijtuigen opgewacht die ze verder brengen. Wat heeft het te betekenen?

Zaterdagmorgen 10 oktober zijn de Franse mariniers weg, de hele nacht door zijn ze voorbijgetrokken, met hun muilezels en hun tros. Iets anders dan een ordelijke terugtocht kan men zoiets niet noemen. Niemand gaat thans het slagveld bezoeken. De Duitsers volgen niet, geen enkele militair is nog te bespeuren, het is sedert lang zo rustig niet meer geweest. Is het de kalmte na of vóór de storm? De zondag is het even rustig. Mellenaars keren naar huis terug, weer zijn er geen soldaten meer te bekennen.

Maandagmorgen 12 oktober 1914 is het op de Brusselsesteenweg opvallend stil, de melkboeren doen hun ronde, de bakkers dragen brood uit. Ik ga bij Fons de Wilde die zijn vogelnet uitlegt, het is een mooie herfstmorgen met een lichte mist, gedroomd weer om te vinken. De vogels laten zich inderdaad gemakkelijk verschalken en vallen in de netten die toeslaan.

Omstreeks tienen komt vader mij halen. Alle jonge mannen trekken er vandoor, de Duitsers zijn op komst, Antwerpen is gevallen. Tante Maria is daar onverwachts binnengekomen met de mare dat vertrekken het veiligst zou zijn voor u. Ikzelf stond er sip bij. Tante Maria drong aan, die en die, en die zijn al weg. Over een maand is de oorlog gedaan, zijn de Duitsers verslagen en komt iedereen terug. Maak u uit de voeten, want ze zullen de jonge mannen opeisen enz.

Vader aarzelt, hij die altijd zo zeker van zijn stuk was. Moeder is radeloos en zucht. Tante Maria liet niet af. Vader gaf toe. Hij zou met mij naar het gemeentehuis gaan, om te vernemen wat men over de aangelegenheid dacht, en vandaar misschien naar St.-Pietersstation waar een laatste trein te twaalf uur met de uitwijkende jongeren zou vertrekken. Ik kreeg een pak belegde boterhammen mee, vader gaf mij zijn uurwerk en moeder moest tien bankbrieven van twintig frank met sluitspelden in de binnenzak van mijn jas veilig tegen verlies wegstoppen. Ik moest mijn beste pak aantrekken, dat stond deftiger, ik kon toch niet zo met een door-de-weeks pak aan weggaan; het is zijn eerste lange broek, zei moeder. We waren weg, vader en ik.

We gingen eerst naar het politiekantoor rechtover het oefenplein, de commissaris zei dat het de hoogste tijd was om te gaan. Hij gaf mij een persoonsbewijs, dat is officieel, zegde hij, het kan desnoods dienen om u in 't leger te engageren, alle jongeren moeten soldaat worden, dat ik nog geen zeventien was, maakte voor hem geen verschil. Hoe sterker ons leger, hoe eer de oorlog gedaan is.

Toen we weer op straat stonden stapte juist een patrouille Ulanen van een man of tien van hun paarden die ze vastbonden aan de omrastering van het oefenplein. We repten ons voort en gebaarden van niets. De Duitsers deden of we niet bestonden, ze keken hun kaarten in en letten op de voorbijgangers niet.

Over het Ledebergse Kerkplein, St.-Lievenspoort en het Stadspark bereikten we St.-Pietersstation. Onderweg was het rustig, maar hier was er geroezemoes. Een trein stond onder stoom en zat al vol, allemaal jongeren, doch meestal ouder dan ik. Vader stond er sip op te kijken toen de trein langzaam wegreed. Ik was op de vlucht. Waarheen? Dat stond in de palm van Gods hand geschreven.

OP DE VLUCHT

Twaalf oktober 1914. Op de trein was het verre van rustig. Een volkje van zeer diverse pluimage hield er de prettige noot in, al zaten er een paar op de houten banken bijna te wenen. Ikzelf wist niet wat ik best doen moest en was allerminst opgetogen van blijdschap met het allegaartje waarin ik was beland. Ik zou mij maar sterk houden en niet de leerling van le Collège Sainte Barbe uithangen. Ik at te gelegenertijd een deel van mijn belegde boterhammen op, maar het kropte in mijn keel.

De trein denderde langzaam voort, moest herhaaldelijk stoppen. We passeerden Drongen en zagen te Landegem bij de brug over de Schipdonkse Vaart een afdeling gidsen loopgrachten aanleggen terwijl anderen op de uitkijk lagen achter de aarden borstwering. Voor het gewuif dat hun vanuit de trein toegestuurd werd, bleven ze onverschillig, ze dachten blijkbaar het hunne van die jonge enthousiastelingen die niet wisten wat hun te wachten stond.

Tegen de avond waren we al te Brugge geraakt. In de trein was er intussen van alles te horen en te zien. De meesten waren van plan zich vrijwillig bij het leger aan te melden en trachtten de weifelaars over te halen; anderen zouden proberen te Oostende de boot naar Engeland te nemen en daar werk zoeken.

Met de nacht vielen de meesten in slaap, zittend of liggend op de houten banken. De trein zette zijn sukkelgangetje in de duisternis voort en tegen zonsopgang stond hij voor het sein in het station te Zandvoorde, het laatste station vóór Oostende. De stationschef oordeelde dat er weinig kans was in de loop van de ochtend het station van Oostende te bereiken, want alle sporen waren door militaire konvooien in beslag genomen. Er werd beslist te voet naar Oostende te gaan, een klein uurtje.

Ik at met lange tanden de overgebleven boterhammen op, dacht aan huis, het wenen stond mij nader dan het lachen. De trein liep leeg. Ik ging mee met de stroom waar een aantal onderofficieren vooraan stapten die ons regelrecht naar de kazerne leidden, alsof zij in opdracht handelden en ons zo maar gingen inlijven.

Onderweg bleven een aantal van het gezelschap achter, sommigen konden niet volgen, anderen gingen op zoek naar eten, of vroegen de weg naar de haven. De stad zag zwart van het volk en van de soldaten, alle wapens dooreen; er liepen Franse mariniers, Engelse ruiters met rinkelende sporen, een stick onder de arm, elegant en superieur. We kwamen eindelijk aan de kazerne die openbarstte van de uniformen. Ze zagen er verre van fris uit. Die hoop burgers die ongevraagd binnengekomen waren, gunde niemand een blik. Er werd gevraagd waar het kantoor voor de vrijwillige aanmeldingen was, geen een kon het zeggen, maar men zou te één uur van hieruit vertrekken met de klas van 1914, te voet over Nieuwpoort naar Duinkerke, de mannen uit Gent kunnen meegaan.

Ik knoopte het in mijn oren, zou ondertussen in de stad rondslenteren, en kreeg hoe langer hoe minder trek naar het leger. Ik heb ergens aan een kraam bij de zeedijk koffie gedronken. Het was de eerste maal in mijn leven dat ik de zee zag, heerlijk weder, een mailboot stak in zee. Heimwee overviel mij, ik had lust om op mijn stappen terug te keren, huiswaarts; maar hoe?

Lang voor énen was ik aan de kazerne en daar stond inderdaad een lange sliert jonge mannen, allemaal in burger aan te schuiven bij het hek. Een jonge luitenant trad aan, met een drietal onderofficieren die niet meer van de jongste waren, met papieren onder hun arm. En route pour Dunkerque, le long de la côte, ce soir on sera à Adinkerke où on logera dans une école. We kenden onze bestemming en ons logement.

De lange tocht ving aan. Langs het strand. Er werd halt gehouden onderweg, een keer of drie, voor een half uur. Van de inwoners kregen we boterhammen, koffie, peren, appelen. Niet iedereen kon het marstempo bijhouden, de achteroprakers namen in aantal toe en waar ze nadien terecht zouden komen, daarover bekommerden de luitenant noch de onderofficieren zich. Zelf kon ik het tempo bijhouden. Rond zessen passeerden wij de IJzer vóór Nieuwpoort, het lag er vol piotten die het met ons luchtig opnamen. Ik zag er een Gentbruggenaar, Leonard de Wilde; hij vroeg mij wat ik hier liep te doen, en toen hij hoorde dat ik met een kolonne van aanstaande vrijwilligers meetrok naar Duinkerke, bezwoer hij mij niet te tekenen; het is tijd genoeg om op te trekken naar de troep wanneer men u oproept. Wij liggen hier sinds gisteren te wachten op de Duitsers. Ik heb Nard de Wilde niet weergezien, maar hij is heelhuids uit de oorlog te Gentbrugge teruggekeerd.

De lange sliert van Oostende was een ordeloze hoop slungels geworden. We kwamen over Oostduinkerke, Koksijde, De Panne, Adinkerke; daar was de school. Trek uw plan, morgen te negen uur op weg naar Duinkerke. We trokken ons plan en sliepen in op de lessenaars. De nacht door was het één komen en gaan, één roepen en tieren, te zes uur was iedereen op de been, op zoek naar eten in een nog sluimerend dorp. Zo goed en zo kwaad als het ging, kwam ik aan de kost. De Westvlaamse mensen hadden medelijden met ons, ze hoorden ons uit waar we vandaan kwamen; ze verkochten garnaal tegen een halve frank voor een kilo en deden gouden zaken.

Omstreeks negen uur stonden de luitenant met zijn onderofficieren voor de school; waar ze de nacht hadden doorgebracht, was een raadsel. De uitgedunde troep kwam langzaam in beweging, en zette zijn mars naar Duinkerke voort. Men zegde ons dat in de haven een schip op ons wachtte, dat wij vandaar naar Cherbourg zouden varen, en zo dieper Frankrijk in. Het werd dezelfde eentonige tred langs het strand; eerst Bray-Dunes, en verderop Roosendael. Wat er daarna kwam, weet ik niet meer. We zaten in alle geval in Frankrijk, er was veel militaire beweging op de weg; de bevolking keek de refugiés medelijdend aan. We zullen er waarschijnlijk niet monter uitgezien hebben.

Na veel sukkelen en wachten, waren wij in de late namiddag in het havenkwartier en gingen onze geleiders op zoek naar het schip. Ze vonden het, het bleek al volgeladen met legermateriaal; we moesten nog een paar uur wachten voordat wij aan boord konden. We maakten van de gelegenheid gebruik en gingen op zoek naar mondvoorraad, wie weet wat we op reis onder de tand zouden krijgen.

De havenbuurt was bepaald niet aanlokkelijk, overal even vies en druk, een snaterend volkje en vloekende voerlieden. Aan sommige kroegdeuren lokten raargeklede vrouwen de mannen mee naar binnen. Ik begreep het maar half, maar uit de praat van sommige refugiés maakte ik op waarover het ging. Ik hield mijn hart vast, wanneer ik zag hoe hier met het zesde gebod op grote schaal werd gesold; het goddeloze Frankrijk van pastoor van Pottelsberge de la Potterie lag hier op straat. Vive la France! Van Duinkerke heb ik niets anders gezien dan de haven waar veel schepen aan zwarte touwen lagen, andere in- en uitvoeren, waar zwarte schoorstenen hun rookpluimen in de naderende avond over het water spreidden.

Te zeven uur zaten we op het schip, een weinig aantrekkelijke cargo; we mochten in het ruim waar dikke vlechtmatten waren gespreid: slaapgelegenheid. Als moeder mij hier zou zien onder dit bonte volkje! Ik tastte of de twintig bankbriefjes nog veilig in mijn binnenzak achter de Gentbrugse sluitspelden zaten. Het scheepsvolk was van diverse huidskleur, maar ze droegen allen de Franse matrozenbaret met het rode pomponnetje. De naam van het schip ben ik vergeten.

Ondanks het lawaai ben ik op de ijzeren vloer en de vlechtmat in slaap gevallen tussen de anderen die evenzeer doodop waren van vermoeienis. Ik rekende dat het woensdagavond was, dat ik al tweemaal vierentwintig uren van huis weg was, dat ik op een schip zat en weldra varen zou. Dat het oorlog was in het land was ik bijna vergeten. Hoe was ik hier gekomen? Zijn wij nu ingelijfd? Ik heb toch geen enkel papier ondertekend. Zitten de luitenant en de drie onderofficieren ook op het schip? Die vragen en vele andere dwarrelden door mijn geest en drukten mijn ogen dicht.

Al vroeg kwam er leven in de menselijke lading van het schip. We kropen naar boven en buiten, we zaten op volle zee, nergens land te bespeuren. Naar de zon te oordelen voeren we zuidwestwaarts, er stond een frisse bries, we waren toch in oktober. Na een paar uren was er land in het zicht. Men zei: dat is Cherbourg. Ik raadpleegde bij mijzelf mijn aardrijkskundige kennis, kon mij zo navenant voorstellen waar die Franse havenstad gelegen was: aan de Noordzee, op een in zee uitstekende kaap.

Omstreeks de middag werden we afgeladen. De luitenant en zijn helpers waren er ook; ze verzamelden alle Belgen en moesten vaststellen dat het aantal manschappen waarmede ze in Oostende vertrokken waren, fel geslonken was. Où sont les autres? Geen antwoord. De haven zag er netter uit dan die van Duinkerke. Op een hoog voetstuk bij de haveningang een standbeeld van Napoleon: ja, de keizer is hier geland toen zijn lijkkist uit St.-Helena terug in Frankrijk kwam; collegeherinneringen! Op de rondrijdende wagentjes van eet- en drinkwaarleurders was er spijs en drank in overvloed, maar toen het bleek dat geen enkele Belg Frans geld bij zich had, werd het een echt drama: hongerige magen hier, proviand en lafenis daar, te Duinkerke aanvaardde men Belgisch geld, hier niet. Er vielen harde woorden, in het Vlaams tegen de Franse verkopers. Deze riposteerden uit hun woordenvoorraad op een even onheuse manier. Tot de Belgische onderofficieren, die eeuwig onovertroffen olijkerd, algauw de agent van een wisselkantoortje in de haven onder de arm namen en voor de pijnlijke situatie de oplossing aan de hand deden.

In de namiddag stak men ons op een gereedstaande trein, het was alsof hij op ons wachtte. Het duurde lang voordat we vernamen wat het eindpunt van de reis was, tot het uitlekte dat de bestemming het Camp d'Auvours was, ergens diep in Frankrijk. We zaten dus toch op een militair konvooi, dat ons ergens in de schoot van 't leger zou afladen. Frans leger? Belgisch leger? Het kon moeilijk iets anders zijn dan het Belgisch leger, want de luitenant en zijn drie onderofficieren waren Belgen.

Voor mijn geest rezen heel wat vragen op. Soldaat, oorlog; thuis; college; humaniora; maar ik heb nooit ja gezegd voor een vrijwillig engagement; men heeft het me zelfs niet gevraagd; ik ben nog geen zeventien jaar; thuis heeft men niet veel met het leger op; alles wat ik in de drie laatste dagen van de soldaterij gezien en gehoord had, vond ik afschuwelijk; kon ik hier maar weg; ik zat gevangen in een val; hoe lang?

De trein vertrok in de late namiddag. Vaarwel Cherbourg, stad van mijn eerste groot heimwee. Ben ik tenslotte veel meer dan een kind? Nog geen zeventien, mijn eerste lange broek aan. Ik geloof dat ik geweend heb. Zo staat Cherbourg in mijn geheugen. Telkens als ik de naam van die stad lees, of hoor uitspreken, valt mij die in-triestige donderdagavond van 15 oktober 1914 te binnen, toen ik op die trein zat, en wachtte, het onzekere tegemoet. Le Camp d'Auvours, nooit van gehoord, waar ligt dat precies?

Al de belangstelling die ik ooit heb opgebracht voor nieuwe en onbekende dingen, mensen en plaatsen, is verzwonden. Ik voel mij ledig, zonder inhoud, haveloos, zonder kompas, zonder wilskracht. Waar zijt ge nu wilskracht, waar pater Deschamps zo de nadruk oplegde? De jezuïetenopvoeding heeft met mij nog niet veel eer opgestoken; wat verricht ik hier op de houten banken van een derde klascoupé, op een wagen van een Frans treinstel, op de sporen tussen Cherbourg en le Camp d'Auvours? Ik droom weg uit de werkelijkheid, en bid. Moeder heeft mij leren bidden in voorspoed en tegenspoed. Hier is het volop tegenspoed.

Het eentonig gedender van de trein telkens wanneer hij over de verbindingsvoeg van twee rails schokte, maakte mij soezerig. Is dat het effect van mijn gebed niet? De trein stopt. We staan in een station, Valognes. Op het perron een Belgische schildwacht; een compagnie van de klas van 1914 ligt hier al twee weken op instructie. We rijden voort de nacht in, de vierde maal achtereen. Te Gentbrugge staat mijn bed, onbeslapen, ik voel het niet aan als een drama want ik slaap ondanks alles in, alleen is men 's morgens wat strammer. In volle nacht zijn we te Caen, te vier uur is het Alençon; wanneer het dag is, staan we in het station van Le Mans, blijkbaar op een zijspoor gerangeerd.

Er is een soldatencantine, ze wordt bestormd. Weerom geen Frans geld. Engels geld wordt aanvaard, Belgisch geld niet. Er wordt getelefoneerd en na een uur is alles opgelost. We zullen hier lang blijven staan. De locomotief van de trein is afgehaakt. We vernemen dat le Camp d'Auvours in de buurt is, op minder dan tien kilometer. In de stad is er ook een belangrijk opvangcentrum voor vluchtelingen, van waaruit deze naar verschillende kleinere plaatsen in het departement worden gezonden voor onderkomen. We zijn in het Département de la Sarthe, en Le Mans is de hoofdplaats. We knopen al deze dingen in onze oren en noteren het adres van bovengemeld trefpunt. Wat zullen we doen? We trekken terug naar het station, waar de trein naar le Camp d'Auvours nog wacht op een locomotief en op zijn lading.

Wanneer hij eindelijk vertrekkensklaar is, blijkt het weerom dat de amateurs voor het kamp uitgedund zijn. Kort nadien zijn wij op de bestemming. De trein laadt ons af in een arme streek, we zijn omgeven door dennebossen.

Op minder dan tien minuten gaans staan we te midden in een reusachtig tentendorp. Soldaten zijn aan het excerceren op een oefenplein, Fransen. Men verwacht Belgische recruten voor de tenten. Er ligt stro in. We wachten en gapen, uren aan één stuk, van eten en drinken geen spoor. Onze luitenant en onderofficieren zijn zoek. We lopen rond, niemand kijkt naar ons om. Tegen valavond ontfermt een Belgische legeraalmoezenier zich over ons: het is pater Servranckx uit St.-Barbara. Hij praat Frans als ik hem in het Nederlands aanspreek en mijn exodus vertel: ,,Eh bien! nous ferons la campagne ensemble''.

We brengen ongevraagd de nacht door in le Camp d'Auvours op het stro van de tenten. Geen ziel kijkt naar ons om. Zijn wij soldaat of niet? We gaan proviand inslaan in een Franse kantine, gelukkig heb ik wat Frans geld. Les petits Belges! Het moreel is zeer laag bij wat van de uit Oostende vertrokken marskolonne overblijft. Ze zwerven doelloos uren rond, op zoek naar iets waar ze kunnen aanhaken. Franse artilleristen zijn er te over; des Belges, oui là-bas, met een onverschillig gebaar.

We staan te gapen op een dubbele rij in een vuil Belgisch uniform gestoken manschappen die door een dikke commandant gedrild worden. Hij tiert tegen de sjofele recruten en scheldt op ons: ,,Foutez le camp, tas de pékins, que venez-vous faire ici, allez au morne''. Dat deed voor velen de deur dicht; we waren hier blijkbaar niet gewenst. Niemand vroeg nog naar iets waar we terecht konden om opgenomen te worden in het leger. Laten we het liefst naar de verzamelplaats van de vluchtelingen in

Le Mans terugkeren; het lag voor de hand want we worden hier weggejaagd.

Maar hoe buiten het kamp komen? We zullen het riskeren, men kan niemand verplichten hier te blijven. Zo gezeid, zo gedaan. Het paar honderd die overgebleven waren en blijkbaar goed samenhoorden, hadden hun buik vol van de militaire pomperijen, ze gaven het gewoon op en trokken er eensgezind uit. Aan de rand van het kamp stonden Franse schildwachten, artilleristen met blanke sabel, ze vroegen ons niets en wij hun ook niet. Twee minuten later stonden wij op de grote baan en sloegen gezwind de richting Le Mans in.

Het was een heel eind. Onderweg keken boerinnen met een eigenaardige platte muts op ons ondervragend aan: des petits Belges! We kregen cider te drinken; ze begrepen maar moeilijk dat we niet allemaal Frans konden praten; mais votre langue, c'est de l'allemand. Ik moest, tevergeefs, uitleggen dat het le flamand was.

Laat in de namiddag waren we in het opvangcentrum, in volle stad. Franse dames en aangestelden achter lange tafels schreven onze namen op, vroegen persoonsbewijzen, keken vreemd op van het papier dat ik van de Gentbrugse politie-commissaris had meegekregen, ik moest het vertalen. Niemand vroeg waar we vandaan kwamen, hoe we hier beland waren. We werden ingedeeld in groepen van twintig, zouden logies krijgen in de stad en konden wat eten, brood met rillettes. Het smaakte lekker, een paar Gentenaars noemden het Franse ,,huufdvlakke''. We kregen het adres van ons logies, moesten vóór achten daar zijn; we zouden 's anderendaags, quelque part dans le département, voor definitieve plaatsing chez l'habitant vertrekken.

Elke groep van twintig slenterde door de stad en had veel bekijks, des petits Belges réfugiés! Ons nachtverblijf was een grote zaal, waar geen stro te kort was, ze maakte deel uit van een school, er was een tweede grote zaal voor vrouwen aan de andere zijde. De mannen waren in de meerderheid. De plak werd gezwaaid door een Franse sergeant, een kortaangebonden heerschap die nogal ruw tekeerging wanneer men hem iets vroeg; hij stelde orde op zaken, en we konden slapen met of zonder licht. Ik berekende dat het de tweede keer was, dat ik op stro lag. Het was nu zaterdagavond. Morgen zondag. Zal ik naar de mis kunnen gaan? Het zou de eerste maal in mijn leven zijn dat ik de mis verzuimde.

De zondagmorgen was elkeen vroeg uit zijn stro. Er was heel wat herrie bij de wasgelegenheid, tot de sergeant ons verplichtte in de rij te staan. Toen hem gevraagd werd waar we konden eten, schoot hij heftig uit: of hij voor alles moest zorgen, hij had zelf nog niets onder de tand gehad, je n'ai rien à vous donner, débrouillez vous, à onze heures à la gare des vicinaux pour le départ dans le département, partagez vous en groupes de vingt.

We informeerden waar het station van de buurtspoorwegen lag: naast het grote station. Ik had een paar uren voor de boeg en zocht naar een kerk. Het was la cathédrale St.-Julien, waar ik een goed stuk van de hoogmis kon bijwonen, voor het ander stuk zou O.L. Heer wel een uitkomst hebben.

Te elf uur aan de Gare des Vicinaux. Het was er echt au rendez-vous des Belges. De sergeant ontbrak niet en gaf zijn bevelen met een snerpende fluittoon alsof de noordenwind uit zijn mond blies: par ici, par là, voyons fainéants, vingt dans chaque voiture. Het was een lange rij wagens, op smalspoor met een hijgend stoomlokomotiefje vooraan. Ik was in het midden van de rij terecht gekomen, en hoorde de spoorbeambten uitleggen dat de drie laatste wagens voor Bonnétable bestemd waren en daar zouden afgehaakt worden, de overige zouden doorrijden tot Mamers. Mijn aardrijkskundige kennis schoot te kort om deze grootheden op de kaart van Frankrijk thuis te brengen.

Het buurttreintje met de Belgische vluchtelingen vertrok in de vroege namiddag; we lieten zonder spijt de Franse sergeant achter. De streek waar we doorreden had haar eigenaardigheden, helemaal plat was ze niet, maar lichtjes golvend, bedekt met weiden vol appelbomen en kleurrijk rijpe vruchten. Er waren geen halten te kort. Omstreeks vier uur was men te Bonnétable, een grotere vlek dan de vele die wij voorbij gestoomd waren. De drie laatste wagens werden afgehaakt en de Belgische inhoud opgevangen door een groep mannen die de petits Belges naar buiten leidden ergens heen; de overblijvenden wuifden ze achterna.

Een paar uur later was het onze beurt: Mamers, een klein stadje omringd door heuvels. Men verwachtte ons: des petits Belges. Men was zeer verwonderd te vernemen dat er zo weinig Franssprekenden onder ons waren. Men bracht ons op een openbaar plein in een grote zaal waar cider opgediend werd met sneden brood en rillettes, de lokale vleesbereiding in het département de la Sarthe. Een dikke meneer liep glimlachend tussen de aangekomenen, men zei dat het le sous-préfet de Mamers was; hij vroeg hoeveel er waren die Frans verstonden, een viertal meldden zich aan: algemene verbazing op bijna tweehonderd réfugiés Belges. De Fransen waren niet onvriendelijk, maar vriendelijk was toch anders.

We zouden de nacht doorbrengen in l'Eglise Saint Nicolas, en morgen uitbesteed worden in de gezinnen die een petit Belge aangevraagd hadden voor het werk dat verricht werd door de mannen die gemobiliseerd waren, we zouden daarvoor vergoed worden.

In de kerk lag het stro op ons te wachten. Er waren de dag voordien al Belgische gezinnen gearriveerd die een hele beuk hadden in beslag genomen, mannen en vrouwen en kinderen uit de streek tussen Leuven en Mechelen herkomstig. We werden niet verwelkomd door onze landgenoten. De laatste aangekomenen waren allen mannen uit Oost- en West-Vlaanderen, kerels die nog niets van de oorlog ondervonden hadden. We zochten als konijnen een leger in het stro en wanneer men wat te veel dekking meescharrelde, zat het erop vanwege de Leuvenaars die tot hiertoe heel de kerk en de provisie stro voor zichzelf alleen hadden.

Voor de derde keer in stro, op een harde vloer, in het huis Gods op een zondagavond. Wat wordt het morgen? Zullen wij hier blijven? De Leuvenaars deden of ze al ingeburgerd waren, ze hadden kaarsen bij, praatten onzacht, speelden kaart; ik lag onder het gekleurd kerkraam van St.-Niklaas, kon moeilijk de slaap vinden. In de loop van de nacht werd ik wakker, iemand was mijn jas aan 't aftasten. Voor ik mij rekenschap gaf wat er gebeurde, was de man weg. De sluitspelden van moeder hadden stand gehouden, mijn Gentbrugse engelbewaarder waakte. Ik sliep voort, als een muis in het meel, de aftaster daagde niet meer op. Ik besloot liever niets te laten blijken van hetgeen mij overkomen was, maar dubbel op mijn hoede te zijn.

Men kon zich in open lucht wassen, onder overdekte stadshallen, precies tegenover l'Eglise Saint Nicolas. Die maandagmorgen was het marktdag te Mamers, een niet ongewone belevenis voor iemand die in dit provinciestadje was komen uit de lucht vallen. Ik was juist een week van huis weg; er rezen problemen van lichamelijke reinheid en van kleding. Ik had een minimum hand- en neusdoeken meegenomen, een overjas was thuis gebleven, mijn beste pak met mijn eerste lange broek had veel van zijn frisheid verloren. Wat zal ik doen?

BOERENKNECHT

We werden in de loop van de ochtend bijeengeroepen op de sous-préfecture en zouden een onderkomen toegewezen krijgen bij de burgers die een petit Belge wensten. Een boer met een Franse rode soldatenpet op, vroeg iemand om op zijn bedrijf te helpen, daar hijzelf opgeroepen was en door de overheid met de vuilnisophaaldienst van de stad was belast; hij was heel de dag weg. Maar 't moest iemand zijn die Frans sprak en wat van de boerderij afwist. Ik werd aangeduid.

De boer nam mij een eindje buiten de stad mee naar zijn hofstede op de weg naar Sure, haalde er zijn vrouw bij, naast een oude knecht die beweerde dat hij aan de oorlog van soixante-dix had deelgenomen, en een meid van een jaar of dertig, van wie later bleek dat zij simpel was. Mijn nieuw tehuis had geen Leuvense stoof, maar een breed haardvuur waarop een paar potten te pruttelen hingen.

De boerin wees mij mijn slaapstede aan, in een paardenstal met drie paarden; het was een afgerasterde ruimte met een strozak, die zij met lakens opmaakte tot een niet onordelijk uitziend bed. Het deed mij watertanden. Voorts kwam ze met een boerenplunje voor de dag, die er vrij netjes uitzag en die ik aantrok: de boerenknecht, deuxième prix d'excellence à la quatrième latine B du Collège Ste Barbe de la Compagnie de Jésus à Gand.

Van de boer kreeg ik een werkprogramma voorgeschoteld. Ik had destijds ooit koeien gemolken, maar gebaarde nu liefst van niets. Aan de gemeenschappelijke tafel kregen we cidersoep met brood voorgeschoteld, die elk voor zijn eigen rekening uit een grote kom lepelde; onnet waren die mensen niet. Toen ik, uit gewoonte, een kruis maakte, nu ik aan een fatsoenlijke tafel zat, keek men mij met verbaasde ogen aan: vous êtes chrétien, nous, on ne va pas à l'église.

In de namiddag trok ik mee met de knecht en de rare meid, op een typische Franse lamoenkar, naar de weide om appelen te knuppelen en ze op te laden voor de ciderbereiding. Tegen de avond was de karrebak vol en op de boomgaard van de hoeve afgestort, zoals men dat in Vlaanderen met de aardappelen doet; daar zou later de cider gemaakt worden. Ik sliep voor de eerste maal sedert meer dan een week in een bed, in de paardestal. Ik dacht aan de boevers van Stijn Streuvels die ook bij hun paarden sliepen.

Te zes uur werd ik door de halfgare meid van bij de staldeur wakker geroepen: soigner les chevaux. Er lag een handdoek met zeep voor mij klaar bij het puthuisje, maar men moest het water in een emmer aan een touw met een lier naar boven winden. Die paarden verzorgen en voederen lokte mij niet aan, ik had het thuis op onze boerderij honderden keren zien doen, maar zelf had ik het nooit gedaan. Ik was niet bang voor een paard, maar wist ook dat elk dier zijn eigen aard en grillen heeft, en dat men ze tijdens het eten best met rust laat. Roskammen, borstelen, voederen, harnassen en voor de lamoenkar spannen, waren dingen die mij niet best afgingen, de oude knecht had het in de gaten en hielp mij.

We vertrokken naar een andere weide appelen knuppelen en opladen. Die ciderappelen zijn tamelijk klein, van drie soorten, zure, bittere en zoete, maar het eten niet waard. We hebben dat werk een week lang alle dagen gedaan.

Op zekere dag zou ik de paarden in een driespan leggen om een vracht naar een verre hooggelegen akker te voeren. In de driespannen van de Sarthe lopen de paarden achter elkaar, in Vlaanderen liggen ze naast elkaar. Die Franse manier was mij volkomen vreemd, en de oude knecht bracht het weer in mijn plaats voor mekaar. Daarmee moest ik maar op weg.

Toen ik de Franse paarden met een Vlaamse ju en oh wilde wegwijs maken, ging het helemaal niet meer. De oudstrijder van 1870-1874 kreeg het op zijn zenuwen en kafferde mij uit. Het kon niet langer meer zo voortgaan mij paardeknecht laten spelen. Wanneer de boer 's avonds thuiskwam werd er beraad gehouden en ging iedereen akkoord dat men naar een andere oplossing zou uitzien.

De eerstvolgende zondag was er de samenkomst van de refugiés belges op de sous-préfecture. Ik daarheen. De heer Vander Mierden, een Leuvens ambtenaar die met zijn groot gezin te Mamers was beland net zoals de anderen, en die de persoon was voor het bemiddelen tussen de vluchtelingen en de lokale overheid, begreep mijn toestand. Een korte poos nadien had hij de oplossing gevonden en stelde hij mij voor aan een heer, eigenaar van een papier- en boekenzaak, die een Franssprekende petit Belge zocht om in te wonen en in zijn winkel te helpen. De heer, hij heette Georges Fleuriel, nam me mee naar zijn woning, Place Carnot 9, het marktplein, vlak voor de Eglise Saint Nicolas, die ik al kende uit mijn logieservaring bij mijn aankomst te Mamers. Het was een geweldige meevaller.

Ik trok naar mijn boerderij en mijn paardenstal. De boer en de boerin vonden het een goede oplossing. Ik pakte mijn schamel boeltje, zegde iedereen goede dag en merci en kreeg tot afscheid mijn loon voor tien dagen boerenarbeid, een briefje van twintig frank. Het was het eerste geld dat ik ooit in mijn leven door eigen werk had verdiend.

MAMERS (SARTHE), VILLE DE CIDRE, DE CALVADOS ET DE RILLETTES

In het gezin Fleuriel waren er twee meisjes, een van twaalf en een van twee jaar. De heer des huizes was een veertiger die elk ogenblik kon gemobiliseerd worden, mevrouw was er een van de vaardige soort, niet op haar tong gevallen. Ze hadden een goed beklante papierwinkel, waar schrijfbehoeften, dagbladen en wat boeken verkocht werden; ze konden een hulpje best gebruiken.

Ik werd vriendelijk ontvangen, kreeg op de tweede verdieping een kamer aangewezen, met opgemaakt bed, een kleerkast, tafel met wastafel. Wat een weelde na al mijn stro- en paardestalervaringen. Ik mocht met het gezin mee aanzitten en het gesprek kwam beiderzijds vlug op gang. Ik was de hemel dankbaar die voor zo'n goede uitkomst had gezorgd en maakte het voornemen er alles op te zetten om het hier lang uit te houden.

Mijn taak bestond erin elke dag de zendingen naar het station met een licht kruiwagentje af te halen, de dagbladen in de stad en aan de soldaten in het noodhospitaal van het college te bezorgen, in de winkel behulpzaam te zijn met het aanbrengen van koopwaar, allerhande boodschappen te doen, zodat de eigenaars zich volledig met hun zaak konden bezighouden.

In dit kleine stadje heerste een grote drukte, in hoofdzaak wegens de aanwezigheid van vele honderden soldaten. Vooreerst het eigen garnizoen van het 115e infanterieregiment, met zijn ontelbare reservisten, die een grote kazerne betrokken, allemaal mannen met rode broek en rode kepie. Daarnaast lag in de stadsschouwburg een bataljon jagers te voet, dat uit zijn garnizoenstad Vésoul tijdelijk naar hier was overgeplaatst. De vele soldaten betekenden voor de zaak Fleuriel een ongewone bedrijvigheid.

Lang duurde het niet alvorens ik opging in dit nieuwe milieu. Wanneer ik alleen was, speelde de Gentbrugse thuis voor mijn geest, maar ik dacht dat het in de gegeven omstandigheden voor mij veel slechter zou kunnen zijn. In de Franse dagbladen las ik over de slag bij de IJzer waar de Duitse opmars werd gestuit, over de overstromingen, de fuseliers marins de l'Amiral Ronarch à Dixmude ... ik dacht aan die van Melle, nog geen maand geleden.

De Fleuriels waren gelovig en kerkgangers. Ik vernam al spoedig dat zoiets te Mamers scherp in het oog gehouden werd en aan iemand cachet bezorgde. Met Allerheiligen en Allerzielen ging ik naar de mis in l'Eglise Notre Dame. De Eglise St.-Nicolas, waar ik op stro geslapen had, was in onbruik bij gebrek aan een pastoor, ze werd als vergaderzaal gebruikt. Er was een bisschoppelijk college met een priester aan het hoofd, maar met lekenleraars.

Mamers is een arrondissementshoofdplaats van ongeveer 6.000 inwoners, met een sous-préfet. De toenmalige titularis was de heer André Bouffart, een charmante heer die de Belgische vluchtelingen een warm hart toedroeg; hij kwam vaak bij de Fleuriels een krant kopen en vroeg telkens hoe de petit Belge het maakte. Hij trachtte alles van mij te weet te komen, en ik moest hem vertellen over mijn thuis, mijn school, over la guerre enz.

Te Mamers woonde Joseph Caillaux, gewezen Frans minister, wiens vrouw in 1913, de hoofdredacteur van *Le Figaro,* Gaston Calmette had doodgestoken; zij was vlak voor het uitbreken van de oorlog door een Franse rechtbank vrijgesproken. Die moord en dat proces hadden ook in België grote ophef gemaakt en het was o.m. daarom dat pastoor van Pottelsberghe de la Potterie zo geweldig tegen het goddeloze Frankrijk te keer ging. Joseph Caillaux heb ik ontelbare keren gezien, hij was gemobiliseerd en liep rond in het uniform van officier-payeur, met de graad van kolonel. Zijn echtgenote die men te Mamers la Caillotte noemde, was minder te zien.

De Caillaux bezorgden aan Mamers een zekere beruchtheid. Hij was député de la Sarthe, telde in zijn stad evenveel tegen- als medestanders, en in de esbattementen van zijn wederhelft hadden de tongen stof te over tot roddelen. Caillaux had enkele goede vrienden die hem door dik en dun verdedigden en wier gehechtheid hij te gelegenertijd niet onbeloond liet. Een van zijn politieke steunpilaren was le curé de Saint Pierre des Ormes, een klein nestje van vijfhonderd inwoners op een paar uur van Mamers.

In de stad zelf en in de omgeving waren vele Belgische vluchtelingen ondergebracht; de meeste waren uit de streek van Leuven en Mechelen hier al een tijdje voor ons aangekomen. In de sous-préfecture was de centrale gevestigd waar de uitgewekenen voor inlichtingen en hulp konden terechtkomen. We wisten dat het Internationale Rode Kruis, door de tussenkomst van de Spaanse gezant in België, markies de Villalobar, pogingen aanwendde om via Zwitserland de thuisgebleven ouders en familieleden op de hoogte te brengen waar de uitgewekenen zich bevonden. Er werden met dat doel diplomatieke stappen bij de Duitsers aangewend.

We moesten een steekkaart invullen waarvan de neutrale gegevens over Pontarlier en Basel hun bestemming in het bezette gebied konden bereiken. De sous-préfet spande zich persoonlijk voor deze zaak in en maakte daarvoor van de heer Vander Mierden zijn rechterarm.

Door mijn baantje bij de Fleuriels kwam ik met veel personen in aanraking. Dagelijks zag ik Belgische vluchtelingen. Zij hadden het in het algemeen niet slecht, sommigen zelfs buitengewoon goed, wanneer zij wegens hun beroep bij ambachtslieden nuttig werk konden verrichten waarvoor zij betaald werden. Ik hield mij tevreden met kost en inwoon, en soms een fooitje; voor wassen en verstellen zorgde de vrouw des huizes. Onrechtstreeks vernam ik dat mijn gastheer en gastvrouw over mij tevreden waren; ik deed mijn best om ze niet teleur te stellen.

Elkeen wachtte op het eind van de oorlog, men was overtuigd dat het vóór nieuwjaar 1915 zou afgelopen zijn, met een volkomen nederlaag van Duitsland. Te Mamers was elkeen met de oorlog begaan, men liep er letterlijk verloren tussen de soldaten, men verslond de dagbladen met de oorlogsberichten, men aanhoorde de verhalen van verlofgangers. De deken predikte regelmatig over les barbares d'Outre-Rhin. Er waren oorlogsgewonden in het noodhospitaal. Er was niets tekort. Met Kerstmis werd aan de manschappen van het 115e die aan het front waren een verpakking rillettes gezonden. Met Nieuwjaar werd cidre bouché gedronken; koffie was een zeldzame lekkernij en ze werd telkens aangelengd met een ferme scheut Calvados.

De stad lag aan de grens van le Département de la Sarthe. Op twee kilometer van het centrum was men in le Département de l'Orne, en dat maakte deel uit van La Normandie. De cider was de nationale drank, bier heb ik er nooit gedronken, wijn was een luxe voor een buitengewone gelegenheid.

Er werd bijna uitsluitend met hout gestookt, de haarden, fornuizen en stoven waren op het houtstoken berekend, er was een intense houthandel. Ieder huis had ergens in zijn kelder enkele vaten cider liggen, waaruit getapt werd voor tafelgebruik.

Sterke drank werd in hoge mate gebruikt, meestal binnenskamers, openbare dronkenschap was een zeldzaamheid. Politieke dweepzucht met onverdraagzaamheid was hier schering en inslag, maar door de oorlogsgebeurtenissen wat afgezwakt, men was voor of tegen les curés en stond als dusdanig aangeschreven.

Mamers droeg al de kenmerken van een landelijk provincialisme, hooghartig, egocentrisch, republikeins en Frans chauvinistisch. Er was een Place de la République, een Rue Ledru-Rollin, een Place Carnot, een Rue du Fort, maar vooral een Rue de Paris. De hartklop van Parijs was tot in deze sous-préfecture waar te nemen. Elke morgen brachten de Parijse kranten het nieuws uit de hoofdstad, *L'Echo de Paris, Le Journal, Le Matin.* Des avonds was het *L'Ouest-Eclair,* de meest fanatieke van allemaal. De priesters werden wat minder scheef bekeken want ze waren soldaat zoals de anderen, en blind ingenomen met alles wat naar Frans patriottisme rook.

De wekelijkse maandagmarkt was een openbare demonstratie van het regionale ambachtswezen; bezembinders, gareelmakers, ketellappers, mandenvlechters brachten hun waar aan de man. Uitgespannen paarden en muilezels stonden aan de ringen van de trottoirs vastgehecht, straten ver. Men verkocht van alles. Boerinnen met hun typische Sarthiaanse mutsen op, voerden vaak het hoge woord aan de kramen, in een dialect met eigenaardige klanken, waar de woorden ,,ghâ'' en ,,tais-tè'' vaak in voorkwamen. In de omliggende herbergen werd bij het onderhandelen solied van het mengsel koffie-calvados gedronken. Onder de hallen was er graan-, zaden- en cidermarkt. Ik vond het buitengewoon boeiend op die markt rond te slenteren en mijn ogen de kost te geven, het was voor de weetgierige petit Belge uit Vlaanderen een leerzaam schouwspel.

Op tweede Kerstmisdag werd ik 17 jaar. Ik was met mijn gedachten meer thuis dan te Mamers, maar maakte van de nood een deugd. Kort na Nieuwjaar werden de réfugiés Belges dringend opgeroepen naar een samenkomst in de Eglise Saint Nicolas waar een Belgische volksvertegenwoordiger en een priester ons een bezoek zouden brengen. Die priester was pater Servranckx, mijn gewezen surveillant uit St.-Barbara, nu legeraalmoezenier.

Er was veel volk aanwezig wanneer de twee bezoekers met monsieur le sous-préfet en de heer Vander Mierden uit de auto stapten. Wie de volksvertegenwoordiger was, weet ik niet meer, hij sprak ons in het Nederlands toe, pater Servranckx eveneens. Men moest veel geduld hebben want de oorlog zou lang kunnen duren, voorts vlijtig werken en de goede faam van de petits Belges hooghouden. Aan degenen die in staat waren de wapens te dragen, vanaf de leeftijd van achttien jaar, werd uitdrukkelijk aangeraden zich in de sous-préfecture aan te melden voor het leger, want het vaderland had zijn kinderen nodig. Pater Servranckx stelde zich ter beschikking van degenen die wilden biechten, maar had niet veel succes. Monsieur le sous-préfet stond geduldig en vol belangstelling toe te kijken. In minder dan een uur was alles afgelopen en vertrokken de bezoekers zoals ze gekomen waren, nadat ze nog even met de aanwezigen wat hadden gepraat en handen gedrukt. Grote geestdrift had het bezoek niet gewekt, het was als een ijskoude regenvlaag neergekomen. Zonder veel commentaar trok elkeen naar zijn verblijfplaats en ik heb niet gehoord dat een van de talrijke meer dan achttienjarigen zich heeft aangemeld voor het leger.

Na dit bliksembezoek zat ik in de put en was ik zeer neerslachtig: de oorlog zou lang kunnen duren. Wat een onheilsboodschap! En ik zit hier, hoe goed ook, in Frankrijk, zonder uitkomst, zonder uitzicht. Ik ben al drie maand van huis weg. Waar zal dat op uitlopen? Ik vertelde over het bezoek aan mijn gastheer, die eveneens opschrikte wanneer hij de uitspraak van de Belgische bewindsman vernam. We deden voort.

Ik trok elke ochtend met mijn kruiwagentje naar het station, deed graag wat van mij gevraagd werd, las *L'Echo de Paris,* knoopte kennis aan met l'abbé Fontaine, een priester op rust die ooit dans la Flandre belge geweest was, en zeer scrupuleus van aard. Elke morgen deed hij zijn boodschappen en met een brood onder de arm kocht hij zijn krant. Hij sprak mij over Pascal, Port-Royal, le Jansénisme. Hijzelf deed maar eenmaal mis in de week, op zondag, uit louter schroom voor de diepzinnigheid van de Eucharistie. Ah! le beau pays de France déshonoré par tant de mauvais journaux, des feuilles d'ordure, etc.

HET HUZARENSTUK VAN VADER

Woensdagochtend 2 februari 1915. Ik was de kranten naar het station gaan afhalen, had niets bijzonders opgemerkt. Toen ik een kwartier later in de winkel Fleuriel mijn dagelijks werkje deed, stond daar plots in de deuropening mijn vader. Ja, hij. Verbazing mijnerzijds! Vreugde op zijn gelaat! Ontmoeting zonder veel woorden!

Hoe komt gij hier? Hoe weet ge dat ik hier ben? Vader haalde een kaart te voorschijn, van het Internationale Rode Kruis: Leon Elaut à Mamers, Sarthe, France, Place Carnot 59. Het klopte. De heer en mevrouw Fleuriel met hun kinderen daagden op. Votre père; comment?

Het verhaal begon. Thuis had men de beruchte kaart ontvangen. Zodra men besefte wat het stuk betekende, stond het bij vader vast; ik ga hem halen.

Hij trok op inlichtingen en bij advokaar Robert Groverman, een jeugdvriend, even oud, met wie hij in 1879 geloot had, en van wie vader wist dat zijn zoon in Engeland verbleef, te Folkestone. Er werd een reisplan opgezet: over Holland, vanuit Vlissingen per boot naar Engeland, voorts naar Boulogne-sur-Mer in Frankrijk over Le Pas de Calais, naar Parijs per spoor en van daaruit naar Mamers. Samen visten ze uit waar Mamers lag. Groverman oreerde: dat wil ik zien of gij het klaarkrijgt.

Vader kreeg het klaar, en daar stond hij, moeder maakte het goed. Ik vertelde mijn wedervaren sinds oktober 1914 en hoe ik te Mamers aangeland was. Hij vertelde over zijn reis, vijf dagen onderweg. Uit Gent vertrokken op vrijdag 29 januari met de trein over Zelzate en Terneuzen, met een Duits paspoort, hij had het bij zich: Familienangelegenheiten, kranke Frau besuchen. Hij had het vrij gemakkelijk bekomen. Te Vlissingen gelogeerd, 's anderendaags met de gewone mailboot naar Folkestone, een kleine dag varen. Te Folkestone in een opvangcentrum voor vluchtelingen de nacht doorgebracht. Vrij vlot op de mailboot naar Boulogne-sur-Mer. Daar wat haperingen bij de aankomst, kon bewijzen dat hij Belg was aan de hand van zijn trouwboekje. Wilde zijn zoon in Frankrijk bezoeken, toonde de kaart van het Internationale Rode Kruis. Geslapen op de nachttrein naar Parijs. Te Parijs in Belgische ambassade wegwijs gemaakt naar Mamers. Weer een nacht op de trein, overstappen enz. 's Morgens op O.L. Vrouw Lichtmis te negen uur, station Mamers. Gevraagd naar Place Carnot; hier ben ik.

En nu zo gauw mogelijk naar huis. Te Gentbrugge is alles rustig, we hebben geen last van de Duitsers. De Fleuriels konden hun oren niet geloven bij het vreemde verhaal. Het speet hen dat ze mij straks kwijt waren. Vader haalde zijn beste Frans voor de dag om gastheer en gastvrouw te danken. Hij vroeg wat hij voor mijn verblijf te betalen had. Krachtdadige weigering.

Een stuk van de dag werd de terugreis besproken en gepland; we konden in de vooravond met de nachttrein Parijs halen. We regelden het afscheid in het vluchtelingenkantoor met de heer Vander Mierden. De sous-préfet verscheen, hij had al vernomen dat een heer uit bezet België te Mamers was gearriveerd en hij wilde hem spreken.

Hetzelfde verhaal werd weer uit de doeken gedaan. De sous-préfet was één oor. Vader toonde zijn Duits paspoort. Goede terugreis. Vader gaf opnieuw zijn oratie met plechtige dankbetuigingen ten beste. We namen afscheid van de familie Fleuriel, ik had een krop in de keel, mevrouw Fleuriel weende. De heer Fleuriel, zijn schoonbroeder en een neef, Roger Guy, vergezelden ons tot aan het station. Rond acht uur vertrok de trein. Adieu Mamers! Un dernier et grand merci à tous!

We stapten over te Alençon, waren omstreeks middernacht in Argentan, en zaten te twee uur op de trein naar Parijs. Sliepen op de harde banken. Vóór acht uur al in de Gare Saint-Lazaire. Er was daar een opvangcentrum voor vluchtelingen; men zond ons van Pontius naar Pilatus en ten slotte naar de Belgische ambassade, ergens in de buurt van de Arc de Triomphe de l'Etoile, op een van de grote boulevards die daarop uitlopen. We reden met de metro. Wat een belevenis.

Op de ambassade kregen we na veel palaveren een vrijgeleide tot in Engeland. We spraken niet van een terugreis naar België. Vader was hen te sluw af, hij wou zijn zoon op een school in Engeland plaatsen. Het pakte. Te genen prijze hem naar het leger afleiden, daarvoor had hij die lange reis niet ondernomen, zo was zijn stilzwijgend besluit en hij hield het erbij. Zovelen waren in de eerste week na hun vlucht uit Engeland en Holland al teruggekeerd.

Met opgelucht gemoed weer in de metro, naar de Parijse Gare du Nord; twee spoorkaartjes naar Boulogne-sur-Mer. Een volgeladen trein: soldaten in veldtenue terugkerend uit verlof. Wij zwijgzaam, somwijlen induttend. Passeren Beauvais. Trein is niet van de snelste. Passeren Abbeville. In de late avond te Boulogne. Logeren in de Gare Maritime waar Engelse oude dames zich over de soldaten en over ons, Belgian refugees, ontfermen. Kunnen morgen met de tweede afvaart vertrekken, nadat onze papieren nagezien werden.

De vrijdagmorgen werd besteed aan paspoortencontrole. De Fransen zijn bijzonder stug. We worden aan de lijve onderzocht om te zien of wij geen verboden zaken meehebben. Men valt op vaders Duits paspoort dat cito aangeslagen wordt, een slechte noot. Wat we gaan doen naar Engeland? Mijn zoon op school plaatsen; zie de vrijgeleide uit de Belgische ambassade te Parijs. Het pakt. Twee kaartjes voor de overzetboot. Wanneer vader bij de controle zijn Duits paspoort terugvraagt, krijgt hij ten antwoord dat het stuk al bij de militaire politie is. We varen in de namiddag naar Engeland, op de boot Engelse soldaten, ook enkele Belgische; een heldere en vlotte overvaart van een paar uren.

Te Folkestone weer opgewacht door dames die Fransen, Engelsen en Belgen elk een bijzondere kant uitsturen en ze wegwijzen naar logies. Er is een huis voor Belgische reizenden met eet- en slaapgelegenheid. We maken er graag gebruik van; we slapen in een bed; we kunnen in de late voormiddag naar Vlissingen oversteken, zes uren varen. We bezoeken eerst de zoon van Groverman die hier uitgeweken is en op een kantoor een baantje heeft. Hij helpt ons door een havenloods waar Belgische pennelikkers onze papieren nakijken en afstempelen. Een daarvan vraagt aan vader waarom hij zijn zoon niet naar het leger zendt, hij kan zich hier in Engeland laten inlijven. Waarop het prompte antwoord: ,,Waarom laat gij u, mijnheer, niet inlijven?'' We mochten door, de boot op.

De zee was niet van de kalmste. Er was veel volk, Nederlanders en heel wat Belgen, vooral ex-burgerwachten die naar de heimat terugkeerden, nadat ze in Engeland maandenlang nutteloos en werkeloos hadden rondgezworven. Er waren een paar Ledebergse bekenden onder hen. We legden in de late namiddag te Vlissingen aan, en hadden meteen het gevoel van bijna thuis te zijn.

Op de kade was er geen paspoortencontrole, en een zeer oppervlakkig nazicht door de douane. Men kon gaan waar men wilde, maar werd aangeklampt door Hollanders die logies aanboden. Daar vader het adres op zak had waar hij bij de heenreis de nacht had doorgebracht, trokken wij daarheen. We waren welkom, er was al een Belgische vrouw voor ons, die 's anderendaags met de boot naar Terneuzen afvoer en naar België terugkeerde. Het was een Gentbrugse, de kaas- en visverkoopster van bij de overweg op de Brusselse Steenweg. Wat een toeval!

De boot naar Terneuzen ging te acht uur. We waren vroeg uit de veren en berekenden dat we 's avonds konden thuis zijn. Het was zondag. Onze vrouwelijke reisgenote had geen paspoort om België binnen te komen, ik ook niet en vader was het zijne afgenomen in Frankrijk. Hoe dat klaar spelen? We konden in Terneuzen de trein naar Gent nemen, maar moesten te Zelzate door de Duitse controle en dat kon een hachelijke zaak worden.

Op de overzetboot waar geen Belgen te kort waren die de knepen van het onrechtmatig grensverkeer door en door kenden, zette men ons in een handomdraai uiteen hoe we ongemerkt en veilig in het vaderland konden komen. Afstappen te Sas van Gent, te voet door de polder naar Wachtebeke, Oude Burgse Sluis, daar ligt de grens praktisch open. Met een paar Bismarcksigaren laten de Duitse schildwachten door wie wil.

We zouden het proberen. We stapten af te Sas van Gent naar de aangeduide plaats. De Hollanders waren meegaand en het bleek weldra dat de klinkerweg naar Oude Burgse Sluis niet zonder verkeer was, in beide richtingen. Aan het einde liep hij uit op een boerderij met herberg, waar een Nederlandse militaire grenspost lag. Precies aan de overzijde van de weg lag de grens, en tien meter verder stond een boerderij met een Duitse schildwacht naast de prikkeldraad die er losjes bijhing. Vader haalde de Bismarcksigaren te voorschijn en de Duitser lichtte zelf de draad op. We liepen op een dijk tot aan de Oude Burgse Sluis. De baas van de herberg raadde ons aan de minst druk begane oever van de Langelede te nemen, omdat de Duitsers nooit langs daar komen om de grenspost te bereiken.

Rechtdoor naar Wachtebeke, vandaar naar Zaffelare over de Loze Boer naar Lochristi en zo naar Gent. Vijf uur marcheren. Wij hadden het ervoor over. Onze vrouwelijke reisgenote zag ertegen op, maar het kon niet anders. De baas uit de Oude Burgse Sluis had ons goede raad gegeven. We passeerden een Duitse onderofficier per fiets, maar hij was aan de overzijde van de Langelede, hij keek naar ons doch zette zijn weg voort.

Te Wachtebeke kwamen we op verhaal, konden uitblazen en een stukje eten; nog vier uur voor de boeg, goede moed en verderop naar huis. Te Zaffelare weer een rustpoos, het was al een stuk in de namiddag. Aan de Loze Boer was het de Antwerpsesteenweg; het werd stilaan donker. Lochristi. Nog even gerust; een uurtje tot aan de Potuit te St.-Amandsberg, waar de Gentse tram zijn eindpunt heeft. We kregen vleugelen bij die gedachte. Onze reisgenote had het bijzonder lastig; begrijpelijk voor een vrouw.

We kregen eindelijk de tram in het oog. Ik liep een eind vooruit om de trambediende te vragen even te wachten met het vertrek, omdat een zwaar vermoeide vrouw moeilijk te voet verder kon. Een halve minuut nadien spoorden de drie, vermoeid maar dolgelukkig, naar Gent-Zuid, vandaar met tram 1 naar Gentbrugge-Arsenaal. Het moet zowat goed negenen geweest zijn, toen we daar aankwamen. Onze reisgenote was thuis; wij straks ook.

Keiberg nr. 3. De sleutel op de deur, vader en ik vielen als een dondersteen in een verlichte eetkamer waar moeder ons wenend in haar armen sloot. Waren daar ook de families Thienpont en De Cock, die moeder op die eenzame zondagavond hadden gezelschap gehouden en aan een konijnensouper hadden aangezeten. Er werd verteld en nog verteld, tot laat in de avond. Tot de slaap ons overmeesterde in ons eigen bed. We waren thuis op 7 februari 1915; ik was vertrokken op 12 oktober 1914.

Wanneer ik boven dit relaas schreef dat het vanwege mijn vader een huzarenstuk was, zal mij niemand tegenspreken. Al wie het vernam, was het daarmee eens, ook advokaat Groverman aan wie vader de groeten van zijn zoon uit Folkestone overbracht.

Vaders huzarenstuk had een staartje op de Duitse Kommandantur. Hij moest zijn paspoort binnendragen, doch het dokument was hem te Boulogne ontnomen. Niet helemaal gerust ging hij naar Gent, werd niet bijster goed ontvangen met de verklaring dat zijn geldtas met het paspoort hem ontstolen was. Hij werd op de rooster gelegd, uitgescholden en laat in de namiddag onder dreigementen van Einsperrung de deur gewezen. Pas dan voelde hij zich volkomen verlost van een last die hem zwaar drukte; hij ging zijn alteratie afdrinken met een borrel in Het Gouden Zulleken in het Kouterstraatje.

Moeder verklapte later dat zij ter ere van de Heilige Gerardus een gebedsnovene had onderhouden wanneer vader mij naar Frankrijk gaan halen was, en dat ik precies op de negende dag thuis gekomen ben. De heilige man had in alle geval zijn werk goed gedaan en werd er ook in zijn offerblok voor beloond. Moeder gaf maar wanneer zij het gevraagde had bekomen, nooit op voorhand.

Mamers kwam thuis dikwijls ter spraak. Na de oorlog heb ik naar mijn Franse verblijfplaats geschreven. Er kwam antwoord dat alles goed was, dat men na mijn vertrek een ander petit Belge had opgenomen, dat het gezin Fleuriel met een zoon verrijkt was, enz.

Toen ik in 1927-1928 te Parijs studeerde, heb ik een weekendbezoek aan Mamers gebracht. Weinig was veranderd, behalve de drukte. Het 115e infanterieregiment lag er niet meer in garnizoen. Het stadje was in zijn provincialistische rust gedommeld, met nauwelijks enkele mensen op straat. Joseph Caillaux woonde er nog en was terug de grote meneer. Mijn erkentelijkheid voor allen die ik daar ontmoet heb, blijft oprecht.

TERUG NAAR SINT-BARBARA

Het spreek vanzelf dat ik daags na mijn thuiskomst terug naar het college ging. Men was verwonderd en blij. Ik moest meer dan een pater over mijn peregrinaties vertellen.

Ik zat in de derde Latijnse B; leraar was pater Paul Cols, een Antwerpenaar, nogal kittelorig, maar zeer ijverig; hij gaf de vier talen en moderne geschiedenis. Dit laatste viel tegen, wanneer we terugdachten aan de bijzondere manier waarop pater Fraeys ons de geschiedenis van de middeleeuwen had bijgebracht.

Tot het Grieks behoorden spraakkunst, zinsbouw en de *Anabasis* van Xenofoon, in het laatste trimester de eerste zang van Homeros' *Ilias*: Mènin aeide, thea. Het Latijn bracht ons de kennismaking met le discours indirect. Ik had enige moeite om mij in te burgeren want de verloren trimester kon ik op één week niet inlopen. We worstelden met Titus Livius en Hannibal: de tocht met de olifanten over de Alpen, de slag bij het meer van Transimene en bij Cannae. Op het eind van het jaar lazen wij een keur brieven uit Cicero.

Frans en Nederlands beperkten zich tot wat literatuurgeschiedenis en de regelen van het verhaal en de beschrijving. Pater Cols kon daar niet veel bezieling achtersteken. Uit *De Vlaschaard* van Stijn Streuvels werd voorgelezen, maar overtuigend was het niet.

Voor de wiskunde had ik, met mijn al zo geringe knobbel voor dat vak, een lelijke achterstand; men was met de leerstof al een eind in de meetkunde. Ik nam particuliere lessen bij de heer Lievens, om de opgelopen schade te herstellen, zodat ik op 't eind van 't schooljaar toch voldoende punten haalde en zonder herexamen naar de tweede kon overgaan. Bij de stelling van Pytagoras ben ik voor het ezelsbrugje blijven staan ... en sta er heden nog voor.

Een goede herinnering heb ik bewaard aan de godsdienstlessen van pater E. van Hoeymissen, de studieprefect. Hij behandelde de sacramenten op een oorspronkelijke manier, die veel in onze geest heeft achtergelaten en tot de vorming van het geweten heeft bijgedragen. Het was tijdens een les over het huwelijk dat Louis Ligy aan de pater vroeg of men kinderen kon krijgen zonder gehuwd te zijn. Het antwoord luidde: ,,Vraag dat aan uw vader''. Van Hoeymissen schrok bij die vraag, haalde zijn rode zakdoek te voorschijn en maneuvreerde ermee voor zijn aangezicht zonder blijkbare reden. Iedereen in de klas zweeg als vermoord.

Van mijn derde Latijnse heb ik maar een flauwe indruk bewaard. De brave pater Cols vertegenwoordigt in de rij van mijn humanioraleraren geen hoogtepunt. Een aantal kameraden uit de vierde waren uitgeweken: twee Gentbruggenaars, August de Schrijver en Hubert de Bruycker zaten in Engeland. De eerste is teruggekeerd, de tweede is gesneuveld te Houthulst, op de eerste dag van het grote septemberoffensief van 1918.

De traditionele plechtige prijsuitdeling was herleid tot een banale afroeping van de uitslagen. Ik had de vijfde accessit in de uitmuntendheid, na al het voorgevallene was het zo slecht niet. Louis Ligy was de traditionele eerste. Primus perpetuus in 1915 was Albert van Nuffel, notaris-zoon uit Nazareth, een echt fenomeen. Jozef de Munter uit Gentbrugge was tweede in die Retorika. Hij trad in bij de jezuïeten te Drongen, is te Leuven jaren lang professor in de wijsbegeerte geweest, daarna rector in de Hogere Handelsschool van zijn orde te Antwerpen.

De grote vakantie die op mijn derde Latijnse volgde, droeg de sporen van de oorlog.

We zaten te Gent in het Etappegebiet, en dat bracht een beperking van de bewegingsvrijheid mee. Fietsen was verboden; de treinen waren alleen voor das Militär. Te voet mocht men zich niet buiten het arrondissement begeven. Wetteren b.v. lag in een ander arrondissement en was verboden terrein. Viane en St.-Maria-Latem evenzeer. Brieven schrijven mocht ook niet; voor een geringe verplaatsing die gemotiveerd zou kunnen zijn, moest men te Gent een vrijgeleide gaan halen en het was een hele toer om er een los te krijgen. Het viel niet zelden voor dat een spoorwegbrug voor een paar dagen extra bewaakt werd en men zonder een Zeugnis niet voorbij mocht.

Al die pesterijen maakten het etappeleven niet tot een pretje. Wie buiten de voorgeschreven zone gesnapt werd, kreeg vijf dagen gevangenis. Onze nicht Valentine die naar Aalst bij familie was gegaan, moest eraan geloven en kwam in de Wandeling terecht.

In het najaar van 1915 lazen we in *De Landwacht* van de lijkdienst voor de gesneuvelde Frederik Elaut, soldaat van het eerste artillerieregiment. Hij was de oudste zoon van Karel Elaut, landbouwer te Scheldewindeke, en kleinzoon van neef Frederik uit Oordegem. Daar Scheldewindeke tot het Gentse gebied behoorde, konden vader en ik erheen. Het was op de gemeente een echte demonstratie. Frederik was in de Slag van de IJzer gewond, naar Frankrijk geëvacueerd en na maanden in een veldhospitaal te St.-Pol-sur-Mer, bij Duinkerke, overleden. De ouders werden van officiële zijde van dat overlijden op de hoogte gesteld, maanden nadien. Op een van mijn fietstochten door Frans-Vlaanderen heb ik zijn graf te St.-Pol bezocht.

IN POËSIS

Die klas heette in St.-Barbara de tweede Latijnse: Seconde Latine. Het eerste wat we bij de heropening vernamen, was dat afdelingen A en B samen waren gevoegd tot één tweede; we waren een klas van achtendertig leerlingen. Onze leraar was Leon de Coninck, een Aalstenaar, die reeds het tweede jaar die klas gaf; hij was nog geen priester, ongewoon voor de Tweede.

Pater De Coninck was een uitzonderlijk briljant leraar. Hij begon met te zeggen dat hij nooit zou straffen en dat hij erop rekende dat het niet nodig zou zijn. We waren daarmee als op onze banken geklonken; hij en wij hebben het waar gemaakt. Hij gaf ons de vier talen. Geloofsverdediging kregen we van de retorikaleraar, pater A. de Bil, samen met zijn leerlingen. Maar dat is een andere geschiedenis.

We hingen aan de lippen van pater De Coninck. Hij was bijzonder spraakvaardig, misschien wel met een tikje berekende pose, maar hij verblufte ons telkens weer met zijn vondsten en flikkerende uitdrukkingen. Hij was een geboren woord- en stematleet. Van hem werd verwacht, dat hij ons met de schoonheid van de dichtkunst zou vertrouwd maken. Dat veronderstelde dat wij niet bij tekst- en zincomplicaties zouden blijven hangen, want hij beweerde zo maar, dat wij die nu onder de knie hadden. Wat lang niet altijd waar was. Maar het gaf ons zelfvertrouwen; als wij ergens zouden haperen, zou hij ons uit de penarie helpen, zonder puntenverlies.

Het begon met de *Pro Archia Poeta* van Cicero, een pleidooi van de Romeinse redenaar ten gunste van zijn eigen leraar die iets mispeuterd had. Op minder dan één maand was die rede gezien en wisten we dat Cicero het Archiasproces verloren had. Maar we hadden een stel retorische knepen van een sluwe advokaat doorkeken en door pater De Coninck in het Latijn horen voordragen, alsof hij te Rome zelf op het podium stond, en de rechters smoesjes aan het wijsmaken was.

Ik heb in mijn leven de Archiasrede van Cicero wel tien maal herlezen, ook in de prachtige Nederlandse vertaling van A. Geerebaert s.j. (1939). Dat literair juweeltje te hebben uitgezocht en in zijn klas besproken, is al op zichzelf een bewijs van pater De Conincks pedagogisch doorzicht. Hij had daarmee het gemoed van zijn leerlingen veroverd en hun geest blijvend verrijkt.

Daarna begon hij aan Virgilius' tweede zang. Het was de eerste keer dat wij met Latijnse verzen en Latijnse ritmen te maken hadden. Eerst wat theorie over versvoeten, jamben, trocheeën, anapesten, alexandrijnen en de rest. Het ging niet zozeer om die versvoeten, zei pater De Coninck, maar om de diepmenselijke mildheid die het verhaal adem gaf. Virgilius kwam over als de milde Romein, waarvan de tekst vele paarlen bevatte die onze leraar blootlegde en door zijn taalkundig kommentaar liet bewonderen.

In het tweede trimester was het nog Virgilius, de *Bucolica* en een brok *Georgica*; hij liet ons die als huistaak vertalen. Tityrus, Melibaeus en Amaryllis werden vertrouwde kennissen, en menige Latijnse spreuk hebben wij uit hun mond geplukt en onthouden. De esthetische snoeper die pater De Coninck zelf was, deelde ons van zijn smaak iets mede dat beklijfde en duurzaam werd.

In het derde trimester kwam Horatius aan de beurt. Het begon met de tweede epode *Beatus ille qui procul negotiis*. We kregen niet veel eerbied voor het epicuristisch varkentje die Horatius was, maar des te meer voor de manier waarop die gepolijste geest zijn gedachten kon verwoorden. Een zevental oden werden op dezelfde fijnzinnige manier ontleed en als slot, in een synthetisch kadertje te midden de fine fleur van de Romeinse intelligentia te pronk gezet, zoals alleen pater De Coninck dat kon.

Als ik mij ooit aan een vertaling van Horatius' *Opera Omnia* heb gewaagd, dan was het uit louter genoegen, om nog eens, na vijfentwintig jaar, de subtiele woordkunst van die egocentrische dagdief te kunnen genieten. En te pogen ze in mijn eigen moedertaal weer te geven. Waarin ik helaas maar zelden geslaagd ben. Pater De Coninck stond, zonder dat hij het ooit zal geweten hebben, aan het begin van mijn grote Horatiusliefde.

Ik kan zo voortgaan, De *Ilias* van Homeros, zesde, negende, zestiende en vierentwintigste zangen, een trimester lang, daarna Alkaios, Sappho en Aisopos. Alleen onderbroken door een voor onze prille geesten vatbare uiteenzetting over de schoonheidsleer en een boek psychologie.

De Franse lessen waren navenant. Victor Hugo met al zijn bombast werd tot in de grond afgebroken. Uit de niet zo vlotte sonatendichter José de Hérédia werd meer gehaald dan er op het eerste gezicht inzat. Lamartine werd voor de melancholische welvloeiendheid van zijn verzen geprezen maar als dichter niet overschat. Voor Edmond Rostand had hij een zekere voorliefde.

Het derde trimester stond in het teken van Guido Gezelles ,,Rijkdom die geen roest en kent''. Een beetje P.C. Hooft kregen wij als toemaat. Hélène Lapidoth Swarth was te tranerig, Jacques Perk te kunstmatig, Albert Verwey kon er door, maar Willem Kloos had de boter opgegeten, behalve met zijn zeegedicht. ,,Ik houd van proza'' van Lodewijk van Deyssel werd door pater De Coninck op een ongeëvenaarde wijze voorgelezen. Die lectuur alleen was een festijn.

Tijdens de paasvakantie 1916 trok pater De Coninck met ons naar het Kasteel van Laarne en naar het typisch romaans kerkje van Afsnee. Over beide monumenten hield hij ter plaatse een historische uiteenzetting waarvan de frisheid mij nog voor de geest staat, even duidelijk als de heerlijke meinamiddag van die vakantie.

Op het einde van het schooljaar mochten we ons hart in verzen uitstorten, we kregen een week om eender welk gedicht ineen te steken, maar het moest van eigen maaksel zijn. Toen de pater na een paar dagen de binnengebrachte poëtische opussen had ingezien, luidde zijn vonnis: er zit geen enkel dichter in de tweede Latijnse. Hij treurde er niet om. Zijn diagnose is juist gebleken.

De eerste van de klas in het schooljaar 1915-1916 was Honoré van Waes; Louis Ligy moest voor hem de duimen leggen.

Pater Leon de Coninck was een superieur man. Zijn later leven werd door dezelfde schittering gekenmerkt. Hij heeft naam gemaakt als predikant. Hij predikte volksmissies, geestelijke recollecties, retraites voor priesters en kloosterlingen, in het Frans, in het Nederlands, in het Latijn. Allen die hem gehoord hebben werden door het woord dat zijn geestelijke distinctie weergeeft, bezield, geïmponeerd, en blijvend overweldigd.

Hij was overste van het Brusselse jezuïetenklooster, toen hij door de Duitsers in 1942 werd aangehouden en naar het concentratiekamp van Dachau weggevoerd. Hij had al te vrijpostig op de kansel een oordeel uitgesproken over de dwangmethodes waarmede het nationaal-socialisme de geesten trachtte aan banden te leggen. Hij is heelhuids uit de hel van Dachau teruggekeerd en heeft daarna zijn apostolaat hervat. Van zijn moedige houding heeft hij nooit hoog opgegeven. Toen de amnestiegedachte zich moeizaam in de jaren 1950-1960 een weg baande, is hij in het weekblad *De Linie* ten gunste van amnestie voor de door de repressie gestrafte incivieken in het krijt getreden. Dat hij een moedig man was, heeft hij meer dan eens bewezen. Hij is in 1964 overleden.

HET ONTLUIKENDE ACTIVISME

Zelfs tijdens, maar voornamelijk na dat onvergetelijk schooljaar 1915-1916 kreeg ik bewust kennis van een beweging die zich in zekere Vlaamse kringen begon te vertonen en nogal opdringerig van zich liet horen. Affiches, pamfletten, krantenartikels riepen op tot het bijwonen van volksvergaderingen waar redenaars de Vlaamse situatie van het ogenblik zouden uiteenzetten.

Op het college, zowel als daarbuiten, werd daaraan aandacht besteed, en tekenden zich twee stromingen af. De sterkste was radikaal tegen. Een Vlaams politieke werking, zolang de oorlog duurde, werd niet opportuun geacht. Dat zo'n werking door de Duitse bezetter niet in de kiem gesmoord, doch geduld werd, werd als handlangerij beschouwd. De traditionele franskiljons aanzagen de beweging als landverraad. De traditionele flaminganten die afzijdig bleven en niet wilden meedoen noemde men de passivisten. De andere groep die wel met de beweging instemde, noemde men de activisten.

Hoe het allemaal ontstaan en gegroeid was, drong tot mij op dat ogenblik niet door. Vlaamsgezindheid lag mij van nature, en bij verschillende gelegenheden had mijn Vlaams hartje gepopeld, ik had de drie kraaiende hanen gehoord, maar was nooit bij het strijdende flamingantisme als zodanig betrokken geweest. Het belette niet dat ik tot de Vlaamsgezinden van het college behoorde, alleen al omdat ik het gezelschap van andere Vlaamssprekenden opzocht. De Franssprekenden werden om dezelfde redenen tot de franskiljons gerekend.

De jezuïeten waren neutraal en namen geen uitgesproken houding aan. Maar ze wisten natuurlijk wat er omging; er waren beiderzijds geen luidruchtige uitingen van gevoelens, en dat volstond om de goede naam van het college te handhaven, in oorlogstijd meer dan ooit.

Hoe er binnenkamers over de evolutie van de meningen gedacht werd, wisten we niet, maar het was toch ondenkbaar dat een burcht van traditionalisme als een jezuïetencollege zich niet zou ineenrollen als een egelstelling van beproefde vaderlandsliefde. Voor niemand was het een geheim dat pater M. Verheylesoon inlichtingen over Duitse troepenbewegingen verzamelde en doorspeelde aan een spionagecentrum. Charles van der Meersch uit onze tweede Latijnse die in de zaak betrokken was, kon niet zwijgen en kwam ons en anderen vragen of we niets gezien hadden, en briefde het gehoorde binnen het uur aan pater Verheylesoon over. We berustten daarin. Het stond niet in verband met Vlaams- of Fransgezindheid, en zeker niet met het antagonisme tussen passivisten en activisten.

Ondertussen had de aanslepende oorlog in het bezette gebied, en in het Etappegebied in het bijzonder, de levensvoorwaarden van de bevolking zeer benard gemaakt. Werkgelegenheid was er bijna niet en de voedselschaarste begon zwaar te drukken. De Hollandse grenzen werden hermetisch gesloten omdat de Duitsers ondervonden dat jonge mannen zich, via het neutrale Nederland, bij het leger van de Verbondenen gingen vervoegen. Ze werden natuurlijk vanuit Nederland daarvan op de hoogte gehouden.

Vanaf medio 1916 moesten alle mannen van achttien tot vijfendertig jaar zich om de maand aan het Meldeamt te Gent aanbieden. Wanneer ze één dag te laat verschenen, was dat een week gevangenis. Wanneer ze niet kwamen, werd de familie lastig gevallen. Ik ben zo meer dan twee jaar lang in de Gentse Handelsbeurs om de maand een datumstempel op mijn Meldeamtkarte gaan halen.

Vanaf 1916 werd een beperkte voedselvoorziening voor de Belgische bevolking georganiseerd door de Amerikaanse Commission for Relief in Belgium, onder het voorzitterschap van Herbert Hoover. Dat ,,Amerikaans Comiteit'' zond, met goedvinden van de Duitsers, ladingen voedsel naar bezet België, die over de Rotterdamse haven ons land bereikten. Voor de distributie zorgden lokale comitees.

Deze hulpactie heeft veel voor de bevolking gedaan. Maisvlokken, gort, suiker, spek werden om de maand uitgedeeld, weliswaar niet in grote of onbeperkte hoeveelheid, maar wat er, meer dan twee jaar lang uitgedeeld werd, heeft menigeen in het leven gehouden. Het Amerikaanse spek dat de enige vetvoorziening uitmaakte, was niet van een bijzonder fijne kwaliteit, maar het werd dankbaar verwelkomd. De Gentenaars waren gelukkig met hun ,,schellekens Wilson''. Ze gaven het de naam van de toenmalige Amerikaanse president W. Wilson.

De geschiedenis van de voedselvoorziening tijdens de Eerste Wereldoorlog werd elders geschreven. Naast deze en andere officiële voorzieningen, bestond er een intense sluikhandel in voedingswaren, die vanaf het platteland de stad bereikten. Voor de gelukkigen die het konden betalen, was het een uitkomst.

Voor ons die op het platteland woonden en in nauw contact leefden met de landbouwers en andere producenten, was het voedselprobleem niet zo acuut als voor de stedelingen. Thuis gevoelden we natuurlijk de beperking, maar vader en moeder hebben er voor gezorgd dat we nooit in de penarie zaten of iets te kort hadden, de kwaliteit van het voedsel daargelaten. We konden zelfs van onze Merelbeekse familie een varkentje in de kuip op een stootkar naar Gentbrugge smokkelen.

Moeder had daarvoor opnieuw de heilige Gerardus te werk gesteld en hem iets beloofd wanneer alles goed verliep. Het slaagde en de heilige kreeg zijn part van het varkentje, onder een bijzondere vorm weliswaar, en o.m. ook mijn dankgebeden, want ik had aan die stootkar dapper geduwd, om ze onder de neus van de Duitsers thuis te krijgen.

De door de activisten stelselmatig gevoerde campagne was te intens om de gemoederen van jonge mensen die op de drempel van de retorika stonden, onberoerd te laten. We wisten dat de Gentse universiteit, door een beslissing van de Duitse overheid vernederlandst was en in oktober 1916 haar deuren zou openen. Er werd een wervingsaktie voor inschrijvingen onder de afgestudeerde humanioraleerlingen ingezet. Maar zonder groot succes.

Enkele Vlaamsgezinden onder de St.-Barbaraleerlingen, door een initiatief van Edmond van der Meulen en Jozef Gheysen uit de derde Latijnse, hadden een Vlaamse studentenbond opgericht en hem *Vlaanderen Herleeft* genoemd. Ze stemden zijn werking af op de oudere studentenbond *Leie en Schelde* van St.-Lievenscollege, waarvan Herman van Overbeke de hoofdman was. Er was een maandelijkse vergadering in het Davidsfondszaaltje van de Baudeloostraat met de gestereotypeerde agenda van elke Vlaamse studentenbond: voordragen, zang, lezing door een van de leden, soms een toespraak van een gastspreker.

Het ontstaan van de studentenbond *Vlaanderen Herleeft* had niets met het ontluikende activisme te maken, doch het kon moeilijk anders of het hete hangijzer van de Vlaamse actualiteit kwam daar ook ter spraak, en er vormden zich een passivistische en een activistische kern. Deze laatste was de hardste en de actiefste. Het moest tot de overheid van het college doorgedrongen zijn dat Edmond van der Meulen de roervink was, want hij werd ter verantwoording geroepen. Het liep uit op zijn vertrek uit het college. Doch *Vlaanderen Herleeft* ondervond er nauwelijks de terugslag van en zette zijn werking voort.

Al op het eind van mijn Poësis was ik lid van de studentenbond. Thuis vond men het goed, doch niet zonder de vaderlijke vermaning tot kalmte en voorzichtigheid, want vader zag wel in dat de Vlaamse twistpunten van de dag zich in de studentenbond zouden laten gelden. Hij voelde veel voor Vlaamse standpunten, maar was hoegenaamd niet ingenomen met de Duitse inmenging in die aangelegenheid. Zo was de toestand toen ik tegen oktober 1916 mijn retorika aanvatte.

IN DE RETORIKA

Ik ben op het tijdschema van mijn Latijns-Griekse humaniora vooruitgelopen, doch wat ik hier over het ontluikende activisme in de kringen waar ik verkeerde uiteenzette, kan bijdragen om veel van wat volgen zal, beter te begrijpen.

Omdat een retorika, ondanks alles, toch een richtingaanwijzer, het laatste en toch het eerste rustpunt is op de weg naar de universiteit, past het bij mijn retorika wat langer stil te staan. Pater G. Donnet die heel mijn humanioratijd rector op het Gentse St.-Barbaracollege was, hield ons telkenjare tenminste eenmaal voor: ordo ducit ad Deum. Laat ik dus met orde van wal steken. Een retorika behelst een klaslokaal, een leraar en leerlingen.

Om het eigen klimaat van een retorika naar waarde te schatten, is het van node dat men eerst weet waar ze huist, want in die tijd bezette elke klas om het jaar een andere lokaliteit. Men moet, ten tweede, de persoon van de leraar naar voren brengen, want leerlingen zijn waard wat die leraar waard is. De betrekking van retorikaleraar is een van de meest stabiele op een jezuïetencollege waar nogal graag gerammeld werd onder de titularissen (dat is de sterkte en de zwakte van die colleges: de sterkte is voor de Compagnie, de zwakte voor de leerlingen). En de leerlingen ten slotte zijn uiteraard om het jaar andere.

Ons klaslokaal lag op de bovenverdieping, op het uiteinde van het terras, vlak bij de Savaanstraat. We hadden door de hoge vensters een uitzicht op daken en blinde gevels, met reliëfs waar van alles op te zien was. De straat zelf was toen een van de rustigste uit heel Gent. Ze werd regelmatig bezocht door melk- en groentenboeren en door godvruchtige dames, die op hun ochtend- en namiddagwandeling voor een weesgegroetje in de kerk twee stoelen in beslag namen. Ze werd bewoond door douairières, rechters, geneesheren en advokaten, door de eerbiedwaardige staatsminister Jules van den Heuvel en kanunnik-grootcantor Drubbel die met een wandelstok liep. Het enige lawaai kwam van de collegeknapen en van de leerlingen van het Provinciaal Handels- en Taalinstituut. Wanneer die weg waren, verschenen de mussen om er te kijven en te vechten rond hetgeen de paarden achtergelaten hadden.

Elke ochtend precies om negen uur en om kwart voor tien, trokken twee voddekopers al roepend voorbij. We hoorden eerst hun aanwezigheid in de Ketelvest geleidelijk aangolven en daarna wegsterven tot ze, opnieuw, aan de andere kant van de Savaanstraat binnenzwenkte. Eén van de voddekopers had de mooiste tenorstem van de stad: onveranderlijk, nimmer vals, precies afgemeten elke vijftig meter, klonk het: ,,Hedde gien vodde ligge?'' Hij duwde, met een professionele trots de hertog van Bourgondië waardig, een zware stootkar voor zich uit, waarop nooit meer dan een kilootje lompen lagen.

De andere voddekoper verried zijn aanwezigheid door te bellen op de eentonige kadans van zijn tred. Hij stak zijn schaarse waar in een baalzak, die hij over zijn schouder wierp en ging zich bij zijn vrouw vervoegen, die hem met de huurkar opwachtte bij de hoek van de Pollepelstraat.

's Maandags schoven twee andere straatbezoekers beneden onze klas voorbij, de scharenslijper en de zandman.

Om de Savaanstratenaars aan het verstand te brengen dat hij er was liet de eerste een zeis op zijn steen ratelen dat de vonken er uitspatten. We wisten dat pater Van Hoeymissen, die in de derde naast ons godsdienstles gaf, dan telkens zijn oren dichtstopte met de overweging: ,,Oh! ce vacarme''. We dachten eraan op datzelfde moment en we deden het na, maar de zenuwen en de oren van onze eigen leraar waren door dit akelig geluid niet gestoord.

Op dezelfde maandagochtend zweefde, als een verschijning, Bekaert beneden het raam van onze retorikaklas voorbij. Bekaert was een dorpsgenoot van mij; tien jaar tevoren liepen we dezelfde volksschool te Gentbrugge-Arsenaal, hij zat op de hoogste klas toen ik op de laatste zat. Hij was nu een zelfstandig man en leurde 's maandags met zand en 's vrijdags met mosselen; ik herkende zeer goed op afstand het timbre van zijn Gentbrugs stemgeluid: ,,Zaand, wit zaand!''

Onveranderlijk bleef hij met zijn zandkar vóór de huisdeur van kanunnik Drubbel staan, rolde een sigaret, schikte het gareel van zijn langharige grijze vlooihond, zwolg een slokje koffie uit zijn blikken drinkbus, keek even rond of er niemand zand nodig had, spoog een straaltje speeksel tussen zijn bovenste snijtanden, zegde ju tegen zijn vierpotige lotgenoot, en trok de wijde wereld in met zaand, wit zaand.

Ik zou voor geen geld van de wereld laten blijken hebben dat ik ooit met Bekaert op dezelfde koer gespeeld had. Nu, ik ben daar toch fier op, want pater Jozef de Munter, gekend en gevreesd door alle jezuïeten die vóór veertig jaar door de Leuvense Minderbroedersstraat gepasseerd zijn om filozofie en teologie te studeren, is van de dezelfde aristocratische côté als Bekaert en ik.

Dat moge volstaan om de lezer over het klimaat van mijn retorika in te lichten. De banken, het treetje van de leraar, het bord, de muren en de wandplaten zijn pas sinds een jaar of vijfentwintig veranderd. Al die dingen die ik in hun gedaante van toen gekend heb, hebben nog dertig jaar na mij voor hetzelfde doel gediend, zoals zij het veertig jaar vóór mij hadden gedaan. Bekaert, de voddekopers, d.i. de levende atmosfeer die de klasomgeving op de bovenverdieping aan de Savaanstraat en de straat zelf kenmerkten, is sinds lang van aanschijn veranderd, en thans heeft ook de levenloze atmosfeer een ander uitzicht gekregen.

Mijn retorikaleraar was pater Alexander de Bil, een Westvlaming uit Kortrijk, die reeds drie jaar in de retorika stond. Hoe geestdriftig en meeslepend pater L. de Coninck in de tweede was, zo saai en ongeestdriftig was pater De Bil. Hij was een braaf man en een gouden hart; dat resumeert het beste en het minder goede dat over hem te zeggen valt, in geen geval de gedroomde man om van een retorika een schitterende bekroning van de oude humaniora te maken.

Hij troont nu heel zeker in de allerhoogste jezuïetenhemel en zal Sint Thomas van Aquino gaan opzoeken om met hem te polemiseren of er niet beter een ablatief dan een genitief zou staan in vers zoveel van het *Lauda Sion*. De heilige Dominikaan zal er ook wel op zijn kneukels krijgen voor een zwak plekje in de syllogismen van het zoveelste kapittel van zijn *Summa,* en zo Lao-Tse ooit in de hemel van de christenen verdwaald geraakt, zal hij door pater De Bil zaliger gewezen worden op een storende denkfout in zijn tractaat over de deugd.

Met zijn leerlingen kon hij zo en zo over de baan, vooral wanneer zij Franssprekend waren, met de anderen was hij van een Westvlaamse neutraliteit. Als er geen jezuïet of geen advokaat uit ons te maken viel, en dat had hij gauw in de gaten, was er met pater De Bil niet veel gulheidsland te bezeilen. Voor wie in de geneeskunde zou studeren verkoelde zijn hart; aan wie bruine patergedachten koesterde had hij een hekel; met ingenieurs in spe kon hij het nogal stellen, met een toekomstige pastoor had hij compassie, met een aanstaande dierenarts leefde hij op voet van oorlog, en het overige klein grut zag hij niet staan. Zijn kamer heb ik nooit plat gelopen, al heb ik het toch in zijn congregatie tot conseiller gebracht, maar mijn raad heeft hij nooit ingewonnen.

Van pater De Bil kregen we de vier talen, geschiedenis en geloofsverdediging. De Catilinariën en Livius hadden voor hem geen geheimen; met de heerlijke Tacitus heeft hij de dagen van het laatste trimester vergald. Toch kan ik die auteurs, nu nog, met genot herlezen zonder veel aan pater De Bil te denken. Alleen met Sallustius kan ik moeilijk vrede sluiten. Toen wij op een namiddag de vlegels uithingen en vanaf het begin der klas op zijn anderszins onverstoorbare zenuwen werkten, maakte hij zich boos en riposteerde: ,,Prenez Salluste et traduisez''. Hij hield het van kwart over twee tot vier uur vol. Sindsdien heb ik nooit één bladzijde uit de *Jugurtijnse oorlog* meer gelezen.

Le Cid was pater De Bils lijfstuk, hij kende het van buiten. Wanneer hij ons Corneilles drama, met zijn ogen halftoe voorlas, gluurde hij even boven het blad van zijn boek de klas in, om te zien of er geen te aandachtige oren gespitst werden bij de liefdesontboezemingen van Rodrigue voor Chimène, hij zou waarachtig in staat geweest zijn ons bij de geringste glimlach aan de deur te gooien.

Vondels *Lucifer* werd dezelfde bezorgdheid waardig geacht. Bij de bekende beschrijving van Eva's bevalligheid, wanneer een aartsengel voor die schoonheid in vuur en vlam ontstak, liepen zijn jongens ook gevaar, oordeelde de brave pater De Bil. Toen Vondels vers luidde: ,,Zo huwde God de man aan zijn mannin'' stak een gigantische klaslach op bij dat ongewone woord. Pater De Bil lachte hartelijk mee, en het gevaar dat zijn deugdzame klasengelen aan een zonde van begeerlijkheid blootgesteld zouden geweest zijn, was voorbij.

De lessen in de apologetica moesten in het Nederlands gegeven worden. Pater De Bil, ten gerieve van hen die niet genoeg Nederlands begrepen om onze heilige godsdienst te leren verdedigen, verklaarde het allemaal in het Frans. In het bijzonder spande hij zich in om de vijf argumenten in te scherpen waarom de geestelijken in vredestijd geen legerdienst mochten verrichten; maar alle geestelijken moeten sinds 1920 soldaat worden en niemand vindt daar nog graten in.

Wanneer we naar de klas trokken, huppelde pater De Bil met ons mee de zware trappen op, met een jeugdige glimlach op zijn bol gelaat onder de typische jezuïetenbaret, zijn neusknijper met dikke glazen waggelde op zijn asymmetrische brede neusrug gelijk weleer de pijlkoker op de schouder van Apollo. Hij omvatte steeds een dik armvol boeken waar hij uit voorlas, want hij kon goed voorlezen, las veel en vaak; hij las ons soms in slaap, tot hij het merkte en dan opeens zei: ,,Prenez Salluste et traduisez.''

Ik heb pater De Bil, nadat ik mijn retorika verlaten had, slechts tweemaal weergezien, eens te Mechelen waar hij overste van het jezuïetenklooster was. Hij ontving mij op zijn kamer, hij wist evenveel te vertellen als toen ik destijds op zijn leraarskamer moest komen om over de toekomst te praten, en dat was weinig meer dan ja en neen. Het ijs tussen hem en mij is nooit gebroken, ondanks de pijpen zware tabak die hij en ik rookten.

Een tweede maal heb ik hem weergezien toen ik al hoogleraar was. Ik ontwaarde hem in het ziekenhuis op het eind van een lange gang, ja hij was het, op ziekenbezoek allicht. Ik ben dan maar een patiëntenkamer binnengeglipt waar ik niets te maken had, om te ontsnappen aan zijn vriendschap, en ben buitengekomen wanneer ik zeker wist dat hij al ver weg was. Het heeft mij later wel honderdmaal gespeten, maar ik was bang dat hij me nog eens zou gezegd hebben: ,,Prenez Salluste et traduisez.'' En dat was sterker dan ikzelf.

Een retorikaleraar als pater De Bil te hebben gehad is een beproeving voor mij geweest. O.L. Heer heeft mij die beproeving tienvoudig vergoed met de liefde voor de klassieken die mij bijgebleven is, behalve voor Sallustius, en daarvan draagt de leraar toch een beetje de schuld. O felix culpa!

Er zijn geen wonderknapen in mijn retorika geweest. Onze leraar was ook geen Hugo Verriest. Maar mijn klas is toch bijzonder gezegend geweest: er is geen enkele krijgsauditeur uitgekomen. Verder wat van alles: drie jezuïeten op 32 leerlingen, dat is tamelijk veel. Voorts een pastoor en een benediktijn. Twee hebben het tot geneesheer kunnen brengen, één tot apoteker, een zestal werden doctor in de rechten en zijn op de balie, in het notariaat, op een rechtbank of in de administratie terechtgekomen. Hij die H. Elias ter dood veroordeelde, zat in mijn retorika. Een paar ingenieurs mogen we niet vergeten.

Al dat spul heeft zich over de wereld verspreid, tot zelfs in Tokio. Twee zijn met de genade van een minister van openbaar onderwijs hoogleraar aan de Gentse Universiteit geworden, één zelfs lid van een vaderlandse academie: van die twee werd er één uitgezuiverd in 1945, omdat hij iets aan het wankelen had gebracht. Het zijn geen buitengewone eretitels, maar ze kunnen toch tellen. Er is in mijn retorika geen primus perpetuus geweest. Louis Ligy was eerste. Honoré van Waes kreeg een zeer eervolle vermelding omdat hij ziek werd en niet mede kon in competitie gaan.

In 1917 werd een oudleerling van het college tot bisschop van Gent benoemd, Mgr. Em. J. Seghers. Pater De Bil gaf ons tot huiswerk: het felicitatieadres namens het college opstellen. Toen ik vroeg of dit ook in het Nederlands mocht zijn, klonk het antwoord ongewoon bits: ,,Non!'' Toen de proefwerken binnenkwamen, werd het beste opzij gelegd, en zou Louis Ligy het zijne voorlezen wanneer Zijne Excellentie zijn eerste bezoek aan het college bracht.

In de loop van de retorika werd telkenjare een retraite de vocation gepredikt. Daarvoor werd een extra-predikant besteld en zouden de biechtvaders van het college zich op een bijzondere wijze ter beschikking houden. Ik ging al jaren te biecht bij de brave pater De Battice en zou hem ook nu niet voorbijgaan. In een gemoedelijk gesprek vertrouwde hij mij toe dat ik niet geroepen was tot het priesterambt, omdat ik te vleselijk aangelegd was. Ik hield het met hem. De pater had het goed gezien en voorspeld: ik werd medicus, bovendien anatoom en chirurg.

Onze retorika heeft geen politieke sterren voortgebracht, geen mannen waar ieder een wijl over spreekt. Wij lieten geen onuitwisbaar spoor na in de sport, de diplomatie, de wetenschap, misschien een beetje in de pedagogiek, want een van mijn klasgenoten, de latere jezuïet Jean-Marie de Buck, liet een viertal boeken daarover verschijnen. We zijn allen luitjes geworden die niet boven Horatius' aurea mediocritas uitblonken. We probeerden onze dagelijkse plicht van staat te volbrengen daar waar de Voorzienigheid ons geplaatst had en naarmate onze bekwaamheden het toelieten. Op het college zijn wij geen humaniores geweest, ten hoogste zijn wij er geschikt gemaakt om het te worden. Knapen van mijn sociale klasse liepen er voor zestig jaar niet dik op het Gentse jezuïetencollege. We voelden er ons ook niet helemaal thuis, soms onwennig.

Dat is nu heel anders geworden. De democratie, de vernederlandsing en de kosteloosheid van het onderwijs hebben vat gekregen op de jezuïetencolleges, die lang de reputatie hadden alleen voor de beati possidentes open te staan. Ik ben de eerste om mij in de verandering te verheugen. Mocht pater De Bil nu in de retorika staan, waar hij van

1914 tot 1925 gestaan heeft, dan zou hij het anders moeten aan boord leggen. Het gaat daar als met de geneeskunde: het verstand van de mensen schrijdt voort.

Eén ding heeft men mij op het Gentse jezuïetencollege goed ingeprent: zelfstandig te denken, geen kuddemens te zijn. Ik heb gepoogd het in mijn leven te verwezenlijken en heb het dan ook vaak duur moeten betalen (zelfs in franken uitgedrukt). En toch spijt het mij niet, en ben ik er de paters dankbaar voor gebleven, hoe verschillend van aard en aanpak ze ook waren.

Ik vermoed dat pater De Bil niet bijzonder trots op mij zou zijn. Al heb ik wellicht zijn zegen niet op alles wat ik gedaan heb, dan heb ik die van veel andere jezuïeten. En die is zoveel beter.

NOG MIJN RETORIKAPERIKELEN

Twee derde van de leerstof in de oude humaniora loopt over taal en letteren. Het andere derde ligt verdeeld over aardrijkskunde, wiskunde, kosmologie, natuur- en scheikunde.

Na alles wat ik hier over mijn retorika gememoreerd heb, zou het verkeerd zijn te denken dat ik dat laatste derde van weinig betekenis acht. Niets is minder waar. Het is niet omdat ik in de wiskunde en aanverwante vakken verre van een uitblinker was, dat ik het grote belang van deze vakken voor de algemene menselijke cultuur onderschat. Ik voelde het zelfs aan als een geestelijke verminking dat die grijze hersenwinding bij mij niet beter ontwikkeld was. Ik heb al eerder in deze memoires geschreven dat ik heel mijn lange studietijd daaronder geleden heb en verplicht was hard te zwoegen om de moeilijkheden, die op mijn weg naar het doel opgestapeld lagen, te boven te komen.

De humanioraleraar die ons vier jaar aan één stuk de kennis over het laatste derde van de leerstof heeft bijgebracht, was pater Jos. Bleuset, een beminnelijke man met een nogal wisselvallig humeur. Ik heb nooit geweten waar hij vandaan was, maar hij sprak een uitstekend Nederlands dat hij boven de Moerdijk zal geleerd hebben. Aardrijkskunde en een beetje kosmologie gaf hij trouwens in het Nederlands. Algebra, meetkunde en driehoeksmeetkunde, naast de natuur- en wat scheikunde werden in het Frans gegeven.

Mijn congenitaal hypoplastische wiskunde-knobbel heeft pater Bleuset niet tot groter vitaliteit kunnen opvoeren. Hij bezat daartoe de aanleg niet; ik maak er hem geen verwijt van. We kregen algebra vanaf de vierde, meetkunde vanaf de derde. Natuurkunde stond op het programma van de tweede en van de retorika, het was een verplichte leerstof. Scheikunde was dit niet, we kregen een stukje daarvan in de retorika. In deze twee vakken kon ik behoorlijk mee; de formule $mv^2/2$ en het bedrag waarmee de snelheid van vrij vallende lichamen per sekonde toeneemt (= 9,81 m) spelen soms nog door mijn geest. De driehoeksmeetkunde was eveneens een verplicht vak voor wie het volledige humanioradiploma wilde halen. Wie daarin onvoldoende had, kon op de universiteit geen kandidaatstitel in de natuurwetenschappen halen, en bijgevolg geen geneesheer worden.

Vermits ik besloten had geneeskunde te studeren, was het voor mij een kwestie van alles of niets. Ik heb er mij bijzonder op toegelegd en haalde voldoende punten om de zo loffelijke, en noodzakelijke, bijvoeging op de eindbul van mijn humaniora te mogen lezen. Pater Bleuset heeft het mij, en trouwens al de anderen, met zijn vragen niet onoverkomelijk gemaakt. Waarom ik hem erkentelijk ben gebleven.

Het is een veelvuldig gebruikt gezegde dat retorikaknapen propvol plannen zitten, van plannen die niet voor berekening vatbaar zijn in de allereerste plaats.

Die plannen zijn zoals de maartse buien, plotseling, geweldig, maar van korte duur. De ene maakt plannen tot wereldhervorming, de andere ontwerpt een drama in vijf bedrijven. Jules van Overmeren, de latere jezuïet die te Tokio hoogleraar in de economie werd dweepte met de heilige knaap Tarcisius en zou hem een episch en lyrisch muzikaal drama wijden, en had daarvoor André de Baets die een mooie basstem had, warmgemaakt. Een derde besprak met Wardje Poppe, die toen onderpastoor was op St.-Coleta en die nogal eens op het college aanliep, een ontwerp van voortgezette catechisatie onder volwassen arbeiders. J.M. de Buck zou een verzenbundel uitgeven.

Aan de prikkel van die retorikale dweperijen ontsnapte ik evenmin als de anderen en voegde de daad bij het verlangen, door tijdens de Paasvakantie 1917 de *Geboeide Prometheus* van Aischulos in verzen te vertalen. De tekst berust ergens onder mijn oude papieren; ik durf hem, na zestig jaar, niet te voorschijn halen, en bid mijn erfgenamen om erbarmen voor de auteur wanneer die tekst ooit in hun handen valt.

Straffer ging het met de Tarciustekst die Jules van Overmeren kotsmoe was en in de steek liet. Het onderwerp bekoorde mij zo sterk, dat ik op minder dan een maand een oratorium met recitatief, solo's, koren enz. klaar had.

Rond dit tijdstip werd op het college de cantate *Kerlingaland* van Frans de Coninck onder zijn leiding uitgevoerd door de Gentse zangvereniging van Karel de Sutter. Daar ik wist dat Frans de Coninck te Ledeberg woonde, vatte ik het plan op, hem te vragen mijn Tarcisiusoratorium in muziek te brengen. Wat een roekeloosheid vanwege een twintigjarige!

In de eerstkomende maanden daarop ben ik met mijn tekst bij Frans de Coninck in de Ledebergse Noordstraat 5, gaan aankloppen. Ik kwam terecht bij een autentieke toondichter, jonggezel die in tamelijk oncomfortabele omstandigheden leefde en mij de eerste keer niet verder liet komen dan de gang van zijn woning, later in een ongezellige voorkamer zonder stoel waar de muren volhingen met verdorde kransen, verschoten trofeeën en verbleekte pennoenen.

In den beginne was hij weigerig, doch na een paar weken is hij mij thuis komen opzoeken en ja zeggen. De stakkerd leed honger in die voedselschaarse tijd; moeder bezorgde hem aardappelen en wat hij bijzonder graag lustte, een fles jenever die onmisbaar was, beweerde hij, om hem de ontbrekende inspiratie te bezorgen. Vader verschafte hem onderhands een kilootje boerentabak. Onder attributie van deze voor hem onmisbare benodigdheden zette hij zich aan het componeren van *Tarcisius*.

Tientallen keren ben ik Frans de Coninck in 1918 en later gaan bezoeken. Ik mocht tot in zijn woonkamer komen, waar hij kluisde als een eremiet. Hij schreef zijn werken staande voor een hoge omgekeerde kist, warmde zich aan een duiveltje dat hij met kokes stookte en waarop hij zijn potje kookte. Naast de schouw stond zijn piano. Met tussenpozen heeft hij drie jaar aan zijn *Tarcisius* gewerkt. Hij heeft alle partituren zelf geschreven, zowel voor de solozangers als voor de koren, voor de instrumenten enz. en die, zorgvuldig ingebonden, opgeborgen in de hoop dat zijn opus majus te eniger tijd zou uitgevoerd worden.

Zover is het nooit gekomen. Enkele stukken heb ik toch in handen gekregen; ze werden te Gentbrugge-Center, ter gelegenheid van een parochiefeest, in de Vriendekring onder de leiding van Maurits Struyvelt ten gehore gebracht.

Frans de Coninck is in 1925 in zijn woning in de Noordstraat overleden. Zijn begrafenis werd niet druk bijgewoond; de eenzaat die hij was, werd wat geschuwd, hoewel hij een buitengewoon zachtzinnig man was. Mijn *Tarcisius* werd door een ver familielid in bescherming genomen. Wanneer ik informeerde wat hij ermee van zins was, werd mij ontwijkend geantwoord. Het kwam mij voor dat die erfgenaam grote financiële verwachtingen koesterde. Wat er sindsdien van geworden is, is mij niet bekend. De partituren die in mijn bezit waren heb ik in 1970 aan het Gentse Conservatorium geschonken waar ze zich nog bevinden. Aan het huis van Fr. de Coninck werd na zijn dood een gedenkplaat aangebracht, ze werd later door de bewoner verwijderd. Het Ledebergse gemeentebestuur heeft de naam van Frans de Coninck gegeven aan een straat, vlak bij de spoorwegviadukt aan de Hundelgemsesteenweg.

NA DE RETORIKA

Eind juli 1917. Vaarwel St.-Barbara. Ik kan een gevoel van erkentelijkheid niet losmaken van die zes jaar humaniora. Ik was blij met het resultaat, de zesde plaats in de uitmuntendheid op tweeëndertig leerlingen, en een volledig diploma, klaar voor homologatie. Het bleef op het college ter beschikking, in afwachting van betere dagen.

Nog volop oorlog. Op sommige ogenblikken hoorden we thuis het hevig en aanhoudend geschutsvuur in de verte. De bevoorrading was een dagelijkse zorg. De bevolking leed zwaar onder de bezetting; arbeiders werden opgeëist voor tewerkstelling in het land of in Duitsland. Een zeldzame kon naar Nederland ontsnappen; doch het was een riskante zaak, want meer dan een werd aan de grens neergeschoten. Af en toe las men op een affiche dat de Duitsers ter dood veroordeelde spionnen hadden terechtgesteld.

Wat zou ik aanvangen? De universiteit werd door de bezettende overheid in verstandhouding met de activisten vernederlandst. Een succes was het niet, want het aantal ingeschreven studenten bleef gering, men sprak van 150. Op het college was men tegen, tot en met. Geen enkele St.-Barbaraleerling liet zich inschrijven. Zij die de juridische studierichting hadden gekozen, liepen op straat of verscholen zich in een fictief baantje bij de bevoorradingsdiensten van het ,,Amerikaanse Comiteit''. Jacques Morel de Westgaver schreef een revuestuk *Pas de Femmes* dat tot ergernis van pater De Bil in het circus van de Lamstraat werd opgevoerd en volk lokte.

Zij die de medische studierichting hadden gekozen, namen meestal een inschrijving op de scheikundige afdeling van de Hogere Nijverheidsschool aan de Lindelei. Dat lag in de lijn van de geneeskunde en was derhalve een goede tijdsbesteding. Vincent Evrard b.v. was al het jaar voordien die richting uitgegaan. Met Jeroom Claeys en Gustaaf de Raeve uit mijn retorika dacht ik eraan ook die weg op te gaan.

Ontelbare malen werden wij door activistische vrienden aangezocht om ons te laten inschrijven op de Vlaamse universiteit die onderduims door haar vijanden als de Von Bissinguniversiteit bestempeld werd. Onze studentenbond *Vlaanderen Herleeft* waarvan ik bij het begin van de retorika hoofdman geworden was, bleef niet gespaard van de verlokkingspogingen; er was een harde kern die in het activisme opging en mij verweet een passivist, of althans neutraal te zijn. De harden hadden op eigen houtje Lodewijk Dosfel voor een spreekbeurt uitgenodigd. Ik vond het opdringerig en wou ontslag nemen, maar de meesten oordeelden dat het beter was dat ik aanbleef. Wat ik tenslotte deed.

Ik hoorde Dosfel in een meesterlijk betoog uiteenzetten waarom hij in de huidige omstandigheden een professoraat te Gent had aanvaard. De Conferentie van Den Haag werd erbij gehaald: de bestendigheid van de vernederlandste universiteit was juridisch onaanvechtbaar en stond vast als een paal boven water. Ik was gefascineerd door de logika van het vertoog, meer dan door de warmte van het woord, en vatte een grote bewondering en genegenheid op voor deze man, die sprak uit de volheid van zijn katolieke en Vlaamse overtuiging: mijn hart lag vanaf dat ogenblik bij de Vlaamse universiteit. Maar ik legde mijn hart het zwijgen op.

Die spreekbeurt had gevolgen voor onze studentenbond. Van de Heer A. Siffer, voorzitter van het Davidsfonds, kwam het verbod nog langer in het zaaltje van de

Baudeloostraat samen te komen. We zaten op straat. Het gevolg was dat tot de ontbinding van onze studentenbond werd besloten. We kwamen met een tiental leden nog eens bijeen in open lucht, te Oostakker-Lourdes; de papiervoorraad en de andere spullen werden aan de meestbiedende leden verkocht en de opbrengst onder elkander verdeeld. Met een illusie minder trokken we naar huis. Maar bleven tornen aan het hoofdprobleem: naar de vernederlandste universiteit of niet, het was hangen of wurgen.

Ik besprak het openhartig thuis. Moeder zuchtte en zal wel de heilige Gerardus om klaarheid in de besluiteloosheid gebeden hebben. Vader hakte de knoop door: in afwachting naar de Nijverheidsschool, wat ge daar kunt opsteken, zal u later niet te onpas komen. Zo geschiedde. Begin september 1917 nam ik een inschrijving in de afdeling Scheikunde van de Hogere Nijverheidsschool en trof er andere leerlingen van mijn retorika.

Voor mij was een eind gekomen aan de pijnlijke onzekerheid die honderden humaniorastudenten in het Vlaamse land gekend hebben, en naar we hoorden en later lazen, de tweestrijd meemaakten die een van ongeduld trappelende generatie in twee kampen verdeelde.

De ervaring weergeven van iemand die er volop instond en de geladenheid van zijn Vlaamse overtuiging te midden van de strijd tussen de bestaande machtsfaktoren wilde gaaf houden, demonstreert veel beter, ook zestig jaar nadien nog, de noodsituatie waarin velen, en ondermeer ikzelf, leefden, dan de postume vertogen over de doelmatigheid van een gedane keus. Ondertussen bleef Lodewijk Dosfel, met zijn streng katoliek flamingantisme, voor ons onder de tribulaties van 't ogenblik een veilig anker.

Aan de Hogere Nijverheidsschool van de Lindelei heb ik geen kwade herinnering bewaard. Directeur A. Delaere was een vriendelijk man die niets beter vroeg dan zijn leerlingen op alle mogelijke manieren te helpen. Het Frans was de voertaal van bestuur en onderricht.

Ik kwam terecht in het tweede studiejaar van de afdeling scheikunde. Voor iemand die op het college maar een schaduwtje van de chemische wetenschap even had zien voorbijglijden, was dat een harde dobber. Ik kende niet eens de scheikundige formule van water. De directeur raadde ons aan ook de cursus scheikunde van het eerste studiejaar te volgen. 't Was een goede raad, die ik, met Jeroom Claeys en Gustaaf de Raeve, opvolgde.

Leraar scheikunde was Jean Poppe, een oudleerling uit de Gentse school van Th. Swarts. Hij maakte het ons niet gemakkelijk en vond er een boos genoegen in onze onwetendheid openbaar te demonstreren. Na een goede maand deerde die kwelling ons al minder en konden we al aardig met scheikundige formules omspringen, voelden hoe we elke dag veld wonnen, zodat we de cursus van organische chemie met vrucht konden volgen.

In de cursus scheikundige technologie leerden wij hoe men suiker uit bieten kan maken en hoe men zwavelzuur bereidt uit pyriet met het loden kamerprocédé. Tijdens de praktische oefeningen in het laboratorium bereidden wij waterstof uit zinkkrullen en zwavelzuur, voorts zwavelwaterstof uit ijzersulfide en zoutzuur, en leerden wij hoe een Kipptoestel werkt.

De lessen in de natuurkunde vielen mee, dank zij een flinke leraar wiens naam ik vergeten ben. Hij gaf ons eveneens lessen in de werktuigkunde, over drijfriemen, transmissies, intanding, katrollen, schroeven zonder einde, en de berekeningen die daarbij van pas komen. Het begon al te gaan, al stond het ver af van het *Tarcisius* oratorium van Frans de Coninck die ik te Ledeberg bleef bezoeken.

Wat nog veel verder daarvan verwijderd stond, was het machinetekenen dat op de lessenrooster voorkwam. We schaften ons een tekenplank aan, met een passerdoos en ons werd aan het verstand gebracht hoe we de trekpen moesten hanteren om nette lijntjes met inkt te trekken. De eerste voorwerpen die we moesten tekenen, waren de bout en de schroefmoer. Het was een soort dwangarbeid en we kregen kippevel wanneer de leraar in aantocht was en onze probeersels overschouwde. In een mengsel van Frans en Gents vroeg hij waar we zo'n saloperie de smeerlapperij geleerd hadden. Ik kon toch moeilijk antwoorden: Au Collège Ste Barbe.

Wanneer ik op de Lindelei passeer, zijn de bout en de schroefmoer, le boulon et l'écrou, geen ogenblik uit mijn gedachten. Ik kan verzekeren dat het voor mij in die tijd geen pretje was. Ik weet nu wat machinetekenen is; vóór oktober 1917 wist ik dat niet. Toch was het een geestelijke aanwinst.

Weldra liet zich een ander feit gelden, dat aan mijn exploten in de Nijverheidsschool een eind maakte.

De bezetter ging over tot de opeising van de jonge mannen teneinde ze aan 't werk te zetten. Het ergerde de Duitsers dat zoveel jongelieden blijkbaar zonder geldige bezigheid rondliepen, terwijl de bloem van hun jeugd op de slagvelden stond. Ook ik kreeg op zekere dag, begin december 1917, het fatale opeisingsbevel. Toen besliste vader: ga naar de Vlaamse universiteit, zo ge daardoor aan de tewerkstelling in Duitsland ontsnapt. Ik liet mij inschrijven op 7 december en ontsnapte inderdaad aan de opeising. Vaarwel Hogere Nijverheidsschool.

Het bracht in zekere mate een keerpunt in de geschiedenis van de eerste Vlaamse universiteit. Haar studentenaantal nam toe en bereikte de vijfhonderd. Zelfs notoire Fransgezinden namen een inschrijving want de angst voor een tewerkstelling in de Zivil Arbeiter Bataillone was groter dan de afkeer voor de Von Bissinguniversiteit.

Op de banken van de universiteit ontmoette ik oudbekenden, o.m. Emiel de Loose uit de studentenbond van St.-Lievenscollege; Jeroom Claeys en Gustaaf de Raeve uit mijn retorika waren er eveneens. Toen ik mijn ervaren aan pater De Bil ging vertellen bleef hij in een Westvlaamse neutraliteit gehuld.

Ik had mij voorgenomen, en tegenover thuis de verplichting aangegaan, mij niet in de activistische politiek te wagen, en o.m. geen lid te worden van het Studentenkorps, dat zich als de verpersoonlijking aanstelde van het activisme onder de studenten. Voorzitter van het Korps in dat jaar was Bob van Genechten, die in 1940-1945 een grote rol zou spelen in de collaboratie in Nederland, en uit dien hoofde werd terechtgesteld.

Ik ging in de studie op en had een achterstand in te halen, daar ik pas in december 1917, anderhalve maand na de heropening van de lessen, mijn inschrijving had genomen.

Mijn professoren wil ik hier even de revue laten passeren.

Voor de plantkunde was het Cesar de Bruycker, zoon uit een bekende Ledebergse smederij, medewerker van Julius MacLeod, vlaamsgezind van huize uit. Hij was een buitengewoon innemend man, die ons inwijdde in het gebruik van de microskoop, en de grondbeginselen van de algemene plantensystematiek en -biologie bijbracht. Hij was ook geneesheer en ging, na zijn ontslag uit de gevangenis, in 1920, in de medische praktijk te Antwerpen. Hij was ziekelijk en overleed op 23 maart 1924.

Delfstofkunde kregen we van F. Stöber, een geboren Duitser, die al hoogleraar te Gent was. Een knap hoogleraar trouwens van een vak dat thans voor de geneesheren niet meer op het programma voorkomt, en dat ik graag heb gestudeerd.

Aardkunde kregen we van Henk Boeke, een Nederlander, broer van de Utrechtse bioloog Jan Boeke, even knap als F. Stöber en geliefd bij de studenten.

Hoogleraar in de scheikunde was J. Valleton, een Nederlander die voor zijn vak niet veel geestdrift heeft gewekt omdat hij buitengewoon saai was; er kwam geen contact tussen hem en zijn studenten.

Juist andersom was Marcel Minnaert, professor in de natuurkunde, een bekend figuur in de Gentse vrijzinnige studentenwereld, geheelonthouder, pacifist, die van in den beginne het extreme activisme aankleefde. Hij was een prima docent die liefde voor het vak opwekte. Na 1918 week hij naar Nederland uit, werd hoogleraar te Utrecht en heeft in de internationale kringen van de zonnefisica een belangrijke rol gespeeld. Hij werd zelfs lid van de Belgische Akademie van Wetenschappen, zonder dat deze aanstelling aanleiding heeft gegeven tot politieke verwikkelingen, zoals het in 1939 met Adriaan Martens het geval was. Marcel Minnaert overleed te Utrecht op 26 oktober 1970.

Onze leraar in de logica was Lucien Brulez, een Westvlaming uit Blankenberge; hij stamde uit de vrijzinnige studentenbeweging en was vroeg bij het activisme betrokken.

Zijn cursus herleidde zich tot eenvoudige begrippen, die niet verder reikten dan het syllogisme, het dilemma en het logisch vierkant.

Het academiejaar 1917-1918 verliep vlot. Ik legde eksamen af in juli 1918, op voldoende wijze, en bezit nog altijd het diploma van dat examen; het is genaamtekend door waarnemend rector R. Speleers.

Al deze hoogleraren waren mannen van een solide wetenschappelijke waarde, hun later leven heeft het bewezen; zij waren geen nulliteiten zoals men kleinachtend heeft beweerd. Uit de academische vorming die ik aan de Gentse universiteit meegekregen heb, kan ik ze niet wegdenken. Zij staan bij de wieg van het hoger onderwijs dat mij gemaakt heeft tot wat ik ben.

Op dinsdag 13 oktober 1918 had de plechtige heropening van het derde academiejaar plaats. De waarnemende rector, professor R. Speleers, sprak de academische rede uit. Hij parafraseerde de inhoud van de spreuk ,,fortiter in re, suaviter in modo'' toegepast op het leven van de jonge Vlaamse universiteit. Kort daarop sloot de Vlaamse universiteit haar deuren voor goed. Nog geen maand na zijn rectorale rede werd het huis van R. Speleers door het gepeupel geplunderd en moest hij vluchten.

De best sluitende syllogismen van de activistische juristen ten spijt, werd de eerste vernederlandste universiteit van de tafel geveegd. Tegen de argumenten van een dynamische contra een statische rechtsopvatting, hield ze geen stand. Alles was opnieuw te beginnen.

Hoe ernstig ik ook studeerde, het belette niet dat ik mijn voelhorens uitstak teneinde het terrein dat buiten de collegekamers en de laboratoria lag te verkennen en de publieke opinie ten opzichte van het activisme te polsen.

Deze was in de overgrote meerderheid niet gunstig gestemd voor wat bekokstoofd werd in die regionen waar de Vlaamse politiek van het toenmalige heden en toekomst aan bod was. De haat voor de bezetter werd doorgetrokken tot al degenen die ook maar de schijn aannamen neutraal te zijn of de aangelegenheid kritisch bekeken.

Wat tussenin lag, werd geïdentificeerd met activisme. Zelfs het meest zuivere standpunt als ,,onverduitst, onverfranst'' was uit den boze. Het was evident dat de franskiljons van de gelegenheid zouden gebruik maken om alles wat op vlaamgezindheid geleek, tot op de wortel uit te roeien. Ze predikten het overigens luidop, met des te meer driestheid naarmate de militaire operaties zich voor de Duitsers minder gunstig begonnen af te tekenen.

Een paar keer heb ik een activistische meeting bijgewoond in een zaal van de Oude Houtlei. Ik hoorde er August Borms, de Brusselse activist Jakob Lambrichts en Jan Wannyn; deze twee waren buitengewone redenaars die hele zalen elektriseerden.

Jeroom Claeys trok met enige vrienden naar de met veel geroffel aangekondigde activistische betoging van 3 februari 1918 te Antwerpen. Tegenmanifestanten slaagden erin de stoet te verstoren en meer dan één deelnemer af te ranselen; Jeroom kwam van een kale kermis thuis. Ik maakte o.m. ook kennis met Bert van de Poel uit Diest die wijsbegeerte studeerde. Na de oorlog week hij naar Nederland uit, werd hoofdredakteur van een Nederlands dagblad, kwam in het concentratiekamp van Neuengamme terecht en hervatte later zijn werkzaamheid.

Te Gent zag men vaak de predikant van de protestantse kerk uit de Brabantdam, Ds Domela Nieuwenhuis Nyegaard. Met zijn imponerende witte baard en zijn lange zwarte jas was hij een opmerkelijke verschijning; men wist van hem dat hij in het activistische kamp stond. In de zomer van 1918 werd het standbeeld van Albrecht Rodenbach dat te Roeselare aan oorlogsgeweld blootstond, op de binnenkoer van de universiteit geplaatst. Activisten vonden dat het de plaats was waar het thuishoorde. In november 1918 werd het in de kolenkelder van het universiteitsgebouw geworpen, maar in september 1919 te Roeselare plechtig wederopgericht.

Vanaf mei 1918 pakten de activisten op hun meetings uit met Vlaamse soldaten die overgelopen waren omdat ze de anti-Vlaamse plagerijen van de Belgische hogere legeroverheid niet langer konden uitstaan. De bevolking was geweldig argwanend, geloofde niet dat het Belgische deserteurs waren en beweerde dat het gecamoufleerde activisten waren.

Het politieke geharrewar geraakte in de zomer van 1918 meer en meer verdoezeld en overstemd door de militaire gebeurtenissen, waarvan men de ingrediënten tussen de regels van de Duitse en andere dagbladen kon lezen. Amerika was in de oorlog getreden en liet het gewicht van zijn tussenkomst al voelen. Het grote Duitse voorjaarsoffensief in het Westen had niet tot de Kanaalkust kunnen doorstoten. Er was eenheid bereikt in het opperbevel van de Verbondenen enz.

In het bezette gebied werden de Duitsers hoe langer hoe meer kittelorig en streng. Ze eisten vee en paarden op, ze haalden wol en wijn uit de huizen en te Gent verdween de koperen dakbebedekking van het Belfort. De prachtige eiken uit de dreef naar onze vroegere boerderij werden geveld door Duitse geniesoldaten en weggevoerd, er waren erbij met 250 jaarringen. Elders werden notelaars omgehakt, om uit het hout geweerkolven te maken. Het waren allerminst tekenen van militaire overmacht, en niemand durfde het tegendeel beweren.

Tot overmaat van ramp werd de burgerbevolking zowel als de bezetter, en naar we later vernamen, evenzeer de oorlogvoerende legers geteisterd door de Spaanse ziekte, een tamelijk mysterieuze epidemie die vanuit Spanje heel Europa overrompelde en vooral onder de jongeren slachtoffers maakte; haar hoogtepunt viel nagenoeg samen met het herfstoffensief van de Verbondenen dat tot de Wapenstilstand van 11 november leidde. Men heeft wel eens geschreven dat er meer mensen bezweken zijn aan de griepepidemie van 1918, dan aan de gevolgen van de krijgsverrichtingen. Het werd later bekend dat 25 procent van de Belgische soldaten aan de griep hebben geleden.

Te Gentbrugge heb ik heel wat jonge personen aan de Spaanse griep weten sterven. Het besef van deze akelige situatie werd afgezwakt door de militaire gebeurtenissen die in een versneld tempo begonnen door te wegen. Er waren bombardementen in de buurt van het Arsenaal, die hun deel slachtoffers eisten, dag en nacht kwamen vliegtuigen over die door de Duitsers vanop de grond beschoten werden; op de Keiberg zelf stonden zoeklichten opgesteld die 's nachts de lucht met hun lichtbundels aftastten, op meer dan een veld lagen afweerbatterijen enz.

In de Oordegemse familie van Karel Elaut werd de 24-jarige zoon Hektor op enkele dagen door de Spaanse ziekte weggerukt, en ontsnapte zijn zuster nauwelijks. We konden de begrafenis niet bijwonen.

Wie zou onder al die zenuwslopende wederwaardigheden zich warm maken voor universitaire aangelegenheden? Studenten mochten elke week een half kilootje rundsvlees gaan halen ergens aan de Kortrijksesteenweg op St.-Pietersbuiten; het was het enige contact dat ik in de maanden september en oktober met de academische wereld onderhield; de kring werd met de dag kleiner.

Ofschoon de studie het grootste deel van mijn activiteit en van mijn tijd opeiste, had zij mij niet in die mate geëxtrapoleerd, dat ik het contact met de Gentbrugse vrienden verloor. Ze wisten dat ik naar de Vlaamse universiteit ging, maar geen enkele heeft mij ooit een hand geweigerd.

In het najaar van 1917 was te Gentbrugge-Center in de Katolieke Vriendenkring door advokaat Jules Storme en onderpastoor T. Neyt een Sociale Studiekring gesticht; zo iets lag in de lijn van de christelijke strevingen van het ogenblik. Hoewel ik niet op het Center woonde, werd ik nadrukkelijk aangezocht om lid te worden van de Sociale Studiekring; men wilde zoveel mogelijk humaniorastudenten bij zijn werking betrekken.

Met Pieter Seghers, een bediende uit de kantoren van de Staatswerkhuizen, trok ik er om de twee weken op donderdagavond heen. Er waren lessen over staathuishoudkunde door Jules Storme en lezingen over de meest uiteenlopende onderwerpen door de leden zelf. Ik heb daar veel zaken geleerd en gehoord waarvan ik geen benul had. Heel de winter heb ik geen enkele vergadering gemist en het is gebeurd dat Pieter Seghers en ik onderweg van het Arsenaal naar het Center moesten opzij springen voor de scherven van ontplofte granaten uit het luchtdoelgeschut.

De werking van de Gentbrugse Sociale Studiekring werd tot voorbeeld gesteld in het Gentse. Onderpastoor Th. Neyt werd later proost van de sociale werken te Eeklo en voor Jules Storme was dat voorzitterschap een troef te meer voor zijn benoeming tot hoogleraar in de staathuishoudkunde.

Met de laatste oktoberdagen van 1918 begon het voor de Duitsers rondom Gent te nijpen en kwam de nood aan de man. Elkeen wist dat de Verbondenen Brugge veroverd hadden, dat er gevochten werd aan de Schipdonkse Vaart en dat de naaste stap van het zegevierend offensief op de verovering van Gent zelf zou gericht zijn. Bovendien was het niemand onbekend dat er tussen de oorlogvoerende partijen onderhandelingen gevoerd werden over een wapenstilstand.

Tijdens de vespers van Allerheiligen stond onderpastoor De l'Arbre te prediken toen op honderd meter van de kerk een vliegtuigbom insloeg. De kerkelijke plechtigheid ging door, maar werd bekort. Op de boerderij bij het kasteel Rattendale stond een kanon dat regelmatig om het half uur over Gent drie granaten afvuurde. We konden thuis van op de zolder het maneuver gadeslaan. Daarenboven wist de melkboer te vertellen dat de Duitsers over de Schelde bij de Klaver te Heusden een schipbrug hadden gelegd waar ruiterij en wagens over de stroom trokken in de richting van Dendermonde. Dat was een onbetwistbare aftocht.

Op zaterdagmorgen 9 november verschenen opeens affiches op de muren waarbij aan alle mannen van 18 tot 35 jaar de zondagmorgen om 8 uur op het Gentbrugse Kerkplein verzamelen werd bevolen. Het lag er dubbel en dik op dat de Duitsers de opgeroepenen verderop zouden brengen, want ze hadden hetzelfde gedaan met de jonge mannen in de gemeenten boven Gent.

Het stond bij mij zoals bij de andere Gentbruggenaars vast, dat we ons niet zouden laten zien. Vader ging even kijken om 8 uur; niemand was komen opdagen om een groepje van tien Duitse soldaten oostwaarts te volgen. Alle jonge mannen hielden zich voortaan rustig thuis en zorgden voor een mogelijkheid tot ontsnapping indien onraad zou opduiken. Met onze buurman hadden we er iets op gevonden, onder de dakpannen boven zijn kolenhok, naast een andere toevlucht onder een hoop erwtenrijs en opgestapelde bonestaken toegedekt met droog aardappellof. We hebben er geen gebruik van moeten maken.

Van die dag af begonnen de Duitsers aan het systematisch vernielen van het spoorwegnet en het opblazen van de bruggen. De houten brug over de Schelde te Heusden werd in brand gestoken, de bruggen aan Merelbeke-Station en op de Hundelgemsesteenweg werden opgeblazen. Al de sporen van St.-Pietersstation tot voorbij

Melle en op de Ringspoorweg werden met brisante stoffen onbruikbaar gemaakt, het werd grondig gedaan; maanden heeft het geduurd voordat er weer treinen konden rijden.

Heel die week werd men lastig gevallen door Duitse soldaten die inkwartiering zochten bij de burgers. Daags nadien waren het andere manschappen; zij waren meegaand en vroegen maar één zaak: slaapgelegenheid. Men mocht stro gaan halen om hen te slapen te leggen. We kregen er thuis ook een en legden hem in de voorkamer; al de herrie kon hem niet veel schelen: Krieg is fertig, was zijn enige reaktie.

De bewoners werden aangemaand binnenshuis te blijven. Op zondag 10 november werden de kerkdiensten voorzichtigheidshalve afgelast. Op de Brusselsesteenweg was het geweldig druk in de richting van Brussel, volop terugtocht, tamelijk ordelijk maar erbarmelijk om aan te zien vanwege de uitputting van mens en dier; ze sleepten zich voort. Wijsneuzen en alweters voorspelden een bombardement voor de nacht en raadden aan in de kelder te slapen.

We deden het zo goed en zo kwaad als het ging; we sliepen in terwijl boven ons een soldaat op zijn stro lag. Omstreeks vier uur in de morgen werd op de luiken gebonkt en moest onze militaire logé in allerijl zijn makkers vervoegen; we hoorden hem al urinerend in snelle vaart weghollen. Het was onze laatste herinnering aan een Duitse soldaat, een karikaturaal beeld van de militaire toestand op dat ogenblik. We luisterden met gespitste oren en kwamen tot de vaststelling dat de vele geluiden en geruchten waren stilgevallen. Van een bombardement was er niets te horen.

Omstreeks zeven uur stak moeder het hoofd buiten, omdat er personen voorbijliepen. Ze zegden: de Duitsers zijn weg, de oorlog is gedaan. We zagen niet goed het strategisch verschil tussen het ene en het andere; dat de Duitsers weg waren geloofden we grif en dat betekende voor ons zoveel als het eind van de oorlog. Vlug aangekleed, wat gegeten, en op zoek naar meer nieuws. Na een uur kwam er klaarheid: te elf uur in de ochtend zou een wapenbestand tussen de legers ingaan. De Duitsers legden de wapens neer, de oorlog was inderdaad gedaan. Een diepe zucht van verlichting en bevrijding. Moeder vergat St.-Gerardus niet.

DE WAPENSTILSTAND EN NASLEEP

11 november 1918. Vanaf negen uur in de morgen was het één komen en gaan in een opgeluchte stemming. Er waren geen Duitsers te bekennen. Een heer van wie men wist dat hij ondergedoken was, kwam op straat en trok naar de kerk.

Kort voor elven verscheen op de Brusselsesteenweg uit de richting van Gent een kakisoldaat-wielrijder. Niemand kende zijn kledij en uitrusting, maar toen hij in het Vlaams inlichtingen vroeg, wist elkeen dat het een Belgisch soldaat was. Hij wilde weten of er nog Duitsers waren, en zei dat er over een goed kwartier niet meer mocht geschoten worden. De man werd druk omringd, werd getracteerd, uitgevraagd of hij die, en die, niet kende, waar ze waren enz. Hij kon niet veel antwoorden, bleef tot elf uur wachten, loste dan een schot in de lucht en keerde terug vanwaar hij gekomen was.

Wapenstilstand! Een woord dat de meesten voordien nooit gehoord hadden. Maar de inhoud en de betekenis werd gauw begrepen. Vlaggen kwamen te voorschijn, iedereen was op straat, na een half uur reden er al fietsen, het nam met de middag toe.

Er kwamen stilaan meer soldaten die in bevolen formatie, te paard, met de fiets of te voet in de richting van Brussel trokken. Ze kregen ovaties, bloemen, werden getracteerd en konden de meisjes moeilijk uit de rangen houden. Toen ik in de namiddag naar Gent ging, waren er al veel piotten te zien die blijkbaar niet lang hadden moeten wachten op liefkozend gezelschap. Men ontmoette ook soldaten die zich haastig voortspoedden en wie men duidelijk kon aanzien dat ze huistoe gingen.

Elkeen had ergens een vaderlands strikje of lintje op zitten, het was één uitbundigheid over de behaalde overwinning. Men had elkeen om de hals willen vliegen om aan elkander te zeggen dat het gedaan was. In de stad hingen proclamaties met welkomwensen voor de terugkerende troepen met de dank van stadsoverheid en bevolking voor de verbondenen enz.

Ik zag het uitspattende geroezemoes dat niet in bedwang te houden was met een zekere onrust aan en kon een gevoel van vrees niet kwijt wanneer ik terugdacht aan hetgeen in de laatste jaren voorgevallen was: activisme, Vlaamse Universiteit. Hoe zal deze uitgelaten openbare opinie daartegenover staan? Het antwoord zou niet lang uitblijven en kwam reeds in de namiddag van 11 november.

Vlakbij het Zuidstation voor de woning van dokter Evarist Stocké stond een massa volk te roepen, de ramen stuk te gooien, de huisdeur in te beuken en alles wat niet te heet of te zwaar was op straat te gooien, waar het in brand werd gestoken. Mannen wierpen meubelen met hun inhoud door de ramen, anderen scharrelden in de hoop en meer dan een kneep ertussenuit met wat hij gappen kon. Volkswoede en plundering! Het greep mij geweldig aan.

Vóór enkele drankgelegenheden in de Vlaanderenstraat die door de Duitsers veel bezocht werden, speelde zich hetzelfde toneel af. De politie was niet te zien. Er werden kranten te koop aangeboden, bladen in miniformaat, vol zegevierende titels: wapenstilstand, Duitse nederlaag, triomfkreten zonder einde, met wat schaars nieuws over de gebeurtenissen en hoe het allemaal gelopen was.

Voor het universiteitsgebouw in de Volderstraat was er niets te merken, er wapperde een driekleur bovenop. Op de Korenmarkt was het gepeupel een drietal koffiehuizen aan het kort en klein slaan, naast een slagerij op de hoek van het Klein Turkije, die er ook moest aan geloven omdat ze onder de bezetting al te goede zaken had gedaan.

Ik wilde zien hoe het bij rector Speleers afliep. Het was dezelfde losbandigheid en plundering; een piano werd juist vanuit de eerste verdieping op straat gekipt, en er werd geroepen dat men de boel in brand zou steken. De professor had met zijn gezin hals over kop de vlucht genomen om er heelhuids uit te komen. Het kwam me voor dat een stel deftige heerschappen de touwtjes van de aan gang zijnde werkzaamheden in de hand hielden en commandeerden wat er gedaan diende te worden. Er zat in alle geval systeem in.

In de stad liepen opgezweepte groepen die zegedronken en lallend door de straten laveerden, ze lokten soldaten mede en hadden het blijkbaar gemunt op de woningen van degenen die met de Duitsers op al te goede voet hadden gestaan.

Zo viel de avond in, en het was niet met een licht gemoed dat ik huiswaarts ging. Onderweg en te Gentbrugge was er van baldadigheid niets te merken, al was er in de herbergen geen volk tekort. Met de soldaten werd duchtig gevrijd en de misprijzende benaming van ,,soldatenkerre'' die aan een bijzondere soort jonge dames gegeven werd, scheen tot het verleden te behoren. Het vaderland mocht op een minimum van tijd deze wijziging in de opvatting van de burgerlijke deftigheid op zijn actief schrijven.

Tijdens de dagen die volgden, drong het tot mij door dat al wie zich in het recente verleden aan Vlaamse aangelegenheden bezondigd had, geen aangename dingen te wachten stonden. Bezondigd was het echte woord, want de heersende gesteldheid was van die aard dat het euvel genomen werd op een andere manier de zaken te bekijken dan Jan met de pet, dan de pers of de gangbare mening.

Het vaderland en de vaderlandsliefde legden op alles beslag, drongen door tot in het merg van personen en instellingen, waar die woorden voordien zinledige begrippen waren. Degenen die met een flamingant op hun neus liepen, gaven katoen en kregen in de winstgevende ontdekking van het vaderland een unieke kans om hun haat bot te vieren. Tot in het onredelijke, het onrechtvaardige, het boosaardige, het leugenachtige, het beestachtige toe. De vervolging, gerechtelijke, administratieve, kerkelijke zou niet lang meer uitblijven.

Drie dagen na Wapenstilstand hield de koning aan het hoofd van de troepen, zijn triomfantelijke intrede te Gent. Op de Kouter was ik getuige van die vaderlandse hoogdag. Koning, koningin en koningskinderen, allen te paard, werden waanzinnig toegejuicht. Heel die dag hield de feeststemming aan.

In de ledige uitstalramen van de winkels verschenen plakkaten met de vermelding: hier komt nooit meer Duitse koopwaar binnen, ici n'entrera plus jamais un produit allemand. Na een maand waren de plakkaten verdwenen, en twee maand na de vredesluiting van juni 1919 werd er al lustig Duits bier gedronken in de Gentse cafés.

In de kranten lazen we over de gebeurtenissen in het Europa van de oorlogsvoerenden en van de neutralen; over hetgeen in eigen land voorviel werd ons ook geen informatie gespaard. Op 22 november deed de koning zijn intrede te Brussel en sprak hij in het Parlement de volksvertegenwoordigers toe. De Gentenaar blokletterde uit deze rede: ,,De regering zal aan het parlement voorstellen van nu af aan de grondslag te leggen van een Vlaamse universiteit te Gent''.

Ik knoopte het in mijn oren. Het was natuurlijk op dat ogenblik een uitspraak waaraan niet te ontkomen was, doch waar de meerderheid van de parlementsleden niet mee akkoord gingen. Of, zoals de Gentse burgemeester E. Braun zegde, waarbij de woorden ,,Te Gent'' te veel waren. Daags nadien, op 23 november, werd in de Brusselse St.-Michielskatedraal door kardinaal Mercier een Te Deum gezongen;

koning en koningin ontbraken niet.

Kennelijk niet wetend wat er op til was, leefde ik in een gedempte stemming, en zocht contact met vroegere commilitones. Zij wisten evenmin als ik waar wij aan toe waren, doch waren wel besloten verder te studeren zodra het mogelijk was. De universiteiten waren gesloten, maar het zou niet lang aanlopen voordat zij hun deuren zouden openen. Ik verzamelde studiemateriaal, verdiepte mij in boeken en nota's van natuur- en scheikunde, bezocht zonder onderbreking de Sociale Studiekring en nam deel aan de activiteiten van de Gentbrugse Katholieke Vriendenkring, waar iedereen deed als of er met mij niets aan de hand was.

Buiten ons om draaide de vaderlandse mallemolen op volle toeren. De koning had in zijn Brusselse toespraak gezegd dat de drijverijen van hen die in de uren van nood, waar de toekomst van het land op het spel stond, zijn ondergang hadden nagestreefd, niet het voorwerp van amnestie konden zijn, onder toejuichingen van een opstaande vergadering. De Vlaamse bevolking, voegde hij eraan toe, heeft overigens al spontaan deze praktijken gebrandmerkt, en de plichtigen zullen aan een billijke beteugeling niet ontsnappen.

Dat was vanwege hogerhand de goedkeuring van het straatgeweld tegen de bezittingen van de activisten, en de aankondiging van uitgebreide gerechtelijke acties. Degenen die het toen voor het zeggen hadden, namen het letterlijk op en voegden de daad bij het woord. Militaire rechtbanken vatten het niet met de slappe hand aan en spraken doodvonnissen uit. Wat er tussengekomen is weet ik niet precies, maar de grote kopstukken van het activisme zouden voortaan voor het assisenhof verschijnen; dat was meer demonstratief en zou voor het grote voëtlicht komen.

Wat het kleine grut betreft, die zouden te gelegener ure en te gelegener plaatse hun deel krijgen.

Zo werd de koster-orgelist van St.-Annakerk, vader van een groot gezin, door de bisschop van Gent afgezet, omdat zijn zoon aan de vervlaamste universiteit van Gent gestudeerd had.

Eind januari 1919 was het zover dat de universiteit met de cursussen zou beginnen. Er was een enorme toevloed van studenten. Vier jaar lang waren de deuren gesloten geweest. Degenen die onder de wapens waren, werden voorlopig gedemobilizeerd en kregen bijzondere faciliteiten voor het afleggen van examens.

Ik ging zoals de anderen in de rij staan om in te schrijven, maar het werd me al gauw duidelijk dat het niet van een leien dakje zou lopen. Aan elkeen die zich aanbood werd de vraag gesteld of hij student was geweest aan de vervlaamste universiteit. Ik kon moeilijk neen antwoorden en mocht voorlopig niet ingeschreven worden, zo was door de universitaire overheid beslist. Ik kon na veertien dagen terugkeren, want dan zou het definitieve antwoord verstrekt worden. Het zag er in alle geval beroerd uit.

Toen ik mij na veertien dagen opnieuw aanbood, luidde het antwoord van de heer L. Hombrecht die de inschrijvingen opnam: ,,Ces messieurs ont maintenu leur décision et je ne peux pas accepter votre inscription à l'université''. Wat nu?

Wanneer ik met die boodschap thuiskwam, hulde vader zich in een verbeten stilzwijgen. Bitsig besloot hij: wachten op betere tijden. Studeer, het zal niet verloren zijn, vroeg of laat komt het in orde. Toen ik voorstelde in afwachting mijn militaire dienst te doen, en op het eind daarvan, na een jaar, mij opnieuw voor een inschrijving aan te bieden, was zijn reaktie; ,,Dat niet, ge zult gaan als ge opgeroepen wordt, maar geen dag vroeger''.

Kordate taal vanwege een man die met de opeters van het vaderland nooit goed over de baan had gekund. Hij deelde de mening van Tiste Pinne, die tijdens de oorlog aan iemand die met het vaderland hoog opliep, ten antwoord gaf: ,,Geef me liever patattenland dan 't vaderland''.

Met degenen die in het zelfde geval waren als ikzelf, werd besloten onze kans te wagen; we zouden samen studeren, elkaar helpen waar en hoe we konden, en in september 1919 voor de centrale examencommissie examen afleggen. Naar wij in de dagbladen lazen zouden de militaire lichtingen van 1915, 1916, 1917 en 1918 in de loop van 1919 en 1920 onder de wapens geroepen worden. De lichting van 1917 waartoe ik behoorde zou op 1 juni 1920 aantreden. Daarmee wisten we hoever we stonden, en konden we er ons naar schikken.

Ikzelf had een dik jaar voor de boeg en zou er alles op zetten om voor mijn eerste examen voor de Brusselse examencommissie te slagen. Met Jeroom Claeys, Gustaaf de Raeve en Emiel de Loose stelden we een werkplan op; zij kwamen voor een deel van de leerstof bij mij thuis, ik ging voor een ander deel bij hen. We stonden voor het bord, construeerden scheikundige formules, beantwoordden op onze manier, in het Frans natuurlijk, de vragen die we elkander over de fysica stelden; plant-, dier-, delfstof- en aardkunde boden geen onoverkomelijke moeilijkheden.

Onderwijl zagen wij dat de activistenjacht systematisch werd doorgevoerd. Borms was te Brussel aangehouden. Hij zou voor het Brabantse assisenhof terechtstaan. Wie naar Holland of Duitsland uitgeweken waren, werden aan de lopende band bij verstek tot de hoogste straffen veroordeeld.

Terwijl we elkaar vlijtig voor de examencommissie klaarstoomden, lazen we met hooggespannen belangstelling de ophefmakende interpellatie van 14, 15, 21 en 22 mei 1919 door de drie V's in de kamer gehouden: Van de Vyvere, Van Cauwelaert en Van de Perre. Een van de aangeklaagde feiten heb ik onthouden. Van de Vyvere vertelde dat de Staatsveiligheid een lijst van staatsgevaarlijke druksels had aangelegd met o.m. de gedichten van Albr. Rodenbach, sommige werken van Stijn Streuvels en liederen van Emiel Hullebroeck, en de Administratie van de Spoorwegen verzocht had het vervoer van die werken te verbieden.

Wat een verdwazing. Ik dacht aan een vers uit Sofokles' Antigone: ,,Wie de godheid wil in 't verderf storten, beneemt zij eerst het verstand''. Mocht de Voorzienigheid die goede Belgen straks het verstand benemen zodat zij met hun pomperijen in een gekkenhuis terechtkomen! Ik heb nog het volgende citaat niet vergeten onder de vele retorische bloempjes die in deze historische interpellatie werden uitgestrooid. Het kwam uit de mond van de Waal Jules Destrée: ,,Le bilinguisme est une chose insupportable''. Het was dezelfde Destrée die in 1912 tot koning Albert gezegd had: ,,Sire, il n'y a pas de Belges''.

Te gepasten tijde nam ik een inschrijving voor het examen, de anderen deden het eveneens. We werden opgeroepen voor 1 september 1919 in het universiteitsgebouw van de Brusselse Stuiversstraat: rue des Sols. We waren met een tiental, die aan de Vlaamse universiteit 1916-1918 gestudeerd hadden. We werden verzocht binnen te gaan. De heren examinatoren keken ons met gestrenge blikken aan; er was een priester bij. De voorzitter van de jury las onze namen van zijn papier en verklaarde daarop dat de vaderlandse waardigheid hem en zijn collega's beletten ons te ondervragen, omdat wij enz. We konden de deur uit. Het was de eerste keer niet dat we de buitenwacht kregen.

Verbitterd en koppiger dan ooit te voren gingen we. Een van ons trok heftig van leer tegen de zwartrok die, solidair met de anderen, ons weigerde te ondervragen, wij die het inschrijvingsgeld hadden betaald en meenden recht te hebben op een ongediscrimineerde behandeling. Dit was toch een flagrante weigering van hetgene waarop we recht hadden en vanwege personen die voor hun taak betaald werden.

Nooit had ik mij zo diep vernederd gevoeld toen ik Brussel de rug toekeerde en na mijn maandenlange studie met ledige handen thuiskwam. Ik had twee jaar geleden de humaniora verlaten, vroeg niet beter dan te studeren, had lang en ernstig gestudeerd en stond nog even ver. Het was om te vloeken en heel het heilige vaderland naar de hel te wensen. Vader was het met mij eens.

Ik walgde en gevoelde een sterke fysieke afkeer voor de georchestreerde beknotting waarvan ten allen kante degenen die zich met de Vlamingen verbonden achtten zich een onderscheidende verwerping moesten laten welgevallen. Had ik zo'n zware doodzonde tegen het vaderland bedreven, met aan een Vlaamse universiteit te gaan studeren ten einde aan de verplichte tewerkstelling vanwege de Duitsers te ontsnappen? Daar, en daar alleen kwam het op aan.

Moeilijk kon ik mij het delirerende animo uit het geheugen zetten waarmede het Gentse stadsbestuur een hele Franse legerdivisie op tweede Kerstdag van 1918 tot een défilé met tractatie van de manschappen had uitgenodigd. Het lag er dubbel en dik op dat burgemeester Braun hiermee de Gentenaars een rad voor de ogen draaide en ze wilde verlokken om hun voorkeur voor de franstaligheid van de Gentse universiteit eerstdaags kracht bij te zetten.

De door de koning aangekondigde Vlaamse universiteit te Gent zat de burgemeester geweldig dwars en niets was hem te veel om daar een stokje voor te schuiven.

Een tweede maal zelfs voerde hij een vertoning van Fransgezinde platbroekerij op wanneer hij ter gelegenheid van het bezoek van de president Raymond Poincaré aan België, de Franse staatsman naar Gent wist te brengen, met platte complimenten overlaadde en er natuurlijk de Franse kultuur waarvan de Gentse universiteit zo'n eminente uitstralingshaard was, bij te pas bracht.

Al die opgeschroefde pathos vanwege de franskiljonse grootvorsten met Duitse naam kon door de vaderlandse beugel en moest de Vlaamse man met de panen broek goedmoeds slikken. Was het er burgemeester Braun om te doen, zijn vernederende bedeltocht naar Oordegem van september 1914 te doen vergeten? De man werd in de adel opgenomen. Was het niet passend geweest dat de koning hem de titel van Baron Braun de Oordegem had geschonken?

Al deze dingen dwarrelden door mijn geest wanneer ik met rust gekomen, de perikelen met de Brusselse examencommissie overdacht. Deze perikelen hadden een onverwacht politiek staartje en een verlengstuk dat ten slotte uitmondde in een volkomen ommekeer van zekere politieke situaties.

De toenmalige Minister van Wetenschappen en Kunsten, A. Harmignie, een katolieke Waal uit Henegouwen had, wanneer hij ervan op de hoogte werd gebracht dat de jury de oudstudenten in de medicijnen van de vervlaamste universiteit 1916-1918 de toegang tot het examen geweigerd had, aan de voorzitter gevraagd, de ingeschrevenen tot het examen toe te laten. De liberale volksvertegenwoordiger Féron uit hetzelfde Henegouwen, kondigde een interpellatie aan waarin hij Harmignie vroeg of zulks waar was, of Eerste-Minister L. Delacroix met de andere ministers, hun collega Harmignie in deze aangelegenheid dekten, en of de Minister niet beter ontslag nam.

In de zitting van de Kamer d.d. 24 september 1919 kondigde Eerste Minister Delacroix het ontslag van de heer A. Harmignie aan: ,,Des divergences de vues sur une question de modalité ont seules motivé sa retraite''. Met de onmisbare woorden van hulde en dank voor de aftredende minister naast de aankondiging dat de heer De Brocqueville ad interim de funktie van de heer Harmignie zou waarnemen.

Féron had zijn doel bereikt en trok zijn interpellatie in nadat hij wat patriottische wierook had gebrand. Op dat moment riep Frans van Cauwelaert uit: ,,Quelle comédie!'' en legde Winandy de vinger op de wonde met de verklaring: ,,Men wil Harmignie treffen omdat hij katoliek is''. Daar lag inderdaad de kern van de zaak.

Het was zo waar dat nog in 1919 de socialist Jules Destrée minister voor Wetenschappen en Kunsten werd en met hem de ononderbroken rij van niet-katolieke ministers op het vrij belangrijke ministerie werd ingezet. Was het dan overdreven wat ik zo juist schreef dat de weigering van ex-Gandavenses voor de Brusselse Examencommissie, een ommekeer bracht in de politieke conjunctuur van het land?

Maar daarmee was de kous niet af. Teneinde een oplossing te vinden voor onze toestand waarvan men de onbillijkheid inzag en waarbij weldenkenden uit de universitaire en politieke kringen zich niet konden neerleggen, besloot de regering tot de oprichting van een interrectorale commissie die elk geval zou onderzoeken en adviseren of men een ex-Gandavensis opnieuw tot de universiteit kon toelaten.

Op welke juridische gronden kan men een Belg de toegang tot de universiteit verbieden indien hij in het bezit is van de wettelijk voorgeschreven getuigschriften? En mag een staatsjury hem weigeren te ondervragen, indien het verplichte inschrijvingsgeld betaald werd? Het was een kluif voor juristen. Ik richtte een verzoek tot de commissie, zette mijn geval uiteen, legde de gevraagde bewijsstukken van goed vaderlands gedrag voor (vanwege Bestuurder A. Delaere van de Gentse Nijverheidsschool, vanwege het Gentbrugse gemeentebestuur).

Tussendoor waren te Leuven al ex-Gandavenses zonder verwikkelingen ingeschreven, o.m. Fernand van Goethem. Tuur Broeckaert zat in Luik vlijtig te studeren en ofschoon men zijn activistisch nummer kende, liet men hem met rust. Gerard de Paep was te Brussel ongemerkt aan de studie getogen en legde er examens af. Te Gent werd Emiel de Loose door rector E. Eeman wederrechtelijk afgescheept en trok hij naar Leuven waar men hem niets in de weg legde. Gaston Dauwe zat in een officierenschool en had geen last.

Wachten was de boodschap. We waren september 1919: van juni 1920 tot juni 1921 zou ik mijn legerdienst doen. Ik hoopte vast tot de universiteit toegelaten te worden en daarna aan mijn medische studie van zeven jaar te beginnen. Ik zou in het beste geval drie jaren verloren hebben en zo alles meeviel in 1927 mijn einddiploma halen.

FRANS DE HOVRE TE GENTBRUGGE

Men kan geloven of niet geloven in sprookjes, maar er zijn goede en boze feeën. Al had de boze mij in de voorbije maanden veel last berokkend, toch had de goede mij niet helemaal vergeten.

Terwijl ik mij over veel dingen en personen ergerde en in de studie een afleiding zocht, verscheen in het voorjaar 1919 te Gentbrugge een man die van stonden aan mijn bijna uitzichtloze gelatenheid opving en er een oriëntering op drukte die weliswaar mijn studierichting niet veranderde, maar ze sterk beïnvloedde en een vaste inhoud gaf.

Het was de priester Frans de Hovre, die uit Engeland na de oorlog teruggekeerd, te Gentbrugge-Center tot onderpastoor werd benoemd. Hij was doctor in de Thomistische Wijsbegeerte, oudleerling uit de school van Kardinaal Mercier, en had al sporen verdiend op het gebied van de katholieke pedagogiek. Hij was hier in het parochiale ministerie geparachuteerd, in afwachting van een meer passend arbeidsveld, dan dat van patronage-directeur en proost van de Boerenbond.

Tot zijn vreugde en ons geluk, trof hij in zijn nieuwe standplaats enkele jongeren aan met wie hij onmiddellijk vriendschap sloot en die niets beter vroegen dan op zijn geestelijk stroomnet aan te sluiten, zodra zij hem nader hadden leren kennen. Hij bracht andere ideeën in onze kleine wereld; het waren wel pedagogische ideeën, maar deze bleken zo universeel te zijn dat ze mij meteen al verrijkten. Voor de benarde toekomstsituatie waarin ik mij bevond, had hij vlug begrip; hij vroeg mij niet naar het hoe of het waarom.

Frans de Hovre was een telg uit een rijk begaafde Vlaamse stam die uit het Oudenaardse herkomstig was. De priester, leraar, essayist Eugeen de Hovre, kanunnik-pastoor van St.-Michiels te Gent was zijn volle neef; de missionaris, apostel van de melaatsen in Zuid-Afrika, Kamiel de Hovre eveneens; verwanten waren ook Arthur de Hovre, leraar orgel aan het Vlaams conservatorium te Antwerpen, naast tal van andere De Hovres die kunst en muziek in het bloed hadden. De huidige provinciaal van de Zuidnederlandse jezuïeten is ook een De Hovre, en mijn lijstje is niet ten einde.

Hijzelf was te Oudegem bij Dendermonde geboren, waar zijn vader koster en handelaar was. Hij was leerling aan het college van Dendermonde waar hij Lodewijk Dosfel leerde kennen. Te Leuven aan het Leo XIII-Instituut, had hij de latere Kardinaal D. Mercier als leraar in de wijsbegeerte en leefde intens de tribulaties mee die de eerste botsingen tussen de Vlaamse studenten en de kerkelijke overheid meebrachten. Het was de tijd dat de bisschoppen verbolgen waren omdat de academische overheid niet had kunnen beletten dat een studentenbetoging Hunne Hoogwaardige Excellenties de eis van vernederlandsing van Gent en zovele andere in het aangezicht slingerden. Het had geleid tot het ontslag van rector Ad. Hebbelynck en zijn vervanging door de Waal P. Ladeuze. De nieuwe onderpastoor had het van dichtbij meegeleefd, en hij kon het van naaldje tot draadje vertellen.

Frans de Hovre was een joviaal man, die een hekel had aan mensen die geweldig ernstig deden. Hij was wat wereldvreemd, was bang voor vuurwapens en schrikte voor kleine verdachte geruchten. Hij liet de grote pieten van seminarie en kapittel liefst links liggen, was gesteld op de trouwe genegenheid van een klein aantal vrienden aan wie hij door dik en dun verkleefd was. Met de jaren namen zijn karaktertrekken in scherpte toe, en leefde hij wat teruggetrokken binnen de kring van gelijkgestemden, die de wereld en de mensen met irenische berusting in Gods beschikking gadesloegen en mild beoordeelden. Voor degenen die volgens hen die heilige lijdzaamheid niet waardig waren, vatten zij een diabolische onverzoenbaarheid op en lieten ze het elkeen horen.

Spoedig was ik met August de Schrijver, Paul Paré en Florent de Craene in de kameraadschappelijke kring met Frans de Hovre opgenomen. Jules Storme die nogal wat ouder was, bleef aan de buitenkant.

De nieuwe onderpastoor was ex-professo bestuurder van het jongelingenpatroonschap, een vereniging die zich onder de leiding van een priester en leken met de vrijetijdsbesteding van de jeugd bezighield. Om ze in het goede spoor te houden zoals het heette. Die werking kende voor de Eerste Wereldoorlog in onze streken een grote bloei, maar was door de oorlogsgebeurtenissen stilgevallen en het bleek niet gemakkelijk ze nieuw leven in te blazen.

Toen vatten August de Schrijver en Frans de Hovre, die in Engeland de padvinderij aan het werk gezien hadden, het idee op te Gentbrugge met een scoutsgroep van wal te steken en te proberen de jongens ervoor te winnen. Ze maakten ons deelgenoot van hun voornemen en loodsten de zoon van een kasteelheer, Tony Cardon de Lichtbuer, mee, die ook in Engeland in de beweging had gestaan. Ze traden in contact met andere groepen die te Gent en elders bestonden of in wording waren, o.m. op St.-Barbaracollege. Daar was de nieuwe rector Pater Jozef Jacobs, oud-rector van een Engels jezuïetencollege, de promotor van een padvinderstroep binnen het college zelf.

Te Gentbrugge stak men in september 1919 van wal; de nieuwe troep van een dertigtal jongeren kreeg de naam van Hubert de Bruykertroep. De naam was die van onze vroegere klasgenoot op St.-Barbara, zoon van een Gentbrugs bloemist, gewezen scout in Engeland, die in het september-offensief van 1918 te Houthulst gesneuveld was. De eerste scoutsmaster was Florent de Craene, onderwijzer aan de vrije jongensschool van de Louis van Houttestraat.

Hoewel van nabij bij die geboorte betrokken, had ik geen leiding, maar August de Schrijver en Tony Cardon die in de provinciale organisatie van de beginnende padvinderij van Oost-Vlaanderen zaten, hadden voor mij een secretarisfunktie bedacht, waarvan ik de opdrachten zo goed mogelijk vervulde tot op het ogenblik dat ik in juni 1920 voor mijn legerdienst opgeroepen werd.

Na wat moeilijkheden in den beginne, groeide de Hubert de Bruykertroep tot een flinke padvinderstroep uit. Frans de Hovre zag het graag en hielp mee. We schakelden in op de provinciale en landelijke werking, namen deel aan alle opdrachten die van ons gevraagd werden, gingen op kamp, organiseerden toneelopvoeringen om aan geld te geraken.

De Hubert de Bruykertroep bestaat nog en heeft veel ups en downs in die achtenvijftig jaar meegemaakt. Die lange levensloop illustreert de geschiedenis van de padvinderij in Vlaanderen. Zij verdient door een bevoegd socioloog te worden bestudeerd, want zij maakt deel uit van een tijdsklimaat dat door bijzondere omstandigheden werd bepaald.

De tijd heeft de initiatiefnemers van de padvinderij te Gentbrugge verstrooid; sommige zijn overleden, andere leven nog. Jongeren hebben de werking voortgezet in een andere geest dan wij het deden. Die geest is wellicht beter aangepast, maar er brandt nog altijd een beetje van dezelfde geestdrift in de knapen en jongemannen die thans langs onze straten gaan, in de heide van de Kempen kamperen en een internationale jamboree in Finland of Australië bezoeken. We hadden een jamboree in Diest in

1920 en de Hubert de Bruykertroep sloeg er een goed figuur.

De padvinderij heeft in ons land een grote veelzijdigheid in haar werking ontplooid. Zij heeft b.v. zeer jonge knapen en meisjes onder de naam van wolfjes in haar selectieve greep op de jeugd voor de beweging van haar stichter Baden Powell warm gemaakt, en veel volwassenen voor de begeleiding van die jongeren ter beschikking gesteld. Haar pedagogische metoden werden door andere jeugdorganisaties afgekeken.

Niemand zal ontkennen dat de bijzonder actieve zeescouts te Antwerpen in de zeevaartkringen sporen hebben nagelaten. Hoeveel beroemde zeebonken en beruchte avonturiers-wereldvaarders zijn niet als zeescout met een zelfgemaakt zeilbootje begonnen voordat zij het ruime sop hebben gekozen? Het is mijn vaste overtuiging dat als men de eerste kiemen van die continentenomspannende werking zou opsporen, men ergens in de alleroudste archieven op de naam van de Gentbrugse Hubert de Bruykertroep zal stoten, en dat daarin ook de naam van Frans de Hovre zal voorkomen.

Maar de weg en de taak van Frans de Hovre lagen elders. Een intellect zoals het zijne was niet in de wieg gelegd om in een patronaatzaal te staan, of voor te bidden op een parochiale bedevaart tegen een heersende veeziekte. Hij deed dat wel, maar zijn hart was er niet bij en zijn gedachten zweefden weg naar zijn boeken. De Gentbruggenaars die zijn preken aanhoorden, zegden dat die onderpastoor een te geleerd man voor hen was. Zij hadden geen ongelijk.

Al spoedig had De Hovre mij door en begreep hij wat hij doen kon om de leegte van mijn dagen met meer intellectueel werk te stofferen dan de opkomende padvinderij in een parochie die dan nog de mijne niet was, om mij tijdelijk vooruit te helpen.

Vanuit zijn Leuvense leerschool was hij, getekend door de wijsgeer die Mercier was, met de gedachte bezield dat de opvoeding een definitieve stempel op het gemoed en de inborst van de mensen slaat, en dat degenen die voor de opvoeding van een mensengeneratie en ten slotte van een heel volk instaan, aan de allerbeste en alleraandachtigste zorgen vanwege de intelligentsia nooit te veel hebben. Bij Frans de Hovre was die gedachte gevoed en gekoesterd geworden door een intense studie van de grote opvoedkundigen uit heel de wereld. Weinig mensen hadden van hun werk een ruimere kennis, als hij van het zijne.

Hij was er de man niet naar om zich in de ivoren toren van het intellectualisme op te sluiten. Zijn onvermoeibaar temperament werkte aanstekelijk en hij zou al wie zijn vertrouwen en vriendschap had, iets in de handen hebben gestopt om hem voor zijn pedagogisch werk te mobiliseren en mee te sleuren op een gebied waar alles te doen was, zoals hij het gaarne uitdrukte.

Het moet zijn dat hij in mij zijn man gezien had, want het geviel zo dat hij een boek wilde uitgeven met een keus excerpten uit de Amerikaanse pedagoog Mgr. J.L. Spalding, en omdat ik een beetje Engels kende, zette hij mij, zo maar, aan de vertaling van de mooiste gedeelten uit het vrij omvangrijk œuvre van Spalding. Noch ik noch iemand anders had van die pedagoog ooit gehoord of gelezen, maar Frans de Hovre wel. Het was geen moeilijk Engels, verklaarde hij, ik zal u helpen en de final touch zal ik er samen met u aan geven. Niets meer of niets minder dan dat. Op minder dan geen tijd was het beslist, en weg was ik.

Om de acht dagen droeg ik mijn vertaalde tekst bij hem aan huis binnen, kreeg ik andere geselecteerde bladzijden weer mee, en zo ging het weken aan een stuk door. Ge moet maar durven. Zo ongecompliceerd was Frans de Hovre.

Einde januari 1920 was een boek van 230 bladzijden klaar. De Hovre gaf het de titel *Licht en Leven*. Het werd uitgegeven door de Vlaamsche Boekenhalle en gedrukt in de

Drukkerij St.-Michiel te Brugge. Er stond op: ,,In het Nederlandsch bewerkt door Leon Elaut''. Het was het eerste deel van de reeks *Pedagogische Studiën,* onder leiding van Dr A. Decoene en Dr Fr. de Hovre. Het boek kwam van de pers einde april 1920.

Voor de vertaling kreeg ik dank zij De Hovre een honorarium van driehonderd frank. Het was de tweede keer in mijn leven dat ik iets verdiende. De eerste keer was het vanwege de Franse boer te Mamers die mij in oktober 1914 twintig frank in de hand had gestopt voor het knuppelen van appelen voor zijn cideroogst.

De laatste volzin van *Licht en Leven,* luidt: ,,Wordt dan alles, wat gij worden kunt. Wat dit is, kunt gij enkel te weten komen,met dag voor dag, met vanaf uw jeugd tot uw hoge jaren, en zelfs tot het einde toe, te streven, wijl gij den uitslag overlaat aan God en aan zijn meestergast, den tijd.'' Als ik dat zou willen toepassen op mijn eigen leven, nu ik naar de tachtig toega, komt dat wel bijzonder aardig uit. En nog zit dat streven, volgens Spalding en Frans de Hovre, er bij mij altijd in.

Ik had de lege tijd, die mij door de weigering van de Brusselse examencommissie werd toegemeten, niet nutteloos laten voorbijgaan. Ik weet aan wie ik het te danken had. In de loop van de daaropvolgende jaren heb ik, alleen of in samenwerking met Florent de Craene, nog enkele pedagogische werken vertaald.

Frans de Hovre was een buitengewoon mentor, hij liet niet af.

*

* *

De tijd stond niet stil. De oorlog was al meer dan anderhalf jaar voorbij en als in versneld tempo zag men een nieuwe maatschappij aanrukken. Om het met een versleten gemeenplaats te zeggen, de oude gewaden werden afgelegd. Men moest zich aan veel nieuwe dingen wennen. De mensen en hun ideeën waren door de oorlog dooreengeschud.

De lonen gingen fors de hoogte in: één frank per uur, geen cent minder, zo luidde de slogan. Het meervoudige stemrecht had afgedaan. Gedemobiliseerde soldaten rookten sigaretten in een nooit geziene mate en plantten die gewoonte bij de jeugd in. In Engeland, Frankrijk, Italië of Rusland hadden zij vrienden en kennissen gemaakt; meer dan een liet zijn vooroorlogse verloofde in de steek en trouwde met zijn oorlogsmeter. Hektor van Seymortier, de meest verstokte jonggezel van Gentbrugge, was gehuwd uit de oorlog weergekeerd. De mensen konden hun oren niet geloven wanneer dat nieuws bij hen als een bliksem insloeg.

De soldatenliederen *La Madelon* en *Tipperary* hadden maanden lang op alle toonaarden en tingeltangels geklonken, maar waren al aan het wegebben. Intensief had men de oude oorlogsstellingen van het front bezocht, maar ook dat toerisme had afgedaan, men was volop aan de wederopbouw toe en die lokte minder kijkers.

De grote activistenprocessen gingen hun gang. Borms en zoveel anderen uit de gewezen Raad van Vlaanderen hadden de doodstraf gekregen. Lodewijk Dosfel, de meest gematigde activist werd op 17 juli 1920 tot twintig jaar hechtenis veroordeeld. Frans van Cauwelaert die hem voor het Gentse assisenhof verdedigde had het niet gehaald met zijn pleidooi: ,,Er is geen schuld in dien man!'' Een gratieverzoek met 36.000 handtekeningen, waaronder die van al wie naam had in Vlaanderen, werd verworpen.

Wies Moens kreeg op 10 december 1920 vier jaar gevangenis. Op 18 mei 1922 zou Pater Stracke nog drie jaar oplopen. Zoveel tekenen des tijds, die erop wezen hoe razend er tegen het activisme te keer gegaan werd, en hoe weinig Vlaanderen en de Vlaamse Beweging in de geest van de rechters betekende. De enige rechtsnorm was: activisme en Vlaamse Beweging zijn identiek, en activisme is verraad: dus!

Het was ons niet ontgaan dat onze medestudent aan de Vlaamse universiteit van 1916-1918, Lode Craeybeckx vijf jaar had gekregen, maar dadelijk na zijn vrijlating in een socialistisch bootje was gestapt. Met Richard Declerck ging het blijkbaar dezelfde weg op. Te Gent kreeg o.m. Achilles Mussche die toch ook geen al te zuiver geweten had en in de beweging van het activisme opgenomen werd, niet uit Duitsgezindheid maar uit liefde voor Vlaanderen zoals het heette, veel gemakkelijker vergiffenis omdat hij bij het socialisme aanleunde.

En er zijn zoveel anderen. Het was in die dagen zo gesteld, dat de intellektuelen die hun christelijke overtuiging de rug toekeerden, in de socialistische partij welkom waren, waar zij van alle activistische zondeschuld tegen het vaderland witgewassen werden en waar voor hen een lonend baantje werd voorbereid.

*
* *

Mijn premilitaire wachttijd van september 1919 tot juni 1920, heb ik in de Gentbrugse kring van mijn oude en nieuwe vrienden niet zonder vrucht voor mij en voor het cenakeltje waartoe ik behoorde aangewend. De medische studie zette ik op een klein pitje, maar liet ze niet bevriezen, want uit het oog is uit het hart. Met de andere gegadigden kwamen we elke week samen om ons op te warmen tegen dat we medio 1921 aan de slag zouden gaan. Te Gentbrugge was de padvinderij goed opgeschoten en deed ik mijn part. We spraken in de Sociale Studiekring van Jules Storme, speelden toneel en wanneer er geen passend stuk bij de hand was, schreef ik er zelf een.

Men dacht dat een toneelsketch over de padvinderij het beter zou doen om de aangelegenheid vlot bij de gewone man te doen ingang vinden; ik stak er zo een ineen onder de titel *Rond het Kampvuur*. Het sloeg in.

Waarom het niet eens beproeven met een vaderlands motief, nu er met patriottische draken op teatereffekt gejaagd werd? Het sprak mij aan, maar in plaats van de laatste oorlog waarbij het aan toneelinspiratie zeker niet ontbrak, schreef ik een intrigestuk waarvan de handeling en de ontknoping in de Boerenkrijg gelegd werden. Het heette *Gesneuveld,* in blanke verzen en in twee bedrijven.

Ofschoon er in een Katolieke Vriendenkring geen gemengde stukken met mannen- en vrouwenrollen mochten gespeeld worden, ging het toch over het romantisch-sentimentele veroveringsduel van een meisjeshart tussen twee mannen van wie er een sneuvelde in de slag bij Hasselt. Tijdens de vertoning zat ik in de souffleursbak en had August de Schrijver een karweitje achter de schermen op te knappen. Frans de Hovre die toneelmeester was, verloor op zeker moment de draad van het spel, zodat de hele zaak dreigde in het honderd te lopen. De tranenvloed door de tragische verwikkeling van het sneuvelen verwekt werd echter door de spelers zo op de spits gedreven, dat niemand onder de aanwezigen iets van de hapering had gemerkt.

*
* *

Bij Frans de Hovre brachten de interferenties van zijn onderpastoorsambt niet in die mate zijn ware levensroeping in het gedrang, dat zij de grootse plannen die hij koesterde afzwakten.

Met zijn alter ego, Alberik Decoene, ook een uit de Leuvense school van D. Mercier, en destijds directeur van de Bisschoppelijke Normaalschool voor Onderwijzers in het Westvlaamse Torhout, had hij beslist een *Vlaams Opvoedkundig Tijdschrift* uit te geven.

De bedoeling was door een met regelmatige tussenpozen verschijnende publikatie die de christelijke levensbeschouwing aankleefde, de intellectuele status van de Vlaamse leerkrachten te verhogen en bij te dragen tot het bevorderen van hun beroepsbekwaamheid. In een nabije toekomst en op verre afstand zou het ten goede komen aan het hele Vlaamse volk. Het zou ,,Vlaams'' opvoedkundig heten, en niet opvoedkundig zonder meer. Het was een van de eerste, zoniet het allereerste periodiek verschijnend geschrift, dat het epiteet Vlaams in zijn vlag voerde. Het was een waagstuk in die tijd: herfst 1919.

Met al degenen die De Hovre toen dagelijks ontmoette sprak hij over niets anders, en van de Gentbrugse jongeren tot dewelke ik behoorde, kon men zeggen dat zij bij de wieg van het *Vlaams Opvoedkundig Tijdschrift* gestaan hebben. Hij deelde ons de inhoud mee van het opstel waarin hij het programma en de principiële strekking van het ontworpen tijdschrift uiteenzette. Wij hadden er veel eerbied voor, al begrepen wij niet alles wat erin zat of wat de hoofdredakteur in het schild voerde.

Het eerste nummer van het *Vlaams Opvoedkundig Tijdschrift* verscheen op 1 oktober 1919. Tot in 1955 heeft Frans de Hovre de uitgave verzorgd. Geen nummer is ooit verschenen zonder een fundamentele bijdrage van zijn hand. Het tijdschrift was een van de belangrijkste publikaties die het rinascimento van het Vlaamse geestesleven na de Eerste Wereldoorlog hebben bewerkstelligd.

In het najaar 1920 verscheen *Hoe word ik Man?* vertaald uit Fr.W. Foerster door Florent de Craene en mijzelf. Foerster was een van De Hovres idolen en het lag voor de hand dat hij niet aan de aandacht van het Gentbrugse vertalersteam zou ontkomen zolang De Hovre de dirigent was. *Hoe word ik Man* kende vier uitgaven. In 1925 vertaalde ik met Florent de Craene van Fr.W. Foerster *Staatsburgerlijke Opvoeding* en in 1929 *Wedergeboorte van Staats- en Volksleven*. Voor dit laatste werk schreef staatsminister Prosper Poulet een inleiding.

Frans de Hovre is voor mij, zoals voor velen, een groot bezieler en tewerksteller geweest. Hij was niet de priester die aan de hoek van de straat zijn brevier stond te bidden opdat elkeen het zou zien. Hij heeft in de stilte van zijn werkkamer een reuzetaak volbracht, en bij een generatie van onderwijzers en volksopvoeders de hechte fundamenten daar gelegd waar ze dienden gelegd, in de ziel en het gemoed van elk individu.

NAAR HET BELGISCH LEGER

Terwijl ik zo, niet in het ijle weliswaar, de onontkoombaar studieloze tijd doorbracht waartoe ik door de omstandigheden veroordeeld was, en in afwachting van het advies der vier-rectorencommissie, kon Frans de Hovre het moeilijk over zijn hart krijgen dat ik aan de medische studie vasthield. Hij zou liever gezien hebben dat ik de wijsgerige richting insloeg en maakte zich sterk de weg voor mij te effenen naar het Hoger Instituut voor Wijsbegeerte te Leuven.

De zeer goed bedoelde tussenkomst van mijn vriend sprak mij niet sterk aan. Ik had mijn hart en ziel aan de geneeskunde verpand, had al een stukje weg in die richting afgelegd, de weg naar het doel was wel lang, maar ik had het ervoor over. Mijn militaire dienst stond voor de deur, en ik bleef vast besloten, na afloop daarvan alles te wagen om in een versneld tempo de examens van de kandidatuur in de natuurwetenschappen af te leggen en daarna in de geneeskundige faculteit voort te studeren.

Ik moest De Hovre enigszins teleurstellen. Hij legde er zich bij neer, het lag niet in zijn aard daarvan een drama te maken.

In februari 1920 werd ik door de militaire keurraad geschikt voor de dienst bevonden, en krachtens artikel zoveel van de wet op de dienstplicht bij het leger ingelijfd. Ik hoorde er samen met de anderen de voorlezing van het beruchte voorschrift dat desertie voor de vijand in oorlogstijd met de kogel wordt bestraft. Het lokte, tot verontwaardiging van de voorlezende adjudant, een homerische spotlach uit vanwege al de aanwezige kersvers tot militair gepromoveerde jongelieden. Ik mat 1,66 meter, woog 65 kilo (met broek) en was goed voor alle wapens.

Drie maand later kreeg ik een oproepingsbevel met gratis spoorkaartje, met verzoek mij vóór twaalf uur voormiddag van 1 juni 1920 aan te melden in de kazerne van het Tweede Bataljon Karabiniers-Wielrijders, derde compagnie, Tiense Straat te Leuven.

Op de voorgestelde datum vertrok ik uit het Gentse Zuidstation met de trein van halfacht over Dendermonde en Mechelen naar Leuven. Het was de eerste keer in mijn leven dat ik dit traject aflegde. Te Leuven werden de recruten in het station opgewacht door wapenbroeders, we verzamelden rondom de op een stok met opschrift aangeduide eenheid, trokken met ons schamel reiskoffertje achter de vooraan marcherende korporaals naar de kazerne.

In de Bondgenotenlaan bij de hoofdkerk en het stadhuis lag de stad nog in puin. Dat verbeterde de stemming niet.

De kazerne was een afgedankt academisch instituut uit het ancien régime, ze lag vlak tegenover het militair ziekenhuis dat zelf het oud Collegium Falconis was, thans een afdeling van de Rechtsfaculteit.

We werden naar onze compagnielokalen geloodst; die lagen op de derde verdieping, tachtig trappen hoog. De kapitein en de luitenants kwamen een kijkje nemen en vóór het elf uur was, hadden we uit een groene plunjezak ons uniform opgediept en stonden we gebroekt en gelaarsd voor een eerste inspectie vanwege een luitenant die zijn aanmerkingen over ons schachtenpak aan de bataljonskleermaker doorgaf, als de mouwen te lang, de halsboord te gapend of de kapotjas te kort uitvielen. Het passen van mijn helm verliep niet naar wens: alles wat men op mijn hoofd zette, bleek te klein. De maat van mijn hoofddeksels is 60, en om iets te vinden dat op mijn sterk brachycefale schedel paste, moest men de hele kazerne afzoeken.

Men zegde ons wie onze officieren waren. Korpsoverste was majoor Van de Sande, de kapitein heette Noël, de luitenants heetten Beert en Fonteyne. Het duurde geen tien minuten of we wisten al hun bijnamen. De majoor was Pierke van de Sande, en luitenant Fonteyne was piot, omdat hij van een linieregiment naar de karabiniers-cyclisten was overgegaan.

Te twaalf uur werd etenstijd geblazen en maakten we kennis met de soldatenkost: aanschuiven met een gamel voor de soep, dan aardappelen, een plak vlees met een geut saus op een heus bord aan tafel geserveerd, met lepel, mes en vork. Het smaakte, meer dan een was uitgehongerd, een paar trokken hun neus op en lieten hun portie staan. De mannen van corvee zorgden voor de verdere werkzaamheden van huishoudelijke aard; men beloofde ons dat het morgen onze beurt zou zijn.

Na de middag moest iedereen meedoen aan het patatenjassen. Allemaal rond een stapel aardappelen, dun schillen en de ogen diep uitsteken, brulde de korporaal van de week. De geschilde aardappels werden in een ronde kuip met water geworpen, liefst flink genoeg om het water hoog te doen opspatten, wat een dosis militaire uitbranders met de belofte van straf aan het adres van de hele corona uitlokte.

In de namiddag verscheen de bataljonsdokter. Hij vroeg of we ziek waren. Zo ja, dan werd men naar 't hospitaal voor verder onderzoek verwezen; zo neen, dan werd men dadelijk gevaccineerd tegen de pokken. Tegensputteren hielp niet. In de vooravond kregen we een geweer met bajonet, en elk een registernummer van acht cijfers dat we van buiten moesten leren. We waren ingelijfd en zouden aan het soldatenleven moeten wennen.

Ik maakte er geen probleem van. Te tien uur lagen we op onze brits, tussen witte lakens en sliepen. Dat ging feilloos in een grote zaal, met een bezetting van rond de vijftig man. Wanneer 's anderendaags om vijf uur in de ochtend de klaroen door de gangen schalde, zou ik nog graag een paar minuutjes uitgesoesd hebben, maar er werd ,,Debout'' gebruld en de man van de broodcorvee kwam een kwart bruin brood op mijn bed gooien, voor het ontbijt.

Eerste sergeant-majoor Buyst die ons de eerste les in militaire theorie gaf, hield ons voor dat wij tot een keurkorps behoorden, wat de Duitsers in de oorlog aan den lijve ondervonden hadden; zij noemden de karabiniers-cyclisten ,,Zwarte Duivels''! Voorts dat het kenmerk van de cyclisten de sterke discipline was. En om dat te bewijzen zal van morgen af uw haar rats tot tegen het hoofd kortgeknipt worden. Zo geschiedde het; het gaf ons het uitzicht van een hoop galeiboeven. Wanneer ik de week daarop thuiskwam, herkende moeder bijna haar zoon niet.

Ik wil de dagagenda van een militaire compagnie in opleiding hier niet verder uiteenzetten. De mannelijke lezers van deze bladzijde hebben ze meegemaakt, en de lezeressen zullen er genoeg van gehoord hebben om zich concreet voor te stellen wat ze behelst. Ik veronderstel dat deze agenda nagenoeg dezelfde is voor heel de troep, behalve natuurlijk de specifieke opleiding in het wapen waartoe men behoort.

Ik was bij de karabiniers-wielrijders terechtgekomen en zou dus met de fiets een goed stuk training doormaken. We hadden Engelse B.S.A. fietsen van stevige makelij, niet van de pluimlichte soort. Zij hadden de oorlog overleefd en het waren precies van de handzaamste vehikels niet; wanneer we in het zadel zaten met het geweer op de schouder en helemaal opgetuigd, was het geen kinderspel met het ding vijftien kilometer per uur te halen.

Op het oefenplein buiten de Leuvense ringlaan, vlak tegenover de centrale gevangenis, werden we duchtig gedrild, moesten we lopend en met volle uitrusting op de fiets springen, er plots afvallen en plat achter het rijwiel op de grond gaan liggen, enz. We moesten de Brusselse straat op rijden, dan in een tamelijk snel tempo over de straatkoppen naar beneden en alleen met de voeten op de trappers remmen. Daar ik in mijn leven veel gefietst had, viel mij die karabiniers-wielrijders-training niet al te zwaar.

Op zekere dag haalde Pierke van de Sande het in zijn hoofd, de drie compagnies van zijn bataljon in een snelheidswedstrijd met elkaar te meten. We zouden daarvoor een omloop van twintig kilometer ergens in de buurt van De Jacht te Heverlee afleggen. Eerste prijs was één week verlof, de andere prijzen waren pakjes sigaretten. Ik dong mee, kwam de achtste aan en kreeg een pakje sigaretten. Eerste was Cyriel Buyse van de derde compagnie. Hij was één van de vier gebroeders Buyse uit Wontergem, waartoe o.m. Lucien en Marcel behoorden, de beruchte wielerkoningen over wie heel het fietsminnende land toen de mond vol had.

Cyriel Buyse was de mecanicien van de compagnie, hij moest de defecte fietsen opknappen en zorgen dat ze netjes opgeborgen werden: een schitterend baantje voor een man van zijn faam. Cyriel Buyse woont thans te Gent bij de Kortrijkse Poort waar hij een fietsenzaak bezit. We spreken soms nog van onze Leuvense tijd in de Tiense straat, toen wij het vaderland dienden tegen een soldij van 0,30 fr. per dag.

HET KAMP VAN BEVERLO EN DE SCHOOL VOOR RESERVE-OFFICIEREN

Na één maand in het Tweede Bataljon Wielrijders te Leuven nam ik afscheid van deze eenheid, en moest ik van kapitein Noël veel goede wensen voor mijn aanstaande opleiding tot reserve-officier in ontvangst nemen en beloven dat ik nooit het illustere bataljon tot hetwelke ik behoord had zou vergeten. Hij vroeg aan de sergeant-majoor of mijn uitstaande soldij betaald was, of ik mijn reisorder op zak had. Hij reikte mij de hand: ,,Au revoir, mon brave!''

Ik boemelde met pak en zak over Aarschot, Zichem en Diest, moest daar overstappen voor Leopoldsburg, het station van het militaire kamp van Beverlo. De trein vanuit Diest zat vol soldaten met dezelfde bestemming. We reden over Schaffen, Tessenderlo, Oostham en Heppen. Te Leopoldsburg liep de trein leeg.

We werden opgewacht door onderofficieren die ons op een smalspoortreintje laadden en tuften door het dorp langs prachtige lanen en dreven tot we drie kilometer verder afgeladen werden tussen de militaire blokken die het opleidingscentrum voor reserve-officieren van de infanterie uitmaakten. Die blokken, alle van hetzelfde type, lagen op de rand van het kamp en zagen uit op een oefenplein dat op een onafzienbare heide doodliep. We werden met vele anderen in kamers gerangschikt, en het ritueel van bedden maken, eten, slapen, aardappelen schillen, oefenen, begon opnieuw.

's Anderendaags zouden we les krijgen. De lessenrooster werd uitgehangen; hij zag er serieus uit. We konden kiezen tussen het Franstalig of Nederlandstalig systeem. Mijn keus was niet moeilijk. In de klas trof ik Jeroom Claeys aan. De leraars waren officieren, van wie de ene al wat beter Nederlands sprak dan de andere, maar het liep soms de spuigaten uit. Wanneer een kapitein een leerling over zijn kennis van de meetkunde ondervroeg en het duidelijk bleek dat de knaap voor die wetenschap niet in de wieg gelegd was, staken zijn makkers uit loffelijke gewoonte het goede antwoord op; de kapitein maakte zich boos en riep: ,,Soldaat, hem niet opblaas!''

Na een week had men uitgevist dat ik als student in de geneeskunde op een verkeerde school was terechtgekomen. Ik moest dezelfde dag met al mijn spullen verhuizen naar Blok E 20, waar een school van reserve-officieren voor de Gezondheidsdienst gevestigd was. Ik was voorlopig de eerste en enige leerling. Er was een uitgebreide staf leraars, naast onderofficieren en soldaten die voor de corvees moesten instaan.

Er was een klaslokaal voor vijftig man voorzien; voor de maaltijden moesten we naar de CIBI, Centre d'Instruction de Brancardiers Infirmiers, op een kwartier daar vandaan bij het militaire ziekenhuis. Daar men niet wist wat met mij aan te vangen, zond de directeur van onze school, Majoor-Geneesheer August de Clercq, een Gentenaar, mij met acht dagen verlof naar huis. Zoiets was bijzonder welkom.

Bij mijn terugkeer in het kamp van Beverlo, waren we met vier kandidaten reserve-officieren en besliste de directeur dat de lessen konden beginnen. Onze leraars waren kapitein-geneesheer August van Doren, een typische Leuvenaar; kapitein-geneesheer R. Devilliers, een Waal. Voorts hadden wij drie officieren van de infanterie die ons wat militaire training moesten bijbrengen: Luitenant Bronne, een Waal uit het Naamse; luitenant Edw. de Bock, een Oostvlaming uit Zaffelare en luitenant Adr. Reynders uit Hasselt.

De vier leerlingen waren: Victor Koumans uit Hasselt, een geneesheer die juist te

Leuven zijn eindexamen had afgelegd; Justin Jeangette, een afgestudeerd apoteker uit Dison-Verviers; Edmond Nuten uit Puurs-Kalfort, eerstejaars die te Leuven was gesjeesd; ikzelf. We droegen nog altijd het uniform van de eenheid waartoe we hadden behoord, het mijne was dat van de karabiniers-wielrijders, Mon Nuten liep in dat van de artillerie. Onze soldij bedroeg onveranderd 0,30 fr per dag; men zegde ons dat de militaire soldij ,,Incessible et insaisissable'' was, een groot voordeel en uniek kenmerk, want soldij behoort, zoals de rijksgoederen, tot het openbaar domein. We waren er vet mee.

We kregen cursus in de menselijke ontleedkunde, algemene levensleer en verrichtingsleer, openbare en militaire hygiëne, verbandleer, eerste hulp bij ongevallen. Voorts moesten we oefenen met de draagberrie en gewonden leren op- en uitladen in de ambulantiewagen. Voor deze laatste oefeningen trokken we naar de CIBI waar we met onderwijzers in de rangen stonden. We werden de huid volgescholden door korporaal Martine, een beest van een vent, die er een hels genoegen in vond de kandidaat-reserveofficieren te doen draaien en met hun voeten te spelen, of met andere nobele lichaamsdelen.

Maar ook louter militaire training stond op de agenda. We moesten op stap marcheren, het geweer van schouder veranderen en presenteren, ,,Le maniement des armes'' aanleren. Die oefeningen met ons vieren, onder het bevel van een onderofficier van de infanterie, onder het toeziend oog van een luitenant, waren een van de meest burleske vertoningen die het met eer overladen Belgische leger ooit te zien gaf. Stel u even voor: vier manschappen, elk met een verschillend uniform, de een met een karabijn, de andere met een Mausergeweer, stonden soldaatje te spelen op het grote oefenplein van het kamp van Beverlo, onder het bronzen oog van de daar gestandbeelde Generaal Chazal, in leven de grondlegger van l'Armée Belge na 1830.

Tijdens onze esbattementen ter plaatse, kwam op zekere dag de Plaatskommandant, een stafgebrevetteerd kolonel te nagang. Hij kon zijn ogen niet geloven, vroeg aan de sergeant wat dit schouwspel betekende en tot welke eenheid ons viertal behoorde. Wanneer hij het antwoord vernam, beval hij dat we dadelijk zouden afmarcheren en ons nooit meer op la plaine d'exercice laten zien. Deze ontmoeting maakte voor goed een einde aan de krijgshaftige wapenhandel van de leerlingen-reserve-officieren van de Gezondheidsdienst te Beverlo, eerste promotie.

Wat ons meer aanstond was het onderricht in het paardrijden. Het werd niet alleen als sportbeoefening voorgeschreven, doch van elke militaire arts werd verondersteld dat hij kon in de dienst treden bij bereden eenheden, en dus te paard zou rijden. Driemaal in de week trokken wij naar de rijschool in het ruiterijkamp, moesten daar te paard, zonder zadel of met zadel, zonder stijgbeugels enz. ronddraaien, draven, galopperen, springen. Het duurde een paar maand eer we buiten mochten en een ritje maken in de lanen van het kamp.

Ik heb het in de rijkunst niet ver gebracht, maar kon me toch op het einde van mijn militaire dienst fatsoenlijk te paard houden, zolang het dier niet te wild deed, en niet teveel haver kreeg. De karabiniers-wielrijders behoorden tot de ruiterijdivisie van het Belgische leger, en om mijn oude eenheid eer aan te doen, stel ik er prijs op te verklaren dat ik mij steviger in het zadel van mijn ijzeren paard voelde, dan op de rug van een knol.

Na de kerstvakantie 1920-1921 hadden we examen. We kregen vragen over de gedoceerde stof schriftelijk te beantwoorden. We kenden de vragen op voorhand en passeerden alle vier met een gering puntenverschil. Het resultaat was dat we op datum van 1 februari 1921 tot korporaal benoemd werden.

Majoor Gust de Clercq, Gandavensis, deelde ons de punten op een zekere plechtige toon mede. Hij stak in zijn typisch Frans een speechje af over onze eerste promotie in de militaire hiërarchie, dat die eerste promotie in feite de meest belangrijke was, of die waaraan het meeste belang wordt gehecht, dat we de verworven galons op ons uniform mochten laten aanbrengen, dat onze meisjes zeker bijzonder trots zouden zijn aan de arm van een korporaal te wandelen wanneer we op verlof waren, dát we ons bijzonder moesten inspannen om het voorbeeld te geven en de militaire discipline meer dan ooit in acht te nemen, dat we de bezittingen van het leger moesten beschermen tegen de vernielzucht van de simpele soldaat, dat we nu geen corvee meer moesten verrichten, dat onze soldij verdubbeld werd en voortaan 0,60 fr per dag bedroeg.

De vier gepromoveerden gaven geen kik. Wel met aangename verrassing vernamen ze dat hun diensttijd te Beverlo op 31 maart 1921 ten einde was, dat ze daarna in een militair ziekenhuis van hun keus zouden overgeplaatst worden en daar hun militaire vorming in de Gezondheidsdienst van het leger afronden. Ze zouden afzwaaien op 30 mei 1921 en op die dag tot sergeant benoemd worden, met een soldij van twee frank per dag. Wat een paradox.

We hadden te Beverlo nog twee maand voor de boeg. We staken niet veel meer uit. Van de drie luitenants die voor onze soldateske opleiding instonden, werden er twee naar hun eenheid teruggeroepen, de overgeblevene lachte zich krom met de geschapen situatie, hij ging kameraadschappelijk met ons om, zat meer te Hasselt waar hij woonde dan te Beverlo.

Kort nadien werd majoor Gust de Clercq tot luitenant-kolonel bevorderd en tot geneesheer-directeur van het Gentse militair ziekenhuis benoemd. Een van de twee geneesheren-instructeurs vertrok naar Brussel, en August van Doren ging om de andere dag naar zijn Leuvens spreekuur, zonder zich veel om ons te bekommeren. De onderofficieren op wie alles draaide, hielden geen appel meer, verstonden elkander uitstekend om eruit te muizen en alarm te slaan als er onraad broeide. We waren aan ons lot overgelaten, maar hadden er geen spijt van.

We hebben anderhalve maand in een aartsvervelend nietsdoen geleefd. Het was een uitstekende gelegenheid om wat te studeren, maar het viel tegen; luiheid noodt tot luiheid, het ging gewoon niet, omdat ik mij niet kon losmaken uit een diabolisch kaderwerk dat een heksenketel geleek waarin op elk ogenblik geroerd wordt. Ik ging elke zaterdagmiddag tot de maandagavond met een gegapt permissiebewijs dat ik zelf geschreven had naar huis. Officieel kreeg men maar om de vijf weken verlof. De anderen deden het voor niets minder; het ene kwaad voert tot erger kwaad.

Alleen in het leger komen situaties voor, waaraan men stierlijk het land heeft, waarin men, al etend en slapend niets anders doet dan wachten tot het gedaan is. Op zo'n ogenblik spoken de meest fantastische, onsamenhangende en ongerijmde dingen door de geest, over vrienden, over verleden en toekomst, over vrouwen, over wereldvisies, over heiligheid. Men krimpt ineen van vrees voor de eeuwigheid, van angst voor zijn eigen nietigheid, men ergert zich groen aan de dwaasheden die men in zijn leven heeft uitgehaald. Men voelt zich tot geen edelmoedigheid in staat. Het enige wat men doet is wachten op het einde; het is al een bravourstuk dat men er zich rekenschap van geeft, dat men tot wachten in staat is en uit de vernietiging wil treden.

25 maart 1921. Ik krijg een nieuw uniform, dat van de hulptroepen waartoe de Gezondheidsdienst van het leger behoort. Mijn karabiniers-cyclistenpak met de groene kraagschilden en de kopergouden wieltjes daarop, met de grote helm nr. 60, de lederen

slobkousen en de andere spullen die ik uit Leuven naar hier had meegebracht, incluis mijn geweer en bajonet, het werd allemaal bij de foerier binnengebracht, nagekeken, goed bevonden en in een andere plunjezak gestopt die de retourweg naar mijn ex-bataljon zou inslaan.

Ik stond in een kraaknet kostuum, met de rode korporaalsgalons op mijn mouwen, klaargestoomd voor de final touch van mijn opleiding tot reserve-officier. Mijn reisorder luidde: Hôpital Militaire de Gand.

Vertrek op 30 maart 1921. Vaarwel kamp van Beverlo. Ik had er tien officiële maanden doorgebracht. De ontelbare dagen die ik er niet was afgerekend, zal dat acht reële maanden geweest zijn.

*

* *

Wat ik gedurende die acht maanden, in de jaren 1920 en 1921 beleefd had, d.i. waargenomen, ondervonden, bijgewoond, in één woord ervaren had op het segment van 's Heren schepping dat het kamp van Beverlo heet, is wel in het kort het memoreren waard. Des te meer dat het achtenvijftig jaar geleden is en sindsdien heel wat op het ondermaanse gewijzigd is.

Dank zij mijn instinct van gewezen padvinder, heb ik de geschiedenis, de infrastructuur, het milieu en de omgeving van het kamp van Beverlo tijdens mijn verblijf aldaar goed in mij opgenomen.

Het kamp beslaat een areaal van ongeveer vierduizend hectare, het ligt op de gemeenten Leopoldsburg, Hechtel, Heppen, Beverlo. Op een zandige bodem met heide, dennebossen, duinen, vennen, turfweiden. Vruchtbaar is de grond niet. Op het militaire domein staan enkele woningen die een extraterritoriaal statuut bezitten. Ik kan voor de manier waarop dit minderwaardig stuk grond voor zijn doel benut werd, en voor de personen die het van 1835 af zo bedacht en gerealizeerd hebben, waardering opbrengen. Het ligt ver van alles verwijderd, zegt men, maar men vergeet dat het zelfs vóór een halve eeuw vanuit eender welke plaats in België op vijf à zes uur te bereiken was.

Op een wat verheven vlakte gelegen, bezit het een goede afwatering, wat een droge ondergrond garandeert en de aloude eisen die door de militaire hygiëne gesteld worden te goede komt. Met zijn vierduizend hektare is er geen ruimte te kort voor militaire exploten en troepenontplooiïng. Er zijn schietvelden met voldoende veiligheidszones daarrond, er is plaats voor vliegvelden, er werd een doolhof van loopgraven, bunkers, schuttingen, onderaardse tunnels aangelegd voor oefeningen met gasmaskers en handgranaatwerpen enz. Er loopt zelfs een beek door, die aan het verbeeldingrijke brein van strategen de gelegenheid verschaft zich voor te stellen dat het de Rijn of de Wolga is, wat zij dan aan de kandidaten voor het diploma van stafgebrevetteerde als de te overschrijden natuurlijke hindernis in de examenopgaven voorstellen.

Het bewoonde deel van het kamp is een aangelegd complex van lanen en parken, bezet met paviljoenen, staf- en dienstgebouwen, met kantoren vol geheimzinnigheid, omraamd door een rijke begroeiïng van naaldbomen, eiken, berken, acacia's, esdoorns. Daar lag o.m. de beroemde Avenue des Soupirs, met wonder gegroeide hoogstammige sparren, waar we honderden keren zijn langs gekomen, waar het maanlicht vreemde schaduwen schept, waar heidebriesjes in de wiegende sparrentoppen sentimentele zuchten nabootsten. Vandaar de naam, die stamt uit een tijd dat er veel gezucht werd.

Dwars door het kamp vertrekt een rechte brede straatweg vanaf Leopoldsburg naar

Hechtel, het is de invalsweg naar het militair domein. Toen ik er verbleef liep er een stoomtrammetje naar Peer, Bree en Maaseik. 's Zomers wanneer de troepen op kamp kwamen, was er op die baan groot vertoon. De regimenten met kolonel te paard op kop, met vaandel, muziekkapel, lichtgehelmde majoors, kapiteins, luitenants en onderofficieren, gevolgd door de geranselde en gewapende soldaten, stapten langs de toegelopen welgezinde mannen en hupse herbergmeiden naar de kwartieren een paar kilometer verderop.

De bewoners van Leopoldsburg kenden de regimentsaria's. Ze zegden: het zijn de Grenadiers, het Zesde Infanterie, het Tweede Jagers. Heel het dorp leefde van en voor de troep. In de kampperioden was er vertier en jolijt, elk huis was een frituur, een wasinrichting of een drankgelegenheid. De meisjes van plezier van Brussel of Antwerpen kwamen erop af.

Van half oktober af is het te Leopoldsburg doods. Men geraakt nauwelijks aan een krant, dan teert de dorpsgemeenschap op het weinige dat de sedentaire scholen voor reserve-officieren in het laatje kunnen brengen. En dan kruipt de verveling in de klederen.

De parochiekerk van Leopoldsburg is de kerk van het kamp; de pastoor heeft een militaire graad. Er werd op zondagen in het Nederlands en in het Frans gepredikt en de patriottische tremolo's ontbraken nooit.

*

* *

Het is mij niet bekend of de vaderlandse sociografie zich ooit met het bepaald gebied dat het kamp van Beverlo was en is, heeft beziggehouden. Ik ben ervan overtuigd dat daar een veld voor een wetenschappelijke studie ligt, die merkwaardige resultaten kan in het licht stellen.

Het kamp van Beverlo als autonoom menselijk milieu met bijzondere eigenschappen, is niet uit het ekonomische en sociale landschap van Noord-Limburg weg te denken.

Dat de invloed van de mijnindustrie op het agrarische beeld van die provincie groot geweest is, ligt voor de hand, maar het is even zeker dat een zo gesloten, hoewel aan schommelingen blootstaande, entiteit als een militair oefenkamp, een van de grootste en best gerenommeerde in zijn aard van heel Europa, niet te verwaarlozen is in de sociaal-ecologische onderbouw van het landsgedeelte waartoe het behoort.

Dat in het meest onherbergzame oord van het koninkrijk een geordende samenleving is gegroeid, is een opmerkelijk verschijnsel. Het loont de moeite de krachtlijnen van deze groei op te sporen en uit te maken welke permanente of voorbijgaande invloeden gespeeld hebben, zodat op dit ogenblik Leopoldsburg met zijn kamp van Beverlo een gemeenschap van 7000 inwoners uitmaakt en zelfs een Karmelklooster als parel aan zijn kroon kan rijgen. Dit groeiproces verdient meer dan de blik naar een banaal curiositeitje.

Wat mijn maandenlang verblijf in het kamp van Beverlo voor mij en mijn levenssituatie betekend heeft, kan men aldus samenvatten: hetzelfde wat de verplichte legerdienst voor elke mannelijke Belg betekent, te weten een ongelegen komende hiaat waaraan men niet ontsnapt, een luchtledigheid in het bestaan van een zelfstandige enkeling.

De militaire eenheid waartoe ik behoorde, bestond uit vier man. De officieren die onze opleiding verzekerden waren te getale van drie geneesheren en drie infanteristen, dat is zes koppen; ze waren bijgestaan door vier onderofficieren en zes soldaten voor allerlei corveetjes in keuken en kantoor. Er was zelfs een ,,vaguemestre'' aan onze eenheid gehecht. Reken uit: zeventien man. Geen enkele van die zeventien was met zijn hart te Beverlo, ze hadden maar één wens: zo vlug mogelijk weg te komen, zowel majoor August de Clercq als Noël Claes, onze halfgare kamerwacht.

Nu luidt mijn vraag: Waar ter wereld bestond ooit zulke merkwaardige militaire eenheid? Waar ter wereld wordt ooit zulke eenheid met zoveel ernst opgenomen en in stand gehouden als in het België van 1920-1921?

We zijn met ons vieren een unicum geweest in de militaire geschiedenis van het Belgische koninkrijk. De vier van de school van reserve-officieren van de Gezondheidsdienst waren een bekende verschijning in de militaire gemeenschap van het kamp. Men wees ons met de vinger na als ,,les plus grands carottiers de l'Armée Belge''. Het was ons ondanks. Het vaderland had ons geroepen, we zijn gegaan. Wie kan ons verwijten dat we deze dolle grap hebben meegespeeld?

Ik ben van 1921 tot 1940 vijfmaal naar Beverlo voor een kampperiode van drie weken teruggekeerd. Het behoorde tot de bijscholing van alle reserve-officieren. Telkens heb ik het kamp ongewijzigd aangetroffen, en ben ik naar mijn block 20 gaan kijken; niet uit heimwee maar omdat ik aandrang had tot katarsis. In 1955 ben ik er de laatste maal geweest. Het kamp was niet meer te herkennen: platgelegd door een zwaar bombardement in mei 1944, tabula rasa!

Mijn mening over het kamp van Beverlo is die van alle Belgen die er verbleven hebben. Ik kan ze best in weinig maar veelzeggende woorden uitdrukken met een parafrase van de bekende verzen van Victor Hugo over de vlakte van Waterloo en heb geprobeerd ze in Franse twaalfvoeten neer te schrijven.

Beverlo, Beverlo, Beverlo, morne plaine,
Comme un tapis de sable dans une vaste arène.
Dans ton cirque de dunes où broutent les lapins
On entend le soir gémir les sombres sapins.
Ici Hechtel, là-bas le fameux Contre-Quatre
Au loin Spikkelspade et Korspel, où vont se battre
Chasseurs-à-cheval et hautains grenadiers,
Diables noirs et prestigieux lanciers.
Dans les fourrés de ton champ de tir, la mitraille
Des canons et fusils, simulant la bataille,
Fait rire les badauds, mais craner les majors
Dont les batailles défilent dans un décor
De drapeaux, fanions, caissons et fourragères
D'aumôniers et de coquettes cantinières.
Beverlo, du Limbourg morose souvenir,
Je ne regrette point ton Allée des Soupirs,
Ni casernes, ni blocs, ni tes immenses plaines,
Triste pays de caporaux et de putaines.
J'ai perdu dix mois de ma vie dans tes cours
Et maudis à jamais cet affreux séjour
Parmi la soldatesque braillarde et vulgaire.
Où, nous dit-on, se prépare la mâle guerre.
Fugace faux-fuyant de la vraie valeur
Image faussée de l'humaine grandeur!

HET MILITAIR HOSPITAAL TE GENT

Eind maart 1921. Aftreden van het toneel der School van Reserve-officieren te Beverlo. Aantreden te Gent, Militair Hospitaal van Ekkergem. Nog twee maand soldatendienst voor de boeg.

Toen ik er met pak en zak arriveerde, wist men niet wat aan te vangen met die vreemde eend in de bijt. Directeur was Luitenant-kolonel geneesheer August de Clercq, dezelfde die over mijn verblijf te Beverlo de scepter had gezwaaid. Intendant was Kommandant Collard, een allerbeste man. Korporaals en onderofficieren keken wantrouwig naar mij als de indringer die hun rustige verwachting op promotie kon verstoren en ze voorbijlopen.

De kolonel nam mij in de antichambre van zijn kantoor, een eer die ik niet bijzonder op prijs stelde. Mijn opdracht: het register van de opname en het vertrek van de zieke soldaten bijhouden, dat was van zowat zes patiënten per dag, in beide richtingen. Ik kreeg een bed in een barak, en kon mijn maaltijden nemen met de troep in de refter.

Na een week zegde de Intendant: ,,Ga thuis slapen en maak dat ge elke morgen te acht uur hier zijt voor de Kolonel op zijn bureau is''. Zoveel voorkomendheid had ik in het leger nog nooit ondervonden. Om de tien dagen moest ik in 't hospitaal overnachten, dat heette ,,van wacht zijn''. De onderofficieren hadden van de directeur bekomen, dat het stukje korporaal dat ik was, toch dat corveetje met hen zou delen.

Van studeren kwam hier evenmin als te Beverlo iets in huis, al wat ik doen kon was mij ergeren aan de onzinnigheid van zo'n bestaan. Gelukkig dat ik dagelijks naar huis kon.

Plots viel ik thuis ziek. Griep. Ik werd met de ambulancewagen afgehaald en kwam op de zaal van interne geneeskunde van dokter Paul de Maeyer, gedemobilizeerd oud-strijder van 1914-1918, met een tijdelijke opdracht in het Militair Hospitaal, een practicus die zijn militaire even nauwgezet als zijn privé-patiënten onderzocht en behandelde. Na twee weken goede zorgen van hem en van de Zusters-verpleegsters werd ik ontslagen en kreeg van commandant Collard een week verlof om volledig op te knappen.

Ik was vlug opgeknapt. Toen ik begin mei terug op de personeelslijst van het Militair Hospitaal verscheen, had men mijn bestaan uit het oog verloren en wist men niet, al voor de tweede keer, wat met mij aan te vangen. Juist was de brievenbesteller van het Hospitaal ziek gemeld; wat een meevaller voor de Intendant en voor mij, ik was de aangewezen man.

De post, elke ochtend en avond in het ziekenhuis gebracht, werd eerst door de directie gesorteerd, en wat voor de patiënten bestemd was, moest ik in de zalen aan de geadresseerde ter hand stellen. Verheven taak die deel uitmaakt van de nog verhevener taak van een aanstaand reserve-officier van de Gezondheidsdienst. De militaire overheid beval, ik gehoorzaamde. Het gebeurde ook dat ik een aangetekende zending naar het postkantoor op de Koornmarkt moest brengen; zo'n gezondheidswandelingetje van een paar uur was niet onwelkom.

Ingevolge mijn nederige bezigheid, had ik de gelegenheid het wereldje van een militair hospitaal in vredestijd, zoals het in 1921 reilde en zeilde, grondig te leren kennen. Ik kan het best op deze manier resumeren. De personen die er werkzaam zijn, werken zich niet krom, maar het weinige dat ze doen, verrichten zij met grote zorg. Elkeen, van hoog tot laag, heeft zijn klein taakje en wanneer dit machinaal volbracht is, loopt het in een militair hospitaal gesmeerd.

Luitenant-kolonel Gust de Clercq was een maniak van het militaire reglement, maar hij was de eerste om er zich naar te voegen. Elke week deed hij de ronde van de instelling en zag hij de patiëntendossiers na; het gebeurde bijna nooit dat er iets haperde. De verpleegsters waren Zusters Augustinessen, meestal Walinnen, van een zeldzame discretie en voor wier dienstvaardigheid de grootste godverdommende bruut dadelijk inbond en mak werd als een schoothondje.

In het Gentse Militair Ziekenhuis verbleven te dien tijde heel wat invaliden, menselijke ruines uit de Eerste Wereldoorlog, die op de vaststelling van hun ziektegraad wachtten en behept waren door de obsessie van een oorlogspensioen. Op de zalen waar ze lagen, werd over niets anders gesproken dan over invaliditeitsprocenten. Het schiep een bijzondere atmosfeer.

Wanneer een patiënt in stervensgevaar verkeerde, werd hij naar een speciale zaal overgebracht en er werd bij hem gewaakt door vrouwen uit de buurt op wie daarvoor een beroep werd gedaan. Ze deden dat werk uitstekend en ik vond het goed, dat het zo geschiedde.

Het eten in het Militair Hospitaal werd door een kok met zorg bereid, het was van goede kwaliteit en gevarieerd. De patiënten werden op de zaal door de zusters geserveerd. De anderen moesten naar de refter; daar was het op zijn soldaats. Wat mij tegen de borst stuitte waren de ratten die van overal te voorschijn kwamen zodra de soepketels werden binnen gebracht; ze huppelden onder de tafels, en vochten voor de stukken vlees die hun toegeworpen werden. Wanneer Gust de Clercq op inspectie kwam, keek hij met welgevallen naar het spektakel en deed niets om het te verhinderen.

Na veertien dagen was de vaste brievenbesteller terug en moest ik de plaats ruimen. Weerom zou per toeval een gaatje gestopt worden en kwam ik juist van pas. In de wasserij had de korporaal-opzichter zijn been gebroken en werd ik aangesteld om over de boekhouding van het gewassen en ongewassen linnen supervisie te houden. De intendant had mij apart geroepen en op het hart gedrukt goed uit mijn ogen te kijken, want er werd in de wasserij veel scheefgeslagen; vooral de zeepprovisie had daaronder te lijden.

De wasserij draaide uitsluitend op vrouwelijk personeel met veertiendaags loon. Ik moest daar orde en netheid doen heersen, de ongewenste bezoekers de toegang verbieden. Onoverzichtelijke lijsten van linnen voorwerpen die in een ziekenhuis gebruikt worden bijhouden, was nu precies geen mannenwerk en toen ik de intendant erop attent maakte dat ik na enkele dagen al vastgesteld had dat er gegapt werd, was de brave man razend en dreigde hij de werksters met fouilleren, wegzending en politie. Zij reageerden hun woede af op hun toeziener van één dag en stalen nog meer dan te voren. Eén van de vrouwtjes, toen ze de wasplaats verliet om naar huis te gaan, maakte luidop de opmerking: ,,Als hij mij probeert af te tasten, sla ik mijn kabas op zijn smoel''. Het was voor mij bestemd.

Daarop kwam een adjudant mij ter hulp, die de balsturige dames de baas kon. Mijn diensttijd liep naar zijn eind en ik smachtte naar een frisser omgeving dan die van schuimend zeepsop en ongewassen beddegoed.

De laatste loodjes wegen het zwaarst, en de hospitaalervaringen die mijn opleiding als reserve-officier van de Gezondheidsdienst zouden afronden, waren nog niet ten einde.

Een lading van vijf spoorwagens kolen voor het ziekenhuis bestemd, stonden in het goederenstation van St.-Pieters te wachten om gelost te worden. Twee bespannen vrachtwagens van de militaire vervoerdienst zouden onder begeleiding de kolen naar het Militair Hospitaal brengen. De avond voordien werd ik door een paar korporaals, beroepsmilitairen met wie ik dagelijks omging, onder de arm genomen met het verzoek met het kolenkonvooi een straatje om te rijden en daar enkele zakken kolen te laten afzetten.

Wanneer ik op het verzoek niet wilde ingaan, was de vriendschap uit en werd ik afgedreigd als ik zou klikken. Waar de kerels hun invloed vandaan haalden, heb ik nooit geweten, doch wanneer ik op de aangeduide morgen ter plekke verscheen om het konvooi dat mij toegewezen werd, te begeleiden, zat een ander korporaal op de bok van de vrachtwagen, en had ik het nakijken. Tot mijn genoegen.

De lang verwachte dag was eindelijk aangebroken (sic !). We waren er op voorbereid zoals op een prijsuitdeling. Daags te voren pakten we onze plunjezak, kregen we het gestandardiseerde kledingsstuk van onze status, de witte linnen broek en ons militair zakboekje, met alle vereiste stempels en handtekeningen. Afzwaaien op 30 mei 1921, voor de militairen van de uitgestelde lichting 1917, na één jaar legerdienst.

Om 9 uur vertrok ik uit het Militair Hospitaal van Ekkergem en ging mijn spullen in het depot van de Leopoldskazerne op de derde verdieping inleveren. Daar zouden ze rusten tot de Voorzienigheid hun een andere bestemming zou geven. Naar huis. De toekomst lag open.

WEER STUDENT

Het ene was voorbij. Het andere kon beginnen. Ik was drieëntwintig en een half jaar, stond met ledige handen in het leven, was rijk aan illusies en nog rijker aan teleurstellingen. Ik had de indruk niet aangesloten te zijn op het distributienet van de samenleving, een moeilijk te dragen lot voor een jongeman die iets wil verwezenlijken en zich tot iets in staat acht.

Piekeren, nakaarten of filosoferen is volkomen nutteloos. Ik wilde geneesheer worden en er moest examen afgelegd, dus gestudeerd worden, het was de onverbiddelijke logica zelf. Ik had geen vierentwintig uren nodig om tot die slotsom te komen.

Daags na mijn bevrijding (een echte bevrijding was het) uit het leger, voelde ik mij al een academieburger en opgenomen in één consensus van ideeën en gevoelens met de jongeren die in Vlaanderen op dat ogenblik in of rondom de universitaire kringen verkeerden. Verschillende omstandigheden droegen daartoe bij. Een staatstelegram had gemeld dat de Vier-Rectorencommissie gunstig adviseerde op mijn verzoek, en ik derhalve een inschrijving kon nemen op de universiteit. Een hinderpaal was daardoor uit de weg geruimd.

Hoewel soldaat had ik de politieke gebeurtenissen in het oog gehouden; o.m. was mij het belang van de artikelen van Dr. A. van de Perre in *De Standaard* over het Belgisch militair akkoord met Frankrijk niet ontgaan. In het milieu van de officieren te Beverlo werd daarover hartstochtelijk gepolemiseerd en had ik discreet geluisterd: luitenant A. Reynders gaf Van de Perre gelijk, maar Gust van Doren zou al dadelijk tegen de Duitsers willen oprukken.

Dat weldra de poppen over de vernederlandsing van de Gentse universiteit zouden gaan dansen, stak iedereen de ogen uit. Professor Hubert van Houtte had met zijn brochure *Vragen de Vlamingen een Vlaamse Hogeschool* in twee talen, en tegen 0,75 fr in alle krantenhuisjes verkrijgbaar, een heet hangijzer voor de huisdeur van alle Gentse intellectuelen gelegd.

Jules Destrée, Minister van Kunsten en Wetenschappen, had op 9 februari een kwansuis officieel bezoek aan de universiteit gebracht, maar in de grond was het een zet tegen elke poging tot vernederlandsing. De minister moest op de trappen van het universiteitsgebouw een betoging van Vlaamse studenten trotseren die hem zijn uitspraak van 1912 ,,Sire, il n'y a pas de Belges'' in het aangezicht slingerden, en daarna tussen de politie door naar zijn wagen vluchten en ijlings wegrijden. Het was olie op een sluimerend vuurtje.

Op 20 mei 1921 had Hugo Verriest voor de Rodenbachvrienden in de Rode Hoed een spreekbeurt gehouden. De zaal was stampvol en hing aan de lippen van de oude pastoor van te lande, een legendarische causeur. Hij werd ingeleid door Frank Baur, toen nog geen hoogleraar, maar in de volle glorie van zijn vitriooltong (zelfdefinitie). Hij zette uiteen waarom Verriest volgens sommigen twaalf kogels verdiend had. Verriest vertelde waarom hij zichzelf een zonnekind achtte, om al het schone en goede dat hij ooit ondervond en dat hijzelf kon verwezenlijken.

Voorzitter van de Rodenbachvrienden was August de Schrijver, student laatstejaars in de rechten, oud-strijder 1914-1918, die te Gentbrugge tot onze kring behoorde, waarvan Frans de Hovre de onopvallende spil was. De 11 juli daarop, Gulden Sporendag van dat jaar, legde August de Schrijver zijn eindexamen van doctor in de rechten af. Er heerste een onverdeelde vreugde bij al zijn Gentbrugse vrienden, wanneer zij het resultaat vernamen, vooral op zo'n dag bekomen.

Al deze en andere feiten maakten dat de werklust opflakkerde en ik mij aan de studie zette, in de hoop in het najaar examen voor de Centrale Examencommissie af te leggen. Ik nam contact op met andere ex-Gandavenses, we hielpen elkander, blokten en oefenden samen. We namen een inschrijving en werden in het begin van de maand oktober opgeroepen. De examinatoren maakten geen bezwaar, we werden ondervraagd, moesten microscopische preparaten verklaren en een scheikundige manipulatie uitvoeren. Resultaat: ik was bij de geslaagden.

Ik ontving de bul en mocht mij daarmee op het tweede examen van kandidaat in de natuurwetenschappen voorbereidend tot de geneeskunde, aanbieden. Het gaf mij een gevoelen van ontzettende tevredenheid. Ze werd gedeeld door allen die de wederwaardigheden kenden waarin ik jaren terug verwikkeld was geweest.

Bij de opening van het academiejaar 1921-1922 nam ik een inschrijving op de studentenrol. Het ging zonder hapering. Ik volgde de colleges van plantkunde, schei- en natuurkunde, delfstofkunde en aardkunde die de stof uitmaakten voor het kandidaatsexamen. Ik volgde de praktische oefeningen die erbij hoorden en was student zoals de anderen.

Het spreekt vanzelf dat mijn notering in de patriottische prijscourant bij de medestudenten gauw bekend werd, doch ik hield mij opzettelijk stil en ondervond geen moeilijkheden. De cursussen en practica werden in het Frans gegeven en zo lang we in de universitaire gebouwen waren, spraken we gewoon Frans; het was de taal van het huis, al waren er wel Nederlandse slippertjes wanneer geen hooggeleerde of assistent in de buurt was.

Enkele reminiscenties aan de hoogleraars uit die tijd mogen hier niet ontbreken.

De colleges in de plantkunde werden gedoceerd in de Plantentuin door Kamiel de Bruyne, een Westvlaming uit Pollinkhove, die zich een tijdje in de Gentse lokale politiek had bewogen, vlaamsgezinde uit de kring van Paul Fredericq en Jos. Vercoullie, onder de leus Klauwaart en Geus. Hij was wetenschappelijk geschoold op het laboratorium van Charles van Bambeke en had naam gemaakt met de beschrijving van het verschijnsel van de fagocytose in de kieuwen van de mossel. In de omgang met de studenten deed hij geweldig pedant, hij behandelde ons als een onderwijzer zijn schoolkinderen en hechtte een overdreven gewicht aan zijn persoon om te imponeren. Van deze karaktertrek is meer in het geheugen van zijn studenten blijven hangen dan van zijn leerstof die hij niet zo slecht aan de man bracht.

De scheikunde kregen we van Fred. Swarts, een berucht Gents franskiljon die graag schimpte op l'université Flamande. Als schitterend docent en geleerde baas dwong hij eerbied af, een eerbied die aan vrees grensde. Minzaam was hij niet, wel correct. Wie kon bewijzen dat hij voor de chemie een boontje had, was zijn vriend; voor wie hem verstandige vragen over de leerstof stelde en echt niet klaarzag in een scheikundige reactie ontdooide hij.

Op het examen was hij onverbiddelijk. Wie met ongescheurde kleren onder zijn vragen vandaan kwam, kende chemie. Zijn leerboek over organische scheikunde leerde ik glad van buiten, want men moest aan het bord, met formules en alkohol, esters, koolhydraten, vetten, suikers en eiwitten kunnen spelen zoals hij dat deed. Zijn les over de ,,vlam'' was het culminatiepunt van het jaar; hij hield die 's avonds teneinde in het schemerdonker effecten te bekomen die anders verloren gingen. Swarts geleek dan op de alchemist Faustus die voor hellevuren staat.

Professor in de natuurkunde was P. Drumaux, een Waal, een zachtaardig man onder een helmbos van witte krollen. Hij had de reputatie de verpersoonlijking van de wiskundige knobbel te zijn, en de fysica die hij ons doceerde, herleidde zich tot een hoeveelheid formules. Zijn cursus werd door aanstaande artsen, apotekers, dierenartsen, biologen, chemici en ingenieurs gevolgd; voor de enen een gehenna, voor de anderen een kinderspel. Drumaux wist dat, met de geneesheren had hij erbarmen en om hunnentwille heeft hij veel door de vingers gekeken.

Hij gaf les in het grootste auditorium van de Jozef Plateaustraat. Hij kwam binnen, sprak geen woord, begon formules op het bord te schrijven en wanneer er geen plaats meer was voor meer, verklaarde hij met een minimum van woorden waarover het ging. Het bord werd door een knecht schoongeveegd, en daar begon hij opnieuw. Zo ging dat van tien tot twaalf, elke dinsdag, donderdag en zaterdag.

Terwijl Drumaux het bord volschreef werd er in koor gezongen en gefloten zonder dat het hem deerde; wanneer de schrijverij ophield, viel ogenblikkelijk het lawaai stil, en alles begon opnieuw in dezelfde stijl tot het eind van de les. De hoofdpreparator, Mefisto, zat het allemaal verbolgen aan te zien en moest gedogen dat men hem treiterde door het lamplicht met spiegeltjes in zijn ogen te doen spelen. Dan repliceerde Drumaux: ,,Messieurs, de grâce''. Waarop het lichtspel stilviel.

Het hoogtepunt van Drumaux' cursus was een praktische demonstratie, de enige die hij ten beste gaf. Hij wilde aantonen hoe een blauw gekleurde vloeistof zich met een ongekleurde vloeistof vermengde: ,,Voici à droite un récipient avec un liquide bleu, et voilà à gauche un récipient avec un liquide incolore, entre les deux ...'' ,,Mon cœur balance'', riep als één man heel het grote auditorium. Drumaux lachte hartelijk mee, en wanneer het stil werd, hernam hij: ,,Entre les deux il y a un robinet que j'ouvre''. En het was gedaan, behalve een paar uiterst ingewikkelde formules op het bord.

Ofschoon te Hasselt geboren, kende Drumaux geen Nederlands en werd op non-actief gesteld na de vernederlandsing van de universiteit. Hij bleef een tijdje te Gent wonen, verrichtte berekeningen voor een befaamd internationaal instituut. Telkenjare kon men hem in rok en biddend met een rozenkrans zien opstappen met een flambouw in de Sakramentsprocessie. Hij werd door alle studenten graag gezien, omdat hij dwarsdoor edelmoedig was. Hij is te Brussel overleden.

Professor Alfred Schoep, onze hoogleraar in de delfstofkunde, was een apotekerszoon van de Muide, een perfect elegante man zowel in kleding als in taal. Hij was lang in Kongo geweest en had daar actief deelgenomen aan de ontginning en identificering van uraniumhoudende kristallen waarvan hij een enige verzameling bezat.

De delfstofkunde herleidde zich voor geneesheren tot het essentiële, maar dit essentiële stelde hij op zulke voorname wijze voor, dat we allen van het vak gingen houden, het graag studeerden, er op het eind van het jaar op het examen aardig konden over meepraten en de ons voorgelegde mineralen met kennersblik identificeren. De delfstofkunde is thans uit het studieprogramma van de medische studenten verdwenen.

Eveneens uit het lessenrooster verdwenen, is de geologie. Zij werd gedoceerd door professor Xavier Stainier, een Waal uit Hengouwen, een vriendelijk, ietwat geheimzinnig man, van wie het heette dat hij nooit een student had aangesproken, tenzij op het examen.

De lessen van professor Stainier bestonden uit twee episodes. De eerste werd afgedreund met de snelheid van een machinegeweer, goed verstaanbaar, maar onmogelijk onder nota's te brengen. De tweede episode was juist andersom en berekend om opgenomen te worden: langzaam zonder één aarzeling, in onberispelijke volzinnen. Daarna ging het machinegeweer weer aan het ratelen, tot opnieuw de kalme volzinnen aan de beurt waren.

Het wonderlijkste van al was de vaststelling dat de kalme volzinnen precies in elkaar haakten, alsof heel de cursus op een effen uitgestreken aantal bladzijden in ons notitieboek stond uitgeschreven.

Professor X. Stainier is na de vernederlandsing te Gent blijven wonen. Wanneer ik door literaire historici of dito critici de woorden ,,magisch realisme'' hoor uitspreken, kan ik niet nalaten aan de inhoud van de cursus geologie te denken. Tenzij ik denk aan ,,science fiction'' of aan Jules Verne, wat niet wil zeggen dat ik voor het vak van professor Stainier geen diepe eerbied heb. Hij pakte graag uit met la science de la terre, la face de la terre. Hij was verliefd op de aarde en zou ze, als St.-Franciscus zijn zuster genoemd hebben. Op het examen mocht men zijn gang gaan en vertellen wat men wilde; na tien minuten onderbrak hij en zei niets meer dan: ,,Merci, monsieur''.

Het academiejaar hield mij in spanning met zijn leerstof. De berg zogeheten natuurwetenschappen die men te doorwerken heeft, voordat men aan de echt geneeskundige vakken toe is, is voor de overgrote meerderheid van diegenen die ervoor staan, een harde kluif. Het is niet te verwonderen, dat de twee derde van wie zich voor de medicijnen aanmeldt, in het eerste of tweede jaar blijven steken en de hoop om geneesheer te worden opgeven. Een goed of een kwaad voor de kandidaten? Een weldaad of een onheil voor de maatschappij? Alle hout is geen timmerhout.

De tweede kandidatuur in de natuurwetenschappen bracht mij in contact met andere mensen; er ontstonden nieuwe kameraadschappelijke verhoudingen en nieuwe vriendschapsbanden, gelijkgezinden vonden spontaan elkaar. We hielpen elkaar door gesprekken en uitwisseling van notities.

Te Gentbrugge hield ik mijn relaties aan, ze waren te beproefd om ze verloren te laten gaan. De Sociale Studiekring werd verder bijgewoond, we speelden intussen een stukje toneel, gingen mee op kamp met de scoutstroep, kwamen bij Frans de Hovre. En wanneer herrie werd geschopt tussen de V.O.S. (Vlaamse Oud-Strijders) en de nationale oudstrijdersbond vond ik genoegen in het stokebranden.

In de kringen van de studenten draaide alles rondom het eeuwige knelpunt: voor of tegen de Vlaamse Beweging, voor of tegen de vernederlandsing van Gent. Te Brussel en in heel het land tekenden de standpunten zich scherper af, spitsten de ruzies zich vinniger toe. In het parlement werden voorstellen van wet ingediend, afgewimpeld, door andere vervangen, verworpen. Er was leven genoeg in de brouwerij, maar er kwam tenslotte niets uit de bus. 1922 bracht nog het acumen niet, maar lang zou het niet meer aanlopen. Men sprak erover, bij de enen uit aandrang, bij de anderen hield men zijn hart vast uit bezorgdheid.

Studeren en voor het examen slagen waren de hoofdzaak. Men was in 1922, straks werd ik vijfentwintig. Ik berekende: wanneer alles meevalt zal ik over vijf jaar geneesheer zijn, op de vooravond van mijn dertigste, niet meer van de jongsten.

Vermits ik mijn eerste examen voor de Centrale Examencommissie had afgelegd, en de examenstof anders verdeeld was dan op de universiteit, gaf men mij de raad, mijn tweede kandidaatsexamen opnieuw voor de Examencommissie af te leggen. Ik vond het goed en schreef in. De ondervraging had medio augustus plaats. Ik was onder de geslaagden en haalde de bul van ,,kandidaat in de natuurwetenschappen voorbereidend tot de geneeskunde''.

Het was goed gemikt en raak getroffen. De weg was weer een beetje meer begaanbaar gemaakt. Van een opluchting gesproken, dat was er een. Ik voelde ze verdiend aan, omdat ik er zo ontzettend veel en lang voor gezwoegd had. Ik weet dat het resultaat mijn vrienden evenzeer verheugde als mijzelf. Thuis was men in de hoogste hemel, de horizont klaart op, zei vader; en moeder zal de heilige Gerardus niet buiten de zaak gelaten hebben. Ik liet ze bij haar stil geluk, ik zou ze nog nodig hebben op mijn levensweg.

Op het acute moment van al deze bekommeringen speelde zich in West-Vlaanderen een politiek schouwspel af dat ten overvloede bewees hoe de weeën door de eerste vernederlandste universiteit bij sommige ijveraars voor zuivere denkbeelden verwekt, nog nawerkten. De ex-Gandavensis Arthur Mulier uit Kortrijk die ook de perikelen van de Centrale Examencommissie had moeten doorworstelen om aan zijn diploma van doctor in de rechten te geraken, was in de toenmalige katolieke partij opgenomen en tot bestendig afgevaardigde van de provincieraad verkozen.

Dat namen de liberalen van zijn geboortestad niet en op aanklacht van Gillon, kopstuk van de Kortrijkse ultra's, werd Mulier in juli 1922 door het assisenhof van West-Vlaanderen veroordeeld. Een Pyrrusoverwinning, want Mulier was maar voor korte tijd gefnuikt; hij speelde weldra als briljant zakenman en als politicus-senator een voorname rol. Het bewees dat de oud-afgestudeerden van 1916-1918 heel wat anders waren dan de nulliteiten waarvoor men ze graag afschilderde.

Kort nadien, op 24 augustus 1922, was het de vrijspraak van Adiel de Beuckelaere, oud-strijder van 1914-1918 die, van verraad en veel meer beschuldigd, aangehouden werd, nadat hij zich kandidaat voor de verkiezingen van 20 november 1921 had gesteld. Het rook op afstand naar politieke wraak.

Deze twee judiciële opvoeringen in groot formaat, behoorden tot het politieke toneelseizoen dat het academisch jaar 1921-1922 uitgeleide deed. Ze bewezen dat de hemel van de Belgische staatsraison nog niet aan catharsis van haar affecten toe was.

*
* *

Mijn vakantie bestond in lange fietstochten naar alle hoeken van de provincie. Ik was daar dol op. Meestal alleen, maar het gebeurde dat E.H. De Hovre meeging, zodra de geestelijken op de fiets mochten rijden. Het verwekte in den beginne een wat vreemd gezicht, een pastoor op een fiets, en een non per fiets was niet denkbaar.

Eind augustus fietste ik over Deinze en Anzegem naar Tiegem. Daar woonden de gebroeders Supply, studenten te Gent, op wier studentenkot we samen studeerden. Ze waren de zoons van de hoofdonderwijzer en buren van Streuvels en Hugo Verriest te Ingooigem. Wij daarheen, niet bij Streuvels, want daar zouden we de buitenwacht gekregen hebben. Maar bij Hugo Verriest, waar elkeen altijd welkom was. De oude pastoor hield van aanbidders en dat waren we.

Te Tiegem kende Staf Supply al de mensen: Staf Stientjes, de schilder, naast de dorpstypen die evolueerden rond het St.-Arnoldusbos met zijn kapel. Er zat er daar eentje die er niet weg te slaan was, met een sublieme profetenbaard, die elke bezoeker aankeek en er het zijne moest van weten. Vanop Tiegemberg zag men Ingooigem liggen, op het einde van een weidse kouter met wat schaarse gedoentes van kortwoonders, die Streuvels zo lief waren. We wisten dat de schrijver vanuit het raam van zijn werkkamer in 't Lijsternest zijn blikken daarover liet dwalen. Zozeer waren de romantische flaminganten van toen met de Ingooigemse topografie vertrouwd.

We peddelden Ingooigemwaarts en belden aan bij Verriest. De maarte Pauline Pasters, was in Vlaanderen zo beroemd als haar beroemde meester. Met een siamoisen schortje aan en een breimutsje op met wat zijden garniersel belegd, stralend van nieuwsgierigheid uit haar onvergeetbaar en overgelijkbaar aangezicht, deed ze open voor de drie kleppers met een studentenpet op.

Neen, mijnheer de Paster was niet thuus, op bezoek bij pachter N., maar hij heeft beloofd te vijven hier te zijn, gaat hem tegen, hij zal toch zo blieë zijn. Op het hof van boer N. vonden wij hem, hij stond op het punt te vertrekken. Of we mochten meegaan tot in het dorp? Natuurlijk. Hij was de vriendelijkheid zelf.

Door dreven en slagen, op een heldere augustusnamiddag van het jaar 1922, trokken de Supply's en ik, met de fiets aan de hand, door het landschap naar het pastoorshuis aan de Waregemsesteenweg te Ingooigem. En Hugo Verriest vertellen maar, wijzend met zijn gaanstok naar 't Lijsternest van Stien, naar Otegem, naar Vichte. In de verte wees hij ons de vierkante toren van Wakken, zijn eerste parochie. Soms wachtte hij een poosje om wat te rusten, maar dan ging het verder. Zwijgen kon hij niet, naar ons persoontje of onze studies informeren deed hij niet. Hij bracht van alles te pas, nooit uitgepraat in het zangerigste Westvlaams dat ik ooit gehoord heb. Zo geraakten wij in het dorp. Het stoomtrammetje tufte juist voorbij, en vanuit de vier wagentjes keek men ons achterna: Hugo Verriest, in gezelschap van drie studenten.

In het dorp kende iedereen hem. Pauline stond ons op te wachten, en vroeg of mijnheer de Paster niet te moe was. Kom binnen en zet u. Pauline nam zijn strooien pastoorshoed af, hielp hem zijn lichte zomermantel uittrekken, loodste het gezelschap in de beste kamer, drumde haar meester in een gemakkelijke zetel, zette een zwartlaken mutsje op het eerbiedwaardig hoofd dat zoveel kunstenaars had geïnspireerd, en vroeg of wij iets wilden profiteren.

De flassche witte wijn, beaamde Verriest. Zo geschiedde. Hij liet Pauline uitschenken in de fonkelende romers, die zij uit de glazen kast haalde. Met moederlijke zorg reikte zij het glas aan Mijnhere: uppassen, want hij beeft een beetje. Ondanks een beetje veel beven, smekte Verriest als een fijnproever en liet hij de frisse zoete drank naar binnen vloeien. Zo ongeveer deed hij het, gelijk hij dat zelf beschreven heeft in zijn bijdrage over de smaak, waar hij de gustatieve gaven van een berucht pastoor van De Pinte uitbeeldt.

Uit een fijn ingepakt kistje, dat ter onzer intentie door Pauline met een schaar werd opengewrikt, presenteerde Mijnheer de Pastoor van die lange fijne diplomatensigaartjes. We lieten het ons geen tweemaal zeggen. Verriest nam er ook eentje. Pertank, menhere en rookt niet vele. Het vertellen ging voort. Aan elk stuk aan de wand en op de kasten, was een historische herinnering verbonden. Verriest wist het allemaal, hij leefde daartussen als de weldoende Geest van Vlaanderen. En trok zo de eeuwigheid tegemoet, omringd door een genegenheid die niet naar gebreken zoekt, uit vrees dat zij zou kunnen gekneusd worden.

Twee maand later, op 27 oktober, overleed Hugo Verriest te Ingooigem, hij was tweeëntachtig jaar.

Weinig in aantal zijn zij wie de figuur van Pastoor Hugo Verriest nog aanspreekt. Zeker onder de jongeren niet meer. Eenieder is kind van zijn generatie. En de ene generatie stapt in de andere over zonder het te merken. Maar even ongemerkt verschuilt zich de ene generatie achter de andere. De onze kan zich moeilijk van het beeld van Hugo Verriest ontmaken. Toch zal hij blijven, met al de onvolmaaktheden waarvan de huidigen denken dat zij ertegen immuun zijn. Als een magische aantrekkingskracht waardoor de huidige stofdeeltjes van de Vlaamse Beweging bij elkander gehouden worden, hebben wij Hugo Verriest nog nodig. We mogen hem tot geen prijs uitstoten. Ter wille van de drang tot zelfbehoud. Tussen de contesteerders waar Vlaanderen anno 1978 van overloopt, staat de contesteerder Hugo Verriest. Wie zou durven te beweren dat de pastoor van te lande geen voorloper was?

Wij hebben geen heimwee naar Hugo Verriest, maar naar hetgeen ook hij voor Vlaanderen als bestemming heeft gedacht.

NAAR DE STUDIE VAN DE GENEESKUNDE

De maand augustus 1922 was vlug voorbij. We hoorden van een bedevaart naar Westvleteren, waar de in 1918 gesneuvelde Renaat de Rudder uit Evergem, leerling van het Eeklose college begraven lag. Het sprak ons aan, we verdiepten ons in de mythe van de IJzertragiek en in de leuzen waarvan de realistische zin tot ons doordrong naarmate we meer bekend werden met alles wat aan de IJzer in de loop van de vier oorlogsjaren gebeurd was. De leus ,,Hier ons bloed, wanneer ons recht'' had een aangrijpende betekenis, die niemand negeren kon. Er had bloed gevloeid, maar recht was niet geschied.

Ik had tamelijk veel tijd voordat ik met oktober aan de slag zou gaan en de medische studie aanvatten. Frans de Hovre mobiliseerde mij, samen met Florent de Craene, in vertaalwerk voor zijn Pedagogische Studiën. Het mondde in 1925 uit in de publikatie van *Staatsburgerlijke Opvoeding,* uit F.W. Foerster bewerkt, 144 bladzijden.

Het boek kende de bijval van *Hoe word ik Man* niet, doch het maakte een kleine opgang in 1944-1945. Nogal pikant wanneer men bedenkt dat mijn naam onder die titel stond en nog altijd staat. Er zijn van die paradoxen, ,,om al 't geen den volke goed is''.

Vijftig jaar nadien heb ik het boek nog eens gelezen en moet ik mij voor geen enkele volzin schamen, wanneer ik het leg naast al hetgene waarbij ik in meer dan een halve eeuw betrokken was. Iemand die in 1949-1950 wegens gebrek aan staatsburgerlijke zin door een militaire rechtbank tot twee jaar gevangenis werd veroordeeld, uit zijn ambt van hoogleraar aan een staatsuniversiteit werd ontzet en honderdduizend frank boete aan de Belgische Staat betaalde, bloost in 1978 niet omdat hij in 1925 over staatsburgerschap schreef. Niet tot mijn beschaming hebben gedane zaken geen keer.

Gentbrugge speelde in 't najaar 1922 een stukje toneel mee in het triomfalisme dat de naoorlogstijd heeft gekenmerkt. De gemeente vond het aan zichzelf verplicht een monument ter nagedachtenis van haar gesneuvelde inwoners op te richten. Het gedenkteken werd op de Voordries geplaatst, een pleintje tussen de vele kastelen van toen; sinds die dag wordt het het Heldenplein genoemd; de kastelen met hun parken zijn er verdwenen.

Zelfs in het onverstoorbare Gentbrugge kon zo'n gebeurtenis niet zonder heibel verlopen. Er was al wat herrie geweest over het planten en groeien van een vrijheidsboom, nog zo'n produkt van vaderlandslievende onbesuisdheid. De vrijheidsboom werd op het Kerkplein geplant; hij verdroogde en men vermoedde dat er kwaadwilligheid in het spel was, tot het bleek dat hij boven op de fundaties van afgebroken huizen stond. Een tweede exemplaar schoot wortel en groeide. In de jaren 1960 werd hij omgehakt voor het aanleggen van een parkeerterrein en tot grote vreugde van de pastoor die van oordeel was dat de boom het zicht vanuit het kerkportaal op de Koningin Astridstraat belemmerde.

Voor de moderne mens heeft het nuttigheidsmotief ondanks alle mooipraterij, de voorrang op het symbool van de vrijheid.

Met het officiële gedoe rondom het Gentbrugse oorlogsmonument, even smakeloos als de andere die als paddestoelen uit de grond rezen, ging de Vlaamse Oud-Strijdersbond maar schoorvoetend mee. August de Schrijver, voorzitter van de Gentbrugse V.O.S., stond erbij zoals de anderen, als een eerbiedig toeschouwer. Hij kon zich o.m.

niet verenigen met de bemoeizucht van dokter Van de Weghe, die de alleenzaligmakende bereddering van de herdenkingsplechtigheid voor zichzelf had opgevorderd, en al de anderen, incluis de burgemeester, had genegeerd.

Voor de inwijding van de vlag van zijn oudstrijdersbond heeft hij zich daarentegen bijzonder ingespannen. Van het gemeentebestuur werd een subsidie bekomen en meer dan één beurs heeft hij op een diplomatische manier ten behoeve van die vlag weten lichter te maken. Hij had het zelfs zover gebracht dat jonge dames uit een Gentbrugse adellijke familie zich aan het naaien en borduren van die vlag hadden gezet en er motieven van Joe English hadden ingewerkt.

De oude VOS-vlag van Gentbrugge heeft het aan bewogen lotgevallen niet ontbroken. In tijden van gevaar is zij ondergedoken. Zij werd door zorgzame handen bewaard en kwam gaaf en ongeschonden te voorschijn wanneer de tijden veilig waren. In de optocht van de Vlaamse oud-strijders te Gent op 11 november 1966 werd zij vooraan gedragen. Het was toen lang geleden dat ik ze gezien had, en dat weerzien riep in mijn herinnering de gebeurtenissen van 1922 wakker.

Ik hoop dat de vlag zich in de IJzertoren te Diksmuide bij haar talrijke zusters zal gaan vervoegen, wanneer de laatste Gentbrugse VOS zal gestorven zijn.

*

* *

In de herfst van 1922 kon men met messen de spanning snijden, die rondom Gent en de vernederlandsing van de universiteit aan het groeien was. De geschriften die deze epische strijd op alle toonaarden hebben verhaald, en in het laatste decennium in opvallend groot aantal van de pers kwamen, werden door de gevestigde en de aankomende geschiedschrijvers gretig benut om de ideeën die aan de grondslag van het vernederlandsingsproces lagen toe te lichten.

Het heeft geen zin het hier over te doen, nadat het ruimschoots vanuit alle hoeken bekeken werd, en elk zijn zegje heeft gehad over wat naar zijn mening te veel, of te weinig, of verkeerd was. Ik zal mij beperken tot wat ik zelf beleefd heb, tot wat ik erover dacht, tot wat degenen dachten en deden met wie ik in de moerlemeie stond, met wie ik de degen van de controverse heb gekruist, of met wie ik opstapte voor de verwezenlijking van een ideaal. Een ideaal was het, het was met mij meegegroeid, ik had al eens van de appel geproefd en er de smaak van overgehouden. Hoe zou ik nu versagen?

De strijd van de vernederlandsing werd op vele fronten tegelijk gevoerd. Men vraagt zich thans af waarom het zo lang moest duren. Veertig jaar nadat de strijd beslecht was, op 7 oktober 1967 bij de honderdvijftigste dies natalis verklaarde koning Boudewijn in de Aula: ,,het is evenwel slechts 40 jaar geleden dat de Gentse universiteit volledig in de gelegenheid werd gesteld haar zending te volbrengen. Pas dan inderdaad, met haar onderwijs en haar activiteiten in de Nederlandse taal, heeft zij volledig beantwoord aan de eisen voor sociale en culturele bloei van Vlaanderen. Deze evolutie was gewettigd; zij is bijzonder vruchtbaar geweest''.

Waarom werd dan al die ,,ambras'' verkocht in de allerhoogste kringen van het land? Wat een vorstelijke huichelarij werd op die plaats, op die dag en door die man ten toon gespreid. Men kan het antwoord in de volgende woorden samenvatten: nooit hebben de hoogste Belgische gezagsdragers gewillig iets voor Vlaanderen gedaan, het moest altijd met heibel afgedwongen worden. Het is een van de constanten van de

Belgische staatsidee ten opzichte van de Vlaamse Beweging.

De strijd van de vernederlandsing begon voor goed wanneer Eugène Eeman, professor in de oor-, neus- en keelheelkunde op 17 oktober 1921, tot rector werd benoemd: hij was de belichaming van Gand-Français, en had voor het aanvaarden van zijn ambt als eis gesteld dat hij ontslag zou mogen nemen, indien aan het taalstatuut van de universiteit enige verandering werd aangebracht. Hij handelde consequent en trad af wanneer de Nolfwet op 31 juli 1923 werd goedgekeurd. Vanaf het academiejaar 1923-1924 werd dus te Gent in het Nederlands gedoceerd volgens de formule 2/3 Nederlands en 1/3 Frans, of 1/3 Nederlands en 2/3 Frans naar keus.

De Nolfwet was niet van toepassing op degenen die hun studies volgens het oude systeem, d.i. volledig in het Frans, begonnen waren. Ik was in dit geval en zou derhalve in het Frans afstuderen.

*

* *

Op 17 oktober 1922 sprak rektor E. Eeman in zijn rectorale rede over *Chirurgie et Médecine*. Wanneer men ze nu leest, komt ze voor als een probleemstudie uit de actualiteit, behandeld in een perfect klassiek-academische stijl, met een voorzichtig zweempje naar het visionaire.

Daags nadien maakte ik kennis met het Anatomisch Instituut, een aanhangsel bij het stadziekenhuis De Bijloke. De medestudenten van het vorige jaar waren present, naast een stel anderen die van Leuven overgekomen waren. Dit was in die tijd niet ongewoon. Over de propaedeutische kandidatuur in de natuurwetenschap deed men te Leuven slechts één jaar, terwijl zulks te Gent tot de uitzonderingen behoorde. Het had voor gevolg dat de medische studie voor de zogenaamde Leuvenaars maar zes jaar duurde. Met de wet op het hoger onderwijs van 1929, zijn de zeven jaar voor iedereen gelijk.

In de loop van de eerstvolgende weken was er een plotse toevloed van wat men in studentenstijl ,,Russen'' noemde. Het waren meestal Litouwers of andere Balten, naast enkele Roemenen. Zij bekenden dat zij naar Gent gekomen waren vanwege een propagandacampagne ten voordele van de universiteit waarvan het heette dat zij voor Fransgezinde buitenlanders meer tegemoetkomend was dan eender waar in Europa.

Zij gaven zich uit voor Fransgezind, maar hun Franse taalkennis was niet groot, en zij hadden al de moeite van de wereld om de colleges te begrijpen. Hun propaedeutische kennis was al even gering, geen een had ooit in een microscoop gekeken, laat staan het instrument gemanipuleerd, of microscopische preparaten gemaakt. Slechts enkele Russen zijn te Gent gebleven en hebben zich in het universitaire milieu ingeburgerd. Van de herrie rondom de vernederlandsing hebben de meesten zich niet veel aangetrokken, en het jaar daarop waren negen op de tien naar hun heimat teruggekeerd, of naar een Franse universiteit getrokken, waar ze zich beter thuisvoelden.

Elke morgen te half negen hadden we een uur anatomisch college, in een amfiteatervormige zaal, waar aan de ene zijde van een lang bord een skelet aan een galgvormig ophangstel te bengelen hing, en aan de andere zijde een spierman de wacht hield. In het geometrisch middenpunt van de zaal stond een marmeren draaibare tafel waarop de preparaten lagen, zo er niet een kadaver door de amanuensis voor demonstratie op een plank werd binnengebracht.

Georges Leboucq, de professor, gaf les zonder een enkel papiertje. Met zijn kleurkrijtjes tekende hij op het bord uitstekend alle organen. Na anderhalve trimester had hij de hele anatomie van het bewegingsstelsel afgehandeld: beenderen, gewrichten en spieren. Het was, om zo te zeggen, een niet onaangename ontdekkingstocht in de voortuin van de medicijnen, waar nog heel wat op onze kennismaking te wachten lag.

Na een maand en een geslaagd tentamen konden we in de snijkamer de theoretisch gedoceerde ontleedkunde op het menselijk kadaver aan de vleselijke werkelijkheid toetsen. Velen onder ons hadden zich daarvan fantastische dingen voorgesteld. Het gaf inderdaad een kleine sensatie wanneer de amanuensis Evarist Mijs die, om den brode, veertig jaar van zijn leven in deze akelige vertrekken gesleten had, zijn mes op de sporten van een houten studentenkruk wette, en met een rustig gebaar de huid van een mannelijk subject vanaf de hals tot de schaamstreek insneed, en er argeloos aan toevoegde: ,,Continuez maintenant, mettez tous les muscles à nu, Monsieur Leboucq viendra tantôt vous interroger. Aiguisez bien vos bistouris et travaillez proprement''.

We sloegen de blote hand aan het lijk en probeerden zo goed mogelijk te doen wat van ons verwacht werd.

Een half uur later verscheen de hoogleraar. Wanneer hij onze probeersels in de gaten kreeg, was zijn bedenking: ,,Qu'est-ce que vous avez cochonné là?'' We reageerden niet, stonden onze plaats, onze tang en ons mes aan hem af. Hij deed voor hoe het hoorde, we gaven er ons rekenschap van dat we nog geen echte anatomen waren en nog veel moesten oefenen om de vaardigheid van Georges Leboucq te evenaren. Hij werkte secuur, netjes, kunstzinnig zelfs en keek fier op zijn preparaat neer: ,,Voilà; l'anatomie humaine n'est pas une cochonnerie!'' We wisten waaraan ons te houden.

De meesten hadden na een paar maand een tamelijke vaardigheid in het anatomiseren verworven. Georges Leboucq waardeerde het wanneer hij een goed afgewerkt kniegewricht, een demonstratief lieskanaal of een fijn geseceerd stel aangezichtsspieren te beoordelen kreeg. Hij knoopte daar altijd een Rabelaisiaanse bedenking aan vast, want hij was een spiritueel man van het echte geestige soort.

Na de ochtendlessen in de anatomie was er op dinsdag, donderdag en zaterdag anderhalf uur college in de algemene weefselleer van professor Omer van der Stricht, een heel andere verschijning dan Georges Leboucq. Een kaarsrechte man in een geklede jas, platte boord, op de neus een knijpbril die met een zwart touwtje dat achter zijn rechteroor liep aan de kraag van zijn jas vastlag. Hij was van Dikkelvenne en zijn Frans droeg daarvan de sporen.

Hij sprak traag zodat men zijn woorden letterlijk kon opnemen. Er gingen overigens dictaatschriften van wat hij de vorige jaren gedoceerd had, van hand tot hand rond. Daardoor kon men de evolutie van zijn vak nagaan. Hij tekende cellen, kernen en hun insluitsels op het bord terwijl hij sprak; hij had zijn hand vol kleurkrijtjes en op het eind van de les had de zwarte jas van die kleurenrijkdom zijn deel gekregen. Wanneer om halftwaalf de les afgelopen was, waren we hoorndol van het pennen en het tekenen.

Van der Stricht trok daarna met ons, opnieuw voor anderhalf uur, naar de tweede verdieping voor het practicum. Daar stonden de microscopen opgesteld en moesten we uit de klaarliggende preparaten alles zo demonstratief mogelijk natekenen. Met zijn assistent Lams ging hij van man tot man om er zich rekenschap van te geven of we de cursus begrepen hadden.

Daar ontsponnen zich soms tafereeltjes van een serafijnse naiefheid wanneer het object niet overeenstemde met het getekende. De Russen waren daarvan meestal het slachtoffer. Van der Stricht wond zich geweldig op, wanneer de sukkelaars niet verstonden wat hij zegde: ,,Mais enfin, quelle langue parlez vous, dites le moi en allemand si vous le voulez, je vous répondrai en allemand''. Ook geen antwoord. Gebelgd ging de baas verder: ,,Vous avez dessiné là une crasse, monsieur!'' De Litouwer had een stofje dat in het veld van zijn microscoop terechtgekomen was, voor de ruggemergcel van een mens genomen.

Wij konden nauwelijks een lach bedwingen, maar Van der Stricht was daartoe niet in staat, het leek wel of een aanslag gepleegd werd op hare majesteit de weefselleer, van wie hij de hogepriester was.

Wie een trimester in de hoge rijschool van Van der Strichts practicum was getraind, wist iets van de histologie af. Van zo een nauwgezet hoogleraar liepen er geen twee voorbeelden in heel het land rond. Hij keek ons op de vingers en week geen ogenblik van onze zijde. Dat practicum beschouwde hij als het essentieelste gedeelte van zijn onderwijs.

In het derde trimester kregen we van hem embryologie, met de bijhorende demonstraties. Dat college moest voor de histologie niet onderdoen. Zaadcellen en eicellen defileerden op het bord met al hun bestanddelen. Hoe de helft van de ene en de helft van de andere samentroffen, nadat ze elk een ingewikkelde reeks voorbereidingsprocessen hadden doorgemaakt, werd ons op alle tonen voorgezongen en in wonderbare coupes aangetoond. Naarmate we later meer over embryologie vernamen, bleek het werk van onze hoogleraar het neusje van de zalm van de embryologische wetenschap te zijn.

Gedresseerd als manègepaardjes in de morfologie door mannen die van doceren verstand hadden, vielen de colleges in de fysiologie van professor Henri de Waele maar bleekjes uit. Deze hoofse Gentenaar die met een correct zittende pandjas voor de studenten verscheen, was niet gezegend met de gave van de welsprekendheid en nog minder met de knepen van de didaktiek. Voor een vak zoals het zijne, waarmede de helft van de geneeskunde staat of valt, volstaat de best met pedagogische kwaliteiten voorziene hoogleraar nauwelijks. Het stelde teleur. Zoals dorstige herten verlangen naar een frisse waterbron, zo verlangden wij naar het eind van elke les. Gelukkig was die leerstof vlot assimileerbaar, en was professor De Waele een voorbeeld van meegaandheid, doch wanneer we hem uitleg vroegen, werd de aangelegenheid nog ingewikkelder. We hadden het met hem niet getroffen.

De eerste kandidatuur in de geneeskunde was niet overladen en in het juli 1923 examen bleef niemand achterop. Ik haalde onderscheiding en stond met een kleine drie maand vakantie. E.H. Frans de Hovre legde er beslag op voor de afwerking van de *Staatsburgerlijke Opvoeding,* wat ik graag deed. Maar hij zag verder en hij raadde mij aan, contact met een laboratorium op te nemen om te proberen aan wetenschappelijk werk te doen. Hij moest mij eerst uitleggen wat het betekende, waar het heenleidde; hij was zelf in de experimentele psychologie opgegaan en kon mij dus voorlichten.

Ik trok mijn stoute schoenen aan en ging met mijn verzoek bij Omer van der Stricht. Ik zegde hem vlakaf dat de weefselleer mij aantrok en dat ik graag in zijn laboratorium wou werken om de kunst van het preparaten maken te leren. Hij antwoordde dat hij op 1 augustusd een vakantiecursus daarover begon en dat ik welkom was; et après on verra.

Dat vond ik heel wat van zijnentwege. Het was niet uit Vlaamsvoelende beweegredenen dat ik mij tot professor Van der Stricht gericht had, want hij behoorde tot de upper ten van het Gentse franskiljonisme, doch de roep ging dat hij degenen die bij hem werkten altijd een hand boven het hoofd hield.

Op 1 augustus begon ik; 's ochtends en 's namiddags, met af en toe een spijbeltje, stukken fixeren, inbedden, coupes maken en kleuren met de diverse methodes, en al wat erbij hoort. We waren met een tiental en de baas laveerde dolblij van het ene microtoom naar het andere, hij wees ons terecht, zegde nooit dat het goed was, en als wij wat te snel van alles het fijne wilden weten, klonk het antwoord: ,,Vous verrez cela l'année prochaine''. Er was nooit een leuke noot te horen tussen hem en ons, alles bleef even serieus. En in het Frans. Alleen zijn knecht Remi sprak hij in het Dikkelvens aan. Wanneer de baas de rug gekeerd had klonk in het laboratorium wel een woordje Vlaams, doch wanneer we hem hoorden aankomen, doken we met de neus op onze stukken en gingen de stille gesprekken in het Frans voort, alsof er daar nooit een andere taal gesproken werd.

Toch was het geen ontmoedigende atmosfeer, in hoofdzaak omdat men bijleerde, omdat elk uur iets nieuws te berde bracht en de baas de resultaten van onze stuntelige pogingen nooit als minderwaardig knoeiwerk misprees. Wanneer het ons na een tijdje gelukte van een stuk lever sneden van twee duizendste millimeter dikte te maken, en dat weefsel in drie kleuren gestoken, op een draagglaasje aan het oordeel van de baas voorlegden, zagen we wel dat het hem plezier deed. Maar het zeggen deed hij niet. Alleen dit ene: ,,Continuez''.

Na zeven weken waren er nog een paar continuerenden overgebleven, Laure Vermeren, een doktersdochter uit Zelzate, en ikzelf. Zij kreeg af en toe het bezoek van Georges Ronsse, een dokterszoon uit Gent; ze trokken samen de stad in; ze waren beiden van liberalen fransgezinden huize en zijn na afloop van de medische studie met elkaar getrouwd. We konden het ondereen ondanks dat stand- en taalverschil niet slecht stellen, de histologie streek veel dingen glad, en na meer dan vijftig jaar spraken we onlangs nog over Omer van der Stricht, zijn eigenaardigheden en zijn geleerdheid.

Bij het begin van het academiejaar 1923-1924 werden Laure Vermeren en ik door professor Van der Stricht als hulppreparator aangesteld. Georges Ronsse en Jef Bové kregen een gelijkaardig baantje bij professor Leboucq, een paar andere bij professor De Waele. Tegen een staatsvergoeding van negentig frank in de maand moesten we de aankomelingen in de histologie een beetje wegwijs maken tussen mitochondiën, chromosomen en kerndelingen. Wanneer de uitleg niet naar de smaak van de professor of van zijn werkleider Lams was, kregen we de onmisbare opstoppers, maar we troostten ons met de gedachte dat geld de arbeid verzoet.

Die negentig frank betekenden heel wat, en ik mocht ze houden om er boeken mede te kopen. Ze werden soms voor andere doeleinden aangewend, maar vanaf die tijd dagtekent de aanleg van een bibliotheekje waarop ik fier was.

Het studentenleventje liep voort langs rustige paden. Ik had de indruk op de grote boot te zitten. Te Gentbrugge had ik een interessante kring van vrienden die niet op luidruchtigheid gesteld waren, maar in het commentariëren van elkanders werk of studie genoegen schepten; we gingen erin op, verkeerden in de waan dat het zo hoorde en dat er nooit een eind aan kon komen.

Ik had nog vier jaar geneeskunde voor de boeg, August de Schrijver was advokaat en sloeg de vleugelen uit, Paul Parré zat in het laatste jaar voor landbouwkundig ingenieur. Elkeen vertelde het zijne, en elkeen luisterde naar dat van de andere.

Om de week troffen we elkaar zonder afspraak in de Katolieke Vriendenkring, het rustige epicentrum waar burgerluitjes en werklieden biljart speelden, een kaartje legden, gewoon maar praatten of pijpen rookten. Elke zondagmorgen en maandagavond verzorgde ik de parochiale boekerij waar boeken kosteloos werden uitgeleend. Het was geen zielsverheffende bezigheid, maar het verschafte een afleiding en op de duur was het een gewoonte.

Die biblioteek was geen literair salon, maar de kletskamer waar de onderpastoor, de koster, de secretaris van de Boerenbond, de prefecte van de Congregatie, oude en jonge vrijsters, de onderwijzers een boek kwamen halen, dat ze pas na zes maand terugbrachten. Ik heb zeven jaar de Biblioteek bezorgd en er een groot aantal mensen leren kennen; het heeft me nooit verdroten. In 1922 had ik uitgemaakt dat H. Consciences *De Leeuw van Vlaanderen* het meest uitgeleende boek was van de Gentbrugse volksbiblioteek; het jaar daarna was het *De Witte* van Ernest Claes. Formidabel, reageerde Frans de Hovre, wanneer hij dat hoorde.

*
* *

23 november 1923. Als een donderslag overviel mij in volle nacht een blindedarmontsteking. Die zondagavond was ik omstreeks elf uur thuisgekomen, naar bed gegaan en gewoon ingeslapen. Om vier uur in de morgen schoot ik wakker van de pijn, had de indruk dat er iets in mijn buik openbarstte. Te zeven uur stond onze trouwe huisarts, dokter August van Bockxstaele aan mijn bed: acute appendicitis, zo gauw mogelijk opereren. Ga een afspraak maken bij professor O. van der Linden in zijn ziekenhuis en houd mij op de hoogte.

Vader zorgde ervoor dat ik per vigilante naar de Gentbrugse Gestichtstraat gevoerd werd. Ik herinner mij die lange weg, elke schommeling van de gesloten koets op de straatstenen was een foltering. Professor Van der Linden ging akkoord met de diagnose van de huisarts, liet mij een spuitje morfine geven en zou mij in de loop van de namiddag opereren.

De morfine verstompte enigszins de pijn, maar na de middag voelde ik mij zo ellendig dat ik luidop smeekte vlug geopereerd te worden. Vader wachtte ondertussen, kreeg het gezelschap van E.H. De Hovre die geheel van zijn stuk was. Professor Van der Linden vroeg aan vader bij de operatie aanwezig te zijn opdat hij zou zien hoe de zaak stond. De Hovre kon het niet aanzien en trok zich terug.

Ik werd naar de operatiekamer gevoerd, naar de redding docht mij; het was een van de gelukkigste ogenblikken van mijn leven. Professor Van der Linden maakte zich klaar en zuster Augustine, die door niets uit het lood te slaan was, zeepte de huid van mijn buik in en zou met de vaardige hand van een vakkundige, wegscheren wat volgens de voorschriften van de operatieleer in de weg stond.

Deze zo eenvoudige handeling veroorzaakte op de overgevoelig geworden huid een onuitstaanbare pijn. Toen dit gedaan was, kreeg ik van een andere zuster de chloroformkap op neus en mond, inclusief het verzoek luidop te tellen. Gulzig snoof ik de dampen van het bedwelmende goedje op en verdween stilaan in de roes en de gevoelloosheid, toevertrouwd aan de bekwaamheid van de chirurg en de waakzaamheid van de chloroformzuster. Toch was er een scherpe opflakkering van het bewustzijn, want ik gaf mij rekening dat er gesneden werd. Daarna niets meer.

Wanneer ik stilaan tot het bewustzijn terugkeerde lag ik in een bed en werd gesust door de vriendelijke woorden van een vrouwenstem: ,,Rustig blijven, diep ademen''. De nacht daarop werd bij mij gewaakt door een zuster, van wie ik later vernam dat zij Zuster Lucie heette, en de zuster was van dokter Gerard Verniers uit St.-Niklaas. Zij was een onderwijzeres die overdag in de klas stond, en 's nachts insprong om bij zwaar zieke patiënten te waken. Zij heeft mij verteld dat ik zeer woelig was, niet geslapen heb en altijd door om drinken vroeg.

Professor Van der Linden had een zwaar ontstoken appendix verwijderd, met op het uiteind een erwtgrote perforatie, waardoor etter in de buikholte was terechtgekomen. Na een zwaar postoperatief verloop is de zaak ten goede gekeerd en was ik precies één maand nadien thuis; het had aan een zijden draadje gehangen.

Dokter August van Bockxstaele en professor Van der Linden ben ik mijn leven lang dankbaar gebleven. In 1944 heb ik mijn oud-professor op mijn beurt geopereerd; hij is in 1949 op vijfentachtigjarige leeftijd overleden.

Die blindedarmontsteking en de manier waarop zij onverhoeds een levensreddende operatie had noodzakelijk gemaakt, heeft bij mijn ouders, familie en vrienden begrijpelijkerwijze sensatie veroorzaakt: niets wees erop dat zo'n zwaard van Damocles boven mijn hoofd hing. In het ziekenhuis ontving ik veel bezoek, en heeft men mij verteld dat er in stilte naar Oostakker-Lourdes werd gebedevaart. Dat moeder haar heilige vriend Gerardus niet gerust gelaten heeft is evident.

Dat alles is nu vijfenvijftig jaar geleden. Ik neem de gelegenheid te baat om zonder uitzondering degenen te danken die geholpen hebben om mij uit die klem te halen. Het had anders ,,valde cito'' met mij kunnen gedaan geweest zijn. Mijn appendix, in formol bewaard, heeft in het pathologisch laboratorium een plaatsje gekregen tussen het ander demonstratiemateriaal, omdat hij zo duidelijk laat zien waar de appendiculaire perforaties zich voordoen. Mijn appendicitislitteken zal de kenners die het onder het oog krijgen, tot nadenken stemmen.

*
* *

Behoudens die voor mij onverkwikkelijke blindedarmgeschiedenis was het eerste trimester van het academiejaar 1923-1924 rimpelloos.

Nieuwjaar bracht de zware kluif van de tweede kandidatuur. Schijnbaar geestdriftiger dan ooit begon O. van der Stricht zijn colleges en practicum in de bijzondere histologie van de organen, hij stond voor ons in de volheid van zijn geroemd professoraat. Maar zonder dat wij iets vermoedden knaagde een worm aan het rustieke gestel van de man uit Dikkelvenne. Eind januari moest hij een paar weken thuisblijven.

Toen hij begin februari terug was, bleek hij de oude niet meer te zijn; hij moest plots uitscheiden en liet aan zijn werkleider professor H. Lams de taak over zijn kursus voort te zetten. Hij is niet meer voor zijn katedertje in de amfiteatervormige collegekamer van het Anatomisch Instituut verschenen. Hij overleed na een lang ziekbed te Menton aan de Azurenkust op 12 mei 1925. De Gentse universiteit verloor op die dag een groot morfoloog, die een spoor had gebaand in een vak waarin weinigen uitmunten.

Ik ben er altijd trots op gebleven, de laatste hulppreparator van Omer van der Stricht geweest te zijn. Over zijn persoon en zijn werk heb ik in het *Modern Biografisch Woordenboek* een uitvoerige notitie geschreven; voor de *Index Biologicorum* door het Biohistorisch Instituut Utrecht aangelegd, heb ik een beknopte bio-bibliografie over hem opgesteld.

Professor Honoré Lams nam de taak van Omer van der Stricht over. Bruggeling van geboorte was hij in de lijn van zijn meester geschoold en had hij reeds een kleine leeropdracht in de Faculteit van de Wetenschappen. Niemand zal het als een belediging kunnen beschouwen als ik zeg dat hij niet door hetzelfde wetenschappelijk vuur van zijn voorganger was verteerd.

Allen die Lams aan het werk gezien hebben, kunnen niet zwijgen over zijn wonderbaar tekentalent. Wat die man b.v. op het bord kon afbeelden met eenvoudige kleurkrijtjes, grenst aan het onvoorstelbare. Zijn meesterstuk was onbetwistbaar de ligging van de vrucht in de zwangere baarmoeder, omgeven door de vliezen van verschillende oorsprong, de moederkoek, de placentaire vlokken en de uitgezette bloedvaten. Op minder tijd dan hij nodig had om het uit te leggen, stond het onberispelijk voorgesteld om de beste illustrator ter wereld te doen watertanden.

Het ongeluk voor ons was dat Lams niet begreep waarom wij niet konden tekenen zoals hij. Dan nam hij de gelegenheid te baat om te zeggen dat de pastoors bij wie we op school geweest waren, ons beter meer tekenles dan catechismusles hadden gegeven, dan zouden we nu ook meer punten gekregen hebben. Zelfs op het examen kwam hij daarmee voor de dag. Lams is de laatste overlevende van mijn professoren; hij is van het jaar 1883 (overleden april 1978).

In het tweede trimester kregen we van G. Leboucq de anatomie van buik en ingewanden, van de geslachtsorganen, de klieren met inwendige afscheiding van het zenuwstelsel. Die zware kursus liep tot het eind van het academiejaar. We konden toen ook al aardig overweg met de secties.

Tegen half februari had H. de Waele zijn cursus fysiologie afgehandeld en konden we met een minimum van praktische oefeningen gaan studeren zonder grote haast te maken en ons te overspannen.

Toen De Waele gedaan had, wachtten ons een paar cursussen die als een interludium overkwamen.

De vergelijkende ontleedkunde was een echo uit een ver verleden in de lesrooster van de medische studie. We troffen in Hector Lebrun, die ons het vak doceerde, de allercharmantste hoogleraar die men ontmoeten kon. Hij was een Waal uit Henegouwen, gevormd in het Leuvens Biologisch Instituut van J.B. Carnoy, een reus van een vent met een kinderlijk lief glimlachend aangezicht, altijd fijn uitgedost, winter en zomer in pandjesjas over een wit vest waarop een gouden horlogeketting bengelde.

In zijn jongere jaren had hij veel buitenlandse reizen in regeringsopdracht gemaakt en vertelde over de merkwaardige waarnemingen die hij in de loop daarvan had gedaan. In het Yellowstonepark was hij o.m. getuige geweest van de copulatie van de Alytes obstetricum, een bijzondere soort pad. Die copulatie had onze hoogleraar in vervoering gebracht, heel zijn wetenschappelijk œuvre draagt daarvan de stempel vermits het beperkt bleef tot de vrouwelijke geslachtsorganen van de amfibieën. De grote J.B. Carnoy heeft ooit ,,l'habilité technique, le courage et la patience inlassables, le talent d'observateur'' van Lebrun geprezen.

Tijdens zijn practicum in het oude universiteitsgebouw van de Volderstraat moesten we skeletten van vissen, vogels, hagedissen enz. tekenen. Hij vond die tekeningen altijd uitstekend, als we maar ergens in de schedel van een ons onbekend dier een ,,os carré'' hadden geplaatst. Het examen bij Lebrun was een vriendelijk onderonsje, hij wees b.v. op het vorkbeen van een vogelskelet en vroeg hoe dat heette, toen men daarbij voegde dat het overeenkomt met de sleutelbeenderen van de werveldieren, rees hij overeind om de kandidaat geluk te wensen. Daarna kwam er altijd een vraag over het geslachtsapparaat van zijn dierbare amfibieën. Of de axolotl een penis had, wist niemand. Dan antwoordde hijzelf: ,,Un tout petit pénis, monsieur!'' en hij wees op de punt van een potlood.

Integere Lebrun! Hij was een groot muziekminnaar en dirigeerde een studentenkoor. Hij was een vroom katoliek, maar geen militant. Omwille van zijn imponerende verschijning hadden de studenten voor hem de naam van Brontosaurus bedacht. Hij kon erom lachen. Na de vernederlandsing heeft hij Gent verlaten en leefde hij rustig te Oisquercq in Waals Brabant.

Een tijdschrift van Gentse geneesheren dat in 1958 een relaas over gestorven leermeesters bracht, schreef ook over Lebrun. Een week nadien ontving de hoofdredacteur een brief van de hoogsteigen professor met de melding dat hij in volle gezondheid verkeerde, nog altijd wetenschappelijk werk verrichtte, en nodigde hij de redactieraad uit op een zondagnamiddag te zijnen huize.

Dat hoogleraren in hun colleges niet altijd dorre theorieën verkondigen, moge de persoon en de doceertrant van onze professor in de psychologie bewijzen. Psychologie is een allernuttigst vak voor de aanstaande geneesheer. Men kan er nooit te veel van afweten en dat begreep onze professor Jules van Biervliet uitstekend. Doch hij wist ook dat de graad van alle psychologische kennis omgekeerd evenredig is met het aantal uren college dat eraan besteed wordt.

J. van Biervliet had met een laboratorium van experimentele psychologie te Gent zijn sporen verdiend. Zijn fysische verschijning beantwoordde aan de definitie van de homunculus. Ik geloof niet dat hij veertig kilo woog. Hij liep met voorzichtig-precieuze pasjes en had altijd een paraplu bij zich.

Voor de aanstaande geneesheren was hem een cursus van dertig uur voorzien. Wanneer hij voor de eerste keer verscheen, begon hij met te zeggen dat dit veel was en dat de eerste regel van de proefondervindelijke psychologie beval dat het aantal uren moest gehalveerd worden, dus vijftien. En dat de tweede regel luidde: het aantal uren colleges moet een even getal zijn. Het zal dus twaalf uren worden. En de derde regel was: anderhalf uur college is onpsychologisch, zowel voor de professor die spreekt, als voor de student die luistert. We zullen derhalve nog eens halveren. Er bleven na berekening twaalf lessen van drie kwartier over. Of we het daarmee eens waren, vroeg de hooggeleerde psycholoog niet.

Nog nooit hadden we zo'n taal gehoord. We waren als van de hand Gods geslagen en zaten er een wijl stil bij. Van Biervliet bemerkte het, en maakte er ons attent op dat hij met zijn voorgestelde regeling zijn eerste psychologische zet bij zijn nieuw gehoor gehaald had. De anderen zullen volgen. En weg was hij. De inleiding tot zijn cursus had geen kwartier in beslag genomen. We gingen naar huis zonder één nota te hebben genomen.

Wanneer hij de week nadien binnentrad, bleef hij voor het midden van de lange groene tafel staan, keek elk van ons met peilende blik aan, vroeg te gaan zitten, haalde een gouden uurwerk met lange gouden ketting uit zijn ondervestzakje, hield het uurwerk op aangezichtshoogte zodat het uiteinde van de ketting op de tafel sleepte, liet dan met berekende kleine draaibewegingjes, het uurwerk tot op de tafel zakken. Terwijl hij dit deed, hield hij het auditorium in 't oog om onze reacties op te vangen. Theo Roggen kon zich niet houden van lachen. Dat was het moment, door de professor verwacht, om zijn psychologische slag te slaan: ,,Sortez, monsieur!'' Wanneer Theo de deur achter zich gesloten had, begon Van Biervliet zijn les over ,,la mémoire''. Het was merkwaardig interessant. Hij dicteerde ons een bladzijde tekst en het was weer gedaan.

Het scenario met het uurwerk en de ketting was elke week onveranderd hetzelfde. Niemand gaf nog een kik. Een paar keer verscheen Van Biervliet niet voor zijn lange tafel, maar we geraakten toch aan het twaalftal colleges dat hij ons voorspeld had. Over de psychologie van de massa hield hij ons voor: ,,Il ne faut pas frapper juste, il faut frapper fort''.

Die originele man heeft ons geen examen afgenomen, hij kwam niet; het was Lebrun die ons vroeg wat te vertellen uit de cursus van J. van Biervliet. Elkeen koos de estesiometer, een toestel om de gevoeligheid van de tastzin te meten en dat als een stokpaardje in de colleges van psychologie door J. van Biervliet bereden werd.

Het examen in juli 1924 was nauwelijks iets meer dan een formaliteit. Ik haalde grote onderscheiding.

Wederom was het E.H. De Hovre die mij onder de arm nam. Drie maand vakantie was heerlijk, maar die kon nuttig doorgebracht worden met laboratoriumwerk, des te meer dat ik het jaar voordien bij Omer van der Stricht begonnen was. De daar verworven ervaring en kennis mocht niet verloren gaan.

Veel lust om onder leiding van Professor Lams te werken had ik niet. Ik zou dan het liefst bij de professor van ziektekundige ontleedkunde Norbert Goormaghtigh gaan aankloppen. Het vak leunde aan bij de histologie; en Goormaghtigh was bovendien volledig gevormd in de school en in de geest van O. van der Stricht. Het was de aangewezen weg.

Ik ging mij aanmelden. Goormaghtigh vond het dadelijk goed en ik kon 's anderendaags al beginnen. Hij zou mij een thema voorleggen, ik kon proefdieren krijgen en daar ik niet afwijzend tegenover lijkschouwingen stond, kon ik daar ook een handje toesteken. Als ge goed werkt en aanleg hebt voor strikt wetenschappelijk werk, zal ik u voor de universitaire prijskamp een onderwerp geven.

Ik daarmee bij De Hovre: niet aarzelen, meepakken, een buitenkans, Zie-je-wel!

Op 1 augustus 1924 vierde ik de kabels die mij aan 't histologisch laboratorium hadden gehecht en wierp het anker uit in de haven van de pathologische anatomie. Ik zou er meer dan tien jaar gemeerd liggen.

De week te voren was ik op het huwelijksfeest van mijn nicht Valentine de Vuyst, de dochter van vaders zuster tante Maria, met Frans Hoste. Die gelegenheid wilde ik niet missen.

De twee jaar die ik besteed had aan de studie voor het kandidaatsexamen in de geneeskunde, van oktober 1922 tot augustus 1924, zaten stikvol met Vlaams-politieke gebeurtenissen die niets anders waren dan de ontlading van spanningen die tientallen jaren oud waren, en na de Eerste Wereldoorlog op de spits gedreven werden.

Het kernpunt van het hele probleem was de vernederlandsing van de Gentse universiteit. Wat was daaromtrent niet voorgevallen sinds de aangelegenheid op het forum van de landspolitiek aanhangig werd gemaakt in de allerlaatste jaren van de negentiende eeuw? Het brandpunt van de zich hard aanmeldende strijd lag te Gent, in en rondom de universiteit zelf, met Julius Mac Leod, Paul Fredericq en Jozef Vercoullie, allen vooraanstaande vrijzinnigen.

Een andere vrijzinnige, Lodewijk de Raet, was in 1903 en in 1906 voor de dag gekomen met een radikaal voorstel, dat de volledige vernederlandsing, ook van de Technische Scholen behelsde. Daaromtrent ontstond eensgezindheid in de Vlaamse rangen, ook bij de katolieken, o.m. bij monde van Lodewijk Dosfel. Maar de Belgische bisschoppen zegden neen, in hun brief van september 1906.

Toen reageerden eenparig de Drie Kraaiende Hanen L. Franck, K. Huysmans en Frans van Cauwelaert in hun kruistocht over het Vlaamse land. In 1911 en 1912 kwam een eerste deugdelijk voorstel in het Parlement. De oorlogsgebeurtenissen zetten helaas de klok voor Vlaanderen achteruit.

Behoudens het intermezzo van de vernederlandsing in 1916-1918! Ondanks het gezanik over Flamenpolitik, is het lang geen uitgemaakte zaak hoever het getreuzel met de vernederlandsing niet verantwoordelijk is voor het ontstaan van het Vlaams activisme. Het blijft bij een terugkaatsen van de bal der wederkerige verantwoordelijkheden, en de hoofden zijn nog altijd een beetje verhit, vooral bij degenen die met walgreflexen in hun maag zitten. Maar die reflexie is een zenuwstoornis en geen teken van gezondheid, nu al zoveel mensen anders zijn gaan oordelen en geen boeken volschrijven over achterhaalde standpunten. Dat is trouwens geen geschiedenis meer, maar dwaze polemiek.

We hebben al herinnerd aan de eerste reacties na de Wapenstilstand van 11 november 1918, op de straat en in de Wetgevende Kamers. Henri Pirenne die in 1920 rector was, weigerde de Aula ter beschikking te stellen van het Vlaams Natuurkundig en Geneeskundig Kongres, dat uit 1897 dagtekende. Niettemin doken wetsvoorstellen in de Kamer op. Het was geen water, maar olie op het vuur en het waren nu vooral de vrijzinnigen die zich tegen de pogingen tot vernederlandsing te weer stelden.

Tegen de zogenoemde Nolfbarak (wet van 31 juli 1923) kwam een reactie vanwege de Vlamingen los, terwijl de franskiljons de Ecole des Hautes Etudes in het leven riepen, waar enkele universiteits-professoren in het Frans kollege gaven over die vakken die in de Rijksuniversiteit voortaan in het Nederlands werden gedoceerd.

Tijdens Eemans rectoraat, op 21-22 december 1922, organiseerden de franskiljonse studenten en professoren een staking als protest tegen de geplande vernederlandsing. Een goede gelegenheid voor de vlaamsgezinden om vóór de collegekamers van de stakende hoogleraren te betogen en herrie te schoppen. Professor-rector E. Eeman, die vanop het bordesje van zijn polikliniek de redenen van de staking poogde uiteen te zetten, werd door Geert de Coninck, een medisch student en oudstrijder, bij de kraag gevat en met zachte druk, onder luid hoerageroep binnengeduwd. De rector vroeg later wie ,,cet individu'' was. Toen hij vernam dat Geert een ,,ancien combattant'' was bleef de repressie achterwege. Geert was een van de briesende soort, en van geen klein gerucht vervaard.

Betogingen en tegenbetogingen volgden elkaar in snel tempo op. Er werd geknuppeld en geruzied dat het een aard had. Gent en Brussel gaven de toon aan. Twee beruchte betogingen betekenden het acme van de franskiljonse weerstand, één te Gent op 19 december 1922, en één te Brussel op 28 januari 1923, tegen de in het parlement voorgenomen gedeeltelijke vernederlandsing.

De Gentse betoging heb ik als tegenbetoger meegemaakt; ik kreeg mijn part van de schoppen en slagen die er rijkelijk uitgewisseld werden.

In de Gand-Français stoet zag ik Omer van der Stricht opmarcheren. Een mede-opstappende ondervoorzitter van de rechtbank zag ik een volle inktpot op zijn hoed en aangezicht krijgen (de dader werd ooit hoogleraar te Gent). Paardevijgen werden achter de bereden rijkswacht opgeraapt en naar de marcheerders geworpen, andere vlogen in de tegenovergestelde richting. Fanfares, door de kasteelheren van Oost- en West-Vlaanderen naar Gent opgetrommeld, werden uiteengeranseld. Een volle neef van mij die met de liberale harmonie van Merelbeke opstapte, ging met een felgebuilde alto naar huis. In de Korte Meer werden Belgische vlaggen afgerukt, aan flarden gescheurd en in brand gestoken. *La Flandre Libérale* was één overspanning met scheldwoorden als ,,läbas cracheurs''.

De Vlamingen lieten de geëxalteerden uitrazen en stonden 's anderendaags met hun onvoorwaardelijke eis opnieuw in de Wetstraat. Tijdens de bespreking in de Kamer op 21 december 1922 oordeelde minister van state H. Carton de Wiart dat de vernederlandsing van de Gentse universiteit een ,,crime contre l'esprit'' was. Eén maand later trok door de straten van Brussel een monsterbetoging, waar het niet zachter aan toeging dan te Gent in november te voren.

Op 23 maart 1923 had te Gent het Achtste Groot-Nederlands Studentenkongres plaats. De organisatoren hadden gevraagd of ze de algemene vergaderingen in de Aula van de universiteit mochten houden. Het mocht op voorwaarde dat met geen woord over de vernederlandsing van het hoger onderwijs in België werd gesproken. Ge ziet dat van hier. Maar het geeft de geestesgesteldheid weer van hen die het toen voor het zeggen hadden. Rector was Eug. Eeman, beheerder-opziener was professor A. Roersch.

Het congres was georganiseerd door Jef Vermeulen, praeses vàn het A.V.H.V. Er waren referaten en besprekingen die de half en halve oplossingen voor de vernederlandsing op de korrel namen. 's Avonds trok een fantastische lichtstoet door de straten van de stad, die het zelfde probleem in de talrijke transparanten uitstalde.

Op 16 oktober 1923 werd in de zaal van het Landbouwershuis op het Gouden Leeuwplein, door de Vlaamse studenten van Gent een protestvergadering tegen het Nolfmisbaksel georganiseerd. Jeroom Leuridan sprak er. Het was een meevaller en op de boycot van de Nolfbarak werd eens te meer de nadruk gelegd. Boycot betekende dat noch de studenten noch de Vlaamse gemeenschap zich neerlegden bij het miskraam dat de regering had uitgedokterd; de volledige vernederlandsing van heel de universiteit, dat was het einddoel.

Op hetzelfde uur had in de Aula de plechtige opening van het academiejaar 1923-1924 plaats. De bestuurstaal van de universiteit was het Nederlands, en zo behoorde de plechtigheid in die taal te geschieden.

Rector Eug. Eeman had ontslag genomen en was vervangen door J. Frans Heymans van dezelfde medische faculteit, een legendarisch figuur van de proefondervindelijke geneeskunde te Gent. Hij was een Brabander uit Gooik. Zijn boerenafkomst was in zijn spraak en in zijn voorkomen blijven hangen. Sympatiek en spontaan durfde hij wat een ander niet durfde, moedig tot op het voortvarende af, met een fijne neus voor wat op komst was, en die alles waaraan hij straks zou blootstaan van zich liet afvloeien als water van een eend.

Zijn rectorale rede handelde over *Hoe wij leren en ontdekken;* het werd als een driestheid vanwege de nieuwe rector beschouwd, en er liepen geruchten dat men de Aula in de lucht zou blazen.

Franskiljonse studenten en anderen onderbraken naar hartelust de toespraak, en toen de plechtigheid halverwege was, ging het elektrische licht geleidelijk uit. De rector kon zijn tekst niet meer lezen en nipte meer van zijn glas water dan nodig was. Bedienden liepen met kaarsen aan en af, de aanwezige professoren wisten niet wat te doen, studenten hielden heksensabbat, de enen waren verbolgen, de anderen verkneukelden zich, burgemeester, gouverneur en mannen in toga keken verontwaardigd voor zich uit, in zover men iets kon waarnemen. Het duurde zowat een halfuur, en toen de stroom op sterkte kwam, en men reacties op de aangezichten kon aflezen, zag men rood opgewonden koppen naast voorhoofden en wangen die doodsbleek uitstaken boven de stijf gestreken halfhemdjes van de jonge docenten. Nooit vergeet ik hoe onder deze laatste Korneel Heymans, zoon van de rector, een piepjong docent, wit van ingehouden toorn, de voorvallen die tegelijk tragisch en komisch aandeden, mede onderging. Ik ben ervan overtuigd dat in het gemoed van de jonge man, die later de eerste en enige Nobelprijswinnaar van de Gentse universiteit werd, dure eden gezworen werden. Wat die eden waren, heeft de toekomst uitgewezen.

Wat was er gebeurd? In de elektrische stadscentrale hadden de personen die de touwtjes in de hand hielden, een stroomonderbreking over gedeelten van de stad voorbereid, en ze zó doen verlopen dat zij in de Aula de uitdoving van het licht der wetenschap symboliseerde. Het was zonder twijfel een knap stuk ongevaarlijke sabotage van een historisch moment, waarvan de geschiedenis inderdaad lang gewag zou maken, maar die zonder verder gevolg is gebleven.

Hoe Jan Frans Heymans over de Vlaamse doeltreffendheid van de Nolfuniversiteit oordeelde, leert volgende lapidaire uitspraak. Het was op de slotvergadering van de Vlaamse Wetenschappelijke Kongressen te Aalst van 9-11 augustus 1924. Rector Heymans was zozeer door Jef Goossenaerts overtuigd dat het ogenblik geschikt was om spijkers met koppen te slaan in een gunstig gestemd milieu en de Nolfbarak de doodsteek toe te brengen, dat hij zonder blikken of blozen, in een toespraak te kennen gaf dat die universiteit ,,schoenlapperswerk'' was. Niemand heeft Heymans ooit tegengesproken, men vond het straffe koffie, een gedurfde uitdrukking in zijn mond, echt op zijn Heymans.

Van diverse, vooral van socialistische zijde, wordt er graag aan herinnerd dat August Vermeylen de eerste rector van de Vlaamse universiteit Gent is geweest. Mij goed, maar dan vraag ik mij af wat Jan Frans Heymans geweest is. De waarheid is dat Vermeylen op het terrein verschenen is, wanneer het sein op groen stond, en alle gevaar geweken was.

De boycot tegen de Nolfbarak deed stof opwaaien tussen de oude en de nieuwe generatie. De eersten hielden voor dat men moest nemen wat men krijgen kon, de laatsten gooiden het over een meer radikale boeg. In het aloude studentengenootschap uit 1852, 't Zal wel Gaan, leidde het tot een crisis. 't Zal aarzelde, was dan voor de boycot, aarzelde opnieuw, stond onder de druk van invloedrijke oudleden, maar bleef boycotten volgens zijn traditioneel zachte manier, d.i. door de zaak op haar beloop te laten.

*

* *

Omdat over de toedracht van de boycot van de Nolfuniversiteit in de geschriften van de Vlaamse cultuur- en andere historici uit de laatste maanden nogal wat te doen is geweest, kan het wellicht van nut zijn, het oordeel te vernemen van iemand die er middenin stond.

Mag ik, om te beginnen, herinneren aan de rede van professor Frans Daels op het Derde Congres van de Katholieke Vlaamsche Landsbond te Gent op 26 juni 1922. Daels was op dat ogenblik voorzitter van de Hogeschoolcommissie, een organisatie die de strijd voor de vernederlandsing leidde en coördineerde. Ik heb hem gehoord.

Daels, aan wie een verslag over de stand van de strijd was gevraagd, begon aldus: *,,De tijd van de verslagen is voorbij. Wie in dit ogenblik opnieuw, en nog verslagen vraagt over de vervlaamsing van Gent, verschalkt ons. Het Vlaamse recht werd officieel erkend, een erewoord werd plechtig gegeven, wij eisen dat recht geschiede en het erewoord worde gehouden. Er is maar één rechte weg. De houding van België tegenover Vlaanderen zal onvermijdelijk en beslist de houding van de Vlamingen tegenover België regelen, maar de houding van België tegenover Vlaanderen zal bepaald worden naar de houding van de Vlaamse leiders en intellectuelen tegenover hun eigen volk''.*

De twee kerngedachten van de toespraak waren: ten eerste, Trouw moet blijken; ten tweede, Gent of niets. De aanwezigen gaven Daels gelijk, hij kreeg een ovatie. Frans van Cauwelaert reageerde korzelig en nam het niet. Er hing een tastbare atmosfeer van onbehagen in de zaal.

Een jaar nadien, op het Vierde Katholiek Vlaamsch Congres van de Landsbond te Brugge, op 21 juli 1923, werd Daels die in de zaal zat, op het podium geroepen; hij verdedigde opnieuw de stelling die hij in 1922 te Gent voorhield.

Hij gaf de exegese van wat er intussen voorgevallen was en die geleid had tot de Nolf-universiteit die vijf dagen voordien in het parlement was ingediend. Hij besloot: ,,*Komt het ontwerp Nolf erdoor, dan moet de strijd worden aangegaan voor het vernietigen van een nieuwe antisociale, antipaedagogische, antiwetenschappelijke burcht, door de Vlaamsche leiders zelve in Vlaanderen opgericht ... We weten nu eens wat in België, en in de politiek beloften zijn*''. Daels kreeg van de rechtopstaande vergadering een eindeloze ovatie.

Wanneer de Nolf-universiteit er dan toch was, tekenden zich twee strekkingen af: 1) vrede nemen met wat we krijgen; 2) de strijd voor een volkomen Nederlandstalige universiteit voortzetten. Het is evident dat dit laatste standpunt het gewonnen heeft, vermits de strijd voortging en zeven jaar later, in 1930, beslecht werd.

De boycot werd afgekondigd door het Algemeen Vlaamsch Hoogstudentenverbond op 23 augustus daarop, te Gent in een gemotiveerde verklaring, ondertekend door Jozef Vermeulen, voorzitter. Een van de conclusies luidde: de wet Nolf moet dood, en wij, Vlamingen zullen ervoor zorgen.

Dat is toch boycot. Of niet? Boycot is niet aanvaarden, er zich niet bij neerleggen. Het is een moreel principe, veel meer dan een methode. Het kon onmogelijk in de opvattingen van de studenten en hun ouders betekenen dat niemand nog te Gent wilde studeren en alleman eruit moest.

Er waren in het Nolf-Gent twee taalstelsels, elk met een hoeveelheid Nederlands en een hoeveelheid Frans. Wie zich vanaf 1923 liet inschrijven, had de keus tussen de twee, die alleen verschilden door de dosis Frans of de dosis Nederlands. Het was in de grond een gekke boel, een huichelaarsschool noemden de Vlaamse studenten dat. Ze besloten: ,,De tijd komt spoedig dat wij zelf ervoor zullen zorgen dat ons worde gegeven wat Vlaamse durfloosheid ons onthield''.

Wie in 1977 beweert dat de boycot mislukt is, houdt bespiegelingen over de zin van een woord en verliest de werkelijkheid van 1923 uit het oog. Historisch heeft de Nolf-werkelijkheid het onderspit gedolven. Vlaanderen heeft ze niet aanvaard, dat was de enige zin van de boycot, al het andere was noten met gaatjes, achteraf opgezette transacties, en gelijkt op het dansen van de kat op een heet zinken dak.

Mag ik erbij voegen dat de studenten in hun keuze van het ene of het andere stelsel, zich vaak lieten leiden door het gemaksmotief? Wanneer zij wisten dat de zwaarste cursussen en de strengste examinatoren in het stelsel van het één derde Frans vielen, namen ze het stelsel van twee derde Nederlands. Of andersom. Ze wisten dat de Nolf-universiteit het toch niet houden kon, omdat heel Vlaanderen het principe uitspuwde, en wat scheelde hen dan een derde Frans of Nederlands boven of beneden het neutrale nulpunt. Zonder veel acht te slaan op het stelsel dat ze gekozen hadden, volgden ze de colleges van die professor die hen meest boeide.

Is het niet pikant vast te stellen dat Kroonprins Leopold te Gent college volgde en dat hij aan het twee derde Frans stelsel de voorkeur gaf? Hij sloot zich bijgevolg aan bij de boycotactie, indien wij de stelling aanvaarden van diegenen die nu beweren dat de boycot mislukt is. De Kroonprins volgde een Nederlands college bij August Vermeylen, een Frans college bij Henri Pirenne, en een ander Frans college bij Ch. de Lannoy. Dit alleen maar pro memorie, ten behoeve van degenen die het niet zouden weten, of het vergeten waren.

Ik herinner mij nog een gebeurtenis uit de tijd toen de strijd voor de vernederlandsing het heetst woedde. Het was in januari 1923. Overal in de wereld werd de honderdste verjaring van de geboorte van de grote Franse geleerde, Louis Pasteur (1822-1896) op plechtige wijze herdacht. Dat de Gentse universiteit niet achterbleef, strekt haar tot eer.

Op de herdenking in de Aula zou de Brusselse hoogleraar en Nobelprijswinnaar, Jules Bordet, oud-leerling van Pasteur het woord voeren. Niemand kon het beter dan hij, en hij was een buitengewoon welsprekend man. Ik wilde de kans niet missen en ging luisteren. Het was een grootse hulde in een propvolle zaal. Het bleek al gauw dat het puik van het Franssprekende Gent aanwezig was. Bordet nam de gelegenheid te baat om van leer te trekken tegen de Vlamingen die niets met Pasteur willen te maken hebben (sic), tegen hun taal, tegen de vernederlandsing. Ik heb uit de mond van een Waals heethoofd nooit een meer geborneerde taal dan die gehoord.

De Société de Médecine de Gand deed ook haar duit in het zakje. Omer van der Stricht sleepte die wetenschappelijke vereniging mee teneinde in moties haar afkeuring voor de vernederlandsing te betuigen en de leden op te roepen naar de Brusselse betoging tegen de vernederlandsing. Professor Edgard Tytgat verdedigde het standpunt dat de Société zich met die zaak niet mocht inlaten, vermits ze buiten haar wetenschappelijke bevoegdheid lag. Toch deed de Société mee; het was het begin van haar ondergang.

Dat in maart 1922 Jean Crocq, een Nederlands-onkundig Brusselaar, tot hoogleraar benoemd werd in een klinisch vak, bewees eens te meer de onwil en de weerspannigheid van de hoge kringen om enigszins het vuur van de hetere twistpunten af te koelen. Waren de landsbestuurders hun verstand helemaal kwijt?

*
* *

Ik heb mij, in dit al te lang relaas, beperkt tot de dingen die mij na zoveel jaren nog altijd klaar voor de geest staan, omdat ze op mij een grote indruk hebben gemaakt of ,,quorum pars magna fui'' (Virgilius).

Laat ik nu terugkeren naar Gentbrugge en naar het Laboratorium voor Pathologische Ontleedkunde waar ik begin augustus 1924 een ander stukje van mijn gedroomde geneeskundige carrière begon. Als student! Ik had zo juist het diploma van kandidaat in de geneeskunde gehaald en stond nog drie jaar van het einddoel verwijderd. Ik voelde dat ik niet op de verkeerde boot zat.

In het Anatomisch Instituut van Professor G. Leboucq ging eind juli 1924, Evarist Mys de amanuensis met pensioen. Veertig jaar was hij daar werkzaam geweest, een vrijwel uniek baantje in de bediendenwereld van de universiteit. Over de menselijke anatomie moest men hem niets wijsmaken. In zijn Frans-Vlaams-Gents taaltje vertelde hij over zijn vroegere baas Hector Leboucq, van wiens wetenschappelijke, professorale, rectorale en sentimentele kranigheden hij getuige, zoniet medespeler was geweest. Over tientallen studenten- en doktersgeneraties wist hij het fijne, en wat zijzelf over hem hebben gefabeld, behoort nu tot de weldra uitgestorven legenden.

Onder het examen in de praktische anatomie, zat hij er altijd bij; wanneer de kandidaat aarzelde tussen een linker of een rechter sleutelbeen, was er bij Evarist Mys altijd een vinger, of een wenkbrauw, een mondhoek of een elleboog die vertrok of jeukte om de weifelaar op het goede antwoord te wijzen. Wanneer de uitslag van het examen afgeroepen werd, ontbrak hij evenmin en kon hij zijn hand derwijze houden dat niemand merken zou dat er iets ingestopt werd; merci et sincères félicitations.

Een staaltje van 's mans vaardigheid! Gaf men hem eender welk been, hoe klein ook, in de hand, hij kon het altijd, alleen door het te betasten achter zijn rug, identificeren, er de kleinste gewrichtsvlakjes aan voelen en beschrijven. Dat kon zelfs de hoogleraar niet. De studenten hebben Evarist Mys ter gelegenheid van zijn afscheid een geschenk gegeven en zijn vrouw bloemen gezonden.

*
* *

Het duurde niet lang of ik was in het laboratorium van professor N. Goormaghtigh ingeburgerd. De huistaal was er Frans. De baas, een loodsenzoon uit Oostende, oudstrijder van 1914-1918 was in het krijgshospitaal te Hoogstade assistent geweest van de chirurg Charles Willems. Hij had er een kleine gynecologische praktijk, waarvan hij de fundamenten al in 1913-1914 als assistent van Frans Daels had gelegd. Hij was met een Engelse gehuwd, las *La Nation Belge* en *La Flandre Libérale*.

In princiep was hij tegen de vernederlandsing, verklaarde zich een partijganger van de liberté des langues, had een theoretisch voetje in huis in de Ecole des Hautes Etudes, maar was verstandig genoeg om in het attentisme te verwijlen, want hij was pas sedert twee jaar benoemd en begreep dat er in de dertig jaar professoraat die voor hem lagen, van alles kon gebeuren.

Hij wist wat vlees hij met mij in de kuip had. Hij dacht evenwel in de eerste plaats aan de toekomst van zijn laboratorium, aan wat men ervan verwachtte, en wat het renderen moest om in aanzien te staan. Er heerste tussen ons een ongeschreven en stilzwijgend accoord, dat stand gehouden heeft van 1924 tot 1945.

Professor Goormaghtigh die onder Omer van der Stricht academische lauweren geoogst had met een embryologisch werk over de bijnier, kon van dat orgaan moeilijk afscheid nemen. Hij zette mij aan het werk over de histopathologie van het bijniermerg, en liet in de Universitaire Wedstrijd van 1925-1927 een vraag daarover stellen.

Ik mocht mijn gang gaan, proeven opzetten, preparaten klaarmaken; hij hield mij in het oog, gaf mij ideeën, keurde af en keurde goed. Wij discussieerden luidop als kameraden over het onderwerp en hij ging er met mij in op.

Als dienstoverste in het stadsziekenhuis de Bijloke, was Goormaghtigh belast met de lijkschouwingen. Het behoorde weldra tot mijn werkzaamheden daar te helpen. Ik deed het graag wanneer ik ging beseffen, dat deze secties een belangrijke bron van geneeskundige wetenschappelijke informatie betekenden. Iets waartoe de uitgebreide kennis van de baas veel bijdroeg. Ik heb tot het eind van mijn medische studie in 1927, juist geteld en in detail opgetekend, 327 lijkschouwingen met Goormaghtigh verricht.

*
* *

Te Gentbrugge bleef Frans de Hovre de animator. Hoe zou het anders of hij had weer voor Florent de Craene en voor mij vertaalwerk op het oog. Het kon nu moeilijk in één adem afgewerkt worden. Het gold altijd W. Foerster. Voor het boek *Christus en het menselijke Leven* was mijn medewerking maar gering.

Voor een ander werk over de grondbeginselen van de politieke ethiek ging het vlotter, maar het zou tot in maart 1929 aanlopen voor *De Wedergeboorte van Staats- en Volksleven* van de pers kwam bij N.V. Standaard-Boekhandel Brussel en bij J. Ploegsma Uitgever, Zeist, Nederland, 294 bladzijden. Een inleiding had Fr. de Hovre losgemaakt van Staatsminister Prosper Poullet. Ook dat boek ging zijn gang en is uitverkocht. Het heeft mij geen cent opgebracht.

In september 1924 trad Paul Parré, de stille uit de Gentbrugse vriendenkring, in het huwelijk met Marie Henriette de Schrijver, de zuster van August. Pas als landbouwkundig ingenieur afgestudeerd was hij van plan om naar de kolonie te vertrekken. Van dit opzet is niets in huis gekomen, omdat zijn ouders er sterk tegen opzagen. Ten slotte is hij in Brussel gaan wonen als bestuurder van een belangrijke melkerij.

De bruiloft in het ouderlijke huis van de Kerkstraat was een hoogfeest van familiale hechtheid. Daar werd ik o.m. voorgesteld aan juffrouw Maria Scheerders, de verloofde van August de Schrijver. Zij was de minzaamheid en de eenvoud in persoon.

*

* *

Het academiejaar 1924-1925 zou ons in contact brengen met de klinische geneeskunde, met patiënten. Het was een nieuwe wereld die zou opengaan, met zijn verrassingen en teleurstellingen. Maar we hadden al vier jaar studie achter de rug om het tot dit punt te brengen. De mogelijkheid bestond om in de Bijloke als hulpje in de verschillende diensten een handje toe te steken bij het patiëntenonderzoek op de zalen, op het spreekuur, in de operatiekwartieren enz.

Het was een traditie sinds de Bijloke ten dele als academisch ziekenhuis van de universiteit fungeerde. Doch het was de toenmalige Commissie van Openbare Onderstand die haar externen benoemde en ze later tot het ambt van inwonend intern liet opklimmen. Het was een gegeerd ofschoon niet bezoldigd baantje, omdat er veel te leren viel.

Er waren twaalf plaatsen van hulpextern te begeven en het was altijd zo geweest dat degenen die best voor het examen geslaagd waren, de voorrang kregen. Ik deed mijn aanvraag, maar het liep ongewoon lang aan voordat een beslissing viel. De aap kwam eindelijk uit de mouw; men had bij de voorzitter van de Commissie en bij directeur Polydore Dhondt van de Bijloke heel mijn verleden uitgepakt. Het was zoals in het Boek Openbaring geschreven staat; opera enim illorum sequuntur illos. Ja, onze werken volgen ons.

Voorzitter E. Steyaert van de Commissie ontbood mij en vroeg of het waar was dat ik lid was van ,,la Société Uilenspiegel''. Uilenspiegel was het Vlaamse studentenhuis en had bij alle oprechte lieden een afschuwelijk slechte reputatie. Ik kon op mijn eer en geweten verzekeren dat ik geen lid was. Ik moest schriftelijk bevestigen dat ik het niet was of nooit geweest was.

Uilenspiegel was een wettelijk opgerichte samenwerking met aandelen, enz. Ik heb nooit een enkel aandeel gehad; de orthodoxe Edmond Rubbens, volksvertegenwoordiger van de Katolieke Partij en later minister, had er wel één. Ik heb dat niet aan de heer Steyaert gezegd, hoewel ik het wist.

Directeur Dhondt van de Bijloke gaf mij een vaderlands sermoen en beweerde: ,,Je ne veux que des bons Belges dans mon établissement''. Ik luisterde en repliceerde dat ik de week tevoren voor mijn examen voor ,,Officier de Réserve de l'armée Belge'' geslaagd was. De man schrok van verbazing en antwoordde: ,,Alors, soyez le bienvenu dans mon établissement''. Later werd nooit meer één woord daarvan gerept. Een laatste echootje uit de propaganda voor Gand-Français was de lezing, op 19 december 1924, van Albert Pézard, een bioloog aan het Collège de France, over het determinisme van de secundaire geslachtskenmerken bij de hoenderachtigen. Het was een echt festijn deze man aan 't woord te horen.

De grootste bijval oogstte hij met de volgende zinsnede uit zijn voordracht: ,,quand on croise un coq Romain avec une poule blonde Flamande ...''. Er ging een onbedaarlijke lach op in de zaal, des te meer daar de onthutste gastspreker zelf de toedracht niet bleek te begrijpen. Er was namelijk onder de studenten een vrijend paartje wier naam, uitzicht, haarkleur en herkomst precies overeenstemden met de door A. Pézard gebruikte woorden.

Aan de voordrachtgever heeft men nadien de reden van de ongewone vrolijkheid van zijn toehoorders verklaard. Het schijnt dat hij er hartelijk om gelachen heeft.

Na Pézard zijn er geen Franse propagandavoordrachten meer geweest. Ze waren op een plezierige noot geëindigd.

Het rectoraat van J.F. Heymans was met oktober 1924 ten einde. Professor G. van den Bossche uit de rechtsfaculteit volgde hem op. Men zat volop in het Nolfregime, doch onder de studenten van de universiteit kraaiden daar niet veel hanen over. Ze vroegen zich nauwelijks onder elkander af voor welk stelsel ze gekozen hadden. Het doctoraat geneeskunde viel nog in het Frans regime, de colleges, practica en examens waren uitsluitend in het Frans. In de klinieken en polyklinieken werd met de patiënt dialect-Nederlands gesproken, en in de lokalen waren de aanwijzingen voor de patiënten ook in het Nederlands.

We waren met achttien uit de kandidatuur naar het eerste doctoraat overgegaan. Maar bij de eerste les bleek het dat er opnieuw een aantal Leuvenaars bijgekomen waren. De meeste omdat de roep ging dat het aantal medische studenten te Gent kleiner was dan te Leuven, en daardoor meer gelegenheid voor het opdoen van klinische ervaring bestond. Dat was inderdaad zo.

Onder de Leuvenaars noteer ik Paul Lerno, een dokterszoon uit Lokeren, Jan Govaerts uit Antwerpen, Achiel Sterckens uit Rijkevorsel, André van Damme uit Oostende, Nestor Vlassenbroeck uit Aspelare, Fabien Achtergaele uit Ninove. Deze laatsten waren twee ex-Gandavenses die te Leuven opgevangen geweest waren. En niet te vergeten Roger Soenen uit Handzame, die zich in de Leuvense studentenperikelen wat te vrijpostig had aangesteld en een consilium abeundi had opgelopen.

Op 1 december begon ik in de Bijloke in de afdeling chirurgie voor vrouwen onder professor Fritz de Beule en dokter Louis de Busscher. De twee dienstoversten verdeelden het werk onder elkander; De Beule verrichtte de zware buikoperaties. De Busscher al het andere.

Ik werkte vooral met deze laatste . Hij was een man met grote didaktische gaven en een enorme eruditie. Van zijn operatieve bekwaamheid spreek ik liever niet. Van hem heb ik het abc van de lopende heelkundige praktijk opgestoken, zoals verbanden, inspuitingen, punkties, antisepsis, huidhechtingen enz. Hij was een spiritueel man en het Gentse dialect dat hij met de volksmensen sprak, was van de meest pittige variëteit. Een man die met een waterbreuk (hydrocele) geplaagd zat en die vroeg hoe hij daaraan gekomen was, kreeg ten antwoord: ,,Van buiten in de regen te staan plassen''.

Collega's die L. de Busscher met een geestigheidje nopens zijn persoon of zijn werk tegemoet traden, zette hij schaakmat met een puntig, nooit kwaadaardig tegenstootje. Professor De Beule, zinspelend op L. de Busschers typische baard en snor, begroette hem op een zekere ochtend met: ,,Bonjour Napoleon III'', waarop De Busscher: ,,Bonjour duc de Guise''. Wie het beeld van de Franse keizer en dat van de Franse kroonpretendent voor ogen heeft, zal toegeven dat de vergelijkingen wondergoed klopten.

Om de drie maanden veranderde men in de Bijloke van dienstoverste. In de loop van mijn drie jaar externaat en internaat heb ik onder uitstekende geneesheren veel praktische ervaring mogen opdoen. Ik wil ze hier allemaal in het kort memoreren, omdat ze toegewijde en bekwame artsen waren.

Dokter H. Verbrugghe, een internist van de heel oude garde, verzorgde de tyfuspatiënten. Hij beweerde dat hij de Peyersche darmplaten dwarsdoor de buikwand heen kon voelen. Niemand betwistte hem zijn digitale tastzin, maar niemand geloofde eraan. Hij moet een unicum in heel de wereld geweest zijn. Hij beweerde dat hij als militair geneesheer, in het militair hospitaal de eerste geweest was in 1892 die te Gent gummihandschoenen heeft gebruikt.

Aan Dokter Edw. Remouchamps heb ik in de *Encyclopedie van de Vlaamse Beweging* een korte notitie gewijd. Hij was een internist in merg en been, een fijn diagnosticus die mij hart- en longletsels heeft leren beluisteren. Van dokter Jules Beerens kan ik hetzelfde getuigen. Dokter Jozef Vercoullie, zoon van de hoogleraar-filoloog, een huidarts met een fijne blik, maar een moeilijk toegankelijk man. Zijn echtgenote Bertha de Vriese, hoofd van de kinderafdeling, was het helemaal niet, ze terroriseerde de internen die in haar buurt kwamen, maar haar patiëntjes verzorgde ze voortreffelijk. Dokter Em. Lievens was een knap operateur; zijn verpleegster zuster Andrea leerde ons wimpers uittrekken uit de oogleden van oud-trachoomlijders. Dokter Ach. Champon, oor- neus- en keelarts, onafscheidelijk van zijn voorhoofdspiegel, sprak met een hese stem en werd zorgvuldig omringd door zuster Hilaria, die met een Gents acsent sprak van ,,vurte kelen'', waarmede ze de difteriepatiënten bedoelde. Dokter Simon Fredericq, telg uit de illustere Vlaamse familie van die naam, was de vrouwenarts; hij was ook gelegenheidsschilder en droeg een bolhoed à la major Thompson. Toen hij voor de tweede maal in het huwelijk trad, met een schone uit een dorp van zuidelijk Oost-Vlaanderen, hadden boeren op een boog het volgende opschrift geschilderd: ,,Zo kult men Frederik''.

Dokter Ch. Beyer, een knap uroloog, leerde mij catheriseren. Zijn voorzaten hadden echte feldwebelmanieren in zijn wieg gelegd; hij was een onverholen papenvreter. Toen hij eens niesde en zijn verpleegster, zuster Martha ,,God zegene u'' wenste, repliceerde hij ,,Dat Hij uzelf zegene''. Dokter Paul Walton was een chirurg die het tegen het uurwerk opnam. In tegenstelling tot dokter Rob. Colson. Hun narcotiseur was dokter Jef de Seranno, type van de Gentse volksdokter die geen vlieg zou kwaad gedaan hebben. De meest briljante chirurg van de Bijloke was dokter Jozef van de Velde, le beau Joseph genaamd. Hij was in 1914-1918 assistent bij Ant. Depaepe geweest in het Hôpital Océan te De Panne, en had rond Koningin Elisabeth gedraaid. Dokter André van Cauwenberghe teerde op de reputatie van zijn vader-hoogleraar, maar 't was al.

Niemand ben ik opzettelijk voorbijgegaan; ik ben ze alle veel verplicht, en plaats de zusters van de Bijloke op dezelfde voet. Ik heb veel aan hen te danken; bij meer dan één gelegenheid heb ik zulks gezegd en ook meer dan eens geschreven. Directeur Polydore Dhondt van de Bijloke werd door niemand op de handen gedragen; hij was een stroeve kantoorruin, wantrouwde de discipels, en de discipels wantrouwden hem.

Tussen de universiteit en de Bijloke heeft het meer dan eens hard gestoven. In mijn monografie over het ontstaan van het Gentse Academisch Ziekenhuis heb ik de meer dan seculaire geschiedenis van die twistappel van naaldje tot draadje uit de doeken gedaan. Zie aldaar!

*
* *

Door een lange traditie, sterker dan de touwtrekkerij, was tussen Bijloke en universiteit een zodanige afstemming op elkaars werkterrein gegroeid, dat de medische studenten daarvan profiteerden, en het ziekenhuis zonder ons niet voortkon.

Doch hoe nuttig de ervaring voor een medicus ook is, het zou louter stagnatie zijn als ze niet gevoed werd door het academisch onderricht, dat de grondslag legt voor progressief wetenschappelijk onderzoek. De universiteit moet kritische wetensvormen aankweken; de geneeskunde kan die allerminst ontberen. Met dit doel voor ogen werd ooit een studieprogramma vastgelegd dat de eerstejaars klinische studenten zou binnenleiden in de oorzakelijkheidsredeneringen die de drie grote vakken van de medische studie beheersten: de interne geneeskunde, de heelkunde en de verloskunde.

Vóór vijftig jaar waren deze drie het fundament waarop de doktersopleiding berustte; ze waren nog niet opgesplitst in deeldisciplines. De toestand van de wetenschappelijke geneeskunde was van die aard, dat één man elk van deze gronddisciplines volkomen kon meester zijn.

De volgende vakken stonden op de lesrooster. Algemene ziekteleer, prof. Eug. de Somer; ziektekundige ontleedkunde, professor H. N. Goormaghtigh; algemene heelkunde, geen titularis, doch we beschikten over de collegediktaten van professor F. de Beule, die zojuist naar de heelkundige kliniek was overgestapt; microben- en immuniteitsleer, professor M. Henseval; algemene therapie, professor J.Fr. Heymans; normale verloskunde, professor Frans Daels. Het was geen slechte dosering.

J.Fr. Heymans, de gewezen rector, een oudgediende van de proefondervindelijke geneeskunde, hield ons dingen voor die we al kenden, over pillen, drankjes, zalven, poeders enz.; over inwendig en uitwendig gebruik, de juiste dosering van de medicamenten, met de digitalis als voorbeeld: ni trop, ni trop peu, ni trop souvent, ni trop longtemps. Omnia in pondere et mensera, was zijn lijfspreuk. En wanneer je niet weet wat voor te schrijven richt je dan naar de grote waarheid: Wer nicht weiss wohin oder warum, verschreibe Jodkalium. Allemaal oude dictamina in de mond van iemand, die op zijn laatste professorale benen loopt en op zijn verleden teert.

De doceertrant van Cies Heymans was tot op de draad versleten. Wanneer we hem op zijn trede vóór het bord heen en weer zagen wandelen, om zijn uitschieters even hadden geglimlacht en de historietjes hadden beluisterd die onze voorgangers op de klapstoeltjes van zijn collegekamer ons hadden overgeleverd, waren we gauw verzadigd. De man sprak een afschuwelijk Frans, had van die stopwoorden die hij tijdens zijn college van anderhalf uur honderd keer herhaalde: sommes toutes, pour nous résumer, tout court, en quelque sorte, disons en un mot. Op sommige dagen was hij korzelig en kon hij geen glimlach verdragen. De meisjesstudenten kon hij niet uitstaan en verweet hij dat ze niet van de verstandigste wezens waren.

We wisten dat Cies Heymans te Gent in de jaren 1890 een voortrekker was geweest, maar zijn cursus van 1924 was een relict. Zijn pionierswerk werd op schitterende wijze door zijn zoon voortgezet en in hem glorierijk voltooid.

Professor Eug. de Somer, een leerling van Cies Heymans met wie hij in onmin geraakt was, doceerde de algemene pathologie op een weinig meeslepende manier. Men zegde van hem dat hij veel wist, maar hij kon zijn waar moeilijk aan de man brengen. Hij was een mechanistisch gericht medicus, die buitengewoon ingewikkelde apparaten kon ineensteken, en onberispelijk doen werken. Hij heeft de Heymansen de perfectionering van de gekruiste bloedsomloop bij het proefdier betwist. De Somer was een ongeordende geest; eigengereid heeft hij zich voortijdig uit het hoger onderwijs teruggetrokken. Wat hij ons over de algemene ziekteleer poogde bij te brengen, is in de mist opgegaan.

Frans Daels was precies de tegenpool van De Somer, hoewel ook hij een deel van zijn fundamentele scholing bij Cies Heymans had ontvangen. Hij doceerde de eutocie in een hoogst verhelderende vertoogtrant, met tekeningen, lichtbeelden, op het fantoom. Onvermoeibaar stond hij driemaal in de week van twee tot vier uur, met een kwartier pauze, voor zijn katheder. Wanneer wij in de verduisterde collegekamer voor de dia's wegdommelden, maakte zijn modulerend stemgeluid ons telkens klaarwakker. Het verloskundig traktaat van zijn hand was een uitstekende leidraad. We mochten ons examen voor hem in 't Nederlands afleggen.

Mijn baas N. Goormaghtigh gaf een juweeltje van een cursus in de pathologische anatomie weg. Hij was geen redenaar maar hij muntte uit door de klaarheid van zijn ideeën; veel hebben we van hem opgestoken omdat hij de kunst bezat het meest hechte te voorschijn te halen zodat we niet verzopen in een zee van minder hechte dingen. Zijn practicum droeg de sporen van zijn eigen baas, Omer van der Stricht. Dit kwam op een bijzonder sprekende wijze aan het licht bij onze Leuvenaars, die nooit met microscopische coupes omgegaan hadden, zoals wij het hadden gedaan. Ze zaten erop te kijken als uilen op een kluit; de Goor ergerde zich daar niet aan en hij heeft het hun ook niet aangerekend.

Bacteriologie met haar complement, de immunologie, kregen we van M. Henseval, een Waal van Franse origine, die in verschillende staatslaboratoria uitstekend werk had verricht en te Gent in een professoraat was gedropt. Een buitengewoon minzaam man, die vanop zijn stoeltje, vóór een lange tafel gezeten, met zijn neusstem, half-dicterend half-verhalend, over de eigenschappen van de microben zat te vertellen. Hij kon de letter b niet uitspreken en maakte er ,,microme'' van, en de ,,garde-robe'' was een ,,garde-rome''. Ik geloof niet dat hij in staat was iemand die er niets van wist te laten zakken.

De immuniteitsleer was toen in volle evolutie, en wat we erover te horen kregen, beperkte zich tot het essentiële. Het neusje van de zalm was de reactie van Bordet-Wasserman (Mordet, zegde Henseval) die gezien de opbloei van de syfilis toentertijde, in het centrum van de belangstelling stond. We hadden ook een practicum en daar ging Henseval van de ene naar de andere om een blik te werpen op de gekleurde preparaten. Zijn assistent N. Vlayen toonde ons beelden in de ultra-microscoop; in het donkerveld konden we het Treponema pallidum als een aaltje tussen de elementen van een bij een patiënt geplukte druppel bloedwei vliegensvlug zien wegschieten. M. Henseval is het jaar nadien aan de gevolgen van een duodenumoperatie gestorven. Het speet ons geweldig, want zijn opvolger was niet van de poes.

Een cursus over algemene heelkunde hebben we niet gehad, bij ontstentenis van een titularis. Op het examen ondervroeg ons de pas benoemde professor E. Tytgat. Het viel goed mee.

Op het juli-examen 1925 haalde ik grote onderscheiding. Daarmee was een van de drie doctoraatsjaren achter de rug. Ik had vele redenen om tevreden te zijn, en was het ook.

*
* *

Op 3 februari 1925 was August de Schrijver te St.-Niklaas met Maria Scheerders in het huwelijk getreden. Ik was op de bruiloft uitgenodigd en had de invitatie graag aanvaard.

Ik maakte er kennis met tal van personen, onder meer met de zuster van de bruid, die op mij in de voorname en gezellige atmosfeer van het huiselijke feest, een diepe indruk maakte. Een indruk die door gesprekken in die mate toenam, dat ik voor mezelf tot de conclusie kwam dat er iets ongewoons in mij was losgeslagen, en dat mij in de nacht daarop het slapen belette. Toen ik 's anderendaags thuiskwam en in de namiddag naar het laboratorium trok, stelde ik vast dat ik inderdaad verliefd was. Ik bewaarde het in mijn hart, sprak er met niemand over. Met meer dan twee jaar studie in het vooruitzicht was dat in het toenmalige bestek van de dingen, een platonische situatie, die ik bij mezelf samenvatte in het woord ,,afwachten''.

Intussen zou ik studeren en mij bekwamen zodat ik met een diploma van geneeskunde in de hand en met het hart van iemand die smoorlijk verliefd is, naar de hand van de dulcinea kon dingen. Ik gaf er mij rekenschap van dat ik geen geoefend hartenveroveraar was, onbeholpen in een kunst waarin velen van mijn jaargenoten uitmuntten.

Meer dan eens heb ik toen gedacht aan de boutade die ik ooit uit de mond van de professor in de logica, Hulin de Loo had opgevangen: ,,L'amour n'est pas un cosinus''. Van de cosinussen heb ik nooit veel gesnapt, en ook de amour was mij toen een raadsel.

*
* *

De grote vakantie 1925 werd verdeeld tussen vertaalwerk voor Fr. de Hovres *Wedergeboorte van Staats- en Volksleven,* de dagelijkse ziekenzaaltoernee in de Bijloke en het laboratorium bij N. Goormaghtigh.

Natuurlijk ontbrak geen gelegenheid tot uitstapjes met de fiets of anderszins. Ik herinner mij de openluchtopvoeringen van het Vlaamse Volkstoneel met Oscar de Gruyter en Staf Bruggen die ik bijwoonde: *De Knepen en Streken van Scapin,* van Molière, te Eeklo, *Jozef in Dothan* van Vondel te Melle, *De Paradijsvloek* van A. Laudy te Geraardsbergen, *Reinaart de Vos* van Paul de Mont te Overmere. Met de Hubert de Bruykertroep nam ik deel aan een kamp in de Lembeekse bossen.

Ik fietste o.m. naar mijn tante-nonnen te Viane-Moerbeke. Ik had daarvoor niet mijn allerbeste kostuum aangetrokken, en ook geen hoed maar mijn studentenpet opgezet. Toen de goede mensjes mij zo zagen verschijnen na drie uren fietsen over heuvels en dalen, waren ze met de sportieve kledij van neeflief niet opgetogen. Ze vroegen of ik nu niets beters bezat om bij hen op bezoek te komen. Vooral mijn groene pet vond geen genade in hun ogen; ik had goed te praten dat die meer dan vijf jaar zware studie betekende.

IJdele beschouwingen over klederdracht en opschik hadden zij niet aan de kloosterpoort, bij haar intrede in het jaar 1883 en 1886 afgelegd. De Kerk had over het verzaken van die vrouwelijke ingeborenheid van hen geen eeuwige belofte gevergd, omdat ze wel besefte dat dit onbegonnen werk was.

In het laboratorium schoot mijn onderzoek tamelijk goed op. Ik had van Goormaghtigh de beschikking gekregen over tientallen in paraffine ingesmolten stukken, afkomstig van soldaten die in het militair hospitaal van Hoogstade overleden waren. De hoop om daar veel uit te halen dat voor mijn werk over de mergbijnier dienstig was, moest na enkele maanden opgegeven worden. Het zou voorbijgestreefd zijn. De wind woei uit de experimentele hoek, en die mocht of kon men niet negeren. Men gooide dan het stuur om.

Wat zou de invloed van de difterietoxine op de mergbijnier zijn? Die van insuline? Actuele problemen. Door onderzoek te achterhalen, na vergelijking van de resultaten met diverse methoden bekomen. Het kwam erop neer het experiment ter hulp te roepen, en mocht het toeval dienen, het onderzoek van organen van overleden Bijlokepatiënten afkomstig. Ik was uitstekend geplaatst om dat in het oog te houden. Het verplichtte mij honderden microscopische preparaten te vervaardigen, maar ik zag er niet tegenop.

Vanaf dat ogenblik kwam er schot in mijn werk en ik kon reeds na een trimester mooie resultaten boeken en opzij leggen voor de eindredactie van het proefschrift voor de Universitaire Wedstrijd 1925-1927.

Het belette mij niet, na mijn laboratoriumwerk in het Provinciaal Handels- en Taalinstituut van de Savaanstraat Italiaanse taallessen te volgen, en het jaar daarop Engelse taallessen. Het Italiaans had ik vlug onder de knie. Om het te onderhouden nam ik een abonnement op de *Domenica della Sera* die ik blijven lezen ben tot ik vanwege mijn postuniversitair buitenlands verblijf het abonnement opzegde. Het Engels wenste ik in het bijzonder te cultiveren, vooral de uitspraak omdat ik mij daar niet op vast ijs voelde en ik zag hoe de Engelse wetenschappelijke publikaties de universiteit veroverden, daar waar ze vóór de oorlog een grote zeldzaamheid waren.

Dat het buiten de universiteit in de politiek nog altijd rommelde in verband met de vernederlandsing van de universiteit, ontging mij natuurlijk niet. Er bestond een Geneeskundige Kring onder de studenten. Frans van Hoof, een te Gent belande Leuvenaar die één jaar voor mij zat, was daar de ziel van. Er was ook van ouds een Cercle des Etudiants en Médecine en emulatie bleef niet uit. Vanwege deze laatste evenmin de gelegenheden om haar tegenspeler te duivelen.

De Vlaamse Kring kon in de universiteitslokalen moeilijk een voet in huis krijgen; hij moest in de stad van de ene zaal naar de andere op zoek gaan om zijn vergaderingen te kunnen houden. Zo was op een avond een samenkomst belegd in het zaaltje van het Center, een café naast de Minardschouwburg. Toen dit bekend werd, ging de Franssprekende kring bij de brouwer die daar het bier leverde, de brouwerij Van der Stricht op de Steendam, zo erg batavieren tegen die smerige flaminganten, dat onze Kring de buitenwacht kreeg.

Maar Frans van Hoof gaf het niet op en nodigde een volgende maal professor K. Nelis van Leuven uit, en die zou men toch niet zo gemakkelijk een universitair lokaal ontzeggen. Het lukte, Nelis sprak in het auditorium van J.F. Heymans over zijn classificatie van het zenuwstelsel. Daarmee was de kogel door de kerk en vergaderde de Geneeskundige Kring voortaan in de universiteitslokalen.

*

* *

Te Gentbrugge Center kwam ik elke zondagmorgen en maandagavond voor de biblioteek. De Sociale Studiekring was de adem kwijt. Sinds zijn huwelijk woonde Jules Storme te Gent, en August de Schrijver die hem als voorzitter opgevolgd was, ging nu eveneens te Gent wonen. Men zadelde mij met het voorzitterschap op. Dat was niet naar mijn maat gesneden, en daar men gauw doorhad, dat men met mij niet de ware Jakob had aan boord genomen, ging in haar tiende bestaansjaar de eens zo bloeiende vereniging kwijnen en later helemaal teloor.

Ik was de achtergeblevene van een aantal vrienden die hun eigen levensweg al gevonden hadden. De mijne tekende zich af, maar lag nog in een ver verschiet.

Op het Arsenaal, waar het ouderlijk huis stond, was de tijd ook niet blijven stilstaan. Het kasteel De la Kethulle de Ryhove was aan afbraak toe en op de gronden die erbij hoorden, had de Association Royale Athlétique Gantoise nieuwe sportpleinen aangelegd. Het bracht een hele ommekeer teweeg in het populatiepatroon waaruit ook de bloemisten verdwenen waren, en de boeren het hard te verduren kregen.

Bouwlustigen kwamen er als vliegen op af. Nachtegalen en leeuweriken vluchtten weg, en op de plaats waar we meikevers uit de haag geschud hadden, werd voetbal, tennis en hockey gespeeld.

Melkboeren op hondekarren met hun koperen kannen behoorden voor goed tot het verleden. De laatste statige olmen langs de Brusselsesteenweg werden omgehakt en de eeuwenoude eiken rondom het domein De la Kethulle werden door de laatste met paarden bespannen mallejans weggehaald.

In de kasteelwallen werd 's winters geen ijs meer gehakt voor de Gentse ijskelders want er werd kunstijs gefabriceerd. Gustje Schepens die weleer op een wak met één nachtijs durfde staan en erdoor schoot, maar zich wist te redden, was mijnwerker te Charleroi.

Pastoor Van Pottelsberghe de la Potterie was in 1920 letterlijk van het Arsenaal weggevlucht omdat hij tegen de nieuwe tijd niet opkon. Hij werd directeur van de Toevlucht van Maria waar hij in 1924 overleden is.

Pastoor J. Moyersoen, een Aalstenaar, had hem opgevolgd. Hij was door iedereen zeer geliefd. Hij reed per auto, en waar iemand moest bediend worden reed hij er per wagen heen. Waarom zou Onze Lieve Heer niet per auto mogen rijden? Hij nam dan telkens mijn vader mee. Die twee verstonden elkander goed, en voor alle karweitjes in zijn kerk of in zijn pastorie hing pastoor Moyersoen aan onze huisbel. In 1926 werd hij pastoor op St.-Elisabeth te Gent. Er werd mij door de parochianen gevraagd een verzoekschrift voor de bisschop op te stellen om deze benoeming te herroepen. Het diende natuurlijk tot niets.

Na hem kwam pastoor L. Brackeleire die de parochiekerk opknapte en ze een toren schonk. Hij was een heel ander type; vader gaf hem de eer die hem toekwam en deed als lid van de kerkfabriek wat van hem verlangd werd.

Het huis, Keibergstraat nr. 3, was mijn heem waar het goed was, waar ik altijd twee begrijpende mensen aantrof, waar die grote lummel van zevenentwintig jaar, noch mossel noch vis, aan hen maar kwijt wilde wat hun genoegen deed. Ik heb altijd naar mijn vader opgekeken zoals een dreumes dat doet, maar de man liet mij mijn gangen gaan; hij vroeg nooit waar ik heenging of waar ik vandaan kwam, omdat ik dat altijd zelf zegde.

Hij toerde rond, ging nog alleen 's zondags om zijn pintjes, werkte in zijn ,,lochting'' en besteedde de meeste zorg aan zijn tabak. Dat was een ceremoniële cultuur, waarvan hij en ik profiteerden. Mijn vrienden kenden het aroom van mijn tabak, die de faam genoot van de straffe soort te zijn. Toen anderen vroegen wat ik rookte, gaf ik ten antwoord: „Fleur de Keiberg''. Niemand kende het merk. Weinig tabaksoorten werden met zulke nauwgezette kennis van het vak geselecteerd, geplant, geluisd, geplukt, gedroogd, gesprenkeld, gesneden en bewaard. Vader en ik rookten zowat een kleine twaalf kilo per jaar.

Tot mijn vijftigste heb ik gerookt. De fleur de Keiberg, de sigaren en de sigarillootjes heb ik dan van de ene dag op de andere vaarwel gezegd. Ik heb nooit geprobeerd weer aan het roken te gaan. Ik ben er gewoon mee opgehouden, omdat ik er geen trek meer in had. Sigaretten heb ik nooit gerookt, ik vind de lucht die daaromheen hangt gewoon misselijk.

Moeder was de eerzame vrouw bij uitstek. Haar klein gezin was haar hemel op aarde. Zij was tevreden met het geringe, het grote verlangde zij niet. Zij droeg zorg voor vader en mij, en dat ik goed voorkwam was haar een gestadige bekommering. Dagelijks ging zij naar de mis, en 's zondags naar vespers en lof. We baden 's avonds samen de rozenkrans. Met brei- en haakwerk voor familie en vrienden vulde zij haar dagen, boeken lezen lag haar niet, zij viel daarbij in slaap.

Hoeveel bedspreien zij gemaakt heeft, is niet te achterhalen. Met een getekend patroon dat men uit een boek of tijdschrift gehaald had, en haar voorlegde, kon zij geen weg, maar het meest ingewikkelde model kon zij op een oogwenk ontrafelen en als het ware lezen. Voor al dat gebrei en gehaak heb ik jarenlang de strengen wol of katoen opgehouden als zij de draad tot een bol opwond. Ik heb eens uitgerekend hoeveel kilometer draad het vertegenwoordigde en kwam bij benadering tot het veertigduizendste deel van de aardomtrek. Moeder is met het breien maar op hoge leeftijd opgehouden.

*

* *

Het tweede doctoraatsjaar in de geneeskunde had op de universiteit de reputatie een van de meest zware studiejaren te zijn. Er zat waarheid in die reputatie.

Geheel de speciale ziekteleer van de interne geneeskunde en van de heelkunde, geheel de geneesmiddelenleer plus een stukje farmacognosie met practicum, de gerechtelijke geneeskunde, de hygiëne. Een hele berg theorie. Onderwijl volgden wij de klinische lessen, waarover pas het jaar nadien examen werd afgenomen.

Voor mijzelf had ik het ziekenhuiswerk in de Bijloke en het laboratorium met de lijkschouwingen. Het was veel, maar met overleg en regelmaat kon ik het de baas. We maakten kennis met andere professoren die voor het onderricht instonden.

Professor Edg. Tytgat, pas benoemd voor de systematische heelkunde, kon natuurlijk met de hele stof op één jaar niet klaarkomen. Hij beperkte zich tot de heelkundige ziekten van hoofd, hals en wervelzuil. Hij was een rustig docent, zonder hoogten of laagten, meticuleus en geen therapeutische waaghals; hij vergat niet dat degenen die voor hem zaten, op een schaarse uitzondering na wellicht, nooit chirurg zouden worden, maar elders hun weg zouden zoeken. Op het examen vitte hij niet, maar het moest precies zijn, en hij begreep dat dit preciese tamelijk breed kon zijn.

De systematiek van de interne ziekten kregen we van professor Jules Vernieuwe, driemaal in de week, dinsdag, donderdag en zaterdag van vijf tot halfzeven. Dus geen Engelse week. Hij was aan de praatgrage kant, bijwijlen spiritueel en spits, tegelijkertijd internist en oor-, neus- en keelarts. Zo waren zijn voorgangers op de leerstoel, De

Stella en Eeman ook. Het schijnt een Gentse traditie te zijn geweest, die thans niet meer mogelijk is. Men mocht daar tegenover hem geen zinspeling op maken of hij reageerde bitsig, hij aanzag het zelfs als iets lofwaardigs dat te kunnen zijn, en in de twee disciplines uit te blinken. Later heeft hij de interne leerstoel opgegeven en is hij titularis van de oor-, neus- en keelheelkunde geworden.

We kregen van hem, over twee jaar verdeeld, de hartziekten, de leverziekten, de nierziekten en de besmettelijke ziekten. Deze laatste waren zijn stokpaardje; we waren allen uiterst blij met deze lessen, hij leraarde daarover op een meesterlijke wijze.

Vernieuwe putte zijn kennis schier uitsluitend uit Franse bronnen. Die waren verre van onbeduidend, maar het gaf onze geest een eenzijdige wending. Over de nierziekten b.v. kregen wij de classificering volgens Widal en zijn school opgedist. Van het baanbrekende werk van Volhard, Fahr en Müller vernamen we niets. Widal is sindsdien uit de horizont verdwenen terwijl de ideeën van Volhard en cs. de wereld veroverd hebben.

Vernieuwe was van Blankenberge en verwant aan de activist Telesfoor Vernieuwe, bekend landbouwekonoom. Buitengewoon kittelorig van aard verdroeg hij geen humor waarvan hij het mikpunt was. Op zekere dag vroeg ik hem waar de uitdrukking ,,Blankenbergse rekening'' vandaan kwam. Geen haar van mijn hoofd dacht eraan eender welke allusie te maken, maar ik werd uitgekafferd ondanks een berg verontschuldigingen.

Met de pathologen, de farmacologen en de bacteriologen liep hij op de neus, en nooit zou hij de kans gemist hebben een bananeschil voor hun voeten te gooien. Hij wist dat hij zo'n karakter had en daarom verzamelde hij peper- en zoutvaten, zegde hij.

Op het examen was Vernieuwe coulant, het volstond dat men op zijn strijdrossen van vragen, die aan iedereen bekend waren, het juiste antwoord gaf om met alle punten naar huis te gaan.

Korneel Heymans, de zoon van Cies, gaf ons de farmacodynamie, zo heette toen wat thans de medische farmacologie is. Hij was fysisch de antipode van zijn vader. Progressief in zijn wetenschappelijk onderzoek, dat in 1938 met de Nobelprijs bekroond werd. Met hem hebben we heel de geneesmiddelenleer d.d. 1925 doorgemaakt. Het was geen lichte dobber maar we zijn er allen vlot doorgekomen. Vrij eentonig van debiet was hij wel, maar zijn kurkdroge humor zorgde om het kwartier voor een aangename noot.

Ik heb in de laatste jaren zoveel over deze grootmeester gesproken en geschreven dat deze korte woorden hier kunnen volstaan. Ik heb in Heymans' laboratorium een tijdje gewerkt en blijf daar fier over. Ook als mens was Korneel Heymans een hele meneer.

Van M. Henseval kregen we in het tweede doctoraat de cursus hygiëne. Er zat niets sensationeels in; over de grote problemen die het vak beroerden, hebben we geen woord vernomen, wel over de manier waarop men zijn tanden diende te poetsen.

De brave man is kort na afloop van de cursus aan de gevolgen van een duodenumoperatie overleden. Het speet ons geweldig dat hij ons niet ondervragen zou op het examen. Zijn opvolger professor A. Bessemans was niet van de poes, en meer dan een heeft in zijn gemoed de examinator verwenst. We waren allen gelukkig dat wij wij Bessemans geen college meer zouden lopen.

Professor Paul van Durme was een elegante verschijning en zijn zegging was bijzonder voornaam. Zijn cursus over de gerechtelijke geneeskunde was een parel van overzichtelijke indeling en logica. We mochten putten in de rijke verzamelingen van zijn instituut en in de ongeëvenaarde ervaring waaruit hij vertelde om onze geest te richten naar de forensische aspecten van vraagstukken waarmede elke dokter vanaf de eerste dag kan te maken hebben.

Over de grondbeginselen van de geneeskundige plichtenleer hoorden wij een rechtlijnig man aan het woord. De aristocratische Gentenaar die Van Durme was, troffen wij ook op het examen en wanneer men met een delicaat geval geplaagd zat kon men altijd bij hem terecht. Voor zwakheid had hij begrip, maar voor kwade wil was hij zonder genade.

Paul van Durme had in de Gentse kringen de naam een goed wijnkenner te zijn. Nooit heb ik van zijn kelder geproefd of met hem aan een feestdis aangezeten, maar hij leeft in mijn geest voort als de verpersoonlijking van een zeldzame mystieke distinctie.

En daar hadden we opnieuw vader Heymans, de legendarische Cies Heymans, voor een stukje wetenschap dat de naam farmacognosie droeg. Men vindt het woord bijna in geen woordenboeken. Het is de kunst de simplicia te herkennen, alleen met behulp van de vijf zintuigen of van rudimentaire middelen, zoals een loep b.v. Het feit dat het vak op de lesrooster stond was een restant uit de tijd toen de meeste geneesheren geacht werden zelf hun medicamenten voor te bereiden. En vermits er vóór vijftig jaar een aantal dokters zich vestigden op plaatsen waar geen apoteker was, had het nog zin, de doctorandi met kruiden enz. vertrouwd te maken, daarbij hoorde een practicum.

Thans is de farmacognosie uit de horizont verdwenen en geen enkel medisch student weet hoe een kamferzalf in de vijzel te bewerken. We moesten pillen leren draaien en zetkaarsjes volgens de regelen van de kunst prepareren.

De colleges in de farmacognosie van Cies Heymans waren niets meer dan opflakkeringen van stervende vlammen voordat ze helemaal uitgaan. Picrinezuur, jodoform, zoutzuur uit salpeterzuur, lindebloemen uit kammillebloesem, vaseline uit lanoline, crotonolie uit wonderolie, colanoot uit areanoot, zee-ajuin uit look onderscheiden, dat waren zowat de hoogtepunten van de farmacognosie.

Op het practicum kreeg ik de beruchte kamferzalf te bereiden. Cies Heymans stond er aan zijn pijp trekkend, op te kijken, en toen het mij volstrekt niet lukte de kamfer in de mortier tot een fijn poeder te wrijven alvorens ze in de pasta op te nemen, gnuifde hij: ,,Mauvaise préparation!'' Daarop vroeg hij mij: ,,Vous n'avez pas une allumette pour ma pipe?''

Een Russin die digitalisinfuus moest maken en haar brouwsel liet koken, werd luidop terechtgewezen: ,,On voit bien que vous êtes habituée à cuire des pommes de terre, vous!''

We zaten met het zwaar examen in volle Gentse kermisweek in 1926, in een onooglijk zaaltje aan de Paddenhoek, juist naast De Korenbloem, een liberale stamkroeg waar veel lawaai was. Het werkte schromelijk op de zenuwen van professor Van Durme, die niet wilde voortdoen en ons 's anderendaags liet terugkeren. Maar einde goed, alles goed! Ik haalde grote onderscheiding en kon de Gentse Kermis met een fuif afsluiten.

De grote vakantie begon met een tragikomisch voorvalletje in het laboratorium, dat in de komkommertijd van de Gentse kranten de kolom van het dagelijks nieuws haalde. Baas en amanuensis waren met vakantie en ikzelf nam het ook niet nauw; maar er moest voor de dieren gezorgd worden. Dat was de taak van werkster Louizeke, die zondagsochtends voor een uurtje binnensprong, de hokken luchtte, de proefdieren van eten en drinken voorzag. Zij deed dat buitengewoon zorgvuldig, want ze leefde mee met experimenten, wist wat van de aan gang zijnde proeven van eenieder.

Toen ze op die bewuste vakantiezondag in de dierenloods binnenkwam, viel haar aandacht op de kattin Minette, die boven op een muizenkooi zat te likkebaarden. De poes die 's avonds buitengesloten werd, was 's morgens binnengeraakt en had zich te wel gedaan aan een portie muizen, precies diegene die de baas voor een kankercontrole had ingespoten.

Ik had juist te acht uur in de Bijloke een nachtelijke wachtbeurt beëindigd en voordat ik naar huis ging, stak ik mijn hoofd even in het laboratorium binnen. Ik trof er een huilend Louizeke aan, helemaal overstuur, niet aan te spreken, wijzend op die ,,smerige rosse van Minette die al de baas zijn muizen heeft opgefret''. Een echt drama in 't oog van het brave vrouwtje. ,,Wat zal de professor zeggen?''

Wanneer de professor de week nadien verscheen, had hij *La Flandre Libérale* bij waar hij het nieuws gelezen had. Hij zei alleen: ,,De kat kan er maar deugd van gehad hebben''. Het was alsof een molensteen van Louizekes hart viel.

Ik had het gebeurde in het hospitaal verteld, waar het door een krantenman werd opgevangen; die had het tot een halve kolom met de meest onwaarschijnlijke fantasieën aangedikt en de ene krant had het uit de andere overgeschreven als nieuws van het Agentschap Belga. Gelukkig stonden er geen namen bij.

*
* *

Ingevolge de wet op het reservekader der officieren van de militaire gezondheidsdienst, zou ik in de loop van de maand augustus wederopgeroepen worden. Ik werd voor drie weken bij het Bataljon Pontonniers-Wielrijders ingedeeld. Vanuit Tervuren ging het met de fiets naar Hemiksem, in de oude St.-Bernard-Abdij aan de Schelde, waar alles met het oog op zo'n oefenperiodes voorhanden is, pontons, loodsen, takels enz.

Het bataljon bestond uit een driehonderd man, onder bevel van een majoor. Toen we aankwamen waren er al twintig kandidaat-reserveluitenants-geneesheren aanwezig, en voor het avond werd, vielen er nog een viertal binnen, we waren met vijfentwintig kandidaat-geneesheren in het geheel van driehonderd soldaten. Daarenboven was een vaste geneesheer aan het bataljon verbonden. Ik voelde al de zwarte verveling in mijn kleren kruipen, bij de gedachte dat we hier drie weken in nietsdoen onze tijd moesten doorbrengen.

Op de morgenvisite van de zieken daagden een dertigtal manschappen op, van wie meer dan de helft door de bataljonsarts als lijntrekkers bestempeld werden, naast een tiental die met een aspirientje voor een zere tand, of met een lek jodiumtinctuur op een schram voor de dienst werden goed bevonden en aan 't werk moesten. Daarop twintig minuten staan kijken, met vijfentwintig laatstejaarsstudenten in de geneeskunde, is alleen in het leger mogelijk. Onze dagtaak was afgelopen.

De majoor hield vóór de middag een toespraakje om de plichtenleer van militaire artsen op te warmen en de roemrijke daden van zijn bataljon te verkondigen. Wij wisten na vijf minuten dat hij een afgestudeerd ingenieur van Luik was. Hij gaf de indruk een kraker te zijn en niet veel met geneeskunde op te hebben. ,,Est-ce une science?'' vroeg hij zich af. Het was gelukkig lekker weer en we zaten de hele dag in het gras te zonnen. De zoon van professor Bordet uit Brussel behoorde ook tot onze groep en had boeken bij zich; hij kon voorlezen en alles wat we deden was luisteren. De officieren van het bataljon vonden het niet gepermitteerd dat die vijfentwintig dokters zo maar zaten te luilakken. Ze hadden gelijk. Maar wij hadden het niet gevraagd.

We kregen wat afwisseling wanneer met de pontons daguitstapjes werden ingelegd naar Temse of Boom. De soldaten roeiden de boten met de vloed mee, en we keerden terug naar Hemiksem met de eb. We zaten hier vlakbij de samenvloeiïng van Rupel en Schelde en hoorden in de verte de klinkhamers in de scheepsbouwerijen van Rupelmonde en Steendorp. Aan de overzijde van de stroom lagen de polders en de wisservelden van Bazel en verderop het canadarijke Waasland.

In de krant had ik gelezen dat het Vlaamse Volkstoneel op 15 augustus te Belsele-Waas in openlucht speelde. Een buitenkansje. Ik dacht bij mezelf: de heer en mevrouw Scheerders hebben daar een buitenverblijf en de kans is groot dat de familie de opvoering zal bijwonen. Ik vroeg een dag verlof, kreeg die, maakte dat ik te Belsele geraakte, en was een half uur voor de opvoering ter plaatse.

August de Schrijver was er met zijn vrouw en zijn moeder, naast de hele familie Scheerders. Hij was verwonderd mij daar in soldatenuniform aan te treffen; het was gauw uitgelegd waarom, en de heer Scheerders nodigde mij met nadruk uit na de vertoning mee te gaan naar het buitenverblijf. Het was graag aanvaard en de gelegenheid om met de jongste dochter van het gezin wat te praten ontbrak niet. Ik liet niets van mijn gevoelens ten haren opzichte blijken, maar toen zij zegde zich mijn persoontje te herinneren van op het bruiloftsfeest van haar zuster met August de Schrijver, was ik in de hoogste hemel waar verliefde harten kunnen verwijlen. Na de receptie kon ik met mevrouw De Schrijver per wagen mee naar Gentbrugge. Een gelukkig slot voor een gelukkige namiddag.

Op 26 augustus was het te Hemiksem afgelopen. De majoor en de officieren zorgden voor de eindverrassing om die lijntrekkers van geneesheren te laten voelen dat de militaire discipline voor allen gold.

Wanneer te zes uur opstaan geblazen werd bleven we gewoon te bed; we moesten pas te zeven uur op de patiëntenvisite zijn. Dat ergerde de onderofficieren en de anderen. De voorlaatste morgen stond daar plots in onze slaapzaal de officier van de dag ,,debout'' te roepen, met ,,Tous au rapport du major''. We kregen een uitbrander van belang en één dag arrest; niemand mocht de legerplaats verlaten. In plaats van te negen uur zult u morgen te veertien uur vertrekken. La discipline est pour tous la même. Vous pouvez disposer.

De hele dag zagen we niets dan aangezichten die ons spottend aankeken; uit de soldatengroepjes waar we langs slenterden, vingen we niets anders op dan gesprekken over slapen, of het gefluit van mannen die het reveillesein nabootsten. Op het vastgestelde uur werden we op 26 augustus losgelaten; we vlogen weg als duiven uit Dourdan.

*

* *

Te Gentbrugge-Arsenaal was er nooit een geneesheer ter plaatse gevestigd. De huisartsen kwamen uit Ledeberg, Gentbrugge-Center of Merelbeke-Station. De vestiging in september 1926 van dokter Emiel van Acker betekende een verbetering; het werd aangevoeld als een soort meerderjarigheidsverklaring van een wijk, die lang het verwaarloosd kind der gemeente geweest was. Dokter E. van Acker was een Bruggeling, die zojuist te Gent was afgestudeerd. Hij ging in de St.-Genoisstraat wonen en het jaar nadien op de Brusselsesteenweg.

*

* *

Ik geloof dat ik nu iets moet vertellen over de studentengenootschappen die in mijn tijd te Gent actief waren. Ze waren alle op grond van godsdienstige of ideologische motieven tot stand gekomen, en vermits Gent een staatsuniversiteit was, heerste hier een pluralisme (in de etymologische betekenis van het woord) in het verenigingsleven van de studenten.

Het oudste studentengenootschap, *'t Zal wel gaan,* was van vrijzinnigen huize. Zijn tegenhanger was de *Association Générale des Etudiants Catholiques.* Op het eind van de negentiende eeuw ontstonden de *Rodenbachsvrienden,* de Vlaamse tegenhanger van de Gé Catholique. Al deze verenigingen kunnen wijzen op een intensieve werking; ze waren o.m. van in den beginne voor of tegen de vernederlandsing van de Gentse universiteit in het strijdperk getreden.

Na de eerste wereldoorlog kenden de Rodenbachsvrienden een heropleving onder het voorzitterschap van August de Schrijver. Hugo Verriest was er komen spreken in 1921. Daarop dutte de vereniging weer in. Ze kon het inzake vlaamsgezindheid niet halen tegen het *Algemeen Vlaamsch Hoogstudentenverbond,* A.V.H.V. tak Gent, dat veel krachtdadiger optrad (voorzitter waren o.m. Jef Vermeulen en Gustaaf Baeten) en bindingen had met Leuven en Brussel. Het was het A.V.H.V. dat het initiatief en de leiding nam van de boycot tegen de Nolf-universiteit in 1923.

In 1925-1926 werden pogingen ondernomen om de Rodenbachsvrienden nieuw leven in te blazen. Voorzitter voor dat jaar was Frans Bessens, laatstejaars medisch student uit het Aalsterse. Hij had het zover gebracht dat Pater Joz. Salmans een lezing kwam houden over ,,katholiek student zijn''.

De geleerde heilige jezuïet, die van geen ophouden wist, en een mystiek-bezielde toespraak hield, zal van die vergadering geen stichtende indruk naar zijn Leuvens klooster meegedragen hebben, allerminst van de voorzitter. Het was de laatste snik van de Rodenbachsvrienden.

Intussen was de dominikaan pater J. Callewaert met zijn *St.-Thomasgenootschap,* al enige tijd te Gent werkzaam. Hij deed alleen aan geestelijke verdieping en hield zich buiten de politieke strubbelingen, al wist eenieder dat het dominikanenklooster een broeinest van Vlaams-nationalisme was, niet het minst in de persoon van pater Callewaert zelf.

Ofschoon ik naar pater Salsmans in De Rode Hoed was gaan luisteren, ging mijn voorkeur naar St.-Thomasgenootschap waarvan ik en anderen van mijn jaar lid waren.

In het vergaderzaaltje van de Hoogstraat werd door pater Callewaert een taal gesproken die de Vlaamse studenten lag. Na de conferentie was er Lof in de huiskapel, en daar werden *Salve Regina's* en *Tantum Ergo's* gezongen dat het dreunde door de stilte van het klooster. De Gentse politie wist wanneer St.-Thomas vergaderde en hield een oogje in het zeil, want na afloop werd de wilsvierkantigheid en de ideaalhelderheid van pater Callewaert botgevierd in studentikoze uitbundigheid.

De eerste jaren van St.-Thomasgenootschap leidden in menig opzicht tot de incarnatie van een nieuw katholicisme in de studentenkringen, en stilaan ook buiten de Hoogstraat met haar dominikanenklooster. De geestelijke overheid hield haar hart vast en was angstig dat er ketterijen verkocht werden. Maar het bleek weldra dat pater Callewaert de meest orthodoxe waarden van de Rooms-Katolieke godsdienst met een ongemeen radikale welsprekendheid aan de studenten voorhield. Men had het meer tegen het succes dat de pater te beurt viel. Het deed de hoge omes hun neus optrekken. De lauweren van Miltidiades beletten de Themistoklessen van het kapittel te slapen.

Pater Callewaert predikte de ontkoppeling van godsdienst en politiek, en steunde zich daarvoor op St.-Thomas' leer, die rond de jaren 1923 met het zevende eeuwfeest van de heilige, hernieuwde glans had gekregen. De Mechelse vicaris-generaal E. van Roey, de latere kardinaal, kwam een theologisch loflied op Sint-Thomas aanheffen in het Gentse dominikanenklooster.

Maar een koude oorlog heerste er ondanks alles. De Gentse universiteit was toen de uitgesproken antipode van Leuven. Bisschop Seghers wilde van contacten met de staatsuniversiteit binnen de muren van zijn stad niet horen: ,,L'évêché ignore l'enseignement officiel''. De katolieken moesten het zich voor gezegd houden.

Dat geestelijken zich met het zieleheil van de katolieke studenten te Gent bezighielden werd als een noodzakelijk kwaad geduld, teneinde erger te voorkomen. Maar pater Callewaert deed voort, en het aantal studenten die naar hem kwamen luisteren, nam toe.

Het was de tijd van het incident met de driekleurige lintjes in de processie. Er bestond in de Rode Hoed een studiekring voor katolieke studenten uit het middelbaar onderwijs, *Harop*. Moderator was J. Mathews, een in Nederland geboren priester die te Gent aan de buitenrand van de diocesane geestelijkheid leefde en op promotie wachtte. Met de sacramentsprocessie van 1925 wilde Harop met zijn vlag mee opstappen. Kanunnik Van den Gheyn, die de volgorde van de deelnemers regelde, kreeg in de gaten dat er geen Belgisch lintje aan de vlag van de studiekring gehecht was, en verplichtte de brave jongens, op grond van die lintjesdeficiëntie, de processie te verlaten. De politie moest erbij gehaald worden om de knapen tot spoed te bewegen. Klachten en tegenklachten bij de Gentse bisschop haalden niets uit: kanunnik Van den Gheyn kreeg natuurlijk gelijk.

Zo was de geest van de hoge Gentse geestelijkheid, en men ziet van hier met welke ogen de werking van pater Callewaert en van zijn Thomasgenootschap vanuit die hoek bekeken en benijd werd. Al die incidenten waren wierook op het vuurtje van het dominikaanse apostolaat.

In de jaren 1925-1926, toen mijn medische studie al een eind gevorderd was, was de doorbraak van St.-Thomas ondanks alles een feit. Kamiel de Puydt was voorzitter in dat jaar. Om de veertien dagen hadden we een conferentie over een aangelegenheid van geloof, moraal of apologetica. Met openheid werd alles belicht en uitgediept. Pater Callewaert schrok er niet voor terug een kat een kat te noemen, en aarzelde evenmin sommige ongepaste gewoonten of ploertigheden uit de studentenwereld af te keuren en te gispen. Onortodoxe theorieën die van sommige professorale kateders werden verkondigd, kregen van hem, of van een ander dominikaan een antwoord en een weerlegging.

Het jaarlijkse hoogtepunt van elk Thomas-jaar was de bedevaart naar Oostakker-Lourdes in de meimaand: voor de goede uitslag van de examens! Het was een lange stoet vanaf het gemeentehuis van St.-Amandsberg naar de rots en de basiliek. Daar preekte pater Callewaert over de Sedes Sapientiae en over ,,het grootste autentiek mirakel van Gods Kerk met Pieter de Rudder uit Jabbeke''. Dat wonder had O.L. Vrouw speciaal uit liefde tot het Vlaamse Volk voor Oostakker gereserveerd! Er was ook een lof, veel vromer gezongen dan in het dominikanenklooster.

's Anderendaags zaten we al vroeg te blokken. Voor de meesten was de uitslag van het examen een meevaller, voor anderen een teleurstelling. Hoe de uitslag ook luidde, men ging het aan pater Callewaert mededelen. Maar hij wist het reeds; zijn kamer was het hoofdkwartier waar alle berichten, draadloze of niet, binnenliepen. Zijn Thomassers kregen een proficiat of een bolwassing, en allen een sigaar uit het beste kistje.

In mijn laatste studiejaar, 1926-1927, was André van Damme voorzitter van St.-Thomas. Hij vestigde zich als geneesheer te Westende en was er een tijdje burgemeester.

Persoonlijk heb ik aan pater Callewaert en zijn Thomasgenootschap veel te danken. Ik ben hem tot op zijn ziek- en sterfbed te vriend gebleven; ook wanneer talloze anderen hem nog nauwelijks een zweem van herinnering waard achtten.

*

* *

Leiding geven in het wetenschappelijk onderzoek dat leerlingen in zijn laboratorium verrichten, behoort tot de vanzelfsprekende werkzaamheden van een hoogleraar. Hij doet dat omdat zijn eigen reputatie op het spel staat, want aan de kwaliteit van het werk door de leerlingen gepresteerd, herkent men de persoonlijkheid van de meester. Die meester zal niets uit zijn laboratorium de openbaarheid laten bereiken, dat niet aan de eisen van eerlijke strengheidsnormen beantwoordt.

Dat professor Goormaghtigh die mij in zijn laboratorium liet werken daar zo over dacht, kan ik volmondig bevestigen, en dat hij het ook deed, weten al degenen die onder zijn wetenschappelijke verantwoordelijkheid ooit een bijdrage, hoe klein ook, gepubliceerd hebben.

Hij deed ook meer. Hij liet ons aan eigen intuïtie en eigen ideeën over, en wanneer de resultaten goed waren, was het een vreugde voor hem. Waren die resultaten niet goed, of zelfs maar half goed, dan was het alsof er niets gebeurd was, en kwam hij tussen om ons op het goede spoor te zetten en verdere blunders te voorkomen.

Maar daar bleef het ook niet bij. Zijn leiding manifesteerde zich in een didactische doorstroming met de traditie van het milieu, waarvan hijzelf een geesteskind was. Hij zette de traditie voort. Het was de geest van Charles van Bambeke, grondlegger van de histologie te Gent en van Omer van der Stricht die de rechtstreekse meester van Goormaghtigh geweest was. Die geest leunde aan bij het beste van de Duitse morfologische kennis van vóór de Eerste Wereldoorlog.

Daarna is men, vanwege de oorlog, meer het contact met de Franse wetenschappelijke verenigingen en hun leiders gaan nastreven, zonder dat men zich kon ontmaken van wat de Duitse anatomen en histologen in de geest van onze meesters hadden achtergelaten. Die meesters wachtten zich wel het luidop te verklaren, maar in ogenblikken van oprechtheid kwam het er toch uit. Uit de mond van mijn eigen chef heb ik dat bijwijlen vernomen.

Het belette niet dat hij, al vóór 1914-1918 bij de *Association des Anatomistes,* met hoofdkwartier te Parijs, aangesloten, deze aansluiting na de Wapenstilstand van 1918 intensifieerde, haar congressen bijwoonde, er een mondelinge mededeling of een demonstratie van microscopische preparaten hield.

Een van die congressen had te Gent op 10, 11 en 12 april 1922 plaats. Het was een hoogtepunt en een triomf voor Omer van der Stricht die er zijn beroemde verzameling van het zoogdierenei demonstreerde. De aanwezigen keken hun ogen uit op die rijkdom. 's Avonds nodigde Van der Stricht zijn vrienden op een feestmaal waarop hij de heerlijkheden van zijn wereldvermaarde kelder aan de smaakpapillen van zijn talrijke gasten te genieten gaf.

Goormaghtigh vond het de meest natuurlijke zaak van de wereld al degenen die in zijn laboratorium werkten, te betrekken bij de Association des Anatomistes en ze tot het bijwonen van haar congressen aan te zetten. We hoorden hem vertellen wat hij te Lyon in 1924 gezien en geleerd had, met wie hij te Turijn in 1925 gesproken had.

Op iemand die te Gent volop met gelijksoortige dingen bezig was, maakte dat indruk. We werden als het ware doordrenkt met de geloofwaardigheid van de wetenschappelijke dingen. We geloofden in een wereld van kommerloosheid en droomden van niets anders dan van de cellen van het bijniermerg, van de chroma-fiene reaktie waar ze aan blootstonden en van de manier waarop ze zich gedroegen ten opzichte van insuline, difterietoxine enz.

In 1926 zou het anatomencongres te Luik plaats hebben. ,,Een enige gelegenheid, Elaut, om kennis te maken met het milieu'', wierp de baas mij voor de voeten. Elaut ging akkoord. En voegde hij erbij ,,Ge hebt daar zo'n mooie coupes, ik schrijf u in voor een demonstratie''. Het was iemand die nauwelijks zwemmen kon in 't water werpen: zwemmen of verdrinken. Ik verdronk gelukkig niet. Mijn coupes van paardenbijnier hadden wat bekijks en ik gaf uitleg zonder mij te ver te riskeren.

Behoudens dat avontuur waarin ik meegesleept werd, zag en hoorde ik van nabij een aantal personen, van wie ik de naam kende uit hun werken en die ik voor ongenaakbare grootheden aanzag.

Voorzitter van het congres was Ch. Julin, die ooit het anatomische handboek van R. Gegenbauer had vertaald. Een lichtgeraakt meneertje die zijn toehoorders uitkafferde wanneer zij niet voldoende zwegen wanneer hij aan 't woord was. We zagen Hans de Winiwarter, een naam die men overal ontmoette waar de chromosomen in de cellen van de mannelijke testikel ter spraak kwam.

A. Nicolas, professor in de anatomie te Parijs, was de algemene secretaris van het congres, een zacht vlottend heerschap. Zijn collega in de histologie A. Prenant daarentegen was een kruidje roer-mij-niet, die de wetenschap niet van de politiek kon scheiden. A. Lévi uit Turijn verried zijn oorsprong door in elke bespreking tussen te komen. Hij was een aartsvijand van Mussolini en werd in de jaren 1930 naar Zuid-Italië verbannen in het onooglijke plaatsje Eboli, waarover hij later een boek schreef dat in het Nederlands vertaald werd onder de titel *God ging Eboli voorbij*.

Castro, opvolger van Ramon y Cajal te Madrid, toonde enig schone preparaten over zenuwuiteinden in allerlei weefsels. De professor in de histologie van Coimbra, Celestino da Costa, een klein baasje van een geweldigde beweeglijkheid en spraakvaardigheid hield zich ook bezig met de bijnier. E. Grynfelt, embryoloog uit Montpellier, kon niet nalaten tegen de meisjesstudenten die in zijn laboratorium werkten van leer te trekken: ,,Elles empêchent de pisser dans l'évier,'' zegde hij aan eenieder die het horen wilde, in zijn typisch Frans-meridionale tongval.

Aan de tafel zat men kriskras dooreen, en zo gebeurde het dat mijn dis gedeeld werd door Alb. Brachet, professor in de anatomie en embryologie te Brussel, naast een Fransman uit Nancy. Het gesprek van de heren draaide uit op de Belgische politieke toestand, die toen in spanning werd gehouden door de voor- en tegenstanders van het ministerie Poulet-Van der Velde. Brachet nam het ten aanhore van eenieder op voor dat ministerie. Ik zweeg als vermoord, maar het te horen verheugde mij. Wanneer ik dat in de loop van de namiddag aan Goormaghtigh vertelde, verbaasde het hem niet vanwege Brachet, maar hij kon diens liefde voor Poulet-Van der Velde niet delen. Het leerde mij dat op wetenschappelijke samenkomsten achter de schermen over alles gepraat wordt.

Albert Brachet was het type van de gezette pycnicus, ietwat buikig met liggende boord en een sik. Zijn verschijning was meer die van een boertje dan van een Brussels hoogleraar; hij rolde zelf de sigaretten die hij rookte; zijn hoofdwerk gold de embryologie. Hij muntte uit door de helderheid van zijn stijl en van zijn gesproken woord. Hij was iemand.

Engelse of Duitse anatomen waren er op het Luikse congres niet. Besloten werd dat men in 1927 te Londen zou vergaderen om de contacten met de vakgenoten aldaar te verstevigen. Ik nam me voor die gelegenheid niet te missen. De doorstroming waar ik zo juist over gesproken heb was, wat mij betreft, geen ijdel woord geweest. Verrijkt met die ervaring keerde ik naar Gent terug.

In oktober 1926 begon het derde doctoraatsjaar, het laatste van de geneeskundige studie. Men moest het afsluiten met het halen van het einddiploma. Einde maart 1927 zou ik de scriptie van mijn Universitaire Wedstrijd neer leggen. De proeven waren afgelopen, doch er diende geordend en geschift uit een heleboel dokumenten. En geredigeerd: het bracht werk op de plank.

En niet te vergeten de lijkschouwingen, naast het ziekenhuis. Voorts het volgen van de klinische lessen en enkele teoretische cursussen van topografische anatomie en operatieleer. Gelukkig waren alle namiddagen vrij.

In de Bijloke kon ik op mijn beurt intern worden; doch de wijzigingen die in het statuut van het internaat vanaf augustus 1926 doorgevoerd werden, bevielen mij niet omdat ze teveel van mijn tijd zouden vergen, en zo verkoos ik liever extern te blijven.

De klinische lessen liepen over heelkundige kliniek, interne kliniek en polykliniek, verloskundige en gynaecologische kliniek, oogheelkundige kliniek, kliniek voor huid- en geslachtsziekten, oor- neus- en keelheelkundige kliniek, psychiatrische kliniek. We hadden eindexamen voor tien professoren. Het was niet zo afschrikwekkend als het er uitzag.

Het is de gelegenheid mijn klinische leermeesters hier een voor een de revue te laten passeren. We hadden ze al twee jaar lang van op een afstand aan het werk gezien maar in het laatste doctoraat stonden wij oog in oog met elkaar, en waren we beter in staat hun kundigheden te beoordelen en hun persoonlijkheid te doorzien.

Fritz de Beule, professor in de heelkundige kliniek, was een meester in de ware zin van het woord. Hij was een dokterszoon uit Buggenhout die te Leuven was afgestudeerd, daar onder A. van Gehuchten neurologische sporen had verdiend, chirurgisch in Duitsland was geschoold en zich te Gent had gevestigd. Een didactisch meer begaafd man heb ik zelden ontmoet. Hij schreed „programmatisch" naar de diagnose, het was zijn lievelingswoord, hij deed het ons magistraal voor en zong het op alle tonen.

In de witte „piste" van zijn collegekamer defileerden de patiënten. De Beule riep een student naar beneden en die moest ondervragen, onderzoeken en pogen tot een verantwoorde diagnose te komen. Wanneer het haperde nam de kapitein het stuur over en zette de koers onfeilbaar voort, totdat het geval in een gemeenschappelijke conclusie uitmondde.

Het verliep zo dat de patiënt in het Nederlands ondervraagd werd, waarop de student alles aan de baas in het Frans resumeerde; het geleek een pingpong in twee talen die allebei, zowel door de hoogleraar als door de student evengoed begrepen werden. Stel u voor wat het werd onder het Nolf-systeem met zijn twee csq. één derde Frans of Nederlands enz. Te gek om los te lopen.

De Beule als operateur heb ik in een in-memoriam bestempeld als de „chirurg bij Gods genade". Hij was de meest algemene chirurg die men zich voorstellen kan; en zoals die thans zeldzaam worden. Zijn naam zal verbonden blijven aan de retro-gasserse neurotomie, een operatiemetode door hem uitgedacht, en honderden malen uitgevoerd voor de behandeling van de trigeminusneuralgie. Wat hij voor degenen die van 1924 tot 1949 zijn klinische colleges volgden, betekend heeft, heb ik mijn boek *Eskulaperijen* uit de volheid des harten neergeschreven.

Tot een kleine maand vóór zijn overlijden, is Fritz de Beule aan het werk gebleven, tot het chirurgische skalpel uit zijn handen viel. Hij had gedroomd van een rustige levensavond in zijn Sans Souci te Buggenhout wanneer hij met emeritaat zou gaan, dit is op 14 november 1949; hij stierf veertien dagen te voren. Hij was een man met een romantisch naieve dichtersziel; die grote chirurg heeft zich bezondigd aan spontane rijmpjes waarin hij zijn spotlust of ergernis afreageerde.

Als progressief medicus stond hij open voor het nieuwe, maar was eklektisch als geen één. Hij kon ascetisch zijn als een trappist, maar ook protestantisch als een Luther. Hij hield van de goede en schone dingen van de wereld, onder welke vorm of specie zij voor zijn oog verschenen; een chirurgische operatie, hoe gering ook, heeft hij nooit geringgeschat maar altijd als een daad van hoge esthetische voornaamheid afgewerkt. Een gewone onderhuidse inspuiting had bij hem iets sacraals dat eerbied afdwong.

Bij de bevrijding in 1944 was De Beule met weerzin vervuld voor de laagheden die de geneesheren tegen elkaar toen hebben aan de dag gelegd. Hij deed niet mee aan de ketterjacht waarvan zijn medische faculteit het voorbeeld gaf. Hijzelf stond op een slecht blaadje. De rector die bij zijn overlijden in 1949 de gedenkplaat inwijdde in de collegezaal waar de chirurg een kwart eeuw zo schitterend gedoceerd had, was in 1944 onder de eersten om De Beule bittere verwijten te maken. Door een man van het schitterend gehalte als De Beule te willen kraken, snijdt men in eigen vlees.

Fritz de Beule was een mannelijke verschijning, met kale schedel, kleine muizenoogjes met een twinkeling daarin, een duc-de-Guise-baard, een statige tred. In zijn testament heeft men de volgende tekst gevonden die op zijn doodsprentje werd afgedrukt: ,,Heer, ik dank U dat U me gratie en sterkte hebt gegeven om met kunde, gewetensvol beleid en ijverige naastenliefde al mijn beroepsplichten te volbrengen.

U hebt me uitverkoren onder zovele anderen ter edele en verhevene, doch tevens verschrikkelijke en lastige zending om mijn lijdende medemensen leniging in hun smarten, genezing hunner kwalen en redding bij dreigend doodsgevaar te brengen. Die zending heb ik met betrouwen aanvaard, me wel bewust dat ik, door mijn eigen krachten, onbekwaam was ze behoorlijk te vervullen, doch tevens overtuigd dat U me hulp en bijstand naar behoefte zoudt verlenen. U zijt het, Heer, die, in vaak tragische toestanden, mijn geest hebt verlicht, de passende besluiten ingegeven, mijn hand geleid en gesterkt bij het groote helende gebaar. Deed ik wel, o Heer, dan komt me daarvan niet de minste verdienste toe. Ik beken nederig dat ik alleen was een gewillig werktuig in Uwe almachtige handen. Schoot ik integendeel soms aan mijn taak te kort, gelieve me dat niet ten kwade te duiden; houd veeleer rekenschap van mijn goeden wil en van de ontoereikendheid van alle menselijke wetenschap en macht.''

Fritz de Beule, dokterszoon uit Buggenhout, was op het college te Dendermonde studiegenoot van Lodewijk Dosfel, dokterszoon uit Dendermonde. Ze kwamen allebei tot ons uit de post-romantische tijd. Ze waren allebei in hoge mate verdienstelijk.

De klinische leerstof van de interne geneeskunde was te Gent onder twee hoogleraren verdeeld. De interne kliniek was aan professor Hector de Stella toebedeeld; de interne polykliniek aan Professor Ferdinand Dauwe. Twee contrasten.

De Stella was van Dentergem, uit de Leiestreek, op de grens tussen Oost- en West-Vlaanderen. In zijn privé-praktijk was hij meer oor-, neus- en keelarts dan internist, zoals zijn voorganger E. Eeman en zoals zijn opvolger J. Vernieuwe.

Hij sprak met een zware stem en pakte uit met de grote geloofswaarheden van de interne kliniek. Wat hij ons bijbracht was van het allernieuwste niet, maar van het allersoliedste. Aan veel laboratoriumonderzoekingen had hij het land en met de ingewikkelde letters van een elektrocardiogram heeft hij nooit zijn geest gefolterd, en de onze evenmin. De suikerziekte was een van zijn lievelingstema's, en hij beweerde dat hij ooit te Gent de eerste was om insuline toe te dienen.

Om zijn gedachten uit te drukken had De Stella van die beelden die men nooit vergeet. Een goed hoorbaar hartgeruis noemde hij ,,un souffle à renverser un mur''. Een koude rilling was ,,un frisson solennel''. Van een zuiplap die een longontsteking kreeg, prognosticeerde hij ,,Si un ivrogne fait une complication pulmonaire, sachez que c'est la mort''.

In de neurologie was De Stella bijzonder sterk. Hij kon uit de analyse van de ziektesymptomen haarfijn opklimmen tot de plaats waar het initiële letsel in de hersenen zat. Hij deed daarover proeven op apen in het laboratorium van Cies Heymans, maar men moest hem niet vragen een microskopisch preparaat te ontleden; hij kon geen lymfocyt van een segmentkernige witte bloedcel onderscheiden.

Onder de besmettelijke ziekten had de difterie zijn voorkeur: hij was toch keelarts! Hij hamerde ons in dat we vroeg en genoeg serum moesten toedienen om geen ongelukken tegen te komen.

De Stella was een hartstochtelijk lezer van Shakespeare; hij had altijd een werk van de grote Engelsman op zijn nachttafel liggen. Hij speurde daarin liefst naar de syndromen van geestelijke afwijkingen die hij poogde te identificeren uit de teksten van het toneelspel. Wellicht aan zichzelf denkend, proclameerde hij eens met zijn sonore basstem: ,,Les grands hommes, sont de grands génitaux''.

Voor het boek *Geneeskundige Plichtenleer* van pater J. Salsmans schreef De Stella in 1919 een inleiding. Hij was buitengewoon fier dat men hem, een Gents hoogleraar, daarvoor aangezocht had, en zoveel Leuvense bazen in de kou had laten staan.

Op het eind van zijn leven werd De Stella geadeld. Op zijn begrafenis waren opvallend weinig geneesheren aanwezig, maar even opvallend veel boeren die niet begrepen waarom hun ,,proprietaris'' als ,,jonkheer'' op het bidprentje betiteld stond.

De interne polikliniek behoorde tot de leeropdracht van Professor F. Dauwe. Om nog een geneesheer te vinden die zoveel wist als professor Dauwe, moest men heel het land aflopen. Maar om een hoogleraar te vinden die zo slecht zijn wetenschap kon verkopen, moest men ook ver gaan zoeken.

Hij liet zijn kollege door zijn amanuensis op het bord schrijven, borduurde daarrond allerlei bespiegelingen waarin soms veel gezond verstand stak, schoot dan plots in een lach alsof hem iets te binnenviel, vroeg wat aan zijn patiënt, stampte zenuwachtig met zijn rechtervoet op de vloer wanneer een bijgeroepen student niet prompt genoeg met het goede antwoord voor de dag kwam.

Omdat op de polikliniek slechts ambulante patiënten kwamen, zat de wachtkamer altijd vol. In de grote collegekamer was het navenant; studenten gingen in en uit zoals in een kermistent, en er was altijd wat te horen en te zien, en de professor toonde somwijlen merkwaardige dingen. Wanneer er foor was op St.-Pietersplein, ging Dauwe rondneuzen of hij niet een dwerg, of een reus, of een ander ongewoon mensje kon bewegen om naar zijn polikliniek te komen en daar les over te geven. Dat viel gewoonlijk mee, want hij was een vriendelijk man en deed graag teatraal.

Soms gaf Dauwe tot eenieders verbijstering staaltjes van eruditie ten beste. Harold van der Linden werd op zekere dag in de piste geroepen en op de vraag aan de patiënt waaraan hij leed, luidde het antwoord: ,,Aan de afgang, mijnheer''. Waarop Dauwe aan Harold vroeg: ,, ,,Combien de sortes de diarrhées connaissez vous?'' Twee, drie, vier dat was al een redelijk aantal. Maar Dauwe nerveus als altijd: ,,Et puis, ... et puis?'' Toen er geen antwoord meer kwam, somde de hoogleraar uit het hoofd niet minder dan zeventien soorten ,,diarree'' op. Wie ter wereld had hem dit kunnen nadoen?

Hoe onuitputtelijk Dauwe was in de diagnostiek, zo onuitputtelijk was hij ook in de therapeutiek en volstrekt niet gierig met goede recepten die graag opgetekend werden.

Dauwe had een gruwelijke hekel aan de chirurgie. De Beule verweet hem soms dat hij patiënten had laten sterven in plaats van ze dringend naar de chirurg te zenden. Dauwe vroeg dan kalm, hoeveel patiënten de chirurgen al nodeloos geopereerd hadden tegen zoveel duizend frank. De laboratoriumprofessoren verweet hij dat ze meer zorg aan de dag legden voor ,,Sa majesté le lapin qu'à sa petitesse l'être humain''

Toen Dauwe bij zichzelf de diagnose van darmgezwel had gesteld en iedereen hem een levensreddende operatie aanraadde, gaf hij hun het beruchte woord van Dupuytren ten antwoord: ,,Je préfère mourir de la main de Dieu que de la main des hommes''. Iemand heeft ooit van de Dauwes gezegd: gekken, maar geniale gekken. Er zat waarheid in.

Frans Daels doceerde de verloskundige kliniek en de leer van de vrouwenziekten. De Antwerpse apotekerszoon die in 1911 tot hoogleraar werd benoemd, was een leerling van de Berlijnse gynaecoloog Bumm maar was te Gent in de grondwetenschappen geschoold bij vader Heymans en de bacterioloog E. van Ermengem. Zijn fysisch voorkomen met zijn haarloze schedel, zijn slanke lijn en zijn stap die altijd gehaast was, zijn in heel Vlaanderen overbekend.

De zaak zelf bracht mee dat het niet mogelijk was een klinisch college over verloskunde te geven zoals dat voor andere vakken het geval was. Daarom had Daels na veel gehaspel bekomen dat voor zijn studenten in de kraaminrichting van de Bijloke een afdeling met een twintigtal bedden ter beschikking werd gesteld.

De strijd die daarvoor gedurende meer dan honderd jaar gevoerd werd, heb ik in mijn monografie over het ontstaan van het Gentse Akademisch Ziekenhuis uiteengezet.

In die afdeling waren bestendig twee studenten aanwezig die onder toezicht van een hulpassistent een verlossing leidden. Wanneer elk van ons vijf partussen voor zijn rekening had genomen, ging de wachtbeurt naar een ander. Zo konden wij ervaring opdoen, en op het eind van 't academiejaar hadden de tweeëndertig studenten van ons jaar elk op zijn minst vijftien verlossingen zelfstandig gevolgd en soms de gelegenheid gehad een eenvoudige verlostang aan te leggen.

Voor de gynaecologie werden we om beurten te zeven uur in de morgen in de Bijloke besteld waar de opgenomen patiënten onder het oog van Daels zelf inwendig onderzocht werden, waarna het geval met hem werd besproken. We hadden ook allen de gelegenheid een curettage te verrichten. We kregen vaak aanmerkingen, want Daels was geen gemakkelijke baas voor de studenten.

De patiënten hielden van hem, hoewel de Gentse volksvrouwen zijn beschaafd Antwerps niet altijd vlot begrepen. Een oudje dat niets gesnapt had van wat haar gevraagd werd, gaf hem ten antwoord: ,,Verexcuseer mij, meneer de professor, maar ik en versta geen Frans''. Daels glimlachte nauwelijks.

Wij hadden daarenboven nog tweemaal in de week een magistrale cursus over de zwangerschaps- en baringsverwikkelingen, de gynaecologische afwijkingen o.m. de baarmoederkanker. Naast enige begrippen over zuigelingenvoeding. Een leerstoel van kindergeneeskunde bestond in mijn tijd niet; die is er pas in 1935 gekomen. Al met al behoorde onze verloskundige stage tot de beste die in het land gegeven werden.

De oogheelkundige kliniek was het onbesproken werkterrein van professor Marnix van Duyse. Deze telg uit een begaafd geslacht, was de kleinzoon van Prudens van Duyse; ook de vader, Daniel van Duyse, was een begaafd oogarts, patoloog en medisch historicus.

Marnix van Duyse was een minzaam man, van een imponerende lichaamsomtrek, en een sympatiek stemmende dubbele kin; het bracht hem in de buurt van de 130 kilogram. Hij moest naar zijn woorden niet zoeken om het ons wijs te maken. Hij bezat van die knepen om ons in te hameren dat wij voor een paar dingen op onze hoede moesten zijn; zo b.v. bij dreigend glaucoom geen atropine in het oog te druppelen. Theo Roggen die het vergeten was, vloog aan de deur met een ,,sortez nom de Dieu'' dat heel het gebouw daverde van het gebrul, en de patiënten die het hoorden de adem inhielden.

Als iemand het percentage van de Crédéoplossing voor indruppeling in het oog van een pasgeborene niet kende, was hij zeker van een buis, onbarmhartig.

Marnix van Duyse is maar vijfenvijftig jaar geworden.

De oor-, neus- en keelheelkunde kregen we van professor Eugène Eeman, die ooit rector was van Gand-Français. Een geboren Gentenaar, zeer aristocratisch van voorkomen, met een witte snor en witte kuif, met een angstvallige zorg voor het juiste woordgebruik. Zijn klinische lessen waren pareltjes van helderheid.

Zijn doel was niet van ons specialisten in het vak te maken, maar genoeg inzicht bij te brengen om de eenvoudige dingen eenvoudig op te lossen en de meer ingewikkelde op de weg naar de juiste behandeling bij de juiste man te brengen. Hoe een vetprop of een vreemd lichaam uit het oor te verwijderen, hoe een vervelende neusbloeding te stelpen, hoe een graat uit de keel te halen, hoe de pijn van de otitis media en de furonkel van de oorgang te behandelen, dat wisten we uitstekend te vertellen.

Het chronisch lopend oor, als een teken van tuberculose, was een van Eemans stokpaardjes, waarvoor hij soms het évidement pétro-mastoidien in het lang en in het breed uit de doeken deed. Over de verschillende oorzaken van de snotneus kon hij ook een paar aardige klinische lessen geven.

Toen Eeman in 1926 emeritus werd, zette professor J. Vernieuwe het onderwijs in dezelfde zin voort; we hadden bij hem gelegenheid te over om ons te oefenen in het ooren keelspiegelen. Ik heb vaak de handigheid van mijn oor-, neus- en keel-meesters bewonderd.

Kliniek van huid- en venusziekten volgden wij bij professor A. Minne, Gentenaar van geboorte. Hij was een slank, fijn uitgedost man met een typische Habsburgerskin, die hij nog meer liet uitkomen door een sik. Hij beweerde over voldoende stamboomdokumenten te beschikken die hem lieten opklimmen tot een van Keizer Karels natuurlijke kinderen.

Fijn diagnosticus als hij was, wist hij uit de soms nietszeggende of ontwijkende antwoorden van de patiënten vaste conclusies te trekken. Druiper- en sjankerpatiënten bracht hij tot bekentenis zonder hen op de pijnbank van een onsamenhangend verhaal te moeten leggen.

Zijn vak bracht mee dat hij altijd medicijnen voorschreef, en zijn recepteerkunde was onvergelijkelijk afwisselend. Nooit liet hij iemand vertrekken zonder twee of drie voorschriften, en daarbij was er altijd een voor het bevorderen van de regelmatige stoelgang. Slechts één medicament vond daarvoor genade in zijn ogen: rabarberextract vijf centigram 's morgens vóór het ontbijt. Wanneer een student dat kon antwoorden, maakte hij van de professor een gelukkig mens, en wist hij dat de goede punten overvloedig werden toegekend.

Minne was een kunstzinnig man; de dermatologie met haar oneindige veelzijdigheid van kleuren, vormen en haar rijke schilderachtige klinische nomenklatuur kon niets anders dan hem daartoe voorbestemmen. Hij bezat een enige verzameling schilderijen. Eén daarvan werd na zijn overlijden door de Koning aangekocht en bij diens bezoek aan het Vatikaan aan Paus Johannes XXIII geschonken.

Met de dermatologische kliniek was Minnes werkleider, dokter Raoul Biltris, onafscheidelijk verbonden; de meest meticuleuze man die ik ooit ontmoet heb. Hij was een bijzonder kenner van de huidschimmels die hij kweekte met een gemak alsof het princessebonen waren. Zijn pijp stoppen werd door Biltris met evenveel wetenschappelijke ernst verricht als het opsporen van een gonococcus in een gekleurd preparaat.

Op zekere dag kwam de echtgenote van een pas gehuwd collega bij Biltris klagen over huidroodheid met jeuk op de voorarmen. Hij bekeek het lang en scherp zonder één woord te spreken, tot het ten slotte op een trage toon luidde: ,,U verricht waarschijnlijk, Mevrouw, zekere dingen die u vroeger niet deed''. Waarop de jonge dame diep blozend antwoordde: ,,Ja, mijnheer''. En Biltris: ,,Welnu, ik zal het u zeggen, u wast linnengoed, wat u vroeger niet zelf moest doen''. De bevestiging loste alles op: het was een allergisch eczeem door zeep veroorzaakt. Biltris was onbetaalbaar!

Onze professor in de psychiatrische kliniek noemden wij met die vertrouwelijkheid die de goede betrekkingen tussen student en hoogleraar kenmerkt: de zot. Er zit geen geringschatting in die naamgeving, alleen spontaniteit. Van alle psychiaters die ik gekend heb, was hij de minst gekke.

Maurits Hamelinck was een geboren en getogen Gentenaar die geschoold was in de psychologie door professor J. van Biervliet. Hij behoorde tot de allereersten die in 1926 door Minister Kamiel Huysmans tot hoogleraar benoemd werden.

Vermits hij over geen patiëntenafdeling beschikte, was hij in den beginne volkomen op het Guislaingesticht aangewezen. Hij verstond zich goed met de hoofdgeneesheer Karel van Acker en zo waren er geen schaduwzijden ten nadele van de studenten. Hij was in zijn eerste hoogleraarsjaar en begreep uitstekend de kunst om van het symptoom tot de oorzaak en de diagnose van de geestesafwijking op te klimmen.

Een groot aantal patiënten defileerden voor onze ogen in de kwartieren. Degenen die zich in de psychiatrie wilden bekwamen hadden gelegenheid te over. Mij bekoorde het vak helemaal niet. Ik wist evenwel op het einde van het jaar wat een algemene paralyse, en wat een acute manie was, wat een paranoia en wat een dementia precox betekenden. We hoorden van Kraepelin en zijn indeling van de geesteszieken praten. De inpaludering maakte furore, de elektroshock was nog niet bekend.

We bezochten met professor Hamelinck het psychiatrisch ziekenhuis Caritas voor vrouwen te Melle, naast enkele dispensaria voor mentaal gehandicapten. Hij was een joviale kerel die aan zijn vak niet te zwaar tilde. Met de kandidaten die op het examen niet veel wisten te vertellen speelde hij zoals de kat met een gevangen muis, maar hij liet ze allemaal door de mazen glippen.

De zot leed vanaf zijn kinderjaren aan een zware diabetes; we wisten het allemaal, en hij maakte er geen geheim van. Zijn zwaarlijvigheid maakte de toestand nog erger. Wanneer hij overleed was hij nog geen tweeënvijftig jaar oud. Enkele maanden voordien was hij op een studiereis van collega's haantje-vooruit en tijdens de avondfuif zong hij met zijn zware basstem *Mijn Vlaanderen heb ik hartelijk lief.*

Degenen die de leerstof vastgelegd hebben welke voor de laatstejaars studenten in de geneeskunde moest gedoceerd worden (dat geschiedde door de wet van 1895) waren nog doordrongen van de ideeën die omstreeks 1835 in de geneeskunde opgang maakten. Te weten: alle geneesheren zonder onderscheid moeten kunnen opereren, of alleszins die operaties kunnen verrichten die het bedreigde leven van de patiënt kunnen redden. Om ze daartoe beter bekwaam te maken moesten de laatstejaars een onderdompeling in de plaatsbeschrijvende anatomie ondergaan.

De gevolgen van deze opvatting waren blijven leven in een cursus topografie door Georges Leboucq een uur in de week gegeven, en in die van operatieleer gedoceerd door professor Odilon van der Linden. Deze cursussen waren komplementair.

Odilon van der Linden was van Maarke-Kerkem en deed humaniora in het Roeselaarse Klein-Seminarie. Hij was iets jonger dan Albrecht Rodenbach en heeft ,,de grote storinge'' met al het andere meegemaakt. Guido Gezelle kwam dikwijls in de familiekring van het vaderhuis.

Weinig chirurgen hadden zo een degelijke scholing doorgemaakt als hij, bij de allergrootste meesters in Wenen, Berlijn en Parijs. Vanuit Gentbrugge, waar hij een heelkundige praktijk begon, was hij de grote promotor van de aseptische buikchirurgie die hij ons op het lijk doceerde.

Van der Linden was een innemend man zonder complexen die best de toedracht van de operatieleer voor de door-de-bandse medische student inzag. De ligatuur van de arteria subclavia had iets te betekenen te Waterloo, maar in het België van 1927 was dat niet meer dan een academisch relict uit die tijd waarmede men de anatomische kennis van de studenten in de geneeskunde op de proef stelde.

Voor het examen werden de vragen op briefjes uitgeschreven. Wij moesten er eentje uit de hoop nemen en de opgegeven operatie op het kadaver uitvoeren. Ik kreeg de ligatuur van de arteria tibialis anterior. Toen ik mijn preparaat ging voorleggen, antwoordde Van der Linden: ,,C'est bien fait, monsieur Elaut, mais vous avez ligaté l'artère tibiale postérieure''. Het bleef daarbij.

Een gehuwde dame uit mijn jaar vond ,,l'amputation du pénis'' op haar papiertje staan. Van der Linden liet haar in de plaats een wijsvinger amputeren. Wanneer dat niet te schitterend was uitgevallen, zei ie: ,,Vous auriez quand même mieux amputé le pénis, n'est-ce pas, madame?''

Onder de papieren, op de groene tafel van de examenkamer verspreid, lag het boekje *L'Anatomie en Poche*. Tegen Raymond de Wispelaere die het nieuwsgierig aan 't doorkijken was, zegde Van der Linden ,,Un très bon petit livre, n'est ce pas?'' Waarop Raymond repliceerde: ,,Mais moi, monsieur le professeur, j'ai l'anatomie en tête, et ça c'est mieux''. Van der Linden nam het niet en Raymond mocht in oktober terugkeren, ondanks zijn trouwplannen.

Odilon van der Linden heeft een hoge leeftijd bereikt. Omdat hij mij in 1923 door het oog van een naald heeft getrokken, ben ik hem tot aan de rand van zijn graf dankbaar gebleven. Te Gentbrugge werd, terecht, zijn naam aan een straat gegeven. Een bezielend leraar was hij niet, wel een uitstekend chirurgisch technicus.

*
* *

Hiermede heb ik mijn klinische professoren voor het voetlicht laten verschijnen en ze getekend zoals ze in mijn herinnering leven. Ik kan nog lang doorgaan, want vele uitspraken en karaktertrekken duiken op, wanneer ik mijn laatste doctoraatsjaar in gedachte overloop. Vijftig jaar zijn voorbij. Ik haalde mijn einddiploma in 1927, en schrijf nu 1977. Fugit irreparabile tempus! Geen gezeur, geen gemijmer. Elk speelt zijn rol en krijgt zijn deel. Wanneer de rol gespeeld is, verlaat men het toneel. Zonder spijt!

Zo draayt de waereldtkloot en wij met hem! Dixit Joost van den Vondel.

Over mijn kliniekprofessoren ben ik uitgepraat. Het waren geen genieën, doch ze hebben allemaal hun best gedaan om de vruchten die zij door studie en ervaring hadden verworven, aan ons door te geven. Daarvoor breng ik hun een eresaluut.

Er lopen evenwel ook andere draden door het leven van iemand die op zijn laatste universitaire benen staat.

De redactie van het proefschrift voor de Universitaire Wedstrijd vergde tijd en moeite. De baas hielp mij, want ik was in de beginne onbeholpen. Na nieuwjaar schoot het goed op, en met eind januari 1927 was het klaar. Het werd op drie exemplaren getikt en ik zorgde voor de illustratie. Alles was op tijd in kannen en kruiken en vijf dagen vóór de vervaldag was het ingebonden. Ik nam het mee naar huis en ging het kostbare dokument even aan E.H. De Hovre tonen, voordat ik het op de post bracht.

Daarna liepen we rustig voort in de tredmolen van de dagelijkse taak in de Bijloke, in de sectiekamer, in het laboratorium met de demonstratiekarweitjes, in de Gentbrugse klusjes waarvan ik het eind zag naderen. Studie- en jaargenoten hadden al vaste plannen voor de toekomst, voor een praktijk in stad of platteland. De meesten wisten waarheen. Ze waren verloofd en zouden trouwen zodra ze in het bezit van hun ezelsvel waren.

Met professor Goormaghtigh kwamen ook mijn toekomstplannen ter spraak, en daar hij op die dingen een nuchtere kijk had, en ikzelf van mijn kant louter oor was, nam ik mij voor in de urologie te specializeren. De prof hielp het om zo te zeggen spontaan in mijn besef tot aanzien komen als de meest vanzelfsprekende zaak van de wereld. Hij oordeelde dat het een jong vak was, dat er te Gent in die richting een toekomst lag, dat er ,,avec vos pattes de campagnard'' een niet onfatsoenlijk stuk chirurg uit mij zou kunnen groeien, en omdat ge ,,chez moi une bonne préparation technique et scientifique'' hebt opgestoken.

Zonder meer dan dat stond het vast.

In de Bijloke kwam ik voortaan meer in de urologische afdeling van dokter Beyer over de drempel dan in een andere afdeling. Beyer was een flink uroloog en nogal aan de praatzieke kant wanneer men hem over de geschiedenis en over de grote buitenlandse meesters van het vak vragen stelde, zodat ik veel in mijn oren kon knopen.

Het gevolg was dat het meer en meer vaststond, dat ik naar Frankrijk in de Parijse school van het Hôpital Necker de noodzakelijke scholing zou gaan halen. Daar had immers de wieg van de urologie gestaan. In ons land was er niets op dat gebied, de urologie lag hier nauwelijks in de luiers. zonder een universitaire leerstoel.

Thuis besprak ik de financiële gevolgen. Vader en moeder gingen met alles akkoord: wat van ons is, is van u! Ik overwoog het bij mijzelf, nam inlichtingen waar ze te halen waren, en wanneer het gesprek die kant uitging, liet ik doorschemeren welke richting ik wilde opgaan.

We liepen voort college, deden onze wachtbeurt in de kraamafdeling, en stonden op de uitkijk voor wat op komst was. Het mocht er daar in geen geval studentikoos aan toegaan; we werden scherp in het oog gehouden, want Daels was op tucht gesteld. Hij had het jaar tevoor een hulpassistent die lichtjes boven zijn teewater was binnengekomen, aan de deur gezet. Wanneer er in de verloskamer niets te doen was, gingen we op het fantoom met de verlostang oefenen.

*
* *

Met de gemeenteraadsverkiezingen in de herfst van 1926 ging de Gentbrugse Jonge Wacht van Oskar de Landsheere een socialistische meeting in de Zwarte Hoek op stelten zetten. Emiel van Sweden stond voor een herberg bij de Zakstraat op een tafel, zoals gewoonlijk met een stuk in zijn kraag, zijn politieke waar te verkopen, toen we met een twintig man, onder de leiding van Joris van Maldeghem in groep vooruitdrongen om de spreker te onderbreken.

Maar ook de socialistische Jonge Wacht was present. Het liep uit op een schop- en trekpartij, waarbij ik op mijn rechterenkel een fikse stomp moest incasseren die mij tot de aftocht dwong. Toen ik thuis relaas uitbracht, kreeg ik te horen dat ik mij beter geen ruzie aantrok en maar de gevolgen moest dragen. Ik heb een week lang voor de goede zaak gehinkt.

Paul Lerno, met wie ik begin december in 't Moederhuis mijn verloskundige stage deed, vertelde op een avond dat de Wase Club te St.-Niklaas zijn kerstbal hield, en of ik geen zin had om te komen. Die zin had ik, natuurlijk. Lang moest ik niet nadenken. Ik zou er wel heen geraken, en ook thuis geraken. De reden van mijn ja moest ik nu precies niet aan ieders neus hangen. Het was de stille hoop op een ontmoeting met mejuffer Scheerders, die ik in mijn hart met gevoelens van tedere genegenheid omringde.

Op het kerstbal ging het er gemoedelijk aan toe. De oude flamingantengeneratie was goed vertegenwoordigd: dokter Jozef de Belie met zijn gezin, dokter Eugeen Verstockt uit Vrasene en zoveel andere die ik leerde kennen. In het gezelschap van de familie De Belie was diegene voor wie ik hierheen gekomen was. Het weerzien was voor haar een verrassing, voor mij een aangename gemoedsaandoening. Er werd over en weer gepraat en een dansje gewaagd. Daar ik niet dansen kon, was ik zeker geen veroveraar; ik riskeerde meer dan ik aankon, maar de nood maakte mij vermetel. En ik troostte mij met de gedachte dat ik het niet al te slecht had aangelegd.

Het zal bij de aangebedene ook zo aangekomen zijn, want wanneer het de beurt van de dames was om de heren ten dans te nodigen, trad zij spontaan en kordaat vooruit en vroeg mij op de vloer. Wat voor mij de bekroning van de avond was. Of anderen het opgemerkt hadden en er beschouwingen aan vastknoopten, kon mij niet schelen. In alle geval was ik de gelukkigste man uit de samenkomst.

Wanneer te één uur in de morgen de aftocht geblazen werd, nam dokter Edmond Ide mij mee naar Lokeren, waar ik het bed met hem deelde. Van Lokeren naar Gentbrugge liep een directe trein. Paul Lerno had niet veel succes. Als hij een half glaasje ophad, zakte hij al door zijn benen en had niet veel noten op zijn zang.

Het jaar 1926 eindigde op een gelukkig orgelpunt.

Wanneer de zorgen voor mijn proefschrift van de baan waren, werkte men op het laboratorium druk aan de voorbereiding van het anatomenkongres dat te Londen begin april 1927 plaats had. Goormaghtigh gaf een mondelinge mededeling met demonstratie en ik zou voor deze laatste een handje toesteken. Voorts was overeengekomen dat ik vanuit Londen naar Amsterdam zou oversteken voor het Nederlands Geneeskundig Kongres en daar een korte mededeling doen, mede namens Goormaghtigh, over een essentieel punt van mijn bijnieronderzoek.

Het Londense kongres opende voor mij een andere horizont: ander volk, met nieuwe dingen en nieuwe mensen. Het had plaats in het University College, een instelling met een geweldige traditie. Voorzitter was de Brusselse hoogleraar Albert Brachet. Er waren merkwaardige mededelingen bij de vleet.

In het museum van het Anatomisch Instituut keek elkeen naar het aangekleed skelet van de ekonoom-filosoof Jeremy Bentham dat sinds 1932 in een glazen kast opgesteld is. Hijzelf had het bij de schenking van zijn stoffelijk overschot zo bepaald en gewild. Hij stond er met een gekleurde jas, kousen, pruik en met wandelstok in de hand.

Het was ook mijn eerste kennismaking met de Engelse hoofdstad; ik bleef er tot tweede paasdag. En vertrok uit Harwich met de nachtboot naar Hoek van Holland. De zee was rustig en spiegelglad; ik had nooit gedacht dat zulks met de Noordzee mogelijk was.

Het Londense congres werd besloten met een uitstap naar de oude universiteitsstad Cambridge, een goed uur trein van Londen. Het was één verbazing voor hetgeen er te horen en te zien was. We bezochten o.m. het laboratorium voor vergelijkende anatomie. Ik dacht even aan Brontosaurus Lebrun. Hier leefde de vergelijkende in volle glorie, hier leefden mensen die erin geloofden, en er hun dagen mede vulden. Nee, het was geen dode wetenschap.

We zaten aan op een lunch in het heerlijke kader van St.-Johns College dat we als een uit de vele andere colleges in al zijn hoeken en kanten bezocht hadden. De decaan en zijn staf, die ons ontvingen in hun toga en cap, geraakten niet uitgepraat over wie ooit in Cambridge gestudeerd hadden, te beginnen met Harvey en Newton. Het was een week na de befaamde roeiwedstrijd Oxford-Cambridge en Cambridge had juist gewonnen. Mijn Gentbrugs verstand begreep niet goed waarom men daar zo'n belang aan hechtte.

De lunch, opgediend in de eetkamer van een Cambridge College, is een sensatie op zichzelf. Wat er op het bord kwam, was vrij eenvoudig, maar de manier waarop opgediend werd, was overbeleefd. Hoe gemaniëreerd de kelners een glas claret inschonken kon alleen maar in Engeland uitgedacht zijn.

Aan de hoofdtafel zat Sir Arthur Keith die een spirituele toespraak hield. Hij was een groot man in de medische wereld, de ontdekker met Flack, van de knoop die hun naam draagt. Voorts een oude eerbiedwaardige dame met een lintenmuts op, zoals mijn grootmoeder Katrien die 's zondags droeg; zij was de dochter zei men ons, van Sir Paget, wiens naam verbonden is aan de ostitis deformans, en aan de kanker van de tepel.

Met spijt nam ik afscheid van deze met historie en moderniteit omhangen stad.

Van het natuurhistorisch museum Kensington te Londen droeg ik een onvergetelijke indruk mee. De rijkdom en de verscheidenheid van de verzamelingen is onvoorstelbaar. Wat een contrast met de ellende en de drankzucht in de slums van het Eastend. Die te gaan zien moogt ge niet nalaten, had Goormaghtigh mij aangeraden. Op Pasen woonde ik de hoogmis bij in Brompton Oratory, waar Newman thuis was.

Van Londen overnacht naar Amsterdam. Daar logeerde ik ten huize van professor Bernard Brouwer, neuroloog, op de Herengracht in volle stad. Professor H. Burger, de grote Vlamingenvriend had het zo geschikt, wanneer hij hoorde dat ik een lezing(kje) zou geven. Mijn gastheer en zijn echtgenote die ook arts was, waren buitengewoon voorkomend en vertelden mij veel over de Nederlandse hoofdstad, die mij van meet af aan geweldig imponeerde. Op het kongres was Professor R. Schockaert uit Leuven met zijn zoon aanwezig, naast Professor Daels uit Gent.

Ik was bijzonder geboeid door een lezing van Otto Lang, hoogleraar in de chirurgie over de schildklierchirurgie. Hij sprak met een Duits aksent en was ooit in Nederland benoemd met de steun van zijn landgenoot en leermeester Th. Kocher uit Bern. Hij was een man met een profetenbaard en opvallend slanke vingers. Hij had de naam een prachtige verzameling schilderijen te bezitten die hij uit Italië had gesmokkeld in een kist met ratelslangen, die hij, zogezegd, voor proeven in zijn heelkundig instituut nodig had.

Op het slotdiner in het Hotel Krasnapolsky bij de Dam, was Prins-Gemaal Hendrik aanwezig. Hij werd aan Daels voorgesteld, die niet buitengewoon ingenomen was met de kennismaking.

Mijn lezing over een stuk uit mijn bijnieronderzoek interesseerde de Hollandse toehoorders maar matig. Ik had het in de gaten en was blij dat mijn tien minuten gauw voorbij waren. Professor Schockaert had de indruk dat hij te Amsterdam rondliep als een hond in een kegelspel. Te Leuven kende iedereen hem, hier was hij volslagen onbekend. Hij keerde overigens dezelfde dag naar Leuven terug, en verkocht mij zijn inschrijvingsbon op het avondbanket.

Na veertien dagen was ik weer thuis, en begon het laatste trimester van het derde doctoraatsjaar.

We volgden drukker dan ooit de klinische demonstraties, de laatste loodjes wegen het zwaarst. We hadden alles met aangescherpte vlijt te winnen, want hoe meer onze aanstaande examinatoren onze aangezichten te zien kregen, hoe beter. We waren zo naief te geloven dat ze zich daar zouden laten aan vangen. Begin mei nam ik mijn ontslag uit de Bijloke. Het was geen slechte leerschool geweest.

Opnieuw was het Paul Lerno die mij kort daarop naar het Waasland lokte. Dokter Alfred Elewaut uit Haasdonk had hem gevraagd voor een week te gaan waarnemen, terwijl hij op reis ging. Laatstejaarsstudenten in de geneeskunde werden veelal daarvoor aangezocht; het was niet geoorloofd, maar vanouds struikelde niemand erover, als het van korte duur was. Zelf had Paul Lerno er zes maand voordien een interim waargenomen, maar nu liet hij het aan mij over. Ik schreef aan dokter Elewaut en was op de afgesproken dag en uur ter plaatse.

Dokter Alfred Elewaut, sinds 1902 te Haasdonk gevestigd, had er zijn vader opgevolgd. Zelf was hij van kindsbeen af in de Vlaamse Beweging actief en vanuit zijn Leuvense tijd bevriend met alle Wase flaminganten. Hij was een groot reiziger en een van de eerste geneesheren die auto reden. Hij had een mooi gezin van negen kinderen en was de enige geneesheer te Haasdonk. De gemeente was in hoofdzaak landelijk, maar een deel van de arbeidende bevolking pendelde naar de Antwerpse haven.

De praktijk was die van een apoteekhoudende plattelandsmedicus. Dat apoteek houden beperkte zich tot het afleveren van een actief geneesmiddel in een fles; een andere medicamenteuse vorm dan een drankje werd niet als dusdanig aanvaard. De fles werd met gekookt water aangevuld, plus een onschuldig bruin kleurmiddel, want in een fles die er niet flink bruin uitzag, had men geen vertrouwen. Een smaakcorrigerende toevoeging kwam niet in aanmerking; hoe onaangenamer de smaak, hoe actiever. In de vergiftkas lagen digitalispillen, arseniaatpillen, strychnine, en wat opiumderivaten.

Vanaf zeven uur in de ochtend schoven fondspatiënten aan. In de loop van de dag was er huisbezoek, meestal bij oudere bedlegerige patiënten. Er waren heel wat tuberculoselijders die in een sanatorium waren geweest en nu op verhaal kwamen in de bosrijke streek van het dorp. Naast anderen die op opname wachtten en onder deze laatsten niet weinig gevallen van halskliertuberculose die door Elewaut zelf met de inspuitingen volgens Calot werden behandeld. Blijkbaar met geen slecht resultaat.

Zieke boeren heb ik er niet gezien, wel wat mentaal gehandicapten, een paar gevallen van chorea en epilepsie, stijve knieën, heupen en scheve ruggen. Darmstoornissen bij kinderen, waar ik niet goed weg mee wist en die door de ouders met suikerwater waren verknoeid. Dat was zo wat het dagelijks menu in mei 1927, een miskraam van drie maand niet te vergeten.

Het verblijf in het gezin van dokter Elewaut viel uitstekend mee; mevrouw en de kinderen waren nette mensen, we verstonden elkaar goed: onze ideeën over maatschappij, godsdienst, vlaamsgezindheid, levenshouding lagen op hetzelfde peil. De Elewauts waren een met hart en ziel aan ,,Outer en Heerd'' verknocht geslacht. In de Haasdonkse bossen stond het Tassijnskruis, op de plaats waar deze Boerenkrijger door de Fransen werd gevangen en neergeschoten. Hier vond Arthur Scheiris de inspiratie voor het lied ,,O Kruise den Vlaming''.

Wanneer ik afscheid nam van deze eerste waarneming kreeg ik van dokter Elewaut een omslag met 350 fr. honorarium; het was royaal betaald.

Op de eerste maandag van juli viel de officiële opening van de examenzitting. We konden ons aanmelden wanneer het de professoren gelegen kwam. Bij de meesten was het examen een onderonsje.

Ze wisten trouwens heel goed dat we op voorhand ingelicht waren over het klinisch geval dat we voorgeschreven kregen. Het waren de zusters die ons het meest hielpen. Toen ik bij professor Minne aanschoof, fluisterde zuster Medarda, die nochtans de studenten niet in haar hart droeg mij in het oor: un eczéma. Daarbij kon men de examinator een lesje in de huidziekten geven, en zeker de vijf centigram rabarberextract niet vergeten om de demonstratie van onze kundigheden af te ronden.

Professor Vernieuwe oordeelde dat het examen een uitstekende gelegenheid was om iets bij te leren. Hij gaf een klinisch college over mijn patiënt, en vroeg of ik met de diagnose kon akkoord gaan. Ik trapte niet in de val: hij was tevreden toen ik hem antwoordde dat de patiënt aangetast was door ozeen. Meer moest hij niet weten.

Bij de Zot kreeg ik een bolwassing omdat ik de dosis arseen voor een hersensyfilis wat te hoog nam.

Bij professor Dauwe wist ik na afloop nog niet waarover het examen gelopen had, en hij blijkbaar ook niet, maar hij antwoordde: ,,Allez en paix, mon fils''.

*

* *

Tegen 16 juli, om elf uur, waren we opgeroepen in een ledig gemaakte kollegekamer van de Oude Universiteit aan de Paddenhoek. Het meest kale lokaal dat men zich indenken kan: de banken waren tegen de muur opeengestapeld en achter een groene tafel stond de decaan, Georges Leboucq, met een papier in de hand en naast hem een vijftal professoren.

Hij schraapte zijn keel voordat hij aan de afroeping begon. Ik was de eerste: met de grootste onderscheiding. De tweede was ook een Gentbruggenaar, André Schotte, met grote onderscheiding. De anderen volgden, met éénendertig. Au nom de sa majesté le Roi des Belges, je proclame docteur en médecine, chirurgie et accouchements, Messieurs ... Daarop werd de examenzittijd voor gesloten verklaard.

De vijf professoren spoedden zich naar andere bezigheden en lieten de faculteitsdecaan aan zijn lot over: toezien dat we ons diploma ondertekenden, waarna hij ook zijn handtekening plaatste. De pedel zorgde voor verdere bekrachtiging en eiste daarvoor 150 fr. Het diploma zouden we thuis toegezonden krijgen. De officiële bulle was geen ezelsvel, maar een stijf geolied stuk papier. Alles had een half uurtje in beslag genomen.

Op de kalender was het zaterdag 16 juli 1927.

De proclamatie had een spijtig staartje. Basiel Sonneville uit Destelbergen, die zes jaar met ons in 't zelfde schuitje gezeten had, kwam onder de gepromoveerden niet voor. Zijn naam stond niet op de lijst. Professor De Stella beweerde dat Basiel op de ondervraging niet verschenen was; bij de andere examinatoren was hij wel geweest en de medestudenten getuigden dat zij hem zien ondervragen hadden.

De Stella kreeg gelijk. Een nieuw deelexamen afleggen teneinde de betwisting op te lossen, was niet mogelijk daar de zittijd gesloten was. Basiel was er aan voor zijn protest bij de rector. Voor een jaar uitgesteld, haalde hij zijn diploma in 1928 met onderscheiding. Zijn vestiging te Kalken in augustus 1927 was een ijdele hoop.

We vonden het allemaal een schande, maar het bleef erbij. Zedeles: de minderen delven altijd het onderspit tegenover de meerderen. Misschien zou het thans niet zo gemakkelijk meer verlopen en zou er een massaal protest opgestoken zijn.

In de toekomst durfden wij de naam De Stella in de aanwezigheid van Basiel Sonneville niet uit te spreken.

Thuis werd ik met open armen door twee gelukkige mensen ontvangen.

Dokter Emiel van Acker had mij 's namiddags besproken voor een waarneming, en daar ik op een korte afstand van zijn huis woonde, had ik geen bezwaar, men kon mij op elk ogenblik komen halen; in de buurt wist men dat, want het was de eerste keer niet.

De enige patiënt die ik op dat weekeind te zien kreeg, kwam een flesje jodiumtinctuur vragen; met een medisch recept moest hij bij de apoteker maar de halve prijs betalen. Het recept droeg mijn eerste handtekening: voor uitwendig gebruik. Ik vergeet het nooit.

's Anderendaags was het Gentse Kermis.

*
* *

Dat een hooggeleerde, namens de hoogste uitvoerende macht van dit land, het leven, de ziekte en de gezondheid van de evenmens in de handen van tweeëndertig afgestudeerden legt, is naar mijn mening een aangelegenheid, die beter verdiende dan in een atmosfeer van kaalheid en troosteloze banaliteit, op een loopje afgewikkeld te worden. Iets minder academisch heb ik nooit in mijn leven meegemaakt, dan het toendertijd in Gent de gewoonte was.

Als afscheid van een hooggeroemde Alma Mater was het een allermagerst beestje. Men liet ons gaan met de wind van achter. De rector nam geen notitie van ons bestaan. Men had het waarlijk niet ziellozer kunnen aan boord leggen. Men moet niet noodzakelijk op plechtigheden gesteld zijn, om het hartelijker te wensen.

Zo'n proklamatie is eind en begin, doch meer begin dan eind. De Anglo-Saksers hebben de pit van de zaak op een weergaloze manier uitgedrukt, door een promotiedag met de naam van ,,commencement day'' te sieren.

Meer dan voor andere academische carrières is de geneesherenpromotie het startsein voor iets van kapitale en verreikende draagkracht. Reeds 's anderendaags komt voor de arts het alles of niets.

Ik heb het altijd als een betreurenswaardige en onwaardige smet op het academisch blazoen van mijn universiteit beschouwd, dat men de promotie van de geneesheren als een onbetekenend iets onder de daden en handelingen van het academisch leven liet doorgaan.

Toen ik van 1941 tot 1943 deken van de geneeskundige faculteit was, heb ik gepoogd daarin verandering te brengen. Rector G. de Smet was het met mij eens, en voor de eerste maal was hij in de kamer van de Academieraad op een promotie aanwezig, en heeft hij de afgestudeerde geneesheren namens de Universiteit gelukgewenst en van elk afzonderlijk afscheid genomen.

Ik weet niet of ons initiatief de spoorslag geweest is tot een nog waardiger ,,commencement day'' voor de nieuwe doctores medicinae in de Aula, zoals het heden gelukkig geschiedt.

DOCTOR IN DE GENEESKUNDE

Veel gewuif en gefuif heeft het halen van mijn eindbul niet meegebracht. Van degenen die het vernomen hadden, kreeg ik gelukwensen. Met enkele jaargenoten hebben we toch de bloempjes buitengezet.

De banden met het laboratorium en zijn chef heb ik aangehouden; er was altijd wat interessants te vernemen en sinds meer dan drie jaar was ik zo ingeburgerd dat het een tweede thuis geworden was. Ik snuffelde naar urologische varia in de tijdschriften, en wanneer een urologisch geval op de autopsietafel lag, maakte ik van de gelegenheid gebruik om de klinische geschiedenis op te sporen en de macroscopische zowel als de microscopische letsels te bestuderen.

Van dokter Beyer vernam ik dat te Brussel op 1 augustus 1927 het eerste naoorlogse internationaal congres voor urologie plaats had. Hij bezorgde mij een toegangskaart voor de plechtige opening in de grote zaal van het Paleis der Academieën. Voorzitter was J. Verhooyen, professor in de chirurgie te Brussel.

Voor de eerste maal in mijn leven zag ik de grote bazen van de urologie uit die landen waar het vak als een zelfstandig specialisme beoefend werd. Hugh Cabot, Keyes, Braasch en Hugh Young uit de States. Edwin Beer, die in 1910 de intravesicale verbranding door middel van een hoog-frekwentiestroom als behandelingsmethode van de blaaspapillomen in de praktijk bracht, ontving een gouden erepenning als waardering voor deze belangrijke ontdekking.

De meeste aanwezigen waren Fransen. Meer dan ooit was het duidelijk dat de urologie vanuit Frankrijk haar opgang begonnen was. De pioniers van het eerste uur, Félix Guyon en Joaquin Albarran waren overleden, maar al de andere Fransen die op het podium kwamen, waren hun geesteskinderen: Octave Pasteau, Félix Legueu, Edmond Papin, Georges Marion, Maurice Chevassu, Maurice Heitz-Boyer en noem maar op.

Na deze overrompelende kennismaking kwam ik naar huis met de vaste overtuiging dat ik nog alles te leren had; wat ik te Gent van de urologie had gezien, was maar een rakelings scheren langs een hoge bergtop geweest. Meer dan ooit was ik besloten het op een grondige wijze aan te pakken.

Mijn jaargenoten 1927 waren intussen al over het land uitgezwermd. Sommigen deden hun militaire dienstplicht, anderen waren naar hun lang voorbereide vestiging vertrokken, in de Kempen, in het Walenland, te Brussel. Een paar gingen de zee op als scheepsarts, een andere trok naar de kolonie. Geert de Coninck trad een week na zijn promotie in het huwelijk en was te Wijtschate een praktijk begonnen. Op 14 augustus trouwde Roger Soenen te Vurste met Margriet de Cordier. Ik was op het bruiloftsfeest aanwezig met Paul Lerno en Antoon Ampe. Toon liep tot in de late avond over van jouissante speechvondigheid. Soenen vestigde zich te Oostende.

De week nadien was ik te Diksmuide op de IJzerbedevaart onder meer met Leonce van Damme en andere commilitonen.

Met half-oogst vroeg dokter Paul van Houtte mij voor een week te Aalst bij dokter Frans Willems te gaan waarnemen. Ik ging er graag op in. Willems was een gegeerd huisarts met een in hoofdzaak gynaecologische praktijk in alle bevolkingsklassen van de stad. Hij woonde aan de Werf, een plein waar een bekende bedevaartskapel stond, vlak tegen de Dender.

Op een namiddag werd ik haastig geroepen bij een man die uit de rivier was gehaald. Hij was goedbewust maar opgewonden en beweerde in het water te zijn gesprongen om van een insekt verlost te zijn dat in zijn gehoorgang was gedrongen en daar zo'n duivels zoemend geluid tegen het trommelvlies had veroorzaakt, dat hij het niet harden kon, in de Dender de ongewenste indringer hoopte kwijt te spelen. Het insekt was nu verdwenen en met een nat pak was die ongewone patiënt ervan af.

Te Aalst heb ik voor de eerste maal, ten huize, een verlostang aangelegd voor een slepende bevalling; het was op de Geraardsbergsesteenweg op de ochtend van O.L. Vrouw Hemelvaartsdag, terwijl men in de verte de tonen van het fanfarekorps hoorde dat in de processie opstapte. Zulke dingen vergeet men niet licht.

Zoals ik evenmin vergeten zal hoe ik in een arbeidersgezin ontboden werd waar een driejarig kindje zojuist overleden was. Toen ik aan de moeder vroeg het lijkje te mogen zien, gaf zij mij ten antwoord dat zij het in de kelder op de vloer gelegd had opdat het langer fris zou blijven in die geweldige zomerhitte. Het wicht lag daar in een nette wade, met een kruisje in zijn handjes, tussen flessen, aardappelen en kolen. Zou dat verhaal misstaan in een boek van Maxim Gorki?

Vanuit Aalst heb ik een stuk van de omgeving afgefietst over Herdersem, het dorp van Jef de Cock, de uit Leuven in 1919 ontslagen hoogleraar die zo prachtig over 't studentenleven schreef, naar het Sas van Wieze. Het was juist wijkkermis en er werd lustig in open lucht op een grasplein gedanst. Boeren en boerinnen lieten hun hitsigheid de vrije teugel in walsen en polka's op de muziek van een draaiorgel, en koelden daarna hun dorst aan rustieke tafels tussen de plantsoenen. Een Rubensiaans Gretchen nodigde mij naar de groene grasmat en op mijn afwijzend antwoord dat ik niet kon dansen repliceerde zij spottend: Wat voor ne flauwe vent zij-de-gij!

Frans Willems is mij in alle omstandigheden een goede Vlaamse vriend gebleven; hij was in het Aalsterse de vertrouwensman van vele geneesheren, bescheiden in voorkomen en een voorbeeld van gezond verstand. Toen ik voorzitter was van de Orde der Geneesheren van Oost-Vlaanderen, maakte hij deel uit van de Raad, waar hij uitmuntte door nauwgezetheid; opdringerige collega's die van alles het fijne beweerden te weten kon hij niet luchten. Hij was de broeder van Bert Willems, een van de Vlaamse frontsoldaten die in de crypte van de IJzertoren begraven liggen.

Op het eind van de maand augustus vroeg Paul van Houtte mij te Waregem te gaan waarnemen bij dokter Paul Tuytens. Ook dat aanvaardde ik graag.

Het milieu en de praktijk waren anders dan te Haasdonk of te Aalst, maar de atmosfeer was even aangenaam. De kinderen van de dokter waren thuisgebleven en aan de hoede van een tante toevertrouwd. Waregem behoorde nog tot het chirurgische hinterland van Gent, bijna niet van Kortrijk, Deinze was onbestaand en ter plaatse was de ziekenhuisaccomodatie rudimentair.

Mijn waarneming viel in de week van ,,Waregem-koers''. Men moet daar geweest zijn om te beseffen wat die paardenwedren voor de gemeente en uren in de omtrek betekent. Weken te voren droomt men ervan; alles wordt ernaar berekend, men trouwt liefst in de week vóór Waregem-Koers; van wie op 1 september geboren wordt, heet het dat het in de week na Waregem-koers was.

Het jaar begint en eindigt met Waregem-koers. Over personen spreekt men niet meer, wel over paarden en jockeys. Als men aan een knaap van vijftien vroeg wat zijn lievelingspaard was om feilloos over de Gaverbeek te springen, dan kon hij dat met keur van argumenten voorspellen, maar vroeg men hem wie burgemeester van Waregem was, dan stond hij met zijn mond vol tanden. Ik heb zelf beleefd dat een vlegeltje van vijf jaar die te genen prijs in zijn keel liet kijken en huilde als een zwijntje, stilviel wanneer zijn vader hem een paardje beloofde. De deken van Waregem bracht in zijn hoogmispreek ook de koers te pas, en men luisterde.

Bij de bookmakerstalletjes van de renbaan, waar geld ingezet wordt, was het buitengewoon druk en lawaaierig. Ik botste op professor Frits de Beule, die enkele briefjes waagde op Linotte. Maar Linotte haalde het niet op Asphalte. Oude dames waren niet de laatsten om voor grof geld te spelen, en ze hadden niet zelden geluk. Ik had er pret in het gade te slaan. Te Waregem mocht op dat ogenblik het dorp in brand staan, men zou nauwelijks zijn hoofd omwenden om te zien wat er gebeurde; en men moest niet proberen een ander gesprek aan te knopen of men aanzag u voor een halve gare.

Waregem is een actief centrum. Ik fietste naar de Amerikaanse militaire begraafplaats, stak door tot Tiegem en Ingooigem waar de broeder van doktor Tuytens notaris was en het huis van wijlen Hugo Verriest bewoonde.

Met dokter Tuytens heb ik later altijd de beste betrekkingen onderhouden; hij was een fijne meneer en een uitstekend medicus.

Op de jaarvergadering van de Vlaamse Vroedvrouwenbond te Oostende, hield ik op 5 september 1927 een lezing over *Socialisatie van de Geneeskunde*. Die lezing was me door Professor Daels gevraagd. Ik heb gezegd hoe ik de socialisatie zag, in het licht van wat ik gelezen of opgemaakt had uit de klinische colleges. Oorspronkelijk was het dus niet.

Op 7 september 1927 stierf Frans Hoste. echtgenoot van nicht Valentine de Vuyst. Hij was nauwelijks 35 jaar oud en sinds 1924 gehuwd. Hij liet één meisje na, Marie-Jeanne. Zijn weduwe heeft hem vijftig jaar overleefd; ze overleed begin februari 1977.

*
* *

Stilaan werd het nu tijd om aan de voorbereiding van mijn Universitaire Wedstrijd te denken. De verdediging heeft gewoonlijk op het einde van de maand oktober plaats. Ik redigeerde de tekst van de korte inhoud van het proefschrift, die bij de competitie voorgedragen wordt; voor ik het fiat van de baas bekomen had, moest er nog duchtig verbeterd worden.

De juryleden waren de professoren J. Firket uit Luik, N. Goormaghtigh uit Gent, J. de Meyer uit Brussel en J. Maisin uit Leuven. Voorzitter was E. Hertoghe uit Antwerpen, een eerbiedwaardig man wiens werken over de schildklier opgang hadden gemaakt. Het was ook bekend dat op de vier gestelde vragen, er slechts twee antwoorden binnengekomen waren; het mijne over het bijniermerg, en dat van Adalbert van Bogaert over hartpathologie.

Vanuit Brussel ontvingen we 't bericht dat de mondelinge verdediging op 29 oktober 1927 zou plaats hebben in een zaaltje van het ministerie. Ik repeteerde luidop mijn tekst, die ik na een paar weken glad van buiten kende, in de collegekamer van het Anatomisch Instituut, waar de amanuensis mijn enige toehoorder was en de baas ook even kwam luisteren.

Op de vastgestelde dag stond ik voor de jury die welwillend naar mijn twintig minuten durende uiteenzetting luisterde. Voor de gelegenheid had ik natuurlijk mijn

Frans opgepoetst en erop gewaakt dat er met de lichtbeelden niets haperde. Vragen werden gesteld waarop ik naar beste vermogen antwoordde. Met de andere recipiendus verliep het volgens een identiek schetsmatig patroon.

Terwijl we met ons tweeën in de gang op de beslissing van de jury wachtten, hoorden we dat de heren het blijkbaar niet zwaartillend opnamen want hun luchthartig stemgeluid drong tot ons door.

Het resultaat: de twee kandidaten worden ex-aequo geklasseerd met tweeënnegentig punten op honderd. We werden gelukgewenst en zouden het door de minister ondertekend diploma, met een erepalm, door de zorgen van het Departement van Kunsten en Wetenschappen thuis toegezonden krijgen. Een maand nadien werd het stuk door de post op de Gentbrugse Keibergstraat 3 besteld.

Een oude gewoonte getrouw, ontvangt het Gentse stadsbestuur de laureaten van de Universitaire Wedstrijd op het stadhuis en geeft hen een geschenk onder de vorm van boeken. Men liet ons kiezen. Ik nam de *Encyclopédie Française d'Urologie* in zes delen. Ze staat nog op de bovenste plank van mijn boekenkast.

Te Gentbrugge werd door Oskar de Landsheere, die gemeenteraadslid was, aan burgemeester Robert Rinskopf gevraagd ter gelegenheid van een gemeenteraadszitting het Gentse voorbeeld te volgen ter ere van de gelauwerde inwoner der gemeente. De burgervader weigerde, omdat de laureaat ooit student geweest was van de vernederlandste universiteit onder de oorlog 1914-1918.

NAAR PARIJS

De beslommeringen door de Universitaire Wedstrijd meegebracht, hadden niet belet dat ik in de weer was om mijn studieverblijf in de Franse hoofdstad voor te bereiden.

In een schrijven aan Professor Legueu, chef van de Urologische Kliniek in het Hôpital Necker, had ik mijn wens bekend gemaakt een jaar of wellicht langer te gaan werken onder zijn leiding. Ik kreeg als antwoord: ,,Soyez le bienvenu, je vous ouvrirai toutes larges les portes de mon service et de mes archives''. Het was een eerste meevaller.

De tweede was het logies. Begin oktober was in de Cité Universitaire de Fondation Biermans-Lapôtre geopend. Deze stichting, die de naam van een bekend Belgisch koloniaal ambtenaar van Nederlandse origine droeg, verschafte inwoning tegen een matige vergoeding aan Belgische jongelieden die te Parijs studeerden. Het huis was gevestigd vlak voor het Parc Montsouris in het 14e arrondissement, op de vrijgekomen terreinen van de Parijse verdedigingsgordel.

Op een verzoek om opgenomen te worden kwam een gunstig antwoord. Ik werd verwacht zodra ik naar Parijs kon afreizen. Ik had het zo geschikt dat ik op 4 november 1927, daags na de Universitaire Wedstrijd, zou vertrekken. Rik Vlaeminck die een tijdje in Necker hospiteerde, zou mij aan het station opwachten en door Parijs loodsen. Hij was op de afspraak.

Vanuit het oude, nu verdwenen Gentse Zuidstation vertrok elke morgen een directe trein naar Parijs, over Kortrijk en Rijsel. De koffer werd in de bagagewagen geladen en weg was ik, met een kaartje derde klas tegen 95 fr. en een pakje proviand. Voorziene aankomst te 15 uur.

Er werd gestopt in Moeskroen, Tourcoing, Roubaix, Rijsel, Douai, Arras, Amiens, Bapaume Albert, Creil. Telkens werd een lading rijkelijk bepakte reizigers opgenomen. In de coupés was het ongegeneerd op zijn Frans. Het duurde geen vijf minuten of een moeder opende haar jak en suste een hongerige baby met een plantureuze borst, en toen de peuter nog niet verzadigd was, werd ook de tweede even joviaal blootgewoeld en aangepakt.

In de Gare du Nord moest ik mijn koffer openen voor de staddouane die zocht naar voedingswaren waarvoor in die tijd stedelijk accijns moest betaald worden. Een halfuurtje later zette de taximan ons af op de Boulevard Jourdan. Rik Vlaeminck zou mij 's anderendaags komen halen om samen naar Necker te gaan.

Kamer nr. 15 werd mij toegewezen, op de eerste verdieping. Een nette tafel met lamp, bed, wasgelegenheid met stromend water, bergruimte voor koffer, en een venster met uitzicht op een ruime vlakte. Men kon er zich thuis voelen. 's Morgens kon men er ontbijten, voor middag- en avondmaal was men aangewezen op een centraal restaurant.

Ik ging mij voorstellen aan de directeur Colonel Preudhomme, ondanks zijn hoge militaire graad een onbenullig voorkomend man, banaal en vol gemeenplaatsen. Zijn vrouw die het directiewerk met hem deelde, was uit ander hout gesneden en maakte op een bescheiden wijze veel goed van wat haar echtgenoot blijkbaar tekort had.

In de Fondation waren een paar andere Gentenaars kort voor mij aangekomen, dokter Et. de Breuck en dokter Paul Wijgaerts. Ze kwamen voor klinische bijscholing zoals zo velen. Georges Ronsse uit mijn jaar arriveerde omstreeks nieuwjaar. In februari kwam Paul Lerno voor een paar maand met de Parijse medische wereld kennis maken.

*
* *

Het Hôpital Necker, rue de Sèvres, is een van de bekendste van de hoofdstad. Het heeft zijn naam te danken aan de echtgenote van de Franse bankier die te vergeefs gepoogd heeft de berooide financies van Lodewijk XVI gezond te maken. Zij was een ,,femme d'esprit et de bienfaisance'' en de moeder van Madame de Staël. In de voorgevel van het ziekenhuis is een plaat gemetseld met het opschrift, in gouden letters: ,,Dans cet Hôpital Laënnec découvrit l'auscultation''.

Het was in dit ziekenhuis dat Félix Guyon, terecht de vader van de urologie genoemd, zijn baanbrekend werk begon, op één generatie de urologie tot een volwaardig klinisch vak maakte en haar een wetenschappelijke traditie schonk. Guyon werkte hier van 1867 tot 1906. Hij werd in dat jaar opgevolgd door Joaquin Albarran, een Cubaan die te Parijs op studiereis kwam, er bleef hangen, door de schitterende gaven van zijn geest iedereen voorbijstreefde en de urologie als geen tweede met tal van ontdekkingen verrijkte.

Albarran stierf in 1912 en werd opgevolgd door Félix Legueu, in 1927 nog altijd de titularis van de leerstoel urologie. Hij was zoals zoveel anderen onder de Parijse medisch vooraanstaanden uit de provincie naar de hoofdstad gekomen, en had glansrijk, over alle sporten van de hiërarchische ladder heen, de top bereikt.

Zich goed van zijn waarde bewust, overlaadde hij de vreemden niet met een vloed van conventionele woorden, maar met niets meer dan een hoffelijke begroeting. Na een kort gesprek en het aanhoren van mijn wensen, vroeg hij naar mijn wetenschappelijke titels. Toen hij hoorde dat ik iets van pathologische anatomie afwist, riep hij zijn patholoog H. Verliac, vertrouwde mij aan deze toe met de opdracht: ,,Trouvez lui un sujet de travail et venez me voir avant la Noël. On verra comment ça tourne; on vous aura vu a l'œuvre!'' Het was kordaat, zonder franjes, maar het volstond.

Vóór de ochtend verstreken was, en omdat met Verliac over mijn plannen en mijn studieverblijf gepraat werd, hadden wij samen een werkrooster opgesteld die in mijn smaak viel. Wijk er niet van af, zegde mijn mentor, die een geponderеerd man was, en zoals later bleek, door Legueu hoog werd gewaardeerd. Als klinisch onderzoek stelde hij voor: de studie van de bloeddruk bij de lijders aan blaasafwijkingen; het is een vrijwel onontgonnen terrein, u hebt hier veel klinisch materiaal, ik zal de patron op de hoogte houden en het laboratorium vragen u te helpen.

Ik had het gevoelen met mijn neus in de boter gevallen te zijn, en nam mij voor de geboden kans goed te gebruiken.

Ter herinnering aan haar stichter droeg de afdeling van professor Legueu de naam van Clinique Guyon.

Het vitale centrum, de zogenaamde ,,Terrasse'', had haar naam dubbel en dik verdiend; het was een bovenbouw op een galerij die met een plat zinken dak was bedekt. Op een minimum van ruimte had men daar twee laboratoria, de kamer van de hoogleraar, tegelijk bibliotheek, archief en secretarie, een pathologisch museum, een polikliniek voor vrouwelijke en een ander voor mannelijke patiënten en een kamer voor fysische therapie ondergebracht. Zonder de gangen te vergeten die als wachtkamer en antichambre fungeerden, naast een smalle lange doorloop die als het ware aan de dakgoot hing en dienst deed als kleedkamer voor de witte jassen van internen, externen en bezoekers.

Wie het nooit gezien heeft, kan niet geloven dat op zo'n kleine oppervlakte zoveel onmisbaarheden verenigd waren. De patiëntenzalen met hun aanhorigheden en allerlei onmisbare uitstuipingen, lagen beiderzijds van de ,,Terrasse'', en helemaal aan het uiteinde het operatiekwartier. Het geheel bood het grote voordeel dat alle diensten gelijkvloers op dezelfde verdieping lagen.

Toen Legueu in 1912 aan het hoofd van de Clinique Guyon werd benoemd, liet hij een roentgen- naast een cystoscopiekamer bijbouwen. Zij liggen op de begane grond en zijn door een trap met de terrasse verbonden. Het resultaat was dat men om uit de benepenheid te geraken, in een andere benepenheid was terecht gekomen. Legueu moet het als een bezwaar aangevoeld hebben, en het zal wel de reden zijn waarom hij altijd en overal als een axioma poneerde: ,,Quand on bâtit une clinique, on bâtit toujours trop petit''.

Aan de achterkant van de terrasse lag de collegekamer, een echt amfiteater met trapbanken, verre van comfortabel. Zij is ook van buiten te bereiken, zodat de toehoorders niet door de poliklinische diensten hoeven te gaan om de colleges bij te wonen.

Dit was, in 1927, de urologische kliniek van de Université de Paris, gegroeid uit de kracht van een door de tijd bepaald proces van toevoeging of epigenese. Het was een niet onsympatiek rommelig maar functioneel geheel, dat thans ondenkbaar is, maar bewezen heeft dat het de personen zijn die aan een instelling haar ziel geven: het primaat van de geest over de materie.

Dat vanaf de gammele en schamele Terrasse met haar onmogelijke aanhangsels, de wetenschappelijke urologie de medische wereld veroverd heeft, geeft veel stof tot denken. De geest waait waar hij wil.

*

* *

Voordat de baas omstreeks halftien in het ziekenhuis aankwam, was op de patiëntenzalen al een hoop werk verzet. Van vóór negenen had ik de bloeddruk opgenomen en volgde met de chef de clinique de rondgang van de patiënten. In deze dagelijkse ,,tour de salle'' ligt het grote geheim van de beproefde degelijkheid der Franse geneeskunde; het onderricht aan het ziekbed was geen ijdel woord. Op een paar uren ziet men een grote verscheidenheid van patiënten bij wie men, in de volgende dagen en weken de evolutie van hun ziekte kan volgen, bij wie men de gedane onderzoeken meemaakt, die men ziet opereren, aan wier verzorging men medehelpt.

Tweemaal in de week doet de baas zelf een rondgang, en legt men hem de moeilijkste gevallen voor; hij pikt er dan enkele uit met de opmerking: ,,Vous me les présenterez au cours clinique de vendredi''.

Deze vrijdagse klinische demonstraties worden druk bijgewoond en daar kan men de traditionele knapheid van de Franse clinici op haar echte waarde schatten. Wanneer het gebeurt dat de patron toch fout is, treedt hij de week nadien als triomfator voor zijn verkneukelende toehoorders en bewondert men eens te meer de openhartigheid en de manier waarop hij verklaart: ,,Voilà, messieurs, comment d'une erreur on tire un enseignement''.

Elke dag wordt geopereerd. De baas beslist wat zijn medewerkers en wat hij zelf zullen opereren. Hij is hierin zeer eclectisch om elk een kans te geven.

De intern in een Parijs ziekenhuis is een sleutelfiguur; wie met hem goed staat, mag zich gelukkig prijzen en zal de gelegenheid krijgen bij een operatie te assisteren en kleine ingrepen te verrichten. Ik heb tijdens mijn verblijf in Necker van geen enkele intern te klagen gehad. Hoofdzaak is dat men lang genoeg in een afdeling blijft; men heeft een hekel aan eendagsvliegen die even komen rondneuzen en doen alsof ze volleerd zijn.

Naast zijn vrijdagse klinische demonstraties gaf Legueu elke woensdag een magistrale les, waarvoor niet zelden een stuk geneeskundig ,,tout Paris'' in het amfiteater op de eerste rijen kwam plaatsnemen. Daar behandelde hij een probleem dat in de actualiteit stond, of een twistpunt waarin hij stelling neemt, of lanceert hij een nieuwe aanwinst, of komt hij terug op een fundamenteel standpunt dat uit het oog werd verloren.

Deze magistrale lessen werden zorgvuldig voorbereid, want hij wist dat men zijn oor te luisteren legde naar wat Necker in de urologie te verkondigen had. Daar trad hij op als een van de fakkeldragers van de Franse medische wetenschap.

Het brandpunt van de Terrasse ligt ongetwijfeld in de ,,consultation pour hommes'', de druk bezochte polikliniek waar mannelijke patiënten tot omstreeks de middag op spreekuur komen, en waar tot in de vooravond ambulante zorgen verstrekt worden. Die consultation is iets enigs in haar aard, alles geschiedt in het openbaar, de patiënten schuiven aan in hun neerhangende broek naar een verhoogje waar de consulterende chef de clinique ze onderzoekt en zijn waarnemingen luidop aan een extern dikteert die alles op een kaart optekent. Rond het verhoogje staan de bezoekende artsen, buitenlanders of Fransen die al of niet nota's nemen, soms aan de chef de clinique een vraagje stellen.

Patiënten die voor opname in aanmerking komen, worden aan de zorgen van een verpleegster toevertrouwd die ze verder wegwijs maakt. Andere blijven ter plaatse voor nader onderzoek of controle, en worden zo nodig voor een lokale behandeling naar een extern of een ,,panseur'' verwezen. Zo'n panseur is een verpleger die buitengewoon behendig is in het verrichten van routine-handgrepen zoals blaasspoelingen, prostaatmassages en oprekkingen welke tot de rituele handelingen van de urologische praktijk behoren.

Toen ik er in 1927 en 1928 was, waren de alom beruchte panseurs van de Terrasse de Necker monsieur Yves et monsieur Emile. Ze genoten het vertrouwen van honderden patiënten die vaak sedert jaren even aanlopen als in een bevriend stamcafé. De zachte, bijna tedere, elegante manier waarop Yves en Emile de instrumenten gebruikten met dewelke zij de organen van de Terrasse-klanten onder de handen nemen, was door geen sterveling na te doen. Zij kenden ieders urethra met al haar vernauwingen en kronkels en wisten van buiten het Beniqué-nummer van een patiënt die zij op straat tegenkwamen.

De Terrasse was ook de plaats waar de gonorroeapatiënten ,,gespeld'' werden. Zij noch een andere namen aanstoot aan de openbaarheid van de zittingen. Er waren geen belanghebbenden te kort; ze stonden onder de supervisie van een oudere verpleegster, Madame Marie, die er met de vuile voeten doorging, een echte gendarm van een vrouw.

Wanneer een jongmens voor de eerste maal aanschoof en een beetje aarzelend het corpus delicti voor de dag haalde, dan was haar tegemoetkomend woord: ,,Allons mon petit, vous étiez moins gêné là-bas qu'ici, abaissez la culotte, asseyez-vous''. Ze toonde hoe de lavage moest gedaan worden, hield de concentratie van de permanganate de potasse in het oog, en ging bij een andere deelgenoot in de rij haar instructies geven.

Onvergetelijke Terrasse uit de tijd toen er geen sulfamiden of antibiotica bestonden.

*

* *

Lang duurde het niet voordat het duidelijk werd dat de bloeddrukcurve bij sommige mannelijke patiënten merkwaardige en constante kenmerken vertoonde. Mijn waarnemingen werden aan Verliac voorgelegd die bij de patron trok; hij zegde niets anders dan: ,,Continuez vos observations, étudiez la littérature, et résumez moi cela''.

Ik deed wat gevraagd werd en kon vóór de kerstvakantie met mijn opusje van vier bladzijden op het appel verschijnen. De professor nam het mee met de opmerking: ,,Je vais étudier votre note''. Twee dagen later liet hij mij roepen: ,,C'est bien, mais votre travail sera plus convaincant si vous accumulez les observations. J'ignorais que la rétention chronique avec distension vésicale entraîne une augmentation de la tension artérielle. Il me faut de plus amples preuves. Continuez, monsieur Pachon''.

Pachon is de naam van de bouwer van een bloeddrukmeter die op dat ogenblik veel gebruikt werd, en waarmede ik in de ziekenzalen de curven opnam. Omdat ik altijd met het instrument op gang was, noemde men mij monsieur Pachon.

Zover stond ik toen ik met Nieuwjaar voor de eerste maal naar huis ging. Ik was in Parijs enigszins ingeburgerd en had van de gelegenheid gebruik gemaakt om de merkwaardigheden van de Franse hoofdstad te gaan bekijken. In Biermans-Lapôtre ontbraken onder de inwonenden de cicerones niet met wie we de zondag de Louvre, de Invalides, de Luxembourg en andere kunst- of oudheidkundige musea bezochten.

In de Comédie Française woonde ik de opvoering van Cyrano de Bergerac bij; het was natuurlijk schitterend. In ons of in andere studentenhuizen van de Cité Universitaire hadden vaak vertoningen plaats waar men tegen een civiel prijsje mooie dingen kon horen en zien. Voordrachten, lezingen en concerto's ontbraken ook niet. We hoorden een voordracht van maarschalk Lyautey over zijn veldtocht en vredessluiting in Marokko. Hij was een goed spreker, een niet te vergeten verschijning, met volle rechtopstaande kuif en een geweldige eenzijdige aangezichtsparalyse die aan zijn krijgshaftig voorkomen een bijzonder cachet verleende.

Ook even herinneren aan het bezoek van de toenmalige kroonprins Leopold aan Biermans-Lapôtre; het heette de officiële opening van de instelling te zijn, medio november 1927. Al wat naam had in Parijs was opgetrommeld: de Belgische Ambassadeur Gaiffier d'Hestroy, Kardinaal Dubois en de Nuntius, Maarschalk Foch en de Militaire Gouverneur van Parijs Generaal Gouraud, de eenhandige, enz... Vanuit België was de Luikse rector Jules Duesberg gekomen.

De inwonende studenten mochten de toespraken door de luiken van de insteekkamertjes beluisteren. We zagen o.m. kolonel Preudhomme in de weer, in zijn beste uniform en vele opgestoken decoraties. We hoorden dat hij ooit huisleraar van Prins Leopold geweest was. Elkeen dacht bij zichzelf dat er toch beters moest te vinden geweest zijn. In de maand december kwam Prinses Clementine, dochter van Leopold II op bezoek. Zij was een bescheiden, vriendelijke dame die met de studenten praatte.

Onder het officiële gedoe werd in het tehuis voor Belgische studenten geen woord Nederlands gehoord, hoewel meer dan de helft onder hen Vlamingen waren. De zoon van Fernand Neuray, hoofdredakteur van de Belgisch-nationalistische krant *La Nation Belge,* die met ons in Biermans-Lapôtre hospiteerde, wist te vertellen dat Minister Kamiel Huysmans geweigerd had op de opening aanwezig te zijn omdat de uitnodigingen uitsluitend in het Frans waren opgesteld. De jonge Neuray, die op zekere dag met Eugeen Haven, de later Leuvense hoogleraar in de dermatologie op de vuist ging, kon er het fijne van weten.

*

* *

Met oudejaarsavond 1927-1928 was ik thuis voor een korte vakantie; met een bezoek aan het laboratorium en bij vrienden. Professor Goormaghtigh luisterde meer dan gewoon belangstellend naar mijn bloeddruk-onderzoek; hij vroeg zich af wat de oorzaak kon zijn van de verhoging bij patiënten met chronische blaasretentie. Hij vond het zeer de moeite waard, en zei: ,,En cherchant on trouve toujours quelque chose''.

Hij gaf mij werk mee ten einde de publikatie van mijn bijnieronderzoek in de *Archives Internationales de Médecine Expérimentale* te bespoedigen. In de oorspronkelijke tekst en platen moest zuinigheidshalve gesnoeid worden, de tweehonderd bladzijden dienden tot het fundamentele herleid, een uitstekende maatregel trouwens. Een script voor een wedstrijd kan uitvoerig zijn, een bijdrage in een internationaal tijdschrift heeft alles te winnen met beknoptheid. De grote kunst bestaat erin niet te veel en niet te weinig te zeggen. Het is niet altijd gemakkelijk; al smedende wordt men smid.

Na een financiële bijtanking te Gentbrugge, zat ik met Driekoningen 1928 terug op mijn nr. 15 in Biermans-Lapôtre. Twee dagen later schreef ik in voor een cursus cystoscopie in Necker gegeven door G. Flandrin, geroutineerd medewerker van Legueu, een reus van een kerel, gedienstig en rad van tong.

Er waren vijftien deelnemers: de docent heette Flandrin, een halfbloed uit Centraal Amerika heette Flamant, een Italiaan heette Fleming, en mijn jaargenoot uit Brugge heette Vlaeminck. We waren allemaal tevreden want gelegenheid om de voornaamste knepen van de praktijk aan te leren ontbrak niet, en Flandrin was gul met zijn uitleg: het was een goed afgeronde training die twee maand in beslag nam.

Het tweede trimester bracht geen wijziging in het werkritme. De magistrale colleges, het vrijdagse patiëntendefilé, de tour de salle, de demonstratie van operatie- en lijkschouwingsspecimina door Verliac, de circus bij monsieur Yves en monsieur Emile, de spoelingen bij madame Marie, het maakte deel uit van het dagelijkse bedrijf van een mondiaal geroemde urologische kliniek die in het jaar 1927 door meer dan 75.000 poliklinische patiënten bezocht werd, waar 760 operaties en 1454 cystoscopies werden uitgevoerd. Wie zich in de urologie wilde onderdompelen vond hier zijn gading.

Ook het bloeddruk-opnemen ging voort en ik kon voor Pasen aan de patron een uitvoerig verslag voorleggen dat hem blijkbaar niet onverschillig liet. Teneinde volledig ingelicht te zijn over de functionele nierstatus van de patiënten wenste hij alle cijfers en gegevens te vergelijken met de curven van de bloeddruk. Wanneer dit gedaan was, en ook Verliac zijn zeg had gekregen, werd beslist dat ik alles tot een bijdrage voor de *Archives Urologiques de la Clinique de Necker* zou bewerken. Ik was in mijn schik met het voorstel. Een eerste artikel van elf bladzijden verscheen in de *Archives,* tome VI, fasc. 3, 1929; een tweede van achttien bladzijden in *Le Journal d'Urologie,* tome XXIX, nr. 6, 1930.

De kritische studie van de bloeddruk bij meer dan honderd geobserveerde gevallen leidde tot de volgende conclusies:

1/ De acute blaasretentie, optredend in de loop van een sinds lang bestaande onvolledige retentie, ten gevolge van eender welke obstructie in de onderste urinewegen, veroorzaakt een verhoging van de bloeddruk.

2/ De aseptische of de septische onvolledige blaasretentie zonder uitzetting, veroorzaakt geen wijziging in de bloeddruk.

3/ De chronische onvolledige retentie met uitzetting van de blaas, veroorzaakt een verhoging van de bloeddruk.

4/ Wanneer de volledige retentie, of de onvolledige retentie met uitzetting van de blaas, door een therapeutische maatregel opgeheven wordt, komt de bloeddruk op een betrekkelijk korte tijd tot zijn normale waarde terug.

5/ Bij niertuberculose is de bloeddruk onafhankelijk van het tuberculeus proces ter hoogte van de nier.

6/ Bij urinaire patiënten evolueren de curven van de bloeddruk en van de uremie onafhankelijk van elkaar.

7/ Bij anurie is er neiging tot hypotensie.

*
* *

Zodra ik uit de paasvakantie in Necker terug was, liet Legueu mij op een ochtend roepen en toonde mij *La Presse Médicale* van 14 april 1928 met een artikeltje over een nieuwe functionele nierproef met thiosulfaat door W. Nyiri uit Wenen voorgesteld. Hij voegde eraan toe: ,,Mettez-vous au travail et voyez s'il y a du nouveau là dedans''.

Na inzage met Verliac van de preliminairen, bestelde ik de monografie van Nyiri en kon dadelijk aan het werk. De proef was tamelijk eenvoudig en de patiënten ontbraken niet. Vooraf had ik bij mezelf de nierproef en al wat er bij hoort, zoals bloedonderzoek en de constante van Aubard laten verrichten.

Na drie maand, van mei tot juli 1928, waren drieënzestig patiënten zowel mannen als vrouwen aan de nierproef met thiosulfaat onderworpen, en was het mogelijk een goed overzicht te hebben van haar waarde voor de studie van de nierziekten.

Nadat Legueu de documenten had ingekeken, luidde de conclusie op staande voet: ,,Un aperçu général sur les résultats de cette épreuve. Vous m'écrirez celà et j'attends votre texte pour les *Archives* après les vacances''. Hij had gauw ingezien dat de resultaten van de nierproef van Nyiri in alle opzichten vergelijkbaar zijn met die van om het even welke andere en dus niet beter waren dan degene welke allang de gunst van de dagelijkse praktijk hadden verworven.

Mijn bijdrage verscheen in de *Archives,* tome VI, fasc. 3, 1929, 37 bladzijden. Zij zette een kroontje op mijn verblijf in Necker. Naar mijn oordeel was de thiosulfaatproef daarmee niet volledig naar alle zijden belicht en was experimenteel werk nodig om ze verder uit te diepen. Ik nam mij voor dit onderzoek te gelegenertijd aan te vatten.

Ofschoon Biermans-Lapôtre een uitstekend studentenlogies verschafte, lag het ver van het ziekenhuis waar ik werkzaam was. In de beste voorwaarden had men veertig minuten nodig om er heen te komen.

Ik nam dan gretig de kans waar, wanneer de internen van Necker mij een kamer in hun kwartier aanboden. Ik kon er ook mijn maaltijden nemen, maar niet in het internaat zelf als dusdanig opgenomen worden. Om het even. Ik verhuisde begin mei en bleef er wonen tot eind september, wanneer ik Parijs verliet. Ik vond het een buitenkansje en het kostte mij geen frank meer.

Onder het medisch personeel van de Parijse ziekenhuizen hangt de vakantie al van midden juni in de lucht. De colleges worden opgeschort en begin juli neemt de patron vakantie tot einde augustus; hij houdt evenwel van op afstand een oog in het zeil en weet uitstekend wat er gebeurt. De patiëntenverzorging lijdt niet onder dit reces. Het was voor de thuisblijvende assistenten een enige gelegenheid om de afwezigheden op te vullen en in te springen bij taken die hun anders onthouden worden.

Ook voor mij was het een meevaller, maar het betekende met volle kracht doorzetten en ook 's nachts beschikbaar zijn; een gevulde tijd rijk aan afwisseling, die mij heugen zou. Ik heb de Quatorze juillet vanuit Necker meegemaakt; de Fransen zijn dan uitgelaten, er wordt gefuifd en gejoeld dat het een aard heeft en op de urgentie-afdeling is het buitengewoon druk. Acht dagen nadien draait de afdeling van madame Marie op volle toeren en neemt het permanganaatverbruik geweldig toe.

De chirurgische activiteit ligt niet stil en de spoedeisende gevallen zijn legio. De intern is heer en meester en ik heb nooit in mijn leven zoveel kunnen assisteren en zelf de hand aan het werk slaan. Het was een weergaloze ervaring. Een van de patiënten die ik toen opereerde was een oud-curassier die aan de roemrijke en bloedige ruiterijcharge van Reichsoffen in augustus 1870 onder Mac Mahon had deelgenomen; hij droeg daarvan nog de duidelijke littekens.

Een andere ervaring werd mij aan de hand gedaan door P. Flandrin, die in Necker kwam polshoogte nemen, en op een zekere morgen vroeg of ik voor drie weken wilde waarnemen bij een van zijn vrienden, dokter G. Olier, huisarts te Epinay-sur-Orge. Dat ik een Belg was en geen Frans doktersdiploma bezat, was geen bezwaar. Ik aanvaardde met graagte en vertrok kort daarop.

Epinay-sur-Orge ligt een vijftien kilometer ten zuiden van Parijs aan de spoorlijn Paris-Orléans. De streek droeg in 1928 nog de sporen van haar voormalig landelijk karakter met een paar mooie kastelen in een rijke beboming. Maar de boeren en de kasteelbewoners hadden de vruchtbare landerijen aan de bouw- en kavelzucht van de uitwijkende stedelingen prijsgegeven.

Pendelende bedienden waren er in groten getale neergestreken, met het gevolg dat het zachte heuvellandschap het uitzicht had gekregen dat de banlieue-gordel zo typisch maakt, wanneer men vanuit het binnenland de hoofdstad nadert. Met de tijd had zich o.m. op de vrijgekomen gronden een groot Asile Psychiatrique gevestigd. Het stak schril af bij het gotische kerkje uit de dertiende eeuw met kleurrijke vensterramen. Ook het doktershuis dat ernaast lag, had nog zijn vroegere gewaden niet helemaal afgelegd; de paardestallen waren een garage en een huurhuisje geworden; de naar de Orge afhellende tuin heette door Lenôtre, die Versailles aanlegde, ontworpen te zijn.

Dokter G. Olier, een joviale jonggezel, nam mij een dagje mee op zijn ziekentournee, vertrok daarna met vakantie en liet mij over aan de zorgen van een alles bereddderende huishoudster en van zijn chauffeur die met mij rondreed bij de patiënten. In de grond waren de praktijkgewoonten geen andere dan wat ik te Gentbrugge had gezien, met dit verschil dat de prestaties contant gehonoreerd werden.

De huiselijke omgeving van de patiënten wenste dadelijk een volledige uitleg over het geval en het ziektebeloop, zodat elke visite met een lesje pathologie besloten werd. Voorts viel het mij duidelijk op dat de gezins- en familiebanden tengevolge van de ziekte nauw toegehaald werden, wat op een diepe verknochtheid van alle verwanten wees. Men ging inniger in elkanders bezorgdheid op, met de ziekte nam de onderlinge genegenheid toe, de patiënt werd een middelpunt waar alle affecten samenstroomden. Het moest niet altijd een zware of een gevaarlijke aandoening zijn om dat verinnigingsfenomeen waar te nemen. Ik geloof dat de autochtonen van de Ile-de-France die ik toen leerde kennen, wel een lesje van affectieve samenhorigheid aan onze Vlaamse mensen hadden kunnen geven.

Wanneer in een buurt iemand stierf werd bij de overledene dodenwake gehouden tot hij begraven werd; het was een maatschappelijk leefpatroon, veel meer dan een gebruik.

Wat mij in die drie weken huispraktijk bijzonder trof, was het niet gering aantal vrouwen met zenuwstoornissen, gaande van een gewone neurodepressie naar zware vormen van hysterie en katalepsie. Tegenover deze toestanden voelde ik mij volkomen machteloos, vooral daar ik aanvoelde dat het over zoveel probleemgezinnen gold.

Wanneer ik bij zijn terugkeer met dokter Olier mijn onbeholpenheid besprak, was zijn antwoord: ,,Verwonder u niet, ze hebben met u geprobeerd zodra ze vernamen dat ik een waarnemer had; ik ken zulke toeren, ik ga er met de vuile voeten door; wanneer ik er een psychiater wil bijhalen, blijven ze weg; met u hadden zij een nieuwe haak om hun klachtenbundel aan op te hangen''. Ik was dankbaar voor dit lesje.

Van de gelegenheid heb ik gebruik gemaakt om in de buurt van Epinay-sur-Orge enkele merkwaardige plaatsen te bezoeken. Te Monthléry is er, naast de gekende autodroom, het puin van een historische burcht waarvan alleen de hoge toren nog overeind staat en op zijn heuvel uren in het rond te zien is. Deze toren werd in 1882 gebruikt als een van de merktekenen voor het bepalen van de geluidssnelheid.

Te Longpont-sur-Orge ziet men de overblijvende puinen van de Cisterciënzerabdij uit de elfde eeuw, waarvan de bewaard gebleven kerk als basiliek een bekend bedevaartsoord is. Zij is de plaatselijke parochiekerk; de koster toonde aan de bezoekers het doopregister waarin de twee zoontjes van Leopold II uit zijn verhouding met Barones Vaughan ingeschreven staan; de ene heet Lucien, de naam van de andere ben ik vergeten. De dame bewoonde te Longpont het heerlijke domein Lormoy, dat in 1928 als een studiehuis van een geestelijke kongregatie gebruikt werd. Onze roemrijke vorst kwam in deze aanbiddelijke streek zijn laattijdige liefdesesbattementen houden; als een man met een fijne smaak wist hij de schoonheid van Gods natuur op prijs te stellen.

*
* *

De waarneming te Epinay-sur-Orge kwam mijn kennismaking met de Franse geneeskunde ten goede; deze beperkt zich niet tot de praktijk in de hoofdstedelijke ziekenhuizen. De contacten met de patiënten en met de geneesheren in het grensgebied tussen Parijs en het platteland zijn buitengewoon leerrijk. Men gevoelt de centripetale zuigkracht die door de metropool om des brodes wille op de bevolking wordt uitgeoefend, naast de centrifugale verlokking die de mens naar buiten roept, waar hij een huisje bouwt in een groene omgeving met een tuintje en wat schaarse bloemen.

Die ervaring werd nog verrijkt wanneer ik begin september deelnam aan een geneeskundige studiereis in Auvergne. Studiereizen van die aard waren jaarlijks door de medische faculteit van Parijs naar de verschillende kuuroorden waar Frankrijk zo rijk aan is georganizeerd.

Deze Voyages d'Etudes Médicales, VEM, kennen een grote bijval, niet het minst vanwege buitenlandse geneesheren. Er zit, natuurlijk, een stukje propaganda aan vast.

De inschrijvingsprijs ligt aan de lage kant, doch de bezochte plaatsen zorgen voor de ontvangst van de gasten die komen kennismaken met de therapeutische indicaties.

Het Franse Plateau Central is een verrukkelijke landstreek met uitgedoofde vulkanen, meren, Romaanse kerken, natuurschoon, geneeskrachtige bronnen, idyllische dorpjes. De Puy de Dôme slaat als een wachter alles gade wat in de omtrek gebeurt en geen toerist laat na de historische berg met zijn observatorium te bezoeken.

Het intellectuele middenpunt van de provincie is Clermont-Ferrand, waar een Ecole de Médecine bestaat, die na de tweede wereldoorlog tot Faculté de Médecine werd verheven. In 1928 stond de Ecole onder de leiding van Ph. Castaigne, een bekende naam in de uro-nefrologie, die door Parijs naar Clermont op een zijspoor werd gezet, maar Clermont en Auvergne een stevige wetenschappelijke naam heeft bezorgd.

De opsomming van de bezochte plaatsen met hun minerale bronnen geeft een idee van hun grote verscheidenheid: Pougues-les-Eaux, St.-Honoré-les-Bains, Bourbon-Lancy, Bourbon l'Archambault, Néris-les-Bains, Evaux-les-Bains, La Bourboule, Mont Doré Vic-sur-Cère, Royat, Saint Nectaire, Chatel-Guyon, Vichy. Een weergaloze keus voor al wie lijdt aan maagverzakking, emfyseem, reuma, hyposystolie, artritisme, jicht, dysmenorroe, tracheobronchiale adenopatie, rinolaryngitis, diabetische dermatose, astma, hooikoorts, anemie, chronische hypertensie, diabetes, chronisch nierlijden, functionele darmobstipatie, leverkwalen. Men vraagt zich af wat er nog overschiet wat niet in Auvergne voor een klimaat- of waterkuur in aanmerking komt.

De organisatoren hadden een goede inval deze VEM met Vichy te beëindigen. De recepties en de diners waren zo talrijk en zo goed voorzien van lekkers, dat menig deelnemer er na enkele dagen niet meer bijkon en met lange tanden aan de wel voorziene tafels verscheen en nauwelijks aan een teugje Celestins-water nipte. Was het Madame de Sévigné niet die wees op Vichy als een uitstekende kuurplaats voor kanunniken?

Het meest schilderachtige plaatsje van Auvergne dat zijn naam niet gestolen had was Salers: straten, huizen, mensen, kinderen waren vuil men kon niet meer; tot op de mairie waar wij ontvangen werden was het vies en op het dorpspleintje lieten de koeien vallen wat viel. We kregen een voorstelling van volksdansen in lokale klederdracht te zien en in een veel te klein lokaaltje werd een etentje opgediend. Na vijftig jaar weet ik nog te zeggen dat ik nooit lekkerder heb gesmuld dan in het vuile Salers; lamsribbetjes met haricots verts au beurre en van de Bleu du Cantal, een heerlijke kaassoort die het gehemelte streelt.

Op onze VEM kregen we de onmisbare dosis geleerde dingen te horen over de voordelen van het klimaat en het nut van het water dat, met gezondheid beladen, uit de bronnen opborrelt, dat een zegen is voor wie ervan drinkt op bepaalde uren van de dag en in de afgemeten hoeveelheid, voor wie zwaveldampen inademt, zich onder water laat masseren, zich aan darmspoelingen onderwerpt, in koolzuurrijk water baadt, in de namiddag een gezondheidswandelingetje maakt en 's avonds naar een koncert gaat luisteren.

Men verliet Vichy in een goede stemming na een feestmaal in een luxueus hotel; we kregen tot afscheid een mooi gedreven bronzen penningplaat mee, met opschrift: Vires Edisce Mundi, Leer de krachten van de Aarde kennen. We hadden er, in alle geval, twee weken lang veel over horen praten.

Na mijn terugkeer in Necker liep de vakantie ten einde. Ik nam de gelegenheid te baat om een paar andere bekende urologische afdelingen te gaan bezoeken, o.m. in het

Hôpital Cochin waar Maurice Chevassu, een Albarran-bewonderaar, een nieuw paviljoen had gebouwd waaraan hij de naam van de grote meester had gegeven.

Functioneel was het de getrouwe weerspiegeling van de nogal gecompliceerde persoonlijkheid van Chevassu zelf. Alles was tot in de puntjes geregeld naar de werkmethodes van de ontwerper; de huiselijke gemoedelijkheid die de ziekenhuizen van de Parijse Commission de l'Assistance Publique kenmerkt, was ver te zoeken; men moest op een streng geordende manier van het ene punt naar het andere gaan en er niet zoals gewoonlijk geschiedt losjes doorheen lopen.

Chevassu had in zijn paviljoen veel laboratoriumruimte voorzien, doch alleen voor morfologisch onderzoek; hij zelf had een proefschrift over de histopathologie van de testikel geschreven en de naam van seminoom voor de meest voorkomende gezwelsoort van de mannelijke zaadklier voorgesteld. Aan zijn laboratorium had hij een histo-embryoloog gehecht, Ph. Giroux, die dezelfde weg opging. In de gelijkvloerse verdieping van het paviljoen was een merkwaardig museum van ziektekundige ontleedkunde ondergebracht, en een conservator aangeworven die de preparaten kunstzinnig wist op te stellen.

Chevassu, die altijd buitengewoon systematisch tewerkging, was een buitengewoon man die in alle urologische problemen van de dag een erg persoonlijk standpunt innam.

Georges Marion, in Hôpital Lariboussière, was een heel ander type dan Legueu of Chevassu. Ik zou bijna zeggen dat hij voor de charme van de eerste en voor de angstvallige wetenschappelijkheid van de tweede niet veel eerbied opbracht. Hij was een Boergondiër, eigenaar van een gerenommeerde wijngaard, en te Parijs een even gerenommeerd chirurg.

Hij dacht zich niet scheel op de ingewikkelde problemen van de statische of dynamische obstructieve auropatie, maar opereerde met grote ernst en knapheid. Hij was de heraut van de heelkundige therapie, en op dat gebied een baas boven de bazen. Men vertelde van hem dat hij een vena cava opzettelijk opensneed om aan de omstanders te tonen hoe zij zich bij accidentele scheuren van het grote bloedvat moesten gedragen. Ik heb het nooit gezien, maar ik kan het van een man als Georges Marion geloven.

In het voorjaar 1928 was ik getuige van een van die chahut-spektakels die de Parijse studenten af en toe op touw zetten tegen een pas benoemd hoogleraar, wanneer die om een politieke of andere reden niet in hun smaak valt. Bij zijn inaugurale les wordt dan kabaal gemaakt en schoppen de voor- en tegenstanders herrie om ter meest. Wanneer dat hoogtepunt voorbij is, herneemt alles zijn gewone gang.

Charles Champy was de aangewezen man voor de vrijgekomen leerstoel in de weefselleer, maar hij was een communistisch politiek figuur en als zodanig lid van de Conseil Général van zijn departement. Wat een buitenkansje om de boel op stelten te zetten.

Op die beruchte namiddag was het zover. Het grote auditorium van de Ecole de Médecine was tot de nok gevuld met studenten, die onder de eerbiedwaardige koepel, waar ooit zoveel geleerde dingen werden verkondigd, tegen elkaar te keer gingen met: Vive Champy en A bas Champy.

Wanneer de decaan, H. Roger met Champy en een rits andere heren in rok door een zijdeur binnentraden en op het verhoog plaatsnamen, verdubbelde het huil- en fluitconcert. Het duurde een kwartier, ondanks het herhaalde inviterende gebaar vanaf het podium om ermee op te houden. Er waren golven in het oorverdovend lawaai te onderkennen alsof het op de maten van een orkestpartituur werd opgevoerd. Af en toe vertrok een pak papier vanop de trapbanken uit het enorme amfiteater en vloog tegen het brede bord. De rector moest zich terugtrekken om het niet op zijn hoofd te krijgen.

Ten einde raad nam de decaan een stuk krijt en schreef op het bord: ,,Laissez-nous parler''. Het was het sein tot een nog heviger: Vive Champy, A bas Champy. Champy stond erbij alsof het hem niet aanging, terwijl de andere heren zeer waardig het schouwspel aanstaarden of zich beraadden wat ze zouden doen. Wanneer Champy met het krijt om stilte verzocht, werd hij uitgejouwd en toegejuicht.

Een jonge dame wierp bloemen naar het podium, de decaan raapte ze op en overhandigde ze aan Champy: gejuich en gebrul op alle tonen. Er kwamen toeters aan te pas, die het hels lawaai nog kracht bijzetten. Ik geloof dat de muren van Jericho voor minder zijn ingestort; de koepel van de Faculté de Médecine zal van een steviger makelij geweest zijn.

Nadat Champy op het bord geschreven had: ,,Le cours suivant aura lieu mardi prochain à 15 heures'' vertrokken de heren in rok, en liep het auditorium stilaan leeg. Het was weer eens gebeurd. Niet de eerste en niet de laatste van de beruchte ,,chahuts'' die een van de pittoreske schoonheidsvlekjes zijn op het studentikoze gelaat van het Parijse Quartier Latin. Men moet het meegemaakt hebben om het te geloven.

*

* *

Einde september werden de koffers gemaakt. Professor Legueu verscheen een enkele keer in de week. Ik ging hem bedanken en vroeg hem zijn portret te tekenen, wat hij met een vriendelijke opdracht deed: ,,A mon cher collègue Dr. Elaut assistant étranger en 1928, souvenir très sympathique de Necker. F. Legueu''. Deze foto hangt in mijn werkkamer en herinnert mij dagelijks aan de onvergetelijke leerschool die ik in Necker heb doorgemaakt.

Félix Legueu was een man van een middelmatige gestalte, met vinnige grijze ogen. Door zijn donkere sluike haren liep een scheiding die spontaan haar weg vond en geen kam nodig had om zichzelf te blijven.

Op zijn vierenzestigste had het grijsworden nog veel van de haarkleur in haar oorspronkelijke staat gelaten. Van de kleine baard kon hetzelfde gezegd worden. Zijn huidtint was van een ternauwernood gebronsde variëteit, met een matte patine overtogen. Dunne lippen verscholen zich achter een snor en kinbeharing die niet van de dichtste waren. Men heeft zijn aangezicht eens vergeleken aan dat van een uitgeteerde Spaanse Christus.

De chef van Necker was altijd fijn uitgedost, maar nooit opvallend of gezocht. Zijn pakken zaten goed. Nooit heb ik hem haastig gezien. Hij had een statige tred en hield zich kaarsrecht. Niets ontging aan zijn blik, al zegde hij niet meer dan nodig was. Hij wond zich nooit op. Als hij opereerde zweeg hij als een graf en gaf hij nooit een antwoord wanneer iemand een vraag tot hem richtte. Als de assistent wat treuzelde was het ten hoogste: ,,Allons, monsieur''.

Legueu was een welsprekend man, met een aangenaam, goed articulerend stemgeluid. Het was een genot naar zijn toespraken, magistrale lessen, replieken te luisteren, zij waren niet op effect bedacht, doch als de echo van een innerlijke onvoorbereide echtheid.

Zijn omgang met de patiënten getuigde van dezelfde echtheid die spontaan afstemt op hun verlangens, hun gevoelen, hun vrees, op hun trots omdat de patron zich aan hun geval metterdaad gelegen liet liggen.

Met de verstokte pikeur die al dertig jaar wekelijks de Terrasse frekwenteert, was hij gemoedelijk als met een goede oude kennis van weleer. Een man die tegen een zware operatie opzag, kon hij met één blik, één woord overtuigen: ,,Je m'occuperai moi-même de votre cas''. Zo klaarde de hemel op in een huiverig gemoed.

Met de vrouwen was Legueu één hoffelijkheid, deze verfijnde vorm van beleefde eerbied; wanneer het een jongere dame gold, lag er een puntje koketterie in zijn vragen. Waarom niet, als hij daarmee een angstkomplex wegnam. De baas doorzag ze.

*
* *

Bij het afscheid dankte Legueu mij voor mijn trouw aan Necker, Hij wenste mij een voorspoedige loopbaan toe, met de belofte dat ik altijd op hem kon rekenen.

Wanneer ik te Gent in 1935 als de eerste titularis van de nieuwe leerstoel urologie benoemd was, is hij het jaar nadien een lezing komen geven in de Vlaamsche Veereniging tot Bevordering van de Geneeskunde. Elkeen heeft toen begrepen dat dit het gebaar van de Meester was, die de leerling binnenleidde.

Eind september 1928 verliet ik Parijs, nadat ik in de laatste dagen nog enkele plaatsen had bezocht: St.-Germain-en-Laye o.a. In de basiliek van Montmartre hoorde ik op een avond le prédicateur de Notre Dame, de dominikaan Janvier, een preek voor de studenten houden. Het was een bonkige kerel die verstand had om met stem en armen effecten te bereiken. In zijn taal zaten vreemde tonaliteiten die ik niet kon thuiswijzen.

Mijn laatste weekeinde bracht ik door te Mammers (Sarthe), waar ik in 1914-1915 als vluchteling verbleven had. Met de familie Fleuriel werden vele herinneringen opgehaald. Ik woonde de zondagmis bij in de Eglise St.-Nicolas, in dezelfde kerk waar ik, zoveel jaren terug, op het stro geslapen had. Het stadje was nu een stil plattelands-vlekje waar alleen de maandagmarkt wat leven bracht. Toen ik er veertien jaar tevoren kennis mee maakte, was het een gonzend nest vol soldaten. De kazerne was nu gesloten. Ik was gelukkig mijn behoeders uit die beroerde tijden terug te zien en hun nogmaals bewijzen van erkentelijkheid te mogen geven.

De thuisreis naar Gentbrugge liep over Rijsel, en zette mij zonder overstappen, met pak en zak, in Gent St.-Pieters af. In 1927 was ik uit Gent-Zuid naar Parijs vertrokken. Het station was intussen buiten gebruik gesteld.

NAAR AMSTERDAM

Reeds lang had ik ervan gedroomd, na Parijs kennis te maken met de geneeskunde in Nederland. Uit het weinige dat ik erover gehoord en gelezen had, had ik de indruk opgedaan dat daar iets te rapen viel voor iemand die een ruime kijk op de medische instellingen en ideeën nastreefde.

De Franse geneeskunde stond in aanzien doch daarbuiten lag nog een andere wereld die het ontdekken waard was. Ik koesterde zelfs in mijn binnenste het stille verlangen naar Amerika te kunnen oversteken en te zien hoe daar gewerkt werd. Mijn Gentse baas was niet helemaal vreemd aan die dromerijen.

Tussen droom en werkelijkheid is de afstand groot. Men moet niet noodzakelijk Goethes *Wahlverwantschaften* gelezen hebben om het te beseffen. Dat wist een Gentbrugse boerenzoon ook al. Maar wie zich niet aan het spel der verbeelding overgeeft, zich geen droombeelden schept, kan zich moeilijk voorstellen hoe het aan boord te leggen om iets in de wereld te verwezenlijken.

Hoewel ik hoegenaamd geen geloof hecht aan horoscooptrekken, heb ik van mijn vader vaak gehoord dat er zo iets als een gelukkig gesternte bestaat, maar men moet ermee medewerken, zich niet zonder verdiensten op iets laten voorstaan en er niet willen op vooruitlopen. Hij noemde dat het werk van Gods Voorzienigheid.

Op het Nederlandsch Natuur- en Geneeskundig Congres van april 1927 te Amsterdam, waar ik een korte mededeling had gegeven over mijn bijnierstudie, was ik in een kring van medische studenten voorgesteld geworden aan professor Van Rooy, hoogleraar in de verloskunde en gynekologie. Hij was een bekend Vlamingenvriend, een dikke vriend van Frans Daels en van de grote Dietser, Hendrik Burger. Hij vroeg mij waarom ik niet in Nederland zou komen promoveren na afloop van mijn geneeskundige studie. Dat is thans voor buitenlanders mogelijk gemaakt, voegde hij eraan toe. Wanneer u er zin in hebt, schrijft u maar.

Het was mij de pap in de mond geven. Van een gelukkig gesternte gesproken!

Het viel niet in dovemans oren, hoewel ik van promoveren in Holland hoegenaamd geen benul had. Maar er zat een financiële kant aan vast. Moeder vroeg of ik er niet aan dacht mij te vestigen; zijt ge nog niet volleerd? Ge zijt al éénendertig. Ge zijt een dure vogel. Ge moet toch elke reden een plaats geven.

Begrijpen deed ik dat best, doch het magisch realisme liet mij niet los, stak nu zelfs een hand toe.

Ik had gehoord van de Vlaamsche Wetenschappelijke Stichting die reisbeurzen ter beschikking stelde van afgestudeerden die wensten verder te studeren, bij voorkeur in Nederland. Ik trok op inlichtingen uit bij Professor Arthur de Groodt, die in Nederland veel relaties had en met zijn echtgenote het initiatief van de voornoemde Stichting genomen had. Met de bescheiden aandacht die De Groodt kenmerkte, luisterde hij naar mijn wensen en plannen.

Er werd overeengekomen dat ik een aanvraag bij de Stichting zou indienen met een uitvoerig betoog over wat ik wenste te doen, waar, bij wie, en voor hoe lang: te Amsterdam waar ik in verstandhouding met professor Van Rooy een urologisch-gynaecologisch onderzoek zou verrichten over de pyelitis gravidarum. Van de Nederlandse regering had ik intussen, op mijn verzoek tot promotie, een gunstige beschikking ontvangen.

Dat alles maakte dat mijn opzet een vaste vorm had aangenomen voordat ik Parijs verliet. Wanneer ik kort daarop van de Vlaamsche Wetenschappelijke Stichting een schrijven ontving dat mij een maandelijkse tegemoetkoming van honderdvijftig gulden voor een verblijf van zes maand werd toegekend, kostte het weinig moeite mijn ouders te overtuigen. Vader was een beetje fier, maar moeder kermde: nog niet helemaal thuis uit Parijs en ge zijt al op weg naar elders.

Hoe professor Goormaghtigh het zou opnemen wanneer ik met mijn reis- en studieplannen voor de dag kwam, maakte mij een beetje argwanend. Ik wist dat hij met professor De Groodt geen goede vriendjes was, en dat hij Holland in zijn hart niet droeg. Wanneer ik dan met de deur in huis viel en hem zegde dat ik naar Amsterdam ging voortstuderen, repliceerde hij bits en spijtig: ,,Qu'allez vous faire chez ces Boches?'' Dat antwoord was meer een reflectorische afweerkramp dan een van zijn doodgaand franskiljons gemoed, beredeneerde afkeuring.

Dat het zo was, heeft de toekomst uitgewezen. Zonder precies hollandofiel te worden, is hij vaak naar Nederland geweest, heeft hij er lezingen gehouden en tijdens zijn rectoraat in 1947-1950 de contacten tussen Gent en de Nederlandse universiteiten opgedreven.

*
* *

Op een heerlijke morgen van het heerlijke najaar 1928 zette ik met mijn door moeder met grote zorg klaar gemaakte reiskoffer koers naar de Nederlandse hoofdstad: Brussel, Antwerpen, Roosendaal, Moerdijk, Dordrecht, Rotterdam, Schiedam, Delft, Den Haag, Leiden, Haarlem, een kralensnoer van plaatsen met een historische klank, die mij drie uren aan het mijmeren zetten.

Ik had geen afspraak voor logies en ging eens te meer de toekomst tegemoet op hoop van zegen. Het Wilhelminagasthuis dat voor maanden mijn pleisterplaats zou worden, lag buiten de stadskern en ik hoopte in de buurt een net pension op de kop te kunnen tikken. Personen die iets van het Hollandse studentenleven afwisten, o.a. Herman Speleers, hadden mij verzekerd dat er keus te over was en dat men kon afgaan op de raamadvertenties die niet ontbraken.

In afwachting liet ik mijn koffer op het station in bewaring, en ging op zoek. Lang duurde het inderdaad niet voordat ik op de Amsterdamse Overtoom, op minder dan honderd meter van de Vrouwenkliniek, bij een bejaarde weduwe, die er uitzag alsof zij net uit de Camera Obscura van Nikolaas Beets was thuisgekomen, meende gevonden te hebben wat ik zocht. Zeventig gulden voor vol pension, frisse kamer, verzorgde keuken, en vijfenzeventig gulden zo mijnheer een vrij pension verlangt. Op mijn vraag wat zij met een vrij pension bedoelde, klonk het antwoord: ,,Dan staat het u vrij ook dames op uw kamer te ontvangen''. Toen ik zegde met een niet-vrij pension tevreden te zijn, was de deftige dame enigszins teleurgesteld. Ten bewijze dat ik akkoord ging met het maandbedrag betaalde ik op staande voet de zeventig gulden voor het onvrij pension.

Een uur later was mijn koffer uitgepakt en praatten de dame en ik bij een kopje tee, over haar en mijn levenssituatie. Zij was Calviniste, wijlen haar man was muziekleraar geweest, zij had twee kinderen, haar zoon was gehuwd, en haar dochter woonde op kamers aan de overzijde van het Vondelpark. Nog dezelfde namiddag ging ik een kijkje nemen in het ziekenhuis. Ik was ingescheept en nu maar proberen er het beste van te maken, en de omgeving van mijn nieuwe vestiging verkennen.

Het Wilhelminagasthuis was het grootste van de Amsterdamse ziekenhuizen; het dagtekende uit het midden van de negentiende eeuw en diende als academisch ziekenhuis voor de opleiding van de medische studenten van de Amsterdamse Universiteit. Deze was een stedelijke universiteit, een van de vier toen in Nederland bestaande hogescholen met volwaardig academisch statuut.

Het ziekenhuiscomplex nam een vrij groot areaal in beslag, dat niet volledig volgebouwd was; op die vrije ruimte waren barakken opgetrokken, die in noodgevallen een honderdtal patiënten konden herbergen.

Het geheel lag te midden van wat ik de literaire wijk van Amsterdam zou noemen. Literair omdat de straten er de naam van Nederlandse schrijvers droegen: Vondel, Bilderdijk, P.C. Hooft, da Costa, Helmers enz. Er waren aristocratische straten, andere die burgerlijk aandeden, en nog andere met een meer democratisch uitzicht.

De grote verkeersader was de Overtoom, een zuurstofreservoir vormde het Vondelpark, fabrieken waren er niet en de grachten lagen ook niet zover vandaan. Het centrum van de stad bereikte men langs de Leidsestraat, een met voorname winkelhuizen geflankeerde verkeersweg die de drie grote grachten kruiste, vanaf het Leidse Plein met zijn Stadsschouwburg vertrok, in de Heilige Weg en de bekende Kalverstraat uitmondde. Vanaf het Centraal Station bereikte men met tram 1 de literaire wijk en het Wilhelminagasthuis.

*

* *

De Vrouwenkliniek van professor Van Rooy had pas in 1925 een fikse verbouwingsbeurt gehad en lag helemaal vooraan in het ziekenhuisgeheel. De chef was een man van midden in de veertig, vief en vol energie, met fonkelende heldere ogen, vlot van spraak met een verfijnde woordkeus, en zoals zijn assistenten en personeel het zegden, een ,,aardige'' man. Hij kende de Vlaamse toestanden goed, daar hij te Gent in 1910, zoals vele Nederlanders dat pleegden te doen, een doctorstitel had gehaald, omdat zulks voor artsen, o.m. de katolieken die niet aan de wettelijke vereisten van gymnasiale en HBS vooropleiding voldeden, in eigen land onmogelijk was.

Professor Van Rooy was een Rotterdammer, had daar een grote praktijk gehad en tijdens de oorlog 1914-1918 veel Belgische vrouwen geholpen en verzorgd. Hij was in 1920 door de bekende obstetricus Hektor Treub als zijn opvolger voor de Amsterdamse leerstoel aangewezen, en ondanks zijn Roomse geloofsovertuiging ook benoemd door de magistraat die alles behalve katoliek gezind was.

Dit katolicisme is voor Van Rooy een zekere handikap geweest, omdat velen zijn woorden, uitspraken en handelingen als hoogleraar stiekem in het oog hielden en hem op velerlei wijze in de wielen reden.

Van Rooy was een uitstekend docent, een knap operateur, meer verloskundige dan chirurg, in de omgang de beminnelijkheid zelf. Dat hing samen met zijn Zuidhollandse aard van Rotterdammer.

Wanneer hij een zware verlossing na ingewikkelde handgrepen of een hoge tang ten overstaan van assistenten en studenten die hun adem inhielden, met een gave, luid schreidende baby kon bekronen en dan triomfantelijk uitriep ,,Hier is ie verdekke'' was hij de gelukkigste mens van heel Amsterdam. Toch waren er personen onder de aanwezigen welke aanstoot vonden aan die krachtterm, die oordeelden zij, in de mond van een katoliek, een hoogleraar, in aanwezigheid van vrouwen, niet paste. Cretins vindt men overal, misschien nog het meest onder ultrapuriteinse Hollanders.

Mijn eerste dagen in de Amsterdamse Vrouwenkliniek waren in beslag genomen door kennismaking met het milieu. Bij al wie ik tegenkwam, luidde het ,,Mag ik mij even voorstellen'' en wanneer ik in gezelschap van een assistent een mij nog onbekende ontmoette, luidde het op mijn beurt ,,Mag ik u even dokter Elaut uit België voorstellen?''. Na drie dagen waren de ,,veurstellingen'' ten einde en wist nagenoeg eenieder wie ik was en wat ik kwam doen; bij mij waren de namen van al die veurgestelden niet altijd in mijn geheugen blijven hangen.

Professor Van Rooy trok met mij naar zijn chef de clinique en de hoofdverpleegsters, en verzocht hen mij alle mogelijke hulp te verlenen, en ten slotte naar professor Van Ebbenhorst Tengbergen, de radioloog, wiens goedvinden en materiaal onmisbaar waren. Met mijn twee mentors werd een nauwkeurig werkplan voor een vijftal maanden opgezet, en ,,Ga uw gang Elaut, kom met mij praten wanneer het opschiet''.

Mijn goed gesternte maakte dat het opschoot.

Ik zou bij zwangeren van verschillende graviditeitsduur een contrastvloeistof in de blaas brengen, en radiografisch uitmaken of er al of niet een reflux in de urineleiders optreedt, wanneer de vrouw uitgenodigd wordt tot persen. De bedoeling was een argument van experimentele aard aan het etiologisch dossier van de pyelitis gravidarum toe te voegen. Indien zulk reflux normaal voorkomt, zou dat een argument zijn voor de opvatting dat het ontstaan van de pyelitis beïnvloed wordt door het opstijgen vanuit de blaas van een eventueel besmette urine tot in het nierbekken.

Het kwam er in hoofdzaak op aan een groot aantal gevallen van diverse zwangerschapsduur te verzamelen en te zien wat er uit de bus kwam. Professor Tengbergen, zijn assistenten en personeel waren mij dagelijks terwille, wanneer ik met een gravida opdaagde. Na een maand kon ik al een twintigtal foto's aan het oordeel van de hooggeleerde radioloog voorleggen. Gewoontegetrouw zegde hij niet veel, trok hij aan zijn sigaar en loste maar vijf woorden: ,,Wat gek is mij dat''. Professor Van Rooy was uitbundiger en had wat voorzichtig commentaar: ,,Elaut kerel, doe voort''.

Dat ik het dossier van de zwangere vrouwen aanvulde met het microscopisch onderzoek van de urines, de bloedureumbepaling, de berekening van de constante van Ambard, de nierfunctiebepaling door middel van de fenolproef sprak vanzelf.

Ik volgde intussen het bedrijvige leven van de kliniek: colleges, verlossingen, operaties, refereeravonden. Professor Van Rooy was een entoesiast verdediger van de keizerssnede, hij verrichtte ze zoveel mogelijk zelf, stelde zijn vijfhonderdste sectio in het vooruitzicht en zou daarover een uitvoerige bijdrage schrijven.

In de kliniek waren vaak vreemde vrouwenartsen te gast. Albert Doederlein uit München hield een paar gastcolleges. Försell uit Uppsala, een radiotherapeut met naam, kwam over zijn metode van behandeling van de baarmoederhalskanker spreken, Madame Francillon-Lobre uit Parijs sprak over het werk van Madame Curie.

Voor ik met de kerstvakantie naar huis ging had ik al vijfenveertig zwangeren onderzocht. Reflux deed zich maar een paar keer voor. Wat daarentegen door allen die onze radiografische platen onder de ogen kregen als een merkwaardig, voor hen ongewoon en onbekend verschijnsel werd aangemerkt, waren de vormveranderingen die de blaasbeelden onder de invloed van de zwangerschap te zien gaven.

Mijn Amsterdams verblijf heb ik ook aan wat anders besteed dan aan het onderzoek van de blaas van zwangeren in de Vrouwenkliniek. Ik moest dat onderzoek stofferen met de nodige literatuurstudie; het verzamelen van noodzakelijke bibliografische gegevens vergde heel wat tijd.

Voor de appreciatie van de nierfunktie wenste ik een Nederlandse bijdrage op dit gebied niet onvermeld te laten, namelijk die van de Haarlemse internist C. Peters. Ik ging hem in het O.-L.-Vr.-Ziekenhuis opzoeken; hij verstrekte mij alle gewenste uitleg over de ureo-sekretoire constante, een gewijzigde vorm van de Ambardse constante. Ik benuttigde zijn gegevens.

Elke avond zat ik op de universiteitsbiblioteek. Voor het consulteren van de Duitse literatuur was ik welkom bij dokter A. Capelle, de uroloog van Professor Lanz, die mij liet grasduinen in zijn privé-biblioteek. Bij Lanz heb ik prostaat-, nier- en blaasoperaties bijgewoond; Capelle gaf mij een seintje wanneer iets op til was.

Een klinische demonstratie bij de chirurg professor Noordenbos was de moeite waard; wanneer ik mij ging voorstellen en hij hoorde dat ik een Vlaamse Belg was, daalde zijn waardering voor dat soort stervelingen op een demonstratieve wijze. Ik heb mij geen tweede maal in zijn collegekamer vertoond.

De internist Piet Kuitinga was een heel ander type, vol droge humor maar universeel en doorgrondend, een man om te aanbidden. Bernard Brouwer, de neuroloog, was een goedzakkige ontleder van ingewikkelde ziektesymptomen en -beelden waarvan de deeltjes als ijzervonken onder zijn gehamer wegspetterden. De patholoog De Vries zag in de sectiepreparaten altijd iets dat een ander nooit zag. De oogarts P. Zeeman sprak zo stil dat ik niets snapte van wat hij verkondigde.

*

* *

Amsterdam is rijk aan stedeschoon. Haar Herengracht, Keizersgracht en Prinsengracht hebben een speciale charme. De jodenbuurt krioelde van bezige mensen; op het Jonas Daniel Meyerplein met de Mozes- en Aaronkerk van de bruine paters was het marktgebeuren iets enigs in Europa. De Dam, het Rembrandtplein waren in 1928 fatsoenlijke buurten. Alleen in de Jordaan werd de rondneuzende passant vanop de stoep luidop met boosaardige commentaar bestookt.

In het Rijksmuseum heb ik Rembrandt bewonderd en mij in het andere schone verlustigd. Een geneesheer vindt er tientallen doeken met medische taferelen en een uroloog ziet er circumcisies en steenoperaties bij de vleet. In de Oude Kerk ligt Vondel begraven. Wie bij Wijnand Fokking in de Damstraat tussen drie en zes nooit is gaan borrelen, heeft niet in de ziel van de Amsterdammer gekeken.

Het Beursgebouw van Berlage op de Damrak, waar heel de wereld over spreekt, moet men gezien hebben, al was het maar om er teleurgesteld tegenop te kijken. De Oudezijdse Voorburgwal met St.-Niklaaskerk op de achtergrond is onvergetelijk. De Amstel en het IJ zijn de Tigris en de Eufraat van Nederland. Een rondvaart op de grachten van de binnenstad behoorde in 1928-1929 tot de sensationele hoogtepunten van de toerisme. En wie zou het schouwspel willen missen van de haringeters bij de viskraampjes op de Nieuwe Markt en het Spui, die de lekkere maatjes onfeilbaar tussen de opengesperde kaken van hun opgeheven mond laten binnenglippen?

Een bezoek aan de plantentuin van Hugo de Vries en aan de dierentuin Artis die er vlak tegenover ligt, staat op het programma van elke zondagwandelaar. En wat te zeggen van een opvoering in de Stadsschouwburg op het Leidse Plein, waar omstreeks Kerstmis telkenjare Vondels *Gijsbrecht van Amstel* in verkorte versie op de planken komt. Men luistert er met ingehouden adem naar die innig schone strofe: „O Kerstnacht schoner dan de dagen, Hoe kan Herodes 't licht verdragen ..."

Kort na mijn aankomst te Amsterdam was ik op een zondagmiddag meegegaan op uitstap naar het eiland Marken in de Zuiderzee. Men vertrok voor het Centraal Station, het IJ over, vervolgens met een lilliputtig stoomtrammetje door de eindeloze weiden van waterland over Dijksloot en Broek naar Monnikendam. Vandaar met de motorboot over de Gouwzee naar Marken, waar de toeristen hun ogen de kost gaven in de binnenhuisjes van de bewoners met hun typische klederdracht. Vanuit Marken gaat de terugweg over Volendam waar de klederdracht anders is en de bevolking katoliek, over Edam waar alles naar kaas ruikt, over Monnikendam naar Amsterdam.

Het is jammer dat die uitstapjes volgens een gestandardiseerd patroon verlopen; men verliest veel bij het opgedrongen kijken; liever zou men blijven hangen bij dingen die de eigen belangstelling gaande maken, doch men wordt voortgejaagd door gidsen die enkel het vertrekuur van boot of tram in het oog houden.

Die Marken-excursie heb ik de maand februari 1929 in andere omstandigheden overgedaan. Een strenge winter met lange vorst had West-Europa in het ijs geklonken en gaf aan Nederland een ander uitzicht. Wanneer Nederlanders aan schaatsen rijden denken, worden zij andere mensen; zij wijzigen hun leefgewoonten: denkend, arbeidend, studerend, luilakkend, schoolgaand, onderwijzend, promoverend, opererend, ziekzijnd Nederland zit met een schaats in de maag. De Amsterdamse Vrouwenkliniek stemde haar activiteit af op de schaats, de professor gaf geen college en deed mee aan de ijsvakantie.

Voor een halve gulden per dag huurde ik een stel Hollandse schaatsen en met een paar assistenten trokken wij erop uit, naar Marken over toegevroren sloten en grachten. Betere schaatsenrijders dan ik zal men in Nederland niet ver zoeken, maar ik kon het ritme bijhouden. Het wemelde op de uitgestrekte vlakte van Waterland, onder een pittige vrieszon, van snelrijders, kunstrijders en baanvegers. Oerdeftige dames met een voiletje voor het gezicht en een das over de hoed en hoofd deinden gracieuslijk over de ijsbanen en lieten zich onberoerlijk voorbijsteken door armenzwaaiende jonge mannen die vooroverliggend tegen de wind optornden.

Van Monnikendam zette ik over de ijskorst van de Gouwzee koers naar Marken; de heentocht met de wind in de rug was een pretje, maar voor de terugtocht liet ik mij met de anderen voor een gulden op een zeilslede naar het vertrekpunt meeglijden. Zo'n zeilslede haalt adembenemende snelheden; de man die het ding bestuurt, moet goed uit zijn ogen kijken wil hij botsingen vermijden; men krijgt er kippevlees bij en is blij wanneer men terecht is.

Te Monnikendam wacht de traditionele snert met een kluif, dit is een bord kokend hete erwtensoep met een stuk been en vlees, waarvan men de eetbare delen zonder veel instrumenten afpeuzelt en naar binnen werkt. Na een schaatstocht op de Gouwzee is de snert een fantastisch opkikkertje. Naar Amsterdam keert men per tram terug.

*
* *

Ik ben met dit schaatsenrijdersrelaas op de nieuwjaarvakantie 1928-1929 vooruitgelopen. Die vakantie bracht, behoudens de gebruikelijke bezoeken en ontmoetingen, een nieuwe te nemen beslissing mee. Bij mij stond het vast dat Amsterdam met zijn promotie niet het eindpunt van mijn opleiding tot uroloog zou zijn. Een studieverblijf in

Amerika zweefde mij al lang voor de geest; thans kwam het erop aan de zaak door te zetten en aan de voorbereidende stappen te denken.

Moeder zuchtte: ,,Na Holland dacht ik dat het gedaan was en nu komt ge met Amerika voor de dag. Zo ver! Gaat ge ons achterlaten, vader en ik zijn oude lieden, wat gaat er met ons gebeuren als er iets voorvalt?'' Vader maakte er kort spel mee: ,,Als ge wilt gaan, moet ge 't voor ons niet laten, ge zijt oud en groot genoeg om te weten wat ge doet. We zullen het wel overleven''.

Bij professor Goormaghtigh vond ik instemming; hij beloofde mij zonder aarzelen zijn steun in de sollicitatie voor de gewenste reisbeurs, waarzonder aan een studieverblijf in de Verenigde Staten niet te denken viel.

Ik had al eerder mijn kansen afgewogen en in de documenten die de universiteit ter beschikking van de beurslustigen houdt, de gestelde eisen bestudeerd, teneinde de extreme datum voor het indienen van een aanvraag niet te laten voorbijgaan. Het moest vóór 15 maart 1929, wilde men voor een vertrek in het najaar in aanmerking komen. Intussen zou ik nog een hoop werk in de Vrouwenkliniek moeten afmaken, als ik met de Amsterdamse promotie voor de grote vakantie wilde klaarkomen.

*

* *

Amerikaanse studiebeurzen werden vanaf 1920 ter beschikking gesteld door de (C)ommission for (R)elief in (B)elgium. Die heet sinds 1938 Belgian American Educational Foundation.

Deze ontstond na de Wapenstilstand van 1918 op initiatief van Herbert Hoover die tijdens de eerste wereldoorlog voorzitter was van het hulpcomité van voedselvoorziening aan de Belgische bevolking. De gelden die bij de opheffing van het comité overbleven, werden ter beschikking gesteld van een Stichting CRB (ook Hoover-stichting genoemd) ter bevordering van hoger onderwijs en wetenschappelijk onderzoek, onder meer door toekenning van studiebeurzen aan Belgische en Amerikaanse afgestudeerden. De Stichting werd in juli 1920 door de Belgische regering officieel erkend.

Daar ik meende de voorwaarden te vervullen voor een reisbeurs naar de States onder de auspiciën van de CRB-Foundation, diende ik ten gepasten tijde een aanvraag in bij het hoofdbestuur, Egmontstraat 11, Brussel.

Een uiteenzetting over het onderzoek dat men in de Amerikaanse universiteit van zijn keuze wenste te verrichten met de reden waarom in die en geen andere instelling, een opgave van de wetenschappelijke titels, een curriculum vitae, de namen van de sponsors, de sociale situatie van de ouders met hun aanslag in de belasting enz. moesten bij de aanvraag gevoegd worden.

Dat ik mijn keus op de Mayo Clinic in de staat Minnesota had laten vallen, was het gevolg van een wikken en wegen, van een beredeneerd speuren naar de beste man en de beste plaats, waar ik datgene zou kunnen bereiken wat ik als de afronding van een solide voorbereiding voor een wetenschappelijke carrière in de urologie noodzakelijk achtte.

De Mayo Clinic te Rochester, Minnesota, met haar reputatie als het medisch Mekka bij uitstek van Noord Amerika, lokte mij geweldig, na alles wat ik daarover gehoord en gelezen had. Bernard Brouwer, de Amsterdamse neuroloog, kon daarover op zulkdanige manier vertellen dat de lust iemand bekroop om het ter plaatse te gaan zien.

De neuroloog Norman Keith wiens werk mij geweldig aantrok en dat ik goed kende, was in de Mayo Clinic werkzaam. De uroloog William Braasch had ik op het internationaal urologisch congres te Brussel aan het woord gehoord en die was ook te Rochester thuis. Voor de afwerking van het ontbrekende experimentele gedeelte van mijn te Parijs begonnen onderzoek met de thiosulfaatproef, had professor C. Heymans mij het laboratorium van Frank Mann te Rochester gesuggereerd.

Voorts was ik bijzonder geboeid door de theorie van de focal infection door de bacterioloog van de Mayo Clinic, Edward Rosenow, opgevat en verdedigd. Die man ter plaatse aan het werk zien, zou de moeite waard zijn.

Ik schreef het allemaal neer in mijn aanvraag, die vanuit Gentbrugge met de andere dokumenten, attesten en foto's naar de hoge heren van de CRB-Foundation vertrok. Ik wachtte af.

*

* *

Het onderzoek van de zwangeren in de Vrouwenkliniek ging inmiddels onverpoosd zijn gang en wanneer aan een lezing en klinische avond of wat ook mee te snoepen viel, ontbrak ik niet.

Professor Van Rooy, die voorzitter was van de Amitiés Hollando-Polonaises, inviteerde ons met zijn assistenten op een receptie in het Rijksmuseum. Hij had mij gevraagd de tekst van de Franse toespraak die hij zich voornam te houden, onder de taalkundige loep te nemen en liefst zoveel mogelijk te verbeteren. Ik had dat met veel zorg gedaan, en hem voor de uitspraak wat wenken gegeven die hij luidop met mij in zijn werkkamer had gerepeteerd.

De aanwezigen luisterden met gespannen aandacht naar zijn woorden, die mij wel wat te geforceerd in de oren klonken, maar de bewondering van de anderen wekten. Paul Plate vond dat de prof toch zo'n verrukkelijk Frans had gesproken, vin-je ook niet Elaut? Natuurlijk vond ik dat.

Pater Callewaert hield op een avond in het Vondelpaviljoen een konferentie over het ,,Timmermansfenomeen''. Heel veel volk was er niet, maar zij die gekomen waren, schaterden het op sommige ogenblikken uit wanneer de spreker in zijn Westvlaamse tongval de meest typische woordzetten en -wendingen van Timmermans' taal toelichtte, en een raampje openzette op de psychologische persoonlijkheid van de schrijver van Pallieter.

Op 9 december 1928 werd te Antwerpen August Borms met een verpletterende meerderheid tot volksvertegenwoordiger verkozen. De dag daarop stond professor Van Rooy mij op te wachten. Elaut, is dat niet reuze! Welke gevolgen zal het hebben? Meer werd er niet over gepraat. Borms en de Vlaamse Beweging lieten de Hollanders ijskoud, de verkiezing en haar gevolgen kregen maar de vierde bladzijde van de ultra-serieuze krant *De Telegraaf*.

Anders verliep het wanneer in februari 1929 het incident met de zogenaamde Utrechtse Dokumenten uitbrak. Nederland zou in geval van oorlog tussen Duitsland en het westen, krachtens een afspraak tussen de Belgische en Franse legerstaven, als een bruggenhoofd voor de bezetting van het Ruhrgebied gebruikt worden. In de Nederlandse pers stak een storm tegen België op, op een ogenblik dat het Scheldeprobleem de verhouding tussen de twee landen al zwaar drukte.

Op een vloek hadden de Hollanders Vlaanderen en alles wat beneden de staatsgrens ligt ontdekt, en spuiden zij dagen lang gal. In de Vrouwenkliniek wezen studenten en co-assistenten mij met de vinger als de onbetrouwbare Belg. De assistenten waren meer terughoudend tegenover de man die op elk ogenblik in gangen en kamers hun wegen kruiste. Professor Van Rooy reageerde rustig en lachte in zijn binnenste om de herrie; hij was geen heethoofd.

Alles viel plots stil nadat Kamiel Huiysmans naar Nederland gereisd was om de gemoederen te bedaren. Te Amsterdam sprak hij op een zondagmorgen in een grote bioscoopzaal van de Amstelstraat. Men voelde het koele misprijzen langs de muren druipen wanneer hij binnenkwam en naar het podium schreed, maar Kamiel keek uitdagend de zaal in. Hij begon met zijn toehoorders als naievelingen uit te kafferen omwille van hun lichtgelovigheid, en naarmate hij ze meer en meer de mantel uitveegde, voelde men de temperatuur stijgen. Hij kreeg geen ovatie, nauwelijks een beleefd handgeklap; als geslagen honden dropen de Amsterdammers af. 's Avonds bakten de kranten zoete broodjes en sloegen ze een minder hoge toon aan; ze bekenden ruiterlijk dat ze in het incident lelijk bij de neus werden genomen.

De geschiedenis van de Utrechtse Documenten werd elders geschreven, en hoe het allemaal ineenstak, kan ik hier niet uit de doeken doen. Het was maar één bladzijde uit het boek van hond-en-kat-vriendschap tussen twee regeringen.

Heel anders was de geest op het Groot-Nederlands Studentenkongres dat na de paasvakantie 1929 in Amsterdam werd gehouden. Er was wat touwtrekken vanwege de Hollandse socialisten die oordeelden dat die congressen een te nationalistische tint hadden. Hollanders zetten zich gauw schrap en ontdekken achter elke mug een olifant.

Naar het congres waren veel Vlaamse studenten opgekomen. Degelijke referaten werden voorgedragen, koene standpunten ingenomen, dappere taal gesproken, officiële recepties gehouden, dure vriendschapseden gezworen en, niet te vergeten, jouissant gefeest en studentikoos gefuifd.

In de Stadsschouwburg aan het Leidse Plein had een muzikale avond plaats waarop de Amsterdamse burgemeester aanwezig was. De Nederlandse studentenleiders hadden voor de gelegenheid een smoking (al of niet gehuurd) aangetrokken, terwijl de Vlamingen in een gewoon stadspakje verschenen.

De sluiting op een zaterdagavond in het IJpaviljoen had een bijzondere bekoring. Allen die in Nederland voor de geestelijke toenadering tussen Noord en Zuid iets voelden, waren aanwezig. Het ging er gezellig aan toe, de Hollandse stijfheid was ver te zoeken. Een van de gangmakers in de pret was Hendrik Burger, hoogleraar aan de gemeentelijke universiteit van Amsterdam, de man die het Dietse ideaal door dik en dun heeft uitgedragen.

Tot in de kleine uurtjes werd er gezongen en gesprongen. Wie de laatste man zijn zak opgaf, was Vital Haesaert, oud-brancardier van het IJzerfront, die een rol gespeeld had in de overtocht van sommige soldaten naar de Duitsers. Hij leefde sindsdien in Nederland en was bedrijvig in het volkshogeschoolwerk.

*

*   *

In de Vrouwenkliniek liep het onderzoek van de zwangeren naar zijn eind. Het zou jaren vergen om een beslissend antwoord te geven op de vraag die het uitgangspunt voor het onderzoek was geweest, doch mijn promotor en professor Van Ebbenhorst Tengbergen oordeelden dat de besluiten waartoe ik gekomen was, in een academisch proefschrift konden verwerkt worden. Dit zou dan voor de verkrijging van de titel van doctor in de geneeskunde mogen voorgelegd worden. Gelet op de inhoud gaf ik aan het proefschrift de titel: *Bijdragen tot de urologie van Zwangeren.*

Ik zette mij aan de redactie. De tekst kreeg de instemming van professor Van Rooy. Het opus werd gezet en gedrukt bij Erasmus te Ledeberg. Na afspraak met de promotor en de pedel van de universiteit, zou de openbare verdediging plaatsvinden in het universiteitsgebouw aan de Oudemanspoort op Donderdag 30 mei 1929, 's namiddags te 4.30 uur.

De titel van doctor in de geneeskunde door een Nederlandse universiteit verleend, heeft een heel andere zin en toedracht dan in België het geval is. Hier draagt elke medische afgestudeerde de titel van doctor in de geneeskunde, zonder dat hij daarvoor iets meer moet doen dan examen afleggen en ervoor slagen. Die titel geeft hem ipso facto het recht op de medische praktijk. Een proefschrift komt er niet aan te pas.

In Nederland geeft het geslaagd medisch eindexamen recht op de titel van arts, en meteen ook recht op praktijk. Wie bovendien een torentje wil plaatsen op het gebouw van zijn medische opleiding, kan promoveren zoals dat bij onze Noorderburen heet. Daartoe is allereerst nodig dat men een dissertatie voorlegt en openbaar verdedigt. Het wettelijk geregeld geheel van voorschriften daaromtrent, is de academische promotie. Zij geeft geen ander wettelijk recht dan het dragen van de doctorstitel. En voor de buitenlander hoegenaamd niet het recht tot de medische praktijk op het Nederlandse grondgebied.

De Nederlandse doctorspromotie geschiedt tijdens een plechtigheid onder het voorzitterschap van de universiteitsrector. De heren van de faculteit hebben hun toga aangetrokken en de promovendus verschijnt eveneens in zijn beste pak, meestal in rok; hij staat tegenover het gestrenge corps achter een pulpitum en wordt aan elke zijde geflankeerd door een paranimf. Deze is een vriend of collega, die verondersteld wordt in dat supreme uur de promovendus te ondersteunen.

De professoren stellen vragen over de inhoud van het proefschrift of van de bijgevoegde stellingen. Het steekspelletje blijft academisch-plechtstatig in de vereiste vorm van wederzijdse voorname prikjes, waarachter niets boos verscholen zit. Een drietal hooggeleerden werpen wat banaanschilletjes uit en wanneer ze het antwoord van de man achter het pulpitum aanhoord hebben, sluiten ze telkenmale hun beurt af met het zinnetje: het was mij te doen u een blijk van waardering te geven op deze voor u zo belangrijke dag.

Wanneer het steekspel een uurtje of zo geduurd heeft, verschijnt, plots en ongevraagd, vanuit een zijdeur de pedel en zegt luid genoeg dat allen het horen kunnen: hora est. Dat betekent zoveel als: de tijd van de aardigheidjes is voorbij, scheiden jullie maar uit met de kortswijl.

Na een dankbaar compliment van de defendens voor zijn opponenten, trekken deze zich terug, om na een kwartiertje opnieuw hun plaatsen in te nemen. De rector geeft het woord aan de promotor die, onveranderlijk zegt dat hij blij is de eerste te mogen zijn om de gepromoveerde met de verkregen waardigheid geluk te wensen. Hij voegt er nog iets bij dat hem te binnen valt, prijst de gepromoveerde voor wat hij gedaan heeft, en besluit met de wens dat de jonge doctor medicinae zich altijd zijn Alma Mater moge herinneren. Als buitenlander kreeg ik nog een toemaatje: dat ik Nederland en zijn Koningin niet vergeten zou.

Een Latijns diploma, met een wassen zegel versierd, bevestigt de waarachtigheid van alles wat gebeurd is, wat de aanwezige hooggeleerden nog met hun handtekening bevestigen.

Drie opponenten hadden mij een vraag gesteld. Van Ebbenhorst Tengbergen over het proefschrift. E. Laqueur over een stelling, en H. Burger over een andere stelling. Deze twee laatsten brachten er hun eigen relaties met Gent en Vlaanderen aan te pas.

Na afloop van de promotie is er receptie. Deze bestaat hierin dat rector en hooggeleerden een kopje tee drinken en een sigaar opsteken, nagevolgd door de aanwezige vrienden en de baliekluivers die elke promotie afschuimen. De rekening wordt door de gepromoveerde betaald. De traditie wil dat aan de pedel een gouden tientje (geen bankbiljet) wordt geschonken. Aan die plicht werd grandioos voldaan.

Mijn twee paranimfen waren August de Schrijver en Roger Soenen, een Gentbrugse vriend sinds lange jaren, en een Gentse studiegenoot. Zij waren naar Nederland gekomen om naast mij te staan. Deze stille steun was een symbool van veel dingen uit het verleden en zou ook een symbool voor de toekomst zijn. Ze zijn beiden nog in leven, onze vriendschap heeft in de jaren niets van haar hechtheid ingeboet.

*
* *

De promotie in de aula bij de Oudemanspoort hebben we bekroond met een ritje in de roemruchte apekoets door de oude kwartieren van de grachtenstad. Op het Rembrandtplein staan koetsiers hun toevallige klanten op te wachten. We lieten ons verleiden, de kans was uniek: een dikkerd met een blinkende hoge hoed op, een zweep in de hand op zijn bok gezeten, en in de open koets drie deftige heerschappen die zich lieten rondrijden en door iedereen spotziek aankijken.

We reden langs de Amstel, de Nieuwe Markt, de Zeedijk, de Jodenbreestraat, het Waterlooplein, de Kloveniersburgwal, het Rokin, het Spui, het Koningsplein, de Reguliersbreestraat en zo naar het Rembrandtplein terug. In het Jodenkwartier waar de straten smal zijn, sprongen spelende kinderen opzij om ons door te laten, en riepen ons ,,uilskuikens'' achterna, wanneer de koetsier met zijn zweep dreigde.

De dag hebben we, zoals het past, samen met een gezellig en lekker etentje besloten. Dat ook behoort tot de academische traditites die men niet straffeloos mag over het hoofd zien. 's Anderendaags heb ik met mijn paranimfen aan de Vrouwenkliniek een bezoek gebracht, waar ik afscheid nam van mijn promotor en allen die mij voor mijn werk geholpen hadden. De dag werd afgerond door een kijkje in het Rijksmuseum en een filmvertoning in Tuschinsky waar de toen aktuele *Ich küsse deine Hand, Madame* van Richard Tauber en Marlene Dietrich, al het andere overrompelde.

*
* *

In de gegeven omstandigheden was de Amsterdamse promotie voor mij meer een prestigezaak dan een stuk werk van uitzonderlijk wetenschappelijk belang. Het ingestelde onderzoek bracht enkele ongewone dingen aan het licht. waarmede een obstetricus best rekening houdt wanneer hij in die streek opereert, maar wereldschokkend waren ze niet. Men moet genoeg objectivitieit opbrengen om het te erkennen.

Maar de weg naar meer contacten met de Nederlandse universiteiten was gebaand en het voorbeeld dat ik gesteld had, vond navolging. Meer Vlamingen, zelfs Walen, zijn naar Hollandse ziekenhuizen en laboratoria getrokken, hebben er academische lauweren geplukt. Dat ik de eerste was die in Holland ging promoveren, is mijn trots. Mijn

Gentse baas vroeg mij: ,,Qu'allez-vous faire chez ces Boches?'' Het heeft mij niet gespeten dat ik het gedaan heb, en nadien heeft hij het me niet verweten. Tot de voorlopers te kunnen gerekend worden is een voorrecht. Ik dank de hemel om dat voorrecht.

Een ongeluk komt nooit alleen, zegt het spreekwoord. Een geluk blijkbaar ook niet, want in al de drukte met de voorbereiding van mijn Amsterdams proefschrift, bereikte mij een schrijven van de CRB-Foundation met de toekenning van een beurs voor een academisch jaar in Amerika, vertrek in september 1929.

Ik werd uitgenodigd voor een gesprek en even later voor een geschreven examen over mijn Engelse taalkennis. Wanneer dit achter de rug was, moest ik op de proefbank voor de Engelse uitspraak. Het kon beter, doch met de andere gegadigden kon het ook beter, geen een van ons had Oxford aangedaan en we kregen het satisfecit, wat zoveel betekende als de zegen van de CRB-Foundation.

Het was nu juni 1929. De rest zou volgen. We werden geregeld ingelicht over wat men van ons verlangde. We kregen papieren in te vullen, moesten attesten van goede gezondheid voorleggen, dat we goede tanden hadden, perfect gezonde ogen en oren, dat we geen longtuberculose hadden of gehad hadden, dat we niet aangetast waren door een actieve besmettelijke aandoening, aan geen geslachtsziekte leden enz. Vaccinatiebewijzen mochten evenmin ontbreken.

We leefden in het vooruitzicht van een kennismaking met de nieuwe wereld. Een drietal maanden lagen voor de boeg, een rooskleurig verschiet.

Op 2 mei 1927 was ik tot onderluitenant van de Gezondheidsdienst in de reservekaders benoemd; het bracht mede dat ik om het tot luitenant te brengen, voor een kampperiode van drie weken te Beverlo opgeroepen werd. In juli werd ik geassigneerd bij het eerste regiment karabiniers, waar nog een tiental andere pas benoemde onderluitenants-geneesheren op een goede morgen binnenvielen.

We kregen wachtbeurten, moesten met een ambulancewagen de exercerende en schietoefening houdende manschappen vergezellen en voor de rest lummelen of kaartspelen in de tabagie, d.i. de militaire naam van de ontspanningskamer van de officieren. De tabaksrook hing er inderdaad zeer dik en er werd ook duchtig geborreld. Whisky was in die tijd weinig of niet bekend. Met een goed rapport vanwege de kolonel-korpsoverste, die gelukkig was van die zwerm geneesheren verlost te zijn, kon ik naar huis.

Te Beverlo las ik in de krant dat de Lokerse geneesheer Paul Lerno te vijf uur op een zondagmorgen aan de Gentse Dampoort, onder een opgehaalde brug die hij niet gemerkt had, met zijn wagen was doorgereden en verdronken was. Ik moest het bericht driemaal overlezen voordat ik mij de akelige werkelijkheid kon voorstellen; Paul Lerno dood!

Hoe was het gebeurd? Men vertelde dat hij in de nacht dringend naar Gent gekomen was om voor een patiënt een medicament te halen dat te Lokeren onvindbaar was. Op de terugkeer was hij, wellicht slaapdronken, onder de fatale Dampoortbrug in het water terechtgekomen; men had de glijsporen van de remmende auto tot op de rand van de onderbroken straatweg kunnen volgen. Op die plaats was ook de afsluitende slagboom stukgereden.

Dat tragisch levenseinde van een goede kameraad heeft mij diep ontroerd. Ik ben naar zijn uitvaart geweest, waar bijna al de studiegenoten die met Paul hun einddiploma gehaald hadden, aanwezig waren. Hij was zevenentwintig jaar oud, en de eerste van de tweeëndertig afgestudeerden van 1927 die overleed.

VERLOOFD

Boven dit hoofdstuk van mijn gedenkschriften zou ik een devies kunnen plaatsen dat ik geplukt heb uit de zinspreuken van Publius Syrus: in de liefde strijden smart en vreugde altoos om de voorrang.

Mijn commentaar daarop: dat de smart een niet onaangename smaak nalaat, wanneer de vreugde de strijd gewonnen heeft.

In 1925 was ik verliefd geworden. Ik had de edele hartstocht in stilte gekoesterd zonder veel gelegenheid om mijn gemoed te luchten, maar de hoop maakte mij, telkens opnieuw, dapper en standvastig.

Een zeldzaam bezoek vanwege een stuntelige minnaar, die met zijn mond vol tanden stond wanneer het passend woord moest gesproken worden, gaf aan de geliefde niet de kans om over het water te komen. Het water was wel niet veel te diep zoals in het lied van de twee koningskinderen, maar in ondiep water kon men ook verdrinken.

Het ontmoetingsterrein was ver van ongunstig en onvoorbereid. Ik wist dat ouders en omgeving niet afwijzend waren, wanneer ik straks met mijn ontboezemingen, oog in oog, met het meisje van mijn dromen ging staan. De verklaring is er maar hortend uitgekomen. Op een eindexamen had ik geen lef te kort, doch een huwelijksaanzoek doen is nu precies ook niet een klinische diagnose stellen.

Ook het wederwoord op mijn ontboezeming was hortend, al getuigde het van evenwicht, gemoedsrust en gezond verstand. Examens eindigen op een welslagen, op een verschuiving tot later, of op een weigering. Dit laatste was het beslist niet, en het eerste evenmin. Het werd een uitstel, maar van zeer korte duur. Zich kunnen beraden is een zegen.

Het was in de lente van 1929. Ik stond voor mijn Amsterdamse promotie en leefde in een euforie, gewekt door de toekenning van de Amerikaanse reisbeurs. Mededeelzaamheid is soms een goede karaktereigenschap, en in mijn situatie ten overstaan van een aangebeden wezen, met wie ik mijn levenslot wilde delen, kon ik moeilijk mijn verwachtingen aan de banden van de zwijgzaamheid leggen.

Het gebeurde te Belsele, op een heerlijke namiddag in de meimaand, ter gelegenheid van een van die bezoeken waarnaar zij, blijkens alle tekenen die een verliefd jong mens onderschat, verlangend uitzag, dat wij met ons tweetjes, in een verhoogd prieeltje, zonder horten, wederzijds de woorden vonden om ja te zeggen. En ja zegden, en het met de eerste kus bezegelden.

Antoon Staring parafraserend kon ik van die stond zeggen: ,,Toen alles groende en geurde en uit haar rozemond een woord hem (d.i. mij) de voorsmaak gaf van 's hemels zaligheden''. Het stamde uit de romantische negentiende eeuw, maar geeft zonder omhaal de gemoedsgesteltenis weer van iemand die veel te zeggen heeft, doch liever zwijgt of het door een ander zeggen laat. Ik voelde mij gelukkig en blij in haar bezit, en wist dat het wederkerig was.

Als we, een half uur later, arm in arm, voor haar moeder en vader verschenen en, zonder meer, zegden dat wij ons met elkaar verloofd hadden, was de vreugde oprecht. En toen ik 's avonds bij mijn thuiskomst over mijn verloving aan mijn ouders sprak, hadden ze onverbloemd deel in mijn geluk.

Eenieder mocht het weten, het lekte uit en we vingen geruchten op die ons blij maakten. Zonder het uit te willen bazuinen, lieten we ons samen zien en deden we niet stiekem alsof.

Een verloving brengt een wijziging mee in iemands leefpatroon: actieterreinen worden verlegd, tijd- en werkschema's dienen aangepast te worden, andere personen dagen op onder degenen met wie men gemeenlijk omgaat.

Ik zou wekelijks in St.-Niklaas of Belsele mijn verloofde gaan bezoeken, en soms nog een half dagje in de week bijsnoepen; altijd stond de deur van het gastvrije ouderlijke huis open, zoals voor de eigen kinderen. Ik leerde medeleven in de zorgen van een ander milieu dan het mijne, en toen mijn verloofde bij mij aan huis kwam, werd ook zij de deelgenote van het kleine Gentbrugse wereldje dat het mijne was.

Aan beide zijden verliep de kennismaking buitengewoon vlot en aangenaam. Niemand was op uiterlijkheid gesteld, innerlijkheid was synoniem van innigheid. Het huwelijk waar we beiden naar verlangden, was niet voor morgen. Vermits ik een jaar op studiereis naar Amerika ging, zou dat maar na mijn terugkeer kunnen plaats hebben. We zouden dus per brief moeten vrijen, doch maakten daar geen gewetenszaak van.

Laat mij thans mijn verloofde voorstellen. Adrienne Scheerders is tien jaar jonger dan ik. Het leeftijdsverschil ligt op de uiterste grens van wat men normaal pleegt te noemen. Geen van beiden heeft daarvan een probleem gemaakt, daarover gepiekerd, moralisten of sociologen geraadpleegd.

Zij is van het licht bruinharige type met heldere ogen. Deze fysische status, gedragen door een middelmatige vrouwelijke gestalte, heeft medegeholpen om de vonk te doen overspringen op het psychologische moment. Men maakt mij niet wijs dat iemand daar onverschillig kan voor zijn.

Zij is niet wat men een slank type noemt; het hare was door erffaktoren bepaald, en het beviel mij. In de orde van deze dingen is er niets zo persoonlijk als de eigen smaak, die zich meer op het gehele afstemt dan op de afzonderlijke componenten van de persoonlijkheid.

Van haar geaardheid en inborst had ik van in den beginne genoeg opgevangen om te weten dat zij zachtaardig en vastberaden was, begaafd met een goede smaak voor eenvoudige schoonheid. Wat wil men meer om smoorlijk verliefd te zijn, en tegen de voor- en tegenheden van het leven met gerust gemoed aan te staren? Mijn medische intuïtie had mij overtuigd dat zij gezondheid te koop had. Dat ze Vlaamsgezind en van christelijken huize was, had ik van stonden aan gemerkt.

Naar het andere heb ik nooit geïnformeerd. Zelf was ik goed voor mijn brood. Mijn ouders waren eerzame lieden, die aan eenieder het zijne gaven. Zij hadden voor mij een uitstekende opvoeding bedacht. Mijn eigen verleden lag voor elkeen open. Ik moest mij voor niets of niemand schamen, en kon met opgeheven hoofd door de wereld gaan.

Mijn verloofde was de jongste uit een gezin van vier kinderen; zij stamde uit een familie die sinds meer dan tweehonderd jaar in het Waasland inheems was. Haar vader, Leon Scheerders, had zich door zijn arbeid en wilskracht van ,,kaartjesknipper'' op het buurttrammetje van Doel tot grootindustrieel opgewerkt. Zijn echtgenote Maria-Camilla van Kerchove had hem medegeholpen; zij zat elke dag op haar kantoor en dreef de zaak met kennis en vastberadenheid.

Flore Scheerders, de oudste zuster van mijn verloofde, was gehuwd met Paul Verhaert uit Beveren-Waas; hij had een directiebaan bij zijn schoonvader. Zij hadden drie kinderen; in 1930 kwam er een vierde bij.

Maria Scheerders, de jongste zuster, was gehuwd met August de Schrijver, Gents advokaat en volksvertegenwoordiger sinds 1928; zij hadden drie kinderen, later zou het gezin tien kinderen tellen.

Willy Scheerders, de enige broeder van mijn verloofde was gehuwd met Marie-Louise de Belie. Hij was nijverheidsdirecteur bij zijn vader. Zij hadden geen kinderen.

Heel deze familie vormde een samenhangend blok, waarvan vader de ongekroonde koning was, en moeder de door allen geliefde vrouw. Zij bezat de zeldzame gave bij elk van haar kinderen de overtuiging te laten ontstaan de meest geliefde en meest bevoordeelde te zijn, terwijl allen in de grond haar even lief waren en geen enkele van de vier op enige manier voorgetrokken of bevoordeeld werd.

Als laatstgekomene was ik niet de minst welkome. De familiale verhoudingen werden voor, met of na ons huwelijk nooit vertroebeld; allen hebben daarvoor zorg gedragen en zijn erin geslaagd.

*
* *

Het voorjaar 1929 had de vervulling gebracht van grote verwachtingen en de bekroning van veel inspanningen. Veel dingen tot een goed eind brengen is een gelukkige ervaring.

Tussen de Amsterdamse promotie en het vertrek naar Amerika lagen meer dan drie maanden. Ik had geen vast werkplan om die tijd te vullen, doch zou hem wel op een nuttige wijze besteden.

Daar ik een klein jaartje uit het land weg zou zijn, zouden de verloofden elkanders lijfelijke aanwezigheid missen; dit was een belemmering voor het volbrengen van een taak die in het concept van de public relations alleen maar kon goedgemaakt worden, door het preventief opdrijven van het tortelduifbedrijf. Men was het daarmee aan beide kanten eens en de vindingrijkheid schoot niet te kort.

Dokter A. Elewaut uit Haasdonk schreef mij of ik wilde waarnemen voor een paar weken. Het antwoord was ja. Haasdonk lag een acht kilometer van Belsele en de gelegenheid zou niet ontbreken voor een slippertje uit een niet te drukke praktijk in volle vakantie. Het viel zo uit.

Tijdens deze waarneming werd ik geroepen in het gezin van Jan van Hul te Bazel met zijn drieëntwintig kinderen. Het was op een zondagnamiddag; ze waren allen thuis. De oudsten stonden te vrijen aan het hofhek, het jongste lag in de wieg te spartelen en eentje van de tussensoort zat een nest mussejongen te voederen op de drempel. Om binnen in de huiskamer te geraken, moest ik in het voorportaal over een hoop houten klompen springen en goed opletten dat ik mijn benen niet brak.

Dokter Elewaut had de drieëntwintig kinderen op de wereld geholpen; hij was een unicum in het land. Koning Albert was er ooit op bezoek geweest en had zijn kop tegen de valdeur van de zolder gestoten toen hij onder de pannen de familieslaapstede in ogenschouw was gaan nemen. Het Hof had een zending linnen laten afgeven, en men kon op de beddelakens van de zieke huisvrouw de gestikte koninklijke kroontjes van de schenkers terugvinden.

Het geval met de moeder was banaal. Enkele dagen later zat zij opnieuw te midden van haar gezin aan de middagtafel; juister gezegd, een viertal zaten onder de tafel hun portie aardappelen te verorberen. Al de kinderen blaakten van gezondheid, al waren er een paar bij van wie de makelij de tekenen droeg van geleden tekorten.

In de maand augustus ging ik met mijn verloofde, haar broer en zijn vrouw naar de IJzerbedevaart te Diksmuide. Na afloop trokken we naar Westende en picknickten in de duinen. De chaperons waren begrijpend voor hun gasten; we dachten op zekere momenten dat de rollen andersom gespeeld werden.

Op het laboratorium kwam ik sporadisch, teneinde niet helemaal het contact te laten verzwakken en te horen of er nieuwtjes te vangen waren. Zo vernam ik o.m. van de baas dat rector Kamiel de Bruyne zich voor het bekomen van mijn Amerikaanse reisbeurs bijzonder ingespannen had. Zijn Gentse universiteit was in het eerste plan volkomen verwaarloosd, de rector had het niet genomen en zo was ik bij de gelukkigen. Het had aan een zijden draadje gehangen.

*

* *

Begin augustus kregen we van CRB-Foundation te horen dat het vertrek naar Amerika op vrijdag 23 september te 11 uur was vastgesteld. Vanuit Antwerpen met de Arabic van de Red Star Line.

De Foundation nam de kosten, incluis de reservatie en de hele organizatie van de reis tot in New York, voor haar rekening. Men zond ons een map vol aanwijzingen en onderrichtingen. We ondervonden later hoe moederlijk bezorgd men alles tot in de puntjes geregeld had. Het was ineengestoken door personen die wisten wat een bootreis om het lijf had; niets werd aan het toeval overgelaten. We kregen zelfs zakgeld mee, heuse Amerikaanse dollars.

Een paar weken vóór ons vertrek werden we op een teenamiddag in de Egmontstraat uitgenodigd, om de fellows de gelegenheid te geven met elkaar kennis te maken. We waren met zeven vriendelijke knapen. maar ik kende er geen enkele.

Wie het hoge woord voerde en deed of hij een voetje in huis had, was Pierre Wigny, doctor juris van Luik. Hij vertelde het aan iedereen die het horen wilde dat hij naar Harvard University en daarna naar Stanford University internationaal recht ging studeren. De drie die geneeskunde studeerden zag hij niet staan.

Op die teenamiddag maakte ik kennis met Albert Lacquet, medicus uit Leuven, die ook naar de Mayo Clinic te Rochester ging. We waren de enige Vlamingen uit de ploeg. Onze wegen zouden in de eerstkomende maanden parallel lopen.

Voor een afwezigheid van tien maand was er heel wat nodig. Moeder zorgde ervoor dat de koffer op tijd klaar was. De Amerikagangers uit die jaren zullen ongetwijfeld de herinnering bewaard hebben aan het inlichtingenformulier dat ons voorgelegd werd door de Amerikaanse Dienst voor Immigratie. Het was imponerend door zijn afmetingen; als ik een vierkante meter zeg, is het beneden de waarheid.

Voorts was er het grote aantal gestelde vragen. Het ging niet over de gewone identiteitsdingetjes van oogkleur en bijzondere kentekens, zoals een scheve neus of een flapoor.

Inlichtingen werden gevraagd over de ascendenten tot de vierde graad, zowel van vaders- als van moederszijde. Over het beroep, de gedane studies, waar en hoe lang. Over de verworven diploma's. Over de godsdienst en geloofsbelijdenis, of men al dan niet praktizerend gelovig was. Van welke loge men deel uitmaakte. Of men al dan niet gedoopt was. Wat men in Amerika van plan was te doen om aan de kost te komen, en hoelang men in zijn levensonderhoud kon voorizen. Of iemand desnoods instond voor het levensonderhoud. Hoeveel geld men naar Amerika meebracht. Er kwam geen einde aan. Tot slot moest men in eer en geweten verklaren dat alles met de waarheid strookte en ervan bewust zijn dat, indien men op onjuistheden in de verklaring betrapt werd, men onmiddellijk uit Amerika zou gewezen worden.

Het was niet om te lachen.

Het geneeskundig onderzoek, door een Amerikaanse arts in het Amerikaans consulaat te Antwerpen, was al even ernstig. De collega sprak geen gebenedijd woord, terwijl hij de ene na de andere, alle lichaamsopeningen met het meest serieuze gezicht van de wereld nakeek. Wat zijn conclusie was, heb ik nooit geweten, maar er was geen veto tegen mijn vertrek. Het bleef op vrijdag 13 september 1929 te 11 uur vastgesteld.

NAAR AMERIKA

Dat de afvaart op een vrijdag de dertiende viel, heeft bij mij of mijn verloofde geen gevoel van angst verwekt. Op de boot vernam ik van medereizigers dat sommige personen om die reden toch hun vertrek hadden afgelast.

Met pak en zak de dag voordien uit Gentbrugge vertrokken, was ik te Antwerpen op die heerlijke zomernamiddag aangeland, en had mijn koffer begeleid van het station naar de plaats waar de Arabic aangemeerd lag. Ik had logies en avondmaal besproken in een tehuis voor leraren, dat mij door Antoon Poelvoorde was aanbevolen.

Om acht uur 's morgens was ik gelaarsd en gespoord, klaar voor de oceaanreis, en spoedde ik mij Scheldewaarts. De Arabic met een rode ster op elk van haar twee zwarte schoorstenen lag rook en stoom te spuien in de ochtendnevel. Het was een imponerende massa van 16.786 ton, met takels, masten en een brede commandobrug, en voor zoveel ik er iets van kende reddingssloepen, luchtkokers, kranen, kajuiten en patrijspoorten. Een drietal loopbruggen en veel dikke gevlochten touwen waren de enige contacten tussen haar en de vaste grond.

Het gewoel en gesjouw rondom de stalen karkas wees erop dat de kist varensklaar werd gemaakt. Men sloeg van alles in, zelfs een halve groentenmarkt, en drank zou aan boord evenmin ontbreken. Tolbeambten neusden rond, politieagenten hielden een oog in het zeil, vrachten werden aangevoerd en in de luiken geladen, katrollen piepten onder de lasten. Gefluit en geroep ten allen kante.

Met mijn verloofde had ik afgesproken dat zij aan de boot zou komen afscheid nemen. Vanaf tien uur was zij al aangekomen. Samen met haar moeder liepen wij door gangen en over het dek, brachten wij een bezoek aan de kajuit die mij was toegewezen en die ik met een ander CRB-er deelde.

Naarmate het naar elven liep waren al meer passagiers ingescheept en werden de niet meevarenden verzocht het schip te verlaten. Ik zou op een balkon van het achterste bovendek blijven staan en wanneer de kabels gelost werden en de Arabic van wal stak, mijn geliefde en haar moeder toewuiven. Om lang in het gezichtsveld te blijven had zij een hoogrood hoedje opgezet dat men van op een grote afstand kon in het oog houden. Er vloeiden geen tranen, wel werden lieve woordjes gesproken en lange zoenen gewisseld. En daarna alleen nog wuiven tot de Arabic middenstrooms lag en koers zette naar de volle Schelde, de Noordzee en de Atlantische Oceaan.

We vaarden. Heel helder weer was het niet over het Scheldelandschap. De zon brak pas rond de middag door en dan zaten we al in de Westerschelde voorbij Doel, het Verzonken Land van Saaftinge, Hansweert, Terneuzen met Vlissingen in de verte. We voeren van links naar rechts op de brede stroom, zonder ons rekenschap te geven waarom. Dat waren de zaken van de loods.

We waren nog geen half uur aan het varen of daar sloeg de gong voor het ontbijt: een Engelse breakfast, vermits we op een passagiersboot van een Engelse rederij zaten. Er werd aan tafel gegaan, doch veel gegeten werd er niet.

Een paar uur later was er al lunch. Die ook werd met lange tanden verorberd; de eetlust was geïnhibeerd door het ongewone van de omgeving, door het gepraat en de kennismakingen. De bediening werd door Engelse kelners waargenomen, zij koeterwaalden een beetje Frans, Duits en zelfs wat Nederlands, alles dooreen.

De CRB-fellows waren over vier kajuiten verdeeld. Pierre Wigny was in gezelschap van zijn vrouw; we wisten al dat ze met het oog op de reis kort voordien gehuwd waren. Zonder dat wij of hij erom gevraagd haaden, was hij onze woordvoerder, wanneer er iets te regelen viel. We vonden het goed dat hij bazig deed.

Ik deelde mijn kajuit met Albert Claude. Hij was een Waal uit de provincie Luxemburg, een rustig temperament, niet meer zo jong, afgestudeerd geneesheer uit Luik. Hij sprak over biochemie zoals ik over bijniercellen en ging naar het Rockefeller Institute voor kankeronderzoek. Vermits ik de oudste was, liet hij mij de onderste ligplaats in de hut en klauterde hij het laddertje op naar zijn leger.

Hij was een aangename kajuitgenoot, nooit drong hij naar de voorste plaats wanneer onze groep ergens moest aanschuiven, bescheidenheid was zijn hoofdtrek; hij vertelde graag van zijn Ardeense heimat en zijn nederige afkomst. Ik had toen al een vaag voorgevoel, een soort ingeving dat deze man het ver zou schoppen in het kankeronderzoek. Hem werd in 1975 de Nobelprijs voor zijn wetenschappelijk werk toegekend. Nadat we te New York van elkander afscheid genomen hadden, heb ik Albert Claude nooit meer ontmoet.

De Arabic was een passagiersboot met een hele staat van dienst. Zij behoorde tot de familie van de Celtic, de Nordic, de Baltic en wijlen de Titanic. Zij sleet haar laatste levensjaren op de Atlantische route en deed dat zonder opmerkelijke hoogtepunten. Hoeveel knopen zij per dag kon lopen, weet ik niet meer; officieren en bemanning waren Britten, oude beproefde zeeratten.

Af en toe een beetje koopwaar meenemen om de lading vol te maken, behoorde tot de gewoonte. Voor zij ons te New York aan wal zette, legde de gemoedelijke oma Arabic aan te Southampton, te Cherbourg, te Queenstown in Ierland, te Halifax in de Canadese provincie Nova Scotia; zij zou in elk van die plaatsen een paar passagiers meenemen en wat koopwaar inslaan. Het brak de eentonigheid van een zigzagkoers die elf dagen en tien nachten in beslag nam.

De passagiers van de Arabic waren van een verrassende verscheidenheid. Voor de meeste was het hun eerste overtocht niet; er zaten een deel veramerikaanste Europeanen op die hun vakantie in het oude vasteland hadden doorgebracht en nu naar hun dagelijkse job in de States terugkeerden. Priester Libert was professor aan het grootseminarie van Rochester NY, was te Ronse thuis, ging zijn kursus doceren en na de winter naar zijn vaderstad weerkeren. Hij deed dat al verscheidene jaren. Hij was ooit leraar te Eeklo geweest en had daar de Gentse bisschop Coppieters onder zijn leerlingen gehad.

De scheepsarts was een oud-assistent van Rufin Schockaert en ledigde een zak moppen die hij te Leuven gevuld had. Hij verbaasde ons door zijn kennis van de bijzondere pathologie van de transatlantische overvaarten, waaraan vooral de passagiersters te lijden hadden. Hij was al in de buurt van zijn honderdste reis. Er liepen op de boot homofielen rond die op partners aasden; een Canadeesje met een scherpe neus was een vervelende klant die men met moeite van achter zich kon houden.

De scheepsarts vertelde dat er verschillende rijke negers de reis meemaakten, doch niet onder de andere passagiers kwamen omdat ze wisten dat blanken niet met kleurlingen wilden gezien worden; rassenhaat zat vóór vijftig jaar nog stevig in de blanke Amerikaan. Een Belg ziet niet zo misprijzend tegen een kleurling op. Wat voor huidskleur een mens heeft, is voor mij geen probleem; ik ben al meer dan eens bij een priester-neger te biecht geweest, maar zoiets kan een katolieke blanke Amerikaan niet over zijn hart krijgen, en evenmin met hem aan dezelfde tafel zitten.

Aan boord kon men elke dag mishoren, en de geïmproviseerde kapel was altijd vol, meer om de verveling te breken dan uit vroomheid. De namiddag na ons vertrek zaten we te Southampton en 's avonds te Cherbourg; niemand kon aan wal, maar allen hingen over de reling.

Om het kanaal over te steken en de zuidkust van Ierland te bereiken, had de Arabic een volle dag nodig. Te Queenstown, de haven van het nabije landinwaarts gelegen Cork, was er veel drukte en er kwamen tal van passagiers aan boord. Het bleken voor het merendeel Ierse priesters te zijn; ze koekten bij elkander, zochten weinig contact met de andere passagiers, speelden liever kaart in de kantine en dronken stevig whisky.

Pas had de Arabic Queenstown verlaten of de zon verliet ons ook. De geroemde schilderachtige zuidkust van Eire werd één grijze eentonigheid met donkere rotsen op de achtergrond. Men vroeg zich af waarom men zo gevaarlijk dicht bij het land voer. Was het om ons de gelegenheid te geven een blik te werpen op het wrak van de Celtic, die men op minder dan een halve kilometer nog aan de grond kon zien zitten, zoals zij daar maanden tevoren op de klippen was te pletter gelopen?

Nu ging het de oceaan over. Het duurde niet lang of men zat in de mist. De misthoorn van de Arabic liet zich horen: een kwart minuut toeten en driekwart minuut zwijgen. Uren aan één stuk, dag en nacht. Het helse ritme hield op wanneer een opklaring het zicht op zee wat openmaakte. Een geluid om hoorndol van te worden.

Het heeft vijf dagen en vijf nachten geduurd. In september is het altijd zo, was het enige troostwoord van wie er meer van wist. Men keek de zee in, luisterde of er geen boot in de buurt was die hetzelfde geluid liet horen. Als het een uurtje opklaarde zweeg het beest en deed men aan dektennis. De Ieren borrelden lustig. Men begon een boek te lezen, hield er even vlug mee op, slingerde door de gangen, keek naar de spijskaart om de tijd te doden, luisterde naar Pierre Wigny en zijn studieplannen over het internationaal recht in Harvard en Stanford. De zee was kalm, maar er heerste mist over het koninkrijk van Atlantis.

Zo naderde men de Nieuwe Wereld. Toen klaarde de hemel op. Maar het werd kouder. Op zaterdagnamiddag 21 september kwam de Canadese kust in het zicht. Het homofiele scherpneusje ging actiever op jacht naarmate hij zijn vaderland naderde. De zon kwam erdoor, maar de ijzige wind van Newfoundland deed naar de winterjassen grijpen. De Arabic zou vier uur te Halifax aanleggen; men kon aan wal gaan, de haven en de stad bezoeken, maar te twintig uur zou men de trossen losgooien.

De stad was niets bijzonders, een havenstad zoals een andere. Het was rumoerig die zaterdagavond. Kroegen met zatte matrozen waren er bij de vleet. De Arabicbewoners zochten snel hun gezellige thuis op, waar het warmer en prettiger was. Men liet Halifax en zijn ijskoude wind zonder spijt achter, en stevende zuidwaarts. De profeten voorspelden New York over anderhalve dag.

Binnenshuis maakte men toebereidselen voor de landing. Paspoorten bij de hand, Europees geld omwisselen in dollars. De purser trad in aktie, een man en een naam die ik nooit voordien gehoord of gezien had, een soort hofmeester die voor het comfort van de passagiers instaat. Hij had de handen vol.

De hele zondag was er een heldere zon met een stijve bries, meeuwen hingen rond de masten en in de verte ontwaarde men soms de rookpluim van een schip. Op de Arabic schoten de passagiers wakker uit de lome slaap waarin de misthoorn ze gedompeld had. Het werd de laatste nacht in onze kajuit, met in de ingewanden van het schip het eentonig gestamp van de machines, waarmede we al vertrouwd waren.

Maandag 23 september 1929; doelloos heen- en weergeloop zonder einde en overal.

In de morgen komt een boot zich tegen de Arabic aanvleien en stappen een vijftal mannen aan boord; Pierre Wigny zegt dat het een loods is, met officieren van de douane en de immigratie, naast een dokter. We geloven het grif.

Een uur later verschijnen in het westen boven de horizontlijn de vertikale bouwsels van New York, terwijl boten van allerlei tonnage voorbijschuiven, waarvan enkele oostwaarts door de oneindigheid van de oceaan opgenomen worden. Aan de lunchtafels van de Arabic is de bezetting dun en worden de spijzen vlug binnengewerkt.

Father Libert die New York van buiten kent, toont ons links Staten Island, rechts Coney Island en Long Island. Waar we nu doorvaren zijn de Narrows, de eigenlijke toegangspoort tot de haven. Vlak voor ons staat Miss Liberty, het beeld dat de fakkel van de vrijheid in de lucht steekt. Daar ligt Manhattan, de kern van New York, omarmd door twee rivieren, de Hudson en de East River. Links heeft men New Jersey, rechts Brooklyn. Het is meer dan genoeg om naar te luisteren.

*
* *

We zijn er. De Arabic legt aan in een van de talrijke dokken; met haar neus tegenover de wolkenkrabberswijk, als het ware in het hart van de Wereldstad.

Alleman is in de weer. Loopbruggen worden aangeschoven, de luiken staan al open, de takels en de katrollen schieten in gang. Passagiers met hun handkoffers worden in de salons verzameld waar ze voor controle van de papieren moeten aanschuiven voor de tafels van allerlei agenten met officiële aangezichten. Het gaat er met dezelfde traagheid als in de Oude Wereld. En van vriendelijkheid lopen de heren ook niet over.

Zonder dat we iets gemerkt hadden was Perrin Galpin, de New Yorkse vertegenwoordiger van de CRB ons tot op de Arabic komen groeten. Hij werd te woord gestaan door Pierre Wigny die ons voorstelt. Kort daarop is daar ook Father Odilon Nijs, onderpastoor van St.-Albert's Church, de parochie van de Belgen in New York. Hij is een ver familielid van mijn verloofde. Zij had hem geschreven wie ik was en wat ik in de States kwam doen. Met zijn vrijmoedige St.-Niklase tongval wenste hij mij welkom en ,,What can I do for you?''. Ik bracht hem wat nieuws van nonkels en tantes, van neven en nichten; daarmee was het ijs gebroken.

Het duurde vrij lang voordat we over de loopbrug konden, oma Arabic de rug toekeerden en Amerikaanse grond onder de voeten hadden. Onze koffers werden doorsnuffeld op zoek naar sterke dranken; we waren in droog Amerika: prohibition! Mijn koffer werd ergens opgeladen en zou zijn weg wel vinden naar Minnesota.

Mister Galpin loodste ons naar taxis die de fellows naar een hotel brachten waar kamers gereserveerd waren, waar we tot morgen zouden blijven en vandaar, elk naar zijn bestemming, vertrekken. De afspraak: ik kom u morgen om tien uur halen voor bezoek aan het CRB-kantoor Broadway 42, ontmoeting met de officers of the Foundation, gezamenlijke lunch en regeling van allerlei zaken van praktische aard.

Father Nijs nam me mee naar het Belgian Bureau in de 47th Street waar hij woonde. Zijn pastoor, Mgr. Jos. Stillemans, ook van St.-Niklaas, was voor een week afwezig; zijn collega Father Roosens was met vakantie. Een ander priester, Father Augustin Verhaege, benediktijn van Affligem, momenteel met liturgische zangrecitals op bedeltournee in de States, nam een deel van het parochiewerk op zich.

Met de twee Belgische onderpastoors zat ik een half uurtje later in een ,,speakeasy'', een van de typische Newyorkse gelegenheden uit de prohibitietijd, waar men voor een civiel prijsje kon eten, een biertje en een Frans wijntje drinken. Het was er volle bak.

En zo geschiedde het, dat terwijl Herbert Hoover president van de Verenigde Staten van Noord-Amerika was, een beursstudent van de CRB-Foundation die Hoover als haar geestelijke vader erkende, de wetten van de Verenigde Staten ten spijt, een frugaal Amerikaans etentje met een vermeend Europees wijntje naar binnen werkte, nadat daarover de zegen van de hemel was afgesmeekt.

De dinsdagmorgen waren we op het afgesproken uur klaar voor het bezoek aan het CRB-bureau, op de zoveelste verdieping van een Broadway-building. De heren die de honneurs waarnamen, werden onzerzijds te woord gestaan door Pierre Wigny en mevrouw.

Op het bureau kreeg elk de nodige aanwijzingen naast het aantal dollars die voor een verblijf van drie maand door de Foundation toegekend worden. Albert Lacquet en ikzelf, die op dezelfde avond naar de Mayo Clinic te Rochester zouden vertrekken, kregen een reisplan met de bijhorende spoorkaartjes en treinreservaties.

In groep ging men met de heren lunchen; men serveerde oesters, maar onze sponsors deden teken dat men de schaaldieren best onaangeroerd liet. Een wenk die allen graag opvolgden. De rest verliep zonder incidenten.

De reis naar de Mayo Clinic ging met de nachttrein over Niagara Falls en Chicago, met een dag oponthoud in elk van deze plaatsen. We vertrokken 's avonds uit New York en zaten 's anderendaags om zeven uur in de stad van de beroemde watervallen. De stad zelf is om uit weg te lopen, helemaal ingericht en uitgerust op ééndagstoerisme. De watervallen zijn de moeite waard; zij liggen op een rivier die het Eriemeer en het Ontariomeer verbindt, en de rivier zelf is de grens tussen USA en Canada.

Met ons tweeën hebben we uren staan kijken naar de neerstortende watermassa's, zijn we op de Canadese oever de even beroemde Rapids in ogenschouw gaan nemen, hebben we in een gondeltje honderd meter boven de Whirlpool gehangen. In de verte toonde men ons de wolkenkrabbers van Toronto.

De verlokking was te groot en de kans mocht niet gemist op een uitstapje naar de voet van een der uitlopers van de waterval, waar men zich beter kan rekenschap geven van het geweld waarmee de rivier naar beneden ploft en uiteenspat in een waternevel. Men moest daarvoor een speciaal waterdicht pak en schoeisel aantrekken, mitsgaders de strikte raad de gids in alles ter wille te zijn. Het was een adembenemende ervaring geweest, wanneer we anderhalf uur later vanop de oever konden zien waar we gestaan hadden. Ik zou bijna durven zeggen dat zonder de Rapids en dat uitstapje met het waterpak, de Niagara-vallen een wat overdreven faam genieten.

Vanaf Niagara Falls ging het met een andere nachttrein naar Chicago, over Canadees grondgebied; het was de kortste weg. Het was donker wanneer we vertrokken. Het spoor liep hoog over een brug en wanneer men midden op de brug reed, sloegen projectoren aan die veelkleurige lichtbundels op de watervallen richtten. Het was een toverachtig toneel de waternevel vanuit de diepte te zien omhoog wervelen en van kleur veranderen telkens wanneer een andere stralenbundel erop terechtkwam. Amerikanen scheppen graag sensatie. Daarna reden wij de nacht in.

Wij werden wakker in de buurt van Chicago, de stad die in Europa de titel draagt van bandietenstad. Van die bandieterij hebben Lacquet en ik niets gezien of ondervonden. Er gebeuren te Brussel thans meer bandietenstreken dan in 1929 te Chicago. We hadden een dag voor de boeg om doelloos rond te hangen. Waar we geslenterd hebben, kan ik mij niet in detail herinneren, maar we hebben de verhoogde stadsmetro gezien...

en gehoord; die maakt ontzettend veel lawaai als hij tussen de hoge huizen voorbijrijdt. Rondom een binnenmeertje rijzen prestigieuze gebouwen, waaronder dat van de Northwestern University.

Van het Michiganmeer gaat een bijzondere bekoring uit; het was een laat zomerse namiddag toen we er zaten te luieren. De drukte van de pretmakers op het water en op het strand was luidruchtig. Leden van de Legion of Decency zagen op het fatsoen en wanneer het over zijn hout ging aarzelden ze niet de politie op het spelletje attent te maken.

Het discrete toezicht maakte deel uit van een campagne tot bevordering van de openbare zedelijkheid waarvan op dat ogenblik in de States veel werk gemaakt werd. Hoovers regering hield de puriteinen en de geheelonthouders de hand boven het hoofd.

We zaten tegen zessen weer op de trein, waar het bed door een neger opgemaakt was, voor een nacht schokken en schudden op een Amerikaans konvooi. Men stelle zich niet voor dat de Amerikaanse spoorlijnen in het jaar 1929 een onberispelijk comfort aan hun reizigers te bieden hadden. Ik ben nooit in mijn leven zo dooreengerammeld geweest als op het traject Chicago-Rochester. De trein was bovendien helemaal geen sneltrein en hoeveel keer gestopt werd heb ik niet geteld.

Zoals elke trein in het Middle West was de onze voorzien van een luide bel die telkens aansloeg, wanneer men een bewoonde plaats naderde. Bewaakte overwegen bestaan gewoon niet, die kosten te veel. Men moet maar uit zijn ogen kijken wil men niet onder een trein terechtkomen. Om dieren of andere massa's te vermijden die toevallig voor een aanhollende locomotief zouden opduiken, zijn deze laatste voorzien van een brede schep die gemakkelijk een rund kan opzij duwen.

We reden door de staat Wisconsin, passeerden over de Mississipi, en wanneer het dag werd, zaten we in een licht golvend landschap met hier en daar een platgekopte heuvel, helemaal bedekt met rijpende maïsvelden. De boerderijen vertoonden een beeld dat mij ongewoon voorkwam, en waarvan ik maar later de zin en de betekenis heb begrepen.

Acht uur of zowat. Rochester Minnesota! De CRB-fellows verlieten tevreden de dampende en bellende schoktrein. We waren op onze bestemming. Het konvooi liep bijna ledig. In het bagagedepot van het station zagen we onze koffers staan. We zaten vlak in het midden van het stadje, op twee minuten van Broadway; het was alsof we van een stadstram gestapt waren, een slagboom of een afsluiting bij het station bestonden niet. Dit is Amerika's Middle West.

Eerst ietwat onder de tand en daarna op zoek naar een onderkomen, als studenten op zoek naar een kot.

MAYO CLINIC. ROCHESTER MINNESOTA

Uit alles wat we over de Mayo Clinic gelezen hadden, was ons bijgebleven dat er een onthaaldienst voor bezoekende dokters bestond, waar de gegadigden een oplossing voor hun kleine of grote problemen aan de hand werd gedaan. Zelfs de naam van de helpende dame — een hostess wordt ze thans genoemd — hadden we onthouden; ze was een internationale bekendheid, even internationaal als de instelling die haar tewerkstelde: Miss Fitzgerald.

We moesten niet lang zoeken in de grote hall voor we tegenover Miss Fitzgerald stonden. Ze was de hulpvaardigheid zelf en begreep uit ons schabouwelijk taaltje wat we zochten. Ze wenkte een voorbijlopende dokter, sprak met hem over ,,a couple of Belgian doctors'' en wees naar ons; ze telefoneerde naar een paar adressen en schreef op een briefje waar we naartoe konden, West Center Street 908; very nice people.

Wij met ons tweeën daarheen. We werden aan de deur opgewacht door een niet meer zo jonge dame met een pruik op, een grote bril voor haar vriendelijke ogen en zo plat als een slijpplank. Zij was door Miss Fitzgerald van onze komst en ons verlangen al op de hoogte gebracht. Rooms; for two doctors, Belgian; yes. We have always doctors here. Very glad. How long do you folks intend to stay in Rochester? — One year or so. — I see. — Twenty dollars a month, very nice people here. Have a look at the rooms, with bath and everything. We gingen een oogslag werpen; het beviel ons. Jij hier; ik daar. Okee.

We hadden onderdak bij Mr en Mrs Wood. Op vijf minuten van St.-Mary's Hospital, en zeven minuten van het centrale Mayo Clinic-gebouw. Bij een paar nette mensen; de heer des huizes was een dominee op rust, van de Methodist Church, the greatest Church of the world; een minister heet dat in de Amerikaanse volksmond. Bij de eerste ontmoeting was hij wat terughoudend, maar hij ontdooide vlug en was een joviaal man. Zondags was hij stug en streng protestants, wat zijn vrouw op die dag helemaal niet was.

Hun huis was wat wij een villa zouden noemen. De kamers op de twee verdiepingen werden bewoond door een geneesheer-fellow zoals wij aan de Mayo Clinic, en door een paar verpleegsters op leeftijd die in het ziekenhuis nachtdienst verrichtten. Allemaal nice people, die al lang in hun huis waren. De benedenverdieping behelsde een hall die tegelijk zit- en ontvangstkamer was, en daarachter lag de woongelegenheid van onze hospita en haar echtgenoot. Het duurde niet lang of we hadden in de gaten dat onze kotmadam de scepter zwaaide in 908 West Center Street.

We waren goed gevallen; Albert Lacquet zal mij, na straks vijftig jaar, niet tegenspreken. Onze maaltijden namen we in een cafetaria, en die ontbraken niet in Rochester. Het stadje van nog geen dertigduizend inwoners leefde van en leefde met de Mayo Clinic. De patiënten die voor onderzoek en behandeling van heinde en verre naar dit nest met zijn wereldbefaamd medisch centrum kwamen, logeerden meestal bij de inwoners en zodra ze uit het ziekenhuis ontslagen werden, keerden ze ernaar terug.

In de handelshuizen, de eetgelegenheden, de kerken, bij alles en bij allen stond de patiënt centraal. Ik hoorde de pastoor preken dat de Rochesteraars best niet zondags naar de hoogmis van tien en de late mis van elf uur kwamen, dat ze die moesten laten voor de patiënten. Bij de kapper ligt het *Journal of the American Medical Association* voor wie het lezen wil. Op de kruispunten van de straten en de lanen, zijn de opritten tot de gaanpaden verlaagd om het de ziekenwagentjes en rolstoelen mogelijk te maken zonder hinder op en af te rijden.

De patiënt is koning te Rochester Minnesota. Niet de Mayo's, noch een ander van de meer dan vijfhonderd dokters die in 1929 aan de instelling verbonden waren. Het sociaal, het commercieel en het cultureel leven van het stadje is met de patiënt begaan. In de eetgelegenheden ontmoet men weinig of geen autochtonen, bijna iedereen komt van elders, en is negen keer op tien een patiënt, of een dokter.

Wie te Rochester een gesprek wil aangaan, vraagt niet naar het weer, maar naar de naam van de geneesheer bij wie men in behandeling is, en naar de diagnose van uw ziekte. ,,Going through?'' is de vraag waarmee de praatzieke Amerikanen bij een onbekende een gesprek begint. Dat ,,going through'' wil zeggen dat u naar de Mayo Clinic gekomen bent om u van onder tot boven, van buiten en van binnen te laten nakijken, dat is in Gods molen binnen te stappen, medisch gemalen te worden en aan de andere zijde buiten te komen, al of niet met een klinische diagnose op zak en de noodzaak van een behandeling, desnoods een chirurgische operatie.

Wie in Rochester Minnesota komt, doet het omwille van de Mayo Clinic. Er is daar anders niets te beleven, niets te zien. Het is de meest troosteloze plaats op aarde, als daar niet de Mayo Clinic was, waar men troost komt zoeken. De vindingrijke Amerikaan van ter plaatse heeft er iets op bedacht om de lanterfantende patiënt die op zijn diagnose wacht, wat afwisseling te bezorgen: een rondrit. De gids vertelt over de Mayo gebroeders, over hun vader en het eerste ziekenhuis, hoe en wanneer het ontstond; hij weet te vertellen waar dokter Will Mayo en dokter Charley Mayo wonen, hoeveel operaties jaarlijks verricht worden, wie de meest befaamde chirurgen zijn.

Van Mr en Mrs Wood kon men een hele boel persoonlijke bijzonderheden over dokters en patiënten vernemen. Zoveel studerende geneesheren waren er gepasseerd of hadden er gelogeerd, nieuwtjes, roddelpraatjes, blijde en droeve voorvallen van commentaar en exegese voorzien, waren er het dagelijks voorwerp van de gesprekken geweest.

Men sprak ternauwernood over de wereldpolitiek, maar des te meer over de voorvallen van de Mayo Clinic, over wie in de ziekenhuizen was opgenomen. Het beroepsgeheim werd door de dokters niet in de wind geslagen, doch het belette niet dat iedereen wist dat de bokser Jack Dempsey voor aambeien geopereerd was en door wie.

De geschiedenis van de Mayo Clinic, hoe ze ontstond en groeide, kan niet op deze plaats gebracht worden. Het is een epos op zichzelf, en meer dan één boek heeft het epos op zijn manier geschreven. In de geschiedenis van de wereldgeneeskunde is dit een van de merkwaardigste hoofdstukken.

*
* *

Nadat we bij Mrs Wood onze kamers betrokken hadden en onze koffers op het station afgehaald, lag het voor de hand dat we onze opwachting gingen maken bij degenen onder wie we onze studie wensten voort te zetten.

Elk kwam met zijn wensen, zijn plan, zijn bekwaamheden. De CRB-Foundation had gemaakt dat wij in de Mayo Clinic konden werken binnen het raam van het voortgezet onderwijs dat zij zelf organiseerde en waarvoor zij een bijzondere stichting, de Mayo Foundation, had in het leven geroepen.

De voorzitter van de Mayo Foundation was dokter Louis Bl. Wilson, die sinds 1905 de leiding had van alle laboratoria, van huize uit een patholoog. Een fijne heer die de kunst verstond schuchtere en onbeholpen Europeanen die in Rochester wat kennis wensten op te doen, een gevoel van veiligheid te schenken. Hij wist weg met onze stuurloosheid. Lacquet werd naar het instituut voor experimentele chirurgie van dokter Frank Mann verwezen en ik zou het best met mijn beetje anatomo-pathologische bagage onder dokter William Mc Carty in kontakt met de operatiekwartieren van St.-Mary Hospital werken. Dat is vlak bij de urologie.

Om ons zijn geestelijke distinctie te laten delen, toonde dokter Louis B. Wilson ons vanuit zijn hooggelegen kamer in de verte de pleinen waar de fellows hun sportieve talenten konden tentoonspreiden. Welke sport onze voorkeur had, was een van zijn informatieve vragen, golf of zo. Geen van ons beiden was sportief aangelegd en wanneer ik zegde dat ik wel graag veel fietste, vroeg de voorzitter van de Mayo Foundation of ik aan die roemruchte European races meedeed. Wat natuurlijk, tot zijn en mijn opluchting, niet het geval was.

Dezelfde ochtend ging ik mij bij dokter W.F. Braasch, hoofd van de urologische afdeling voorstellen. Hij was een groot zwijgzaam man, hoogblond, een echte noorderling, en zoals ik later vernam, van Skandinaafse origine. Als ik hem zegde dat ik onder Legueu in Parijs gestudeerd had, sneed hij mij het woord en de adem af met ,,I don't like the French urology''. En als het ware om mij helemaal klein te krijgen vroeg hij of ik geloofde dat Duitsers in België kleine kinderen op hun bajonet gestoken en daarmee rond gelopen hadden. Spontaan en uit volle overtuiging zegde ik: ,,Neen!''

Dat antwoord maakte van hem een heel andere man. Ik mocht elke dag in zijn afdeling komen, hij zou mij helpen, elke ochtend te elf uur was er demonstratie van de klinische gevallen, you are wellcome! Ook dat was een opluchting en geen kleine, zelfs een bemoediging.

Later heeft Braasch me verteld dat hij geweldig geërgerd geweest was door de incidenten rondom de Leuvense universiteitsbiblioteek, toen zekere kringen een Latijnse tekst wilden laten plaatsen die eraan herinnerde dat de biblioteek door de Duitsers in 1914 was in brand gestoken en in 1928 door Amerikanen werd wederopgebouwd: Furore teutonico diruta, Americano dono restituta. Hij verbleef in Europa op het hoogtepunt van de betwistingen daaromtrent.

Daarmee zat ik op de Amerikaanse boot en zou zien welke koers hij ging varen. Na een week werd het duidelijk dat het laboratorium van Mc Carty niet beantwoordde aan wat ik verwachtte; ik kon een statistisch onderzoek verrichten over de invloed van nierstenen op het ontstaan van niergezwellen en daarvoor het pathologisch materiaal van dertig jaar ervaring van de Mayo Clinic benutten.

Het bekoorde mij niet en ik zegde het aan Mc Carty. Ik sprak hem over de thiosulfaatproef en wat ik in die richting verder wilde onderzoeken. Daarvoor moet u bij Frank Mann zijn, was zijn antwoord. Stel het hem voor, mij om 't even. Ik naar Mann, hij ging akkoord, ik mocht komen als Dr. Louis Wilson het goedvindt. Het was goed. Braasch was niet tegen. Voor mij een uitstekende oplossing. Daarmee werkten Lacquet en ik in het zelfde instituut, al was het op een ander niveau.

Het Institute of Experimental Medecine was een vijftal kilometer van het stadscentrum gelegen, volop op het platteland. Elke morgen om 8.30 uur bracht een autobus degenen die er werkten aan en 's avonds werden ze te vijf uur weer downtown afgezet. Het was een respectabele instelling met laboratoria, kennels en menigvuldige dierenhokken. Het geheel was voor zijn doel opgevat geweest door Charles Mayo. Er heerste een intense bedrijvigheid. De ziel was Frank Mann, die faam genoot als experimenteel chirurg. Hij was een dynamische persoonlijkheid, die tevens een vlotte tong had, in merg en been een man van de aarde, die ervan droomde te boeren wanneer hij met rust zou gaan, en het ook gedaan heeft tot zijn laatste dag.

Al wie ooit te Rochester omstreeks 1920-1940 proefondervindelijk werk gedaan heeft is door het Institute gegaan; het werd beschouwd als het onvervreemdbaar attribuut van de Mayo Clinic zelf. Bij de antivivisectionisten stond het in geen geur van heiligheid; de mensen van Rochester noemden het in de wandeling de „dog farm" hoewel er veel meer dan met honden geëxperimenteerd werd, evengoed met kikvorsen, ratelslangen, kippen en witte muizen. Het liefde en teerde uit de inkomsten van de Mayo Clinic.

Toen ik in 1970, d.i. na veertig jaar, een bezoek aan Rochester bracht en bij de weduwe en de dochter van Frank Mann te gast was, voerde men mij naar de plaats waar het Institute of Experimental Medecine en de woning van zijn chef gestaan hadden. Er was niets meer te zien, het was gewoon weideland, en niemand had ooit kunnen vermoeden dat daar zoveel wetenschappelijke arbeid werd verricht.

Mijn gastvrouwen keken het landschap aan met tranen in de ogen. Het leed dat op de bodem van die treurnis lag, deerde mij, ofschoon ik niet alles begreep wat in het gemoed van de vrouwen omging.

*
* *

Zes maand heb ik in het Institute onder de supervisie van Frank Mann gewerkt. Ik mocht mijn eigen gangen gaan en proeven opzetten om de uitscheiding van thiosulfaat door de nieren te bestuderen. Ik had de beschikking over proefdieren en in het wekelijks werkschema van het Institute kon ik met het goedvinden van de werkleiders bijzondere proeven laten opnemen, waarvoor ik de hulp van getrainde fysiologen nodig had.

Zo was het b.v. aangewezen te zien hoe de uitscheiding van het thiosulfaat zou verlopen wanneer de invloed van de hypofysiaire hormoonwerking wegviel. Daarvoor was het opzetten van het nierperfusie-apparaat volgens Starling en Verney een uitgelezen metode. Dokter Jac. Marckowitz maakte mij wegwijs en ik kon bewijzen dat de uitscheiding van het thiosulfaat een specifieke functie van de nier is.

We bestudeerden eveneens de invloed van het basaalmetabolisme, van de lever, van de nierzenuwen. De uraniumnefritis was een even dankbaar terrein. Heel dit werkprogramma kon nergens in betere voorwaarden en zo efficiënt afgewerkt worden als het ons beschoren was in het Institute te Rochester. Een voorlopige publikatie in *The Journal of Urology* vol. 26, nr. 2, aug. 1931, blz. 241-246 geeft rekenschap van de uitscheiding van het thiosulfaat door de geperfuseerde nier.

De volledige uiteenzetting van mijn proefondervindelijk werk met het thiosulfaat maakte het onderwerp uit van het proefschrift dat ik te Gent in 1932 heb voorgedragen tot het verkrijgen van de graad van Geaggregeerde van het Hoger Onderwijs in de Urologie.

Terwijl ik aan mijn eigen proefondervindelijk werk bezig was, ontbrak de gelegenheid niet om te zien wat anderen deden. Albert Lacquet zat tot over de kop in de leverproblemen; hij had aan dokter Mann en aan dokter J. Bollmann weergaloze gidsen. Eckfistels aanleggen en de lever van een hond wegnemen waren kinderspel in hun hand; nieren overplanten vanuit de buik naar de hals van een hond volgens de techniek van Al. Carrell was een chirurgisch kunstje waarin wij ons konden oefenen. Alles gebeurde op grote schaal en volgens een vast plan waar niet van afgeweken werd.

In Rochester waren nog andere laboratoria. Een van de meest aktieve was dat van biochemie waar dokter Edward Kendall de scepter zwaaide. Kendall die in 1914 de thyroxine had ontdekt, presideerde een club van biochemici waar ik een paar keer ben gaan luisteren; het waren hoogvliegers die daar aan het woord kwamen. Niet te verwonderen dat Kendall voor zijn werk over het identificeren van een bijnierhormoon in 1950 de Nobelprijs heeft gekregen. Wie daar druk over de drempel kwam, was de Hongaar Albert Szent-Gyorgi die in 1937 de Nobelprijs kreeg voor de ontdekking van de c-vitamine.

Edward Rosenow, de vader van de ,,focal-infection''-teorie zat ergens hoog in de toren van het centrale Mayo Clinic gebouw in alle organen te loeren op streptokokken. Hij was een eenvoudig mensje met een mutsje met oorlappen op, die voor een boertje kon doorgaan wanneer hij met zijn presenteerbord in de Zumbo-cafetaria tussen de anderen aanschoof. Metodist van het allerzuiverste water en geheelonthouder kreeg hij koude rillingen wanneer hij het woord wijn of bier hoorde uitspreken. Men moet hem op zekere dag wijsgemaakt hebben dat ik de spot dreef met de ,,American wine'' uit de prohibitiontijd, waarop hij reageerde dat hij met that mad Belgian fellow nooit iets wilde te maken hebben.

*

* *

Ofschoon ik mijn werk in het Institute van Frank Mann in een intensief tempo doorzette zodat ik mij na tamelijk korte tijd in duidelijke resultaten kon verheugen, legde ik het zo aan boord dat ik contact hield met de afdeling urologie van W. Braasch en de voornaamste urologische operaties kon volgen in Kahler Hospital of St.-Mary Hospital.

In de urologische afdeling van de Mayo Clinic werd in 1929-1930 niet geopereerd; zij was alleen een diagnostisch centrum met drukke activiteit en nam een hele verdieping van 16 kamers in het Kahler-hotel in beslag. De patiënten die voor chirurgie in aanmerking kwamen, werden volgens hun eigen keus gedirigeerd naar een hospitaal. Alle Rochesterse chirurgen opereerden urologische gevallen. W. Braasch en zijn collega's die als de urologen bekend stonden, opereerden nooit; opereren was 't werk van de ,,surgeons''. En die ontbraken niet.

In de praktijk waren het vooral Edw. Starr Judd en C. Verne Hunt die de operatieve urologie toegewezen kregen, de eerste in St.-Mary's, de tweede in Kahler. Ze waren allebei knappe bazen. Starr Judd, een schoonbroer van de Mayo's, was een man met gouden handen maar zonder ideeën, die alle krachtpatserijen verafschuwde; hij had niets liever dan dat men over hem niet praatte; goed opereren was zijn enige ambitie en daarna in de schaduw treden. Hij is op zevenenvijftigjarige leeftijd in 1932 aan pneumonie gestorven.

Verne Hunt heeft op het eind van de dertiger jaren Rochester verlaten voor Los Angeles. Hij was geen vlotte kerel zoals Judd. Hij werd neergeschoten door een man wiens echtgenote hij tijdens een operatie verloren had.

Vanaf 1930 werd Hugh Cabot in de Mayo Clinic als chirurg opgenomen. Hij behoorde tot een geslacht van pioniers en avonturiers, dat in het begin van de negentiende eeuw van zich had doen spreken. In diverse universiteiten had hij gedoceerd en was hij een beruchte persoonlijkheid geweest. Hoewel moreel en professioneel onberispelijk in zijn chirurgische handel en wandel, was hij een niet onbesproken man omwille van zijn agressieve standpunten inzake de sociale positie van de artsen en van de geneeskunde in het algemeen. Hij opereerde uitstekend, en bij voorkeur urologische patiënten.

Tijdens de operaties stond er altijd een patholoog ter beschikking, die na drie minuten de microskopische diagnose van een weggenomen stukje weefsel aan de chirurg persoonlijk mededeelde, zodat niemand naderhand voor een verkeerd antwoord kon verantwoordelijk gesteld worden. Bekende Mayo-pathologen waren William C. Mc Carty en Albert C. Broders.

Toen ik in Rochester was, opereerde Will Mayo niet meer; hij had in schoonheid willen eindigen en legde al in 1928 het mes neer; hij was dan zevenenzestig jaar oud. Hij kwam nog wel in de operatiekwartieren en plaatste zijn woord; hij stelde voortaan alleen diagnoses wanneer het hem gevraagd werd.

Zijn jongere broeder Charles Mayo heb ik nog in St.-Mary's Hospital zien opereren. Hij bezat een speciale techniek om een baarmoeder te extirperen; hij hanteerde slechts een schaar en de assistenten moesten maar zien dat zij de bloedvaten tijdig met hun tangen beethadden. Zij deden dat overigens meesterlijk. Nergens heb ik op die manier zien opereren met zo weinig bloedverlies.

Charles Mayo kreeg in de week vóór Kerstmis 1929 plots een oogbloeding terwijl hij aan het opereren was. Sindsdien is hij nooit meer in een operatiekamer verschenen; hij heeft er veel in geweten. Hij was een all round chirurg die even briljant een oog als een rectum opereerde. Een spiritueel man die geliefd was en de draak kon steken met zijn broeder Will die er altijd doodernstig uitzag, maar toch om Charles' moppen over hemzelf hartelijk kon meelachen.

Wanneer ik over het hoogtepunt van mijn proefondervindelijk werk heen was, bezocht ik alleen nog de urologische afdeling van W. Braasch in Kahler-hotel, zevende verdieping. Het ging er gedisciplineerd aan toe; men kon lanterfanten in de fellowkamer, maar niet waar de patiënten kwamen. Ik begreep nu dat Braasch van de wijze van doen in de Franse ziekenhuizen, b.v. in de afdeling van Legueu in Necker, geen hoge dunk had. Maar de veramerikaanste Sleeswijk-Holsteiner Braasch was niet in staat de schranderheid te vatten die een volbloed Fransman in zijn woorden en in zijn ideeën kon leggen.

De fellow die zich zonder arrogantie naar het ordelijk ritme van het Braasche huis kon plooien, trof er een ongeëvenaarde keus voor het opdoen van kennis. Wanneer de chef gezien had dat men gaarne wilde leren, was hij ook niet gierig met uitleg; hij was een goed leermeester. Ik was aan de afdeling van de mannen gehecht en had er in hoofdzaak voor te zorgen dat de patiënten met een flink gewassen onderwerk op de cystoscopie lagen voordat de baas of zijn plaatsvervanger het blaasonderzoek begon. Verpleegsters deden hetzelfde voor de vrouwelijke patiënten.

Braasch gebruikte een cystoscoop van eigen makelij, zonder vergrotende lens, die direkt de lichtstraal op het blaasslijmvlies wierp, zodat men alle delen van de blaas als het ware kon aftasten met het oog. In den beginne was het wennen, maar na een paar weken was men ermee weg. Braasch was dan in zijn element en gaf een praktisch lesje weg. Foto's werden genomen door een bijgeroepen roentgenassistent en alle documenten van de hele morgen werden te elf uur verzameld, besproken, bekeken in gemeenschap met de chef, zijn medehelpers en de fellows die de klinische geschiedenis moesten voorlezen.

De diagnose werd door de chef gesteld of alleszins bevestigd wanneer een ander het deed. De behandeling werd op dezelfde manier uitgestippeld. Een stenotypiste nam alles op. Wanneer de patiënt geopereerd werd, kreeg men de gelegenheid bij de operatie aanwezig te zijn in een van de hospitals en daarvan werd men tijdig gewaarschuwd. Op die manier kon men de patiënten volgen; nadat zij ontslagen werden, kwamen ze op de afdeling terug voor controle.

Te Rochester gold de stelregel: niet langer dan strikt noodzakelijk de patiënten na operatie in het ziekenhuis houden. Wanneer het alleen nog maar gaat om het wisselen van verbanden, wordt de patiënt naar zijn pension of hotelkamer teruggebracht. Dag en nacht staat vervoer ter beschikking indien een onverwachte verwikkeling tot wederopname dwingt. Als reden wordt opgegeven: ziekenkamers vrijhouden en de kosten van de ligdag drukken.

De Mayo Clinic heeft begrip voor zulke dingen: de patiënt is er koning, de hele patiënt, inclusis zijn beurs.

*

* *

De geschiedenis van de Mayo Clinic is in vele geschriften te boek gesteld en het gaat niet op hier zelfs het meest essentiële te resumeren.

Vader William Worrell Mayo, een Ier die zijn geluk in Amerika kwam zoeken, zoals zoveel anderen uit het groene eiland die door ontbering en verdrukking werden opgejaagd, begon in 1864 een medische praktijk te Rochester Minnesota, het Middle West waar geen spoorweg lag en de Sioux indianen tegen de indringende blanken op leven en dood vochten. Hij slaagde. Zijn twee zonen William en Charles volgden vaders spoor en waren vroeg met de praktijk vertrouwd.

Noodgedwongen was vader Mayo chirurg geworden; hij opereerde zijn patiënten ten huize of kon een kloostergemeenschap van Franciscanessen overtuigen een ziekenhuis met operatiegelegenheid te openen. Ook dat slaagde. Wanneer zijn zonen hem konden bijstaan, breidde het primitieve St.-Mary's uit. Het was in het begin van de twintigste eeuw al een van de voornaamste ziekenhuizen van Minnesota en de omringende staten. De ondernemingsgeest, de beroepsbekwaamheid en de wetenschappelijke eerlijkheid die hen bezielde, maakte van de Mayo's de voortrekkers van de chirurgie in de Nieuwe Wereld.

Ze wierven medewerkers aan, liefst van de beste, beperkten zich niet tot de chirurgie, maar lieten alle medische specialismen aan bod komen. Ik las in een Duits boek van 1965 dat er in dat jaar zesendertig specialismen in de Mayo Clinic beoefend werden.

Men kan over deze instelling die sinds 1914 deel uitmaakt van de University of Minnesota en derhalve in de opleiding van artsen betrokken wordt, ten overvloede cijfers, tabellen en statistieken voorleggen. Toch kan ik niet weerstaan aan de drang om enkele feiten uit de vele aan te stippen.

De Mayo Clinic was ooit een van de actiefste wereldcentra voor de behandeling van struma; de Mississipi ligt op dertig kilometer en in zijn vallei wemelde het van allerlei kroppatiënten. Henry S. Plummer, de eerste internist van de Mayo Clinic, begon zich in 1901 voor de kroppathologie te interesseren en vanaf 1920 wijdde hij zich uitsluitend hieraan met zijn broer William Plummer. De naam Plummer is onafscheidelijk met de kroppathologie verbonden gebleven. Een patiënt plummeren is hem met jodium enz.

voorbereiden op een kropoperatie. De voornaamste kropchirurg van de Mayo Clinic was John de Pemberton.

John Lundy, een Australiër door Will Mayo van zijn wereldreizen naar Rochester meegenomen, was de man die sodium pentothal in de narcosepraktijk invoerde; in 1930 stond hij volop in de voorbereidende fase van wat tot de moderne routinenarcose uitgegroeid is. De postoperatieve behandelkamer waar aan patiënten bijzondere aandacht en zorg wordt besteed is aan hem te danken. Ik volgde zijn lessen over transsacrale en epidurale verdoving.

John W. Kirklin voerde te Rochester, op achtendertigjarige leeftijd de openhartchirurgie in. Vanuit Gent gaan hartlijders zich in de Mayo Clinic door hem laten opereren.

De medicamenteuze behandeling van de tuberculose met streptomycine begon in de Mayo Clinic. De behandeling van reuma met cortisone eveneens, door P.S. Hench.

Toen ik in 1929 te Rochester kwam, bestond de uitscheidingspyelografie voor klinisch gebruik niet. In februari 1930 landde de Duitser Alexander von Lichtenberg, een dikke vriend van W.F. Braasch, met een doos ampullen uroselectan van zijn uitvinding. Het produkt werd ingespoten en voor de eerste maal zagen we een mooi getekend beeld van nieren, ureters en blaas. Het procédé heeft zijn weg over de wereld gemaakt; dat is nu 47 jaar geleden. De huidige uroloog kan zich niet voorstellen dat er een tijd geweest is toen men het zonder de uitscheidingspyelografie moest en kon stellen.

Over de Mayo Clinic gaan er in de medische wereld veel verhalen en legenden. In Amerika is de naam van de Mayo Brothers synoniem van perfecte chirurgie. Een vliegtuig dat van Chicago naar Rochester vliegt, zit voor de helft vol met patiënten. Ik heb het in 1970 zelf gezien.

Ook moppen gaan hun gang, met een ondergrond van waarheid. Zo die van de patiënte die zich moeizaam liet overtuigen dat zij haar galblaas moest laten wegnemen om van haar klachten af te geraken. Toen ze eindelijk toegaf, stond ze voor de keus van een chirurg: ofwel de geroutineerde dokter Judd, ofwel een jonge chirurg die aan zijn proefstuk was. Deze laatste zei dat hij zich niet kon veroorloven een zieke te verliezen in het begin van zijn carrière en zich daarom met bijzondere aandacht en zorg aan zijn gevallen wijdde. Hij liet de patiënte kiezen tussen hem en dokter Judd, die al meer dan duizend maal de operatie had verricht. Zij koos de jonge chirurg en genas vlot.

De Mayo Clinic te Rochester Minnesota is volgens de Europese opvatting een polikliniek, omdat er alleen ambulante patiënten komen. Wat wij een ziekenhuis noemen is daar een ,,hospital'' dat bedlegerige patiënten opneemt. De Mayo Clinic zelf heeft geen ziekenhuis; deze zijn te Rochester particuliere instellingen zoals St.-Mary's met zijn twintig operatiekamers dat door kloosterzusters beheerd wordt. Er zijn te Rochester veel hospitals. De patiënten kunnen kiezen. Het zijn de geneesheren van de Mayo Clinic die er opereren en zorgen verstrekken.

Geen enkel probleem van geneeskundige aard of zorgenverstrekking wordt te Rochester uit de weg gegaan. In de geschiedenis van dat enige medische Mekka, die in geen duizend bladzijden te beschrijven is, vindt men een antwoord op alle vragen die bij iemand kunnen oprijzen in verband met de geneeskunde, hij weze een leek of een medicus.

*

* *

Te Rochester was er altijd wat te doen dat de weetgierigheid van een jonge man die er kwam studeren kon boeien. Elke woensdagavond had de staff meeting plaats waar een chef of een assistent iets van hun recent werk of ervaring kwamen voorstellen. De laatste snufjes over een hangend probleem waren er te vernemen. Wie naar Europa geweest was, kwam een kwartiertje vertellen over wat hij gehoord en gezien had. Will Mayo had een stuk van zijn kerstvakantie te Miami doorgebracht en daar de sponsvissers aan het werk gezien; men hing aan zijn lippen als hij daarover vertelde.

Vreemde bezoekers waren er te Rochester bij de vleet. Sommigen gaven een lezing over hun werk, over hun instelling. Autochtone dokters gaven in de namiddag vaak een lezing in het kader van een georganiseerde lessencyclus. Zo hoorde ik er Norman Keith over de interne nierziekten. Op zekere dag had hij A.N. Richards meegebracht, een Canadees onderzoeker die er in geslaagd was vocht uit de glomeruluskamer van de nier af te pipetteren voor onderzoek: een kunstprestatie van de allerbovenste plank.

Om de maand hield Frank Mann een symposiumavond waar de werkers van zijn Institute iets kwamen vertellen over hun ,,problem''; ik heb er over mijn thiosulfaatwerk in mijn onbeholpen Engels wat uitgeflapt. Albert Lacquet die veel beter bespraakt was, kwam met zijn primeur van zijn leveresbattementen over de brug. Het bleef allemaal binnenshuis, maar het bracht leven in de brouwerij.

Donald Balfour, een van de topchirurgen, inviteerde de buitenlandse fellow in zijn woning op een receptie voor kennismaking. Hij was een geboren Canadees, was op studie naar Rochester gekomen, was er gebleven en met de dochter van Will Mayo gehuwd. Hij speelde orgel voor het gezelschap en verlootte boeken; ik trof *The Elefant Man and other Reminescences* van Frederick Treves; het boek met de handtekening van Donald Balfour staat in mijn biblioteek.

Op Kerstavond 1929 was ik met Lacquet en anderen te gast in het huis van een dokter wiens naam ik vergeten ben en die tijdelijk afwezig was op een studiereis in Europa. Hij had zijn woning met alles wat ze inhield ter beschikking gesteld van Alb. Szent-Gyorgui, een hormonenjager zoals Edw. Kendall. Szent sprak goed Nederlands want hij had twee jaar in Groningen gestudeerd. Het vroor geweldig zodat het ondergelopen tennisterrein in een gladde ijsspiegel veranderd was.

Op die Kerstnacht heb ik er geschaatst, voordat we naar de nachtmis gegaan zijn. Die nachtmis heeft tot halfdrie in de morgen geduurd, want Father Murphy, de pastoor, vond dat hij het aan zijn ambt en aan de hoogdag verplicht was, een preek van een uur af te steken. Ik houd van korte missen en nog meer van korte kernachtige sermoenen en die kregen we niet. Om nooit van mijn leven te vergeten.

Met Lacquet was ik te gast geweest in het huis van dokter A. Desjardins, een Franssprekende Canadees die aan het hoofd stond van de afdeling radiumterapie. Eveneens bij dokter Philip Brown, darmspecialist; en op Kerstdag zelf bij dokter Verbrugghen, fellow neurochirurg, zoon van Henri Verbrugghen, geboren Brusselaar, die directeur was van de Minneapolis Symphony Orchestra; er werd gemusiceerd om hoorndol van te worden.

We leerden veel dokters kennen in een stadje dat openbarstte van geneeskundigen. Op de lijst van degenen die aan de Mayo Clinic verbonden waren droeg ik in mei 1930 nummer 525. Hoeveel er nu zijn weet ik niet.

Een van de zonderlingste vogels was dokter Alfonso de la Peña een Spanjaard uit Madrid, met mij fellow in de urologie. Hoewel hij het niet zegde, wist iedereen dat hij om politieke redenen uit zijn vaderland was gevlucht. Iedereen kende hem, hij was een sympatieke kerel die ook Frans sprak, een ongedurig man die van de ene vriend naar de andere vlinderde, altijd op de loop was, en met zijn invallen geen weg wist.

Op een zekere dag heeft hij dokter Starr Judd eens geweldig aan het lachen gebracht. Judd wist dat Alfonso een zwak voor vrouwen had en nooit ontbrak waar feest gevierd werd en dames aanwezig waren. Op zekere dag vroeg de joviale Judd aan Alfonso wat hij dacht over een bepaalde assistente die inderdaad opviel door onberispelijke schoonheidscanons en van het gezelschap deel uitmaakte. ,,O, antwoordde Alfonso, I think she is a wonderful bitch''. De spontaniteit van Alfonso verraste Amerika's befaamde chirurg in die mate, dat hij minuten aan een stuk gelachen heeft.

Om het te begrijpen moet men weten dat het woord ,,bitch'' in Amerika een bijzondere betekenis heeft en dat Alfonso's antwoord zoveel inhield als: zij is een wonderschone teef. Andere Amerikanen dan Judd, zouden van Alfonso's spontaan wederwoord een publiek schandaal gemaakt hebben.

Alfonso de la Peña heb ik in de jaren 1950 tot 1965 telkenmale terug gezien op het jaarlijks urologenkongres te Parijs. Ondanks zijn extreem-socialistische overtuiging en ondanks het feit dat hij tegen Franco gevochten had, had hij zijn vader opgevolgd op de leerstoel van de urologie te Madrid. Zijn ongedurigheid had hem in die jaren nog altijd niet verlaten; iedereen in dit internationaal gezelschap kende hem en riep hem aan als Alfonso. Hij moet omstreeks het jaar 1970 overleden zijn aan de gevolgen van een ziekte der urinaire organen. Ook W. Braasch droeg hem in zijn hart. Fantastische Alfonso!

Ik kan geen afscheid nemen van het Rochesterse dokterswereldje, zonder de naam van uroloog nummer twee uit de Mayo Clinic te vermelden, John Crenshaw. Sinds 1910 stond hij naast W. Braasch als een trouwe alter ego. Hij kende maar twee dingen op de wereld, urologische diagnoses en forelvangst. De rest liet hem Siberisch koud. Hij kon de baas soms met diagnostische finesses de loef afsteken en hij liet de gelegenheid nooit voorbijgaan; voor ons was hij geen gemakkelijk man, maar hij had van die knepen en gezegden die men niet vergeet.

Een fellowcystitis is een van de uitdrukkingen waarmede hij een blaasletsel bedoelde, dat door onzachte manipulaties van een cystoscoop was veroorzaakt; een week nadien wist hij die nog vlijmscherp te onderkennen en liet het horen.

Wanneer John Crenshaw stipt te negen uur op de afdeling verscheen en elkeen hem goede morgen wenste, keek hij naar de ramen en gniffelde hij iets over goed, slecht, onstandvastig weer voor trout-fishing. Dat was voor hem het meteorologisch criterium. Wanneer hij het hoorde donderen, zegde hij dat de forellen zich dan koest hielden, en wanneer het waaide deden de forellen wat anders, het einde van de ochtend viel samen met een of ander verschijnsel in het forellenleven. Crenshaw besteedde zijn vrije tijd aan de forellenvangst; hij heeft weinig of niet gepubliceerd, maar trouw tot de laatste patiënt volbracht hij zijn urologische taak; daarna legde de forel beslag op heel zijn wezen.

*
* *

De jaargetijdenwisseling in Minnesota is die van het Middle West. Einde september tot einde oktober heerst er wat men de Indian Summer noemt, een heerlijke nazomer. Met Allerheiligen valt de winter in, en met december begint het te sneeuwen, weken aan een stuk, meters hoog; het vervoer moet zich een weg graven met sneeuwploegen. Men leest van ingesneeuwde treinen.

Daarna begint het te vriezen dat het kraakt, twintig tot dertig graden onder nul; de sneeuw wordt steenhard en te Rochester hakt men een weg in de sneeuwmassa. Heel de maand januari en februari houdt het vriezen aan. Men loopt in speciale dikke jassen en draagt een pelsmuts met oorlappen. In maart wordt het enigszins zachter en in april zet de dooi in; van onder de sneeuw komt een ros grastapijt te voorschijn.

In mei is op een kleine maand alles weer groen, gaan de bomen bloeien en wordt het een tamelijk zachte zomer. Men hoort spreken van cyclonen die over de staat razen en een ontzettende verwoesting veroorzaken. Het medisch Rochester had in 1883 zijn ontstaan aan zulke cyclonen te danken, toen een deel van de stad vernield werd en de Franciscanessen een voorlopig ziekenhuisje inrichtten dat later St.-Mary's Hospital werd en waar Worrell Mayo de eerste chirurg was.

De Rochesterse landstreek is banaal, licht golvend met hier en daar een platgekopte heuvel, en een grillige rivier de Zumbo (de vervormde naam van Rivière des embarras). De grond is buitengewoon vruchtbaar, maar de cultuur beperkt zich bijna uitsluitend tot maïs; melkvee ziet men er niet veel, maar des te meer varkens, van een bijna roze soort, niet te groot, die voordat ze honderd kilogram bereiken voor de slachthuizen van Chicago worden opgehaald.

In 1929-1930 was er te Rochester een spoorwegstation, in 1970 was het spoor verdwenen en het station een vertrekcentrum voor het autobusverkeer geworden.

Elke godsdienst en godsdienstsecte had te Rochester een kerk, of iets dat ervoor doorging. De katholieke kerk was in hout, met in de stenen onderbouw een ruimte die als jeugdpatronaat gebruikt werd; pastoor was Father Murphy, hij had twee onderpastoors. Om de honderd meter stootte men op een protestants tempeltje; er bestond een Swedish en een Norvegian church waar in die taal gepredikt werd. Minnesota werd in de negentiende eeuw door Skandinaven gekolonizeerd, en hun moedertaal was in de kerkgenootschappen levendig gebleven. Een tempeltje van de Christian Sciencesecte ontbrak niet; het bestond uit niet meer dan een kamertje, zo groot als een voorschoot, de deur stond altijd open.

De voornaamste protestantse geloofsbelijdenis was die van de Methodisten. Mister Wood, bij wie ik met Lacquet inwoonde, was een Methodistendominee op rust. Het gebeurde dat hij insprong voor een preek. Ik ben eens naar hem gaan luisteren, tot grote ergernis van Albert Lacquet die vond dat een katoliek zich aan zonde plichtig maakte, wanneer hij zulks deed. Ik heb die zonde voor rekening van Lacquets orthodox katholicisme gelaten en, in 1930, blijk gegeven van œkumenisme. Mr Wood predikte over ,,The Power of love''; het boeide mij, want onze kotbaas was geen slecht predikant, in alle geval stukken beter dan Father Murphy.

In april 1930 arriveerde Gustaaf Baeten, assistent aan de Gentse gynaecologische kliniek, te Rochester als advanced fellow van de CRB-Foundation. Hj woonde ook op 908 West Center Street, doch verliet Rochester na een drietal weken en trok verder Amerika in. Gustaaf Baeten was een plechtig doende heer; hij had in zijn bagage een jacquet meegebracht, en pakte daar zondags mee uit, wanneer hij naar de hoogmis ging. Men keek hem in Rochester achterna alsof hij een halve gare was, want in de Middle West was een pandjas onbekend. De knapen uit het jeugdpatronaat wezen hem met de vinger: look Prince Albert. Die Prince Albert was een veel gerookte soort tabak en op de dozen stond een Prince Albert, de gemaal van de Engelse koningin Victoria, afgebeeld met een jacquet aan zoals Gustaaf Baeten er een droeg.

*

*   *

Over mijn verblijf te Rochester, over de stad, over de personen die ik ontmoette, over de relaties die ik aanknoopte, over het medisch bedrijf dat de hartslag was van dat onopvallend nestje van 30.000 inwoners in een onopvallend landschap, kan ik bladzijden volschrijven.

De Amerikanen van het Middle West zijn mensen die zich laten leiden door de inspraak van het gemoed, niet koel en stijf, gastvrij, vaak onbedacht en vol begrip voor Europese denkwijzen, meestal onbekend met Europese toestanden. Om niet te spreken van Europese gebeurtenissen. Op ons studentenkot woonde een zekere dokter Mohrart in, een kapitale kerel. Toen hij hoorde dat we Belgians waren, luidde zijn eerste vraag of Belgium in the war van 1914-1918 betrokken was. Om omver te vallen! En wij die dachten dat België de wereld door bekend was voor zijn heldendaden, voor zijn ridder-koning. Dat had men ons wijsgemaakt en op alle tonen voorgezongen.

Ik zou mezelf ontrouw zijn, als ik niet vertelde hoe de heilige banden met de dierbaren in Vlaanderen werden aangehouden en verzekerd. Geregeld schreef ik naar Gentbrugge en kreeg van daaruit antwoord met de kleine alledaagsheidjes die het onderpand zijn van stevige familiale gehechtheid.

Met mijn verloofde te St.-Niklaas was afgesproken dat wij elke week elkaar zouden schrijven. Ik ben nooit in gebreke gebleven en vanuit het Zoete Waasland was het even onfeilbaar. Deze epistolaire vrijage is tot een niet geringe lias ontboezemingen aangegroeid, die mijn vrouw angstvallig ergens in een schuilhoekje bewaart. Ik heb ze sinds zevenenveertig jaar niet meer gezien. Ze zullen na onze dood te voorschijn komen en door onze kinderen gelezen worden. We hebben ons voor niets te schamen en onze nakomelingen mogen erin vernemen wat de ouden over liefde en huwelijk dachten.

Wekelijks kreeg ik bovendien een pakje nummers van *De Standaard* zodat ik op de hoogte bleef van het gebeuren in de heimat.

En wat niet onvermeld mag blijven, de halve kilo Gentbrugse tabak, Fleur de Keiberg, die mij door de goede zorgen van mijn verloofde te Rochester bereikte. Ik was in die tijd een verstokte pijproker die op eigen tabak gesteld was. Door de instinctieve voorkomendheid om de grillen van haar beminde te voldoen, die altijd het kenmerk van mijn vrouw is geweest, kon ik walmen van ,,home-grown Flemish tobacco'' in de Amerikaanse lucht paffen. Men kende mij eraan en bij meer dan een man en vrouw heb ik een prikkelhoestje veroorzaakt; ze vonden het soms ,,awful''.

Met het New Yorks kantoor van de CRB bleven we in briefwisseling. Elk trimester zonden we een verslag over de stand van onze werkzaamheid en onze vooruitzichten.

Reeds voor Pasen 1930 was bij Lacquet en mezelf de wens opgekomen wat meer van de Amerikaanse geneeskunde te zien en te leren dan wat de Mayo Clinic van Rochester bood. Hoe ontzettend veel en voortreffelijk ook, was het toch maar één klok die we hoorden luiden, en eenzijdigheid is altijd uit den boze.

We onderzochten dan de mogelijkheid om samen tot aan de kust van de Stille Oceaan te gaan, onderweg bekende medische centra aan te doen, en onze reisroute zo te kiezen dat we een stuk van Amerika's natuurschoon niet uit de weg zouden gaan. We waren vlug over het opzet eens dat we veiligst en goedkoopst met de auto zouden reizen. Zo gezegd, zo gedaan. Lacquet die een beter uitpluizer van alle kansen was dan ik en overal zijn licht opstak, vond dat we het met een Ford, model 1930, moesten riskeren. Voor mij niet gelaten.

We verwittigden de CRB te New York, legden ons plan voor, kregen het OK, deelden het mee aan onze respectievelijke chefs die ons niet afkeurden en ons evenmin konden weerhouden, vermits wij tegenover de Mayo Foundation financieel onafhankelijk onze activiteiten in Amerika vrij konden regelen.

We legden zo nauwkeurig mogelijk met alle wegkaarten de reisweg en de datums vast; we zouden vertrekken op maandag 5 mei 1930 en terugzijn te Rochester op zondag 24 juni, dat was een goede zeven weken.

We kochten een Ford, laatste model, voor 526 dollar. Ik kon niet autorijden en wat Lacquet kon was ook niet veel. We reden om de beurt wat rond in de buurt van Rochester en bereikten zonder malheuren de vastgestelde 5 mei.

Vertrek te 6 uur in de ochtend, ik aan het stuur. Ons lijf en ziel hadden we aan de Almachtige aanbevolen, want het was geen klein bier, een reis van 13.000 kilometer dwars door Amerika, op ons onbekende wegen. We hadden veel vertrouwen in ons splinternieuw karretje, dat al ingereden was. We konden een wisselwiel aanzetten, wisten waar gaspedaal en rempedaal voor dienden, wisten waar de handrem stond en hoe men de versnellingsschakelaar moest hanteren. Tot zover reikte onze werktuigkundige wetenschap. En nu de baan op en gehoor gegeven aan de oproep van Marnix Gijsen: Ontdek Amerika.

Ik had het allemaal van naaldje tot draadje naar St.-Niklaas geschreven en een afspraak gemaakt waar de brieven, poste restante, zouden naartoe gestuurd worden. Ik gaf op San Francisco California, en Livingston Montana. Van die autotocht hield ik een klein dagboek.

PER AUTO DOOR WEST-AMERIKA

Onze Ford was derwijze ingericht dat hij desnoods als slaapstee kon dienen; men weet nooit in welke omstandigheden men kon terechtkomen op een tocht vol onbekenden. Het is ten slotte meegevallen, want we hebben slechts één keer binnenwiels moeten logeren, ergens in het Yellowstone Park.

We hadden niet meer ingeladen dan wat noodzakelijk was, er wel rekening mee houdend dat we ten allen tijde als fatsoenlijke lui onder de mensen moesten kunnen verschijnen. We waren niet van plan kilometers te vreten, maar de afstanden zijn enorm in Amerika en we hadden het zo berekend dat er tijd voor pleisteren was en wij toch op de vastgestelde datum weer te Rochester zouden zijn. Onze koffers lieten wij onder de hoede van Mrs Wood.

De reis liep eerst een tijdje zuidwaarts, dwars door de staat Iowa, die even onopvallend is als Minnesota. Wij waren op de middag in de hoofdstad Des Moines. Daarna ging het westwaarts naar Omaha, een grote mooie stad op de Missouri, in de staat Nebraska, waar we logeerden, na 660 kilometer. 's Anderendaags bezochten we de University of Nebraska, niets bijzonders. We reden verder westwaarts, door Lincoln, de hoofdstad van de staat. Zij is niet veel zaaks, kleiner dan Omaha en ten haren opzichte de arme zus.

De hoofdstad van een Amerikaanse staat is bijna nooit de belangrijkste stad. Van de staat New York b.v. is dat het meer centraal gelegen Albany, en van California niet San Francisco maar het kleinere landinwaarts gelegen Sacramento.

Nebraska is een platte landstreek waar de maïs het heeft moeten afleggen tegen de tarwe en de weiden. Het weer was regenachtig en alle rivieren stonden boordevol gezwollen. We logeerden na 300 kilometer in een toeristenkamp te Hastings en zaten nu nagenoeg even ver van de Atlantische als van de Stille Oceaan.

De volgende dag wilden we Denver in de staat Colorado halen, in vogelvlucht meer dan vijfhonderd kilometer. Het was een regendag op zijn Amerikaans, maar we zaten droog in onze wagen. We passeerden ergens de Platte River; ze was plat en breed en onder de laagliggende brug stroomde het water vervaarlijk snel en kolkend door. Ik was blij wanneer we veilig aan de overzijde stonden. Op de wegen was er weinig verkeer, en de ene regenbui volgde op de andere; het was een land van prairies, met hoge bergen aan de horizont.

In de namiddag zaten we in Colorado. De wegen waren niet slecht, maar Denver lag op 200 kilometer. We vorderden goed op de ,,highway'' tot we voor de keus stonden, of een ,,shortcut'', zoals men dat in Amerika noemt, in te slaan, die op de kaart gezien wel vijftig kilometer korter toonde, of de highway te volgen. We bezweken aan de verlokking van de shortcut.

In den beginne viel het mee, maar na een kwartier kwamen we op een modderbaan van jewelste terecht. Onze brave Ford zweefde van links naar recht op het vette slijk en nog geen halve kilometer verder zaten we tot aan de as in de modder en konden niet meer vooruit. Duwen aan de wagen hielp niet.

Vervloekte shortcut, en stommerikken die we geweest waren geloof te hechten aan de verlokkende bord dat ons uitnodigde de kortste weg naar Denver te nemen. Men had ons nochtans gewaarschuwd tegen die shortcuts; dat was een hels opzet van de

Amerikanen om de onnozelaars op een dwaalspoor te brengen, geld af te zetten en wellicht te bestelen. We waren erin gelopen!

Wanneer de wanhoop het hoogst is, is de redding nabij. Die redding was een boer die een tweehonderd meter verder met een koppel paarden op 't land werkte. Druipnat en beslijkt ging ik hem vragen ons uit de nood te helpen, zijn paarden voor onze Ford te spannen en ons uit die slijkpoel te trekken. De man was behulpzaam, deed wat we vroegen en trok ons, niet op het droge maar op het harde.

We waren van zin terug te keren naar de highway, maar de behulpzame man verzekerde dat het slechtste voorbij was, en dat de shortcut naar Denver wel te doen was. We gaven onze redder een tiendollarbiljet en volgden zijn raad. Hij bleek een goede engelbewaarder geweest te zijn.

We kwamen te Denver in de late namiddag aan. Elkeen bekeek onze beslijkte wagen alsof hij uit een maanlandschap ontsnapt was. We zetten hem in de eerste de beste garage en zochten, zoals voorzien, het Commerce Hotel op. Men keek naar ons als naar ontsnapte gangsters. We hebben die nacht goed geslapen; het was een avontuurlijke en spannende dag van 410 mijlen, d.i. 660 kilometers geweest.

We bleven een paar dagen in Denver. De stad is het zien waard; zij is zeer levendig, met ruime pleinen en lanen, aan de voet van het Rotsgebergte gelegen; zij ademt al de Far-West. Imponerend is b.v. het beeld van de paardrijdende lassowerpende cowboy vóór het Capitol-gebouw; heel de bronzen massa rust op de twee voorpoten van het steigerend dier met de achterpoten in de lucht. Men denkt onwillekeurig aan het Gentse Ros Beiaard-beeld met de vier Heemskinderen van Alois de Beule en Domien Ingels.

Voorts botst men vaak op Indianen, nette mensen die doen zoals iedereen en door niemand achterna gekeken worden. Het weer was uitstekend, de omgeving lokte; intussen kreeg onze Ford een soliede wasbeurt, kwamen we op adem en konden onze natte spullen drogen.

Vrijdag 10 mei zegden we vaarwel aan Denver, trokken zuidwaarts tot Colorado Springs op 120 kilometer. Het is hier volop Far-West. We logeren in Continental Hotel, bezoeken de Black Forest en bestijgen een eind de Pikes Peak die wit ziet van de sneeuw, bezoeken de Cave of the Winds, de Cliff Dwellinger, the Garden of the Gods Pueblo en logeren in een toeristenkamp, op de rand van een roodkleurig woestijngebied, Sangre de Cristo.

Zondags rijden we al vroeg door Walsenburg en Trinidad, horen mis te Raton, een bergpas op de grens met de staat New Mexico; er wordt in het Spaans gepreekt en daarna in het Engels door een bisschop die het vormsel toedient. Op de bergen ligt veel sneeuw. Door een schaars bewoond gebied met kale okergeel gekleurde heuvels en soms met een grasland dat mesa verde, groene tafel heet, komt men na 400 kilometer te Santa Fe, de hoofdstad van New Mexico.

Het leek wel een Spaanse stad, want er was weinig Engels te horen. Het State Capitolgebouw was in de stijl van de eerste pioniershuizen opgetrokken, en de hoofdkleur van de stad zelf is een mengeling van rood en geel. De Indianen lopen er dik. Nergens was hoogbouw te bespeuren. Op de zondagnamiddag heerste veel drukte; we konden niet geloven dat hier alleen maar water of vruchtensap gedronken werd door een volkje waaronder mannen met breedgerande hoeden en cowboylaarzen de toon aangaven.

In een kerk van bruine paters was het eveneens druk. In een van de biechtstoelen zat een pater die volgens het advieskaartje, in zes talen kon biechthoren, onder meer in het Nederlands. Hoewel ik mij van geen groot kwaad bewust was, wilde ik er het fijne van weten. Wanneer het schuifje openging, legde ik ootmoedig mijn pakje open in een gewoon half beschaafd Vlaams. De man aanhoorde mij zoals een bruine pater dat in Gent doet, hij gaf mij in halfbeschaafd Westvlaams de heilzame vermaningen en als zalige penitentie vijf Onze Vaders en vijf Weesgegroeten; dat vond ik een tamelijk grote Amerikaanse dosis voor hetgeen ik beleden had.

Na een absolutie vroeg hij mij wat ik te Santa Fe kwam doen, en waar ik vandaan kwam. Om het kort te maken sprak ik van een toeristentoer, dat ik van Gent was; hij kende Gent en had daar een tijdje in het klooster verbleven.

Op geneeskundige prospectie zijn we te Santa Fe niet geweest. De Far West obsedeerde ons, we waren alle twee gegrepen door deze fantastische landschappen, steden en mensen, overbluft en uit het veld geslagen door het nieuwe en onbekende dat elk ogenblik in ons blikveld verscheen. Ons observatievermogen kon het niet bijhouden, ons begripsvermogen niet assimileren, ons geheugen niet opbergen. Hoe jammer dat de geliefde hier niet was, om het samen met mij te zien en ervan te genieten.

Het Westen zoog ons aan. We wilden er zoveel mogelijk van in ons opnemen. We reden met talrijke onderbrekingen en halten zuidwaarts, door Albuquerque en Gallup, door San Rafael, kwamen in de staat Arizona, dwarsdoor de Painted Desert, in het land van de Laguno en Zumi Indianen, logeerden in een toeristenkamp te Navajo, na 460 kilometer tussen een mengelmoes van Roodhuiden, halve roodhuiden, Chinezen, blanken en halve blanken, negers en kreolen; geen een was boosaardig, wel verkoopzuchtig. Zij poogden iedereen parels, tapijten, lederwaren, zadels en zwepen en andere rommel aan te smeren, maar een diefachtig volkje was het niet.

Nog eens 375 kilometer westwaarts door de woestijn van Arizona over Winston en Flagstaff. We stopten een tijdje te Williams en reden dan noordwaarts voor de tachtig kilometer die ons scheidden van de Grand Canyon, een van de heerlijkste natuurwonderen ter wereld. Ik kan mij in deze gedenkschriften, die van een medicus die de tweeëndertig voorbij was, niet de adem uit de pen schrijven om de weergaloze schoonheid van de Grand Canyon te prijzen. Andere pennen, en van de allerbeste hebben dat gedaan, en men kan het daar lezen.

In gezelschap van Albert Lacquet daalden we te paard tot op de bodem van de Grand Canyon af, daar waar de Colorado River stroomt. Onder het geleide van een cowboy en met de meegegeven mondvoorraad voor een hele dag was deze uitstap het toeristische hoogtepunt van onze Far-Westreis. De paarden kenden de steile paden van buiten en met een bewonderenswaardige lenigheid werkten ze zich, met de ruiterslast op hun rug, zonder moeite naar beneden en daar terug naar boven.

Onvolprezen zijn de panoramische vergezichten die men op diverse plaatsen aan de rand van de Grand Canyon kan opvangen, de kleurspelingen wisselen op elke hoek wanneer de zon erop schijnt. Vóór de Grand View kan men uren lang als aan de grond genageld dat lichtspel bewonderen, men gaat met spijt heen, men moet er zich van losrukken als van een geliefd wezen dat zich aan u hecht.

In Arizona liggen de uitgestrekte Reservations van de Navajo- en van de Hopi-Indianen. Deze sympatieke Roodhuiden benutten het toerisme en pogen met tentoonstellingen van de produkten van hun huisnijverheid een stuiver te verdienen. Ik kocht een met de hand geweven tafelkleedje en een uit klei vervaardigde stenen pijp met geschilderd motiefje die ik thuis bewaar. De Hopi-dansen tussen hun blokhuizen lokten veel kijkers, we wilden ze niet missen.

We keerden op onze stappen tot Williams terug en reden dan westwaarts door de Ute Mountains, een aan ertsen rijk gebied waaronder ook goudmijnen, stonden te Oatman voor een brede Coloradostroom, die we te Needles passeren, wat ons na 420 kilometer meteen in Californië brengt. Needles heeft de reputatie de warmste plaats van de U.S.A. te zijn, we konden het best geloven, al was het nog maar mei.

Aan de grens van California werden we opgehouden door een douanepost, die wil weten of we sinaasappelen en tabak invoeren. Wat is dat, beambten tussen de staten van de Unie? De grond van de zaak is de ekonomische wedijver tussen oosten en westen van de U.S.A., met de citrusvruchten en de tabak als inzet; een appelsienoorlog in eigen schoot. We hadden een zakje met een vijftal sinaasappelen in de auto liggen en moesten daarop douanerechten betalen, maar losten het conflict op door de corpora delicti te verorberen, waarmede de tolbeambten vrede namen. Met mijn voorraadje Gentbrugse tabak die ik bijhad, ging het moeilijker; ik moest bewijzen dat het goedje niet uit de staat Virginia kwam. Omdat een Belgisch etiket nog op het pak kleefde, was het bewijs geleverd, hoe ongelovig de Californiaanse douane op die Fleur de Keiberg stond te kijken.

De beruchte Mohavewoestijn lag voor de boeg. Opletten, chauffeur, dat de benzinetank gevuld is; het is anders geen pretje wanneer men zonder brandstof valt in dat gebied van honderd mijlen, want de schaarse benzinestations die men ontmoet, verkopen tegen driedubbele prijs. Men had ons niet beet. De Mohavewoestijn is een dor, bergachtig gebied met menigvuldige passen.

Te San Bernardino komt men in het gezegende rijk des overvloeds, land van melk en honig. We rukken op naar de Stille Oceaan, naar Los Angeles, de stad met de verlokkende naam die al in 1930 onze verbeelding bedwelmde. Tussen een weelde van gerst-, haver- en tarwevelden, druiven, sinaasappelen, citroenen, tussen appelboomwouden en palmen komen we in Los Angeles aan op vrijdag 16 mei 1930, na een tocht van 542 kilometer.

Een gedroomde plek om te pleisteren, om na de overstelpende roes van natuurwonderen opnieuw aan de geneeskunde te denken. We bezoeken de laboratoria van de University of California waar we te woord gestaan worden door de farmacoloog dokter Thienes. Een tamelijk jonge universiteit die het lastig heeft om erbovenop te komen en leeft van particuliere giften. Voor zover ik weet is ze thans flink uit de kluiten gewassen. Met een bijzondere vergunning die Thienes voor ons wist te bekomen, kunnen we een studio van de Metro-Goldwin-Mayer bezoeken. Een opname was aan de gang; een scene die nog geen minuur duurde, moest een vijftal keren herhaald worden. De Metro-Goldwin-Mayer beslaat een enorme oppervlakte, is bedekt met plaasteren gebouwen waarvan er een hele boel in puin liggen of afgebrand zijn; hier regeert het efemere.

Vanuit Los Angeles deden we uitstapjes naar Catalina-eiland, Avalon met de glass-bottom boot die over de submarine gardens voer en met een onderzeeduiker die eronder zwom.

Na een bezoek aan het General County Hospital hadden we een onvergetelijke ontmoeting. We reden met de wagen het voorplein van het ziekenhuis af, en voor we aan het buitenhek toe waren, komt een man al armenzwaaiend ons achternagelopen. Hij was in clergy, en vroeg buiten adem: ,,May I have a ride uptown?'' We laadden hem op, terwijl ik tot Lacquet zegde: ,,Die ziet er weinig appetijtelijk uit''. Waarop de oude eruit flapte: ,,spreekte-gulder Vlaams?''

We vernamen voorts dat hij Cyriel van der Donkt heette, dat hij van Ronse was, ruzie met zijn bisschop Stillemans had gehad, sinds 1900 als missionaris bij de Indianen had gewerkt, nooit meer weergekeerd was, nu op rust ging en in het General County

Hospital zojuist een baantje van aalmoezenier had gekregen, wat hem buitengewoon gelukkig maakte. Hij zou hier komen op kamers wonen en nooit meer naar dat damned diocese of Ghent terugkeren. Wat een toeval. De wereld is inderdaad niet groot!

Na wat rondgetoerd te hebben in Hollywood en de verblijven van befaamde filmsterren te hebben bekeken en na een bezoek aan de campus van de Pasadena University in haar rustige bijna rurale maar aristocratische omgeving, richtten wij de steven naar het noorden, dwarsdoor het paradijselijke California dat aan de oostzijde begrensd is door de bergen van de Sierra Nevada; dorpen, valleien en bergen dragen er vaker een Spaanse of een Italiaanse dan een Amerikaanse naam. Na 312 kilometer zijn we te Vitalia, de toegangspoort tot het Sequoia National Park, het General Grant National Park en de meer dan 4000 meter hoge Mount Whitney, de hoogste van de Verenigde Staten.

In het Sequoia Park heerste nog een winterse atmosfeer, met sneeuw op de toppen en lage wolken. De General Shermantree heet de hoogste en dikste boom ter wereld te zijn; 't is inderdaad een hele kerel. We logeren in de Mariposa Inn en deden een tochtje in dit wondermooie nationaal park, een van de vele die California telt.

Het mooist van alle is het Yosemite National Park, 412 kilometer meer in het noorden, het park van de big trees bij uitstek, de telescoopboom en die waar men met de wagen onderdoor rijdt. De hoge rots die de toegang beheerst heet El Capitan, er is een waterval die de naam van Bridal Veil draagt omdat hij wonderbaar goed op een bruidsluier gelijkt. 's Avonds laat men van de steile rots een regen van gloeiende houtskolen neervallen; het maakt een toverachtig effect in de duisternis. De beren die in het park rondlopen, lokt men naar een voederplaats waar men de dieren ziet vechten om de brokken. Er is een viskwekerij van waaruit men de jonge diertjes uitzet in de rivieren van de streek. Mirror Lake is zo glad en zo helder als een spiegel. Vaarwel Yosemite, de parel van California.

Naar San Francisco is het 194 kilometer. De weg is bezaaid met bouwvallige, onbewoonde dorpen, een akelige aanblik in die zo bekoorlijke landstreek, waarvan de verlaten goudmijnen bij een Vlaming Donatus Kwik uit Consciences *Het Goudland* in de herinnering oproepen.

We komen San Francisco binnen vanuit het oosten met de Oakland Ferry, want een brug is er niet. We zijn van plan hier enkele dagen te verblijven; we mogen de urologie niet vergeten om alleen in het toerisme op te gaan, dat zou ontrouw aan het hoofddoel zijn. We logeren in het Hotel Argonaut, waar we Gustaaf Baeten aantreffen. De liftboy neemt ons in vertrouwen en biedt zijn diensten aan om girls aan de hand te doen, zo we dat verlangen; ze zullen ons op de hotelkamer komen bezoeken voor ,,a nice time''. Dit was het begin van onze kennismaking met San Francisco.

Op de poste restante vind ik drie brieven van mijn verloofde. Alles is om te rustiger, behalve het verlangen naar het wederzien.

Tijdens een zwerftocht in die rumoerige, niet zeer nette heuvelige stad, met een uiterst gemengde bevolking die er meestal slordig voorkomt, bezoeken we Chinatown, de Chinese wijk; met veel goede wil kan men zich in China wanen. Het gele bevolkingselement in San Francisco is opvallend sterk. Bij de ingang van de cafetaria waar we gaan eten, wordt men aangesproken door jonge mannen die een halve dollar vragen voor een maaltijd: jobless, zeggen ze, en nothing to eat.

We reden door de Red Woods, naar het extreme punt van de Golden Gate, waar twee Hollandse windmolens staan te draaien, met echte wieken, maar met een grijze cementen onderbouw. Het vloekte in zo'n landschap. De Amerikanen hebben de liefde voor windmolens in het bloed; het doet naïef aan. Een brug over de Golden Gate lag er in 1930 niet, evenmin een naar Oakland. We zien het Alcatrazeiland met zijn gevangenis liggen, en verderop het Angeleiland.

In het zuiden van de San Franciscobaai te Palo Alto bevint zich de Stanford University, de Alma Mater van Herbert Hoover; de fysica en technologie zijn er de gekroonde keizerinnen. Te Oakland op zowat 13 kilometer van San Francisco is het de Berkeley University, een van de grootste in de U.S.A., met tal van campussen, een rijke villawijk en studenten die u overal tegen het lijf lopen.

Op Hemelvaartdag horen we mis in St.-Patrick en gaan daarna naar Southern Pacific Hospital waar Frank Hinman de uroloog is. Hij is de kampioen van de perineale prostatektomie. Wij zien hem twee gevallen opereren, bepaald niet gemakkelijk; ik acht mij nooit in staat die techniek meester te worden. De perineale kende overigens in Amerika alleen in zijn handen goede resultaten. In de Mayo Clinic heeft ze geen verdedigers en ik weet niet of in Europa de perineale burgerrecht heeft. Odilon van der Linden verrichtte ze nog omstreeks 1905 en 1910, heeft hij mij verteld. Frank Hinman is in de urologie een grote naam; ik ben blij hem ooit aan het werk gezien en met hem gesproken te hebben, hij was nogal kort van stof. We zagen hem ook een utero-colostomie verrichten.

Om de tijd te doden gingen we 's avonds naar de bioscoop. In de reeks van de aktualiteiten zagen we de openingsplechtigheid van de Antwerpse Wereldtentoonstelling in april en hoorden de toespraak van Koning Albert in het Nederlands: het Nederlands van een Brusselaar die zijn best doet om een papiertje af te lezen. Zo iets te horen bij de Golden Gate aan de Stille Oceaan is een memorabele Amerikaanse ervaring.

In de gesprekken die we te San Francisco met velerlei personen hadden, hoorden we nog echo's van de aardbeving die in april 1906 de stad had verwoest en meer dan 500 doden eiste. De ramp had in de bevolking zware littekens nagelaten.

We verlieten de stad op zaterdag 31 mei na op de post nog een brief uit St.-Niklaas te hebben afgehaald. Mijn verloofde schreef dat ze meter geweest was van een zoontje van haar zuster dat de naam van Leo had gekregen. Het is nu haar en mijn zevenenveertigjarige neef Leo de Schrijver.

We reden langs de schilderachtige kusten van de Stille Oceaan tussen de Red Woods, 160 kilometer ver tot Eureka. Dit is het meest vooruitstekende punt van Amerika's westkust en een druk haventje dat dennenhout uitvoert. We hoorden mis bij een onderpastoor die wij meenamen naar zijn mission church een einde buiten het stadje.

Na die mis rijden we noordwaarts langs de Ocean Highway en bereiken de staat Oregon, logeren na 407 kilometer te Prospect, een nestje van vijfhonderd zielen dat op geen kaart te vinden is, maar toch een hotelletje rijk is. We bevinden ons in het hart van de negentiende-eeuwse goudzoekersstreek, met een beetje noordoostwaarts het Craterlake National Park.

Om bij het meer te komen moet men een kilometer ver door een met sneeuwploegen gebaande rijweg; de harde sneeuw reikt twee meter hoog. 't Lijkt of we in een witte konijnepijp rijden. Het kratermeer heeft zijn naam dubbel en dik verdiend, zo rond als een geldstuk, blinkend als een spiegel en met hoge donkere sparren omzoomd; het is er muisstil, we zijn de enige toeristen.

We trekken door de Reservation van de Klamath Indianen; voorts door de Blue Mountains en een lavavlakte, waar een Lava Cave te zien is, passeren de Crook River en belanden na 500 kilometer in The Dalles, op de Columbia River. Dit schijnt wel de hoofdplaats te zijn van een Indianenland; de mannen kijken de blanken misprijzend aan; er was een rodeo op til.

Dinsdag 3 juni 1930 zetten wij uit voor Portland Oregon. De 184 kilometer die ons van die stad scheiden rijden we langs de Columbia River Highway op de linkeroever van de stroom. Deze Highway is een van Amerika's toeristische pronkjuwelen. In een folder lazen we dat de Franse maarschalk Joffre die hier langskwam gezegd heeft dat hij in zijn leven niets indrukwekkender dan deze weg langs de Columbia gezien had. Het is inderdaad iets enigs. Men rijdt op een weg die met de stroom meekronkelt op zowat twintig meter boven het wateroppervlak. Men weet niet wat men het meest moet bewonderen in dit afwisselend landschap met een groene blauwe achtergrond tegenover lichtgrijze rotsen van de meest grillige vorm.

De aanleg van die weg is een meesterstuk van de techniek; op een grandioze wijze werden de gegevens die de natuur ter beschikking stelt, hier aangewend. Mijn liefde voor de Columbia River Highway leg ik naast mijn liefde voor de Grand Canyon, en weet niet aan welke de voorkeur te geven.

Wie Portland zegt, denkt aan cement, maar de naam van bloemenstad die Portland Oregon in Amerika draagt, past veel beter. Het is een nette stad, tienmaal sympatieker dan het protserige San Francisco met zijn rommelige straten en zijn Chinatown; in San Francisco ziet men geen enkele bloem, hier komen ze u tegemoet.

*
* *

Aan Portland hebben we een beste herinnering bewaard, niet het minst aan de uitstekende medische dingen die wij er gezien hebben en de merkwaardige mensen met wie we mochten kennis maken. In de University of Oregon Medical School hebben we in de laboratoria rondgeslingerd. Men raadde ons aan het St.-Vincents Hospital te bezoeken en telefoneerde met de chirurg dokter Joyce die ons de volgende morgen verwachtte. Het is een katholiek ziekenhuis, met drukke bezetting en modern.

Dokter Joyce was ingenomen met de twee Belgian boys, hij was ooit te Leuven geweest, van Gent wist hij niets af. Hij leidde ons rond in zijn operatiekwartier. Hij opereerde na een klinische demonstratie met mooie roentgendokumenten, een diepzittend ruggemerggezwel.

Wie weet wat dat betekent en Joyce aan het werk zag, neemt zijn hoed af voor de operatoire knapheid van die man; zijn linkerhand was even behendig als zijn rechterhand. Men geeft er zich geen rekening van of het de ene of de andere hand is die snijdt en knipt. Op minder dan geen tijd heeft hij tussen spieren en beenderen van de ruggegraat een toegang gemaakt naar de cauda equina, de durale zak geopend en een hazelnootgroot gesteeld gezwel van tussen de zenuwen naar buiten gewrikt. Ook het wederom toemaken leek kinderspel. Gelukkige patiënt.

Na een paar kleinere operaties kwam dokter Joyce met ons praten in de kleedkamer, speelde zijn ziekenhuispak uit, stond piernaakt een sigaret te roken, gaf onderwijl instructies aan zijn vrouwelijke assistente die even vrijmoedig, zonder op de Belgian boys acht te slaan, datgene uit- en aantrok wat nodig was om gekleed op straat te komen. Stel u zoiets voor in het gelijknamige katholieke St. Vincentiusziekenhuis te Gent waar ik jaren gewerkt heb!

Vanuit de kleedkamer toonde Joyce ons de Mount St.-Helens, heel ver, een kegelvormige uitgedoofde vulkaan, helemaal in de zon, met een sneeuwmuts op; prachtig skiterrein, zegde ie. 's Avonds nodigde dokter Joyce ons op een etentje met zijn familie en zijn assistenten, ook de vrouwelijke van wie wij 's morgens de afmetingen van sommige lichaamsdelen de visu hadden aanschouwd.

Wie we te Portland te allen prijze moesten aan het werk zien, was dokter Robert Coffey, de abdominale chirurg wiens naam verbonden is aan de inplanting van de urineleiders in de darm. Hij was een oud Mayo-fellow, medewerker van Charles Mayo met wie hij trouwens zijn operatie ontworpen en eerst uitgevoerd had.

Het ziekenhuis waar Robert Coffey werkte was een Mayo Clinic in het klein, waarvan hij de baas was. Een inplanting hebben we hem niet zien verrichten, wel een septische parametrium-extirpatie die veel last berokkende. Om een peritonitis te voorkomen legde hij een zogenoemde kleine bekkenquarantaine aan, wat overeenkomt met wat hier als een Mikuliezdrainage bekend staat.

Coffey die ons op de kijkbanken had zien zitten, liet vragen wie we waren en wanneer hij hoorde waar we vandaan kwamen, nodigde hij ons op een beveltoon uit mee te gaan naar zijn woning, ergens ten zuiden van Portland en daar het weekeind door te brengen. We hadden goed te protesteren dat we slaap- noch scheerbenodigdheden bij hadden, mee moesten we, op staande voet. Hij liet telefoneren dat we op komst waren.

Mevrouw Coffey wachtte ons al op; dat we er maar toeristisch uitzagen, hinderde haar niet. Zij leidde ons rond op haar prachtig landgoed aan de Klakamasriver, toonde ons haar moestuin, haar neerhofdieren, had het over een nest eendekuikens waarop slangen lagen te loeren. Het avondmaal met Coffey en zijn vrouw was van een landelijke eenvoud, bereid met produkten uit zijn eigen estate. We kregen o.m. honing in de raat, wat niet onlekker is, naast een typisch Amerikaanse maïsschotel.

Coffey pakte uit met heroïsche verhalen uit zijn pionierstijd in Portland. Onder meer hoe hij de twee uiteinden van een gerecesseerde darm aaneennaaide. Hij liet een aardappel halfgaar koken, schoof die als een vast substraat in een darmsegment, legde het ander darmsegment daar tegenaan en benutte de aardappel als een steunsel tussen de twee uiteinden, om zo gemakkelijker die uiteinden aan elkaar te hechten. Wanneer alles goed dicht was, werd de aardappel, die zich binnen in de darm bevond, fijn geknepen zodat hij geen hindernis was en met de darmbeweging kon voortschuiven. Vernuftig alleszins.

Na het avondmaal deed de baas zijn dutje zonder op iemand acht te slaan, en ging na een half uurtje met ons in de tuin commentaar geven bij planten, bloemen en dieren. Op onze kamer lagen pyjama en scheermesjes klaar en we sliepen als roosjes, aan de boorden van de Klakamas-river, op twintig kilometer van Portland Oregon. Onder de nachtelijke hoede van de chirurg Robert Coffey.

's Anderendaags was het Pinksteren, 8 juni 1930. We zegden aan Coffey dat wij catholics waren en tijdig wilden mis horen te Portland. No problem; I will talk over the telephone with the archbishop, he is a friend of mine, I took his galbladder out last autumn, and he will do a mass for you.

Albert Lacquet zat met dit voorstel meer in nesten dan ik; hij maakte op alle tonen aan onze voorname gastheer wijs dat er na twaalf uur geen missen meer werden gedaan, dat zulks de strikte kerkelijke voorschriften waren. Coffey werd overtuigd door de argumenten van mijn collega die zeer goed op de hoogte was. Hij liet zijn beste wagen voorrijden en beval aan de chauffeur ons naar St.-Laurence Church te brengen. We verlieten Klakamas-river estate en dankten oprecht voor dit heerlijke weekeind.

Robert Coffey is een van de grote namen uit de chirurgie in het Amerikaanse Far-West van het eerste kwart van de twintigste eeuw. Een paar jaar na dit bezoek werd hij op consult geroepen op enkele honderden kilometer; met zijn privé-vliegtuig liet hij er zich heenbrengen. Hij kwam in een storm boven het Rotsgebergte terecht en stortte naar beneden; hij en de piloot waren dood. Een tragisch levenseind voor een schrandere man die voor zovele hete chirurgische vuren had gestaan.

Nog meer noordwaarts ging het nu. We verlieten Portland en zagen hoe wij een week tussen twee hoge bergen hadden verwijld, de Mount Rainier 4309 meter, en de Mount Hood 3421 meter, zonder de Mount Adams 3800 meter te vergeten, allemaal respectabele heerschappen in de uiterste noordwestelijke hoek van de States.

We logeren ergens na 300 kilometer in een toeristenkamp, zitten meteen in de staat Washington die aan Canada grenst. We bestijgen 's maandags een stuk van de Mount Rainier, de Nisquilly gletsjer. In volle zon op de witte vlakte is het niet uit te houden van de hitte. In de vooravond rijden we Tacoma en Seattle voorbij en gaan slapen in een blokhuiskamp op de helling van de Mount Vernon; we hebben 278 kilometer in de wielen.

Op dinsdag 10 juni passeren we de Canadese grens, zijn in de provincie British Columbia en stevenen recht naar Vancouver dat van verre lonkt. De staat Washington die we net verlaten hebben, wordt terecht de groene staat genoemd. Hij laat een aangename indruk na. Wouden om ter meest, waarvan vele door brand lelijk gehavend zijn.

Vancouver is een vriendelijke, levendige stad, met druk havenverkeer, vlak tegenover een eilend gelegen van dezelfde naam, zodat men de haven door een zeearm moet bereiken, de Strait of Juan de Fuca.

Omdat men ons op alle tonen de schoonheid van Vancouvereiland bezongen had, konden we aan de bekoring niet weerstaan; we zetten de wagen op de veerboot en lieten ons overvaren naar Nanaimo, we zitten daar altijd op Canadees grondgebied. Een beetje zuidwaarts daarvan ligt Victoria, de hoofdplaats van het eiland, een parel van een stad.

We lieten ons vangen aan de advertentie om de zogeheten Gardens of Mr Burchart te bezoeken. Het zou zonde geweest zijn, inderdaad, die te hebben gemist. Het zijn de privé-tuinen van een bloemenvriend; ze liggen in een zonnige vallei, alles is er zo perfect, zo wetenschappelijk op gericht om de begroeiïng tot een maximum van kleur- en vormenpracht op te voeren. Ik geloof niet dat er veel bloemen uit het plantenrijk ontbraken, zelfs de edelweiss en de victoria regia niet.

Als het ooit mogelijk geweest was een stukje paradijs na te bootsen, dan is het geschied op het Vancouvereiland: één tover, één tingelingeling van kleuren en aromen. Er is een inspanning, een wederbewustwording van zichzelf nodig teneinde opnieuw aan de geneeskunde, aan de urologie, aan de Mayo Clinic en aan de lieve mensen in Vlaanderen te denken.

We doen het. Hier ligt dan het definitieve keerpunt van onze tocht naar de Far-West. Van dit moment af, gaat het oostwaarts, terug naar Rochester Minnesota en van daaruit naar Europa. Bij het begin van die thuisreis lag de heerlijke bloementuin van Mr Burchart. Is dat geen veelzeggend symbolisch teken, een soort geloofsbelijdenis?

Onze wagen werd opnieuw op de veerboot gezet. Doch voordat we zover zijn, maken de Amerikaanse immigrantenbeambten bezwaar. Onze papieren zijn ontoereikend. Ze vroegen ons hoe we in Amerika gekomen waren, waarom we er buiten gegaan waren, waarom we nu wensten terug te keren. Om te bewijzen dat we naar Rochester gingen, konden we de takskaart en de autoplaat laten zien. De Mayo Clinic en de Mayo Brothers boezemden respect in, maar dat in de Mayo Clinic medisch onderwijs gegeven werd, geloofden zij niet. We zegden dat de Mayo Clinic een onderdeel was van de University of Minnesota; ze geloofden het evenmin, maar telefoneerden ergens om te vernemen of dat waar was. Na vijf minuten was het bevestigend antwoord daar. Het gaf de doorslag: de Mayo-Brothers reden hun wagen met Minnesota-plaat 387-269 op de veerboot en weg waren ze.

Door de Strait of Juan de Fuca met haar tientallen pittoresk begroeide eilanden, onder een gedroomde voorzomerzon, laveerden we U.S.A.-waarts, stapten aan wal te Anacortes, een droom van een haventje. We waren zo meteen in de groene staat Washington, die we voor enkele dagen verlaten hadden om te Vancouver en Victoria met het Westen van Canada kennis te maken. We logeren in Fall-City en hebben na onze aangename bloemreminiscentie en de minder aangename met de immigratie, toch 302 kilometer afgelegd.

Op donderdag 12 juni trekken we over de Snoqualmie-Pas en vallen in het uitgestrekte appeldistrict Wenatchee, uren lang niets anders te zien dan appelbomen. Een beetje verder rijden we door Dry Falls en komen plots terecht in een zandmist, een vreemd verschijnsel dat zenuwslopend werkt, veel meer dan een waternevelmist. Men ziet echt geen halve meter voor zijn ogen en weet niet waar keren of wenden, men wordt bang. Een half uur heeft het geduurd voordat we verder konden. Het zand was overal in onze Ford doorgedrongen. Onze kleren waren om zo te zeggen doordrenkt van het zand.

Opgelucht stevenen we steeds oostwaarts, dwarsdoor Washington State met zijn hoge bergen, zijn groene dennewouden. Ik had het stuur van de wagen overgenomen toen we tegen 50 mijl per uur Spokane binnenreden. Een eind verder verlaten we Washington, bereiken de staat Idaho, logeren in Cœur d'Alène, stad met een magische naam. Van Victoria tot hier was het 576 kilometer; we werden nu kilometervreters; het paard ruikt zijn stal.

Vrijdag 13 juni. Na een eindje Idaho, bereikten we de staat Montana. Hij kon geen betere naam gekregen hebben, het is een hoop bergen die na een wereldcataclysme hier zijn blijven liggen, met daartussen wat dorpen en meren; zelfs mensen wonen hier, bijna geen andere dan Indianen die er sjofel uitzien en bedelen langs de wegen. Die wegen zijn van de slechtste die men in de U.S.A. te berijden krijgt. De Indianen behoren tot de stam van de Flat Heads; er is hier een meer dat dezelfde naam draagt. We hebben 's avonds over die slechte wegen toch 415 kilometer afgelegd en logeren in Kalispel.

Van hieruit bezoeken we Glacier National Park dat zich tot in Canada uitstrekt. Het is de ene gletsjer na de andere; men vraagt zich af hoe men uit die barre rotsen zal vandaan komen, en toch komt men eruit, tot in Ravalli, even voorbij Polson, na 399 kilometer.

Op zondag 15 juni rijden we een eindje verder tot in Nussoula waar we in een jezuïetenkerk mis horen. Die mannen zitten overal; 't is hier trouwens de streek waar zwartrok pater P. de Smet uit Dendermonde gemissioneerd heeft bij de Flat Heads; hij staat er gestandbeeld. We komen in Butte, Bozeman en Livingston; vreemde namen! We logeren in deze laatste plaats, na een rit van 470 kilometer.

Te Livingston vind ik op de post de verwachte brieven uit St.-Niklaas. Niets dan liefde en hoop op weerzien! Livingston is de invalspoort naar het Yellowstone National Park in de staat Wyoming. Yellowstone is het bekendste, niet het grootste nationaal park, maar behoort met de Grand Canyon en de Columbia River Highway tot de toeristische merkwaardigheden van de U.S.A.

Men moet betalen om erin te komen, het was juist de eerste toegangsdag op maandag

16 juni. Ik zal mij niet wagen aan de beschrijving van alles wat ik gezien heb, de kalksteenterrassen, de geysers, de Paint Pot waaruit gekleurde modder omhoogspuit, het Yellowstonemeer, de natuurlijke brug, de vulkaantjes, de Dragons Mouth, de eigen Grand Canyon enz. Op de geyser Old Faithfull, die om de vijfenvijftig minuten heet water dertig meter hoog spuit, staat iedereen te kijken.

Dat warm water loopt in kunstmatige bekkens die zwemkommen zijn. Op een morgen waren Lacquet en ik wat zwemoefeningen aan het proberen in het warm geyserwater en moedigden elkander aan in ons Vlaams taaltje. Een van de vier personen die er ook aan het pletsen waren, zei plots: ,,Ik versta zeer goed wat jullie vertellen, hoor''. Een Nederlander. Het was al de tweede keer dat we op onze Far-West reis zo'n ontmoeting hadden. De wereld is niet groot.

In Yellowstone logeerden we in toeristenkampen, maar op de derde avond vonden we er geen en waren genoodzaakt onze trouwe Ford als logement te gebruiken. Dat ging goed, want we waren erop voorzien, en met twee personen kan men zich goed uitstrekken op de neergeslagen zetels.

We hadden evenwel de dwaasheid begaan onze wagen een beetje van de rijweg af, tussen het hoge gras te parkeren. Met het gevolg dat we het mikpunt werden van muggen, krekels en andere insekten, die door elk spleetje naar binnen poogden te dringen. Met wolken van mijn Fleur de Keiberg slaagde ik er nauwelijks in het storend gezelschap wat in bedwang te houden. Het was verre van een aangename, rustige nacht en van mugge- en andere beten hadden wij ons part gekregen.

Gelukkig hebben we er geen malaria van overgehouden, want anafelesmuskieten waren er blijkbaar niet in Yellowstonepark.

Na drie dagen verlieten we Yellowstone, voor de zoveelste maal overweldigd door de weergaloze indrukken die het aanschouwen van het wonderbare natuurschoon nalaat.

We hadden berekend op zondag 22 juni te Rochester te zijn, er lagen nog vier dagen voor de boeg met zowat een kleine veertienhonderd mijlen van 1610 meter.

Even buiten Yellowstone komen we in een prairievlakte. Er ontbreekt niets dan de buffelkudden en de Indianen om zich in het jachtgebied van Roodhuiden te wanen. Zijn die er niet, dan is er Buffalo Bill, die in de volle prairie gestandbeeld staat, te paard en met zijn typische hoed op. Het naastbijgelegen plaatsje draagt overigens zijn naam ,,Cody''.

De man is mij niet sympatiek. Ik dacht terug aan mijn jeugd toen die uitgeschudde schietheld, die uit louter pret honderdduizenden buffels neerknalde, op het militair oefenplein te Gentbrugge heel zijn bezit moest verkopen en met de arme Indianen die hem op zijn circustoernee door Europa gevolgd waren, naar Amerika terugkeren. We logeerden na 325 kilometer te Greybull, een naam die paste in dit buffelterritorium.

In de Bighorn Mountains die in hun rode tint niet zeer hoog maar schilderachtig zijn wijst een pijl naar een plaats die Ten Sleep heet. Op een rotswand hadden trekkende Indianen weleer hiëratische tekens ingekrast waarmede ze te kennen gaven dat ze nog tien keer moesten slapen alvorens ze het eind van hun tocht bereikt hadden, en zo aan hun lotgenoten de afstand aangaven.

We passeren de plaatsjes Buffalo en Gillette en logeren te Moorcraft na 436 kilometer.

Vrijdag 20 juni 1930. We staan voor South Dakota met de Black Hills; zwart zijn ze niet, maar toch aan de donkere kant, en heuvelen zijn ze ook, meestal ronde, gladde toppen met een dunne begroeiïng van donkere pijnbomen zoals in het Zwarte Woud.

We rijden erdoor, bezoeken de Wind Cave, de Jewel Cave, de Needles en het Sullivan Lake. We logeren in Rapid City na 296 kilometer.

Zaterdag 21 juni. Nog een stukje Black Hills en daarna de Bad Lands, een met lage maar scherpe rotsspitsen bezet gebied. We vallen meteen in de zone van de Central Time en moeten onze uurwerken een uur terugzetten. Logement te Mitchell na 540 kilometer. Met zo'n reuzensprongen vordert het goed.

Zondag 22 juni, mis te Sioux Falls. Kort daarna komen we in het vertrouwde Minnesota, de staat met de tienduizend meren, waaruit de Mississipi, de Vader van de stromen, zijn weg naar New Orleans begint.

Het gaat nu regelrecht op Rochester af, de stad van de Mayo Brothers. We hadden op die laatste dag 630 kilometer afgelegd en waren omstreeks 8 uur 's avonds op 908 West Center Street, waar Mr en Mrs Wood ons opwachtten en ons vertrouwd bed klaar stond.

Op onze autotocht naar het Far-West hadden we 8121 mijl afgelegd, dat maakt, tegen 1610 meter per mijl, 13074 kilometer. Dertien maal, of één maal per duizend kilometer, hadden we een lekke band. De Ford was een goede kameraad; meer dan zeven weken had hij ons trouw gediend, en nooit in de steek gelaten. Meer dan ooit waren wij ervan overtuigd dat in Amerika de afstanden groot zijn.

NAAR DE EUROPESE THUIS

Terwijl ik met Albert Lacquet de Far-Westtocht voorbereidde, had ik mij al voorgenomen op het einde van de CRB-studietijd, midden juni, naar Europa terug te keren. We konden een bijkomend stipendium van twee maanden krijgen, doch ik zag ervan af; mijn kotgenoot maakte er gebruik van en is pas einde september vertrokken.

Zelf had ik nog een jaar te Rochester kunnen blijven, zoals Albert Claude, Jean Rasse en Pierre Wigny die met ons in 1929 vertrokken waren dat elk in hun werkkring gedaan hadden, maar ik achtte mij, met het oog op de toekomst en mijn verder wetenschappelijk werk, ruimschoots uitgerust om in eigen land op eigen vleugelen te vliegen. Mijn verblijf te Rochester zou mij daartoe een vaste troef zijn.

Op Kerstmis 1930 werd ik drieëndertig jaar; ik wist hoe ik te Gent aan een urologische praktijk kon beginnen. Mijn verloofde en ik wensten allebei zonder verwijl te trouwen, vader en moeder zouden niet ongaarne hun jonggezel het huis zien uitvliegen.

Alvorens ik naar de Far-West vertrok, had ik de CRB van mijn voornemen op de hoogte gebracht en in verstandhouding met Father Nijs van het Belgian Bureau de afvaart uit New York geregeld. Dat alles was te St.-Niklaas en te Gentbrugge welkom.

Father Nijs had voor mij een hut besproken op de Jean Jadot, een cargo van de Compagnie Maritime Belge van een kleine achtduizend ton, die enkele passagiers kon meenemen. Het was uitstekend gearrangeerd. Het schip zou uit de Eriebassin te Brooklyn vertrekken op 11 juli.

De dagen die nog te Rochester restten, gebruikte ik om afscheid te nemen, van W.F. Braasch, van Frank Mann, en de anderen die ik had leren kennen. De koffer werd gepakt en vooropgestuurd. Ik schreef een rapport over de resultaten van mijn onderzoekingen in de Mayo Clinic, over onze studiereis door de States, over de ziekenhuizen en laboratoria die ik bezocht had, over hetgeen we gezien en opgestoken hadden, mitsgaders de welgemeende dank aan de CRB en aan haar Newyorkse manager Perrin Galpin.

Ik ging de dollars die ik veiligheidshalve op de bank geplaatst had afhalen, en was dus klaar. Als herinnering nam ik voor thuis en voor mijn verloofde een eagle, dat is een gouden tiendollarstuk mee. Die kon men zo krijgen in plaats van bankbiljetten, maar een Amerikaan doet het niet omdat de goudstukken te zwaar in zijn zak wegen.

Lacquet die nog twee maand over de Ford kon beschikken, was van plan de wagen als tweedehandswagen te verkopen en zou de helft van de verkoopprijs opzenden, wanneer ook hij thuis was.

Ik zou uit Rochester vertrekken op vrijdag 27 juni, en voor mijn afvaart uit New York nog een aantal ziekenhuizen in het oosten bezoeken.

Voorzien van de nodige reiskaartjes stapte ik te Rochester op de nachttrein die om 21.10 het station verliet. Albert Lacquet en Mr Wood deden mij uitgeleide. Er scheurde iets stuk wanneer ik de City of the Mayo Brothers met haar hoge toren uit het gezicht verloor, maar aan het andere uiteinde van de spoorlijn wenkte iets dat veel sterker was.

Met Rochester was een onvergetelijk hoofdstuk van mijn leven afgesloten.

Te Winona reed het konvooi over de Mississipi. Het was laat in de avond. Ik keek door het raam van de schokkende nachttrein te Prairie City en te Milwaukee en arriveerde in een katerstemming te Chicago. Ik zocht een kamer in het Stevens Hotel, waarvan men zegde dat het het grootste van de wereld was. Het zag uit op het Michigan Lake met zijn voorgevel met 250 vensters.

In het General Hospital was op het weekeinde niet veel te beleven. Voor de rest van de dag heb ik mij in de zon gekoesterd op het strand van het meer en nagemijmerd over Rochester en de rest. De zeloten van het Legion of Decency waren altijd aan het werk en hadden hun handen vol. In het Stevens Hotel sliep ik die nacht beter en langer dan op de ratelende sleeping.

Zondags woonde ik de mis bij in de Holy Name Cathedral. Kardinaal-aartsbisschop Mundelein kwam op de preekstoel en vroeg gebeden voor de doodzieke, op sterven liggende Paus Pius XI. De Amerikaanse dagbladen hadden dat zo geschreven, zoals alle op sensatie beluste kranten. De doodzieke paus heeft nog meer dan negen jaar geleefd. Zelfs een kardinaal-aartsbisschop kan in de val trappen.

Chicago verlaten met de Lake Shore Limited. Over Buffalo, Rochester, Syracuse en Albany in de staat New York, naar Boston en zijn Siamese tweelingstad Cambridge in de staat Massachussets, een treinreis van een dikke anderhalve dag.

Twee dagen verblijf in Boston met de Harvard University uit 1630, de oudste van de U.S.A.,is een minimum. Amper genoeg om een blik op te vangen van het oude stadsbeeld met de beruchte Parkstreet, en luisteren naar het afschuwelijk dialect dat van die straat Pikestreet maakt.

Het Peter Bent Brigham Hospital moest ten allen prijze bezocht worden om er de grondlegger van de moderne neurochirurgie aan het werk te zien. Maar de man was naar Europa. Wie hem verving weet ik niet meer, doch ik stel mij voor dat Harvey Cushing zelf het niet anders deed.

De urologie was briljant, maar originele methodes heb ik niet gezien. Met een zwerm assistenten en verpleegsters rond de operatietafel, wordt een nier verwijderd of een prostaat uitgehaald zoals ik dat overal gezien heb. Het stelpen van een vervelende bloeding vergde dezelfde opgewonden inspanning en dezelfde tijd als dat in de handen van om het even welke geroutineerde chirurg het geval is. Alles gebeurde onder eternarcose.

In de Peter Bent botste ik op dokter William C. Quinby, de man die de bismuthbehandeling tegen de syfilis invoerde. Hij was een oud-medewerker van Hugh Young te Baltimore.

Over New Haven komt men te New York, waar ik op het Belgian Bureau bij Father Nijs een brief uit St.-Niklaas vond. Daags nadien is het 4 juli, Independance Day in de U.S.A. Met Father Nijs en een van zijn vrienden gaan we te Rye Beach Westerport in Connecticut de dag vieren. De Amerikanen, die onder de Prohibition leven, schijnen zich daar niet veel aan te storen, want de zatlappen lopen op die dag even dik als te Parijs op de quatorze juillet. In de straten is het één lawaai van poffers, voetzoekers en gevaarlijke speeltuigen.

De zondag daarop loop ik te Philadelphia en te Washington rond, kijk naar Capitol, White House, de Potomac, en het Lincoln Memorial. Nooit heb ik zoveel negers gezien als in de federale hoofdstad van de U.S.A. Dezelfde indruk heb ik wanneer ik te Baltimore aankom.

In deze stad is het Johns Hopkins Hospital mijn reisdoel. Ik wilde Hugh Young, een zeer grote naam in de Amerikaanse urologie, aan het werk zien, en had geluk. Young is de auteur van een merkwaardig boek waarin hij zijn opvattingen uiteenzet. Het boek is een weergave van zijn ervaring als clinicus en als chirurg met 12.500 gevallen; het barst open van oorspronkelijke denkbeelden. Of zij allemaal en altijd juist zijn, is een andere zaak.

Veel van zijn denkbeelden, van zijn operatiemethoden, van zijn instrumentarium is thans gemeengoed, of werd door andere urologen benut voor verbetering.

Young werkt in het Brady Urological Institute, een afdeling van Johns Hopkins gesticht door de diamantmagnaat James Buchanam Brady. Hij heeft daarvan, met zijn residenten en assistenten, een van 's werelds meest actieve urologische centra gemaakt. Alle hoofdstukken werden fundamenteel aangepakt, vanaf het meest banale tot het uiterst zeldzame. Youngs medewerkers zijn over de U.S.A. uitgezwermd en bezetten leerstoelen van New York tot San Francisco.

Twee dagen bleef ik te Baltimore en kreeg bij Hugh Young een laatste stortbad van Amerikaanse urologie, inclusief de anatomo-pathologie, de bacteriologie, de perineale en de abdominale prostatectomie, de boomerangnaald, benevens een overweldigende documentatie. Geen enkel uroloog is zo goed als Hugh Young op de hoogte van wat de Fransen op het gebied van de urologie en de syfiligrafie gepresteerd hebben; hij laat het graag horen.

*

* *

De trein brengt mij dinsdag 8 juli laat te New York terug. Op het hoofdkwartier van de CRB, Broadway 42, worden de laatste administratieve schikkingen afgewikkeld. Perrin Galpin is met vakantie.

Op Fifth Avenue ga ik 's anderendaags het Amerikaans geschenk voor mijn verloofde kopen, een met diamanten en pareltjes afgezette kamee. 's Avonds tracteer ik Father Nijs en Father Augustien Verhaege in een speek-easy; Mgr J. Stillemans kan niet mee. Daarna gaan we samen naar de Roxy, een van New Yorks grootste zalen, waar een fantastische opvoering van kunstdansen plaatsheeft, ook iets overweldigends. De meest toegejuichte danseres is de jonge Ierse Patricia Boman.

Donderdagavond vóór zonsondergang ben ik op de Jean Jadot waar ik Father Nijs good-bye wens. Hij antwoordt: ,,God bless you!'' Mijn koffer zit al in de bergruimte. De hut deel ik met dokter Robert Sœur, een Brussels orthopedist, die na zes maand CRB-fellowship naar huis terugkeert. We maken het niet slecht met elkaar.

Op vrijdag 11 juli, Guldensporenfeest, om 7.30 uur, verlaat de Jean Jadot de pier van Brooklyn; er moest heel wat gedraaid, gewend en gewacht worden voordat het schip pas te 13 uur het zeegat uit was, de Narrows voorbij. We kruisen de Berengaria, een oceaanreus die straks de haven van New York binnenvaart.

Het dagelijks leventje op een cargo met een twaalftal passagiers aan boord is aangenamer dan op een transatlantieker van 16.000 ton. Men leeft in contact met de bemanning en verneemt zo elk ogenblik wat er gebeurt, hoe snel men vaart, waar men zich bevindt, wat de vooruitzichten van weer en wind zijn. Men kan de machinekamer en de stookruimte bekijken; met de kapitein even tot op de brug gaan en de navigatie gadeslaan, met de sextant de plaatsbepaling meemaken. Men eet samen met de officieren. De meester na God op de Jean Jadot was kapitein Vlaeminck, een Oostendenaar die voor de eerste keer, als kapitein, de heen- en terugreis naar New York maakte.

We hadden nauwelijks vierentwintig uur New York verlaten en zaten in de Gulfstream, het werd enigszins zwoel. Een blinde passagier werd ontdekt en na een duchtige ondervraging aan het werk gezet. 't Was een Antwerpenaar zonder centen die naar huis wilde en op het schip gesmokkeld werd met de medehulp van de bemanning, maar die hield zich onnozel; de kapitein was woedend.

Na twee dagen zette een windorkaan op; men moest goed uitkijken om niet over boord te gaan. Elke dag werd ongeveer 315 zeemijl afgelegd, d.i. 584 kilometer. Op de vijfde dag zagen we een grote walvis; daags nadien ontmoetten we de Belgenland en kort daarop de Franse Lafayette. Op donderdag 17 juli had men op de brug uitgerekend dat we halfweg waren. We zagen in de verte een vissersboot.

Plots overviel ons een dikke mist, de misthoorn vergezelde ons met zijn zenuwslopend getoet voor anderhalve dag. Wanneer het opklaarde was de zon van de partij en met haar de meeuwen die gracieus rondom de masten zweefden, naast tal van vissersboten met uitgeworpen netten. We kruisten een reuzeschip, de stuurman zegde dat het de Mauretania was.

Er stond een woelige zee en onze Jean Jadot ging stampen, voor- en achtersteven doken om de beurt in de golven. Ik liet me een tijdje meegaan met de beweging, maar moest na vijf minuten ondervinden dat die prettige schommeling ergens op een ortho- of parasympatisch centrum werkt en mij een beetje zeeziek dreigde te maken. Ik vluchtte naar mijn hut en ging voor de rest van de dag liggen. Het ging over zonder nefaste gevolgen voor maag en darm.

Op maandag 21 juli liet kapitein Vlaeminck de Belgische driekleur wapperen. De Jean Jadot ontmoette zijn broeder, de Emile Francqui. Ze groetten elkaar met een langdurig getoet. Kort daarop, omstreeks tien uur was er aan bakboord land in zicht, de Bishop's Rock op de Scilleyeilanden, het meest vooruitspringend punt van de Engelse zuidwestelijke kust; we zaten dus in het kanaal. In de namiddag voer de Lapland ons voorbij, de Atlantische Oceaan tegemoet.

Onze snelheid verminderde. Op dinsdag 22 juli voeren we te negen uur Cap Gris Nez en Dover voorbij. Ik zond een marconigram naar St.-Niklaas met verzoek Gentbrugge te verwittigen dat het voor morgen was. Een loods kwam aan boord. We kwamen aan de Belgische kust voorbij; er was een druk verkeer van gaande en kerende boten in alle richtingen. Te vier uur in de namiddag waren we te Vlissingen en zagen personen op de dijk wandelen. Europeanen op Europese grond. De Amerikanen onder de passagiers keken naar de Hollandse molens en deden half gek. Te vijf uur was het Terneuzen, te zes uur Walsoorden, te zeven uur Doel. Te tien uur lagen we in een dok te Antwerpen aan.

Woensdag 23 juli was ik vroeg op de been. Mijn koffer wordt op de kaai neergezet en door de tolbeambten vrijgegeven zonder onderzoek, wanneer zij vernamen dat ik van een studiereis uit de States thuiskwam; mijn paspoort werd door de politie onverschillig bekeken.

Met mijn verloofde was afgesproken dat zij hetzelfde rood hoedje zou opzetten dat zij droeg op de dag van mijn vertrek op 13 september van vorig jaar. Op die manier, zou ik haar nu van verre kunnen identificeren. Precies te tien uur viel een wagen stil en was de draagster van het rode hoedje daar, samen met haar moeder.

Het weerzien was innig. Daarmee is het voldoende beschreven.

Samen hebben we de Jean Jadot bezocht. Ik nam afscheid van de kapitein, van mijn hutgenoot, van de medereizigers. De koffer liet ik naar het station brengen. Van daaruit zou hij wel zijn Gentbrugse bestemming bereiken.

Te Belsele werden indrukken uitgewisseld en ging ik met mijn geliefde naar het prieeltje waar het jaar voordien de eerste kus werd gegeven, die nu door veel andere bezegeld werd. We vertrokken samen naar Gentbrugge. Te drie uur in de namiddag van woensdag 23 juli, was ik bij vader en moeder; beiden waren gezond en welvarend. Allen waren overgelukkig.

Tien maand en tien dagen was ik weggeweest. Geestelijk verrijkt ben ik van deze studiereis in Vlaanderen teruggekeerd. Dank zij de CRB Educational Foundation, Egmontstraat 11, Brussel. Het verblijf in de U.S.A. is een van de culminatiepunten van mijn postuniversitaire scholing waar ik fier op ga.

BEGINNENDE PRAKTIJK. HUWELIJK

Het leven wenkte. Ik kon niet blijven wachten tot alles bezonken was wat het voorbije jaar gebracht had. Dat bezinken is trouwens een proces dat jaren in beslag neemt.

Wederom aanknopen met de dagelijkse werkelijkheid te Gentbrugge en te St.-Niklaas duurde niet lang. Na een bezoekje bij familie en vrienden zat ik gauw op vertrouwd terrein.

Frans de Hovre luisterde belangstellend naar de moest scherpe accenten van mijn Amerikaanse belevingen. Samen keken we liever de toekomsthorizonten af. De projecten die ik in uren van overpeinzing ontworpen had, vond hij goed. Hij was een man die hielp opbouwen, die nooit iemands enthousiasme afkoelde.

De grootste verrassing stond mij te wachten wanneer ik professor Goormaghtigh, mijn Gentse wetenschappelijke mentor begroette. Ik deed het in het Frans omdat ik nooit iets anders dan Frans met hem gesproken had. ,,Elaut, jongen, onderbrak ie, het is hier allemaal op een jaar veranderd, het is nu Vlaams geworden, dat moet u plezier doen, iedereen spreekt Vlaams''.

Ik wist niet wat daarop te antwoorden, want van verbazing was ik uit mijn lood geslagen en de kluts kwijt. Veel was inderdaad gebeurd op het politieke forum in Vlaanderen; het voornaamste was ongetwijfeld de vernederlandsing van de Gentse universiteit, die in het parlement bij wet van 5 april 1930 was goedgekeurd. Goormaghtighs antwoord was daarvan het gevolg. Over dat antwoord en de ondergrond van de ommekeer bij een man die altijd tegen de vernederlandsing gekant was, heb ik lang nagedacht.

Ik geloof dat ik het op deze wijze kan onder woorden brengen: de harde realiteit had hem ervan overtuigd dat de slag voorgoed verloren werd, dat het geen zin had zich in koppigheid op te sluiten, dat het dwaas was in verstarring voort te leven, want dat dan de kans verkeken werd in de universiteit een leidende positie te krijgen, en dat alle commandoposten zouden ontsnappen. Later heeft hij, in een opwelling van opportunistische openhartigheid, bekend dat dit inderdaad de echte reden geweest was, waarom men de konsekwenties van de vernederlandsing moest aanvaarden, en ernaar handelen.

Weldra was ik weer in het laboratorium thuis, en nam ik de contacten met mijn vroeger wereldje van de ontleedkundige pathologie en haar buurschappen op. De lust tot wetenschappelijk onderzoek was mij te sterk om in nietsdoen mijn dagen te slijten.

Nietsdoen was overigens niet helemaal juist, want tal van zaken kwamen vanzelf aandringen, en meteen stapelden de problemen zich op.

Ik wenste een urologische praktijk te beginnen, dat was het consequente uitvloeisel van drie volle jaar specialistische studie en voorbereiding.

Bovendien wenste ik niet afzijdig te blijven van de eigenlijke activiteit die in de rangen van de Vlaamsgezinde geneesheren overal in het land zichtbaar werd.

Ik wenste deel te nemen aan het Vlaamse cultureel leven van de stad waar ik mij vestigde, en voor zover mogelijk ook daarbuiten.

Ik wenste het wetenschappelijk werk dat ik begonnen was, niet op te geven en derhalve bij mijn vroegere chef daarmee voort te gaan.

Onder dat alles zijn schouders zetten was een zware levenstaak, een levensideaal, een stuk sociale zending. Met mijn aanstaande vrouw wikte en woog ik alles en zag ik de risico's en de verantwoordelijkheden onder de ogen. Zij wilde met mij de weg gaan, die we samen uitstippelden. Wij wilden een christelijk huwelijk sluiten, kinderen krijgen, en zoals het heet, in goede en kwade dagen, de handen ineen geslagen en de harten aaneengesmeed, het leven tegemoetzien. Men kan het in zekere zin beschouwen als een regeerpact, dat door twee partijen onderschreven werd.

Zonder ons lang in grote woorden of idyllische dromerijen te verlustigen, hadden we na een paar weken al vaste plannen.

Reeds voor ik naar Amerika vertrok, had ik bij het bestuur van het in juni 1929 van wal gestoken St.-Vincentiusziekenhuis van de Zusters van Liefde verzocht om daar als uroloog te mogen werken. Professor Paul van Durme die de hoofdgeneesheer was, had van de algemene overste Mgr. Eug. van Rechem de toezegging bekomen. Ik zou de gynaecoloog dokter Em. Basteyns en de chirurg dokter J. de Caestecker bij hun operaties assisteren, en in de verpleegstersschool die aan het ziekenhuis gehecht was, les geven. Het was in zijn geheel een mooi vooruitzicht, en het zou ook zaad in het bakje brengen.

Wanneer ik in het land terug was, ging ik mijn opwachting maken bij professor van Durme die mij aan Mgr. Van Rechem voorstelde. Ik kon van wal steken zodra ik daartoe in staat was.

Eerwaarde Zuster Jules-Marie Heymans, dochter van wijlen Cies Heymans, was directrice van het ziekenhuis en zelf doctor in de geneeskunde. Zij was geen slechte impressario voor een beginnend geneesheer in een beginnend ziekenhuis, en ze verstond uitstekend de kunst om de mannelijke collega's rond haar duim te draaien. Zij was trouwens een Heymans. Dit is een compliment.

Voorts diende naar een huis gezocht. Mijn vader die de stad goed kende, die begrip opbracht voor wat een geneesheer als woonst nodig had, in welke straat of in welke stadswijk hij het best zou wonen, en die bovendien veel tijd had, ging elke namiddag op speurtocht. Het duurde niet lang of hij kwam met een lijstje voor de dag en wist waar een geschikt huis te huur of te koop stond.

Zo had zijn kennersoog een woning in de St.-Pietersnieuwstraat, toen nr. 124, opgemerkt, die naar hij vermoedde, qua ligging, uitzicht en grootte in aanmerking kon komen.

Wij, mijn verloofde en ik, daar naartoe. Het was liefde op het eerste gezicht, luchtig, ruim, met een tuintje; we maakte samen plannen voor woonkamer, werkkamer, wachtkamer, keuken, slaapkamers.

We gingen op inlichtingen uit en kwamen te weten dat dit het huis was, dat sinds een paar maanden verlaten was door Professor Henri Pirenne, de historicus, die vanwege de vernederlandsing van Gent zijn emeritaat had aangevraagd en in Brussel was gaan wonen.

Met mijn ouders en aanstaande schoonouders werd het huis bekeken en toen ook zij vonden dat het voor het jonge, trouwlustige paar een goede gelegenheid was, werd contact gezocht met de eigenaar die te Sart bij Spa op zijn buitenverblijf de zomer doorbracht.

Vader Scheerders, een zakenman die in het onderhandelen, in het bedingen, in de huurkontrakten, in opties, koop- en huurprijzen thuis was als geen een, en voor zijn jongste dochter een boontje had, ging professor H. Pirenne te Sart opzoeken terwijl hij zelf een gezondheidskuur te Spa volgde.

Een overeenkomst werd bereikt. We zouden het huis in de Gentse St.-Pieters-nieuwstraat in huur nemen vanaf 1 december 1930, tegen een jaarlijks bedrag van 20.000 fr. en kregen een optie voor aankoop tegen 300.000 fr. Deze prijzen lagen in 1930 binnen de perken van het normale, we waren tevreden met het resultaat, we wisten waar we ons nestje gingen bouwen.

Werkgelegenheid en woongelegenheid waren binnen de maand van mijn terugkomst opgelost. Het kwam er op aan niet bij de pakken te blijven zitten en de zaken door te zetten. We berekenden en schatten bij benadering dat het in orde brengen van de woonst een goede vier maand zou vergen en dat we omstreeks Kerstmis of Nieuwjaar zouden kunnen trouwen. We hielden ons aan deze vooruitzichten en zetten er alles op.

We waren rijp voor ernstige dingen en zouden intussen nog een stukje lekker vrijen. Verkeren en minnekozen zijn trouwens ernstige dingen. We hadden elkander een klein jaartje niet gezien of gesproken, tenzij door middel van brieven, maar dat was toch dat niet. Tederheid beleeft men het authentiekst in elkaars aanwezigheid, en tederheid is een stevige basis voor een gezond huwelijk; daarop is de instandhouding van de maatschappij gegrondvest. Dat heeft men ons altijd voorgehouden. En waarom zouden wij van de algemene regel afwijken. We volgden het universele spoor waarin onze voorouders ons sinds eeuwen zijn voorafgegaan.

*
* *

De maanden die ons huwelijk voorafgingen hebben aan beide zijden aangename herinneringen nagelaten. Het was een spannende tijd die de volle aandacht van de algehele persoonlijkheid in beslag nam. In de verwachting leven van een huwelijk met iemand van wie men houdt, is een unieke ervaring.

Men moet geen romantische bolleboos zijn om zich in die periode aan innig welgevallen over te geven en zich het allermooiste van het voorgenomen samenleven voor te stellen. Wie het anders doet, of beweert het anders te zien of anders op te vatten, aan die mankeert wat.

Denken en handelen in het licht van het aanstaande huwelijk is het tuintje van elkanders welvaart aanleggen, waarin bloemen en netels kunnen groeien; we hadden vooral oog voor de bloemen, doch voor de netels waren we niet bang. Wachten op het huwelijk is niet in een no man's land leven; men moet alleen maar op zijn hoede zijn voor de bedwelming van het denkvermogen en van de zinnen door overspanning. Op dat moment zijn het meer dan ooit de hormonen die ons lot bepalen.

De evenwichtige hormoonregeling werd in stand gehouden door de zorgen die het in orde maken van onze woning meebracht; die zorgen moet men niet onderschatten. We legden familiebezoeken af en moesten ons gaan voorstellen en laten beoordelen. Vriendelijke tantes vonden en zegden dat we een mooi paartje waren. Deze en andere lieflijkheden lieten we ons goedschiks welgevallen. We wenden eraan zonder protest.

Samen met mijn verloofde bezocht ik de grote tentoonstelling van het jaar 1930 te Antwerpen. We keken vooral uit naar dingen die ons konden van pas komen in de huishouding, o.m. naar een handzame wasmachine. Het doet misschien glimlachen, maar dat behoorde eveneens tot het bewerkstelligen van een dynamisch evenwicht in het hormonale metabolisme.

De IJzerbedevaart in augustus 1930 was een ander punt in de gegevenheden waarnaar de daden van ons leven in de toekomst zouden gericht zijn, en zelfs dat handelen voor een deel bepalen. We zagen het vliegtuig van de uitdagende Labicque boven onze hoofden cirkelen, terwijl het de uitdagende pamfletten aan het adres van de slechte herders uitwierp. De charges van de Rijkswacht op de Grote Markt van Diksmuide hebben we niet gezien want we waren met onze chaperons naar zee vertrokken.

Het chaperonneren behoorde toen tot de deftigheidsvoorschriften, maar veel hinder van begeleiders hebben we nooit ondervonden. Die hadden soms meer last van de hormonenwerking dan degenen voor wier burgerlijk fatsoen ze dienden zorg te dragen.

Naast de IJzerbedevaart was de opening van de volledig vernederlandste universiteit op 21 oktober 1930 een ander coferment dat de gegevenheid van de eendergerichte Vlaamse gezindheid van mij en van mijn verloofde ten overstaan van eenieder heeft bevestigd.

We zaten in de nokvolle Aula. Er was geen pech met de elektrische verlichting zoals in 1922 met rector J.F. Heymans, maar toen na afloop van de vele toespraken, de eerste noten van de Brabançonne weerklonken, werd vanuit de zaal een forse Vlaamse Leeuw aangeheven die alles overstemde en de dirigent onweerstreefbaar ertoe noopte zijn septet erop te doen inspelen. De Aula was één geestdrift, terwijl rector Vermeylen, professoren en prominenten, schijnbaar verontwaardigd, afdropen. Het gevolg was dat in de drie volgende jaren geen plechtige opening meer plaatsgreep.

Dat is straks zevenenveertig jaar geleden en mijn vrouw vertelt nog met zichtbaar genoegen over de pret die zij op die dag in gezelschap van haar verloofde beleefd heeft. Het was de eerste keer dat ze een stoot van Vlaamse protestatie meemaakte.

Een maand nadien was er nog zo een. We waren in onze toekomstige woning aan het knutselen, toen onze aandacht gaande werd gemaakt door krakeel van studenten in de nabijgelegen Rozier. Zij hadden het aan de stok met Professor G. Hulin de Loo, die uit zijn collegezaal werd weggejaagd omdat hij weigerde in het Nederlands te doceren en, ondanks ministerieel verbod, les gaf aan de Ecole des Hautes Etudes, de oorlogsmachine tegen de vervlaamste universiteit.

We waren getuige van het spektakel en zagen hoe de papieren met notities van Hulin, die de studenten hem triomfantelijk achternawierpen, in de lucht dwarrelden. Mijn verloofde had enorm veel plezier met dit studentikoze incident, dat een staartje kreeg en een regeringskrisis uitlokte.

De gebeurtenissen die wij als toeschouwer meemaakten, gaven kleur aan de tijd die hoofdzakelijk door de huwelijksvoorbereiding werd in beslag genomen. Meubelen werden besteld, huisgerei aangekocht, er werd geverfd en behangen. Moeder Scheerders, de vooruitziende, begrijpende en gulle vrouw, maakte het haar dochter naar de zin met haar uitzet, en mijn ouders keken niet nauw voor de passende inrichting van mijn medisch kabinet en het benodigde instrumentarium.

In oktober begon ik in de verpleegstersschool van St.-Vincentius met de wettelijke lessencyclus die mij opgedragen was. Er bestond een Franstalige en een Nederlandstalige afdeling, en ik moest voor de twee instaan. Door de taalwetgeving van 1932 vielen de Franstalige lessen weg. Ik kon in de operatiekamer de chirurgen assisteren en in de behandelkamer een zeldzame patiënt onderzoeken.

Op het laboratorium vatte ik een statistisch onderzoek aan over de topografische anatomie van de zogenaamde nervus presacralis, een onderzoek dat ik nadien op gelijk welk ogenblik kon voortzetten.

Huwelijkspapieren bijeenbrengen vergt veel tijd. Bij mijn pastoor moest ik een proef in de geloofswaarheden en de gebeden ondergaan. Om het hem betaald te zetten, zegde ik de Onze Vader in het Grieks op; hij deed alsof hij het verstond.

Daar ik reserve-officier was, was de toestemming van de Minister van Landsverdediging voor het huwelijk vereist. Deze toestemming wordt slechts gegeven na een onderzoek over de moraliteit, de maatschappelijke stand en de vaderlandse gezindheid van de aanstaande echtgenote. Het heeft een tijdje aangesleept voordat de vergunning bekomen werd, en slechts nadat te Brussel op spoed was aangedrongen. Stonden mijn bruid en haar familie daar op een slecht blaadje?

Te St.-Niklaas gingen we samen naar het stadhuis en bij pastoor-deken C. Beeckman. Hij maakte zich geen zorgen over de godsdienstige kennis van mijn aanstaande vrouw. Hij vroeg alleen of wij gesteld waren op een toespraak na de inzegening, en in welke taal. ,,Mij om 't even, verklaarde hij, want ik preek even goed in het Vlaams als in het Frans''. We lieten hem niet in twijfel over onze voorkeur. Voor de huwelijksmis zelf hadden we Frans de Hovre gevraagd, die zeer graag aanvaardde.

Een huwelijksreis hadden we in de puntjes besproken en ervoor gespaard. Onze verlangens legden we aan het toeristenkantoor Thomas Cook voor, om ze in een reiskalender uit te werken. We wensten naar Italië te gaan, de klassieke kunststeden te zien, Rome te bezoeken, tot Napels door te stoten, over Frankrijk en Parijs terug te keren en begin februari in de St.-Pietersnieuwstraat te zijn. Cook maakte een projekt van een reisroute, met hotels, uitstappen, enz. We vonden het goed. Reissom 16.300 fr., in 1931.

Voor notaris Cesar van de Perre werd op 4 december ons huwelijkscontract ondertekend. De notaris las met zijn hoge neusstem de tekst van het contract voor; geen van ons tweeën was met zijn volle aandacht bij de inhoud.

We dachten aan andere zaken dan op de gemeenschap van de aanwinsten die tussen de toekomende echtgenoten zou bestaan volgens artikel 1498 van het Burgerlijk Wetboek. Dat de roerende en de onroerende goederen uit die gemeenschap gesloten werden, en de eigendom blijven van de echtgenoot die ze zal bekomen hebben en geenszins van de gemeenschap, liet ons onverschillig.

Roerende of onroerende goederen beroerden ons niet op dàt ogenblik. Heel wat andere dingen roerden in ons gemoed. Het heeft twintig jaar en langer geduurd, voordat we ons huwelijkscontract gelezen hebben; het heeft tot wat anders aanleiding gegeven dan tot nieuwsgierigheid om te weten wat erin stond en wat we ooit ondertekend hadden.

De datum van ons huwelijk was al in het begin van de maand november vastgelegd. Het zou Driekoningen 1931 zijn, doch de deken had het liever niet op die heiligdag. We hebben het dan drie dagen vroeger genomen, op zaterdag 3 januari 1931. Dezelfde morgen zouden we voor de wet trouwen op het stadhuis van St.-Niklaas. Als getuigen nam mijn bruid haar broeder Willy, ik mijn nicht Valentine Hoste-De Vuyst.

Het was niet de bedoeling van de familie, en nog minder van de huwenden, op die dag uit te pakken met pronkerij. We vonden het zelfs jammer dat er moeilijk aan een zekere vormelijkheid te ontkomen was. De bruidsstoet zou uit vier paren bestaan: bruid en bruidegom, de ouders beiderzijds en de getuigen. Wie kwam kijken naar mooie toiletten, zou eraan zijn voor de moeite. Zo hadden we het ons gedroomd, en zo is het gegaan.

We hadden er ook van gedroomd, niet met de auto maar met een koets naar het stadhuis en naar de kerk te rijden. De koetsier met een hoge hoed op en met een witte strik aan zijn zweep, was veel idyllischer dan een chauffeur met een pet. Ook dat is geschied.

Het bruiloftsfeest beschouwden wij eveneens als een intieme samenkomst van vertrouwden met de naaste familie. Het zou in het ouderlijk huis van mijn bruid plaats hebben. Daar mijn familie zeer klein was, vond men het best dat ik enkele collega's met wie ik dagelijks samenwerkte, uitnodigde. Mijn chef Professor Goormaghtigh en Mevrouw, dokter J. de Caestecker en mevrouw, dokter Emiel van Acker en mevrouw van Gentbrugge en Dokter Leonce van Damme waren van de partij. Een receptie zoals er thans gewoonlijk een gegeven wordt was in het jaar 1931 niet gebruikelijk.

Over het menu was het akkoord gauw bereikt. Lever van jonge Capitoolganzen. Consommé Orléans. Tongenreepjes Waleska. Reebokrug Cumberland, gestoofde twijgselder. Kirschsorbet. Krans van zwezerik, kampernoelies in roomsaus. Boheemse getruffelde fazant, fruitmacédoine. Noorse kreeft, mayonnaise, sla. Roomijs. Ooft. Mokka. Vader Scheerders liet het beste uit zijn wijnkelder aanrukken.

Men stelt zich in 1977 moeilijk voor dat zo'n menu in 1931 niet tot de uitzonderingen behoorde. Had men toen een solidere maag dan nu?

Trouwberichten werden ten gepasten tijde uitgezonden, ook Franstalige voor de Waalse cliënten van de Firma.

Zoals voor de andere kinderen Scheerders, zouden de heren in rok en witte das en de dames in lange japon in de bruidsstoet opstappen. Het was de eerste keer dat ik zo'n plechtige kledij aantrok. Voor de gelegenheid had mijn vader een rok bij de kleermaker laten maken.

Een weekje voor de grote dag ging ik te biecht in de kerk van de bruine paters te St.-Niklaas, en vroeg het kanonieke testimonium dat op de trouwdag diende voorgelegd te worden. Toen hij hoorde waarover het ging, hield de brave pater mij een sermoentje over de plichten en de rechten in het huwelijk. Hij vroeg mij o.m. of ik wist waar de kinderen vandaan komen. Toen ik zegde dat ik medicus was, gaf hij geen nadere uitleg. Het is in de grond jammer dat ik hem niet liet uitpraten om er wat meer over te weet te komen.

*

* *

Zaterdag 3 januari 1931: de lang verwachte dag was eindelijk aangebroken.

Laat dit een versleten stijlcliché zijn, maar geen woorden geven beter de pregnante gevoelens weer van mensen die willen huwen en er alles op gezet hebben om die dag tot de spitsdag van hun leven te maken. We hadden lang op elkaar gewacht en de motieven die ons bij elkaar brachten stonden ons klaar voor de geest. Vaders en moeders leefden in dezelfde verwachting.

Daags voordien verliet ik het warme Gentbrugse oudernest, met twee valiezen, een voor de huwelijksdag en een voor de reis.

Mijn laatste jonggezellennacht zou ik slapen ten huize van de zuster van mijn bruid, zodat ik op de vooravond een handje kon toesteken met de toebereiding van allerlei klusjes, want mijn aanstaande vrouw was op perfectie gesteld.

In haar gezin heerste geen opgewonden atmosfeer, het ging er zo gewoon aan toe dat haar vader en moeder met de familie kaart speelden en liefst niet met vragen over de dag van morgen geplaagd werden.

Op de dag zelf was ik vroeg uit de veren. Met mijn bruid ging ik naar de achturenmis, en toen we thuiskwamen was het tijd om ons klaar te maken.

Mijn ouders waren met nicht Valentine aangekomen en bij Adriennes zuster waar ik gelogeerd had, juist naast het ouderlijk huis, was men druk in de weer met zich om te kleden. Te tien uur op het stadhuis en te elf uur in de kerk. De koetsen waren voorgereden.

Toen iedereen gereed was, wachtte de bruidegom met het bruidsboeket op zijn bruid. Als een sprookjesfee verscheen ze in het witte kleed met lange sleep: in mateloze aandoening omhelsden we elkander, we waren het bruidspaar.

Op het stadhuis was het de Schepen van de Burgerstand, M. de Muelenaere, die ons ,,in naam van de wet door de huwelijksstand verenigde''. Vooraf had hij laten voorlezen dat de vrouw altijd en overal aan de man moest onderdanig zijn, dat de vrouw de man moest volgen, enz. Het klonk als averechtse galgenhumor. Met het zetten van de handtekeningen en het aanhoren van 's stads oprechte gelukwensen, was het na twintig minuten afgelopen en ontvingen we het ,,trouwboek'' (toekomstige oorkonde van vreugde en leed). Er was daarin plaats voorzien voor twaalf ,,kinderen uit dit huwelijk geboren''. De aanbevelingen en onderrichtingen die erin gedrukt stonden, waren lectuur voor later.

In de kerk werden we voor het altaar opgewacht door pastoor-deken C. Beeckman. Hij aanhoorde ons ja-woord, bevestigde uit de naam van de H.Kerk dat we man en vrouw waren, zegende de ringen. Zijn naam Beeckman-preekman getrouw hield hij een preek die veel te lang was en wemelde van gemeenplaatsen.

Tijdens de stille huwelijksmis, door E.H. Frans de Hovre opgedragen, werd zachtjes door de orgelist gemusiceerd. Wij volgden de liturgische woorden en vernamen uit de mond van de evangelist Matteus dat Christus tot de Farizeeën gezegd had dat de man zijn vader en moeder zal verlaten en zijn vrouw aanhangen, en dat die twee slechts één vlees zullen zijn. Hoe zinvol en realistisch.

Het schoonste gebed van de plechtigheid is dat waarin de kerk het heeft over de vrouw: ,,dat haar huwelijk een juk zij van liefde en vrede, dat zij voor haar man beminnelijk zij als Rachel, wijs als Rebekka, langlevend en trouw als Sara''.

We keken elkander instemmend aan wanneer we hoorden dat de Kerk wenste dat we beiden de kinderen van onze kinderen zouden zien tot het derde en vierde geslacht. We wensten dit ook en zouden alvast beginnen met het eerste en het tweede geslacht.

Daarop werden de jonggehuwden en de getuigen aangezocht de officiële bescheiden te ondertekenen.

Het orgel zette de bruidsmars uit Lohengrin in, en dan schreed de miniatuursuite tussen rijen van glimlachende gezichten en teleurgestelde gapers portaalwaarts. Professionele gelukwenssters, die aan de buitendeur van de kerk sinds onheuglijke tijden haar vaste funktie uitoefenden, drumden vooruit met de welgemeende proficiats. Het eerste was ze deden, was kijken hoeveel de fooi bedroeg, waarop ze opzij met elkaar over het bedrag van gedachten gingen wisselen.

Door de lange St.-Niklase Stationsstraat schommelden de koetsen onder een druilende motregen naar het vertrouwde huis van de Mercatorstraat, waar de bruiloftsgasten wachtten met bloemen, omhelzingen en champagne. Het obligate middenpunt te zijn van ieders blikken en gesprekken is een karwei die men gelaten ondergaat, in afwachting dat er een einde aan komt. Men zou liever met zijn tweetjes alleen op de wereld zijn, maar vandaag heeft men niets te zeggen, men moet het de anderen laten zeggen.

Het bruidspaar deed het; ze lazen in elkanders verliefde blikken, lieten zich met de gasten niet meer in dan volstrekt onontbeerlijk was, en wensten in het diepst van hun hart dat dit allemaal gauw zou gedaan zijn.

Opeens: Mevrouw is bediend! De plaatsen aan de dis ingenomen: tweeëndertig genodigden waren naar best vermogen naast elkaar gerangschikt. Het was geen pretje geweest het ordentelijk te regelen.

Er heerste een getemperde luidruchtigheid. De gesprekken sneden alle onderwerpen aan, van de internationale politiek en de ekonomische krisis tot de doodstrijd van de Franse maarschalk Joffre die op sterven lag. Er waren twee heildronken, een van mijn chef Goormaghtigh, en een van August de Schrijver die sprak uit naam van de familie. Ik dankte, ook namens mijn vrouw, voor de oprechte genegenheid die wij ondervonden hadden. Enkele telegrammen uit de vele werden voorgelezen.

Omstreeks zes uur zette een strijkje melodieën in en dachten we aan vertrekken.

Onopvallend verlieten we het lustig kwetterend gezelschap, terwijl de muzikanten voor de avondpartij aankwamen en de instrumenten stemden.

Tegen halfacht stonden we paraat. Er vloeiden geen tranen wanneer mijn bruid haar ouders verliet; wuivend schonk ze hun een brede, gelukkige en dankende glimlach.

De valiezen werden ingeladen. De familiechauffeur, Leon Smet, voerde ons naar Brussel. Vóór hij op de pedalen duwde, zegde hij met een bescheiden trots dat hij ook de andere Scheerderskinderen op de avond van hun huwelijk naar Brussel had gebracht. Verder sprak hij geen woord meer.

Wanneer hij voor Hotel Métropole op het Brouckèreplein onze reiskoffers neerzette, was zijn enige reactie: Madame en Mijnheer, goedereis! Weg was hij, terug naar St.-Niklaas. Hoe het daar op dat ogenblik verliep, hebben we ons niet afgevraagd.

HUWELIJKSREIS

Het reisagentschap had de bruidskamer gereserveerd. Met het oog op haar functie, was zij door de hoteldirektie deskundig uitgekozen. Ze droeg het nummer 618, en was rustig gelegen.

Nadat we bij de receptie klaar waren, en door de hal van het hotel passeerden die vol zat met luierende klanten, hadden we de indruk dat ze ons allemaal aankeken en voor de redenen van onze aanwezigheid op die dag, op die plaats en op dat uur een begrijpende en aanmoedigende aandacht lieten blijken.

Er was natuurlijk niets van aan, doch we waren zo gegrepen door hetgeen te gebeuren stond, dat we de gedachten van de anderen met de onze identificeerden. Hoe dat psychologisch proces precies heet, is mij niet bekend, maar ik heb het, en mijn vrouw eveneens, ondervonden en meegemaakt. Van een hallucinatie naar een droombeeld moet de afstand op dat moment niet groot zijn. Is dat niet Kafkaiaans?

Nadat we uitgepakt hadden, was de drang naar een beetje lucht onweerstaanbaar; heel de dag hadden we binnenshuis in spanning geleefd, we hadden zuurstof nodig. We gingen buiten, slenterden een eindje op de Brusselse lanen, keken verstrooid naar niemendal, keerden weer door de hal waar nu de belangstelling afgenomen was, gingen resoluut naar kamer 618 en sloten de deur. Enfin seuls! Geruisloos gingen we de nacht in.

*
* *

Zondagochtend 4 januari 1931. Te tien uur het telefoontje van een nieuwsgierige moeder-schoonmoeder. Antwoord: alles om ter best.

We gaan naar de elfurenmis in de nabijgelegen Finistèrekerk, waar een pater jezuïet een bedelpreek houdt voor de Brusselse katholieke scholen. In de halfdonkere, propvolle ruimte hangt een benauwde lucht, de vlammen van de waskaarsen dansen als spoken; op knikkende benen vluchten we de kerk uit om op adem te komen en vergeten onze penning voor de Brusselse katholieke scholen.

Vertrek met de trein van dertien uur naar Straatsburg, over Namen, Aarlen, Luxemburg; het sneeuwde in de Ardennen. In de hoofdplaats van de Elzas, bezoeken we de katedraal. We zien in een zijkapel de spierenman St.-Bartolomeus, die met zijn afgestroopte huid op zijn arm staat, alsof het een regenmantel was, en sporen dan verder over Colmar en Mulhouse, naar Basel. Daar logeren we in de Drei Könige, vlak naast de Rijnbrug, een stemmig hotel.

's Anderendaags gaat het langs het meer van Lüzern, in een prachtig winterlandschap tot Göschenen, door de St.-Gotthardtunnel waar men dertien minuten telt om de 13.900 m lange pijp onder de grond af te leggen. Komen te Bellinzona, kruisen het meer van Lugano.

Te Chiasso vraagt de Dogana Italiana: Niente da dichiarare? No Signore. We rijden naast het Comomeer, bereiken te acht uur Milaan. Op mijn reisfolder lees ik nu nog: twee vermoeide echtelingen.

Twee dagen te Milaan. Het Hotel de l'Europe is archaïsch, met houten luiken voor de ramen, maar knusjes net; de kamerpotten in de nachttafels zijn precies geleipotten; het hoge ledikant beklimt men, en onder een hemel met geplooid behangsel slapen we als twee roosjes.

We maken een rondrit in de stad, bezoeken de kathedraal, het Laatste Avondmaal van Leonardo da Vinci en het paleis van de Sforza.

Over Brescia, voorbij het Garda-meer, de rode marmerstad Verona, door de Po-vlakte waar de landbouwer heer en meester is en waar de Italianen hun spaghetti vandaan halen, over het Padua van Sint Antonius, bereiken we Venetië. We worden met de gondel naar het Hotel Regina op het Canale Grande gebracht.

Venetië. Een zachte kreet van bewondering wanneer het San Marcoplein zich voor onze blikken openspreidt. Mijn vrouw is er niet op uitgekeken, kan niet los van de kalme tinten in het heldere winterweer onder een blauwe hemel. We zwerven over het plein, kijken naar de winkels met snuisterijnen onder de galerijen, voederen de duiven, bezoeken de San Marco-kathedraal. We maken een rondvaart per gondel door de kanalen en grachten, zien O.L.Vrouw del Salute, de Casa d'Oro.

In een kantwerksterschool staat mijn vrouw met verliefde ogen te kijken op de meisjes, de secure vingervlugheid betovert haar. We kopen een mooi stuk. We zien het paleis der Dogen, de Brug van de Zuchten, de Gevangenissen, de overweldigende schilderijen van Tintoretto, Titiaan, Veronese, en noem maar op.

Het is niet bij te houden, niet mogelijk met de geest te verwerken, het overlaadt het assimilatievermogen. Een huwelijksreis met haar diverse accenten, aandrangen, geestelijke en fysische stuwingen en affectieve ontladingen, schept niet de geschikte gevoels- en gedachtenatmosfeer om de volle en pregnante waarde van deze artistieke overvloed te beseffen. Men wordt er suf van.

Zaterdag 10 januari 1931, een week getrouwd. We sporen naar Firenze, dwarsdoor de Povlakte en de Apennijnen, Bologna voorbij. In de Arnostad is het dezelfde overvloed: Botticelli, Michel Angelo, Rafaello, Palazzo Pitti, Palazzo Vecchio, Savonarolla, Santa Maria Novella, San Marco met Fra Angelico, Galleria Uffizi. Er komt geen eind aan.

Hier een tegenvaller: mijn vrouw heeft griep, 39° en moet te bed blijven. Na twee dagen is zij beter en weer te been. Bezoeken de Duomo met de geweldige koepel. Ik kan onmogelijk de rondgang maken aan de binnenzijde: hoogtevrees, een onbehaaglijk gevoel waartegen niets aan te vangen is; mijn vrouw lacht mij uit. We hadden graag een rit per carozza gemaakt, maar moeten ervan afzien wegens de koude. We stellen ons tevreden met het Museo Santa Croce en de gelijknamige kerk, waar de anatoom, bisschop Stenonius die de parotisklier ontdekte, begraven ligt. Op het plein vóór de kerk staat Dante Alighieri in 't marmer gestandbeeld.

Vanuit Firenze rijden we door tot Napels. Over Toskanië, Umbrië, de Tibervlakte, voorbij Arezzo en het meer van Trasimeno (Hannibal!), voorbij Orvieto, dwarsdoor de Apennijnen. Tegen de horizon tekenen zich op de hoogten versterkte burchten en sombere kegelvormige cipresbomen af; onder grote, groene paraplu's zitten herders hun kudde gade te slaan.

Wij sporen door de Campania Romana waar de sinaasappelbomen in bloei staan. Ooit lagen hier de Pontijnse moerassen waar de malaria eeuwen hoogtij vierde. Mussolini heeft ze drooggelegd en er vruchtbaar land van gemaakt. Te Formia is het een heerlijk lenteweertje in een paradijselijke streek, waar alles in volle bloei staat; en het is 14 januari.

Te Napels logeren we in Parco Hotel, met uitzicht op de baai en de Vesuvius met zijn rookpluim. We maken de klassieke uitstap naar Pompei en de Vesuvius, met een groep van acht toeristen, onder de leiding van een gids die wat te praatziek is en ons op alle tonen de weldaden van het fascistisch regime en van duce Mussolini bezingt. Hij begrijpt niet dat iemand anti- of afascistisch kan zijn. Een Amerikaan in onze groep houdt Mister Guide voor de aap en bezorgt ons heel wat pret. Die Amerikaan is een rijk geworden businessman die na zijn Europese reis in de geneeskunde gaat studeren.

Met een stoomtreintje bestijgen we de vuurberg, en na een voettochtje van een halve kilometer staan we aan de rand van de krater waar af en toe een veeg rook tot ons doordringt. In de krater zelf mochten we niet afdalen; een paar vergezellende carabinieri doen het wel, we zagen de mannen van de ene verharde lavakorst op de andere springen. We bewaren thuis in onze reisarchieven een foto van dit Vesuviusavontuur.

Na de Vesuvius gaat het met een ander stoomtreintje naar Pompei, een historische situs die het bezoeken overwaard is, en ons verplaatst naar het jaar 79 van onze tijdrekening. De stad werd onder de as van een Vesuviusuitbarsting volkomen begraven, zodanig dat haar bestaan uit de menselijke herinnering verdween. In het jaar 1748 werd ze toevallig ontdekt en geleidelijk blootgelegd.

Wie door de stad dwaalt, zijn ogen de kost geeft en naar de uitleg van de gids luistert, kan zich de dagelijkse handel en wandel van de Romeinen die hier op villegiatuur kwamen in al zijn kleuren en geuren voor de geest oproepen, incluis de bordelen die niet ontbraken en dank zij symbolische wegwijzers, plaatsaanduidingen, phallussen en andere erotische beelden gemakkelijk te vinden zijn.

De gids wilde niet dat de vergezellende dames tegenover deze emblemen zouden komen te staan en nam de mannen alleen mee om ze te tonen. Doch zodra de eega's haar wederhelften na dit discriminerend bezoek terugzagen, was het één ondervragen, een uitleg verstrekken, één gezamenlijk gelach waaraan niemand zich onttrok.

Daags nadien zouden we een bezoek brengen aan het eiland Capri. We lieten verstek gaan, daar ik op mijn beurt met een griep geplaagd zat. Het was gauw vergeten, want we konden na twee dagen een excursie maken rond de baai van Napels naar de zwavelbronnen en de tempelpuinen in een heerlijk landschap. Vedere Napoli e poi morire? Gelukkig zijn we levend weergekeerd.

Vanwege die griep vertrekken we met vierentwintig uur vertraging op het reisprogramma naar Rome, en zullen ons verblijf aldaar met een dag bekorten. Twee uur sporen en we zijn in de stad met de zeven heuvelen. We logeren in Hotel Flora op de Via Vittorio Veneto tegen de Villa Borghese, genieten van daaruit van een schitterend panorama. Aan onze voeten ligt de Piazza del Popolo, de Romeinse Vrijdagmarkt.

Te Rome is het het ene bezoek na het andere naar de antieke, de middeleeuwse, de zestiende eeuwse, de barokke en de moderne stad. In de St.-Pieterskerk verbiedt ons een pauselijke gendarm gearmd te lopen. We zien de Sixtijnse kapel met haar frescoschilderijen, het rijke Vatikaanse Museum. We lopen over de Piazza Venezia, het Foro Romano, voorbij Coliseum, het Quirinaal, de fonteinen.

Romeinse kerken bezoeken is Danaïdenwerk, hoe meer men er binnengaat, hoe meer men er tegenkomt, vier op elke hoek van een kruisstraat, ze lokken tot een bezichtiging en hebben alle een stukje merkwaardige geschiedenis. Sint Jan Lateranen, Sint Paulus buiten de Muren, St.-Maria de Meerdere zijn, elk in zijn soort, prachtige monumenten.

In open huurkoets rijden we naar de catacomben van San Callisto, de Thermen van Caracalla, zien onderweg een stukje van de Via Appia. We laten ons niet beetnemen door de geslepen Romeinse koetsier die het dubbele van het taximetertarief wil aanrekenen, zogezegd omdat we een eindje buiten de stadsomheining tegen tarief 2 gereden hadden. Hij poogde ons wijs te maken dat tarief 2 het dubbele betekende van de aangeduide som op de taximeter. Met die kerels, die een van de pittoreske sieraden van de Eeuwige Stad zijn, moet men sluw tegen sluw spelen.

Vanuit Rome rijden we in een ruk naar Genua, acht uur trein. Voorbij Civita Vecchia, de gesaneerde Maremmen, Crosseto, een heel eind langs de Tyrreense Zee; we zien in de verte het eiland Elba liggen, we scheren langs Livorno, Pisa, Carrara, de stad van het hagelblanke marmer.

We soezen in onze coupé, op een rijtuig zonder reizigers, waar alleen de fascistische politieman af en toe door de couloir stapt. Op alle treinen zijn ze aanwezig en spieden, de Italianen bekijken hen wantrouwend; op ons maken ze geen indruk, of ze er zijn of niet zijn laat ons koud.

We praten over de voorbije dagen, we zijn drie weken getrouwd, hebben veel gezien, hebben brieven geschreven, tientallen prentbriefkaarten verzonden, vragen ons af hoe men het thuis maakt, we zijn op de terugweg. We halen ons trouwboekje voor de dag, en lezen de aanbevelingen en onderrichtingen. Er staan afschuwelijke dingen in, zoals ,,Meer dan het vierde der kinderen sterven vooraleer zij hun eerste jaar bereikt hebben''. Dat was gelukkig in 1931 niet meer het geval; ook de bussels behoren tot het verleden. Over de voeding van de pasgeborene leest men: ,,Tot negen maanden is vrouwenmelk, en vooral de moedermelk het oprechte voedsel van het kind; na drie of vier maanden mag papperij gegeven worden ...''.

Voor mijn vrouw resumeer ik mijn wetenschap over moedermelk, over de verpakking, de temperatuur, de samenstelling en alles wat Frans Daels ons daarover heeft geleerd. Zij luistert met belangstelling en een ontwakend moederinstinct. Van papperijen weet ik niets af. Dat alles terwijl we in de valavond Genua naderen.

We overnachten te Genua en vertrekken al te tien uur naar Marseille. Langs de Middellandse Zee en de bochtenrijke Italiaanse Cornice. Te San Remo zeggen we Addio Italia. Te Ventimiglia moeten we op een Frans konvooi overstappen. Het wordt een slakkengang vanwege de vele stopplaatsen: Menton, Monte Carlo, Monaco, Nice, Antibes, Juan les Pins, Cannes, Fréjus, Toulon. Het is acht uur als we te Marseille aankomen op een zondagavond.

We logeerden in een hotel op de beroemde Canebière; het was er uitstekend. De Pêche Melba die wij gegeten hebben, was van een onovertroffen kwaliteit. Hoe wonder dat aan zulke in de grond toch banale dingen een herinnering vastkleeft die na een halve eeuw nog niet uitgewist is. Is het omdat in dezelfde stad, op dezelfde plaats een ander feit is voorgevallen dat door de bewustzijnsdraden aan de kwaliteit van die Pêche Melba verbonden wordt. De wegen van de dieptepsychologie zijn wonderbaar.

Waarom Montpellier op de kalender van onze huwelijksreis stond, ligt aan mijn liefde voor die oude universiteitsstad waarover ik veel gelezen had, waarvan ik enkele professoren ontmoet en gesproken had, tot wie ik mij aangetrokken voelde. We zijn er één dag gebleven, bezochten de Faculté de Médecine die in het oud-bisschoppelijk paleis naast de Cathédrale St.-Pierre gelegen is. We hebben in de zon gezeten op de Promenade de Peyrou en in ons hotel elf uur aan één stuk geslapen. Ook dat behoort tot de niet onaangename perikelen van een huwelijksreis.

Tijdens onze verloving hadden mijn vrouw en ik uit de lektuur van documenten en afbeeldingen zin gekregen ooit Carcassone te zien. We hadden er een dagje voor berekend, nu we in de buurt waren, over Sète, de streek van de muskaatwijn, Agde, Narbonne. Een onderbreking van de treinreis van een halve namiddag was voldoende om kennis te maken met de befaamde Cité de Carcassone.

Een ensemble van een middeleeuwse versterkte stad, prachtig gerestaureerd. Een wandeling over de slechte straatstenen wordt goedgemaakt door de aanblik van dit monumentale stadsbeeld dat op een heuvel ligt te midden een nietszeggende, alledaagse Franse stad.

Naar Toulouse is de afstand niet groot. We komen 's avonds laat aan en kunnen om zo te zeggen van uit de trein terecht in het luxueuse Hotel de la Compagnie du Midi, in het station zelf.

Alleen om te overnachten, want we vertrekken van hieruit naar Parijs, over Brive de bekende truffelstreek, over Limoges, Châteauroux, Orléans, een lange rit die ons na honderden kilometers, zoveel dichter bij huis brengt.

Te Parijs logeren we in Hotel Bedford, tegen de Madeleine; we hebben een verblijf van drie dagen op de agende staan. Op een morgen ga ik naar Hôpital Necker mijn oude leermeester Legueu goede dag zeggen. Hij is altijd even zwierig en actief. 's Namiddags bezoeken we de Fondation Biermans-Lapôtre, mijn studentenhuis, niets is er veranderd. 's Avonds gaan we eten in de Rôtisserie de la Reine Pédauque, een van de gerenommeerde Parijse restaurants bij de Gare St.-Lazare.

Wie zal tegen een hapje Parijse frivoliteit tijdens een huwelijksreis bezwaar maken? Zo dachten wij ook, en gingen in de Folies Bergères een kijkje nemen. We kuierden op Montmartre en maakten kennis met de kabaretkelder *Le Chat Noir* waar een regisseur met elkeen die binnenkwam, de draak stak en zinspelingen maakte. De drank was er slecht en duur, de kleding van de diensters tamelijk summier, in plaats van bonjour of merci zegden ze altijd miauw. De sfeer was vulgair en de lucht vies van de dichte sigarettenrook. We waren beetgenomen.

Daarentegen was het in de *Moulin Rouge,* zonder nu precies voornaam te zijn, een hele boel fatsoenlijker; het is een dansgelegenheid waar iedereen mocht gezien zijn en waar tussendoor een mooi nummertje wordt opgevoerd.

We bezochten Versailles en Trianon. Het was niet de eerste keer dat ik het kasteel bezocht. Mijn vrouw kwam onder de indruk van de weelderige zalen en wilde het fijne weten van de vorstelijke maîtresses die hier geboeleerd hadden. Hoe de sluiptrappen in de muren en achter de ornamenten verborgen zaten en eindelijk tot de koninklijke appartementen leidden, was een probleempje dat ieders nieuwsgierigheid prikkelde.

Zonder een toneel- of muziekvoorstelling is een bezoek aan Parijs niet denkbaar. We namen kaartjes voor de Opéra Comique waar Carmen van Bizet opgevoerd werd.

We eindigden onze huwelijksreis op een vrome toon met een bedevaart naar Lisieux, waar we veel te vragen hadden. Het was koud in Normandië, en de cider noch de Camembert vermochten ons op te warmen.

In de vooravond waren we te Rouen en logeerden in het Hotel de la Poste. In het hotel was er een boekenshow, waarop de Franse romanschrijver Henri Bordeaux zijn boeken tekende. We kochten zijn *La Robe de Laine* waarin hij zijn handtekening plaatste. We bleven een dag te Rouen hangen, voor een bezoek aan de stad en haar merkwaardige kathedraal.

Op maandag 2 februari vertrekken we naar Brussel, met overstappen te Amiens en te Rijsel. We gaan opnieuw logeren in Hotel Metropole. Kamer 618 is niet vrij. We telefoneren naar St.-Niklaas. Vader Scheerders zal ons op dinsdagnamiddag te drie uur met de wagen afhalen. In de voormiddag van de allerlaatste dag van onze huwelijksreis gaan we de cadeautjes kopen die we feitelijk van onderweg hadden moeten meebrengen. Maar dat zullen we aan onze beste nonkels en lieve tantes niet zeggen.

We tellen ons zakgeld en stellen vast dat er niet veel meer overschiet.

Te vijf uur in de namiddag van 3 februari 1931 zijn we in het ouderlijke huis van mijn vrouw. We zijn juist een maand getrouwd.

's Anderendaags vertrekken we naar Gent, naar St.-Pietersnieuwstraat 124, waar mijn vader en moeder een hartelijk welkom hadden bereid. Zij hadden onze woning, die tijdens onze huwelijksreis volledig in orde was gebracht, in afwachting van onze thuiskomst schoongemaakt en gezorgd dat niets ontbrak. In de gezellige keuken stonden een bloempot en een lekkere taart op ons te wachten. Mijn vrouw vond het een lief gebaar dat ze nooit vergeten heeft en waarover ze aan onze kinderen meer dan eens heeft verteld.

Een kwartier nadien gingen mijn ouders naar Gentbrugge en de ouders van mijn vrouw naar St.-Niklaas. We waren in ons huis, in ons nestje. Ons leven begon, we stonden op ,,eie pote''.

OP EIGEN POTEN

Verlovingstijd. Bruiloft. Huwelijksreis. Wittebroodsweken. Mijn vrouw en ik bewaren het allemaal in ons hart, zonder de minste weemoed naar een snel verzwonden fata morgana, maar als een prikkel voor de taak die wij tegemoet zagen.

We waren door onze ouders genoeg materieel uitgerust om stilletjes van wal te steken, doch beseften dat onze situatie in de maatschappij broos was, en dat het van onszelf afhing of we al dan niet, na een redelijke tijd, van niemand meer afhankelijk zouden zijn.

Mijn vrouw was grootgebracht in een milieu waar werken, hoe dan ook en in alle omstandigheden, in ere werd gehouden. Haar vader en moeder hadden zeker hun brood niet in ledigheid gegeten, en van nature was ook zij niet tot luiheid geneigd. Tot haar zeventiende jaar had zij schoolgelopen in O.L.Vr. Presentatie van haar geboortestad, een van die instellingen die uit traditie de burgermeisjes een dosis kennis meegeven ten einde in goeden doen een huishouding te kunnen verzekeren.

Zij bezat geen ander diploma dan datgene dat met het navolgen van voorbeeldige werkzaamheid, bedachtzaamheid wordt veroverd. En in dat opzicht was haar diploma in mijn ogen hoog gekwoteerd. We konden gerust op haar huishoudelijk kompas varen en op onze twee oren slapen.

Ikzelf had thuis nooit anders dan de lof van de vlijt horen zingen, en meende in gemoede te mogen zeggen door studie en nascholing terdege toegerust te zijn om zelfstandig mijn beroep en mijn wetenschappelijk werk aan te kunnen.

Ik trad niet zonder ambities in de medische carrière, niet zonder een streven naar de goede vervulling van de taken en ambten die mij te eniger tijd konden ten deel vallen. Ik had ijver en lust om te werken op de plaats waar ik stond of ooit zou staan. Ik dacht: wie zonder ambities staat waar ik sta, werpe mij de eerste steen.

Ons huis was in gereedheid gebracht, we konden wonen, eten, koken, slapen, ons verwarmen. Mijn moeder had een huishoudster aangeworven die over enkele dagen zou in dienst treden. Door een goede ingeving die van veel genegenheid getuigde, had men aan mijn vrouw en mij de kamerinrichting overgelaten, meubelen, kaders moesten naar onze smaak en gading een plaats krijgen, men had hamer, spijkers, haken, zelfs een vouwmeter klaargelegd. Onze handen jeukten, we begonnen dadelijk. We vonden die nacht moeilijk de slaap en vóór dag en dauw waren we aan het hameren, tot verbazing van de buren, die zich afvroegen wat er aan de hand was. Het moest af, alvorens we tot rust kwamen.

In de namiddag ging ik naar het laboratorium waar ik met professor Goormaghtigh wat napraatte en plannen maakte voor een geordende deelname in het dagelijkse werk, in afwachting dat ik mijn proefschrift voor de graad van geaggregeerde in de urologie zou redigeren. Hij zette grote ogen op, wanneer hij vernam hoever ik in Amerika met de proeven opgeschoten was.

Elke morgen ging ik naar St.-Vincentius, gaf er mijn lessen in de verpleegsterschool, ontmoette de geneesheren die er geregeld binnenliepen, en kon middelerwijl in de operatiekamer assisteren. Het was er allemaal Frans wat de klok sloeg; een leerling-verpleegster die haar vlaamsgezindheid wat te veel uitstalde, werd weggezonden door les Sœurs de Charité de Jésus et de Marie: ongewenst.

Op mijn huisdeur had ik de koperen plaat met vermelding van specialiteit en het spreekuur, van 2 tot 3 uur, laten aanbrengen. Dat het alleen in het Nederlands was, kwam bij de meesten nogal ongewoon voor. Mijn eigen chef kon niet nalaten daarover zijn verwondering uit te spreken: ,,Waarom u zo ostentatief als flamingant afficheren, ik denk dat het u geen goed zal doen''. Zo luidde zijn mening. Ik repliceerde dat hij wel professor was aan een Vlaamse universiteit.

Ik vernam dat onder de dokters over die Nederlandstalige naamplaat geroddeld werd. Kort daarop vond ik in mijn brievenbus een naamloos geschrift met de aanduiding: ,,Nous n'allons pas chez un médecin flamingant''. Het was het bewijs van een geestesgesteldheid die nog niet verdwenen was; men hield de vlaamsgezinden in het oog. Het deerde ons niet en mijn vrouw noch ik zouden van onze gedragslijn afgeweken zijn; wij hielden van risico's nemen.

Het belette niet dat reeds binnen de week van mijn vestiging een agent van de verzekeringsmaatschappij La Médicale aan de bel hing en zijn goede diensten aanbood. Toen ik hem vroeg om mij in het Nederlands te woord te staan en desgevallend de polis ook in die taal op te stellen, schrikte de brave man zo zeer, dat hij nauwelijks woorden vond om te zeggen dat hij zo iets nooit ontmoet had, en dat hij niet dacht dat zijn ,,compagnie'' daar zou op ingaan. Hij is niet meer teruggekeerd.

Een week nadien werd ik benaderd door de agent van de verzekeringsmaatschappij Noordstar-Boerhaave, mijn oud-collegevriend Edmond van der Meulen, die ook de lucht van mijn praktijk gekregen had. Met hem sloot ik verzekeringsovereenkomsten af tegen beroepsongevallen en ter bescherming van mijn wettelijke aansprakelijkheid, met een polis in het Nederlands. Een levensverzekering kon er nog niet af, de premie was te hoog.

We waren nauwelijks thuis van onze huwelijksreis, of daar rinkelde de telefoon met de vraag wanneer ik een patiënt, een pastoor, kon ontvangen. Mijn medisch kabinet was nog niet klaar, doch ik kon de afspraak vastleggen op de eerstvolgende maandagnamiddag. Ik dacht aan de Heilige Gerardus van mijn moeder; had hij voor mijn eerste patiënt gezorgd, een priester dan nog? Hield het geen gunstig voorteken in?

De huishoudster zou die morgen in dienst treden, en het kabinet schoonmaken. Wat een geluk. Op de beruchte maandagochtend had het flink geijzeld, en wie niet verscheen was de dienstmeid. De heilige Gerardus liet ons in de steek. Dan maar van de nood een deugd gemaakt en samen met mijn vrouw heb ik het kabinet in een fatsoenlijke staat gebracht om er mijn eerste patiënt te kunnen ontvangen.

Te één uur kwam de huishoudster binnen: de ijzel, alles met vertraging, begrijpelijk!

Klokslag twee uur belde Mijnheer Pastoor. Ik aanhoorde zijn klachten, onderzocht hem, deelde hem mijn diagnose mede, met de behandeling die geen andere dan een operatie was, die zonder dringend te zijn toch niet langer, op gevaar van erger, kon uitgesteld worden. We spraken over ziekenhuisopname en alles wat daarbij kwam kijken. Mijnheer Pastoor luisterde, bekeek mij van het hoofd tot de voeten, betaalde het honorarium veertig frank, en zou mij spoedig bescheid geven.

Dat bescheid kwam niet, maar voor de week verstreken was, hoorde ik dat de Zeer Eerwaarde zich had laten opereren door dokter Beyer, de grootste geus van Gent. De Heilige Gerardus had de vlag moeten strijken voor de duivel. Mijn eerste patiënt genas goed; ik was al blij dat mijn diagnose niet verkeerd was.

Men kan nafilosoferen over de redenen waarom die pastoor zich niet door mij liet opereren. Het zal wel zijn omdat ik hem te jong en te onervaren voorgekomen was. Sluw als alle oude pastoors, zal hij het doorgehad hebben dat hij mijn eerste patiënt was, en hij was liever niet het proefkonijn van een beginnend chirurg. Daarin had hij het verkeerd voor, want hij was niet mijn eerste prostatectomie.

Deze ervaring stemde mij hoegenaamd niet bitter, ik aanvaardde ze als de feilloze demonstratie van het wankelbaar evenwicht van iemands stemming die omslaat onder de invloed van inponderabele factoren, bij een patiënt meer dan bij een gezonde.

Tegelijkertijd nam ik mij voor, in de toekomst voor oude Vlaamse pastoors op mijn hoede te zijn. Ik moet hier al bekennen dat ik het nog niet klaargespeeld heb, want meer dan eens zijn ze mij te sluw af geweest.

Mijn vrouw was in het haar bijna volslagen vreemde Gentse milieu snel ingeburgerd. Om de twee, drie weken gingen we op weekeind naar St.-Niklaas, en op de vrije zondagavonden wafelen eten te Gentbrugge. Bij haar zuster die ook te Gent woonde, sloeg ze vaak een babbeltje; we kwamen maandelijks of zo bij haar of zij bij ons met haar man een avond doorbrengen.

Ook met vrienden en collega's werden de relaties aangehouden. We woonden samenkomsten en vergaderingen bij, kwamen onder de mensen en poogden zo aan onze sociale positie en de onvermijdelijke verplichtingen die zij meebracht, een vaste zin te geven. Dat het Vlaamse kringen waren, waar we verschenen, sprak vanzelf.

We gingen in elkanders werk op, wachtten de gebeurtenissen af. Het was voor ons beiden een grote teleurstelling wanneer zich in de maand mei 1931 een miskraam aanmeldde. Professor Goormaghtigh die ook gynaecoloog was, verzorgde mijn vrouw. Zij herstelde vlug, doch voelde zich vaak eenzaam wanneer ik te lang op het laboratorium bleef en soms 's ochtends te zeven uur al aan de operatietafel stond. Zij begreep het om bestwil, en het geld verzoette de arbeid.

Bij het St.-Niklase bedrijf ,,Scheerders-van Kerckhoves Verenigde Fabrieken'' dat door de ouders van mijn vrouw al vanaf 1905 tot een belangrijke zaak was uitgebouwd, werd ik, zoals de andere Scheerders-kinderen, in de beheerraad opgenomen. Het vergde niet veel van mijn tijd, en mijn aandeel in de familieonderneming was meer honorabel dan lucratief.

Het waren de anderen die het juk van het dagelijks beheer op hun schouders torsten. In de chronische crisis van de jaren dertig was het een heldhaftig stuk werk het bedrijf overeind te houden, geen enkele bediende of werkman te moeten afdanken en de zaak te redden.

Mijn schoonvader en mijn zwager, die dag aan dag met ontzettende moeilijkheden te kampen hadden, hebben veel slapeloze nachten gekend, en hun echtgenoten hebben daarin manmoedig hun part opgenomen.

Ik stond erbuiten, maar besefte niettemin zeer goed wat ervan afhing, ook terwijl ik patiënten zag of op het laboratorium in mijn microskoop naar de cellen van een nierlichaampje te turen zat. Ik had het gemakkelijker dan de kerels die het te St.-Niklaas met schraperige crediteuren, onmeedogende bankiers en inhalige konkurrenten aan de stok hadden. Het jonge echtpaar Elaut-Scheerders brengt hun een dankbaar saluut.

*

* *

In een universiteitsstad een urologische praktijk uitbouwen liep niet van een leien dakje.

Niet omdat er veel urologen waren, integendeel, we waren te Gent slechts met twee die zich strikt tot het vak beperkten. De anderen die zich voor uroloog uitgaven, namen er een niet onbelangrijk deel gynaecologie, algemene chirurgie of dermatologie bij. Welke Gentse chirurg zal een tuberculeuse nier naar een uroloog zenden, welke vrouwenarts zal een steentje in de ureter laten zitten, welke dermatoloog zal geen druiper behandelen? Allen voerden plausibele argumenten aan om hun handelwijze te rechtvaardigen, en zij waren geen beunhazen.

Tegen die opvatting ingaan was stroomopwaarts roeien. De urologie genoot in ons land geen academische erkenning, veel huisartsen waren niet met de urologie vertrouwd, de ouderen kenden nauwelijks het woord, de meesten wisten niets af van de instrumentele mogelijkheden. We zaten in de wetten van een archaïstisch medisch bestel.

Wat ik nu ga vertellen, is kenschetsend voor de toestand.

In West-Vlaanderen was er geen enkel uroloog. Professor Jozef Sebrechts uit Brugge was de onfeilbare paus, naar wiens schitterende prestaties heel het land opzag. Hij was een algemeen chirurg van de traditionele stempel en stelde met ongeëvenaarde lef de wet. Alle chirurgen stonden in zijn schaduw, en de urologie was voor hem een deeltje van een onaantastbaar geheel, het zijne. Hij dacht net zo over vrouwenartsen en orthopeden.

Dit unieke monopolie liet hij niet los, hij belette zelfs dat de chirurgen die hij vormde, zich in zijn nabijheid kwamen vestigen, en legde op die wijze de uniciteit van zijn opvattingen vast. Opvattingen die zijn leerlingen overal meedroegen en in praktijk stelden.

Op de ontwikkeling van de chirurgische nevenspecialismen heeft de mentaliteit van de overigens innemende man die Sebrechts was, een remmende invloed uitgeoefend. Na zijn overlijden in 1948 hebben de zaken een andere keer genomen en heeft de urologie in West- en Oost-Vlaanderen haar autonomie verworven en bestendigd.

Unitair-chirurgische standpunten zoals Sebrechts die verpersoonlijkte zijn al lang achterhaald.

In hoofdzaak omdat elk chirurgisch deelvak een zulkdanige technische uitbreiding heeft genomen, dat één man niet in staat geacht wordt het voldoende te beheersen. En ten tweede omdat het socialiseringsproces van de geneeskunde het professionele totalitarisme van haar beoefenaars verbrokkeld en verstrooid heeft. Extrinsieke meer dan intrinsieke medische factoren waren daarin de determinerende drijfveer, zij hebben heel het bestel een andere inhoud en een ander uitzicht gegeven dan het voor vijftig jaar bezat. Men stond op het breukvlak van twee strekkingen in de medische professie.

Indien Sebrechts in 1950 nog zou geleefd hebben, dan zou hij de toen reeds beginnende evolutie evenmin tegengehouden hebben als om het even welke geneeskundige bonze. Mensen zoals hij zouden thans de toon na die revolutionaire omkeer niet meer kunnen aangeven. Het zijn de medisch-leke-suppoosten van Caritas Catholica en haar evenwaardige instellingen die de taakverdeling regelen en de spoorwissels verleggen, de geneesheren aanstellen en ontslaan, de medische specialismen die zij van de universiteiten toegespeeld krijgen hiërarchiseren en de regie voeren in de rolbezetting van de voor specialisten toegankelijke ambten.

Wie zich in 1931 als uroloog wilde vestigen, moest een ongelijke strijd aangaan, ook voor zijn boterham. Hij werd door de chirurgen als een indringer beschouwd, door de zorgenverstrekkende sociaal-geneeskundige instellingen als een gastarbeider bekeken en alleen tot wat vuil werk bevoegd geacht.

Tot de voorlopers te hebben behoord die de progressistische strijd gevoerd (en uiteindelijk gewonnen) hebben, is niet de geringste voldoening van mijn oude dag. Thans zijn er urologen in elke belangrijke stad en zij leiden belangrijke autonome diensten.

Het volgende operatiestatistiekje over de eerste zes jaren van mijn praktijk, toont aan hoe moeilijk het was door te breken in het Gentse milieu van 1931. De operatieve activiteit van een uroloog is een goede barometer van die praktijk. De verrichte operaties gelden zowel zware nier- prostaat- en blaasoperaties als een eenvoudige besnijdenis.

Wanneer men weet dat ongeveer twaalf procent van de patiënten die op ons spreekuur komen, operatiegevallen zijn, kan men gemakkelijk het totale patiëntenaantal over de aangegeven jaren berekenen.

In 1931, 3 operaties;
in 1932, 12 operaties;
in 1933, 16 operaties;
in 1934, 28 operaties;
in 1935, 37 operaties;
in 1936, 49 operaties.

Dit wil zeggen dat ik na zes jaar privé-praktijk, amper één operatie per week verrichtte. Op het hoogtepunt (1943) van mijn praktijk heb ik nooit het aantal van 98 operaties op één jaar overschreden.

Hoewel deze operatiestatistiek een stijgende curve vertoont, zal niemand kunnen volhouden, dat zij de weergave is van een indrukmakende overrompeling.

Billijkheidshalve dient hieraan te worden toegevoegd dat allerlei kleinere ingrepen, instrumentele onderzoeken en intercollegiale assistenties de ochtendbedrijvigheid van een uroloog in het ziekenhuis helpen vullen, zodat hij na zes jaar zijn brood verdient en in staat is op eigen vleugelen te vliegen, maar adembenemend is het niet.

We waren, en zijn, getuigen van meer spektakulaire machtsontplooiingen vanwege debuterende geneesheren. Zij hebben mij nooit afgunstig gemaakt. Ik, en ook mijn vrouw, waren er gerust in; we hebben meer dan één van die vuurpijlende praktijken op korte jaren zien verzwinden. De ondergrond van opgang en verval is vaak revelerend.

Zelfstandigheid en onafhankelijkheid in het leven zijn alles waard. Met wat geduld kan een geneesheer, hij weze specialist of niet, deze benijdenswaardige stand in de samenleving verwerven. De strijd om den brode is mij, achteraf bekeken, niet tegengevallen.

Maar men leeft ten slotte niet van brood alleen. Dit bijbelse devies indachtig, heb ik mij vanaf mijn studietijd op de aanvulling van mijn geestelijke bagage toegelegd en in de universitaire laboratoria aan wetenschappelijke navorsing gedaan; goede leermeesters hebben mij daarin uitstekend begeleid.

Reeds te Parijs had ik ervan gedroomd mijn wetenschappelijke uitrusting met de officiële graad van Geaggregeerde van het Hoger Onderwijs af te ronden; het is de hoogste academische erkenning die men in België halen kan.

De studie van de uitscheiding van het thiosulfaat door de nieren, bij Legueu begonnen, zou de aanloop zijn tot een uitgebreid fysiopathologisch proefondervindelijk onderzoek dat ik in een proefschrift aan de Gentse faculteit te gelegener tijd zou voorleggen.

Het uit Parijs, Amsterdam en de Mayo Clinic meegebrachte materiaal, heb ik zodra ik te Gent gevestigd was, kritisch geordend en tot een geheel bewerkt. Mijn aanvraag tot verdediging en een inschrijving op de studentenrol heb ik in de loop van 1931 ingediend. Nagenoeg tegelijkertijd met mij heeft ook Leonce van Damme zijn aggregaatsproefschrift ingediend.

Een rapport van de faculteitskommissie advizeerde gunstig, behalve het voorbehoud van professor Eug. de Somer die eiste dat ik een deel van de verrichtte proeven in zijn laboratorium zou overdoen, namelijk de transplantatie van de hondennier naar de hals van het dier, volgens de techniek van Carrell. Hem interesseerde het vooral kennis te maken met de bloedvatennaad.

Het kon niet beter treffen want bij Frank Mann waren wij in die bloedvatennaad geoefend. Het was een koud kunstje de proef in de aanwezigheid van Prof. De Somer te verrichten; hij was voldaan en sloot zich aan bij het gunstig advies van de faculteitskommissie.

Titel van mijn proefschrift: *Proefondervindelijke onderzoekingen omtrent de uitscheiding van Natriumthiosulfaat door de nieren, in betrekking tot de functionele nierproef van Nyiri,* 67 blz.

De verdediging werd voorgedragen voor de voltallige geneeskundige faculteit op 24 januari 1932. De mondelinge les, die bij dit examen hoort, had plaats op 24 februari daaropvolgend. Zij behandelde *De pathogenie, de kliniek en de therapie van de hydronephrose*. Het diploma van Geaggregeerde van het Hoger Onderwijs in de Urologie werd mij verleend met eenparigheid van de stemmen der aanwezige leden.

Het algemeen besluit van ons experimenteel onderzoek, met het oog op de aanwending van de thiosulfaatproef in de kliniek, kunnen wij op de volgende manier formuleren.

De thiosulfaatproef van Nyiri, ter bepaling van de functionele waarde van de nieren, is een goede proef. Zij kan in alle opzichten met de andere functionele nierproeven die de uitscheiding van een in het organisme gebrachte vreemde stof als testmiddel gebruiken, de toets van de vergelijkende kritiek doorstaan. Zowel voor de heelkundige als voor de interne diagnostiek is zij van grote waarde en volstrekt betrouwbaar, mits men zekere voorzorgen in acht neemt die in niets vermogen haar technische uitvoering te bemoeilijken.

Met het diploma van geaggregeerde was de gewichtige mijlpaal bereikt die mijn academische studie afsloot. Begonnen in 1917, na veel wederwaardigheden beëindigd in 1932. Einde goed, alles goed!

Op dezelfde 24 februari 1932 gaf Leonce van Damme zijn aggregaatles over *De diagnose van de Zwangerschap*. De geneeskundige faculteit ving twee vliegen in een klap. Met Leonce van Damme ben ik nog vijfendertig jaar na de dag van onze Gentse aggregaatspromotie goede vrienden gebleven. De laatste verlossing voor dewelke deze onvergetelijke obstetricus zijn advies gegeven heeft, was die van mijn eerste kleindochtertje, Hilde Bockaert, op 1 augustus 1967. Drie dagen later is hij gestorven. Ik schreef een in memoriam voor hem in het beroepsblad van de Vlaamse geneesheren.

TIEN JAAR ACHTERHOEDEGEVECHTEN

In april 1930 had het Belgisch parlement de vernederlandsing van de Gentse Universiteit goedgekeurd. Het was de eindzege van veertig jaar strijd met veel verwikkelingen. De tegenstanders waren taai en talrijk.

Daags na de vernederlandsingswet was het al duidelijk dat ze de wapens niet neerlegden, doch de guerillastrijd zouden aangaan op alle fronten en in alle omstandigheden. De universiteit was vervlaamst, maar de geesten waren het niet. Franskiljons stierven langzaam uit.

Met mijn vrienden had ik in de vuurlijn gestaan, we hadden klappen gekregen, de ene meer dan de andere. De zegepraal had niet belet dat het etiket ,,flamingant'' als een merk- en onderscheidingsteken op onze persoonlijkheid bleef kleven.

Wanneer men in de medische kringen van Gent, in het culturele wereldje van de stad, in het parochiale en religieuze milieu, in een gezelschap van verschillende maatschappelijke stand beoordeeld werd, ontbrak daar nooit zo iets als: achtenswaardig maar flamingant, en ook zijn vrouw. We hebben ons aan dat oordeel nooit gestoord, maar zijn onze gang gegaan, hebben zelfs de uitdaging getrotseerd.

In de verenigingen die de beroepsbelangen van de geneesheren behartigen, was kort na de eerste wereldoorlog een splitsing van de wegen merkbaar aan het worden.

Een harde kern in de Antwerpse Cercle Médical maakte het zo bont dat hij erin slaagde die leden te doen uitstoten welke hun sympatie voor activistische of extreme Vlaamse standpunten hadden betoond. Zo werd o.m. dokter Gustaaf Schamelhout, een van de meest actieve leden, niet langer aanvaard omdat hij het manifest voor de vernederlandsing van de Gentse universiteit had ondertekend, zoals hij ook uit het Antituberculeus Dispensarium, waarvan hij een van de oprichters was geweest, als een onwaardige werd geweerd.

De Antwerpse vlaamsgezinde geneesheren namen dit niet. Ze scheidden zich van de Cercle Médical af en stichten een eigen beroepsvereniging. Het Antwerpse voorbeeld vond ruime navolging en werd uiteindelijk belichaamd in het sterk georganiseerde Algemeen Vlaams Geneesherenverbond. De traditionele zuiveren van de onbevlekte vaderlandsliefde verenigden zich van hun kant in het Algemeen Belgisch Geneesherenverbond, Fédération Médicale Belge, dat de vluchtheuvel was van de onverschilligen, de lauwen, de bangen en de luien.

Een meedogenloos antagonisme tussen de twee beroepsverenigingen heeft de gezamenlijke geneesheren van de Vlaamse provincies een generatie lang tegen elkaar in het harnas gejaagd. De uiteindelijke beslechting van het geschil dat ze scheidde, viel voor de Brusselse krijgsraad in 1950; in welke zin zal men, in het licht van de toen heersende geestesgesteldheid, gemakkelijk vermoeden.

De ondergrond was geen andere dan de vanouds ingewortelde organieke onverenigbaarheid: franskiljons, flaminganten. Het werd voor het krijgshof door de twee partijen, en in het vonnis zelf, met ondubbelzinnige termen verwoord.

Slechts nadat, omstreeks de jaren zestig, de syndikalistische geest in de beroepsorganisaties van de medici was binnengedrongen, is het taalantagonisme tegelijk met zijn laatste aanhangers uitgestorven. Omdat thans niemand graten vindt in de eentaligheid van alles wat in Vlaanderen gebeurt en bedisseld wordt, is de normalisatie bereikt.

Ook in de wetenschappelijke verenigingen van de geneesheren is het dualisme in de taal en evenzeer in de geest, een agerende factor geweest. Reeds vóór de oorlog 1914-1918 bestond een in het Nederlands geredigeerd tijdschrift en werden te Gent refereeravonden in het Nederlands gehouden. Daartegenover stond de tachtigjarige Société de Médecine de Gand, een eerbiedwaardige dame met een schitterende traditie. In haar schoot werd de standaard van Gand Français hooggehouden. Zij had overal in het land rot- en bondgenoten.

De Vlaamse gedachte was al vanaf 1897 de bezielster van de andere richting. Met Julius Mac Leod belichaamde ze de strijd voor de vernederlandsing van Gent en werden de grondvesten gelegd van de wetenschapsbeoefening in het Nederlands. De Vlaamse Wetenschappelijke congressen met de onvergetelijke Jef Goossenaerts en Professor Frans Daels als de centrale figuren, stonden vooraan in het gelid.

Na de wapenstilstand van 1918 werden beiderzijds de standpunten aangescherpt en werd gedurende een decennium hard gevochten, feitelijk en figuurlijk.

Omwille van mijn intiemste overtuiging stond ik in het kamp van de vlaamsgezinden, en omwille van mijn aard nam ik al de consequenties daarvan op de koop toe. Mijn vrouw was het van in den beginne daarmee eens en heeft altijd aan mijn zijde gestaan.

De eeuwige splijtzwam werkte rusteloos, maar niet altijd geruisloos voort. Op sommige ogenblikken waren er vinnige debatten en zelfs op een terrein waar het alleen om de wetenschappelijkheid diende te gaan, was de neutraliteit verre zoek; de oren van het flamingantisch-franskiljons ezeltje staken overal zoniet merkbaar, dan toch voelbaar door.

Met veel strubbelingen was het oude Vlaams Natuur- en Geneeskundig Congres, tot ongenoegen van de Franstaligen, in 1920 schuchter van wal gestoken, ofschoon door enkele van zijn vroegere leden in de steek gelaten. Op 1 januari 1920 verscheen het eerste nummer van het *Vlaamsch Geneeskundig Tijdschrift,* en in 1922 kwamen het *Apothekerstijdschrift,* het *Tijdschrift voor Diergeneeskunde* en het *Wiskundig Tijdschrift* met het *Natuurwetenschappelijk Tijdschrift* (1919) het bewijs leveren van de Vlaamse vruchtbaarheid. In 1923 kwam er een congres voor Verpleegkunde en Sociale Geneeskunde bij.

Dat allemaal terwijl op straat, in de vergaderzalen en de wetgevende kamers geweldig gedebatteerd werd over het sluitstuk van de hele aangelegenheid, de vernederlandsing van Gent. De congressen en de tijdschriften waren te hunnertijd de Vlaamse universiteit in opmars, in actie.

Waren zij een werktuig van de taalstrijd? Het is een fictieve treurnis dat, helaas, de wetenschap daarin betrokken werd. Een feit blijft het dat de bloem van de Vlaamsbewuste elite zich niet liet losrukken uit de bodem die de wetenschap voedt en koestert. Men heeft beweerd dat de wetenschap geen vaderland heeft; het moge waar zijn, doch daarnaast staat het andere adagium dat de wetenschapsbeoefenaar, hij, wel een vaderland heeft. En de Vlaamse wetenschapsbeoefenaars hebben, bewust, voor het Vlaamse vaderland gekozen.

*

* *

Toen ik te Gent in 1931 als zelfstandig medicus-uroloog, met een onbetwistbare wetenschappelijke bagage toegerust, als radikaal vlaamsgezinde in de arena verscheen waar de strijd voor het leven en voor de idealen betwist wordt, was een belangrijk winstpunt van de Vlaamse beweging verwezenlijkt.

Maar de achterhoedegevechten waren pas begonnen. Zoals gauw blijken zou, was ik daarin een mikpunt. Dat was het onvermijdelijke uitvloeisel van mijn duidelijk engagement.

Professor Goormaghtigh in wiens laboratorium ik blijven werken was, was er de man niet naar om mij te remmen. Hij wist vanwaar de wind kwam en begreep dat met mij wat eer op te steken viel; geen chef laat die kans voorbijgaan. Als goed chef heeft hij zijn laboratoriumwerkers door dik en dun verdedigd. Dat ik flamingant was, heeft hij zelfs tot verdediging van zijn eigen houding in sommige omstandigheden benut; het kwam erop aan de vlaamsgezinden niet tegen hem in 't vuur te jagen.

Toen Roger Soenen in 1932 op de leerstoel van de anatomie benoemd werd, was het op Goormaghtighs aanraden dat ik bij Soenen assistent werd. Ik bleef in hetzelfde instituut en sprong bij voor zijn praktische oefeningen en de dienst van de lijkschouwingen. De verstandhouding tussen de twee hoogleraren was onbesproken, want zowel Soenen als Goormaghtigh namen de discrepanties lichthartig op.

In 1934 vierde de Société de Médecine de Gand haar honderdjarig jubileum; ze werd Société Royale. De meest vooraanstaande Franse chirurg, René Leriche, hield de feestrede, hij beperkte zich tot de technische zijde van zijn onderwerp, en was zo voorzichtig en verstandig, geen woord te reppen over het struikelblok dat de Gentse geneesheren verdeelde.

Een ander Frans chirurg, Jean-Louis Faure, had een jaar tevoor wel stelling genomen in het beruchte dispuut; in tamelijk duidelijke termen mikte hij op Frans Daels.

Onnodig te zeggen dat Daels het zwarte beest was van de franskiljons. In 1924 was hij uit de Société Belge de Gynécologie gestoten, omwille van de uitspraak dat Belgische generaals Vlaamse bataljons in het vuur gejaagd hadden om het zogezegde verraad door de overlopers gepleegd, in Vlaams bloed uit te wissen. Als reactie tegen deze uitstoting werd een Vlaamse Vereniging voor Heelkunde een Gynekologie gesticht. Door gebrek aan doordrijvingskracht vanwege de initiatiefnemers was deze Vereniging geen lang leven beschoren.

Een teken des tijds mag het heten dat de Société de Médecine de Gand een jaar of twee na haar jubileum, zelf Nederlandstalige lezingen voor haar leden inlegde en Nederlanders uitnodigde. Het was onder het voorzitterschap van professor Goormaghtigh, met als ijverige secretaris dokter Pierre de Bersaques.

Of vreesden ze de mededinging van de Vlaamse Vereniging tot Bevordering van de Geneeskunde die zeer actief was, veel meer geneesheren aansprak, en bewijzen gaf van breedheid van gedachten door Franssprekenden zowel als Duits- en Engelssprekenden uit te nodigen?

Van 1925 tot 1940 was het de glansperiode van de Vlaamse Wetenschappelijke congressen die om de twee jaar gehouden werden. In 1926 te Gent, in 1928 te Leuven, in 1930 te Antwerpen, in 1932 te Gent, in 1934 te Leuven, in 1936 te Gent, in 1938 te Leuven, in 1940 te Gent, in 1942 te Gent in beperkte kring. De Algemene Secretaris Jef Goossenaerts verzocht de aanwezige Duitsers in uniform zich terug te trekken, wat ze deden.

In september 1935 verscheen, onder de redactie van J. Goossenaerts het maandschrift *Wetenschap in Vlaanderen,* dat in januari 1940 tot *Wetenschappelijke Tijdingen* werd omgedoopt. In 1936 ontstond de Vereniging voor wetenschap die de werking van de kongressen voortaan zou coördineren. Intussen was ook de beweging voor het oprichten van autonome Vlaamse academieën op gang gekomen. Daarover zal ik het hebben in een afzonderlijk hoofdstukje.

Wat we zoëven vermeldden waren zoveel kentekenen van de onvermoeide actie der vlaamsgezinden om een goed georganiseerde wetenschappelijke arbeid in aangepaste instellingen die dit doel zouden dienen, tot stand te brengen en te bevorderen.

Maar een kern van verzet in de rangen van wat ik het situatie-flamingantisme zou noemen, ging niet op in de expansieve groei van de Vlaamse wetenschappelijke instellingen. Zij voerden aan dat het altijd dezelfden waren die initiatieven namen, en zij hadden prof. Fr. Daels op het oog. Maar zij zelf deden niets dan achternakomen en steunden de beweging zoals de koord een gehangene.

Het waren vooral Gentse geneesheren die niet akkoord gingen met de redaktie van het *Vlaamsch Geneeskundig Tijdschrift*. De meesten kwamen voor onder zijn medewerkers, doch hadden nooit iets geschreven. Wanneer, na tien jaar, op echte medewerking aangedrongen werd, en zij bij negatieve reaktie als medewerkers zouden geschrapt worden, richtten zij in 1924 de autonome *Geneeskundige Bladen uit België* op. De redacteuren waren Gentse professoren in spe. De *Geneeskundige Bladen* hebben het zeven jaar uitgehouden. Het *Vlaamsch Geneeskundig Tijdschrift* overleefde de crisis doch zou aan de vaderlandse repressie ten prooi vallen.

Vanaf 1936 werd ik als hulpsecretaris bij de redactie van het *Vlaamsch Geneeskundig Tijdschrift* betrokken. Om te bewijzen dat het mij ernst was, nam ik de verplichting op mij elke week één bladzijde geneeskundige actualiteit onder de aandacht van de lezers te brengen en gaf aan mijn bijdrage de titel *Op den Uitkijk*. Jaarlijkse steekproeven bewezen dat deze rubriek bij de lezers bijzonder gegeerd was. Negen jaar heb ik wekelijks mijn bladzijde geschreven; in september 1944 verdween zij met het *Vlaamsch Geneeskundig Tijdschrift*. Mijn bijdragen heb ik jaarlijks gebundeld en aan vrienden als bibliofiele uitgave ten geschenke gegeven. Een volledig stel bevindt zich in de Gentse Universiteitsbibliotheek onder nr. Acc 64367. Buiten mijn louter geneeskundig aandeel in het geheel van de Vlaamse wetenschappelijke bedrijvigheid, was ik vanaf 1932 hoofdredacteur van het *Tijdschrift voor Verpleegkunde, Vroedkunde en Sociale Geneeskunde,* een taak die ik later met dokter Leonce van Damme en Dokter Jozef van Caeckenberghe heb gedeeld. Het was een zware dobber. Ook dat tijdschrift is in de moerlemeie van september 1944 verdwenen.

In zijn geschiedenis van het *Vlaamsch Natuur- en Geneeskundig Congres, van zijn oorsprong in 1897 tot in 1914* schrijft Prof. A.J.J. van de Velde, 1914, blz. 117 ,,meer en meer streven redactie en beheer van de wetenschappelijke tijdschriften om van hun centraal beheer onafhankelijk te worden ... het beheer ligt in zekere omstandigheden in de bevoegdheid van den redacteur. De kinderen schijnen de moeder trapsgewijs te verlaten om hun weg voort te zetten''. Tot daar is zijn mening juist. Ik kan hem echter niet bijtreden wanneer hij daaraan toevoegt: ,,De wetenschappelijke tijdschriften schijnen, zou ik het durven zeggen, onder den invloed van deze toestanden die vóór en gedurende dezen oorlog tot een soort dictatuur, in strijd met de vrije democratische gedachten, hebben geleid en de wereld diep hebben geschokt''.

Dat is zuivere verwaandheid vanwege professor A.J.J. van de Velde. Als een van de weinig overlevenden uit deze periode die er altijd vanaf 1932 bij is geweest wanneer belangrijke beslissingen werden getroffen, kan ik in eer en geweten getuigen dat deze beslissingen werden getroffen na overleg en na verzoek om inspraak vanwege de redactieleden. Op de vergadering van het redactiekomitee zonden de meesten hun kat, of reageerden zelfs niet. Zij die instonden voor het leven of de val van de Vlaamse wetenschappelijke tijdschriften waren genoodzaakt te roeien met de riemen waarover ze beschikten.

Van beloofde medewerking kwam niets, of meestal niets terecht. De zo actieve chirurgische kliniek van dokter Jozef Sebrechts heeft op twintig jaar geen drie bijdragen geschreven. Van uit Antwerpen was de medewerking nauwelijks beter. Van uit Leuven was zij iets meer dan nihil. En nochtans waren Sebrechts en J.P. Bouckaert leden van de redactie van het *Vlaamsch Geneeskundig Tijdschrift.* Wanhopige kreten om medewerking uit die hoeken leverden niets op.

Een van de voornaamste epigonen van Sebrechts, de in het zuiden van Oost-Vlaanderen alles overrompelende chirurg André Goffaerts, had niets over dan verbale afkeurende kritiek op de inhoud van het *Vlaamsch Geneeskundig Tijdschrift.* Wanneer aan hem of zijn assistent, dokter Romain de Cock, gevraagd werd met wetenschappelijke argumenten en statistieken uit hun eigen praktijk daar hun mening tegenover te stellen, kreeg men altijd nul op het rekest, of verschuilde men zich achter tijdgebrek wegens te drukke praktijk, om tegen de standpunten van de zogenaamde Gentse School een ander standpunt te plaatsen.

Hadden alle actieve medische centra van de Vlaamse provincies hun krachten gebundeld om van het *Vlaamsch Geneeskundig Tijdschrift* de spreekbuis te maken van de Zuidnederlandse geneeskunde, dan zou dat tijdschrift onder de goede uit West-Europa gerangschikt geweest zijn. Zijn redacteuren wisten heel goed wat ontbrak teneinde dat lofwaardig doel te bereiken. Gewinzucht van de vooraanstaande geneesheren, gemakzucht en misprijzen voor degenen die de vrijwillig opgenomen taak uit idealisme voortzetten, kat-uit-de-boom-kijkerij vanwege degenen die er iets konden aan doen, waren er de oorzaak van dat de Vlaamse wetenschappelijke tijdschriften op een te karig geestelijk en stoffelijk rantsoen moesten leven. Nu zij allemaal ter ziele zijn, moet het hier openhartig neergeschreven worden. Ik ben bereid tegenover wie ook dit standpunt te verdedigen en kan desnoods nog duidelijker man en paard noemen.

*
* *

Omdat het vanaf mijn eerste contacten met de ziekenhuisgeneeskunde tot mij doorgedrongen was dat een bekwame en toegewijde verpleging van de patiënten een overwegende factor was in het slagen van de behandeling, en omdat er op dat gebied in ons land nog heel wat te verrichten viel, heb ik mij ingespannen om het niveau van de ziekenverpleging op te trekken.

Mijn redacteurschap van het *Tijdschrift voor Verpleegkunde, Vroedkunde en Sociale Geneeskunde* is daarvan een eerste bewijs. Daar te dien tijde praktisch alleen vrouwelijke hulpkrachten in de ziekenhuizen en de instellingen van openbare gezondheidszorg werkzaam waren, was het onontbeerlijk verpleegsters en vroedvrouwen bij de werking te betrekken. Voor de vroedvrouwen spande professor Daels zich bijzonderlijk in, hij beschikte over goede medewerksters te Antwerpen, te Brugge en te Gent. In andere steden vond men dat hij niet genoeg, of niet betrouwbaar genoeg, katholiek was, weshalve men hem met zijn volledig belangloze en idealistische werking links liet liggen. Een zeker Mechels milieu was hem bepaald vijandig gezind. De Brugse kanunnik Jozef Brys die in West-Vlaanderen het Wit-Gele Kruis stichtte, wilde de ziekenverpleging in katholieke handen houden en bekampte hardnekkig de neutraliteit van het *Vlaamsch Verpleegkundig Kongres* en zijn tijdschrift.

Teneinde in de werking wat eenheid te brengen, stichtte ik met een groep gelijkgezinde dokters en directrices de *Federatie van de Vlaamsche Verpleegsters- en*

Vroedvrouwenscholen. Het bleek een goed initiatief te zijn want op een schaarse uitzondering na, was de bijval totaal. Toen Minister van Volksgezondheid Arthur Wauters de *Hoge Raad van de Verpleegstersscholen* in het leven riep (1937), nam hij een viertal leden van de *Federatie* in de *Hoge Raad* op: Broeder Virgiel van de Broeders van Liefde, dokter Rafael Rubbrecht uit Brugge, Mevrouw Adeline van Kerckhove, directrice van de Provinciale Verpleegstersschool Gent, en mijzelf.

Daar wij oordeelden dat dit aantal te gering was als vertegenwoordiging van de Vlaamse scholen lokten we bij de eerste samenkomst een incident uit en verlieten ostentatief de zaal. We kregen voldoening want drie leden uit onze *Federatie* werden er in de *Hoge Raad* bijgenomen. Samen hebben we op een zestal maanden een volkomen nieuw statuut voor de verpleegstersopleiding uitgewerkt en de Minister ter hand gesteld.

Minder gelukkig liep het af met de *Koninklijke Commissie voor de Studie van de Volksgezondheid* door minister Arthur Wauters omstreeks hetzelfde tijdstip opgericht. Voorzitter was Jules Bordet, Nobelprijs in de geneeskunde en hoogleraar te Brussel. Ik was een van de ondervoorzitters, naast minister van Staat Maurits Lippens. Groots, wellicht te groots, was het doel opgevat.

Vanaf de eerste samenkomst was het duidelijk dat de Vlaamse leden door het overwegend aantal Franssprekenden als minderwaardige broertjes werden beschouwd. Dokter Hilaire Gravez, die ook lid was, moest als vertaler optreden om enigszins de indruk te wekken dat het Nederlands in dat milieu aan zijn trekken kwam. Ikzelf had voor dat vertalersbaantje bedankt, want ik oordeelde dat elke ontwikkelde Belg de twee landstalen moest machtig zijn, een verklaring waarmede voorzitter J. Bordet het niet eens was.

Op de tweede samenkomst kwam de aap uit de mouw en ontspon zich een oeverloos debat tussen de communistische dokter Albert Marteaux en vicaris-generaal Mgr. L. van Eynde van het aartsbisdom over de burgerlijke en religieuze begrafenissen in de stad Brussel. Op de derde samenkomst ging het voort tussen die twee. Daarmede was het doodvonnis van de *Koninklijke Commissie* getekend en werd er niet veel meer van gehoord: een roemloze dood gestorven.

De oorlog van 1940 naderde met rasse schreden en vanaf de mobilisatie in september 1939 ging het met de aangelegenheden van de Vlaamse verpleegstersscholen in een gedempte sfeer voort.

Na de oorlog en zijn nasleep werd heel dat geestdriftig en door edele motieven bezield en geleid werk door de Minister van Volksgezondheid, de communist Albert Marteaux, en zijn Gentse handlanger, de toenmalige directeur-generaal dokter Paul van de Calseyde, doodgeknepen. De macht waarover ze beschikten hebben ze misbruikt om lastige concurrenten uit de weg te ruimen.

*
* *

Daar ik met dit verhaal op de tijd ben vooruitgelopen, zal ik nu een eind achteruitgaan. Ik wilde alleen die zaken in mijn memoires opnemen waarin ikzelf gemoeid was en daar ik overtuigd ben dat een redelijk aandeel in het op gang brengen van een bevoegd en toegewijd verpleegkorps niet te versmaden is, heb ik het uitvoerig aan de hand van documenten en herinneringen in mijn gedenkschriften ingelast.

Ik heb al verteld hoe ik vóór mijn huwelijk in professor Goormaghtighs laboratorium een statistisch onderzoek begonnen was over de topografische anatomie van de zogeheten nervus presacralis. Na mijn terugkeer uit huwelijksreis heb ik dat onderzoek voortgezet en kon vijftig gevallen van zorgvuldig geseceerde zenuwen en zenuwvlechten kritisch rangschikken. Daarover schreef ik een bijdrage van negen bladzijden met illustraties voor het toonaangevend Amerikaans tijdschrift *Surgery, Gynecology and Obstetrics* dat ze gretig opnam. Ze verscheen onder de titel *Surgical Anatomy of the so-called presacral nerve*. Goormaghtigh was in de hoogste hemel, en ik niet minder.

Professor C. Hooft heeft de inhoud van die bijdrage ooit in een ophefmakende stelling bij zijn Universitaire Prijskamp in 1938 aldus omschreven: de zogenaamde nervus presacralis is noch nervus noch presacralis.

Dit is het artikel waarmede ik in mijn leven het meeste succes heb geoogst. Het gaf aanleiding tot een anatomisch eponiem: de driehoek van Elaut, zoals het opgetekend staat in de twee uitgaven van Jessie Dobson *Anatomical Eponyms*, E. & S. Livingstone Ltd, Edinburg and London, 1945 en 1962, blz. 82. Ik heb mij pas in 1945 rekenschap gegeven dat het zover met dat artikel gekomen was. In de klassieke handboeken van neurochirurgie wordt het eveneens vermeld.

In 1967 heb ik met Jessie Dobson, de curator van het Hunterian Museum te Londen, gecorrespondeerd om haar te vragen zekere inlichtingen over mijn persoon en mijn werking recht te zetten in een volgende druk, wat ze mij beloofd heeft, indien ooit een derde uitgaaf mocht nodig blijken van haar *Anatomical Eponyms*.

Een andere anatomische studie uit die tijd, *Du ramollissement postmortel et de quelques caractères anatomiques des capsules surrenales,* verscheen in *Revue Française d'Endocrinologie* 354-375, 1931. *Anatomische Betrachtungen zur epiduralen und transsakralen Anästhesie* (met G. Verdonk) verscheen in *Zentralblatt f. Chirurgie* 12-19, 1934.

Het waren zoveel bijdragen die mijn studierichting in die tijd aangaven en het bewijs brachten van mijn werkzaamheid in het Anatomisch Instituut van de Gentse universiteit waar ik assistent was bij professor Roger Soenen.

Die werkzaamheid nam plots een andere, onvoorziene, wending wanneer Roger Soenen op 11 october 1933 uit zijn ambt ontzet werd. Met zijn niets ontziende voortvarendheid had hij minister Maurits Lippens, van Kunsten en Wetenschappen, in een publieke toespraak tot de studenten de mantel uitgeborsteld en verwijten gemaakt, omdat hij professor Alb. Bessemans in de plaats van professor Frans Daels tot rector van de universiteit had benoemd.

Soenen had de gevolgen van zijn toespraak voorzien, het kon hem niet deren want na twee jaar voltijds professoraat had hij er genoeg van tegen een maandsalaris van 2700 fr. te werken en wilde hij tot de praktijk terugkeren; hij vestigde zich als huisarts te Oostakker waar hij na één maand tot over de oren in een grote en renderende praktijk zat. Hij was een humaan geneesheer die de patiënten imponeerde door zijn kennis en vriendelijke omgang.

Het begin van het rectoraat A. Bessemans in oktober 1933 vond in een zeer academische sfeer plaats. Sinds 1930 was er geen plechtige opening van de universiteit meer geweest; dat de Brabançonne door de Vlaamse Leeuw overstemd was, zat de grote heren dwars en ze meenden de studenten te straffen door gedurende drie jaar de Aula op die dag hermetisch te sluiten. Of was het de vrees voor de herhaling van wat in 1930 gebeurd was?

De martiale minister M. Lippens zou voor wat studentenkabaal niet achteruitgaan. Hij besloot plechtige opening te houden, zou zelf in groot ornaat aanwezig zijn en de studenten de les lezen. Was hij al dan niet in de bres gesprongen voor de vernederlandsing van Gent toen de huidige herrieschoppers nog in de luiers lagen?

Teneinde de studenten alle lust tot manifesteren te ontnemen, waren militairen in veldtenue opgetrommeld; zij zouden de omringende straten afgrendelen. Niemand mocht binnen zonder geleibiljet. Ik was erop afgegaan, meer uit nieuwsgierigheid dan uit sympatie voor de nieuwe rektor. Op elke hoek van een rij zat een politieagent in burger. Naast mij zat de zoon van Baptist uit 't Klein Parijs, een van mijn Gentbrugse schoolkameraden uit 't jaar 1905. Hij vertelde mij alles.

De Aula was schraal bezet, en ook op het verhoog was het maar half vol. Minister M. Lippens zette zijn tienjarenplan voor de Gentse universiteit uiteen, o.m. ook voor een academisch ziekenhuis. Iedereen dacht aan Frans Daels. Ondertussen zat gouverneur Karel Weyler van Oost-Vlaanderen te slapen dat hij ronkte en zijn buurman hem in de ribben stootte. Wat een burleske vertoning.

Zo was het roemloze einde van de ambtsperiode van de beroemde rector August Vermeylen.

Zodra hij van de afzetting kennis had, was Goormaghtighs eerste woord: ,,Elaut, je moet postuleren, je bent mijn man''. Het was ook Soenen's wens mij tot zijn opvolger te hebben. Ik wachtte af. Plots dook vanuit het buitenland een andere, ernstige kandidaat op, Ernest van Campenhout, een leerling van A. Brachet die in de Katolieke Universiteit van Laval, Québec, een professoraat in de anatomie bekleedde en naar zijn vaderland wilde terugkeren. Bij Koninklijk Besluit van 25 april 1934 werden we alle twee benoemd en wij zouden elk een deel van de leerstof doceren, ik het bewegingsapparaat, hij de rest.

Ernest van Campenhout kwam te Gent kijken in welke voorwaarden hij kon werken. Toen hij zijn werkterrein, de anatomische afdeling, bezocht bedankte hij voor de benoeming en bracht de minister op de hoogte dat hij ze niet aanvaardde. Hij werd het jaar nadien te Leuven benoemd en overleed in 1974.

Voorlopig kreeg ik de hele leerstof te doceren en heb dat twee jaar achtereen gedaan, tot door Minister François Bovesse in de opvolging van Ernest van Campenhout voorzien werd door de aanstelling van dokter Firmin de Rom in 1935.

Het was een zware kluif op dat dubbele professoraat geparachuteerd te worden en er de verplichtingen van op te nemen. Ik heb het met volledige toewijding gedaan. De voorbereiding van mijn colleges heb ik bijzonder verzorgd. Ze vergde veel tijd. Het was de drukste en meest gevulde periode van mijn leven. Mijn vrouw heeft dag en nacht aan mijn zijde gestaan en veel uren rust opgeofferd om mijn zware taak te vergemakkelijken.

Zodra ik benoemd was, was het o.m. mijn zorg de anatomische afdeling een wat fatsoenlijker voorkomen te geven. De snijkamer die Ernest van Campenhout zo'n koude rilling had bezorgd dat hij er de brui aan gaf, moest dringend opgeknapt worden. De beheerder-opziener stemde met de plannen in en we konden ze met professor F. de Rom in 1936 in gebruik nemen. We plaatsten boven de toegang tot de nieuwe snijkamer de spreuk die het aloude Montpellier ooit boven zijn snijkamer plaatste: ,,Hic locus est ubi mors gaudet succurrere vitae''.

Het kon misschien in klassieker Latijn, doch we vonden de spreuk zo zinvol, dat we ze onverminkt tot de onze maakten. Wanneer alles voorbij was, stemde het mij tevreden dat de totale anatomische leeropdracht tussen twee hoogleraren verdeeld was. Het maakte meer tijd beschikbaar voor wetenschappelijk onderzoek en sociaal-geneeskundig werk.

De benoeming van dokter Firmin de Rom op de leerstoel van anatomie heeft in de Gentse medische kringen enig opzien gebaard. Hij was volkomen vreemd aan het anatomisch bedrijf in een anatomisch instituut van binnen- of buitenland, en wist ten slotte van het vak niet meer af dan om het even welke geneesheer. Daar hij een intelligent man was en over een goed vermogen tot adaptatie beschikte, heeft hij zich vlug met zijn nieuwe taak vertrouwd gemaakt. Hij genoot de sympatie van de Fransgezinde studenten, die hem tegen mij uitspeelden. Ik heb van stonden af aan niets ondernomen om deze antipatie in de hand te werken.

In het anatomisch instituut kreeg ik van de Beheerder-Opziener de kamers op de verdieping toegewezen, De Rom op de begane grond. De collegekamer was gemeenschappelijk en voor de snijkamer werd een regeling getroffen waardoor zijn en mijn studenten elkander niet hinderden. Ik zat in de lokaliteiten die vanaf 1876 door Charles van Bambeke en Omer van der Stricht als laboratoria gebruikt werden. Ik voelde mij een kleine koning in een historisch paleis. Mij werd vanaf 1935 een laboratoriumbediende toegewezen: Karel Scheiris; ik kon hem naar mijn hand zetten.

Mijn dokterspraktijk was uitsluitend urologisch. Die van Firmin de Rom was gemengd: urologisch, gynaekologisch, algemeen chirurgisch. Hij was geaggregeerde in de urologie sinds 1928 met een proefschrift dat zeer besproken was; ik was geaggregeerde in de urologie sinds 1932 met een proefschrift waarvoor ik de algemeenheid van de stemgerechtigde professoren had bekomen.

We waren mededingers naar het straks te begeven ambt van klinisch hoogleraar in de urologie. Voor mij gold de traditionele gunstclausule dat zo'n benoeming maar een uitbreiding van een bestaande bevoegdheid was. Ze werd door een meerderheid van de Geneeskundige Faculteit ingeroepen, op verzoek van Goormaghtigh. Over mijn kandidering werd derhalve geen stemming uitgebracht. F. de Rom werd eerste geklasseerd nadat andere kandidaten als onaanvaardbaar werden afgewezen.

Daar professor Goormaghtigh in heel de opzet de eerste viool had gespeeld, werd hij bij de benoemende minister, de Naamse liberaal François Bovesse ontboden. Hij vernam er de stand van de zaken en van de gedane beloften die zich aan beide zijden hadden laten gelden. Daar werd de bijna tragisch geworden knoop doorgehakt: Elaut krijgt de gevraagde uitbreiding van zijn reeds bestaande bevoegdheid, Firmin de Rom krijgt de nog openstaande leerstoel van Ernest van Campenhout als professor in de anatomie. Basta.

Over dat verloop heeft mijn chef mij binnen de vierentwintig uur relaas uitgebracht. Het werd mij vanuit een bevriende, politieke, bron bevestigd. Ik was gelukkig met de oplossing, niemand was volkomen teleurgesteld. Ik dankte allen die zich in deze aangelegenheid achter en voor mij hadden opgesteld.

Ik had nu een interessante leeropdracht, één in de kandidatuur, één in het doctoraat. Deze laatste was nog helemaal op te bouwen, omzeggens uit de grond te stampen. Mijn particuliere praktijk groeide aan, ze stelde ons in staat een flinke klont boter op ons brood te smeren. Met goed overleg beschikte ik over voldoende tijd om mijn redactionele en sociale opdrachten waar te nemen. Ik moest niets verzaken en zou mij met de dag beter uitleven.

Zodra de verbouwing van de nieuwe snijkamer af was, stonden zowel F. de Rom als ik voor de noodzaak uit te zien naar meer sectiemateriaal voor onze studenten. We waren te karig voorzien van lijken. De zaal was vergroot en confortabel genoeg, maar we zaten in de penarie omdat we niet genoeg kadavers ter beschikking hadden. We moesten de beschikbare subjecten met andere collega's delen.

Daarom vatten wij het plan op aan minister Bovesse onze zorgen en klachten voor te leggen, na ruggespraak met rector en beheerder-opziener. Het viel in goede aarde. Er kwam een ambtsbericht dat aan alle gemeenten en Commissies van de Openbare Onderstand van Oost- en West-Vlaanderen voorschreef, de niet opgevraagde lijken af te staan aan de Gentse universiteit. Het hielp onze problemen oplossen, na korte tijd zelfs zo goed dat we een deel van ons lijkenmateriaal aan het Leuvens Anatomisch Instituut van Gerard van der Schueren konden overlaten.

Met de Urologische Kliniek was het een ander paar mouwen. Met ingang van oktober 1935 was ik belast met een volkomen nieuwe cursus die voordien niet bestond. Van mij werd verwacht tijdens het academisch jaar 1935-1936 kollege te geven en examen af te nemen. Toen ik mij op het Universiteitsbeheer met mijn benoemingsbulle in de hand aanbood en vroeg waar ik zou beginnen, met welke hulpkrachten, of ik over een onmisbaar klinisch laboratorium(pje) zou kunnen beschikken, waar ik de patiënten moest opereren, met wie, waar ik de universitaire patiënten zou onderbrengen, over hoeveel bedden ik kon beschikken, vielen mijn gesprekspartners uit de lucht en stond ik daar als een berooide bedelaar.

Ik word van Pontius naar Pilatus verzonden. De eerste Pilatus was het Ministerie dat mij verzond naar Pontius Universiteit. Ik kwam ten slotte bij professor Frits de Beule die mij, genereus, een kamertje afstond, 3 meter bij 6 meter, maar zonder kast of stoel, alleen een kramakkele onderzoekstafel, door zijn assistenten kwijtgespeeld aan de ,,urologie''. Wie zich over mij ontfermde, was een verpleegster-kloosterzuster van de opstandige soort, die, omdat ze heel de rotte boel beu was, stoelen, kasten, instrumenten, en een kruisbeeld, God weet waarvandaan weggegapt had, en zo voor een allerprimitiefste meubilering zorgde.

Zuster Hubertine moest het met de kloostertucht in overeenstemming brengen, maar maakte zich daar geen zorgen over. Ik ook niet. Zij die alles aandurfde waar ik geen weg mee wist, maakte professor Daels drie kleine kamertjes afhandig, door professor Gorter zojuist verlaten. De stugge Frans Daels, die koningen deed beven, stond met zijn mond vol tanden voor mijn verpleegster, een boerendochter uit Erembodegem, en gaf het op. De drie kamertjes kregen stoelen en tafels; uit welke bron de bevoorrading kwam, heb ik mij, voorzichtigheidshalve, nooit afgevraagd.

Na zes maand kreeg ik van het Universiteitsbeheer bericht dat ik over een toelage van tienduizend frank mocht beschikken voor aankoop van boeken, tijdschriften en allernoodzakelijkste klein instrumentarium. Omstreeks dezelfde tijd schonk het Universitair Vermogen mij drieduizend frank voor het aanschaffen en bijhouden van een strikt wetenschappelijke en pedagogische uitrusting; nog niet genoeg voor één microscoop Leitz.

Bij de directeur van de Bijloke en de voorzitter van de commissie van Openbare Onderstand, die krachtens een akkoord uit 1901 zouden instaan voor het herbergen van de universitaire patiënten, kreeg ik te horen dat ze niets afwisten van een Urologische Kliniek. Toen ik liet opmerken dat professor Gorter, die op dezelfde dag als ik, tot klinisch hoogleraar in de kindergeneeskunde was benoemd, nu al over een bijzondere barak in de tuin van de Bijloke voor de behandeling van veertig patiënten beschikte, luidde het antwoord dat tien patiënten van Gorter niet zoveel plaats innamen als ,,één oude pisser'' van Elaut. En daarenboven, Gorter is Gorter, en iedereen houdt hem de hand boven het hoofd. Ik was gesticht.

Met mijn hoedje in de hand heb ik weken, maanden, jaren als het ware van officiële deur tot officiële deur gebedeld voor de outillering van de Urologische Kliniek. Ik heb beleefde smeekbrieven geschreven, in vertwijfeling brandbrieven geschreven aan de opeenvolgende decanen van de geneeskundige faculteit. Er werd mij veel beloofd, maar met het weinige dat ik kreeg, had ik in 1939 toch een allegaartje bijeengescharreld dat mij in staat stelde, een niet onaardig stukje theoretisch-praktisch onderwijs te geven in de leer van de urinaire ziekten.

Zelfs dat bijeenscharrelen was niet gespeend van flamingantisch-franskiljonse reflexen, die mij in de grond amuseerden, maar bij sommige mensen kwaad bloed zetten.

Laboratoriumapparatuur had ik met mijn karige toelagen o.m. besteld bij de Société Belge d'Optique et d'Instruments de Précision die te Gent haar werkhuizen had. Ik was daar nogal tevreden en wanneer er iets haperde volstond een seintje om geholpen te worden. Toen ik begin 1939 de factuur toegezonden kreeg, kon ik het moeilijk slikken dat al de staten in het Frans werden opgesteld. Ik telefoneerde en vroeg een Nederlandse factuur. Geen gevolg. Maar een maand nadien een ferme aanmaning om de uitstaande rekening te betalen, in het Frans.

Ik nam dan mijn venijnigste pen en eiste voortaan een Nederlandse briefwisseling en o.m. ook een factuur. Wanneer die in mijn bezit was, zou de betaling van het bedrag binnen de achtenveertig uur volgen. En ik besloot met de toen opgang makende leus: Geen Vlaams, geen centen.

Drie dagen nadien een koele brief dat ze mijn ,,arrogante réponse'' aan de rector van de Universiteit hadden gezonden, en op antwoord wachtten. Rector was toen Louis Frédericq uit de Rechtskundige Fakulteit. Ik bij hem. Hij schoot in een lach wanneer hij mij verbolgen zag. Groot gelijk, was zijn reactie, het wordt tijd dat alle leveranciers hun cliënten ter wille zijn wanneer die Nederlandse briefwisseling vragen. Slotsom: de universiteit heeft betaald en ik heb niets meer besteld bij de Société Belge d'optique, wat ik hun in het Nederlands liet weten.

Over de moeilijkheden voor het aanwerven van technisch personeel, vooral van assistenten, die mij oprecht konden behulpzaam zijn, wil ik opnieuw geen jeremiades aanheffen. Afgestudeerde dokters kwamen erop af, omdat zij een welkom centje konden verdienen, maar van urologische technieken wisten zij niets af, hun handen stonden verkeerd van luiheid en na zes maand lieten ze mij in de steek, omdat ze het bij een andere baas gemakkelijker hadden voor hetzelfde geld.

Het zo begeerde en onmisbare klinische laboratorium bevolken was mijn grootste zorg. De laboratoriumschool had mij een van haar knapste afgestudeerden beloofd, de dochter van mijn Oudenaardse collega Alfons Leyman, maar toen puntje bij paaltje kwam, trouwde ze met Professor Hooft. Ik moest mij dan maar tevreden houden met een subject dat met iedereen overhoop lag en mijn dagen heeft verzuurd.

*

* *

Van 9 tot 12 september 1936 had te Wenen het vierde Internationaal Urologisch Congres plaats: de lokale voorzitter was de extra-ordinarius Victor Blum; voorzitter van de wetenschappelijke debatten was professor F. Legueu, mijn Parijse leermeester, sinds 1933 emeritus; secretaris-generaal van het Congres was de jonge Weense uroloog Theod. Hryntschak.

Ik wenste er met mijn vrouw heen te gaan. Terzelfdertijd zou ik enkele academische ziekenhuizen in Zuid-Duitsland bezoeken. We zaten te Gent tot over de oren in de voorbereiding van een eigen academisch ziekenhuis, en het kon nuttig zijn te weten en de visu waar te nemen, hoe de urologische afdelingen daar in het geheel opgenomen waren.

We reisden 's nachts en bezochten overdag de ziekenhuizen van Frankfurt a. M., München en Heidelberg. Het was een echte beproeving voor mijn vrouw, maar we wensten niet te lang weg te zijn. Mijn ouders wachtten thuis met ons dochtertje.

Wenen maakte op ons de indruk van een verarmde grote stad. We logeerden in Regina Hotel op de toenmalige Dollfussplatz, tegen de neogotische Votivkirche. In het hotel werd bespaard op de elektrische verlichting, één schamel lampje voor de hele kamer, de tapijten in de hal waren gelapt en genaaid, het stromend warm water bereikte geen twintig graad. Aan tafel waren de porties aan de schrale kant, de stadstrams kwamen om het half uur opdagen, de straatverlichting was tot minder dan de helft gereduceerd. De heerlijke Weense Ring lag armtierig onder de gevallen herfstbladeren die niet weggeveegd werden.

Het congres zelf had plaats in het Künstlerhaus op de Ring, vlak tegenover de barokke Karlskirche met haar groene koperkoepel. Van de congresthemata heb ik er vooral twee onthouden: 1) therapie en prognose van de prostaatkanker; 2) profylaxis van de steenvorming in de nier.

Al dadelijk maakten de pessimistische cijfers geweldige indruk op de congresleden. Niemand was er zich tot op dat ogenblik goed van bewust dat de aandoening zo'n fatale nasleep had, alle behandelingsmethoden ten spijt. Van een hormonale beïnvloeding was op dat ogenblik niets bekend.

Voor het tweede thema werd een beroep gedaan op de Amsterdamse internist Isidoor Snapper. Hij was een schitterend spreker en droeg zijn referaat in het Duits voor, zonder één nota, zo voor de vuist, anderhalf uur aan een stuk. Omdat het Snapper gold, was heel het Joodse Wenen opgekomen om hun ras- en geloofsgenoot een hart onder de riem te steken en toe te juichen.

Wanneer hij uitgesproken was, werd aan Snapper door de overeind gerezen zaal van meer dan zeshonderd toehoorders een waanzinnige ovatie gebracht. De Fransen en de Engelssprekenden begrepen er niets van. Wie was die Snapper? Hun volkomen onbekend. Degenen die na hem kwamen en een papiertje aflazen, maakten een pietluttige indruk. Snapper antwoordde zelfs niet op hun bedenkingen en voorgelegde statistiekjes. Daarna liep de zaal leeg, het was alsof het congres gedaan was. Nooit had ik zoiets beleefd.

Maurice Chevassu, die ook wel iets in dat verband te vertellen had, werd met zijn Frans alleen, door de cameraman die de lichtbeelden voorschoof niet begrepen: ,,Comment faut-il dire?'' smeekte hij; het plaatste de Fransen in een penibele situatie. Gelukkig kon voorzitter F. Legueu, met een beetje Duits dat hij machtig was, veel rechtzetten. Hij bewaarde zijn koelbloedigheid en imponeerde door de zakelijkheid van een betoog waar wat inzat en waarvoor de overgeblevenen in de zaal hem een deftig applausje bezorgden.

Het derde congrestema werd in een sterk referaat voorgedragen door de Mayo Clinic chirurg Hugh Cabot: Etteringen in het Nierweefsel. Het was een exegese van de aangewende methodes, niet eenvoudig, want Hugh Cabot deed graag aan zelfkritiek. Er werd aandachtig geluisterd en het verslag werd van grote substantiële waarde geacht. Fransen en Engelssprekenden brachten elk in hun taal, op- en aanmerkingen naar voor, wat aan het debat een hoog wetenschappelijk karakter gaf. Was er niet een oogverblindende ovatie voor Hugh Cabot zoals voor Isidoor Snapper, dan was toch eenieder overtuigd van de degelijkheid van zijn werk.

De Brusselaar F. Stobbaerts liet, als slot, een fel bewonderde film afrollen van de normale blaaslediging, F. Legueu was ermee in zijn nopjes, en verklaarde dat hij in die film de moderne bevestiging zag van wat hij al sedert twintig jaar verdedigde inzake de urinaire motoriek.

Zo werden door dit Weense congres een gamma van gevoeligheden uitgestald, die bij een jonge congresganger zoals ik er een was in dat jaar, een aangename indruk nalieten, van het geblaseerde tot het oerdegelijke.

Aan de congresleden werd in het Schloss Schönbrunn een receptie aangeboden; taart met thee. Een schitterend decor, met vergulde stoelen en een onberispelijk Weens strijkje. Staatspresident W. Miklas was aanwezig en sprak ons toe op een gemoedelijke toon; hij maakte de lof van het academische Wenen. Niemand kon zich ontveinzen dat zijn woorden doordrenkt waren van een zeker heimwee, waarachter een verlangen naar rust en vrede voor zijn Altes Oesterreich und das schöne Wien hoorbaar waren. De Anschluss kwam in 1938.

Van de gelegenheid maakte ik gebruik om mijn vrouw aan Legueu voor te stellen; hij vroeg hoe wij het maakten, of we kinderen hadden, hoe de praktijk was.

Tijdens de voorbereiding van onze Weense congresreis, hadden mijn vrouw en ik op hetzelfde moment een goede inval: nu wij zover zijn, is het een enige kans om naar Boedapest door te reizen. Zo gezegd, zo gedaan. Ons paspoort werd erop voorzien, en een hotel werd besproken. We vertrokken uit Wenen in de late namiddag en waren bij het invallen van de duisternis in de Hongaarse hoofdstad. Bij de Hongaarse stations die we in volle vaart voorbijreden, stond de stationschef in militaire houding tot de trein voorbij was, een voor ons ongewoon en belachelijk aandoend beeld.

Aan de uitgang van het perron te Boedapest werden wij door een vrouwenstem aangeroepen, in het Frans: ,,Monsieur et Madame Elaut''. Zeer ongewoon; wat is dat, wie kent ons hier? Het duurde niet lang voor we het wisten. Door het reiskantoor dat onze reis had voorbereid, was een Hongaars-Belgisch Ontvangstcentrum op de hoogte gebracht dat we op komst waren. Dat ontvangstcentrum werd in het leven geroepen en beheerd door personen die als noodlijdende kinderen, op initiatief van kardinaal Mercier, in ons land van 1922 tot 1930 ondergebracht geweest waren, en nu in eigen land, de doorreizende Belgen wilden helpen. We namen hun diensten dankbaar aan.

Twee dagen bleven we in Boedapest. Op de zondag bekeken we het stadsbeeld, en luierden en lunchten bij de oevers van de Donau waar het heerlijk warm was. 's Maandags bezochten we het parlementsgebouw. Het ligt langs de Donau in het stadsgedeelte Boeda, tegenover het Koninklijk Paleis in het stadsgedeelte Pest. Die twee, met de statige Donau tussenin, vormen een van de mooiste oorden van Europa. Het democratische parlementsgebouw enerzijds, en het monarchistisch paleis waar de Hongaren Elisabeth, hun tragische koningin hebben gekoesterd, anderzijds. Twee opvattingen, twee schitterende behuizingen. Het paleis van Elisabeth is van een onvoorstelbare verfijning, op een vooruitspringende rotspunt gelegen, waar de zon zo verzilverd schijnt als nergens op de wereld.

De maandagnamiddag voeren we met de boot de brede Donaustroom af tot aan het eiland St.-Margareta, en dan weer stroomopwaarts tot in het hart van Boedapest. Dat alles werd ons gemakkelijk gemaakt door het Hongaars-Belgisch ontvangstcentrum dat ook voor een goed slaaphoekje in de middernachttrein naar Wenen had gezorgd. Van het Hongaarse landschap hebben we niets gemerkt, daar we 's nachts reisden. Over Wenen en dwarsdoor Oostenrijk kwamen we dinsdagavond in Heidelberg aan.

Het station en de hotelwijk zaten in de duisternis gehuld; het maakte een akelige indruk. We bezochten Heidelberg, het kasteel met zijn ruine, het reuzenvat, de oevers van de Neckar en het Akademisch ziekenhuis.

Uit de bezochte ziekenhuizen op Duitse bodem heb ik niet veel opgestoken voor een urologische afdeling in ons Gentse Academisch Ziekenhuis. In Duitsland was in 1936 de urologie nog altijd het kleine zusje. Wellicht was het te Berlijn bij Al. von Lichtenberg en bij Walter Stoeckel beter.

's Anderdaags in de namiddag waren we te Gent terug. Mijn ouders hadden thuisgewacht en uitstekend voor ons dochterje gezorgd. Na twee weken scheiding herkende zij ons niet meer. Wat een teleurstelling voor de moeder.

Terwijl zich zoveel binnen en rondom de universiteit afspeelde, was het op het politieke front verre van rustig. Het land werd vanaf 1936 op stelten gezet door de fascistische woelgeest Leon Degrelle, die met het Rexisme en de daarbij aanleunende partij een grote aanhang verwierf en bij zijn eerste contact met het kiezerskorps meer dan twintig parlementszetels veroverde.

De beweging van Leon Degrelle sprak me niet aan en de karpersprongen van die Waalse roervink ten overstaan van de Vlaamse beweging heb ik altijd wantrouwend bekeken. Maar hijzelf was een formidabel iemand, intelligent genoeg, maar in de grond een geboren demagoog die een volksmassa tot hysterische reakties kon opzwepen. Ik ben naar hem in de grote zaal van het Gentse Feestpaleis gaan luisteren. De bloem van de Franskiljons was present, en brulde als bezeten wanneer hij de zaal binnentrad; men hing aan zijn lippen. Zelfs volksmensen die hem ternauwernood begrepen, staarden hem met open mond en meegesleept aan.

Toen Degrelle een politiek akkoord met de Vlaamsnationale partij van Staf de Clercq aanging, was er verbijstering in de twee kampen. Het akkoord viel na enkele tijd in het water en de rol van het Rexisme als politieke drijfkracht was gauw uitgespeeld; het bleek een strovuur geweest te zijn, maar het heeft veel branden gesticht.

VOOR VLAAMSE ACADEMIËN

Omdat ik van zeer nabij in de strijd voor de oprichting van Vlaamse academiën gemoeid was, kan ik mijn aandeel in deze aangelegenheid in mijn memoires niet onaangeroerd laten, hoewel ik op verschillende plaatsen mijn ervaringen ter zake al heb medegedeeld.

In het raam van mijn cultuurpolitieke activiteiten hadden vrienden geoordeeld dat ik er dat stukje best kon bijnemen. Wanneer ik in den beginne dacht dat het geen werk van lange adem zou zijn, ben ik toch bedrogen uitgekomen, want het hele geval heeft dertig maand in beslag genomen.

Vlaamse academiën waren een oud zeer. In 1886 werd de Koninklijke Vlaamse Academie voor Taal- en Letterkunde met zetel te Gent opgericht. De andere Vlaamse Academiën, waarop zo vaak werd aangedrongen, waren in het dak van de vage beloften blijven zitten.

Tot plots, ex abrupto, in 1936, tijdens politieke strubbelingen onder Paul van Zeeland, hem van Vlaams-nationale zijde, de kreet ,,Vlaamse Academiën'' werd toegeroepen, tijdens de bespreking van een regeringsverklaring, waarin hij Vlaanderen niets anders te bieden had dan een ,,edelmoedig begrijpen''. De Eerste Minister beloofde in een aanvullende regeringsverklaring, onder de toezegging voor de realisatie van nog een paar andere Vlaamse programmapunten, de oprichting van Vlaamse academiën.

Van medio 1936 tot einde 1938 situeert zich de strijd voor het inlossen van deze regeringsbelofte, en het ontwerpen van de structuren voor de beloofde academiën. Ondanks de zeer formele woorden van de regeringsleider, ging het niet vlot; men moest het allemaal eens te meer uit de handen van een weerbarstige ambtenarij loswringen, er een paar regeringscrisissen en een parlementsontbinding voor over hebben.

Alle Vlamingen met belangstelling voor de nieuwe geschapen aangelegenheid, vonden het voor de hand liggend dat aan de *Vereniging voor Wetenschap,* de vaandeldraagster van de reeds meer dan acht lustrums oude Vlaamse Wetenschappelijke Congressen, en aan haar centrale figuur Jef Goossenaerts, een eerstgeboorterecht toekwam om zich met het opstellen van de doopakte van de aangekondigde academiën in te laten.

Goossenaerts en degenen die rond hem geschaard stonden, hadden alles getrotseerd. Zou men hen nu durven trotseren en de gehele benaarstiging van de aangelegenheid naar zich toehalen? Zoals o.m. Frans van Cauwelaert, die, tijdens de kiemtijd alles in de handen wilde leggen van de Koninklijke Vlaamse Academie voor Taal- en Letterkunde waarvan hij lid was.

Hoe ook, het was onze grote bezorgdheid, en die van Jef Goossenaerts in het bijzonder, de Vlaamse academiën in Vlaamse handen te houden en alle Brusselse of andere parawetenschappelijke, onzindelijk geachte invloeden te weren. We steunden ons daartoe op het stelregelige postulaat van de volkomen zelfstandigheid van de Vlaamse academiën in het Belgisch wetenschappelijk institutioneel apparaat.

Daaromtrent ontstonden, maanden lang, tamelijk scherpe en vaak sibyllijnse polemieken. De meest ophefmakende verklaring kwam van August Vermeylen, die zelfstandige Vlaamse academiën verwierp, en liever de bestaande Belgische academiën zag opsplitsen in twee afdelingen, want hij vreesde voor het separatisme dat achter zelfstandige Vlaamse academiën zou kunnen schuilgaan. Vermeylen was o.m. gekoöpteerd senator van de Socialistische Partij.

René Victor nam het tegen August Vermeylen op, en Jef Goossenaerts weerlegde in een uitvoerig betoog dat ik samen met hem opstelde, Vermeylens bedrieglijke en voor die Vlaamse baanbreker van vóór veertig jaar, beschamende standpunt waarop de haaien van het unitarisme zich als op een aas hadden geworpen.

Het zelfstandigheidsprincipe, zo krachtdadig door de vriendenkring rondom Goossenaerts van meet af aan beklemtoond, haalde het ten slotte, want op 30 november 1937 beloofde Eerste Minister Paul E. Janson, met een diplomatische zinswending, de autonomie van de aanstaande Vlaamse instituten. En gekheid boven gekheid, het was August Vermeylen die de Eerste Minister dankte voor die toezegging, gedaan aan een groep Vlamingen, waaronder ikzelf. Wanneer we buiten stonden, had nog niemand de reden van Vermeylens ommekeer gevat.

Had hij gecapituleerd voor onze argumenten? In alle geval beschouwden we het als een belangrijke overwinning, anderhalf jaar na P. van Zeelands initiale belofte.

Het ijzer werd voortgesmeed terwijl het heet was. Op het congres van de Katolieke Vlaamse Landsbond te Leuven 1938 bracht ik verslag uit over de gevoerde onderhandelingen, en op de Vlaamse Wetenschappelijke Kongressen van hetzelfde jaar werd de aangelegenheid op een gedempte toon aangeraakt, want Rector Magnificus P. Ladeuze had een waarschuwende vinger opgestoken in de richting van die Vlaamse academiën. Hij wilde volstrekt niet dat de aangelegenheid, tijdens het congres in de Universiteitsgebouwen, al te schril zou aangesneden worden.

Die eerste overwinning impliceerde tevens dat een lid van een Vlaamse academie tegelijkertijd geen lid kon zijn van een andere Belgische academie. We beoogden allerminst een inflatie van halfwaardige academieleden, die bovendien zou bezwaard worden met een vermenigvuldiging van academielidmaatschappen in één persoon. Kamiel Huysmans, Frans van Cauwelaert, Rik de Man, Daels, A.J.J. van de Velde die lid waren van de Gentse academie, schaarden zich achter die zienswijze.

Het droeg er krachtig toe bij, het aanzien van de aanstaande Vlaamse instituten te verhogen onder de buitenstanders en in de wantrouwende op kleinering beluste kringen van Brusselse regerings- en hoftrawanten, die anderzijds wel op een titel van academielid verzot waren.

Daels en zelfs Goossenaerts deden pogingen om in de structuur van de toekomstige academiën zekere innovaties in te voeren. Toen ze inzagen dat ze geen kans maakten, zetten ze hun pogingen stop. De nieuwe academiën zouden een weergave zijn van wat in België sedert 1722, 1842 en 1886 bestond. Met de ouderen zouden de laatst aangemelden volwaardige en gelijkberechtigde zusters zijn.

Na Paul van Zeeland en Paul-Emile Janson was Paul-Henri Spaak de derde Eerste Minister die met het probleem van de Vlaamse academiën geconfronteerd werd. Het kan niet gezegd worden dat ze er spoed achterzetten. Allerminst de Minister van Openbaar Onderwijs Julius Hoste, die Gods water over Gods akker liet lopen.

Met Frans Daels en Jef Goossenaerts had ik in die tijd, door toedoen van Adriaan Martens, op een late avond een lang onderhoud met Arthur Wauters, Minister van Volksgezondheid, in diens woning. De regeringsman was voorkomend en mededeelzaam, hij praatte Nederlands en zijn echtgenote nam notities van het gesprek. We hoorden een uiteenzetting over de gezondheidspolitiek die hij zich voornam te voeren. Daarin dacht hij aan de academies, zowel aan de huidige als aan de toekomende

Vlaamse, de rol van een curatorenkollege toe.

Na een paar uur stonden we weer op de stoep, in een pikdonkere nacht, ergens aan de Brusselse stadsrand, en de Vlaamse academiën bleven altijd vrije vogels in de Belgische lucht.

Met Jef Goossenaerts trok ik op een goede morgen naar professor P. Nolf, een bijzonder charmant man, die een eerste viool speelde achter de regeringsschermen: Was hij niet de vertrouwensman van koningin-moeder Elisabeth? Hij ontving ons in zijn woning te Jette, bepraatte ons een stuk in de ochtend om toch maar te beletten dat Vlaanderen een aparte geneeskundige academie zou vragen, naast de toen bestaande Belgische waar, volgens zijn opvattingen, Vlaamse leden onbeperkt mededelingen in het Nederlands zouden kunnen houden. De Gentse chirurg Fritz de Beule had zich al in 1931 voor zoiets laten gebruiken.

We kwamen, Jef Goossenaerts en ik, met de trein van 13 uur naar Gent terug, even wijs als te voren, maar beslister dan ooit, om het niet aan boord te leggen zoals professor P. Nolf ons gesmeekt had.

In het voorjaar 1938 kreeg ik van mijn vriend professor Fernand van Goethem, een telefoontje met verzoek, 's anderendaags, in het CERE (Centre d'Etudes pour la Réforme de l'Etat), dat voorgezeten werd door Pierre Wigny (dezelfde met wie ik in 1929 op de Arabic naar Amerika vertrokken was, en die daar toen al het hoge, en enige, woord voerde), het standpunt van de Vlamingen inzake de Vlaamse academiën toe te lichten.

Ik daar naartoe. Ik vond er professor Nolf, Herman Vos, Max-Léo Gérard, naast een aantal grote pieten, van wie ik mij de naam na veertig jaar niet meer herinner. Niemand deed zijn mond open, om na mijn in het Nederlands gehouden betoog, boe of ba te zeggen.

De heer Wigny dankte mij, bracht mij tot aan de deur van de antichambre en loodste mij naar buiten met de belofte dat mijn treinreis over een paar dagen zou vergoed worden. Ik wacht nog altijd op de inlossing van die belofte. Gelukkig zijn de Vlaamse academies er gekomen, in weerwil van de ijzigkoele onderzoeksrechterkamer waar ik mijn uiteenzetting voor een auditorium van doofstommen had mogen houden.

Wanneer de academies er al waren, of beter gezegd juist voordat ze de moederschoot van de regering-Spaak gingen verlaten, zaten Adriaan Martens, Goossenaerts en ikzelf, op een avond in het kabinet van Eerste Minister P.H. Spaak, tot over de kop in academische baringsweeën. Hoofddoel van het onderhoud was: de ideologische, links-rechts dosering van de kandidaten voor de Vlaamse Geneeskundige Academie.

Rector-Magnificus P. Ladeuze, die lont geroken had, vond dat zijn universiteit over het hoofd gezien werd, vermits er geen enkel Leuvenaar bij de eerste kern van de te benoemen academieleden was.

Het was inderdaad juist. De leden van de Vereniging voor Wetenschap, die een voorname rol speelden in de selectie van de eerste kernen der aanstaande academieleden, waren niet vergeten dat Leuven met heel zijn universitair apparaat, op kanunnik Joz. Coppens na, die overigens deel uitmaakte van de Vereniging voor Wetenschap, zich altijd met hand en tand tegen zelfstandige Vlaamse academiën had verzet. Ik meende, en Jef Goossenaerts met mij, dat de Rector-Magnificus het niet op prijs zou stellen dat er Leuvenaars deel uitmaakten van de Vlaamse academie die op het punt stond geboren te worden.

Maar Mgr. Ladeuze sprong op zijn Waals paard, protesteerde bij de Eerste Minister, die vliegensvlug Adriaan Martens, Goossenaerts en mijzelf ontbood, om aan de situatie een mouw te passen. Spaak was de Rector-Magnificus ter wille; hij zou drie Leuvenaars benoemen, doch als tegengewicht zouden er twee linksen moeten bijkomen. Uit Leuven werden professor René Appelmans, professor Albert Lacquet en professor A. Putzeys voorgedragen. Om Spaak gerust te stellen werden dokter Em. Moons uit Antwerpen en professor R. Biltris uit Gent voorgedragen.

Dit incident was een prachtige toelichting te meer bij mijn al zo vaak voorgehouden stelling. Leuven kijkt altijd de kat uit de boom in Vlaamse aangelegenheden. Alleen wanneer het veilig is opgesteld, of wanneer de overwinning door anderen met builen en schrammen bevochten was, zal het mede victorie kraaien, nadat het zijn buit zonder kleerscheuren heeft binnengehaald. Te Leuven hebben onbesproken vlaamsgezinden veel voor Vlaanderen verwezenlijkt, de universiteit zelf heeft Vlaanderen meer dan eens laten stikken. Laten wij het onderscheid goed in het oog houden.

Ooit heb ik de Leuvense professor A. Dondeyne, die dat onderscheid in een zekere uitspraak niet gemaakt had, uitgedaagd in een publiek debat te Leuven zelf, daarover van gedachten te wisselen. Op mijn beleefd verzoek is er nooit een antwoord gekomen.

Vlaanderen is en blijft het slachtoffer van zulke academische dubbelzinnigheden, en de publieke opinie behelpt zich met huichelarijen. Tussen de letter en de geest ligt er in dit land een hemelsbreed verschil. Maar de letter is dood, en het is de geest die levend maakt. En de geest waait waarheen hij wil (Joh. 3, 8).

*
* *

Met de stichting van de Vlaamse academiën was voor de Nederlandse cultuur in België een nieuw doelpunt gemaakt. Een eindpunt in de strijd voor culturele autonomie was het niet.

Er waren nu in België een veertigtal kersverse ,,onsterfelijken'' gecreëerd. De man die zich, meer dan een ander voor de Vlaamse academiën had te pande gesteld, Jef Goossenaerts, was niet onder hen. Het was overigens zijn bedoeling niet erbij te zijn; hij had zich op de achtergrond gehouden. Niemand in heel Vlaanderen heeft, zoals hij, minder aan zichzelf, aan zijn persoonlijke eer, aan geld, aan promotie of wat dan ook gedacht dan de Kempenaar uit Wuustwezel.

Jef Goossenaerts heeft zich, zoals de meeste Vlamingen trouwens, de zending en de taak van academiën, ook van Vlaamse anders voorgesteld dan zij, hic et nunc, is.

Academiën zijn geen werkplaatsen waar kennis voortgebracht wordt, wel een voornaam archaïstisch rendez-vous waar men zich, in schroomvolle waardering voor elkanders werk, om de maand verenigt. Iemand wordt lid van een academie nadat zijn wetenschappelijk meest vruchtbare periode voorbij is, uit waardering en erkenning van zijn geestelijke arbeid. Pressiegroepen zijn academiën niet.

Door de regering geraadpleegd om advies te verstrekken over hangende problemen, zijn de academiën geen ondienstige instellingen. Zoals zij ook lofwaardig werk verrichten met vorsers door het uitreiken van staats- en andere prijzen aan te moedigen en te bekronen. Dat Vlaanderen ook zo'n pronkjuweel bezit, doet niemand kwaad en vleit zijn eigenliefde, op voorwaarde dat het gehalte van het juweel van achttien karaatse Vlaamse kwaliteit is.

De ervaring van veertig jaar Vlaamse academiën heeft geleerd dat dit niet altijd het geval is, en dat het situatie-flamingantisme hier ook het strijdbaar flamingantisme op de voet volgt. Zich veilig weten is in Vlaanderen een vaste verzekeringspolis tegen brandbaarheid.

Maar deze bijdrage over de Vlaamse academiën en haar voorvechters, zou niet volledig zijn, als niet even herinnerd wordt aan de nasleep van politieke moeilijkheden die erop volgde.

Franstalige kringen uit de hoofdstad vonden het een aanfluiting van de vaderlandse waardigheid dat dokter Adriaan Martens, gewezen activist, tot lid van de Vlaamse Academie voor Geneeskunde was benoemd. Bij de plechtige inhuldiging van de academiën op 21 januari 1939 schopten zij herrie, en konden ze zelfs bereiken dat koning Leopold III zich de nieuwe leden niet liet voorstellen, ofschoon Martens had laten weten dat hij niet zou aanwezig zijn.

Omdat ik, met Jef Goossenaerts, oordeelde dat men van hogerhand te toeschietelijk was voor dat beroepspatriottisme, verschenen wij niet op de plechtigheid. Hoewel het om instellingen ging waarvoor wij ons, meer dan wie ook, hadden ingespannen, en op een ongestoorde erkenning waarvan wij ons, bij voorbaat, hadden verheugd, bleven we liever thuis dan te moeten aanzien hoe de bijeenkomst, onder voorwendsel van een geveinsde verontwaardiging tegen één persoon, door straatkabaal werd ontsierd en uitgejouwd door Vlaamshaters van het ergste soort.

De plechtigheid binnen het Academiënpaleis was één ergernis, toen Minister Okt. Dierickx, die namens de regering voorzat, in een barbaars Nederlands kwam zeggen dat, indien het van hem had afgehangen, de Vlaamse academiën niet zouden geweest zijn wat ze thans zijn. Kon een kaakslag voor de Vlamingen pijnlijk-honender aankomen? Sire zag het aan, dat de Vlaamse academiën op zo'n manier, en door zo'n vent, reeds bij hun geboorte beledigd werden. Maar hij bleef zitten en roerde niet.

Politieke verwikkelingen speelden zich van nu voort met een verbazende snelheid af.

Het Verbond van de Vlaamse Kultuurverenigingen betuigde zijn solidariteit met Adriaan Martens. Filip van Isacker, minister uit Spaaks kabinet, drong bij voorzitter Arnold Hendrix van de geneeskundige academie aan, dat hij Martens zou aanzetten tot ontslag, wat Hendrix kordaat weigerde te doen.

Op het Antwerpse stadhuis kwam op een zondagnamiddag rond Kamiel Huysmans en Frans van Cauwelaert, een keur van actieve vlaamsgezinden uit alle partijen bijeen. Het leidde regelrecht tot het zogenaamd *Manifest van Antwerpen,* een unicum van Vlaamse kordaatheid in de Vlaamse Beweging. Maar helaas ook een ééndagsvlieg van Vlaamse kordaatheid, die door politieke bedisselingen tussen de partijen welhaast haar tengere vlerkjes zou verbranden.

De politieke implicaties speelden zich in het voorjaar 1939 in ijltempo af: regeringsontslag, voortijdige verkiezingen, enz.

Dokter Adriaan Martens nam ontslag op de verkiezingsdag zelf, te 13 uur, voordat de uitslag bekend was. Professor Frank Baur wie het nooit aan verbale moed ontbrak, had zijn vriend Martens zodanig vermurwd, dat hij door de knieën ging. De Vlaamsgezinden hebben het ontslag van Martens onder die omstandigheden altijd betreurd. Ik ook.

De door het ontslag van Martens opengevallen academiezetel werd ingenomen door professor Rufin Schockaert uit Leuven. Eens te meer. Het gevaar was voorbij!

De herrieschoppers die het ,,Geval Martens'' op touw hadden gezet, hebben zich tien en twintig jaar nadien niet herinnerd dat Marcel Minnaert en Ferdinand Jozef de Waele die lid werden van een Vlaamse wetenschappelijke academie een beladen aktivistische kerfstok hadden.

Wat er met mij in 1918-1920 aan de hand was, is hun ook ontgaan, toen ik in 1938 in de kern van vijftien eerste leden van de Koninklijke Vlaamse Academie voor Geneeskunde van België werd opgenomen.

Men had het blijkbaar meer op Adriaan Martens dan op een ander gemunt. M. Minnaert, F. de Waele, en ik waren intussen geen Vlaamse geïnverteerden geworden, die hun Vlaams-nationalistisch geloof afgezworen hadden.

*

* *

Enkele kanttekeningen over de baringsverwikkelingen en de prille kinderjaren van de Vlaamse academiën, moeten mij nog uit de pen. Ze werpen een licht op de geestesgesteldheid en de gemoedstoestand van sommige personen, van wie de meeste al lang overleden zijn.

Voorts is het ook niet van belang ontbloot uit allereerste bron te vernemen welke de motieven waren die ons voor de geest stonden wanneer we erom verzocht werden, de eerste kandidaten voor de nieuwe academiën aan de regering voor te dragen. Ik kan daarover in ernst getuigen, want vanaf de eerste dag was ik bij alle besprekingen betrokken.

De idee van een eerste kleine kern van academieleden, waaraan, door coöptatie, nieuwe leden zouden worden toegevoegd, kwam van professor Frans Daels, van Jef Goossenaerts en van mijzelf. We meenden niet met volle stoom van wal te moeten steken, maar liever met degelijke mensen te beginnen, en later met goed materiaal aan te vullen. Degelijke mensen waren in onze ogen ook degenen die zich van meet af aan voor de vervlaamsing van de wetenschap hadden ingespannen, dertig en meer jaar te voren, in de vuurlijn tegen beter uitgeruste tegenstanders.

Spoedig werden we gewaar dat velen zich geroepen waanden, doch dat weinigen verdienden uitverkozen te worden. Nooit in mijn leven heeft men mij zoveel gevleid als te dien tijde, wanneer men vernam dat ik iets in de pap zou kunnen te brokken hebben. Mannen die wetenschappelijk niet zwaar wogen, en van wie voor de Vlaamse zaak niet veel te verwachten was maar veel wind verzetten, kwamen zich onbeschaamd voor een plaatsje van academielid aanbevelen, twee jaar voor de Geneeskundige Academie er was. Ernstige kandidaten hielden zich bescheiden op de achtergrond.

De eerste kern van de Geneeskundige Academie zou bestaan uit: prof. J.J. Bouckaert (Gent), prof. Fr. Daels (Gent), Apoteker Arn. Hendrix (Antwerpen), Dokter A. Martens (Astene), dokter Fr. Meeus (Oostmalle), dokter Raf. Rubbrecht (Brugge), dokter F. Sano (Antwerpen), Dr. G. Schamelhout (Antwerpen). Toen Fr. Daels en ikzelf bezwaren opperden dat wij moeilijk onszelven konden voordragen, antwoordde de regering per kerende post, dat zij ons van ambtswege voordroeg en dat wij in deze aangelegenheid niet tegen te pruttelen hadden.

Ik heb al gezegd in welke omstandigheden de regering, na ruggespraak met de Vereniging voor Wetenschap, daar nog de voordracht van prof. René Appelmans, Prof. A. Lacquet, Prof. A. Putzeys, Dokter E. Moons en Prof. R. Biltris aan toevoegde. Uit die eerste kern van vijftien werden Arn. Hendrix, de oudste, en Alb. Lacquet, de jongste tot voorzitter en tot vaste secretaris aangesteld. Prof. Alb. Lacquet, mijn kotgenoot te Rochester Minnesota, bekleedt na negenendertig jaar nog altijd zijn eerste post. Arnold Hendrix heeft in de eerste jaren altijd de standaard van de zelfstandigheid van de geneeskundige Academie hooggehouden.

Later, wanneer Kamiel Huysmans met de gedachte rondliep de wetenschappelijke academiën in België als twee afdelingen onder één hoedje te verenigen, heeft de toenmalige voorzitter prof. J. Sebrechts zich daar scherp tegen verzet.

Sinds 1972 wordt, onder het schild van een naamverandering, de taak van de twee academies met zetel te Brussel, scherp omschreven. Er is de oude Académie Royale de Médecine de Belgique (1842), en er is de Koninklijke Belgische Academie voor Geneeskunde (1938). Ze vertalen elkanders naam niet; zo weet iedereen in binnen- en in buitenland, wat er in ons land aan medische academiën bestaat.

De coöptie van nieuwe leden bracht de volgende personen in de geneeskundige Academie. (Voor zover ik erbij betrokken was, golden voor de keus normen die voortvloeiden uit alles wat zich tijdens het wordingsproces had afgespeeld): prof. A. Goubau (Gent); prof. J.P. Bouckaert (Leuven); Prof. J. Sebrechts (Brugge); dokter J. Lebeer (Antwerpen); dokter A. van Driessche (St.-Niklaas); prof. Osw. Rubbrecht (Gent); prof. A. Verstraete (Gent); dokter H. Deckx (Antwerpen).

Professor Fred. Thomas, tegen wie in den beginne vanwege zekere leden bezwaar rees, werd op herhaald aandringen van professor Frans Daels, in de schoot van de Vlaamse Geneeskundige Academie opgenomen tijdens de oorlogsjaren 1942-1944. Professor Thomas die in de repressie te Gent een beruchte rol heeft gespeeld, zal dat niet graag lezen. Maar de waarheid heeft haar rechten. Dat het zo verlopen is, kan ik beter dan wie ook getuigen. Het moge prof. F. Thomas lief of leed zijn.

Het leven van een Vlaams medicus die een beetje privé-praktijk doet, doch niet opzettelijk alles op die praktijk als op één punt samentrekt, van een hoogleraar die aan zijn universitaire leeropdracht een persoonlijke stijl wenst te geven, van een cultuurflamingant die in alle manifestaties en strevingen van dit soort flamingantisme op zijn stuk blijft staan, zo'n leven is tot aan de boord gevuld.

Het was bij mij niet in die mate het geval dat ik geen heimwee voelde naar een zekere transcendente sublimering van dit alles, om de stekelige hoeken van de alledaagsheid af te ronden. Wie, zoals ik, midden in het klokhuis van een veelvormige activiteit zat, gaf zich op dat ogenblik niet altijd juist rekenschap van de betekenis van de tijd waarin zich zijn leven afspeelde.

Ik voelde mij soms wel in een avontuurlijk onderbewustzijn meedrijven met een spelevaart naar andere geestelijke horizonten, doch dat ik mij op een breukvlak bevond tussen twee strekkingen in de drukte van regelingen, instellingen en personen, van dienstbaarheden, vriendschappen, tegenstrevingen en vijandschappen in het geneeskundig bestel, zie ik na veertig jaar beter in dan dit toen het geval was. De medisch-universitaire professie zat in een evolutieproces gekneld.

Dit proces voltrok zich in een traag tempo. Ik was, beroepsmatig, gevormd door mensen die, op een zeldzame uitzondering na, met hun twee voeten nog in de tijd van vóór 1910 stonden. Wanneer zij, omstreeks 1950, allemaal verdwenen waren, ontwaakten we in een volkomen nieuwe tijd. Dat we zelf die nieuwe tijd hadden helpen voorbereiden, beseften we nauwelijks.

Pas nu begrijpen we tot de hernieuwers, tot de ruitenbrekers te hebben behoord, ruitenbrekers met zijden handschoenen aan, vergeleken met wat de progressieven van vandaag uitrichten.

Tijdens de vooroorlogse jaren (1939-1940), toen ik zwoegde voor de versteviging van onze Vlaamse wetenschappelijke tijdschriften en kongressen, voor de uitrusting van mijn jonge Urologische Kliniek, en overhoop lag met elke vorm van franskiljonse geringschatting, waren er enkele climaxen en anticlimaxen die, afgezien van wat mijn gezinsleven aan fleurige tinten bood, aan mijn bezigheden een zachte pasteltint schonken.

De Vlaamse Vereniging tot Bevordering van de Geneeskunde, die zich tot doel stelde de medische aanwinsten dichter bij de Vlaamse huisartsen te brengen, blies ik in het oor mijn Parijse leermeester professor Felix Legueu naar Gent uit te nodigen. Ik zag het als de inwijding van mijn Urologische Kliniek door een van de grootmeesters van het vak, aan wie ik veel te danken had.

Namens de Vereniging nodigde ik hem uit. Hij aanvaardde en zou een lezing geven over een actueel onderwerp: *Du déséquilibre humoral dans les suites postopératoires*.

De vergadering had plaats op 9 februari 1936 in het Farmacologisch Instituut, waar ook professor Max Hochrein uit Leipzig een lezing gaf. Ik mocht mijn leermeester voorstellen, eerst in het Nederlands, daarna in het Frans. Met zijn gewone brio waar de vierenzeventig jaren van zijn leeftijd nog niets hadden afgeknaagd, zette Legueu uiteen hoe het niet besmette wondvocht, met zijn sterke concentratie aan elektrolyten, een voorname factor was in het herstellen van de homoiostase die door een chirurgische operatie zwaar op de proef wordt gesteld.

's Avonds had in het Posthotel een druk bijgewoond diner plaats, waarop Legueu eens te meer de registers van zijn schitterend redenaarstalent opentrok, en een heildronk instelde op de bloei van de jonge Urologische Kliniek van Gent, en op de gezondheid van haar directeur. Hij was een te fijnzinnig man om in banale vleierij te vallen, en kon op een ongeëvenaarde manier een brug slaan tussen de bekende Vlaamsgezindheid van die directeur en de Frans-nationalistische opvattingen die de zijne waren. Hij had een nauw verzwegen maar een sterk getemperde voorliefde voor Leon Daudet en Charles Maurras.

Het bezoek van F. Legueu die mij nogal ostentatief onder de arm genomen had, was de Gentse franskiljonse geneesheren een doorn in het oog. Mijn gestreelde eigenliefde pakte ermee uit, want ik zorgde in de pers voor een verslag. Het was een treiterij van mijnentwege dat ik Legueu te Gent begeleidde naar de Lam Gods-polyptiek, naar het Gravensteen, naar het Klein Begijnhof en dat hij zijn franssprekende vrienden van ouds nauwelijks een bezoekje bracht, terwijl de wagen van Elaut buiten aan de deur wachtte om hem na afloop naar zijn hotel terug te brengen.

Mijn houding tijdens het voorname bezoek van een lid van de Académie de Médecine de Paris aan een flamingantisch epifenomeen van die smerige Vlaamse universiteit, was wellicht niet zeer christelijk, maar ze was zeer plezierig.

Een stunt waar ikzelf en vele vlaamsgezinde dokters uit Noord-België pret aan beleefden, was de benoeming van professor Evert Gorter uit Leiden tot hoogleraar in de kindergeneeskunde te Gent in 1935. Het was Frans Daels geweest die hem vooruitgeschoven had. Gorter was een onbesproken wereldautoriteit en zou in de vier jaar die hij te Gent werkzaam was de kinderafdeling met laboratorium en polikliniek uit de grond stampen, en aan zijn opvolger een bijna volmaakt werkapparaat nalaten. Die benoeming was een schitterend argument tegen professorale inteelt bij de benoemingen, en een van de vruchtbaarste waarvan Gent ooit profiteerde.

Van kindergeneeskunde kende men in de universiteit alleen maar de naam. Ik had nooit les in de kindergeneeskunde gehad; hoe wij een deficiënte kindervoeding moesten behandelen, wisten wij niet. Gorter werd in den beginne met de nek bekeken, maar toen men vaststelde dat hij koppen boven onze zogezegde kinderartsen uitstak, ging men bij hem op spreekuur, in de allereerste plaats de franskiljons voor hun eigen kinderen.

Professor J. Vernieuwe, die moeilijk kon verkroppen dat hij door Gorter overvleugeld was, maakte wat flauwe zinsspelingen op diens naam en vertelde luidop dat de man uit Leiden ons wilde komen leren hoe men ,,gortepap'' moest maken. Gorter imponeerde op minder dan geen tijd en wanneer hij in 1939 Gent verliet was de solide grondslag van een allernoodzakelijkst klinisch onderwijs gelegd en kon ook de sociale kindergeneeskunde nieuwe wegen opgaan.

Toen Carlos Hooft in 1939 tot Gorters opvolger werd voorgedragen, hadden alle andere kandidaten zich teruggetrokken. De voordracht werd door de Geneeskundige Faculteit met eenparigheid van stemmen ondersteund. Hooft heeft in wetenschappelijk noch in Vlaams opzicht iemand teleurgesteld. Hij was in zijn studententijd hulp-preparator in mijn Anatomisch Instituut.

Mijn wetenschappelijk werk, onder professor Goormaghtigh in 1924 begonnen, nam in het kader van een losse samenwerking met mijn chef, ook nadat ik zelfstandig was geworden, een vaste vorm aan, nadat wij op een gezamenlijk terrein met onze onderzoekingen waren beland. De schakel lag in het Farmacologisch Laboratorium van

Korneel Heymans, en die schakel was een proefondervindelijk onderzoek over het ontstaan van de hoge bloeddruk.

In 1934 hadden een viertal Amerikanen (H. Goldblatt e.a.) een techniek ontwikkeld waardoor het mogelijk was, bij de hond, een chronische hoge bloeddruk te verwekken, n.l. door geleidelijke afklemming van de nierslagader. Heymans en Goormaghtigh raadden mij aan die proeven over te doen en door zoveel mogelijk variaties in het experimenteel patroon, uit te maken welke de etiologische faktor was die een rol speelde in het proces.

In 1935, 1936 en 1937 kon ik, als eerste, in een reeks mededelingen in de Société de Biologie, de proeven van Goldblatt bevestigen. Voorts zag ik als gevolg van de verwekte hoge bloeddruk, na drie maand een hypertrofie van de linker hartkamer optreden zoals bij de hypertensieve mens. Microscopische letsels werden in de nier van de hypertensiedieren niet vastgesteld, wel een toename van de spierwand in de afferente nierslagaders en in de neuro-myo-arteriële apparaten.

Uit andere observaties bij de proeven was komen vast te staan dat onze hypertensiehonden een geweldige hypertrofie van de bijnierschors vertoonden. René Leriche heeft erop voortgebouwd om een nieuwe operatiemetode ter behandeling van de Addisonziekte te ontwikkelen (cfr *La Philosophie de la Chirurgie,* 1951, blz. 80).

Het geheel liet ons toe te concluderen dat bij de hond de chronische experimentele bloeddrukverhoging niet het gevolg is van een mindere doorbloeding van de nier, maar door een wijziging in het bloed zelf. Dus niet van een ischemie, maar van een dysemie.

Later heb ik deze idee verder uitgewerkt, en de mening vooropgezet dat het bepaalde neuro-musculaire cellen zijn. waarvan de activiteit door vesiko-renale stuwing wordt opgewekt en zich in hoofdzaak in of rondom het pyelum bevinden, die zekere vormen van klinische hypertensie o.m. bij lijders aan prostata-hypertrofie kunnen verklaren.

De plotse onderbreking van mijn proefondervindelijk werk in 1944, heeft verhinderd dat ik deze idee heb kunnen vervolgen.

Dat ik een tijdlang in het laboratorium van Korneel Heymans onder zijn leiding heb mogen werken, is een pluimpje op mijn hoed waarmee ik al meer dan eens heb gepronkt. In de rij van zijn medewerkers wier foto in de bewaard gebleven werkkamer van de hoogleraar zijn opgehangen en aan de verzameling waarvan hij zoveel zorg besteedde, kan men ook mijn foto terugvinden.

In 1962 werd K. Heymans emeritus. Namens zijn oud-studenten heb ik hem in de Aula van de Universiteit bij dat afscheid de passende hulde gebracht. Hij heeft mij daarvoor op zijn eigen manier bedankt.

Wanneer hij in 1968 te Knokke overleed, heb ik in de herinnering aan de man die mijn professor, mijn collega en mijn vriend was, de stof gevonden om acht in-memoriams over hem te schrijven, voor de tijdschriften en de Vlaamse groepen die er mij om verzocht hadden.

In het internationaal huldeboek door de *Archives internationales de Pharmacodynamie et de Thérapeutique,* suppl. vol. 202, in april 1973 aan K. Heymans gewijd, heb ik ook, con amore, mijn bijdrage geschreven.

*

* *

Eind november 1939 sloeg te Gent als een bom de melding in dat professor Korneel Heymans door de Zweedse Academie de Nobelprijs 1938 voor Fysiologie en Geneeskunde was toegekend. Er was overal grote vreugde in het Vlaamse land.

De universiteit bracht hulde aan de Nobellaureaat in aanwezigheid van Koningin-Moeder Elisabeth op 8 januari 1940. De Koning zelf was niet kunnen komen, omdat op die dag het zoveelste militaire alarm in de lucht hing, waarmede we in die ,,drôle de guerre'' vertrouwd waren gemaakt.

Heel de universitaire wereld was op de been. Rondom de Volderstraat was op de hard gevroren sneeuw van het wegdek geen enkel parkeerplaatsje vrij. Ik heb op die dag voor de eerste maal mijn professorale toga aangetrokken, want in 1939 was ik tot ordinarius benoemd.

Er was een echte saterdans van redevoeringen, vanwege rector Goubau en de anderen. Men had geaarzeld of men de helft daarvan niet in het Frans zou houden, want de rector liep niet zo over van liefde voor eentalig Nederlandse plechtigheden. Doch wanneer ik dreigde met gezanik in de pers, trok hij zijn staart in. Hij wist duivels goed dat ik bij zijn benoeming, enkele maanden tevoren, aan *De Standaard* de wenk gegeven had hem, in zake Vlaamse houding, van een gunstig vooroordeel te laten genieten. A. Goubau wilde geenszins voor een franskiljons rector doorgaan; hij had aan een vertegenwoordiger van de Gentse Fransschrijvende pers verklaard dat hij de consequenties van de taalwetten in de Universiteit zou doortrekken ,,jusqu'à la lie''. De bourgeois-Gentenaar die hij was, moest nu, omwille van de eer en van de wettelijkheid, het risico op zich nemen voor een flamingant door te gaan. Hij deed het.

De vroegere Belgische Nobellaureaat 1919, Jules Bordet uit Brussel was aanwezig; hij luisterde scherp naar alles wat gezegd werd. Doch de volbloed Waal die altijd het opperste misprijzen voor alles wat Vlaams was had aan de dag gelegd, en ooit in dezelfde Aula met de Vlaamse wetenschapsbeoefening was komen de draak steken, zal niet al de bijzonderheden gesnapt hebben van wat daar de Vlaming K. Heymans op dat moment te beurt viel. Het was de tweede maal dat de Nobelprijs aan een Belgisch medicus toegekend werd, na een tussenpoos van eenentwintig jaar.

Na de plechtigheid in de Aula, was er een receptie op het Stadhuis. Daags nadien werd K. Heymans namens de Vereniging voor Wetenschap in het Hotel Britannia gehuldigd. Veel andere huldigingen moest hij zich in het land laten welgevallen. De stad Antwerpen, met Burgemeester Kamiel Huysmans, bleef haar faam van eerste stad in Vlaanderen indachtig niet ten achter en ontving de Nobelprijswinnaar.

Met de eer van de Nobelbekroning van K. Heymans heeft heel Vlaanderen meer dan een kwart eeuw te zijnen voordele gewoekerd. Heymans was de laatste niet om daar een schepje bij te doen wanneer het erop aan kwam de herauten van Gand Français een toontje lager te doen zingen. Hoe dikwijls werd te dier gelegenheid het woord van de Belgische Staatsminister H. Carton de Wiart niet herhaald tijdens de parlementaire debatten over de vernederlandsing van Gent: un crime contre l'esprit?

Heymans werd daags nadat zijn bekroning bekend was, op het Paleis te Brussel door de koning ontvangen en met de versierselen van Commandeur in de Leopoldsorde getooid. Eén maand nadien kreeg hij de factuur, met het verzoek de prijs van de versierselen te betalen. Het bedrag van de Nobelprijs werd bij zijn inkomen gevoegd; zodat de fiscus met een deel van de Nobelprijs ging lopen.

*
* *

De twee jaren vóór het uitbreken van de Tweede Wereldoorlog op 10 mei 1940, behoren tot mijn wetenschappelijk drukste tijd. Het maakte mij gelukkig dat assistenten en studenten kwamen vragen of ze in mijn laboratorium een beetje anatomisch onderzoekswerk mochten opknappen dat ik hun zou aanwijzen. Ik ging graag op dat verzoek in.

Mijn assistent R. de Puysseleyr, die een behendig seceerder was, kon zijn zeldzaam talent het vrije spel laten in het zorgvuldig prepareren van de ingewikkelde halsstreek. Fraaie tekeningen daarvoor vervaardigd door Norbert Schepens, verschenen in het *Vlaamsch Geneeskundig Tijdschrift* en in de *Annales d'Anatomie Pathologique*.

Een paar hulppreparatoren liet ik systematisch het glomus coccigicum van Luschka opzoeken en blootleggen. Dit is een hennepzaadgroot lichaampje voor de punt van het staartbeen gelegen, door de anatomen als een rudimentair orgaantje beschouwd, dat helemaal wordt verwaarloosd. Ikzelf noch een van mijn collega's had het ooit gezien. Professor E. Lauwers schreef in zijn *Introduction à la Chirurgie Genito-urinaire* de andere auteurs na dat het een chromaffiene bouw had. Toen ik hem nadere uitleg vroeg, verklaarde hij dat hij dat bij de anderen zo gelezen had. Ik wilde er het fijne van weten.

De hulpprepatoren slaagden erin op een twintigtal prepaparaten het orgaantje zonder enige moeite te vinden. Een microscopisch onderzoek wees uit dat het niet uit chromaffien weefsel bestond, doch alleen uit een kluwen van arteriën met sterke neuromusculaire wand. Toen ik de preparaten aan Lauwers voorlegde, viel hij uit de lucht en op een Westvlaamse spotzieke toon wist hij alleen te antwoorden: ,,Stief interessant''. Hij duldde nooit tegenspraak, want hij achtte zich te superieur om enig ongelijk te bekennen.

Aan René Pannier die met het hart en de bloedvaten in zijn hoofd zat, liet ik de arteriën van de menselijke teelbal met een contrastmiddel opspuiten; tot in hun verste vertakkingen kon hij ze opvolgen en op een roentgenplaat vastleggen.

Gaston Verdonk ging op alle sacrums waar hij te Gent en te Leuven bij Professor K. Nelis de hand kon opleggen vorm- en topografisch correlatieve ordening van de achterste sacrale openingen na. Op basis daarvan is het hem gelukt preciese richtpunten en -lijnen voor de vlotte toepassing van de transsacrale pijnverdoving op te stellen. De resultaten verschenen in het *Zentralblatt für Chirurgie*. Met G. Verdonk maakte ik zelf een microscopische studie over xanthelaseen, xanthogranulomen en pseudo-xanthomen voor de *Geneeskundige Bladen uit Kliniek en Laboratorium* door R. de Josselin de Jong te Utrecht uitgegeven.

René Pannier en Gaston Verdonk zijn nu geleerde kleppers geworden, met vele en grote decoraties behangen. Ze kijken met erbarmen neer op hun eerste baas, die nog altijd zonder decoraties gelukkig is. Zij hebben op tijd en stond, toen het niet langer als een aanbeveling gold bij mij te werken, veiliger oorden opgezocht en gevonden, van waaruit ze de esbattementen van den ,,ouden'' nog altijd met verbazing in de gaten houden en straks op emeritus-lauweren in de Vlaamse academie koketteren.

Een werk van meer omvang en langer duur werd door Frederik van den Broucke op zijn schouders genomen. Ik kon hem warm maken voor een grootscheeps antropologisch onderzoek van zekere bevolkingsgroepen uit de provincies West- en Oost-Vlaanderen. Antropologie lag helemaal binnen het werkterrein van een Anatomisch Instituut. Het was een nauwere kennismaking en contact met dokter G. Schamelhout dat mij op het spoor had gezet.

De antropologie was in ons land een schaars beoefende tak van de morfologische wetenschap; wat ook verwezenlijkt werd, was schraal en verouderd. Schamelhout en ik beseften dat we met enkele honderden metingen niet zouden in staat zijn geldende conclusies te trekken waarmede men de al zo aanvechtbare gegevens van de antropologie zouden kunnen staven of in opspraak brengen. We moesten dus met minstens een vijfduizendtal onderzochte gevallen kunnen uitpakken. Fr. van den Broucke wilde het proberen.

Voor het materiële werk van het optekenen der gedane metingen kon hij rekenen op de medehulp van zijn kameraden. Tijdens de grote vakantie van 1936, 1937, 1938 en 1939 trokken ze er met de fiets en hun pakken steekkaarten in West- en Oost-Vlaanderen op uit.

De volgende bevolkingsgroepen waarvan we op historische en etnische gronden vermoedden dat ze nog tamelijk onvermengd waren, werden onderzocht: de zeevissers van de Noordzee, de inwoners van de wijk Terest en omgeving te Houthulst en Staden, de Nieuwmarkters te Roeselare, landlieden uit Veurne-Ambacht, landlieden uit de bosstreek van Maldegem, Ursel, Knesselare en Oedelem, de inwoners van Mendonk en omgeving, de Scheldevissers van Mariekerke.

In het geheel werden 8.300 personen volgens een vooropgezet plan systematisch onderzocht op hun lichaamslengte, oogkleur, haarvorm en haarkleur, schedelmaten, neus- en kinvorm. Een van de onderzochten was o.a. Cyriel Verschaeve, in leven kapelaan te Alveringem.

Door Fred. van den Broucke werden de ingezamelde gegevens bewerkt in een proefschrift dat hij voorlegde als antwoord op een gestelde vraag voor de Universitaire Prijskamp 1939-1941. Hij werd bekroond in dat jaar.

Ik was, als jongste, secretaris van de jury en moest het verslag opmaken. Deze verslagen werden verzameld in een eerbiedwaardig boek dat al sinds 1880 voor dat doel dienst deed. Nog één bladzijde was vrij, en er werd mij door een functionaris van het Ministerie gevraagd ervoor te zorgen dat mijn verslag juist die laatste bladzijde zou innemen. Wat ik graag deed. Toen bleek dat het verslag in het Nederlands was, vermits een van de beoordeelde werken in die taal was opgesteld, ontstak de man in een razende furie. De jury, ook de Franssprekenden, lieten hem uitrazen, vermits er tegen mijn stelling niets in te brengen was. Zij ondertekenden mijn, Nederlandstalig, verslag over het verloop van die Universitaire Wedstrijd, o.m. professor Marcel Florkin uit Luik. Fred. van den Broucke werd bekroond.

Met een deel van zijn werk dong hij in 1944 naar de prijs G. Schamelhout voor het tijdvak 1941-1943, van de Kon. Vlaamse Academie voor Geneeskunde. Zijn werk over *De Bevolking van Mendonk en Omgeving antropologisch gezien* werd door de Academie met de prijs bekroond en uitgegeven in 1945; dl 7, nr 2 van de *Verhandelingen*.

De meer dan achtduizend kaarten die op het antropologisch onderzoek van Fred. van den Broucke betrekking hebben, worden in het Anatomisch Instituut van de Gentse Universiteit bewaard. Het was het meest uitgebreide onderzoek dat ooit over deze materie in België werd verricht.

*
* *

De contacten in 1919 met E.H. Frans de Hovre ontstaan, en die tot een vruchtbare samenwerking, o.m. door het publiceren van vertalingen van bekende pedagogen hadden geleid, werden na de voltooiïng van mijn medische studie, mijn vestiging te Gent en mijn universitair professoraat, onverminderd voortgezet. Er ging bijna geen week voorbij dat ik niet bij hem te Gentbrugge binnenliep, of dat hij, op woensdagnamiddag, te mijnent op theevisite kwam.

Op elk van deze ontmoetingen werd gekeuveld, bedisseld, gejubeld of getreurd, naar aanleiding van wat in mijn gezin, in het land of in de wereld was voorgevallen.

Vanaf 1932 had Frans de Hovre, als een vuurberg altijd in volle pedagogische werking, mij aangeworven als leraar in zijn Katholiek Hoger Instituut voor Opvoedkunde. Ik zou er wekelijks een uurtje les geven in de algemene biologie en het laatste studiejaar in de schoolhygiëne. Andere leraren waren: Edgar de Bruyne, Frans Fransen, Joris Eeckhaut, Frank Baur, Broeder De Nijs, Leo Beckx.

Het waren altijd geestprikkelende ontmoetingen met onze volksonderwijzers(zeressen) van de beste soort. Ik heb bewondering opgebracht voor deze opvoeders(sters) die meestal van ver, tweemaal per week, een namiddag of avond opofferden om wat meer kennis op te steken en daarover examen af te leggen.

Het waren allemaal geen feniksen die met een diploma naar huis gingen, maar ik heb daar van sommige leerlingen-kloosterzusters op mijn vraag naar een beschrijving van de menselijke hersenen, antwoorden gekregen die ik nooit van een medisch student uit de derde kandidatuur had gehoord.

Professor Maurits Hamelinck die als afgevaardigde van het Ministerie de examens bijwoonde, en die de nonnen zeker niet in zijn hart droeg, en professor Paul van Oye die met drie nonnen op zijn neus zat, wreven hun ogen uit, wanneer zij hoorden hoe een nederig maseurken van O.L.V.-Visitatie op mijn vraag een meesterlijk antwoord gaf. Het verheugde Frans de Hovre buitenmate wanneer ik het hem vertelde.

Hijzelf was een lesgever van een bijzonder soort. Hij molenwiekte met zijn armen, stampte met zijn voeten, geselde het bord, schreef daar in de meest onleesbare lettertekens van alles dooreen, slingerde de namen van de Europese pedagogen als vuurkeien over de hoofden van zijn toehoorders. Hoe jammer dat er geen foto van het bord na De Hovres lesuur bestaat. Ik die na hem mijn les gaf, heb daar meer dan eens voor gestaan als voor een runeninscriptie.

Bij zijn leerlingen was De Hovre buitengewoon geliefd. Men kwam met van alles bij hem aankloppen. Voor domme en pretentieuze schooldirecteurs had hij een fysische afkeer, maar voor oude typische pastoors had hij een grote genegenheid.

Vooral tijdens de oorlog van 1940-1944 zijn wij er dikwijls met de fiets op uitgetrokken, om een pondje boter of een kilootje boerenbrood. Op die tochten was hij een joviaal kameraad.

Het Hoger Opvoedkundig Instituut heeft een paar keren De Hovres grote vriend Friedrich W. Foerster naar Gent voor een spreekbeurt uitgenodigd. Het was telkens een hoogfeest wanneer hij zag dat de naam van Fr.W. Foerster in staat was een keur van fijne mannen naar Gent te lokken. Frans van Cauwelaert kwam ervoor uit Antwerpen; Frederik Swarts, de Gentse ex-hoogleraar in de scheikunde, bekend wegens alle antiklerikale en antiduitse houdingen, kwam op een zondagmorgen in St.-Lukas-instituut naar de pacifist die Fr.W. Foerster was luisteren. Niemand kon het geloven doch ik heb Swarts zien zitten gnuiven bij wat hij Foerster in zijn zwaartongig Frans hoorde voordragen.

Zijn bewondering voor en vriendschap met F.W. Foerster heeft Frans de Hovre altijd gehouden. Toen de grote pedagoog na de oorlog in Amerika in berooide omstandigheden leefde en half blind geworden was, heeft De Hovre hem uit eigen beurs geholpen. Het *Vlaamsch Opvoedkundig Tijdschrift* heeft hij, zolang hij kon, als hoofdredacteur in handen gehouden en er maandelijks een geapprecieerde bijdrage over opvoedkunde en opvoedkundigen geschreven. Voor zijn tijdschrift heb ik zelf meer dan eens een artikel geschreven o.m. over *Licht- en Schaduwzijden van het Middelbaar Onderwijs ten overstaan van het Hoger Onderwijs in de Geneeskunde* en een ander over *Enuresis Nocturna, meer een opvoedkundig dan een geneeskundig probleem.*

Het nachtelijk bedwateren leidde in de oorlogstijd in veel gezinnen en gestichten tot een hachelijke situatie. Het leek vaak een echte aanstekelijke ziekte. Ik herinner mij hoe een studiemeester uit het Rijksopvoedkundig Gesticht van Ruiselede een alarmkreet slaakte met de vraag: is er niets te doen aan die overstromingsramp?

Straffen hielp niet en verergerde de noodtoestand. We hebben dan aangeraden een systeem van beloningen in te voeren voor degenen die niet in hun bed plasten. Het hielp als bij toverslag, op een schaars, echt pathologisch geval na. Tot waar de opvoedkunde in haar toepassingen leiden kan!

Frans de Hovre was een door buiten hem liggende omstandigheden zeer beïnvloedbare persoonlijkheid. Een klein tegenvallertje bracht hem van streek, met de jaren nam dit nog toe, in die mate dat hij het contact met de realiteit soms verloor en dat hij letterlijk uit de lucht viel. Dan was hij met een eenvoudig placitum of met een pilletje van mica panis weer in zijn evenwicht te brengen.

Met de diocesane overheid heeft Frans de Hovre op afstand in vrede geleefd. Geleerde kanunniken en theologen hield hij te vriend, maar de andere hield hij, en zij hem, op een eerbiedige afstand. Het heeft gemaakt dat, ondanks het reuzenwerk dat door hem voor het katholiek onderwijs en voor de katholieke pedagogiek werd verricht, hem vrij laat de titel van erekanunnik werd verleend; in 1945 als noodgedwongen en uit schaamte, niet uit de volheid des harten.

Frans de Hovre was vanaf 1930 godsdienstleraar aan de Gentse Rijksnormaalschool; daar droeg men hem, ondanks zijn priesterkleed, op de handen. Op zijn levensavond was hij geestelijk directeur aan het Heelkundig Instituut van professor P. van der Linden te Gentbrugge. Vanaf 1950 begon hij te lijden aan amyotrophia lateralis. Hij overleed te Gentbrugge op 11 november 1956 en werd te Mariakerke bijgezet. Hij heeft geen stoffelijke goederen nagelaten.

Aan deze eenvoudige priester, telg van een begaafd en kunstzinnig geslacht, die mij bijna veertig jaar op mijn levensweg heeft vergezeld, hebben mijn vrouw, mijn kinderen en ikzelf een schone herinnering bewaard. Omdat hij altijd, in lief en leed, aan onze zijde stond, blijven wij hem dankbaar.

*

* *

Het zou een onvergeeflijk tekort in deze memoires zijn, als ik niet mijn hart de dankbare bewondering liet uitspreken die ik mijn leven lang voor onze huisdokter, dokter August van Bockxstaele, gekoesterd heb.

Hij was het die mij op kerstnacht 1897 op de wereld hielp, op de voutekamer van de voorvaderlijke boerderij uit 1789. Hij heeft meer dan eens op de grens tussen mijn leven en mijn dood gestaan, en telkens heeft hij de goede kant gekozen. Hij was uit ons gezin niet weg te denken. Hij heeft mij de medische studie zien kiezen, en het stemde hem tevreden als hij vernam dat ik de weg van het specialisme opging. Telkens hij mijn vader op straat tegenkwam, vroeg hij: ,,Hoe gaat het met de kleine?''

Dokter Van Bockxstaele woonde te Ledeberg in de Nieuwstraat, op de hoek van de Steenhouwerstraat. Hij was een boerenzoon uit Massemen, en had zich in de proletarische gemeente ten Zuiden van Gent in de jaren 1880 gevestigd. Hij was van liberalen huize en speelde als schepen een rol in de politiek van zijn gemeente. De kloosterzusters waren door een vorig gemeentebestuur uit het Hospitium weggestuurd, doch toen het daar met een lekedirectie in het honderd liep, was hij de man die ervoor zorgde dat de zusters terugkwamen.

Zijn huis lag op een half uur van het onze, maar hij was op het eind van de negentiende eeuw de dichtstbijwonende geneesheer. De Gentbrugse Arsenaalwijk was, omwille van haar ligging, meer op Ledeberg dan op Gentbrugge als ekonomisch hinterland aangewezen; alleen op bestuurlijk gebied hadden wij, Arsenaalbewoners, iets met Gentbrugge te maken. En zo was dokter van Bockxstaele de geneesheer van Gentbrugge Arsenaal, onder meer omdat hij gemakkelijkst te bereiken was.

Huisartsen verdienden, voor en na de eeuwwisseling dubbel en dik hun naam, omdat ze ten huize van hun patiënten gingen. Wie ziek was, ging niet naar de dokter, maar liet de dokter aan huis komen; als men zelf naar de dokter kan gaan, is men toch niet ziek! Het was in zekere mate een onberispelijke logica.

In het jaar 1900 bezat niemand op het Arsenaal een medische thermometer, zelfs de kasteelbewoners niet, en voor medicamenten moest men weer naar Ledeberg, een half uur ver; een poedertje tegen de hoofdpijn kon men in elke kruidenierswinkel tegen zes cent (0,12 fr.) bekomen.

Dokter Van Bockxstaele hield er voor zijn visites een bespannen sjees onder kap, met een koetsier op na. Ze zaten naast elkaar, hij meestal wat teruggetrokken met zijn knieën onder een reisdeken en met gevouwen armen nadenkend voor zich uit te kijken. Zo heb ik hem honderden keren de Brusselsesteenweg en de aanpalende buurten weten op- en afrijden. Na de oorlog 1914-1918 deed hij alles te voet, een enkele keer met de tram, van Ledeberg tot het Arsenaal.

Zelf heb ik hem horen vertellen, hoe hij, in 1919 voor de eerste keer per auto, naar het verwoeste Leuven was gaan kijken; ,,Ik zat er benauwd op, zo zeer rijden!''

Dokter Van Bockxstaele was te Ledeberg en te Gentbrugge de volksvriend bij uitstek. Niemand heb ik ooit zo eensgezind en zo lang, als de meest geliefde man horen roemen. Hij liep niet over van gevoeligheid, dat was onnatuurlijk bij hem, maar hij straalde echte gevoeligheid uit; minzaam was hij al voordat hij een woord uitsprak, maar wat hem bovenal kenmerkte was de stiptheid waarmede hij elke oproep beantwoordde.

Hij was edelmoedig, zoals weinig geneesheren ooit geweest zijn. Hoevelen door hem, naast de medische hulp, geld en eetwaren ontvingen, weten alleen diegenen die het ondervonden hebben. Een mij bekend gezin waar hij elke dag, twee maand lang, gekomen was, ontving een ereloonnota van tien frank (in 1908) met een fles beste wijn. De boeren moesten twee frank per visite betalen. Echte nood onderkende hij; door valse nood liet hij zich niet uit zijn lood slaan. Zijn honoraria liet hij eens per jaar innen, maar het gebeurde dat men de man die ze ging ophalen, het bedrag betwistte of weigerde te betalen.

Dokter Van Bockxstaele getuigde altijd tegenover elkeen van breedheid van blik en van breedheid van inzichten; hij was een rechtschapen man. Hij had grote achting voor de godsdienst en altijd verwittigde deze niet-kerkganger zijn patiënten wanneer het tijd was de priester te halen. Wanneer hij vreesde dat zij het niet zouden doen, waarschuwde hijzelf de pastoor. Niemand heeft hem dat euvel genomen.

Men moest dokter Van Bockxstaele niet veel uitleg over een ziekte vragen, hij wuifde dat altijd behendig en vriendelijk weg. Als patiënten hem verlieten, was het omdat hij zo weinig losliet; maar wat hij zegde moest men nooit in dewind slaan, men wist dat het ernstig was. Daarom ook hielden zoveel mensen van hem, omdat men op hem staat kon maken en wist dat hij met hart en ziel aan zijn patiënten verkleefd was, hij de grote zwijger.

Hij overleed te Ledeberg in zijn woning op 30 oktober 1934; hij was tweeëntachtig jaar. Met zijn volle verstand en vrije wil, had hij de wens uitgedrukt christelijk te sterven en kerkelijk begraven te worden. Hij was geen geus. Deze huisarts van de echte stempel is niet rijk geworden. De Ledebergse Nieuwstraat draagt nu de naam van Dokter August van Bockxstaelestraat.

Slechts in 1926 heeft zich een huisarts op de Gentbrugse Arsenaalwijk gevestigd.

Een dityrambe op de huisartsen van het verleden schrijven, is een vuurwerk afsteken, en daarvoor moet het donker zijn. Ik zal het niet proberen, want ik houd van helder daglicht, dat is veel rechtzinniger.

Huisartsen zijn mensen van hun tijd. Vroeger waren er uitstekende huisartsen; nu zijn er ook, maar die van vroeger en die van nu leven in een volkomen verschillende tijd. Er loopt geen eenvoudige, zekere en onveranderlijke weg vanaf de oudere huisartsen tot de huidige, en het is een illusie te menen dat er zoiets bestaat als het ,,Endgültige''. Het verleden bekijken door de bril van het heden, is vervalsing van de geschiedenis. Er zijn geen belangrijke en onbelangrijke perioden in de geschiedenis van de geneeskunde, want elk tijdperk heeft zijn eigen beeld; dat beeld is ,,eenmalig'' en doet zich nooit meer voor. Schelden op de jongeren is een bewijs van seniliteit en onmacht.

,,De jaren brengen vele voordelen mede, die zij ons weer ontnemen naarmate wij op de terugweg zijn. We blijven verbonden in hetgeen eigen is aan iedere leeftijd, en erbij past''.

Deze Horatiuswoorden (Ad. Pis. 173) geef ik ter overweging aan hen die altijd beweren dat het vroeger zoveel beter was. Dokter August Van Bockxstaele was niet volmaakt, geen heilige, maar hij deed wat van een huisarts van voor tachtig jaar verwacht werd. Slechts wanneer wij ons ,,zijn'' heden voor ogen houden en er ons ten volle van bewust zijn, kunnen wij zijn leven en zijn werk in alle billijkheid beoordelen en begrijpen.

In de geschiedenis van de geneeskunde schuilt een boventijdelijk dynamisme dat afhankelijk is van zeer veel factoren, godsdienstige, magische, wijsgerige, politieke, artistieke, sociale, ekonomische, technische, krijgskundige enz.

Ik kan van het beeld van dokter August Van Bockxstaele in mijn geest geen afscheid nemen, zonder dat nadrukkelijk te onderstrepen.

*
* *

Te Gentbrugge waren er in het eerste kwart van deze twintigste eeuw nog een viertal huisartsen die op het Arsenaal patiënten kwamen bezoeken, maar ze woonden allen op het Center.

De meest originele in voorkomen was Dokter Em. Maesen, een soort homunculus, met subikterische huidskleur en een sik, naar het schijnt zeer geleerd. Hij liep als het ware op beefbenen en hield zijn wandelstok altijd horizontaal. Hij werd door zijn vrome zusters helemaal overvleugeld. Hij droeg de bijnaam ,,karnemelkpapje'' omdat hij elke patiënt de wonderen van dit voedsel voorzong en nooit naliet het voor te schrijven.

Dokter René van de Calseyde, een joviale vrijgezel uit de Gentbrugse Kerkstraat rechtover de Puntfabriek, deed zijn visites per fiets. Hij was een knap geneesheer, die maar honoraria liet ophalen wanneer hijzelf zonder geld zat. Ik ken gezinnen waar hij de moeder driemaal bij een verlossing hielp en waar hij nooit een ereloon heeft gevraagd ondanks tien jaar lang aandringen. Wanneer hij, al op gevorderde leeftijd in het huwelijk was getreden, is hij na de dood van dokter Van Bockxstaele in Ledeberg gaan wonen.

In 1912 kwam dokter Raymond Burvenich zich te Gentbrugge vestigen; hij was een nazaat van de tuinbouwkundige Frederik Burvenich en had een trouwe praktijk.

Van vóór 1900 woonde in de Kerkstraat Dokter C. van de Weghe. Hij bewoog zich bij voorkeur onder de Fransssprekenden, was de geneesheer van de Gentse Trammaatschappij, en had vooral militairen in zijn praktijk. Na 1918 was hij de vaandeldrager van het hoerapatriottisme en ging in 1927 te Gent wonen, omdat hij Gentbrugge een ,,village nègre'' vond.

HET GENTSE ACADEMISCH ZIEKENHUIS

Uit de periode van 1932 tot 1944 is onder de geneesheren de strijd voor het Gentse Academisch Ziekenhuis niet weg te denken. Zodra ik hoogleraar was in de Urologische Kliniek, ben ik er ambtshalve bij betrokken geweest.

Die strijd werd door de Geneeskundige Faculteit op vele fronten tegelijk gevoerd. De voornaamste drijfkracht was ontegensprekelijk Professor Frans Daels. Zonder zijn ,,slecht karakter'' en uithoudingsvermogen zou het Academisch Ziekenhuis er niet gekomen zijn. Dit is mijn innigste overtuiging.

En zonder het Gentse Academisch Ziekenhuis zouden de andere, van Leuven Frans, Brussel Nederlands, Luik niet zo vlot van stapel zijn gelopen. En zal dat van Antwerpen er niet zo gemakkelijk komen.

Gent heeft model gestaan voor alles wat op dit gebied gebeurd is, en nog te gebeuren staat.

Ik heb aan de geschiedenis van het Gentse Academisch Ziekenhuis een monografie van 85 bladzijden gewijd, en mij daar voor alleen bediend van officiële bescheiden uit de universitaire en facultaire archieven. Een communautair aspekt was er niet vreemd aan, maar ik heb gepoogd alles met de grootst mogelijke historische serenitiet te relativeren.

Deze monografie *Een epos: het Gentse Akademisch Ziekenhuis,* door de zorgen van het Verbond der Vlaamse Academici uitgegeven, verscheen einde september 1977, en is in de boekhandel te verkrijgen.

Het is derhalve overbodig in mijn gedenkschriften een hoofdstuk te wijden aan mijn ervaringen ter zake als lid van de Geneeskundige Faculteit. De lezer van de monografie zal het niet moeilijk vallen mijn aandeel terug te vinden.

Het spreekt vanzelf dat ik aan de afwikkeling van wat ik ,,een epos'' heb genoemd enkele beschouwingen, die de gebeurtenissen mij ingaven, heb vastgeknoopt. Ook die heb ik in mijn monografie neergeschreven. Men kan ze daar lezen en er zijn eigen commentaar bij geven.

De tijd heeft nog niet alles uitgemaakt wat zich in en rondom de strijd voor het Gentse Academisch Ziekenhuis heeft afgespeeld; hij zal dat later doen. Ik zal het niet medebeleven, doch wacht gerust het oordeel van de toekomst af. Wanneer allen die ermee gemoeid waren zullen dood zijn.

GEZIN EN FAMILIE

Voor de wittebroodsweken is er geen officieel eind vastgesteld, en het staat evenmin in de sterren geschreven wanneer zij voorbij zijn. Maar er komt in alle geval een eind aan. Voor mijn vrouw en mij viel dit einde samen met de thuiskomst van onze huwelijksreis.

's Anderendaags toog ik aan het werk en begon mijn vrouw met volle overgave en enthousiasme het huiselijke milieu naar zin en smaak te beredderen. We hielden het erbij dat het geluk niet elders te vinden is als het thuis niet ligt. Uithuizigheid lag in onze aard niet, en aan het gezelschapsleven zouden wij maar in zover mededoen als het onvermijdelijk was of nuttig om de zinnen te scherpen.

Een huwelijk brengt mede dat men ook elkanders familie huwt, men komt in een nieuwe wereld terecht, men moet leren leven met elkanders ouders, men krijgt zwagers en schoonzusters met hun kinderen op bezoek, nieuwsgierige en kwebbelende tantes bestaan niet alleen op papier. Door haar huwelijk had mijn vrouw niet afgebroken met haar vriendenkring en ik met de mijne ook niet. De vrienden adapteerden zich geleidelijk, zoals het netvlies dat doet aan de felheid van het licht, of ze vervreemdden stilaan door het spel van diverse factoren, waarvan de tijd de voornaamste is.

Mijn vrouw leerde beter mijn ouders met hun hebbelijkheden en hun liefelijkheden kennen. Broeders of zusters had ik niet en slechts een paar nichten kwamen sporadisch over de drempel. Om de veertien dagen gingen we zondagavonds naar Gentbrugge en vader en moeder kwamen wanneer we ze vroegen voor een huiselijk karweitje of een thuiswacht. Ze deden niets liever, ze drongen zich niet op, bemoeiden zich niet met onze zaken en keerden zodra ze konden naar de Keiberg terug. Dat schiep een prettige atmosfeer en mijn vrouw kon goed met haar schoonouders over de baan.

De dienstmeid betaalden we driehonderd frank per maand, plus kost en inwoon. Volgens de gewoonte van de tijd werkte ze zes volle dagen, had vrijaf op zondagnammiddag na de vaat, was 's avonds vóór tienen weer terug; éénmaal in de maand ging ze naar huis, van de zaterdagavond tot de maandagochtend.

Met de ouders van mijn vrouw heb ik het altijd goed kunnen stellen, al waren ze van een heel ander kneedsel dan hetgene waaruit ik gebakken was. Het waren zakenmensen die geheel opgegaan waren in de zakenwereld en daarin een zelfstandige positie hadden veroverd; ze hadden het niet altijd onder de markt gehad.

Het dragen van zware verantwoordelijkheden tegenover een groeiend aantal werknemers en het aangaan van gevaarvolle risico's om zichzelf in stand te houden en de anderen niet in de ondergang mede te slepen, hadden toch bij mijn schoonvader een zekere ingeboren weke gemoedskern gaaf en onaangeroerd gelaten. En wanneer mijn schoonmoeder, die vanaf haar huwelijk aan de zijde van haar handeldrijvende man had gewerkt, tegenover haar kinderen stond, was zij heel en al moeder.

Leon Scheerders was uit een oude Wase stam in 1874 te St.-Niklaas geboren. Vader Frans Scheerders dreef met zijn vrouw Hortensia Nijs een brouwerijtje met herberg, maar was over kop gegaan en tamelijk vroeg gestorven. Grootvader Frans Scheerders was geneesheer die er ook de brouwersstiel bij deed. Diens vader Augustinus Scheerders was als geneesheer te Gent in 1828 gepromoveerd.

Leon was de oudste van de tien overlevende kinderen van Frans Scheerders; hij had geen gemakkelijke jeugd gekend. Ondernemend van aard schrikte hij voor geen werk terug en hij kon het niet nalaten tien zaken tegelijk aan te pakken.

Pas gehuwd kreeg hij op het stoomtrammetje van St.-Niklaas naar Kieldrecht en Doel een baantje van ,,kaartjesknipper'' en wist het zo aan boord te leggen dat het trammetje in één moeite ook zijn eigen boodschappen deed, en hij als verbindingsagent tussen de langs het spoor wonende personen, dienstjes opknapte. Tegen vergoeding natuurlijk.

Zijn vrouw deed ondertussen in de kolen, nam er bouwmaterialen bij en zo ontstond een handelszaakje dat gaandeweg aangroeide en de kaartjesknipper ervan overtuigde dat daarmee meer te verdienen viel dan met de plaatskaartjes op de Doelse stoomtram te kontroleren.

Mijn schoonvader was een zwaargebouwde man van 1,82 m.; naast mijn eigen vader met zijn 1,65 m. leek hij wel een reus. Toen ik hem het eerst ontmoette, droeg hij een snor die hij later heeft afgeschoren. Zijn zwarte haarbos is vrij laat uitgedund; in zijn grijze ogen speelde schalksheid. Wanneer hij plezier had, lachte heel zijn aangezicht mee. Zijn 112 kilo bemoeilijkten zijn gang en die zwaarlijvigheid heeft hem veel lichamelijke last berokkend. Hij had een uitstekende maag, at graag veel, dronk zelden wijn en verafschuwde sterke drank; geen tienmaal heb ik hem een pijp zien roken, hij vergat eraan te trekken om ze aan te houden.

Zolang ik hem gekend heb, leed mijn schoonvader aan hoge bloeddruk; nooit tenzij de allerlaatste dagen van zijn leven (mei 1937) heb ik bij hem een bloeddrukcijfer lager dan 220-130 mm afgelezen. Deze hypertensie, blijkbaar zonder organische oorzaak in de beginne, eiste een zware tol van zijn bloedsomloop, lever en hersenen. Hart- en longwerking waren sterk beladen en maakten hem met de jaren het leven tot een last. Veel geneesheren heeft hij daarvoor geraadpleegd en bergen medicamenten geslikt. Vruchteloos. Geestesinspanningen kon hij dan niet lang volhouden, en wanneer hij neerzat, dutte hij onmiddellijk in. 's Nachts sliep hij rechtopzittend in een zetel, blijven neerliggen kon hij gewoon niet.

In 1931, toen ik trouwde, droeg mijn schoonvader al de duidelijke gevolgen van zijn hoge bloeddruk, zijn actiefste tijd was voorbij. Hij kon de leiding van zijn uitgebreid bedrijf niet meer aan, en onder de evidentie van zijn langzaam verziekend lichaam, heeft hij de zaken voetstoots in andere handen overgelaten.

De ekonomische krisis van de jaren dertig gaven een ongunstige deuk aan zijn verzwakkende werkkracht en ondernemingslust. De autocratische vlam die in heel zijn persoonlijkheid zo fel had gebrand, sloeg soms omhoog, maar het volhouden kon hij niet. Kleinigheden en detailpunten die niet naar zijn zin verliepen, ergerden hem dat hij er tiranniek bij werd, maar brieven waaraan zware consequenties verbonden waren, legde hij opzij, vergat hij te beantwoorden en hij weigerde erover te horen spreken.

Doch de wacht was afgelost. Mijn schoonmoeder begreep de toestand en moest met gepijnigd hart toezien hoe de krachten van de reus verzwakten. Zij gaf haar zegen aan degenen die ten slotte de zaken op het goede spoor hebben geleid. Op de beheerraad van de Naamloze Vennootschap verscheen de Afgevaardigde-Beheerder nog sporadisch, maar zat er versuft bij.

Leon Scheerders heeft in de jaren van zijn hoogste welstand een uitnemende Mecenasrol gespeeld. Aan iemand die hem iets voor zichzelf of voor een ander kwam vragen, kon hij niets weigeren. Beunhazen had hij gauw door, maar toch werd hij door sluwerds beetgenomen.

Voor de armen en de verongelijkten bloedde zijn hart. De weeskinderen van St.-Niklaas, Belsele en Sinaai heeft hij, zolang hij leefde, op alle kinderhoogdagen met snoeperijen bedacht, en hen op jaarmarkten en kermispleinen aan schommels, spiegeltenten en mallemolens hun hart laten ophalen. Hoe dikwijls is mijn vrouw niet met de weesjes op de toer gegaan en heeft zij uit vaders beurs getracteerd?

Waar hij wist dat een sukkelaar nood had, ging hij erheen en maakte de man gelukkig. Op het sterfbed van een verarmde verre nicht beloofde hij voor haar twee achterblijvende dochtertjes te zullen zorgen. Hij nam ze in zijn gezin op en heeft ze uitgehuwelijkt alsof het zijn eigen kinderen waren. Wie heeft Leon Scheerders zoiets nagedaan?

Voor alle Vlaamse, culturele en filantropische instellingen van het Waasland en verre daarbuiten ging zijn beurs open. Kunstenaars heeft hij ondersteund door hun werken te kopen zonder op de kunstwaarde veel acht te slaan, doch louter uit mensliefvendheid. Het bestuur van het Vlaamse Volkstoneel vergaderde in de Mercatorstraat nr. 24 en kon rekenen op alle hulp. De zo kunstige programma's van zijn opvoeringen werden in de drukkerij van Leon Scheerders ontworpen, gerealiseerd en door hem betaald. Van de fanfare De Kunstvrienden was hij de erevoorzitter, en iedereen weet wat zulks betekent. Voor de Koninklijke Turngilde liet hij een oefenzaal bouwen, en voor de Zwemclub legde hij in de waterputten van zijn steenbakkerij de eerste volledige zweminrichting van St.-Niklaas aan.

Voor het helpen bekostigen van zijn kankeronderzoek deed professor Frans Daels een beroep op Leon Scheerders. Het was niet vergeefs, want op een van de bijdragen van wijlen professor Emiel de Rom die over dat onderwerp handelt, wordt de begunstiger bedankt.

Hiermee doorgaan, is een onbegonnen werk. Alleen breng ik in herinnering wat Jef Goossenaerts bij het overlijden van Leon Scheerders in mei 1937 in *Wetenschappelijke Tijdingen* schreef: ,,Wat die man weggeschonken heeft, loopt in de miljoenen''.

Het was op het eind van zijn leven Leon Scheerders' grootste trots, dat op zijn fabriek nooit een werkstaking was uitgebroken om van hem hogere lonen en betere sociale vergoedingen af te dwingen. Veertig jaar na zijn dood, geldt de waarheid van die spreuk nog altijd.

Onze schoonvader kwam om de veertien dagen zijn te Gent wonende gehuwde dochters en hun kinderen bezoeken. Het was telkens een hoogfeest van vreugde voor groten en kleinen, want hij was een gul man en stond in alle Gentse snoep- en geschenkenwinkels als een goede en regelmatige klant aangeschreven. Hij deed zelf de boodschappen voor de St.-Niklase huishouding, en altijd viel er wat van tafel en deelden we mede van het goede.

Zijn Gentse bezoeken heeft hij volgehouden tot een drietal weken voor zijn dood. Hij was al een organisch wrak en sleepte zich moeizaam voort aan de arm van wie hem ondersteunde, maar het hart van die man was veel groter dan het zware leed dat zijn lichaam kwelde. Naar Gent komen zonder zijn kinderen en kleinkinderen met een kadootje te bedenken waarvan hij wist dat het hun plezier deed, was voor hem onmogelijk.

Mijn vrouw heild dolveel van haar vader, zij was de laatst thuisgeblevene van zijn kinderen, zij heeft hem verwend en is voor al zijn grilletjes toegeeflijk geweest; hij liet zich graag koesteren en vertroetelen. Zij heeft veel aangezichtstrekken van haar vader, en heeft van hem sommige minder aangename lichamelijke gesteldheden overgeërfd.

Vader Scheerders is zijn leven lang een hoofdpijnlijder geweest en heeft solaas gezocht in niespoeders van alle slag en kleur, tot de bekende paterssnuif inkluis. Zonder blijvend succes. Dit kenmerk van het artritisme is mijn vrouw onder een andere vorm ten deel gevallen en heeft van haar een reumalijdster gemaakt, vanaf haar vijfendertigste jaar. Zo zij vele goede aardjes naar haar vaartje heeft, dan heeft zij helaas ook dat minder goede dat al zo lang haar dagen en nachten vergalt, van de pijn haar levensgezellin maakt.

*

* *

Van mijn schoonmoeder Maria Camilla Van Kerchove kan gezegd worden wat de Gentse schrijver van volkstoneel Henri van Daele, ooit als titel boven een van zijn populairste stukken plaatste: een schoonmoeder uit de duizend.

Ook zij was van een oude Wase stam, waarvan archiefsnuisteraars uit de familie de takken tot in het begin van de zestiende eeuw hebben kunnen vervolgen tussen brouwers, hereboeren en olieslagers en andere, minder fatsoenlijke, voorzaten.

Zij was geboren in 1878, te Meerdonk, in een landbouwersgezin waarvan de vader veel tegenslag had gekend en tot driemaal toe in het huwelijk was getreden om zich in de boerenstiel overeind te kunnen houden. Haar moeder was een Hollandse uit Nieuw-Namen, Johanna Catherina van Remoortel.

Ze was op tweeëntwintigjarige leeftijd met Leon Scheerders, de levendige oudste zoon van een kinderrijke maar centenarme brouwer in het huwelijk getreden. Het was allemaal begonnen op de buurttram van St.-Niklaas naar Doel, die niet zover van Meerdonk passeert.

Zij was een flinke vrouw met welige maar vroeg grijzende haren. Handel drijven had ze gauw van haar man geleerd, en was haar ten slotte tot een tweede natuur geworden.

Van de kinderen die zij samen kregen, hebben zij er vier behouden en tot volwassenheid opgevoed tussen al de wederwaardigheden van een gevuld leven door. Het is hun meegevallen, maar ze hebben er hard en veel voor gewerkt.

De welstand daalt als een genade uit de hemel neer op het hoofd van een toevallig gelukskind dat zich afvraagt waar de welstand vandaan komt wanneer hij er niet op gerekend en ook niets voor gedaan heeft. Indien het geluk vergeleken wordt met een vogel die voorbijvliegt, dan is het de kunst die vogel te kunnen vangen. Maar daarvoor moet men in de vangkunst bedreven zijn, een kunst die men aanleert door oefening.

Dat was de filosofie die het zakenleven van het echtpaar Leon Scheerders-Camilla van Kerchove heeft doen slagen. Hun vangkunst bestond niet in een gok van kansspelers, maar in het berekend opstellen op de goede plaats, van goede netten die vogels konden lokken en verschalken.

Van haar kinderen en schoonkinderen heeft mijn schoonmoeder niemand voorgetrokken. Zij bezat de wondere gave elk van die acht in de overtuiging te laten dat zij of hij de eerste plaats in haar hart innam. Zij liet ons in die zoete gedachte voortleven en was gelukkig wanneer zij zag dat wij met haar voorliefde gediend waren.

Haar kantoor op de zogenaamde „kleine boulevard", Leopold II-laan, dat langs een achterpoortje met het woonhuis van de Mercatorstraat in verbinding stond, was het verzamelpunt van de meest diverse mensentypes van uren in de omtrek. Wie Madame Scheerders wenste te spreken, wist waar zij te vinden was. Daar kwamen schooiende paters en pastoors, echte bedelaars, rijke fabrikanten en arme metselaars, voerlui en chauffeurs, boeren en pensjagers, vrijers die naar de hand van haar dochters dongen, familieleden, notarissen, kortom, het meest bonte allegaartje dat men op de straten en pleinen van alle Waaslandse gemeenten kon tegenkomen.

Onder dat volkje voelde zij zich in haar schik; zij stond hen te woord terwijl ze telefoneerde, bestellingen opnam en doorgaf, een slecht betalende aannemer van bouwwerken de bol waste, een bedrieger de deur uitjoeg, vloeren verkocht en haar knechten hun werk voorschreef. Madame Scheerders moest men gaan vinden op haar bureau, niet in haar huis; op haar bureau was ze de ongekroonde koningin van St.-Niklaas, daar is ze blijven tronen tot haar negenenzestigste jaar, tot twee dagen voor haar dood.

Dat actieve leven kon ze niet laten, al deed ze het de laatste jaren wel wat stiller. Men moest haar niet proberen aan te praten dat ze ermee best zou ophouden. De huishouding liet ze al jaren in de handen van trouwe dienstboden, al hield ze alles van op afstand in het oog. Wat op de fabriek, op het ,,gelaag'' aan de andere kant van de stad gebeurde, wist ze haarfijn. Wanneer haar man gestorven was, had zij het hoge en laatste woord in alles, en geen van de schoonzoons of haar zoon zou ooit een belangrijke beslissing nemen zonder haar jawoord.

Zij was niet bang de ene of de andere van de grote bazen de jas uit te vegen. De moeials die de ,,Kleine Boulevard'' wat te min achtten en superieur zouden durven doen in de aanwezigheid van derden ten overstaan van ,,ons madam'' zette zij telefonisch op hun plaats zodanig dat het telefoonapparaat ervan schudde. Het was de uitdrukking door iemand gebruikt die het ondervonden had en zich geen tweede maal zou te buiten gegaan zijn.

Deze zakenvrouw was een vrome ziel, die bijna elke dag in de nabijgelegen paterskerk de mis bijwoonde, zeer nederig leefde en wier linkerhand niet wist wat haar rechterhand wegschonk. Maar een onderpastoor die kwam schooien om een ,,reisje'' naar Frans Lourdes voor hem te betalen, kreeg geen cent. Verwaande dames die met veel zwier voor een haar onbekend ,,goed werk'' vanuit Antwerpen of zo even binnenliepen op haar bureau, gaf ze de buitenwacht.

Van mijn schoonmoeder die ik diep bewonderde, heb ik altijd veel gehouden. Wie de ondergrond kent van wat in het gemoed van iemand omgaat, over 's levens tegenheden en beproevingen nadenkt, en dan de som opmaakt van wat de echtgenoten Leon Scheerders-Camilla van Kerchove moedig hebben gedragen, kan niets anders dan genegenheid koesteren voor de vrouw die alles ter wille van haar kinderen heeft goedgevonden.

Met haar man kwam mijn schoonmoeder regelmatig op ,,Gents'' bezoek. Ze ging van de Kwaadham naar St.-Pietersnieuwstraat, de tongen en de harten hadden dan tijd tekort, ze droeg de zorgen en de vreugden die de onze waren mee naar huis, en liet telkens niets anders achter dan het zoveelste bewijs van haar grote genegenheid. Dat heeft geduurd zolang haar man leefde, en daarna nog negen jaar, tot ze, na een ziekbed van twee dagen, op 19 juni 1946 aan de gevolgen van een beroerte overleed.

VERWACHTINGEN, TELEURSTELLINGEN, TREURNIS, VREUGDE

Nadat ik zoveel over het andere en de anderen heb gesproken, wordt het de hoogste tijd voor het relaas van hetgeen in eigen familieleven, na ons huwelijk in 1931, is voorgevallen, Ik heb dit relaas opzettelijk uitgesteld om het beter te kunnen projekteren op de achtergrond van wat zich tijdens twee lustra in de wereld om ons heen had afgespeeld.

Daartegenover lag een binnenwereld van innigheid, de reden van ons bestaan en de spil waarrond alles wentelde. Deze binnenwereld behelsde niets anders dan hetgeen twee getrouwde mensen met hun hele persoonlijkheid aan intieme hoop en verlangens hadden samengebracht. Op de volle beleving van die persoonlijkheid wilden wij al het andere afstemmen en daartoe de middelen aanwenden die ter beschikking stonden, materiële, lichamelijke en geestelijke middelen die wij volgens inzicht en levensbeschouwing naar best vermogen zouden te baat nemen.

Een eerste hoop op zwangerschap was in de maand mei 1931 door een spontaan miskraam verzwonden. Mijn vrouw werd thuis verzorgd na een curettage onder narcose (prof. N. Goormaghtigh en dr. P. Bert). We kwamen de teleurstelling gauw te boven. Elk zegde dat wij nog jong waren en dat het de volgende keer wel zou meevallen.

We gingen stilzwijgend akkoord en legden er ons op toe om die meevalswensen in een nieuwe zwangerschap om te zetten. Toen deze zich aanmeldde, berekenden wij dat het blijde gebeuren voor de maand april 1932 zou zijn. De familievriend, dokter Leonce van Damme, werd aangesproken; hij zou de zwangerschap begeleiden en de verlossing op zich nemen.

De herfst- en wintermaanden werden door de voorbereidingen in beslag genomen. Mijn vrouw droeg de zwangerschap zonder grote bezwaren. Zij bloeide open zoals elke normale jonge vrouw die blaakt van levenslust wanneer zij voor de eerste keer de vrucht in haar schoot voelt bewegen. Elke gelukkige geboorte waarvan zij hoorde spreken, stimuleerde het verlangen naar een eigen kind.

Op 4 augustus 1931 werd ik door mijn zwager te zes uur in de ochtend opgebeld om naar zijn vrouw te komen zien. Zij had pijn en haar verloskundige, dokter Basteyns, zat op het platteland onbereikbaar vast. Ik met de fiets en een minimum van instrumenten daarheen.

Het was gemeend, het begon zelfs te spannen. De bestelde baker was niet gewaarschuwd, alles lag klaar in laden en kasten, maar de bezorgde echtgenoot wist van toeten noch blazen en ik had meer dan mijn aandacht en mijn handen nodig om de haastige baby in goede voorwaarden op te vangen en de kreunende moeder te verzoeken niet te hard te duwen.

En toen was opeens de spartelende en schreiende dochter daar, het zesde kind van het gezin De Schrijver-Scheerders. Alles was perfect verlopen, zonder één scheurtje. Twee mannen hadden het allemaal op een onberispelijke wijze voor mekaar gebracht. De dochter werd, veilig en warm met haar stukje ondergebonden navelstreng, in een luier en een deken gewikkeld, in de armen van de gelukkige moeder gelegd. De kraamvrouw werd verpleegd volgens alle regelen van de kunst en nu kon de heer des huizes met de wagen de baker gaan halen.

Een half uur later was ze daar. Ze sprak haar bewondering uit voor de manïer waarop twee mannen, wier handen voor alles altijd verkeerd staan, zo'n kunststuk hadden opgeknapt.

In de familie van mijn vrouw werd hartelijk gelachen om het verlossingsavontuur dat haar zuster overkomen was. Thuis hebben we onder elkander gehoopt dat het bij ons, zo niet even snel en theatraal, toch even voorspoedig voor moeder en kind zou verlopen.

Weken lang was ik getuige van besprekingen over de stof van slabbetjes en kinderluiers. De oma's breiden kousjes en lijfjes. Er werd naar het beste model van navelbandje geïnformeerd. Vader Scheerders was al vanaf de vierde maand op zoek naar een wieg want die keus had hij voor zichzelf gereserveerd. De wieg moest er tijdig zijn, concludeerde hij, want het matrasje en de dekentjes moesten naar de maat van de wieg worden gemaakt. De wieg kwam er bij de eerste gelegenheid; ze was te Temse, het mandenmakersdorp aan de Schelde, vervaardigd.

Het was een vierpotig monumentaal stuk met een hemel bovenop, kunstig gevlochten uit wijmen. Ze zou door de aanstaande moeder belegd en versierd worden in de passende kleuren. Intussen werden hemdjes besteld, en het matrasje gevuld. We gingen naar Gentbrugge en naar St.-Niklaas zoals gewoonlijk en veranderden in niets onze handel en wandel.

Mijn vrouw had af en toe wat zwangerschapslusten; ze kon niet weerstaan aan de Reine Claude-pruimen die ze zag liggen en at een half kilootje heel alleen op. We leefden waarlijk in blijde verwachting; we vierden oudejaarsavond in de St.-Niklase huiskring. Moeder Scheerders was gelukkig dat we kwamen en zat op haar loggia uit te kijken naar het station wanneer de trein uit Gent binnenliep. Dat al haar kinderen er waren, bracht haar en haar man in een aangename stemming.

Mijn vrouw was de enige van de Scheerders-dochters die toen in blijde verwachting was; de andere kwamen met ervaringen en goede adviezen de familiale atmosfeer met een obstetrische geladenheid opsmukken. De mannen zaten erbij te luisteren en te kijken als uilen op een kluit, alsof ze volkomen vreemd waren aan hetgeen de dames zo intensief bezighield.

Om de veertien dagen gingen we naar de Gentbrugse Keiberg, waar we ons telkens aan de produkten van moeder Julies wafelbakkunst te goed deden. Wat we niet op konden krijgen, namen we mee naar huis.

Mijn vrouw was intussen de ziel van onze huiskamer; ze ontwikkelde met grote zorg en vlijt haar bekwaamheden als keuken- en naaldprinses, beantwoordde telefoontjes en leefde zich in in alles wat haar man over beroeps- en laboratoriumbezigheden vertelde. Samen gingen we al eens op boodschap. Zij was trots op haar toestand en ik liep ernaast als een openbare demonstratie van viriele manhaftigheid.

Dat mijn vrouw thuis beviel, sprak vanzelf, het lag in de gewoonten. Bij haar zusters was alles op wieltjes gelopen en er was geen enkele reden om te vermoeden dat er iets verkeerds met haar aan de hand was. Reakties op eiwit en suiker waren negatief en de bloeddruk vertoonde geen afwijkingen. Met zorg was alles klaargemaakt en op ons dienstmeisje konden we staat maken.

De keus van de baker was geen probleem, het kon niet anders of het zou Marie van Belle zijn. Zij was een bekend Gentbrugs figuur uit de Bruiloftstraat, zelf de dochter van een eerzame baker van Brugse origine, gehuwd en gediplomeerd in haar vak; zij had de zuster van mijn vrouw en nog een paar andere familieleden, tot in Brussel toe, bijgestaan: een waardevol familiestuk.

Ze nam aan, noteerde de berekende datum en verstrekte aan de aanstaande moeder vele nuttige wenken over sluitspelden, wasdoeken enz. Mij kende ze sinds mijn eerste broekjaren. Men kon ze oproepen op het telefoonnummer van Het Duifken, de stamkroeg van haar man Amedee van Hoorde. Haar koffertje stond dag en nacht klaar en binnen het kwartier kon ze ter plekke zijn.

Marie van Belle was wat men ,,een ferm vrouwmens'' noemt, bescheiden als 't moest, wel opgevoed, ze kende haar wereld en was niet op haar tong gevallen; ze was netjes op haar persoon en op haar handen. Elkeen was uiterst tevreden geweest over haar diensten en geen enkele van de dokters met wie ze gewerkt had, had haar ooit enige opmerking gemaakt. Zelf was zij opgetogen dat ze dokter Leonce van Damme kon bijstaan; nog nooit had ze met hem gewerkt, maar veel met lof over hem horen spreken. Wat konden we beter wensen?

*

* *

Op vrijdag 9 april 1932 wees alles erop dat de geboorte van ons eerste kind op til was. Volgens de berekening van de beroepsmensen was het lichtjes over tijd. Marie van Belle was present. Dokter van Damme zei: ,,Lengteligging, hoofd vooraan, nog geen indaling, harttonen goed, zal niet vlug gaan, flinke weeën''. Het ging inderdaad niet vlug, hoewel de weeën goed doorzetten.

Na vierentwintig uur nog geen indaling van de schedel, maar de opening was volledig. Wachten op de indaling. Weeën vallen een tijdje stil, beginnen opnieuw. Mijn vrouw is moedig, voelt zich afgemat. Nog altijd geen vooruitgang. Dokter Van Damme blijft in huis, lost geen woord van wat hij denkt. Er is lichte temperatuurverhoging, de harttonen van de vrucht blijven goed, hoewel lichtjes versneld. Wachten.

Tijdens de nacht van zaterdag op zondag 11 april zei dokter Van Damme dat hij graag het advies had van zijn chef Professor Daels die hier op vijftig meter vandaan woont. Hij telefoneert hem om drie uur. Wat is dat? Het maakt me ongerust, maar ik laat niets blijken aan mijn vrouw; zij is blij en hoopt op een oplossing.

Daels komt. Hij heeft de twee beruchte valiezen mee: een met etiket ,,normale verlossing'', een met etiket ,,abnormale verlossing''. Daels onderzoekt. Nog een uur wachten op de indaling. Daarna verlostang; indien dit niet lukt, kering en uithaling.

Mijn onderzoekstoel wordt van beneden naar boven gebracht. Daels zit een uur te knikkebollen in een diepe zetel op mijn bureau naast onze slaapkamer, waar mijn vrouw regelmatig weeën heeft. Het uur gaat voorbij, geen indaling. De beslissing valt. Het is een zwaarwichtig moment. Mijn vrouw is zeer moedig: ,,Asjeblief, professor, een levend kindje''. ,,Ja zeker, mevrouw''.

Ze wordt op de onderzoekstoel-verlosstoel geplaatst, dokter Van Damme dient chloroform toe. Daels legt een hoge Kjellandtang aan, vat zeer vlot de schedel. Hij trekt, eerst zacht, dan sterker, spant zich in. Niets baat, de schedel komt niet door. Kindstonen versnellen.

Het wordt een kering-uithaling. De kering, onder diepe narcose, slaagt, de voeten, de romp, de armen worden gemakkelijk ontwikkeld. Het is een groot kind, luidt de konklusie. Maar de schedel komt niet door de bekkeningang. De fatale vier minuten verstrijken in hopeloze pogingen. De navelstreng klopt niet meer.

Daels vraagt steriel water om het kind te dopen; op het hoofd is onmogelijk, dan op de hals en de schouders. Geen andere oplossing dan een perforatie. De wrede schaartang doet haar werk. Het gruwelt mij; ik heb een gevoel van afgrijzen, ik denk luidop aan mijn vrouw. Wat een cataclysme is op ons neergekomen.

De schedel komt te voorschijn, doorboord aan het achterhoofd, het volmaakt regelmatig aangezicht is gaaf. Wat een pracht van een kind, vier kilogram, tweeënvijftig centimeter, een meisje. Het is vier uur in de morgen 11 april 1931.

Wanneer de moeder enigzins wakker en bewust wordt, luidt haar eerste woord: ,,Wat is het, is het goed gezond?'' Een tweede akelig ogenblik. We sussen haar en zeggen dat men zich beneden inspant om het kindje bij te brengen, zij gelooft het niet. Is het dood? Neen, maar zeer verzwakt.

Professor Daels heeft alles gedaan wat volgens de regelen van de wetenschappelijke verloskunde kon worden gedaan; we hebben geen wrokgevoelens jegens hem. Dokter Van Damme blijft een paar uren bij ons, troost mijn vrouw; hij is duidelijk onder de indruk. Ons dood kindje wordt door de baker aangekleed, in zijn wiegje in de salon gelegd.

Naarmate de moeder meer tot het bewustzijn kwam, drong het tot haar door dat er met haar kindje iets fataals gebeurd was. Zij vergat haar eigen pijn en ongemakken en wilde ten allen prijze het wichtje zien.

In de loop van de morgen brengen de baker en ikzelf het bij haar. Zij neemt het in haar armen: ,,Al koud!'' gilt zij. Zij streelt het lang, aait zijn haren, bekijkt het mooie aangezichtje en zoent het. Hoe koud! De perforatiewond op het achterhoofd is gelukkig aan haar aandacht ontsnapt. De handjes en de voetjes kan ze niet loslaten. De strikjes aan de armpjes en de knietjes worden honderdmaal betast en het witte mutsje honderd keren rechtgezet. Taferelen die ik nooit vergeten kan.

Van het dode lichaampje afscheid nemen is de zwaarste kramp voor haar moedergemoed. Na het ultieme kruisje achtervolgt ze het wiegje met haar betraande blikken tot de deur: Pas op, dat het niet valt, waarschuwt ze nog de baker.

Ik had de ouders van mijn vrouw telefonisch gewaarschuwd. Ze wisten niet dat de verlossing aan de gang was en waren één treurnis toen ze de droeve afloop vernamen. Hun eerste reaktie was: aan Adrienne is er toch niets overkomen? Ik kon ze gerust-stellen.

Ze kwamen in de late voormiddag en waren diep onder de indruk. Het weerzien van moeder en dochter was hartverscheurend. Ze aanhoorden met verstomming het trieste verhaal, keken naar ons dode dochtertje in de met zoveel liefde opgetooide wieg, en keerden terug naar St.-Niklaas met een pak leed te meer.

In de loop van de namiddag ging ik mijn ouders te Gentbrugge op de hoogte brengen van het gebeurde. Ook zij waren hun teleurstelling niet meester; mijn vader was op het peterschap van zijn eerste kleinkind zo gesteld en gaf zich maar traag rekenschap van wat er voorgevallen was. Moeder bad. Ze kwamen op bezoek en het was beiderzijds opnieuw het trieste relaas en het eindeloos aanschouwen van het dode wicht.

Voor mijn vrouw was de schok hevig. Zij was fysisch uitgeput en in haar gemoed was een diepe wond geslagen. Hoe zal zij dat te boven komen? Professor Daels bezocht haar geregeld; zij dankte hem voor wat hij gedaan had. Dokter Van Damme volgde nauwgezet de evolutie van het puerperium dat buitengewoon zwaar was. De koortsen bleken, na bacteriologisch onderzoek, niet aan kwaadaardige streptokokken toe te schrijven, maar na alles wat de baarmoeder te verdragen had gehad, zou het wonder geweest zijn als alles van een leien dakje liep.

Op de Burgerlijke Stand waar ik met een attest: ,,overleden door baringsverwikkelingen'' 's anderendaags naartoe ging, kon een doodgeboren kind niet op het trouwboekje ingeschreven worden. We wensten ons kindje te begraven op het Zuiderkerkhof buiten de Heuvelpoort, omdat dit het dichtst bij ons huis lag. Twee dagen later voerden wij het lijkkistje met ons dochtertje, voor wie we de voornaam Anna hadden bedacht, naar de St.-Pieterskerk, voor een korte zinking, en daarna naar de begraafplaats, waar het in de aarde werd gelegd.

Mijn vrouw had gevraagd een tresje haar te snijden van het dicht begroeide hoofdje. Ik heb het met veel piëteit gedaan. De zwarte lokken hebben we bewaard en nog dikwijls met vertederde handen aangeraakt. Het is het enige stoffelijke getuignis van het korte bestaan op de wereld van het diepbetreurd wezen dat nooit het levenslicht mocht aanschouwen.

Na drie weken was mijn vrouw weer te been. Ze deed, met de baker, haar kerkgang. Toen ze thuiskwam zonder kind, voelde zij eens te meer de diepte van haar teleurgestelde verwachting. Dat maandenlang gekoesterde verlangen, al die zorgen, al die voorbereidingen, al die pijnen van een zware bevalling, al die naweeën, en dan niets, niets, niets ...

We hebben samen ons leed gedragen. De anderen waren zo lief er ons niet aan te herinneren. De tijd kan veel uitwissen. Een man verkropt veel en slikt zijn smart gemakkelijker. Bij mijn vrouw dringen de tranen na dertig en veertig jaren nog naar de ogen, wanneer zij aan ons eerste kindje terugdenkt. Ze kan Vondel nazeggen: wat op 's harten grond leit, dat welt me naar de keel.

*

* *

Het leven hernam zijn gang, het houdt met de doden geen rekening. Samen met mijn vrouw bezocht ik dikwijls het graf van ons dochtertje. We lieten er een arduinen epitaafje op aanbrengen met de volgende tekst: ,,Aan ons teerbemind dochtertje Anna Elaut, geboren en overleden te Gent op 11 april 1932''. Het staat er in 1977 nog en telkenjare brengen we op Allerheiligen witte chrysanten en bidden we samen, naar oude gewoonte, de vier akten voor het kindje van wie we nooit een klank uit zijn mond of een blik uit zijn oog opgevangen hebben.

De praktijk eiste me op en de huishouding nam mijn vrouw in beslag. We schakelden ons naar best vermogen weer in in het raderwerk van het dagelijkse leven, ontmoetten familie en vrienden, bezochten St.-Niklaas en Gentbrugge, maakten uitstappen en poogden zoniet opgeluchte dan toch normale mensen te worden. Het viel mee. We vonden veel begrip en de tijd deed zijn werk.

Het obstetrische aspect van het gebeuren dat in ons jong huwelijksleven een diepe wonde had geslagen, kon in de medische kringen waar ik beroepshalve in verkeerde, niet onbesproken blijven. Het werd op een bescheiden wijze onder ogen gezien, van alle kanten realistisch-wetenschappelijk beoordeeld.

Niemand kon kritiek uitbrengen op de manier waarop de geboorte geleid werd. De oorzaak werd unaniem aan een te nauw bekken toegeschreven. Een radiologische of andere manier om de bekkenmaten vast te stellen, werd illusionair niet ter zake dienend geacht. Die maten zijn onveranderlijk. En wie is meester over de afmetingen van een foetale schedel? Ik met mijn brachycefale kop zit er voor iets tussen, maar degene die daar voor aansprakelijk is, kon vooralsnog niet worden beïnvloed.

Wanneer ik dat ondereen met mijn vrouw overlegde en wij onze toekomstverwachtingen afwogen tegen de door de moderne verloskunde geboden kansen op een levend kind, stelden wij onze hoop op de bekwaamheid van degenen in wier handen we de oplossing voor het gestelde probleem wilden laten.

We staken ons licht op daar waar een ernstig advies te verwachten was. Professor Van Rooy die op een Gents Congres aanwezig was en aan wie ik de aangelegenheid voorlegde, zegde zonder aarzelen: Partus arte prematurus op acht maand, een ballonverlossing. De Leuvense professor Rufin Schockaert liet me zelfs niet uitspreken: ballon van Champetier de Ribes op een goede acht maand, kom naar Leuven en acht dagen nadien gaat uw vrouw met een gezond kind naar huis. We lieten de gedienstige Schockaert praten, en knoopten het advies van de ervaringrijke man in onze oren.

Met Leonce van Damme en Professor F. Daels werd de zaak meer dan eens aan een kritische beoordeling onderworpen; zij ook waren de mening toegedaan dat bij een volgende zwangerschap een kunstmatige vroeggeboorte de meest wijze oplossing was. Wij zouden het aldus zonder verder commentaar aanvaarden; een keizersnede werd door niemand in de gegeven omstandigheid overwogen.

De zomer van 1932 ging voorbij. Fysisch was mijn vrouw goed hersteld, haar blij karakter en jeugd hielpen haar vreugde scheppen in het leven en in de vooruitzichten van de toekomst. We kwamen onder de mensen en deden als pasgehuwden. We haakten elk een woltapijt, legden treffertjes met de kaart en wanneer ik 's namiddags op het laboratorium zat, ging zij graag naar de bioscoop. Wanneer er een mooie film liep, is het gebeurd dat zij 's avonds nog eens, maar dan met mij, de bioscoop bezocht.

We maakten een driedaags reisje mee, door het Algemeen Vlaams Geneesheren Verbond naar de firma Bayer georganiseerd en beleefden veel pret aan het gezelschap. We voeren op de Rijn, logeerden te Keulen, bezochten de Drachenfels en kwamen onder de indruk van het enorme bedrijf te Leverkusen.

Het was de tijd dat onder de Vlaamse geneesheren het ordewoord werd verspreid de Franspratende handelsreizigers de deur uit te wijzen indien zij geen Nederlands spraken wanneer het hun gevraagd werd. Het baarde nogal opzien. En wanneer we aandrongen op Nederlandstalige reklamedruksels kon men ons niet terwille zijn: bestonden gewoon niet, niemand vroeg ernaar. Wij wel. Geen Vlaams, geen centen!

De balorigen maakten van hun neus, maar degenen die meer zin voor zaken hadden zonden Nederlandssprekende directeurs die begonnen met te zeggen dat we niet helemaal ongelijk hadden, dat ze de aangelegenheid aan de hogere bazen hadden voorgelegd. En of wij zouden bereid zijn, tegen betaling, de prospectussen in het Nederlands te vertalen. We waren gevangen en konden moeilijk weigeren, want geen enkele firma kon instaan voor een feilloze Nederlandse tekst.

Dat het tegen betaling was, lokte ons aan. Wie staat afkerig van eerlijk verdiende centen? We konden ze gebruiken.

Ik aanvaardde het vertaalwerk, tegen vijftig frank per bladzijde. We kregen van meer dan één firma druksels toegezonden. Het was geen opbeurend werk, maar we vonden het niet slecht betaald. Mijn vrouw dicteerde wat ik eerst geschreven had, en ik klopte met twee vingers op onze ouderwetse schrijfmachine. Dat bracht een nette stuiver op.

Het is gebeurd dat we vierhonderd frank op één zondagnamiddag verdienden. Wanneer het ereloon veertien dagen nadien betaald werd, besteedden we in een keurig restaurant de hele winst van die zondagnamiddag aan een fijn menu. We vonden het prettig en we hadden de Vlaamse zaak en onszelf een dienst bewezen.

Een nieuwe zwangerschap bleef niet uit. We hadden goede hoop en berekenden de dag waarop een levend kind onze verwachtingen vervullen zou: midden juli 1933, maar als we akkoord gingen met het opgezette plan van de kunstmatige vroeggeboorte, zou het omstreeks 20 juni zijn. We bespraken het met Leonce van Damme en het werd aan Professor Daels voorgelegd. Hij vond het goed en nam er notitie van.

Marie van Belle werd besteld en de ritus van de voorbereiding op gang gebracht: wieg, navelbandjes, mutsjes. Het was de activering van een sluimerende, nooit onderdrukte drang naar zelfbevestiging in de samenleving, wij wilden volstrekt niet als een paar lediggangers naar de passieve afwerking van een carrière toevloeien, we wilden ten allen prijze een stuk protoplasma van onszelf zien voortleven, ons part opnemen in de integrale biocosmos. Daarvoor waren we getrouwd, daarvoor hielden we van elkaar. Deserteren voor die roeping zou lafheid zijn. Neen, dat niet!

Waren we dwepers, naievelingen, onnozele achteropgebleven romantische dagdromers in een toestand van verlaagd bewustzijn, zwakzinnigen? Het kon ons niet deren en we kwelden ons niet met introspectie. We vatten het op als een bewijs van zelfwaardering dat we een kind verwachtten, met inbegrip van de aanklevende immanentia die het behelsde.

,,Eigen haard is goud waard'' geeft de juiste formulering weer van de opvattingen die mijn vrouw en ik er over het bezit van een eigen woning op nahielden. Die spreuk concretiseert en symboliseert zoveel in het sociaal en ekonomisch bestel, door de menselijke samenleving in de loop van de eeuwen ineengetimmerd, dat het de negering van de wereldgeschiedenis en van de fundamentele normen van onze Westerse cultuur zou betekenen, als wij het niet op het bezit van een eigen woning zouden aanleggen.

We huurden het huis in de St.-Pietersnieuwstraat van professor-emeritus en mevrouw Henri Pirenne die te Ukkel-Brussel woonden. In de huurovereenkomst was bedongen dat wij het pand bij voorkeur konden kopen tegen 300.000 fr. Door een instinctieve drang ertoe bewogen was mijn vrouw meer dan ik, erop gesteld die optie zo spoedig mogelijk in te lossen.

Daar we geen geld hadden, verzonnen we samen hoe wij het gingen aan boord leggen.

Mijn ouders waren bereid een stuk uit hun Keibergse grond te gelde te maken tegen vijftigduizend frank. Notaris C. van de Perre van Belsele, van wie we wisten dat hij het vertrouwen genoot van kleine spaarders die een potje opzij hadden zitten, kon ons aan tweehonderdduizend frank helpen, tegen vijf procent. Hij kwam zich eerst met eigen ogen overtuigen of ons huis zoveel waard was, en klom daarvoor achttien meter hoog, tot onder de dakpannen.

Dat maakte al tweehonderdvijftigduizend frank. Het ontbrekende werd ons toegezegd door de gezusters Furnière, van oudsher dikke Gentbrugse vrienden van mijn ouders; ze zaten er warm in en wensten niet beters dan tegen een deftige rente, in vertrouwen iemand uit de nood te helpen. De berekening was rond.

De leen- en schuldbrieven werden ondertekend. Notaris Cesar van de Perre stelde, na akkoord met de Brusselse eigenaars, de verkoopakte op. Henri Pirenne en Mevrouw vergezeld van hun zoon Jacques (Jaakske met zijn fluitje) kwamen naar Belsele, en op 14 oktober 1932 werd de verkoop gesloten tegen 290.000 fr. De resterende tienduizend werden op de naam van de koperen luchters geschreven en ontsnapten derhalve aan de registratiekosten van een onderhandse verkoping.

We waren, officieel, de bezitters van een huis op een kadastraal perceel, Gent Sectie E, nr. 1622C, groot 391 vierkante meter, maar zaten tot over onze oren in de schuld. Onze ouders, beiderzijds, hadden ons dikwijls voorgehouden: wie jong schulden maakt, is rijk. Nu was het zover.

Was het niet een zotte inval van het onberekenbare levenslot, dat dit huis waar de

Histoire de Belgique in zeven delen geschreven werd door iemand die als 's lands grootste historicus beschouwd wordt, nu overging in de handen van iemand die België, zoals het door Henri Pirenne werd geconcipieerd, voor een fictie, een historisch luchtkasteel, aanziet?

Met inachtname van de volwaardige historiciteit der feiten, heb ik in 1965 voor de televisie, in de uitzending *Ten huize van,* gezegd: daar waar de geschiedenis van België geschreven werd, staat nu het echtelijke ledikant. Door mijn geest flitst een volzin, die ik deze zomer gelezen heb in de gedenkschriften van Anna de Raet, echtgenote van Max Lamberty: ,,Pirenne, die specialist van het hineininterpretieren''.

Dit alles belette niet dat de epistolaire en andere contacten die mijn vrouw en ik met de heer en mevrouw Henri Pirenne-Jenny van der Haeghen gehad hebben, buitengewoon vriendelijk waren. Zij waren voorname, zeer eenvoudige mensen, die imponeerden door hun voorkomendheid; wel viel het op dat de professor gewoon was het woord te voeren.

Wij hebben met elkaar over niets anders dan over hun, nu ons huis gesproken. Zij en hun kinderen hadden er graag gewoond, zij wensten ons veel voorspoed en gingen, onder de hoede van zoon Jacques, met hun driehonderdduizend frank Brusselwaarts. Ze namen de laatste tastbare bewijzen van hun Gents verblijf naar de hoofdstad (Ukkel) mee.

Onze woning, waarvan sinds 1930 het huisnummer driemaal gewijzigd werd — 124, 126, 130, 202 — paalde aan het De Vreesebeluik. In 1934 werd het beluik door de Staat aangekocht en gesloopt voor de bouw van de nieuwe Universiteitsbibliotheek en de Faculteit van Wijsbegeerte en Letteren. Te dier gelegenheid werd van onze tuin een gedeelte afgenomen en onteigend op 22 maart 1937, 111 vierkante meter tegen een forfaitaire vergoeding van 50.300 fr. We vonden het jammer. De resterende totale oppervlakte bedraagt thans 280 vierkante meter.

Op 20 november 1957 kregen we van het Stadsbestuur bericht dat ons huis, naast al de andere belendende percelen, opgenomen was in een onteigeningsplan ten bate van de Staat. De bedoeling was de universitaire instituten die eraan paalden uit te breiden. Er was een algemeen protest van de betrokkenen. Tot men inzag dat die uitbreiding te duur zou uitvallen en tevens onvoldoende zijn. Het plan werd opgegeven, hetgeen ons door brief van 16 januari 1967 door Ingenieur P. Zerck, bestuursdirecteur van de Rijksuniversiteit, bevestigd werd.

*
* *

We hadden ons eigen nest waarvan we de beleningen stuk voor stuk hebben afbetaald. We konden het, op de vooravond van de Tweede Wereldoorlog, het onze noemen, nadat we eenieder het zijne hadden gegeven.

De tweede zwangerschap van mijn vrouw had een even gunstig verloop als de eerste. We veranderden niets aan onze levenswijze. Met Dokter Leonce van Damme, die ruggespraak hield met Professor Daels, werd de kunstmatige inleiding van de baring op zaterdag 21 juni vastgesteld. Daels zou thuis het nodige komen doen en Leonce van Damme zou het verloop volgen.

Marie van Belle was op het appel en alles werd in gereedheid gebracht. Mijn tot voorlopige verlosstoel gepromoveerde onderzoekstoel ging naar boven op de geïmproviseerde verloskamer. Mijn vrouw had goede moed, maar kon tegenover mij niet een zekere angst van zich afzetten. Ik wuifde het geruststellend en manmoedig weg.

's Morgens vóór zeven uur stond Professor Daels met zijn twee valiezen aan de deur. De preparatieven liepen vlot van stapel en de ballon van Champetier de Ribes, wiens rol het was de baarmoeder geleidelijk te openen, werd na een eerste vergeefse poging gemakkelijk ter plaatse gebracht en met steriel water opgevuld. Mijn vrouw verdroeg het zonder pijn en werd te bed gelegd; het ingezette proces kon zijn werk verrichten. Men verwachtte het einde omstreeks vijf uur in de namiddag.

Tegen tienen viel de ballon uit en begonnen de weeën. Wat traag. Tegen negen uur in de avond was de opening volledig. Leonce van Damme gaf chloroform en Daels verrichtte de kering-uithaling. Een goed gevormd meisje werd zonder veel moeite op de wereld gehaald, het schreide zwakjes, kwam allengs meer bij. Het was een prematuur van acht maand en werd, in watten gewikkeld, aan de bijzondere zorgen van Marie van Belle aanbevolen.

Wanneer mijn vrouw uit haar diepe korte roes ontwaakte, was haar eerste woord: ,,Ons kleintje?'' Ze kreeg het in haar armen en was de gelukkigste moeder van de wereld. Och, zo kleintjes!

In de loop van de nacht hoorden wij vaak het zwakke gekreun van het kindje. We maakten ons bezorgd over zijn vitaliteit, die niet groot bleek te zijn. Marie van Belle werkte onverpoosd om het wichtje warm te houden en tegelijk de moeder te helpen. 's Anderendaags telefoneerde ik het nieuws naar St.-Niklaas; men zou in de loop van de zondagochtend op bezoek komen. In de gauwte liep ik naar een kort misje in St.-Baafs en spoedde mij naar huis; ik was niet gerust over de toestand van ons dochtertje en ging er een kinderarts bijroepen.

Toen ik te elf uur thuiskwam, waren mijn schoonouders daar. Het noodlot had op ons gewacht om toe te slaan, ik voelde de tragiek in de lucht hangen. We spoedden ons allen bij mijn vrouw waar Marie van Belle een stervend wichtje, dat zij de nooddoop had toegediend, in de armen van de huilende moeder legde.

Iedereen stond aan de grond genageld bij het aanschouwen van het pakkend tafereel: ons pasgeboren meisje dat zijn laatste levenssnik gaf in de armen van een redeloze wanhopige moeder. Ik hield mij sterk tegenover mijn vrouw, maar in mijn binnenste was het één orkaan van smart. Zondagochtend 22 juni 1933, elf uur.

In heel de familie was het een ontsteltenis en ging een groot medelijden uit naar mijn vrouw, die nog erger dan de eerste maal in haar blijde en moedige verwachting was teleurgesteld.

Voor allen die aanwezig waren, was het een hartverscheurende aanblik wanneer zij het dode lichaam van haar dochtertje een laatste maal in de armen hield en het aan de baker gaf om het in zijn lijkkistje te leggen. Omwille van dit dubbele verlies heeft zij in de loop van de jaren menigmaal gehuild en ikzelf had er mijn gemoed bij vol.

De Burgerlijke Stand schreef ook dit laatste kind niet als levendgeboren in, omdat het geboorte- en het overlijdensbewijs tegelijkertijd werden voorgelegd. We begroeven ons tweede dochtertje op het Zuiderkerkhof, waar het op twintig passen van ons eerste in de aarde werd gelegd. Op het grafje plaatsten wij een identiek cenotaafje met het opschrift: ,,Aan ons teerbemind dochtertje Maria Elaut geboren op 21 juni 1933 en overleden op 22 juni 1933.''.

Telkenjare komen we op Allerheiligen met krysanten naar de grafjes; het gebeurt nu al meer dan vierenveertig jaar.

Voor de tweede maal kwam de ontroostbare moeder zonder kind van haar kerkgang thuis. Tweemaal had een intense smart in haar hart een diepe wond nagelaten. Niet minder was ikzelf door de in-droeve verwikkeling aangegrepen, maar poogde door mij sterk te houden het zware leed van mijn vrouw enigszins te verlichten, al schreiden wij dat in de eenzaamheid samen uit.

Dank zij een uitstekende kraamverpleging en haar flink gestel, kwam de gepijnigde moeder de lichamelijke beproeving die zij onderstaan had goed te boven. Moedig, zoals weinig vrouwen daartoe in staat zijn, vatte zij haar dagelijkse taak weer aan. Samen hernamen we het ritme van ons werk en bewaarden is ons hart de schone, hoewel niet pijnloze herinnering aan de twee meisjes die een wijl als schichtige pijlen de blauwe luchten van onze verwachtingen hadden doorkliefd. Een vreemde staat bij zo iets niet stil, maar voor ons was het de meetkundige plaats waar hoop en treurnis aan eenzelfde voorwaarde, de liefde, voldoen.

Voor allen die erbij betrokken waren geweest, lag voor een volgende zwangerschap de conclusie voor de hand: keizersnede, niet als een uiterste middel in een noodsituatie, maar als de rechtlijnige oplossing. Ze vroegen zich niet af of we nog een zwangerschap gingen tegemoetzien, maar ons kennende, vonden ze het vanzelfsprekend. Wij ook.

Na twee en een half jaar huwelijk hadden we geen kinderen, en kinderloos blijven wanneer de menselijke kunst een zekere uitkomst biedt, zou lafheid zijn. We vatten het zo op en zouden ernaar handelen. Mijn vrouw aanvaardde het grootmoedig en onzelfzuchtig; we leefden in een veilige zekerheid en construeerden in onze denk- en gemoedswereld het beeld van een ideaal verlopende chirurgische operatie waarvan de uitslag niet anders kon zijn dan een voldragen kind. De geneesheren moedigden haar aan en wezen op zoveel voorbeelden die feilloos verlopen waren.

Zes maand later was de zegen daar. Men berekende: half oktober 1934. Het was opnieuw een ongestoorde zwangerschap. We gingen voor een weekje naar zee, onderwijl naar St.-Niklaas, Belsele of Gentbrugge. We leefden zeer intens de wederwaardigheden van het betwiste Daels-rectoraat mede. Mijn vrouw ging in de Minardschouwburg luisteren naar de brandrede van Roger Soenen en samen volgden we met spanning de verwikkelingen die eruit voortvloeiden.

In november 1933 stelde ik mij kandidaat voor de opvolging van de ontslagen Soenen; de benoeming kwam in april 1934. Ik moest plots op een intensief ritme de nog te doceren leerstof inhalen. Het was een race tegen de tijd, een fantastische tijd. Mijn vrouw stond naast mij en vertoonde geen enkel teken van lichamelijke of geestelijke verzwakking. In juni 1934 nam ik voor de eerste maal examen af. Omstreeks die periode was ik peter van Antoon de Schrijver en moest na de dooplunch naar de examenkamer hollen.

De voorzitter van de examenjury, Professor R. Goubau, hield mij kennelijk in de gaten; hij twijfelde eraan of ik wel de praktische examens in het Anatomisch Instituut afnam en kwam zich vergewissen of ik er was met de examinandi. Ik vond dat niet fair en vroeg hem rondweg of hij zulks voor de andere professoren ook deed, en wat hij zou zeggen als ik bij hem mijn neus zou binnensteken om te zien of hij praktische examens in de scheikunde afnam.

Hij heeft zich geen tweede maal in het Anatomisch Instituut laten zien. Zover was het gekomen dat men de flamingant Elaut niet vertrouwde en vreesde dat hij van zijn universitaire taak een grapje zou maken.

Aan mijn examenervaringen op de universiteit zal ik een apart hoofdstuk wijden. Vooralsnog kan ik zeggen dat de studenten mij onder de strengen hebben gerangschikt, van meet af aan. Zij hadden het juist gezien, want ze zijn in deze aangelegenheid onovertroffen waarnemers.

Tijdens de grote vakantie deed ik wat opzoekingen in het laboratorium van Goormaghtigh, waar ik nog thuis was. En we zagen uit naar de blijde gebeurtenis van oktober 1934.

Het was evident dat mijn vrouw zich tot professor Daels wendde voor het verrichten van de keizersnede. Leonce van Damme liep bij ons binnen wanner het hem aanstond, en we zagen elkander dagelijks.

Met inachtneming van alle gegevens werd 16 oktober 1934 als de meest gunstige dag voorgesteld. Voor ons was het goed: Marie van Belle was er niet bij, want de bevalling zou in het Ziekenhuis de Toevlucht van Maria op de Coupure plaatshebben. Op de morgen van de vastgestelde dag was de aanstaande moeder al om zeven uur ter plekke. Ze werd voorbereid voor de operatie, te elf uur.

Professor Daels verrichtte onder lokale verdoving de keizersnede; het lag zo op dat moment in zijn gewoonte. Hij werd geholpen door Leonce van Damme en in de operatiekamer was de onmisbare Zuster Guislaine doende met lapjes, zalfjes, spuitjes enz. Ik heb zelden een vrouw met zulk vertrouwen en goed humeur op een operatietafel weten liggen als mijn vrouw het deed, maar haar man moest bij haar zijn.

Zij verdroeg zeer goed de inspuitingen en slaakte een luide kreet van vreugde wanneer zij haar kind met volle keel hoorde schreien. Een meisje, flink gebouwd, drie kilo zeshonderd. Wanneer alles voorbij was, kreeg zij het een ogenblik te zien. Ze was verrukt dat het zo goed was afgelopen. Ik niet minder.

Ze werd naar haar kamer gebracht en de kleine naar de kinderkamer. Ik telefoneerde naar St.-Niklaas en ging in de namiddag het blijde nieuws te Gentbrugge mededelen. Er was overal grote vreugde.

We hebben een flinke dochter, moeder en kind maakten het naar omstandigheden goed. Het puerperium had maar een schaduwzijde: de naweeën waren buitengewoon hevig en duurden een paar dagen. Professor Daels en Leonce van Damme hadden goed te praten dat het best was voor de samentrekking van de baarmoeder, doch mijn vrouw was niet ingenomen met zo'n schrale troost.

Ondanks alle pogingen om een goede borstvoeding op te wekken, was het gauw duidelijk dat men op flesvoeding moest overgaan. Het geschiedde volgens de vigerende regelen van de Gentse Vrouwenkliniek. Het slaagde uitstekend en de jonge spruit vertoonde de meest normale gewichtscurve, met afneming in de eerste dagen, en daarna een toeneming die men niet beter wensen kon.

Onze dochter, geboren op 16 oktober 1934, werd gedoopt door de directeur van het ziekenhuis op 19 oktober daarna. Ze kreeg de namen: Anna Maria Camilla Gustaaf. Mijn vader was peter, de moeder van mijn vrouw was meter.

Twee weken na de geboorte werden moeder en dochter in de St.-Pietersnieuwstraat verwelkomd. Voor ons allemaal begon een ander soort leven dan hetgene waaraan wij al meer dan drie jaar gewend waren geweest, een ander ritme in huis, een andere werkverdeling, met 's nachts meer dan eens een huilpartijtje. Ons kind stond nu centraal, niet de vader, niet de moeder, maar de kleine meid. We deden ons werk en waren tevreden te mogen opgaan in de plichten van onze staat.

Die staat was voor mij de praktijk die aardig toenam en mijn universitair werk dat mij dagelijks veel hoofdbrekens kostte. Voor mijn vrouw bestond die staat in het klaarmaken van de dagelijkse flessen met een Soxhletapparaat, in het droogleggen van de baby, in het regelen van de was en de huishouding. We waren al aan onze derde dienstmeid en die afwisseling was niet van die aard dat ze de taak van mijn vrouw verlichtte. Maar zij sloeg zich wonder doorheen de moeite en de zorg.

Ons dochtertje gedijde op haar fles; ze werd gewassen, gebaad en gewogen, door dokter Jozef Bayaert gevaccineerd; ze taterde, huilde, kwijlde, lachte, boerde, plaste en ontlastte krachtens de eeuwige voorschriften van Moeder Natuur. Ze werd door haar moeder op St.-Pietersplein en in het Stadspark gelucht en rondgereden. Zelfs mijn moeder zag er niet tegen op met de kinderwagen haar kleindochtertje bij goed weer een luchtje te laten scheppen.

In de maand juli 1935 werd ik opgeroepen voor de zoveelste kampperiode te Leopoldsburg-Berverlo en kwam terecht bij een regiment jagers te voet. Ik telefoneerde op een avond naar huis, en 't eerste dat mijn vrouw antwoordde was: ,,De kleine heeft haar eerste tandje''. Na negen maand. Ik was haar een hele uitleg verschuldigd waarom het zo laat kwam. In de grond wist ik ook niet waarom.

Meer dan billijk was, werd de kleine 's nachts door haar moeder verwend. Bij het geringste kuchje, gegaap of strekbeweging was ze wakker en stond naast de wieg om te zien wat er haperde. Prikkelbaar gemaakt door de kwade ervaring met twee overleden kinderen, was de moeder behept met een angstgevoelen dat er iets verkeerds aan de hand was, dat ze elk geruchtje dat uit de wieg kwam, als een alarmkreet beschouwde. De onovertroffen, onvergelijkelijke moeder.

*
* *

Na lijden komt verblijden en na regen zonneschijn. We hadden graag dat verblijden en die zonneschijn voortgezet, in zover het in dit ondermaanse mogelijk is. Om dit gewaardeerde doel te verwezenlijken, moest men medewerken met de Voorzienigheid en daartoe de nodige middelen gebruiken. De middelen hadden wij ter beschikking en ze ongebruikt laten, zou zonde zijn.

Mijn vrouw heeft altijd van veel kinderen gedroomd en ze wist dat ik haar daartoe wilde helpen. Haar oudste zuster had er vier, haar Gentse zuster had er acht. Wijzelf hadden ons best gedaan en bewijzen geleverd dat het ons ernst was. Het was ons niet voor de wind gegaan, maar nu waren we op de goede weg en men moet het ijzer smeden terwijl het heet is.

Op de plaatsen waar ik in de samenleving stond en actief was, woei een niet ongunstige wind, hoewel er ook tegenwinden opstaken, maar daartegen ingaan behoort tot de taak van iemand die weet wat hij wil. Ik probeerde op elke manier zo goed mogelijk mijn taak te verrichten en niet in onbeduidendheid te vervallen. Het programma van 1935-1940 was dat van 1977 niet, maar ik koos bewust voor dat van toen.

Ik maakte deel uit van het Gentse Doktersgild en van zijn Antwerpse hoofdkwartier, het Algemeen Vlaamsch Geneesheren Verbond. Dit betekende dat ik in een andere vesting stond dan die van de Société de Médecine de Gand en van de Fédération Médicale Belge. Mijn baas Goormaghtigh was voorzitter van de eerste en er waren uitstekende collega's en hoogstaande figuren in de andere parochie dan de mijne, maar ik bleef op mijn stuk.

Voor de beroepsaangelegenheden van de medische wereld ben ik nooit warm gelopen; ik onderschatte het aandeel van de professionelen niet, doch meende dingen te moeten doen die mij beter lagen. Mijn vrienden aanvaardden het, en niemand heeft mij ooit lastig gevallen om mij voor de wagen van de professionele belangen van mijn collega's te spannen. Een zeldzame bediller wreef mij onder de neus dat ik profiteerde van andermans werk; ik gaf hem geen ongelijk, maar antwoordde dat zijn zonen profiteren van mijn werk.

Wanneer ik, vandaag, de medische professie rondom mij overschouw, stel ik vast dat het in werkelijkheid zo is uitgedraaid. Heb ik het beste deel gekozen, of niet? Een ander moge het uitmaken in het jaar dat ik mijn vijftig jaar diploma vier.

In de zomer van 1935 had mijn vrouw een miskraam. Zij werd geholpen door het team Daels-Van Damme en was vlug hersteld. Een voor de hand liggende oorzaak werd niet gevonden. Toen zich zes maand later hetzelfde ,,malheurken'' voordeed, begonnen de beroepsmensen zich af te vragen wat de oorzaak kon zijn van die spontane abortussen op twee maand, en ze spanden zich in om er een verklaring voor te vinden.

Na veel wikken, wegen en onderzoeken concludeerde men dat er iets haperde in het endocriene raderwerk en dat de beste therapie erin bestond zwangerenserum toe te dienen. Dit serum, zo dacht men toen, bevatte alles wat de foetatie tot voldragenheid bevordert. Tweemaal in de week kreeg mijn vrouw een inspuiting van zwangerenserum dat in het gynaecologisch laboratorium van de universiteit was bereid.

Het heeft tot de herfst van 1936 geduurd voordat de ooievaar op komst was. Het viel omstreeks de tijd dat we van het internationaal urologenkongres van Wenen-Boedapest thuiskwamen.

In de universiteit was het toen één touwtrekken om het embryootje van de urologische kliniek tot mondigheid te brengen. Om de zes maand moest ik mij tevreden stellen met een andere assistent; zij wisten van het vak niets af en trokken er vandoor omdat zij niet betaald werden. Geen operatiekamer, alles zelf doen, maar Goddank een goede zuster-verpleegster; we vertegenwoordigden met ons tweeën het hele instituut, zij werkte ter ere Gods en ik ter ere van de Vlaamse hogeschool van Gent.

Tegen juni 1937 zag mijn vrouw haar tweede keizersnede tegemoet. Met haar familie maakten we ons bezorgd over de gezondheidstoestand van haar vader: we zagen hoe hij met de dag achteruitging, hij leed meer en meer aan slaperigheid en ademnood, kon zich moeilijker verplaatsen. Maar hij was dolgelukkig dat hij peter zou zijn van onze tweede spruit.

Alsof hij een voorgevoel had, haastte deze spruit zich om op tijd te komen en drong aan. De keizersnede werd verricht op 5 mei 1937, een goede drie weken vóór de programmatische datum. Het was een jongen van 2.800 gram. Hij werd Jan Baptist Maria Leo Frank gedoopt. Vader Scheerders was ingenomen met die voornaam, zijn eigen peter was ook een Jan (Vaerendonck); mijn moeder was meter. De voornaam Frank was een eis van professor Frank Baur die ik op de weg naar de Burgerstand ontmoette en die getuige was.

Het doopsel had vijf dagen later plaats. De peter werd op een zeteltje tot in de kapel gerold, want hij was niet meer in staat zover te gaan. Het was de laatste maal dat hij te Gent was. Leon Scheerders overleed op zijn buitenverblijf te Belsele in de vooravond van de snikhete 26 mei 1937, drie weken na de geboorte van onze zoon. De onmiddellijke doodsoorzaak was een synchronisch falen van alle belangrijke organische functies en gecompliceerd met een zware icterus. De initiale oorzaak lag in een jarenlange hoge bloeddruk. Hij was drieënzestig jaar oud; die boom van een man was vroegtijdig geveld.

De uitvaart had te St.-Niklaas plaats. Alle arbeiders en bedienden van het bedrijf dat hij opgebouwd had, stapten vooraan in de lijkstoet op. Hij werd in het familigraf te Belsele bijgezet.

Zeer aangedaan door het overlijden van haar vader, zo kort na haar bevalling, zocht mijn vrouw een afleiding in de zorgen die zij aan ons zoontje besteedde. Ze werd er zichtbaar voor beloond, want de kleine haalde op een treffende wijze in wat door een voortijdige geboorte niet tot zijn recht was gekomen. Carlos Hooft, de jonge assistent van Gorter, schreef de gepaste voeding voor, en de jonge baas bloeide open als een roos.

De regeling van de nalatenschap van mijn schoonvader gaf geen aanleiding tot spanningen of getwist. Al haar kinderen bleven rondom hun moeder en schoonmoeder geschaard; voortaan was zij de centrale figuur van de familie en van het bedrijf ,,Verenigde Fabrieken Scheerders van Kerchove''. Zij nam in de Raad van Beheer de plaats van haar man in, en heeft die taak op een voorbeeldige manier vervuld tot op de dag van haar overlijden. Van alles wat er gebeurde was zij op de hoogte, zij liet aan iedereen zijn verantwoordelijkheid en zijn taak, doch schrikte er niet voor terug een bolwassing toe te dienen aan wie buiten de schreef liep.

Voor het roerende bezit werd een voorstel van oplossing uitgewerkt door degene onder ons die de juiste toedracht van de familiezaken kende en juridisch het best op de hoogte was. Beleningen werden aangezuiverd, contracten uitgevoerd, panden gelost, verkopingen verricht, onderhandse ruilingen afgesloten. Binnen drie maand was alles in kannen en kruiken, de registratierechten betaald en elkeen opgelucht dat het zo vlug en ongestoord van stapel was gelopen.

Wij gingen en kwamen te St.-Niklaas of te Belsele zoals voordien, we waren er welkom en thuis. Onze kinderen gingen mede. Grootmoeder veranderde niets aan het dagelijks ritme van haar werk, haar bezoeken naar Gent of Antwerpen.

De huishoudster Alice Foubert, die dertig jaar het wel en het wee van het gezin had meegemaakt, zorgde voor ,,ons Madam'' en hield van de kleinkinderen. Zij kende heel St.-Niklaas en de helft van het omringende platteland, de goede klanten zowel als de schabouwelijke bedelaars. Het was een oude gewoonte dat enkele trouwen elke zondagmorgen omstreeks tien uur aan de voordeur belden en de bouwnieuwtjes van Verrebroek, Sint-Pauwels of Nieuwkerken aan Madame Scheerders kwamen vertellen en soms al een bestelling op zak hadden. ,,Ons Madam'' Scheerders kende ze allemaal en luisterde naar hun gepraat. Ze schreef nooit iets op maar bracht 's anderendaags de verkoopafdeling van de firma op de hoogte en wist alleman haarfijn in te lichten waar er een zaakje te doen was. Ze kon het niet laten en was ongerust als Jef Claeys uit Vrasene niet op zondagbezoek geweest was.

Pater Vertenten uit Hamme, die missionaris onder de mensenetende Papoea's was geweest, wist Mama Scheerders wonen. De bodes op Stekene, Kieldrecht en Doel kwamen horen of er geen pakken onderweg waren af te geven, de kloosterlingen van alle mannelijke en vrouwelijke bedelorden informeerden of ze geen noveen voor de bijzondere intenties van Madame Scheerders mochten beginnen.

Wanneer ze van haar kantoorwerk uitrustte. vergezelden de breinaalden de immer bezige geest en beslommeringen van deze vrouw, die door allen die een plaatsje in haar hart innamen, op de handen werd gedragen.

*

* *

Gaandeweg vormde zich rondom ons klein gezin een sfeer van stilte en aanvaarding waarvan de huiselijke levensgewoonten, de beroepsbezigheden, de familiale betrekkingen, de omgang met gelijkgezinden en de contacten met nabije of verre wetenschapsmensen de voornaamste bestanddelen waren. Samen namen mijn vrouw en ik het ons toekomende aandeel gelijkmoedig op. Zonder ons op de voorgrond te dringen.

Dokter Leonce van Damme en Dokter Emiel Wagon waren in 1935 en in 1936 gehuwd met de gezusters Hanssens uit Gent. Wij waren op de bruiloft. Het breidde onze vriendenkring uit. In 1937 was mijn operatiecijfer tot 66 gestegen; Edmond Huyghebaert assisteerde mij, en ik hem. Het onderricht in de anatomie schiep geen problemen; in De Puysseleyr had ik een goed assistent. De urologische kliniek bleef mijn zorgenkind. Een uurtje wekelijkse les in het Hoger Instituut voor Opvoedkunde van Frans de Hovre, met mijn lessen in de verpleegstersschool van de Provincie en St.-Vincentius waren een intermezzo.

In deze laatste werd ik op de vingers getikt, omdat ik in de cursus anatomie van het menselijk lichaam, over de bouw en de functie van de geslachtsorganen bij man en vrouw te uitvoerig over de voortplanting had gehandeld. Ik had daarvoor eenvoudig uit het bekende boekje *Voortplanting van de Mens* van Schimm van der Loeff voorgelezen, een werkje dat droop van christelijke behoorlijkheid, en in Nederland op de aanbevelingen van de katolieke moralisten trots was. Mij werd, anno 1937, gevraagd daarover in een cursus voor verpleegsters niet te handelen.

Ik riposteerde dat ik onder die voorlezing duidelijk de indruk had dat mijn leerlingen mij als een naieveling beschouwden, en dat zij, zo aan te zien, er meer van wisten dan hetgene ik hun uit die hooggeprezen catechismus van de kuisheid aan het verstand poogde te brengen. Mijn uitleg was vergeefs.

Als men in 1977 met zo'n schroomvalligheid voor de dag kwam, zou het op dezelfde avond in de radio- en tv-berichten aan heel het land als een curiosum worden kond gedaan.

In augustus 1937 bezocht ik te Londen het befaamde St.-Peters Hospital for Stone, een ziekenhuis met een mundiale urologische traditie, waar P.J. Freyer in 1900 zijn eerste suprapubische prostaatoperatie had verricht en van daaruit de methode had gepopulariseerd. Op dat ogenblik was alles erop gericht, na de digitale uitschakeling van het prostaatadenoom, een volledige hemostase te bekomen, zodat de blaas onmiddellijk, zonder gevaar voor nabloeding, kon worden gesloten.

Het was voor mij een goede kans om zo'n poging van dichtbij te observeren. De opererende chirurg spande zich met al zijn krachten in, teneinde de vaten op de rand van het ledige prostaatbed met een kromme naald te omsteken en door toesnoering de bloeding te stelpen.

Met het uurwerk in de hand heb ik hem een uur lang zijn inspanningen zien voortzetten met een matig sukses, in die mate dat hij de blaas voorzichtigheidshalve niet dichtmaakte. De patiënt lag intussen onder eternarcose. Deze waarneming gaf mij te denken en sterkte mij in mijn overtuiging, dat ook in gerenomeerde ziekenhuizen niet alles altijd suiker en honing is, en dat men sceptisch moet zijn tegenover de chirurgen die beweren dat bij hen alles op wieltjes loopt en er nooit een kink in de kabel komt.

De algemene ervaring van de jaren 1938 en 1939 kan ik best onder het hoedje van een zich geleidelijk voltrekkend stabiel evenwicht thuisbrengen, doch niet zonder in overweging te geven dat veel achter deze woorden schuilgaat.

In Europa hing overal onrust vanwege de groeiende pretentie en de militaire demonstraties van onze oosterburen. Deze onrust werd belichaamd in de twee woorden: Maginotlijn in Frankrijk, Siegfriedlijn in Duitsland, als twee loerende katten tegenover elkaar liggend, op tien kilometer afstand.

België zat met de daver op het lijf en zong op alle tonen het neutraliteitsmotet. Het was de staatsbedienden verboden lid te zijn van de communistische partij en van het Dietsch nationaal-solidaristisch Verbond (Dinaso) omdat deze groeperingen staatsgevaarlijk werden geacht. Het Vlaamsch Nationaal Verbond was in volle opgang en knaagde de oude vaderlandse partijen aan. De katolieke partij wist niet op wat been dansen en zocht een imago.

Op een vroege avond valt Professor Frank Baur met Paul van Steenberghe thuis binnen. Zij willen mij ten allen prijze voor de wagen van de Katolieke Volkspartij spannen. Ze slepen mij, op mijn pantoffels, mee naar het Bisdom waar bisschop Coppieters veel genuanceerder over mijn eventuele rol als politicus oordeelt.

De vriendelijke pogingen van Professor Baur halen niets uit. Ik meen dat een hoogleraar genoeg heeft aan zijn taak en, zoals een schoenmaker, bij zijn leest moet blijven. Waarom ambieerde Baur zelf geen politieke rol en wil hij een docent, die tien jaar jonger is dan hijzelf, in de parlementaire arena jagen?

Kort daarop viel mij uit een andere hoek een verzoek te beurt waar ik evenmin op inging.

Pater F. Morlion liep het land af om velerlei personen voor de wagen van een grootscheepse (Europese) anticommunistische kruistocht te spannen. Hij nodigde mij uit om in het Dominikanenklooster daarover te praten. Enkele dagen nadien liet hij mij door een vooraanstaande katolieke persoonlijkheid opbellen, teneinde samen zijn plannen nader toe te lichten.

De bedoeling was inlichtingen te verzamelen over de als communist bekend staande, of van communisme verdachte, ambtenaren in diverse overheidsdiensten, want met het oog op de verderfelijke invloed van het communisme en de partijpolitieke rol door de communisten gespeeld, was het onmisbaar te weten wie communist was. Men moest ten allen prijze verhinderen dat de staatsmachine van binnen door de communisten genoyauteerd werd. Op die manier kon men ze beter bestrijden. Men had aan mij gedacht om in de universiteit de communisten op te sporen.

Ofschoon ik het communisme als ideologie en als belichaming van een politieke partij verfoeide, bedankte ik voor de taak die men mij had toebedacht.

Als ik nu denk hoeveel jonge mensen door de aktie van pater Morlion en zijn medestanders op vele plaatsen en bij vele gelegenheden, voor een anticommunistische krachtenbundeling werden warm gemaakt, houd ik mijn hart vast.

De geestdrift tegen al wat communistisch was gewekt, was niet geluwd wanneer de Duitsers in hun oorlog tegen Rusland een oproep richtten tot deelneming aan de militaire strijd tegen de communistische legers op het Oostfront. Hoeveel duizenden gaven gehoor en vertrokken? Pater Morlion had zich toen uit de voeten gemaakt en zat aan de overzijde van het water.

Dat de in 1937, 1938 opgezweepte gemoederen in 1941, 1942 en 1943 zo ongenuanceerd de oproep beantwoordden, daaraan is naar mijn overtuiging de werking van P. Morlion e.a. niet vreemd.

Men dient uiterst voorzichtig te zijn als men voor de jeugd met idealistische leuzen uitpakt. Die dingen kunnen, onverwacht, zware gevolgen hebben. De bewegingen die uitgelokt worden, in een goed spoor te houden is geen kinderspel. Hoe is het met het Rexisme gegaan?

In de urologie doet zich een sensationele ommekeer voor. De behandeling van de gonoroea wordt veel eenvoudiger, dank zij het gebruik van de sulfamiden; vaarwel spoelingen met de ceremoniële apparatuur en oplossingen van permangaan tegen zoveel per duizend of protargol tegen zoveel per honderd. De eerste gevallen die wij met sulfamiden behandelen, waren op een slag en een stoot volkomen genezen.

Een voorbeeld om nooit te vergeten. Op mijn spreekuur kwam een patiënt met een druiper die een poule de luxe hem cadeau had gedaan. Met één buisje Uliron Bayer van twintig frank en één medisch honorarium van 75 frank was hij op minder dan één week van zijn kwaal verlost. Hij liet mij, met de ontegensprekelijke bewijzen in de hand, het resultaat van het wondere produkt vaststellen. Met de 75 fr voor deze laatste raadpleging legde hij 25 fr. drinkgeld voor de dienstmeid op mijn schrijftafel, zeggende: het heeft mij minder gekost om ervan af te geraken dan het mij gekost heeft om eraan te geraken.

De wereld kan Domagk dankbaar zijn. Van resistentie enz. had men op dat ogenblik geen benul.

De urologische kliniek kende meteen een toevloed van patiënten, want we beschikten over veel kosteloze monsters sulfamiden.

In een goede bui staat Professor Frits de Beule mij toe in zijn operatiekamer te opereren, in de namiddag wanneer wij niet in de weg lopen. Wat een gein van een collega! We zullen er goed op letten dat geen mankementen aan deze afspraak de hele zaak verbruien, want De Beules assistenten vragen niets beter dan de urologie te koeioneren, en zuster Sabine, zijn verpleegster, was de laatste niet om het ze af te raden. Ze was een Walin.

Tot overmaat van het geleidelijk toenemend evenwicht, kon ik een afgestudeerde arts die aanleg had voor chirurg, overtuigen het in afwachting van andere vacatures, in de urologie te beproeven. Hij ging op mijn voorstel in en was spoedig ingeburgerd. Dokter René Defoort, een Westvlaming uit Izegem, die juist zijn militaire dienstplicht achter de rug had, werd assistent in de urologische kliniek met het academiejaar 1938-1939. Het was een goede aanwinst; ik liet hem in mijn privépraktijk assisteren om zijn al te schraal staatssalaris wat bij te smeren. Het werd voor hem het begin van een loopbaan die met een professoraat in de urologie zou worden bekroond.

In de faculteit geneeskunde zelf waren alle batterijen gericht op het academisch ziekenhuis waarvan de eerste paal in maart 1936 was ingeheid en dat vorm begon aan te nemen. Voor- en tegenstanders, de eerste onder aanvoering van Professor Fr. Daels, de tweede onder de aanvoering van professor E. Tytgat, trokken om het meest van leer. Maar de bouw werd niettemin voortgezet; het was in hoofdzaak een slag om de centen, want van weerszijden werd men gewaar dat het paard daar gebonden staat.

De strijd voor de Vlaamse wetenschappelijke academieën was gewonnen, behoudens het geval-Martens dat heibel verwekte en een politieke nasleep had. Ik verkneukelde mij in de drukte; de Vlamingen waren met hun koeien van het ijs, de Vlaamse academieën waren zelfstandig en te Brussel gevestigd. Men had uitstekend gemaneuvreerd.

Ondertussen mochten we ons verheugen in een voorspoedige ontwikkeling van onze twee kinderen. Van het meisje zegde men dat ze wondergoed op haar vader geleek, van het zoontje dat het meer van zijn moeder had. We hadden dus allebei een deeltje van onze genen in de chromosomen van ons kroost achtergelaten. Het meisje was rustiger van aard dan de jongen, die naar het zeggen van zijn moeder een echt „spinnewiel" was, de kleine woelwater kon geen twee sekonden stilblijven; het was reeds zo vóór zijn geboorte, want hij kon niet wachten op het eind van zijn moeders zwangerschap. Onze kinderen hebben hun ingesteldheid in hun verder leven meegenomen.

Mijn vrouw kreeg al lang geen zwangerschapsserum meer; we leefden als vrije vissen in het helderste liefdewater en lieten dat water over Gods daken lopen, tot we plots blij waren met de zegen die volgens professionele prognose mocht verwacht worden tegen begin april 1939. Het vooruitzicht van die zegen verheugde ons allemaal.

De zwangerschap bracht geen verwikkelingen mee. Wanneer haar dagen vervuld waren, ging mijn vrouw op de ochtend van de vastgestelde datum naar het ziekenhuis; het was Witte Donderdag 6 april 1939.

De derde keizersnede, onder plaatselijke verdoving, werd goed verdragen; zowel voor de operateur als voor de barende was het een routinezaak. Na een half uurtje kon ik vanuit de telefooncel het goede nieuws aan haar moeder mededelen.

Het was een meisje van drieëneenhalve kilogram dat probleemloos, volgens alle normen van de natuur, haar aanwezigheid onder de mensen bevestigde. Het werd op Paasmaandag 1939 gedoopt als Maria Christina Flora Augusta. Meter was de oudste zuster van mijn vrouw, Flore Verhaert-Scheerders, peter was de man van haar Gentse zuster, August de Schrijver. Ik had geen broeder of zuster, en een geestelijk maagschap met een verwante uit het zevende knoopsgat wensten wij ons dochtertje te besparen.

We waren opgetogen en de hemel dankbaar voor deze voorspoedige bevalling, ze vermeerderde ons geluk. Mijn vrouw ging ondanks de belasting van een derde keizerssnede in haar moederschap volkomen op. Niets was haar te veel als de kinderen maar gezond waren. Behalve wat kinderplaagjes, konden we niet ontevreden zijn, en een gezin van drie kinderen kon al tellen. We waren niet van zins ermee op te houden, maar de mens wikt en God beschikt.

In dezelfde mate als mijn vrouw haar taak als moeder ter hart nam, nam ik de mijne als geneesheer-hoogleraar op. Het niveauverschil was groot, maar ondanks de schijn niet hemelsbreed, want we ontmoeten elkaar bij de wieg van onze kinderen, en daar was er geen niveauverschil of geen afstand meer.

Omstreeks die tijd rees de vraag of we ons geen auto zouden aanschaffen. Zelf was ik niet entoesiast; ik had in Amerika een beetje leren rijden, maar liet het rijden liefst aan een ander over. Mijn vrouw droomde allerminst van een eigen wagen, ofschoon zij thuis al vroeg met een auto had kennisgemaakt.

We overlegden het samen en daar ik voor mijn beroep best een wagen kon missen, was de beslissing vlug genomen: geen auto. De verplaatsingen die ik in Gent te doen had, deed ik per fiets; wanneer het spande of wanneer ik verre van huis moest, bestelde ik een huurwagen bij de garage Leon de Tremerie, en tegen betaling was ik van een eigen auto en zijn pomperijen bevrijd. We hebben nooit een auto gehad, we hadden geen behoefte aan het bezit van een eigen wagen, ook na de oorlog niet.

*

* *

In september 1938 was er spanning in Europa en een oorlog scheen voor de deur te staan. Hitler kreeg een deel van Tsjechoslovakije en bracht de Anschluss met Oostenrijk tot stand; iedereen knikte ja, omdat niemand er een oorlog voor over had.

Het had zijn weerslag in eigen land. Mijn assistent Defoort werd onder de wapens geroepen, en daar zat ik weer, de handen afgesneden. Het duurde gelukkig niet lang voor het onweder voorbijdreef. De Engelse Eerste Minister Neville Chamberlain, de man met de legendarische paraplu, ging in hoogsteigen persoon naar Hitler en samen met de Franse Eerste Minister E. Daladier werd het te München op een akkoordje gegooid; de vrede was gered. Nooit heeft Europa een dieper gevoel van verademing gekend.

Maar onder dat gevoel van opluchting wroette de vrees dat het oorlogsgevaar niet helemaal voorbij was. Men sprak te veel over vrede en neutraliteit, en dat zijn sombere voortekens.

Hoewel we boven op een grollende vuurberg zaten, ging het leven voort. Met onze kinderen werden we door grootmoeder uitgenodigd op vakantie; elk kreeg zijn beurt voor veertien dagen op haar buitenverblijf te Belsele; de onze viel na de universitaire examens in juli 1939. Het was heerlijk weer, een echte kermis voor de kleinen die een voorraad lucht en zon opdeden, en voor hun moeder die het zalig nietsdoen best kon gebruiken. Te Gent had ik een plaatsvervanger die het werk aankon.

De gelegenheid nam ik te baat om het Waasland rond te fietsen zoals ik al voordien heel de Gentse omgeving had afgefietst. Vooral de polder is een gedroomd gebied voor de ruiters van het metalen paard. Ik reed naar Kallo en Doel, Arenbergpolder, Prosperpolder, wipte over de grens te Nieuw-Namen, keek naar de resten van 't Fort Spinola te Meerdonk, peddelde ongemerkt van de Belgische Klinge in het Hollandse Clinge.

Kieldrecht en Verrebroek werden niet vergeten. Ik stapte af voor een bezoek aan Verrebroek, het polderdorp waar de zeventiende-eeuwse anatoom Filip Verheyen geboren werd. Hij heeft op het dorpsplein een bronzen borstbeeld boven een weinig estetische massieve arduinblok. De kerk bezit een stoere toren die heel de poldervlakte beheerst, en tegen de buitenzijde van het koor staan de grafzerken van de familie Jacquemijns, waarvan een aantal telgen een belangrijke rol op het vaderlandse toneel hebben gespeeld.

In de schaduw van de toren heb ik een anatomische gedachte gewijd aan de sterren van Verheyen in de nier en een aantal andere bijzonderheden uit het werk van de ,,koperen koeter''. Zo wordt de anatoom door de spotlustige boeren van de omtrek genoemd, en de Verrebroekenaars zelf noemen ze de Flippen.

Een hele dag heb ik besteed aan een fietstocht naar de Noord, het Verdronken Land van Saaftinge. Het was laagwater en de paden die naar de schaapstal van Boer Cleiren leidden waren goed berijdbaar. Het is een weergaloos stuk natuurschoon, zonder een enkele boom, doorploegd door killen en geulen tussen hoogten met een schrale plantengroei. Een schaapherder leeft daar heel alleen met zijn kudde die bij hoogtij in een gammele met stro en zoden bedekte loods beschutting vindt. Om de week wordt aan de schaper proviand gebracht. Met zijn honden verblijft hij heel de zomer tussen hemel, aarde en water en trekt met de invallende herfst naar zijn Kieldrechtse have terug.

We spraken met de eenzaat van Saaftinge die in weken geen ander mens ontmoette dan degene die hem aan de rand van de schorre kwam bevoorraden. Hij vond het daar een enige belevenis.

Westwaarts van de Noord bezocht ik aan de Zeeuwse Schelde-oever De Paal, met een visserhaventje waar men de krekelslakken raapt die in het Waasland als een volkssnoepje opgepeuzeld worden. Het zag er helemaal niet Hollands kraaknet uit.

Op vijf dagen heb ik heel de Wase Polder en een stuk Oostzeeland, incluis Hulst, afgefietst; het was een leerzame ervaring en een kennisverrijking dat stukje Nederland van binnenuit te hebben gezien.

De rest van die vooroorlogse vakantie bleef ik te Belsele: met vrouw en kinderen pallieterden we onder een paradijselijke hemel en in een onvergetelijke omgeving, waar onze lieve oma op royale wijze de eer des huizes ophield; het was goed voor de gezondheid en bevorderlijk voor de rondbuikigheid. We hebben er op een namiddag de assistent en co-assistenten van de urologische kliniek getrakteerd.

Als we zo'n onvergetelijke herinnering aan die vakantie bewaard hebben, is het zonder twijfel omdat een goede maand later het oorlogsdreigement een benauwend contrast betekende. Op 23 augustus sloot Duitsland een niet-aanvalspakt met Rusland; de bedoeling lag er dubbel en dik op en het duurde niet lang voor de militaire poppen aan het dansen gingen.

Ook België zat in de greep en mobiliseerde; dokter Defoort was bij de eerste opgeroepen klassen, met het gevolg dat de urologische kliniek gereduceerd werd tot de hoogleraar, de zuster-verpleegster en een paar co-assistenten die het verschil niet kenden tussen een fimosis en een garnaal.

De mobilisatie zette alles op stelten en de klinische diensten van de universiteit waren ontredderd. Er was geen plechtige opening van het academisch jaar 1939-1940. Aantredend rector R. Goubau had niets anders te doen dan uitstel en vergunning vragen voor het universitaire personeel dat ingeschakeld werd voor een afdeling van het Ekkergemse militair hospitaal in het oude Blindenhuis van de Bijloke op de Coupure.

Op de viering van K. Heymans' Nobelprijs in de Aula lag een sordino van vrees; de Koning kon niet komen vanwege het zoveelste oorlogsalarm. Er werd in de Europese radio's een propaganda-oorlog van jewelste gevoerd. Zonder het openbaar of luidop te zeggen was elkeen ervan overtuigd dat het een wachtpoos was alvorens de bom zou barsten.

De vergaderingen van de geneeskundige faculteit kwamen op weinig anders neer dan op een klachtenlitanie over de onmogelijke toestanden waarin de klinische hoogleraren verplicht waren te werken: plaats te kort, personeel te kort, moeilijkheden met de Bijloke en de Commissie van Openbare Onderstand. In een ogenblik van rationeel doordenken en doorzien, stelde professor Goormaghtigh op een korzelige toon de eis dat heel de Bijloke maar moest ter beschikking van de universiteit gesteld worden. Professor Vlaeyen, decaan, sprong bij 't horen van die eis op zijn paard, en 't zat er bovenarms op. Daels zweeg als vermoord, maar dacht aan het academisch ziekenhuis van de toekomst. Zelf had ik pret in de ruzie en liet de hoge pieten van 't gezelschap plukharen.

De ziektekunde zelf kwam in de faculteitsvergadering ter sprake. Professor Vlaeyen, hoofdgeneesheer van het hulphospitaal in het Blindenhuis, was helemaal het diagnostisch stuur kwijt wanneer hij zich geplaatst zag tegenover de militairen die hij daar te behandelen kreeg: een heel bijzondere pathologie waaruit hij niet wijs geraakte, en die hem hoorndol maakte, nooit ontmoet ... Weet iemand raad? Daels schoot in een luide lach: ,,Men ziet wel dat collega Vlaeyen nooit soldaat is geweest en het niet verder heeft geschopt dan de garde-civiek; het is gewoon ,,plantrekkers-pathologie'', beste collega, en die leert men uit ondervinding''. Er was hilariteit en Vlaeyen was met één slag op de hoogte van een hem onbekende ziekteleer.

Ten einde de klinische hoogleraren in hun benarde situatie enigszins te helpen, had rector Goubau gedacht de niet-klinische assistenten om de beurt voor een maand aan de klinische diensten te verbinden. Maar de goede man vermoedde niet dat de inspringers met zo'n beurtregeling niet opgezet waren en alles uitdachten om geen twee heren te moeten dienen. 's Rectors goede wil was een slag in 't water.

Dokter Emiel van Acker die ik toegewezen kreeg, zette geen voet in de urologische kliniek; hij zat altijd met een spoedgeval of met een slepende verlossing. Als een dokter met een ander dokter op de neus zit, is een driespan van rectoren niet in staat te beletten dat de ene dokter de andere de duivel aandoet. Een trieste boel!

Een grote vreugde was het daarentegen toen Carlos Hooft in december 1939 op de leerstoel van de kindergeneeskunde werd benoemd. Hij was de enige kandidaat en werd met algemene stemmen van de geneeskundige fakulteit op de voordracht geplaatst. Op vier jaar had E. Gorter te Gent baanbrekend werk verricht en een uitstekend opvolger voorbereid.

Om de zenuwslopende situatie te verhelpen was het universiteitsbestuur erin geslaagd de opgeroepen assistenten een verlengd weekeindverlof te laten toestaan, zodat op zaterdag, zondag en maandag de klinische diensten op vol rendement konden draaien. Het was iets beter dan een pleister op een houten been.

De privé-praktijk leed eveneens onder de mobilisatie. Er was een ongehoorde opflakkering van de venerische ziekten en het ontbrak niet aan gonorroeapatiënten. Andere gevallen werden bijna niet gezien; de psychologische spanning van het ogenblik temperde de klachten. De aandacht werd door andere dingen afgeleid: komt er oorlog of komt er geen oorlog?

Daar ik tot de reservekaders van de gezondheidsdienst behoorde en nog niet voorgoed uit de militaire dienst ontslagen was, kon ik dus op elk ogenblik onder de wapens geroepen worden. Daar zulks in verschillende fases geregeld was, wist ik uit de pers en de affiches dat ik tot de fase E behoorde, de allerlaatste.

Begin februari 1940 zou ik te Brugge, waar het hoofdkwartier van mijn eenheid lag, gedurende vier dagen een cursus volgen en alle instructies krijgen over wat ons bij het eventuele uitbreken van een oorlog te doen stond. Met een marsorder daarheen. Het had die morgen afschuwelijk geijzeld en de ijsaanzetting op de wegen was zo vast dat men niet vooruitkon zonder gevaar te lopen zijn benen te breken. Het kostte mij een uur om St.-Pietersstation te bereiken; in plaats van te negen uur was ik pas vóór de middag in het Brugse militair hospitaal, waar generaal-geneesheer Waffelaert op nog een paar andere van zijn onderhorigen zat te wachten.

Ik kreeg een heleboel dingen te horen, o.m. dat ik directeur benoemd was van oorlogshospitaal nr. 62 dat ik bij oproeping mijn instrukties te Brugge moest halen en daarmee het mij aangewezen hospitaal klaarmaken voor het opnemen van gewonde soldaten. Mijn hospitaal zou ik installeren in het Hotel Continental op de Blankenbergse zeedijk, veilig en ver van het gevechtsterrein enz.

Op de laatste dag zouden wij met onze korpsoverste naar Blankenberge gaan, de lokalen inspecteren om ons een idee te vormen van onze opdracht. Dat men van een luitenant-geneesheer, met niet meer dan twee sterren op zijn kraag, een hospitaaldirekteur maakte, was onbegrijpelijk. Ik luchtte mijn gemoed bij de generaal en die zei: ,,A l'armée il ne faut jamais chercher à comprendre, il faut obéir le plus vite possible et le mieux possible''. Ik was gesticht en heb niets meer aan Mon Général gevraagd.

Voorts kregen we veel te slikken en te verteren. We mochten in de stad gaan eten, we zouden soldij krijgen en vermits ik te Gent woonde, kon ik thuis gaan logeren; te drie uur in de namiddag mocht ik maken dat ik weg was. Drie dagen achtereen was het 't zelfde ceremonieel.

Op de laatste dag bezoek te Blankenberge. Onze korpsoverste ging mee. Het Hotel Continental was een geweldige tegenvaller. Er was nergens verwarming in de kamers. Hoe wil men daarin gewonde soldaten onderbrengen wanneer het kouder wordt. De beslissing was gauw genomen: afgekeurd, uitzien naar een andere plaats, te Blankenberge of elders, om er het militair hospitaal nr. 62 in geval van oorlog onder te brengen.

Ik was nog vroeger thuis en verwisselde mijn uniform tegen mijn gewoon burgerpakje. Ik kon mij weer ergeren aan tal van onhebbelijkheden en ondertussen mijn plichten van staat volbrengen. Men stootte overal op soldaten, op militaire konvooien, men werd verzocht maatregelen te nemen om in geval van nood de volledige verduistering te kunnen verwezenlijken.

Op 19 maart 1940 overleed plots Gustaaf Sap, Minister van Ekonomische Zaken. August de Schryver volgde hem op; geen aangename verrassing zo'n onverwachte zware kluif; goed om zijn politieke hals te breken.

Men las in de kranten over Narvik, men zocht in een atlas waar het lag. De Duitsers plaatsten magnetische mijnen voor de Britse havens. Op het vasteland gebeurde er praktisch niets; wat een rare oorlog was me dat, men kon niemand wijsmaken dat het zo zou blijven duren.

OORLOG!

De eerste meidagen van 1940 kenden een uitzonderlijk mooi weer. Ik had te Gent de socialistische Eerste-Meistoet gezien voordat ik naar Belsele vertrok om een beetje op te knappen van een lelijke griep die in mijn kleren was blijven hangen. De betogers liepen er lusteloos bij, het was een in 't oog vallend algemeen tijdssymptoom: het effect van een invretende onrust? De terugstoot van een ontzenuwende wachttijd? De berusting en een fatum van onwerkelijkheid?

Op vrijdagochtend 10 mei schrikken we te zes uur wakker van vliegtuigengeronk en afweergeschut. We waren aan die dingen in de laatste tijd gewend, maar nu was het nogal hevig. Ik kijk uit het raam: een enig blauwe wolkenloze lucht waarin vijf, tien, twintig vliegtuigen cirkelen. Ik ga naar beneden; op straat wordt geroepen dat bommen werden geworpen op 't nabije vliegveldje van Waasmunster, dat het oorlog is. In de radio hoor ik de onheilsmare bevestigen. De Duitsers zijn het land binnengevallen.

Mijn vrouw, mijn schoonmoeder, de huishoudster, we zijn allemaal in de war. De kinderen slapen gelukkig. We beslissen: ik ga naar Gent voor mijn dagelijks werk, jullie blijven hier. Afwachten. Zelf zal ik nu spoedig opgeroepen worden. In alle geval kom ik vandaag of morgen terug.

In het ziekenhuis willen de patiënten ten alle prijze naar huis, genezen, half genezen, of niet genezen, om 't even. In de universiteit staat alles in rep en roer. Men neemt voortijdig eindexamen af: men zal de dokters goed kunnen gebruiken. Op de steenweg naar Antwerpen werden auto's vanuit de lucht beschoten door Duitse vliegtuigen, Stuka's noemt men ze. Er zijn doden en gewonden.

Op het namiddagspreekuur geen enkele patiënt. In de radio draait de propagandamolen volop en het sirenegeloei ligt niet stil. 's Avonds ga ik naar Gentbrugge en vraag aan vader en moeder te komen thuiswachten. Ik kan elk ogenblik opgeroepen worden, vrouw en kinderen zijn goed en rustig te Belsele. Mijn ouders zullen met de huishoudster onze Gentse woning in 't oog houden.

Zaterdag 11 mei, 's middags een telegram: ,,Aangeduid voor het reserve militair ziekenhuis Hotel Continental te Blankenberge; vervoeg onmiddellijk het krijgsgasthuis van Brugge om er het mobilisatiedossier te halen''. Onmiddellijk vertrek ik per auto naar Belsele langs een omweg, want de grote baan ligt onder mitrailleurvuur vanuit de lucht.

Als ik te Belsele toekom, werd zo juist een school gebombardeerd. Heel de familie is in alarmtoestand. Verdoemde oorlog. Vrouwtje lief, ik moet vertrekken. Goede moed. God zegene en God beware u, zorg voor onze kinderen. Vaarwel allemaal, blijft waar ge zijt. Ik zal voor mijzelf instaan. Gauw een valiesje spullen bijeengescharreld en wat geld verdeeld. Afscheid; ik druk vrouw en kinderen aan mijn borst, geef hun een kruisje, en op weg naar de oorlog. Mijn vrouw kijkt mij wenend achterna, ook voor mij een pijnlijk-gruwelijk ogenblik.

Ik trek te Gent mijn militair plunje aan, neem afscheid van vader en moeder, 80 en 72 jaar. Ik zeg hun: zorgt voor vrouw en kinderen indien ik niet terugkeer. Beiden staren mij met tranen in de ogen na.

Op een loopje naar 't rectoraat om de rector op de hoogte te brengen van mijn mobilisatie. Er is niemand, alles is leeg, de deuren staan wijd open. Ik steek een briefje in de rectorale bus, ga dan afscheid nemen van de urologische kliniek, meer dan ooit mijn zorgenkind, en vertrek daarop naar Brugge.

In 't militair hospitaal neemt men het kalmpjes op. Kom morgen om 10 uur terug, 't is niet naar Blankenberge, ge vliegt naar Tielt als direkteur van 't reserve-hospitaal nr. 62. Ik logeer te Brugge waar het krioelt van vluchtelingen uit Limburg.

12 mei 1940. Pinksteren, mis in St.-Jakobskerk waar de predikant patriottisch katoen geeft. Mijn mobilisatiedossier gehaald, en route naar Tielt, het Gesticht der Dames van de H. Familie, 900 bedden, trek uw plan, 't moet na drie dagen klaar zijn, alles komt na.

Met een boemeltreintje naar Tielt; overstappen te Lichtervelde waar 't vol zit met Fransen, de poilus zijn niet geestdriftig. Quel pays sans vin, sans pain et sans femmes (sic)! In 't Gesticht der Dames van de H. Familie ontvangt Ma Mère mij met een vriendelijk ,,Bonjour Monsieur'', op mijn antwoord schakelt ze over naar beschaafd Nederlands. Een uur later valt het personeel van 't ontruimde Luikse militair hospitaal binnen met een majoor-geneesheer aan 't hoofd. De militaire tucht treedt in werking: hij is voortaan geneesheer-direkteur van nr. 62. Mijn rijk heeft niet lang geduurd, en Ma Mère sprak weer Frans.

Terwijl de majoor zijn hospitaal installeert vind ik kost en inwoon in de stad bij Dokter F. van de Walle. In de straten is het een vloed van vluchtende mensen die niet weten waarheen. In de radio verneemt men dat er te Gembloux gevochten wordt en dat de forten van Luik stand houden. Ik ken dat liedje; in 1914 hebben we dat veertien dagen lang gehoord.

15 mei 1940. Het Hollandse leger heeft zich overgegeven. En de onneembare stelling van hun waterlinie? Een regeringsbevel: al de Belgische mannen tussen 16 en 35 jaar moeten naar Frankrijk uitwijken; de vluchtelingen nemen toe. Kan met een autokonvooi naar Gent om chirurgisch materiaal. Thuis verneem ik dat de hele familie uit St.-Niklaas gevlucht is; hoe jammer, ik had hun zo op 't hart gedrukt te blijven, een zorg te meer.

De ellendige zwerm vluchtelingen hindert het leger, wat enorme verkeersopstoppingen veroorzaakt en de Duitse Stuka's gemakkelijke prooien verschaft. De koning spreekt tot de vechtende troepen: ,,Gij moet stand houden, ik ben fier op u''.

In de namiddag van 16 mei, om 16.30 uur, bevel tot aftocht uit Tielt, met pak en zak naar Le Touquet. We vertrekken om twee uur in de morgen met de trein, passeren om 6 uur te Diksmuide, om 7 uur te Veurne, rijden om 8.30 uur over de grens, zijn om 9.30 uur in Duinkerke. De mannen van ons konvooi plunderen in een rangeerstation proviandwagens en drinken een vat wijn leeg, zelfs de kloosterzusters-verpleegsters worden er een beetje luidruchtig bij. We vertrekken uit het Duinkerks rangeerstation om 17 uur, blijven twee uur voor Calais staan, hebben niets anders te doen dan te wachten en onze honger te stillen met naar de mooie zonsondergang te kijken.

We brengen de nacht in de trein door en ontwaken in de buurt van Berck-sur-Mer. Autobussen brengen ons naar Berck-Plage, een bekend centrum voor de behandeling van gewrichts- en beendertuberkulose (Dr Calot). We worden afgezet in het Hôpital Maritime, aan de monding van de Baie d'Authie in het Nauw van Kales.

De majoor van nr. 62 heeft bevolen dat we morgen verder Frankrijk ingaan, naar Nantes. Te Berck-Plage stromen invalide en valse invalide soldaten in één smeltkroes samen, inkluis een tweehonderd militaire artsen. Dokter-Commandant M. Peremans uit Antwerpen, die doorgaans van alles goed op de hoogte is, zegt mij op een profetische toon: Elaut 't gaat slecht, de Duitsers kunnen vandaag nog hier zijn.

De Franse soldaten en burgers van Berck verwijten ons de aftocht: ,,Boches du Nord''; de onzen nemen het niet, ze staan op 't vechten. Wanneer ik mij 's avonds te bed leg, gaan mijn gedachten naar de mijnen: waar zijn ze, dood of levend in deze diabolische mensenchaos?

In ons hospitaal sterven soldaten aan gasgangreen en tetanos. We horen dat Brussel en Antwerpen bezet zijn en dat de regering op weg is naar Frankrijk. Hier volgt iedereen hun voorbeeld, men wil weg, per auto of anderszins, ons hospitaal loopt leeg, de dokters laten hun zieken in de steek. Wat een heksenketel! De Duitsers zitten al voorbij St.-Quentin, maar de forten van Luik houden altijd stand. De Franse oppergeneraal Gamelin wordt vervangen door Weygand en Pétain wordt minister. Nu zal 't veranderen, voorspellen de Franse officieren; men had het al eerder moeten doen. 's Avonds hoor ik toevallig in een cafeetje te Berck Churchill spreken voor de radio over bloed en tranen voor Engeland; laat ons bidden op deze Drievuldigheidszondag, vraagt ie.

Daags nadien ontmoet ik de weggelopen arrondissementskommissaris Meert van St.-Niklaas; hij weet te vertellen dat de zwagers en andere familie uit De Panne terug naar huis gekeerd zijn. Goddank; het was een pak van mijn hart.

In het Hôpital Maritime stromen gewonden en chronische patiënten binnen bij de vleet; ze zijn dan allemaal hierheen gestuurd. Op een zeker moment zijn er drieduizend. Maar de dokters zijn op de loop, de pijp uit in volle paniekstemming, met hun gezin in hun auto, zonder marsbevel, om hun eigen huid te redden. De majoor, een zwakkeling, laat alles gebeuren. Men fluistert al: we zijn afgesneden van de Somme te St.-Valéry. De majoor wordt wanhopig en brult: ,,Elaut, je vous ordonne de rester''. Ik denk er gewoon niet aan, majoor; waarom zou ik gaan lopen? De zusters-verpleegsters zijn doodmoe maar voorbeeldig.

Onze patiënten zijn een bende uitgehonderde dieren, ze krijgen elk twee sneetjes brood, één makreel en een bakje koffie. Dokter F. Orban, de chirurg van nr 62 heeft heel de nacht geopereerd. Ik deed ook mijn part. Sommige patiënten plegen zelfmoord, een heeft zichzelf gespietst op een bajonet, andere riskeren zich met een vissersbootje naar Engeland. Een Mechelaar wil een half brood ruilen tegen één sigaret. De Franse burgers maken ruzie op straat en gaan op de vuist met Belgische officieren: ,,Boches du Nord''. Onze vluchtelingen krijgen geen glas water, wel als ze ervoor betalen. Dokter Desaive uit Luik, die met zijn gezin per wagen vertrokken was, moest terugkeren; hij kon niet meer over de Somme.

Op 22 mei zijn de Duitsers te Berck-Plage. Ze hebben op ons geschoten terwijl we op proviandtocht waren. Het Brussels Militair Hospitaal valt met zijn artsenstaf het Hôpital Maritime binnen, later ook dat van Namen. Weer eters bij, is het welkomwoord. De Luikse professor L. Brull wil met een groepje vrijwilligers de Duitsers in Berck te lijf gaan: hij, een geneesheer die gebonden is door de Internationale Conventie van Genève!

Het Hôpital Maritime valt zonder elektrische stroom en er worden nog meer gewonden binnengebracht. In de stad passeren we voorbij Duitse kolonnes, ze gunnen ons geen blik; wanneer ze even uitrusten delen ze van hun broodrantsoen met onze hongerenden, die hen met begerige ogen aankijken. De radio predikt goede moed. Men vertelt allerlei gekke dingen: België is in twee stukken verdeeld, één voor Staf de Clercq, 't andere voor Leon Degrelle, Eupen-Malmédy is terug bij Duitsland gevoegd. Ik zit in een houten barak met 67 zieke mannen en vrouwen die honger hebben, en ik ook. Hoe zou het te Gent zijn? Niemand kan mij nieuws geven. Kamerstrategen vertellen dat er duchtig gevochten wordt op 't kanaal van Terneuzen. Wat gebeurt er straks met ons? We zijn krijgsgevangen.

28 mei 1940: coup de théâtre. Radio Parijs brengt de toespraak van Eerste-Minister Pierlot, die zegt dat koning Leopold in onderhandeling is getreden om de wapens neer te leggen, dat de regering eenparig, met de voorzitters van Kamer en Senaat, besloten heeft de strijd voort te zetten met de geallieerden, dat de officieren en de ambtenaren ontslagen zijn van hun eed van trouw aan de koning.

Geweldige reactie. De meesten zijn voor de koning omdat hij bij de soldaten gebleven is; weinigen denken anders. Illusies storten als kaartenhuisjes ineen. Het dringt tot allen door dat dit een geweldige klap is voor de geallieerden. 's Avonds spreekt ergens een voorzitter van oudstrijders 14-18 voor de radio van „roi félon".

Nog dezelfde namiddag gaan massa's burgers te voet huiswaarts en trekken de soldaten mee. Ik help in de operatiekamer voor de amputatie van de twee voeten bij een meisje van zeventien jaar wegens gasgangreen. In de verte luidt het klokje van Notre Dame des Sables, patrones van Berck-Plage; de aalmoezenier die bloed voor de patiënte gaf, heeft veertien uur aan één stuk gewerkt zonder eten of drinken, alleen een beetje gebrevierd tussendoor.

De Duitsers worden talrijker in Berck, ze vragen wijn, champagne, rolfilmen en meisjes van plezier. Hun leger is de Somme overgestoken, maar de Engelsen schepen in te Duinkerke. Soldaten deserteren massaal uit ons Hôpital Maritime; ze zijn plots genezen en vinden een middel om de plaat te poetsen nadat ze ergens een stuk burgerkledij hebben bemachtigd. Een geneesheer uit Hoei die gewoonlijk een grote militaire mond opzette, is plots verdwenen, naar huis, la guerre est finie, de pijp uit. Proviand dat voor ons Hôpital Maritime bestemd was, wordt tegen grof geld versjacherd en de zieken mogen op de krib bijten. In de zondagmis geeft een Franssprekend aalmoezenier een spetterend vaderlands sermoen ten beste, zonder een woord over de koning te reppen, waarover een olympische ruzie volgt.

De vele lijntrekkers onder de soldaten worden opstandig, willen weg en verwijten de officieren dat er niets voor hen gedaan wordt, ze dreigen de boel kort en klein te slaan, maar bakken zoete broodjes wanneer een Duitse officier in onze barak verschijnt: Heraus! Een Duitser die uit Brussel arriveerde heeft een nummer van *La Nation Belge* mee; het staat vol Duitsgezind nieuws: ongehoord, we zijn door Hendrik de Man verkocht, meent Professor M. Florkin.

Het Leuvens Militair hospitaal komt aan in Hôpital Maritime, met o.m. dokter M. Bafort uit Eeklo en dokter M. Renaer, gynaecoloog te Leuven. Een artillerieofficier, die gemobiliseerd werd te Brussel en zijn gewonde broeder komt halen, vertelt over de wanordelijke aftocht van het Belgisch leger, zijn batterij had haar eerste schot gelost te Maria-Aalter. Veel soldaten hadden geen munitie meer.

Er komen dagbladen uit België met hele lijsten van gesneuvelde soldaten; men leest er o.m. dat de Duitse druk op Parijs toeneemt. De Duitsers bevelen dat de gesneuvelde soldaten, Fransen of Belgen, met eerbetoon moeten begraven worden en niet meer met het vrachtwagentje dat om proviand vertrekt, tot aan de begraafplaats meegevoerd worden; het moet voortaan met de lijkwagen van de stad en met militaire begeleiding.

Op een avond komt het bevel: alle Belgen, ook de zieken, naar huis. Men neemt met grote vreugde maatregelen. Berck loopt stilaan leeg. Een mijner patiënten, burgemeester van de Franse gemeente Escautpont bij de Belgische grens, ligt verlaten te sterven op zijn brits, niemand kijkt naar hem om. Een eter minder zeggen de sarkasten. In het linnen van de overledene wordt een half miljoen aan Franse bankbiljetten gevonden. Hadden we dat geweten, jeremieerden dezelfde sarkasten.

Op 17 juni om 13.30 uur, verklaart maarschalk Pétain dat Frankrijk de wapens neerlegt. Fransen wenen, de Belgen voelen zich opgelucht. Professor J. Hoet uit Leuven, uitgezonden door het Belgische Rode Kruis, komt onze terugkeer organiseren. Bruynoghe is burgemeester van Leuven,zegt hij, de universiteitsbibliotheek werd door de Engelsen (sic) in brand gestoken. Al de Belgen uit Hôpital Maritime moeten vertrekken; een kolonel-geneesheer uit Brussel komt met bevelen tot demobilisatie.

Ik kan mee in de wagen van dokter M. Bafort uit Eeklo. Ik koop in Berck-Plage, met mijn laatste Franse franks, twee flesjes Keulens water en vind zelfs wat snoepgoed voor de kinderen. Ik zeg vaarwel aan mijn Franse patiënten en ga de majoor groeten; ik krijg mijn vrijgeleide i.d. 19 juni 1940. Mijn laatste tabak en sigaren zijn voor de verplegers.

19 juni 1940. Ik verlaat Berck-Plage en nr 62 om 7.45 uur; anderen zijn al weg of volgen straks. We passeren Rang du Fliers, Hesdin, Béthune. Langs de weg honderden auto's en vrachtwagens in de sloot en graven van gesneuvelde Fransen en Duitsers in het veld. Lange kolonnen krijgsgevangenen trekken te voet ergens heen; ze krijgen eten van de burgers. Te La Bassee is het één verwoesting. Rijsel ziet er gaaf uit. Aan de Belgische grens zijn er geen douaniers. Te Doornik is het één puinhoop rondom de katedraal, en alle bruggen over de Schelde zijn opgeblazen. We rijden over Leuze, Aat, Edingen, Halle naar Brussel en komen voorbij de fameuze ijzeren muur die belachelijk aandoet; hij staat wagenwijd open.

We belanden in het hoofdkwartier van het Rode Kruis, Livornostraat 80. Ze vallen uit de lucht als we vertellen dat zij ons moeten demobiliseren: een laatste bewijs van militaire organisatie en bekwaamheid, voordat wij een vrijgeleide krijgen naar het burgerpakje en 't burgerleven.

Eindelijk toch een stempel: stap het af, foutez le camp! Over Ninove, Nederbrakel en Ophasselt waar Dokter M. Renaer afgeladen wordt. Dan Oudenaarde, Deinze, Astene, waar 't huis van Dokter Martens geplunderd werd door Belgische soldaten. Om 18.30 uur de torens van Gent, Goddank.

Om 18.45 thuis, allen zijn gezond. In elkanders armen. De oudste van de kinderen kent mij nog, de twee jongsten niet meer.

Ik doe snel mijn uniform uit. De veldtocht is voor mij gedaan. Veertig dagen: van 11 mei tot 19 juni 1940.

*
* *

Over die korte maar historisch zwaargevulde periode van mijn leven heb ik een dagboek bijgehouden. Wat ik zoëven heb verhaald, is daarvan de korte inhoud. *Mijn Oorlogsdagboek* werd in 1962 uitgegeven door de Drukkerij Sanderus P.V.B.A. te Oudenaarde. De lezer zal er zich daar kunnen van vergewissen dat ik geen enkele heldendaad heb verricht. Ik heb alleen mijn plicht van staat vervuld, op de plaats waar ik door de omstandigheden was terechtgekomen.

Wat mij van het hart moet, is de grote wrevel die ik gevoel over de onwaardige houding van zovelen, en niet in het minst van de hoogstgeplaatsten, die zonder blikken of blozen hun ondergeschikten in de steek lieten om hun eigen huid te redden. Ze huldigden het ,,redde wie zich kan'' voor zichzelf, maar niet voor de anderen. De militaire artsen gaan niet vrijuit. En het waren juist degenen die de grootste mond opzetten, die het eerst weg waren en het hardst hebben gelopen.

Voorts gaan mijn gedachten naar diegenen die aan de moerlemeie ontsnapten, en naar hen die niet terugkeerden.

Met het publiceren van *Mijn Oorlogsdagboek* bezondigde ik mij niet aan literatuur. Ik leg het bij de andere tijdsdocumenten die een getuigenis verstrekken over hetgene in de tragische meidagen van 1940 in ons land is gebeurd, toen geneesheren, ambtenaren en officieren, met hun familie in hun auto, naar de oorlog gingen. Was dat misschien de adequate kunst van oorlogsvoering in die dagen?

WEER THUIS EN AAN 'T WERK

Terwijl ik op verhaal kom, heeft zoonlief Jan mijn afgelegde soldatenkepi bemachtigd en gaat hij ermee krijgertje spelen; zo verging het de luister van het glorierijke Belgisch leger waarin zijn vader gediend had. Maar ik was ontslagen van mijn eed van trouw aan de koning, en wat kon het mij deren, dat een deel van mijn uniform werd geprostitueerd!

Geleidelijk verneem ik wat er tijdens mijn afwezigheid is voorgevallen: de bezetting van de stad, de massale angstpsychose die de bevolking had aangegrepen en op de vlucht gedreven. Mijn oude tantes kloosterzusters van Viane werden op een vrachtwagen geladen en waren naar het zuiden uitgeweken, doch gelukkig voor hen niet ver geraakt en heelhuids weer thuis. Wat dreef hun oversten tot zo'n uitzinnigheid?

Overheidspersonen die gebonden waren door de wet van 1935 op de burgerlijke mobilisatie, hadden de voorschriften aan hun laarzen gelapt en hun post verlaten. Aan hun hoofd de Gentse burgemeester Alfred van der Stegen; schepen Jules Storme was nu waarnemend burgervader en had op een beslissend moment tegen binnenrukkende Duitse officieren kordate taal gesproken. Voor Professor Georges Leboucq was de haat tegen de vijand groter dan zijn liefde voor de noodlijdenden van de stad; hij was nu terug en bakte zoete broodjes, maar Albert de Neve, man van de werkliedenbond Het Volk zat in de voorzitterszetel van de Commissie van Openbare Onderstand en ruimde de plaats niet. Rector Goubau van de universiteit had zijn funktie niet opnieuw mogen opnemen omdat hij vertrokken was, en eerst de zijnen in veiligheid had gebracht: het was niets minder dan een sanktie te zijnen opzichte. Op het rectoraat zetelde pro-rector J. Haesaert. Ook Professor Goormaghtigh was op de vlucht geslagen, maar zat nu rustig op zijn laboratorium. Er liepen geruchten dat Professor J. Vernieuwe tijdens zijn odyssee was gedood. Het was niet waar. De kreupele Professor Osw. Rubbrecht was een voorbeeld voor iedereen, want hij was naar de Bijloke gestrompeld om gewonden te verzorgen.

Het vluchtinstinkt dat de mens ingeboren is en hem doelloos voortjaagt wanneer een reëel, of denkbeeldig, gevaar hem bedreigt, heeft in de meidagen van 1940 de geneesheren niet van hun mooiste zijde laten zien. Wat ze deden was niet zakelijk verantwoord, niet doordacht, kortom, niet rationeel. Dat ze domweg op de loop gingen zonder te weten waarheen, bewijst dat ze op hetzelfde geestelijk en moreel peil stonden als de onontwikkelde die het slachtoffer is van propagandistische hersenspoeling.

De dokters moesten toch beter weten, en de eersten zijn, krachtens de potentiële energieën hun door een lange en zware universitaire opleiding verstrekt, om hun animale instinkten onder bedwang van hun humane wil te houden. Wanneer men bedenkt dat in heel Brussel maar veertig geneesheren ter plaatse waren gebleven, en dat al de anderen met hun hebben en houden op de vlucht sloegen moet men concluderen dat er iets haperde aan de morele zin van die op hol geslagen collega's.

Hoeveel Leuvense hoogleraars hebben hun klinische afdelingen niet in de steek gelaten in het spoor van de rector magnificus? Maar hoed af voor deze excellentie, die op zijn stappen terugkeerde, wanneer hij vernam dat de patiëntjes van de universitaire kinderafdeling aan hun lot overgelaten werden; hij ging hulp bieden en de zaken in de hand nemen! Het was nodig van zijnentwege, en zijn daad vergoedde drievoudig de morele schade veroorzaakr door het vluchtmisdrijf van de anderen.

Met veel plattelandsgeneesheren was het geen zier beter dan met de stadsgeneesheren. Te Gavere b.v. gingen een dokter en zijn vrouw met een volgeladen wagen aan de haal. Toen ze over de brug reden waarvan zij niet wisten dat ze ondermijnd was en waarvan de bewakende soldaten in een kroeg aan 't drinken waren, vloog de auto met zijn inhoud in de lucht. De soldaten hadden meer aandacht voor de verstrooide bankbiljetten dan voor het stoffelijk overschot van de geneesheer en zijn echtgenote.

Pikante bijzonderheid: een van de levende broeders van de dokter kwam mij zes maand nadien vragen of ik bij de verongelukte geneesheer niet in de schuld stond voor dichotomie. Waarop mijn antwoord duidelijk was dat ik nooit met de betreurde collega samengewerkt of ooit één van zijn patiënten had behandeld. Met hetzelfde verzoek is de baatzuchtige broeder ook bij andere geneesheren op verkenning geweest, zo vertelde hij zelf.

Nog een andere pikante geschiedenis waarvan ik getuige was. Te Berck-Plage waren eind mei 1940 op zijn minst een tweehonderd auto's van geneesheren door de Duitsers, die ze in beslag genomen hadden, bij het Hôpital Maritime kriskras bijeengebracht; een gedroomde buit voor gaplustige soldaten en leeglopers die de kans niet lieten ontsnappen. Toevallig zag ik ze een wagen onder handen nemen van een Iepers geneesheer die ik kende; ze wierpen alles overhoop op zoek naar waardevolle zaken; voor het huwelijkscontract van de eigenaar hadden ze geen belangstelling, voor het fijne linnen en de bh's van de doktersvrouw wel; het andere werd vertrapt. Eigendomtitels enz. heb ik opgeraapt en aan de intendant van het hospitaal ter hand gesteld. De voorwerpen zijn later alle terechtgekomen.

Daags na mijn thuiskomst hoorde ik vertellen hoe dokter O. Cobbaert de verschuldigde honoraria bij patiënten was gaan ophalen, dan de plaat van zijn deur had weggenomen eer hij vertrokken was en onderweg de dood had gevonden. Voor hem werd een zielemis in de Schreiboomkapel opgedragen. Maar vier weken na mij kwam ook hij thuis.

Verwarring, camelenistisch gedrag, schaamte, weifeling, slaafse deemoed overheersten in de algemene gemoedsgesteldheid. Wat zou uit die chaos van gevoelens terechtkomen?

Een tweede onthutsend verschijnsel was de spontane bereidheid waarmede honderden mannen en vrouwen die werkloos gevallen waren, aan de kantoren van de arbeidsbemiddeling aanschoven en zich lieten inschrijven om in Duitsland te gaan werken. Het was alsof ze naar een kermis mochten. De reden van hun houding lag in de walg voor wat in de hoge regionen van 's landsbestuur, tijdens en na de capitulatie van het Belgische leger was gebeurd. Dit had al de remmen van het fatsoen weggenomen.

Terugkerende vluchtelingen, vooral de verplicht uitgewekenen van 16 tot 35 jaar, waren niet te spreken over hetgeen ze beleefd hadden; ze hadden niets dan misprijzen en woede voor degenen die hen aan hun lot hadden overgelaten. En onbegrijpelijkheid boven alle onbegrijpelijkheden, ze waren vol lof voor de Duitse soldaten.

Ik liet die vreemde gevoelens tot bedaren komen, en overzag de situatie in eigen omgeving. Door de Sint-Niklase familie op sleeptouw genomen, waren mijn vrouw en kinderen met de anderen meegetrokken in de vluchtende sliert, doch door een genadelijke wroeging gedreven, hadden ze na anderhalve dag, tegen de stroom in, de weg naar huis genomen. Ze waren er allemaal buitengewoon gelukkig om geweest.

In de St.-Pietersnieuwstraat hadden ze, samen met mijn ouders en de huishoudster, het onweder van de terugtocht van onze troepen en de intocht van het Duitse leger ongedeerd over zich kunnen laten heendrijven. Geschut van vliegtuigen en artillerie hadden hier en daar schade aangericht. maar al met al was de stad, op wat onzinnig opgeblazen bruggen na, gespaard gebleven.

Op het meest acute moment had mijn gezin, om veilig te zijn, een toevlucht gezocht in de kelders, en met matrassen enz. zo goed of zo kwaad het ging, slaapgelegenheid geïmprovizeerd. Voor mijn vrouw was het het begin van een beproeving, want na de tweede nacht kreeg zij een aanval van pijnlijk spierreuma (polymyalgia rheumatica) dat haar tijdelijk zo hulpbehoevend maakte dat zij niet in staat was zichzelf te behelpen.

Vanaf dat ogenblik dagtekent de chronische aandoening die, met hoogten en laagten, haar verder leven heeft getekend. Einde 1977 zegde ze dat ze sinds nieuwjaar geen halfuur zonder pijn was geweest. Het is de ontzettend zware tol die de oorlog van haar heeft geëist en heel ons gezin daarbij betrekt. Het reuma hangt als een wolk boven haar bestaan en werpt een schaduw op de blijde momenten die haar natuurlijke opgewektheid anders voor haar, en voor ons, zo aangenaam maken.

Het was moeilijk tot evenwicht te komen in de ontreddering waarvan iedereen in meerdere of mindere maat het slachtoffer was. De meest ongewone aandriften en gevoelens waren niet weggeëbd en lieten de indruk na dat men in een andere wereld was beland, en dat nu alles op een nieuwe lei was te beginnen.

Degenen die van hun overhaaste desertie thuiskwamen, gingen met ingetrokken staart weer aan 't werk. Zij die gebleven waren, zetten een grote borst en wilden de weglopers de voet lichten. Als men consequent doordacht, vloeide dit laatste logisch voort uit het eerste. Maar zo'n vlucht nam het niet. Van hogerhand werd een onderzoek naar de gedragingen en de motieven van de in gebreke gebleven ambtenaren ingesteld. De besproken hoogleraren mochten niet meer op de universiteit komen, zolang niet over hen beschikt was. Het zat de getroffenen hoog en zij zetten natuurlijk hun ,,pistons'' in werking.

Mijn gewezen chef professor Goormaghtigh was met het hem beschoren lot zo gekweld en ongelukkig dat ik hem in mijn laboratorium heb laten werken, op het gevaar af dat ik er een standje door zou krijgen.

Na een maand werden de geschorste professoren weer op de universiteit toegelaten en werd over hun houding, ondanks alle bepalingen van de wet op de burgerlijke mobilisatie, de spons geveegd. Vrij kort nadien was er zelfs geen haan meer die over hun avontuur kraaide. Het gaf te bedenken. Maar het leven ging voort en wie of wat de doorslag in de genomen beslissing gegeven had, weet niemand.

Persoonlijk meen ik dat men zo zeer geschrokken was over de omvang van de gebleken deficiëntie, dat men het niet aandurfde sancties te treffen en een belangrijke groep van in de samenleving invloedrijke personen op stang te jagen. Maar een onuitwisbare vlek op het blazoen van ons ambtenarenkorps blijft het.

Toen ik daags na mijn thuiskomst in St.-Vincentiuskliniek verscheen, waren de zalen en de kamers door gewonde soldaten en burgers ingenomen. Ze werden na een paar weken naar een militair hospitaal vervoerd en de voorlopig in de tuin begraven gestorvenen werden naar de stedelijke begraafplaats overgebracht.

Weldra konden we weer patiënten opnemen en het duurde niet lang voordat men op het gewoon ritme ingesteld was. Behoudens de verplichte lichtdemping en de verduistering zodra de nacht inviel, bood de stad haar gewoon uitzicht. Aan de Duitse uniformen liep men onverschillig voorbij.

In de universitaire klinische en polyklinische diensten was het een onvoorstelbare warboel. De beste afdelingen van de Bijloke waren door de Duitsers ingenomen, met het gevolg dat de civiele patiënten in alle beschikbare hoeken en kanten werden ondergebracht. Burgers en soldaten liepen in een weergaloze mengeling doorheen, de Duitsers hooghartig, de burgers onbetekenend.

Het oude hospitaal van 1228 werd een beetje opgeknapt, zodat het een onderdak aan een honderdtal zieken kon verschaffen. Ik moest er mijn patiënten tussen die van andere diensten opnemen. Het Blindenhuis op de Coupure, het meest ongeschikte gebouw voor bedlegerige patiënten, werd uitgerust met afgedankte ledikanten en de nonnen van de Bijloke deden hun uiterste best om er iets ordentelijks van te maken. Het wachtwoord luidde: zich behelpen met wat men heeft.

Mijn al zo benepen urologische polykliniek was verhuisd naar het histologisch instituut van Professor A. de Groodt. Zuster Hubertine had het zo aan boord gelegd dat apparaten enz. voor de neus van de Duitsers werden weggestopt en dat de kale muren de indruk gaven alsof de terugtrekkende Belgen de hele inboedel hadden meegesjouwd. In het histologisch instituut waar we twee maand een onderkomen hadden gekregen, moesten we ons uit de slag trekken; het ging er niet op een academisch voorbeeldige wijze aan toe, maar we konden onze patiënten toch helpen en ondertussen de werking met mijn assistent dokter R. Defoort in gang houden.

Het wekte andermaal opspraak bij de door herhaalde tekortkomingen vanwege overheidspersonen gefrusteerde publieke opinie wanneer bekend werd hoe Vlaamse prominenten naar Frankrijk waren weggesleept geworden.

Ogenschijnlijk waren het mensen die in de kringen die het voor te zeggen hadden gehad, op een verdacht blaadje stonden en onder wie men lukraak een greep in de duizend had gedaan en maar weggegraaid wie onder de handen vielen. Staf de Clercq had men niet gesnapt omdat op Minister van Justitie Janson politieke druk geweest was. Dokter Adriaan Martens had men op straat ontmoet en zonder enig bevel gearresteerd omdat hij Martens was en bijgevolg onbetrouwbaar moest zijn.

Het verhaal over de lijdensweg die hen tot in de Franse Pyreneeën had gevoerd, goot olie op het haatvuur dat in de openbare mening moeizaam uit te doven was. Dat Joris van Severen te Abbeville beestachtig doodgeschoten was door opgezweepte Franse soldaten aan wie hij met een groep politiek-ongewensten werd overgeleverd, was gewoon verbijsterend. Dokter Raf. Vervaeke, iemand die geen vlieg had kwaad gedaan, werd door Franse soldaten uit zijn Menense woning gehaald en meegenomen. Toen de zwaarlijvige man niet meer volgen kon, heeft men hem gewoon neergeknald en laten liggen.

Adriaan Martens die ik twee dagen na zijn thuiskomst uit het kamp van Le Vernet d'Ariège ontmoette, zag er met zijn kortgeknipt haar als een galeiboef uit; wat hij had gezien en uitgestaan had, was mensonwaardig, zelfs in oorlogstijd.

Auditeur-generaal Ganshof van der Meersch die voor de deportatie verantwoordelijk was, kreeg te Brussel van advokaat Edmond van Dieren in volle gerechtshof een zinnebeeldige kaakslag. Het aantal dergenen die oorvegen zouden willen geven hebben, was even groot als het aantal dergenen die een oorveeg verdienden. Zo kan men de gemoedstoestand die toen heerste best weergeven.

Men kon mij niet uit het hoofd praten dat die feiten een weerslag zouden hebben op de politieke gedragslijn in de onmiddellijke toekomst; men moest geen profeet zijn om het te voorzien. Kort daarop begon het al met moties en verklaringen.

Die geschiedenis hoort niet thuis in deze memoires, hoewel mijn naam voorkomt op een van de allereerste manifesten die verschenen tengunste van een nieuwe Volksbeweging. Zie de oproep in *Volk en Staat* van 11 augustus 1940. Hendrik de Man, de grote profeet van het ogenblik was ertegen omdat die Volksbeweging klerikaal en conservatief was. En daags nadien sprak René Lagrou op een meeting over: ,,Vlaanderen, Westmark van het Rijk''. De Volksbeweging was een doodgeboren kind want de splijtzwam zat er al in. Eigenaardig genoeg werd mij in de onzalige repressie die handtekening niet aangerekend.

*

* *

Eind augustus 1940 waren de gevolgen van de geweldige schok die de mei- en junidagen in de geesten veroorzaakt hadden, grotendeels aan het wegdeinen, en kwam het tot een zekere stabiliteit en berusting. Wat niet betekende dat er niets roerde onder de oppervlakte van die schijnbare onderworpenheid.

De Duitsers voerden hun oorlog en zwichtten voor niets of niemand. Dat zij iets van zins waren, bleek uit een verhoogde bedrijvigheid in de lucht, en dat zij een landing op de Britse kusten voorbereidden, kon men afleiden uit de opeising van platbodemde binnenvaartuigen waarvan ze de voorsteven van valdeuren voorzagen, zodat wagens en konvooien er gemakkelijk konden af- en oprijden. Na een maand werden de preparatieven stilgelegd. Men heeft later begrepen waarom.

De voedselvoorziening van de bevolking werd de voornaamste opdracht van de gemeentebesturen en in de ziekenhuizen baarde ze eveneens zorgen.

De universiteit ontsnapte niet aan de koorts van de tijdsomstandigheden en moest er rekening mede houden. Rector was de chemicus Guillaume de Smet, de oudste van de vier decanen, een integer man, die onder een eenvoudige omgang een ongemene dienstbaarheid aan de dag legde, en niet van een zekere sluwheid verstoken was. Beheerder-Opziener was Alfred Schoep, die tijdens de meidagen het roer stevig in de hand had gehouden. In de geneeskundige faculteit was professor Vlaeyen decaan gebleven.

De gewone routine van telkens terugkerende bezigheden werd niet onderbroken door de gebeurtenissen. In oktober 1940 was er geen plechtige opening; er werd examen afgenomen en er werden colleges gegeven zoals te voren; elke ochtend stond ik om halfacht voor het bord in het Anatomisch Instituut en om negen uur in de urologische polykliniek tot halfelf. Wat er aan tijd overbleef werd aan de privé-praktijk besteed; 's namiddags stond ik te halfvier opnieuw in 't universitaire gareel.

Aan de bezetting van het Klinisch Instituut aan de Pasteurdreef was met het nieuwe academiejaar een einde gekomen, zodat we ruimer konden ademhalen en ten dienste staan van het toenemende aantal patiënten. Het krappe loon verplichtte arbeiders en bedienden meer dan ooit een beroep te doen op de kosteloze raadplegingen, en daar we vaak geneesmiddelen konden ter beschikking stellen, overtrof de vraag het aanbod.

Plots was de geneeskundige faculteit voor een ongewoon dilemma geplaatst. Door het overlijden van professor M. van Duyse en door het emeritaat van professor H. de Stella, waren er twee vacatures ontstaan. Onder de zich aanmeldende kandidaten doken twee oud-professoren van de onder de eerste wereldoorlog vernederlandste universiteit op, de oogarts Reimond Speleers en de internist Adriaan Martens. Dat ze door de meerderheid van de faculteitsleden als vreemde eenden in de bijt beschouwd werden, hoeft geen lang betoog, en het advies van de meerderheid luidde dat men zich over deze kandidaturen niet wenste uit te spreken.

De benoemde Sekretaris-Generaal M. Nyns wist niet wat gedaan en ging zijn licht opsteken bij oud-minister Maurits Lippens die duidelijk, op de kordate toon die hem eigen was, de wijfelende Nyns van antwoord diende met een: ,,Nommez les, nom de Dieu''. Ze werden benoemd. Deze episode werd aan mij en aan allen die het horen wilden meermaals verteld door Jan Grauls, die er het fijne van wist, vermits hij direkteur-generaal van het hoger onderwijs was, en die er nooit doekjes om deed.

Speleers en Martens verschenen op de faculteitsvergaderingen waar hun vanwege decaan Vlayen een beleefde maar koele begroeting te beurt viel. Ze gaven hun onderwijs op een onberispelijke manier en de studenten aanvaardden ze, zoals elke hoogleraar aanvaard werd.

Twee van de meest vooraanstaande professoren werden einde 1940 in hun gezin zwaar beproefd door het verlies van hun zoon; het werd als iets meer dan een pijnlijk voorval aangevoeld, omdat de jongelieden het slachtoffer waren van de uittocht der meidagen. Het was als een epidemie te beschouwen dat velen onder de zestien- tot vijfendertigjarigen aan hersenvliesontsteking overleden. De vlucht in de meest afschuwelijke omstandigheden had op een voor tuberculose gevoelige leeftijd onder de vluchtenden echte ravages aangericht. In de medische annalen zal die ervaring van 1940 in zwarte cijfers aangemerkt blijven; de namen van de hoogleraren De Beule en Heymans zullen het feit nog meer beklemtonen.

Het probleem van het Gentse academisch ziekenhuis dat het universitaire milieu al jaren in spanning hield, was door de oorlog en de bezetting niet van de baan. Op de werf aan de Zwijnaardsesteenweg waren de werken door gebrek aan subsidies en al de rest, stilgevallen; het gebouw stond er, onafgewerkt, aan regen en wind blootgesteld, desolaat bij.

In de schoot van de faculteit eisten de noden van het klinisch onderwijs daarom niet minder een oplossing. In mijn monografie over de geschiedenis van die periode heb ik van naaldje tot draadje uit de doeken gedaan hoe het allemaal in de haak zat, welke factoren en invloeden erbij gemoeid waren en welke personen daarbij een rol gespeeld hebben.

Het is dan zo verlopen dat de diensten van het stadsziekenhuis, op bevel van het stadsbestuur (burgemeester H. Elias) aan de universiteit werden overgedragen; dit was de strikte toepassing van de wetten van 1835 en 1849 op de inrichting van het hoger onderwijs. De faculteit zelf had het zo gewenst, o.m. op aandringen van Professor Goormaghtigh. De notulen van de faculteitsvergaderingen laten daarover geen twijfel bestaan. Het heeft niet belet dat de maatregel opzien baarde en sommige personen zwaar aangerekend werd.

De overschakeling zelf is voor de patiënten rimpelloos verlopen en geen een heeft er hinder of schade door geleden. Voor de universiteit en de klinische hoogleraren was het een aanwinst, en de medische studenten waren de eersten om er voordeel uit te halen. Over de manier waarop het geschied is, kan men van mening verschillen, maar de initiale oorzaak van de betwisting ligt in de negentiende eeuw, bij een willekeurige interpretatie van de desbetreffende wetten waarbij de universiteit (historisch) benadeeld werd.

De zo besproken omschakeling viel nagenoeg samen met het bezoek van de Duitse minister van Volksgezondheid Conti aan de universiteit. Hij werd in de Aula door de decaan N. Vlaeyen begroet, en gaf er een lezing die niet veel om het lijf had, maar die eindigde met een ode aan het door het Derde Rijk gevoerde gezondheidsbeleid. Men heeft het professor Frans Daels aangerekend Conti naar Gent te hebben gehaald. De waarheid is dat de Duitse minister was vergezeld door de hoge omes van het bezettingsleger, dat hij de Bijloke heeft bezocht en er met een kritische kennersblik misprijzend op heeft neergekeken.

Het geviel dat ik op het einde van dat incidentenrijke academiejaar tot decaan van de fakulteit werd verkozen. De Bijlokeverwikkelingen waren er niet vreemd aan. De omstandigheden hadden ertoe geleid dat het klinisch onderwijs meer dan ooit het zorgenkind van de geneeskundige faculteit werd en het nog lang zou blijven. Professor Daels en professor Rubbrecht oordeelden dat men best een klinisch hoogleraar aan 't hoofd van de faculteit zou plaatsen. Zij stelden mij voor.

Het was aan te zien dat het voorstel niet dadelijk in goede aarde viel. Professor J.J. van de Velde wiens traditionele beurt het was om decaan te worden, werd opzij geschoven, en dat schiep een onaangename verhouding. Een geheime stemming werd gevraagd: ik kreeg vijftien stemmen op twintig aanwezigen. Tot secretaris werd professor P. Regniers verkozen; professor L. van Houteghem moest tegenover hem in 't zand bijten.

Door deze stemming voelde ik mij gedekt en aanvaardde mijn taak. Men heeft gepoogd het mij als onheus aan te wrijven, maar tegen die geheime stemming kon men niet veel inbrengen: vijftien op twintig was een koopvernietigend cijfer dat de deur dichtdeed.

Een onvoorziene knoop die ik door te hakken kreeg, kwam vanwege Roger Soenen. Hij was in 1933 uit zijn ambt ontzet en huisarts in Oostakker geworden. Met de hem eigen wispelturigheid wenste hij naar de universiteit terug te keren en sommige personen een lange neus te zetten. Hij schroomde niet met de medehulp van politieke vrienden en de bezetter het rectoraat te verplichten diegenen die hem in 1934 opgevolgd waren, opzij te zetten en hem opnieuw de leerstoel anatomie toe te vertrouwen.

Professor Firmin de Rom en ikzelf moesten wijken. Voor De Rom kwam het erg aan vermits hij geen andere universitaire opdracht had. Onderhands heeft men zich akkoord verklaard om hem de cursus van de topografische ontleedkunde in het derde kandidaatsjaar te laten geven; zo kon hij een leeropdracht met al de voordelen van dien behouden.

Voor mij was het een ontgoocheling de vertrouwde anatomie te moeten opgeven. Ik bewaarde mijn bevoegdheid voor de urologie en legde mij, zo goedschiks mogelijk, bij het onvermijdelijke neer. Ik kreeg meer tijd ter beschikking en kon ook mijn coupes en ander wetenschappelijke materiaal dat ik opgespaard had, naar de urologie meenemen. Dat ik mijn laboratorium kwijt was, deerde mij meest van al. Soenen zat weer op de professorale troon en gaf zijn Oostakkerse praktijk op. Het was zijn eerste stunt niet, en het zou zijn laatste niet zijn.

Met rector G. de Smet kon ik altijd goed opschieten, en in de huiskring van het College der Assessoren wasten we het vuile linnen van de universiteit ondereen. Niets lekte uit en wrijvingen waren er niet. Hoofddoel was zonder spectakulaire gebaren de bemoeizieke Duitsers op een hoofse manier om de tuin te leiden; daarvoor was rector De Smet de geknipte man.

Zo was ik ervan op de hoogte dat de ontvanger van de Academieraad er twee lijsten van de eerstejaarsstudenten op nahield, waarvan er een dienen zou om de bezetter op een vals spoor te brengen in geval van opeising. In de Academieraad bracht ik over de ontvangen inscriptiegelden verslag uit, en deed het op zulkdanige wijze dat alles met het aantal inschrijvingen overeenstemde, ofschoon ik goed wist hoe, en waar, en door wie, geknoeid werd. Degenen die het ook wisten, zwegen als vermoord, en het is pas na de oorlog aan het licht gekomen. Maar toen moest Barbertje hangen.

In 1942 werden professor P. Regniers en ik voor één jaar in ons ambt van sekretaris en decaan door de faculteit bevestigd. Hij en ik leidden eruit af dat wij onze taak in die moeilijke periode niet zo slecht hadden vervuld.

Al een geruime tijd zat de geneeskundige faculteit opgescheept met het ongevraagde bezoek van Duitse geneeskundigen die voor de studenten lezingen kwamen geven. De decaan moest hoffelijkheidshalve de geleerde heren voorstellen aan een dun bezet auditorium. Ik deed het altijd in het Nederlands. Het hing op de duur mijn keel uit dat dr. Holm van het militair hoofdkwartier te Brussel, de decaan van de komst van de voordrachtgevers op de hoogte bracht en hem verzocht de honneurs waar te nemen.

Ik ben dan in mijn pen geklommen en heb aan dokter Holm die mij om de maand de ongevraagde heren opsolferde, op een diplomatische wijze aan 't verstand gebracht dat we van die lezingen liefst verschoond bleven. De uitgezonden heren waren weliswaar het neusje van de zalm van de Duitse geneeskunde, maar de medische fakulteit van Gent was uit traditie zozeer op haar academisch prestige gesteld, dat zij niet kon aanvaarden dat iemand van buitenuit lezingen kwam geven waar niet om gevraagd werd. De faculteit beschouwde dit als een aanslag op haar historische autonomie. Ikvoegde eraan toe dat het de plicht van de decaan was, dit alles onder de welwillende aandacht van de heer Holm te brengen, met het verzoek dat in de toekomst naar onze wens zou gehandeld worden.

Ik las die brief voor in de faculteitszitting en kreeg de goedkeuring van mijn collega's. Professor F. de Beule voegde eraan toe: ,,Elaut, dat zult ge bekopen!'' Nog geen week later ontving ik een antwoord van Dokter Holm, dat er geen ongevraagde lesgevers meer zouden komen. Een kopie van de brief wordt in het universiteitsarchief bewaard.

Omstreeks dezelfde tijd werd vanwege enkele geneesheren een beroep gedaan op de geneeskundige faculteit om bij de Duitse bezetter voetstappen te doen ten gunste van dokter Edgar de Meersman uit Lokeren, die tegelijkertijd als zijn broeder Benediktijnermonnik uit de abdij van Dendermonde, te Brugge ter dood waren veroordeeld wegens een spionagezaak.

Ik wendde mij eerst tot Corneel Heymans met wie ik een aktieplan opzette. Professor Frank Baur zou een genadeverzoek in het beste Duits opgesteld aan de Gerichtsherr richten. Ik zou als decaan van de faculteit een hoop fictieve argumenten aanvoeren waarom we dokter De Meersman als assistent bij de faculteit (een verzinsel) niet konden missen. August Borms, door louter menslievende redenen bewogen, en zonder acht te slaan op de politieke overtuiging van dokter E. de Meersman, ging persoonlijk het genadeverzoek te Brugge aan de Gerichtsherr overhandigen. Deze beloofde het door te zenden naar Himmler die in zulke aangelegenheden het laatste woord had. Het genadeverzoek droeg de handtekeningen van Heymans, Nobelprijs geneeskunde, R. Speleers, F. Daels, F. de Beule en L. Elaut, decaan van de Faculteit Geneeskunde. Een maand later kreeg C. Heymans antwoord van Himmler dat E. de Meersman niet zou terechtgesteld worden. Na de oorlog kwam de dokter terug thuis.

Toen mijn verdediger voor de Brusselse krijgsraad deze feiten aanhaalde, kreeg hij van de auditeur te horen dat ik zeer Duitsgezind moest geweest zijn om zulk resultaat te hebben bereikt. Dat het leven van een patriottisch geneesheer werd gered, werd door de auditeur van geen tel geacht!

Mijn tweejarig decanaat liep met het academiejaar 1942-1943 ten einde. Professor P. Regniers volgde mij op. Mijn ambtstermijn was niet opgefleurd met luisterrijke gebeurtenissen, maar in de netten die onder het eendekroos van de universitaire vijver door belagers waren uitgespannen, was ik niet verstrikt. Ik achtte mij tevreden en sprak als afscheid de wens uit dat de collega's hun facultaire plichten beter zouden ter harte nemen. Degenen die ik op het oog had, slikten hun speeksel door.

*
* *

Buiten het werk dat ik als faculteitsdecaan ambtshalve te verrichten had, was ik bij een hoop aangelegenheden betrokken die daar ternauwernood iets mede te maken hadden. Als sekretaris van de stagekommissie der faculteit, waarvan professor Dauwe de voorzitter was, moest ik instaan voor de contacten met de directeur van de Bijloke, de heer M. Carton. Wanneer het tussen hem en de Duitsers scheefliep, deed hij een beroep op mij om hem uit de penarie te helpen en bij de militaire directeur van de Bijloke zijn zaak te bepleiten.

Mocht ik hem helpen, op het gevaar af als een handlanger van de Duitsers door te gaan, of diende ik hem in de kou te laten staan, wat niet bevorderlijk was voor zijn veiligheid? Ik aarzelde niet en koos voor het eerste. Toen ik de dreigementen die tegen hem geuit werden over mijn hoofd liet voorbijdrijven en van alles ter verontschuldiging had aangevoerd, oordeelde ik het opportuun de directeur te waarschuwen. Hij heeft zich toen schuilgehouden en werd niet gezocht. Voor mijn tussenkomst is hij mij dankbaar gebleven, en is hij te mijnen gunste voor de krijgsraad komen getuigen: die tussenkomst werd mij als een bezwarende omstandigheid aangerekend.

De heer Hoste, econoom van de Commissie van Openbare Onderstand die ervoor moest zorgen dat de patiënten van de Bijloke en van de Universiteit te eten hadden, zat op zeker ogenblik in de knel bij de vleesvoorzieningsdienst van de Landbouw- en Voedingscorporatie. Er werd hem zeshonderd kilo vlees aangerekend die hij moeilijk kon verantwoorden. Omdat ik uit ervaring wist dat de heer Hoste in deze aangelegenheid te goeder trouw gehandeld had, en zeker geen half pond vlees aan zijn bestemming onttrokken had, nam ik zijn verdediging op.

Het toeval wilde dat de grote baas van de vleesvoorziening, de heer H. Molitor, geneeskunde studeerde en een deel van zijn verplichte stage deed in de afdeling van professor Dauwe. Ik ging hem de zaak uiteenzetten en na lang soebatten kreeg ik het gedaan dat de spons geveegd werd. De heer Hoste heeft het na de oorlog over de daken uitgeschreeuwd dat ik hem niet in opspraak had gebracht met een aangelegenheid die hem anders duur zou aangerekend geweest zijn. Collaboratieperikelen!

In juni 1942 werd door de Vlaamse en door de Belgische academiën voor geneeskunde een debat over de voedingssituatie van de burgerbevolking in ons land georganiseerd. Curven, statistieken enz. werden ontrold, maar de meest scherpe kant van het hele probleem werd onder de korenmaat van die academische praatpartij weggestopt, namelijk dat de bezetter een deel van de nationale voedselvoorraad opeiste en de burgerbevolking op zwart zaad zette. Dat moest in een rapport op ongeveinsde toon gezegd worden, al 't andere was larie en apekool; zo luidde mijn advies in 't debat.

Van sommige leden kreeg ik een ovatie, de meeste kropen in hun schelp en hielden hun hart vast. Professor Goubau, die aanwezig was, is dat op mijn proces voor de Brusselse krijgsraad te mijnen gunste komen getuigen. Het scheelde niet veel of de voorzitter joeg hem de zaal uit. Collaboratie- en repressieperikelen!

DE KINDEREN NAAR SCHOOL. VERZWINDENDE LAATSTE HOOP. HET GROTE DILEMMA

Zoals het in de Bijbel staat, namen ook onze kinderen toe in jaren en in wijsheid. In september 1940 was onze oudste schoolplichtig. We plaatsten haar op St.-Bavo, bij de Zusters van Liefde. Froebelonderwijs had ze niet gevolgd. Door onze huishoudster werd ze 's morgens en 's middags naar school gebracht, door mijn vrouw werd ze na de klas afgehaald. Het gebeurde ook dat ik ze meenam op mijn fiets, wanneer ik naar 't ziekenhuis ging.

Verliefd op de school was de jonge dame beslist niet, wel was ze leergierig; ongaarne doorliep ze de klassen van het lager onderwijs en een paar klassen van de humaniora.

Wanneer onze jongen een jaar later in hetzelfde St.-Bavo op de Froebelafdeling kwam, sputterde hij geweldig tegen en moest de schooldeur gesloten worden om te beletten dat hij ging lopen. Daags nadien was hij met de instelling verzoend en ingeburgerd; hij heeft als een voorbeeldige knaap het leerprogramma met succes doorgemaakt. In 1945 werd hij op St.-Barbarakollege ingeschreven; hij heeft er de lagere afdeling en de Latijns-Griekse humaniora gevolgd.

Onze jongste dochter, Marie Christine, heeft op St.-Bavo de Froebelafdeling, de lagere afdeling en de Latijns-Griekse humaniora gevolgd.

Het was een beroerde tijd voor schoolgaande kinderen. Zij leefden onder bestendige spanning. Hoe dikwijls moesten zij niet in de schuilkelder van de school beschutting zoeken, wanneer bomalarm geblazen werd? Op weg van en naar de school werden ze soms uren opgehouden, wanneer vliegtuigen het in de lucht al te bar maakten en het stukken van ontploffende projectielen over de stad regende. Op school kregen ze van Winterhulp chocolademelk en vitamines. Het was allemaal niet bevorderlijk voor de zo noodzakelijke gemoedsrust, die de ouders ook niet altijd gegeven was.

Mijn vrouw en ik hebben de schoolverrichtingen van onze kinderen op de voet gevolgd. Onze stelregel was de leerkrachten gelijk te geven en nooit tegen te spreken. Wanneer ouders en leerkrachten niet aan hetzelfde touw trekken, loopt het met de opvoeding verkeerd. We hebben ons die houding nooit beklaagd. De kinderen wisten dat ze geen gelijk kregen, wanneer ze op school iets verkeerds gedaan hadden of met een ongunstig rapport thuiskwamen. We waren op openhartigheid met onze kinderen gesteld en dat schiep een aangename sfeer van onderling vertrouwen.

Waarin we wellicht gefaald hebben was dat we vrij laat met seksuele voorlichting begonnen zijn. We aarzelden, durfden nauwelijks of wisten niet hoe de zaken aan te pakken. We waren geïnhibeerd door de preconciliaire schroom en rekenden teveel op de intuïtie die hun ogen zou doen opengaan voor het verschijnsel van de seksualiteit in de wereld. We stellen vast dat onze kleinkinderen tegen deze dingen meer onbedekt aankijken dan hun ouders veertig jaar geleden. Het is goed zo.

Naarmate de oorlog vorderde bracht de voedselvoorziening van een gezin dat uit zeven personen bestond, zorgelijke problemen mee. We huldigden de stelling dat we met de officiële rantsoenering voort konden, daar waar zovelen het moesten doen. Maar wanneer het duidelijk werd dat iedereen zich er in de zwarte handel wat van het ontbrekende bij verschafte, zijn wij dezelfde weg opgegaan.

Meer dan eens ben ik met de fiets naar de boer gereden, bij oud-patiënten om een pondje boter, een stuk buikspek, een geslacht konijn, een afgedankte haan, waarvoor wij dubbel en dik betaalden. Op zekere dag kreeg ik van een Meetjeslandse dame een kaart met de melding dat de twee polissen van de verzekeringsmaatschappij bij haar klaarlagen en dat ik ze zo spoedig mogelijk zou afhalen. Ik erheen. Met twee repen rundvlees rond mijn romp gebonden, werd ik thuis op een hoera verwelkomd.

We geraakten soms aan een hoeveelheid tarwe of rogge. Om ze tot meel te malen kon men bij de knutselaars die voor alles een oplossing vinden, een handmolen kopen. 's Avonds werd vlijtig gedraaid tot we een paar kilo's meel bijeenkregen, waaruit moeder een schappelijk brood bakte.

Bij een boer hadden we onze ,,ares'' aardappelen staan waardoor we het karige officiële rantsoen aanvulden. De overvloedige aardappeloogst van 1943 was een van God gezonden zegen en de haring die in ongekend dichte scholen tot op onze kusten aandreef verschafte de eiwitten die de uitgedunde veestapel niet verschaffen kon. Geleerde rapporten hebben uitgemaakt dat het aan die wonderbare haringvangst toe te schrijven was, dat de Belgische bevolking goed heeft stand gehouden.

Professor Korneel Heymans ging te Berlijn pleiten teneinde het dreigend vitaminetekort van onze kinderen af te wenden. Hij kwam naar huis met de toezegging dat vanuit Portugal de invoer van vitamine D vrijgegeven werd. Die stap werd hem in 1945 als een zware fout aangerekend en hij werd ervoor een tijdje uit zijn ambt geschorst.

Het Ministerie van Volksgezondheid zette vanaf 1941 een campagne op touw voor de borstvoeding. Was het daaraan te danken dat de kindersterfte in ons land tot nooit gekende lage cijfers daalde? De gemeentebesturen, de Voedingscorporatie en Winterhulp hebben wonderen van vernuft aan de dag gelegd om de burgerbevolking op een niet al te slecht voedingspeil te houden. Allen hebben ervan geprofiteerd, maar degenen die er zich voor te pand gesteld hebben, werden niet rechtmatig bedankt of beloond.

Dit intermezzo over de maatregelen die ten gunste van de jeugd genomen werden, is verre van volledig, en ik hoop dat de geschiedenis daarvan te eniger tijd moge geschreven worden. Ze zal het bewijs brengen dat de zo vervloekte ,,volksverbondenheid'' geen sprookje was, en allerminst een ,,volksbedrog''. Er gebeurden in die tijd veel andere staaltjes van ,,volksmisleiding'' en politieke raddraaierij die niets minder waren dan verderfelijke ,,volksophitsing'' waarvan de gevolgen nog voortleven.

Het dilemma, of meegaan of niet meegaan met degenen die toen de ,,overheid'' waren en bij wie het openbaar gezag berustte, moreel geoorloofd was, hield niet veel geesten bezig, en de uitspraken van degenen wier taak het was daaromtrent de gewetens voor te lichten waren zo dubbelzinnig dat men er alle kanten mee uit kon. Kardinaal Van Roey heeft eenmaal geschreven, wanneer Engelse bommen op de Leuvense universiteit terechtkwamen: salus populi suprema lex. Het werd hem euvel geduid.

Richtlijnen kregen we niet, en in de uren van nood ging elkeen af op zijn eigen instinct. De goede instincten werden versmoord, de kwade instincten kregen de overhand en ze werden aangewakkerd door hen die vanop een veilige afstand, ongenuanceerd, stookten tegen alles wat hier ten bate van de bevolking gedaan werd. Het was diabolisch. We moesten leven, of doodgaan, er was geen andere keus!

*
* *

We kozen voor het leven; zo overtuigend dat we nieuw leven verwekten. We waren gelukkig, wanneer dokter L. van Damme vaststelde dat mijn vrouw zwanger was. Het zou halfjaar 1942 zijn. We hoopten op een jongen; die zou het evenwicht van de geslachten in ons gezin herstellen. Een koningswens naar oude geplogenheid.

De voorbereidingen werden getroffen en de bijzondere melkbons voor zwangeren werden aangevraagd. De winter van 1942 zette vrij laat in; einde januari begon het te sneeuwen en daarna hard te vriezen zoals het in jaren niet meer het geval geweest was. Mijn vrouw durfde zich nauwelijks buiten wagen op de gladde ijsstraten. Op een namiddag belde ze mij naar de universitaire kliniek op en vroeg mij naar huis te komen omdat ze zich onwel voelde. Dokter Van Damme werd erbij gehaald en diagnostiseerde een dreigend miskraam. Het kwam hard aan. Alles werd erop gezet om de zwangerschap te behouden. Het baatte helaas niet. Professor Daels werd ter hulp geroepen om de vrucht af te halen. Het was een afgestorven jongetje van de vijfde maand. Tot overmaat van tegenspoed trad een zware nabloeding op wegens een baarmoederscheur die nauwelijks tot stilstand te brengen was door het plaatsen van een zware klem op de gutsende portio. Een bloedtransfusie werd noodzakelijk geacht. Mijn assistent, dokter R. Defoort, van wie ik wist dat hij een algemene gever was, werd bereid gevonden een halve liter bloed te schenken, en een dame algemene geefster van het Rode Kruis was een half uur later ter beschikking voor vierhonderd kubieke centimeter.

Daarmee was een hachelijke toestand verholpen. Het had er gespannen. Dokter Van Damme is gebleven tot het gevaar geweken was, zoals hij ook gedurende twee dagen weinig of niet uit ons huis weg was geweest. Het is in zulke omstandigheden dat men zijn ware vrienden leert kennen. We hebben het nooit vergeten, zoals wij ook de lange en strenge winter van januari en februari 1942 nooit zullen vergeten.

Met dit droeve voorval verzwond onze laatste hoop op een kroostrijk gezin. We hebben erin berust en het aanvaard als een stuk van het levensaandeel dat ons, zoals aan eenieder, beschoren is. Dat de man en de vrouw dat aandeel gezamenlijk dragen, verlicht voor beiden de last. We hebben het zo opgevat, heel onze liefde voortaan op onze drie kinderen verenigd en met hen vereenzelvigd. Mijn ouders en de moeder van mijn vrouw zijn ons in die beproeving met hun genegenheid een kostbare steun geweest; meer dan wie ook hebben zij alles medegeleefd en medegevoeld.

*
* *

We stonden met onze droefheid niet alleen, maar het persoonlijke leven en de maatschappij eisten onverbiddellijk hun recht op, en niemand mag of kan blijven stilstaan. In de bewogen omstandigheden die de dagelijkse taak met de patiënten, met de andere geneesheren, met de medische studenten, met de familieleden, met alle medeburgers als een geheimzinnig doek omhulden, lag het terrein waarop men zich bevond vol met angels van allerlei aard.

Nam men uitgesproken standpunten in, dan kwam men in een van de twee kampen terecht; hield men zich aan de buitenkant en zweeg men, dan was men als verdacht aangemerkt en werd men door niemand vertrouwd. In gemoede zijn hart luchten was een gevaarlijk spel, want dat kon zoveel betekenen als bij de duivel te biecht gaan.

Ik had mij vast voorgenomen bij geen enkele van de groepen of groepjes aan te sluiten die zich in een politiek engagement gewaagd hadden. Wat wisten die brave luiden ervan waar ze daarmee zouden terechtkomen? Aan één mens heb ik gezegd wat op de bodem van mijn hart lag, en bij hem vond ik begrip, omdat hij precies dacht wat ik dacht, en dat was bij Jef Goossenaerts. Onze stelling was: uiterst voorzichtig zijn met de Duitsers, ze zijn evenzeer te wantrouwen als de franskiljons, we mogen ons niet hals over kop in het onbekende storten en de das laten omdoen.

We waarschuwden onze vrienden dat ze niet op ons mochten rekenen om blindelings de weg van de Vlaamse toekomst op te gaan. Maar de vriendschap bleef desondanks gehandhaafd, we deden niet mee aan koppensnellerij, en werkten alles in de hand wat de samenhorigheid bevordert en wat het stoffelijke welzijn van de Vlaamse mens kon ten goede komen.

We wisten dat ook dit standpunt ons door zekere kringen als een onvergeeflijke zwakheid aangerekend werd. Vlaamsgezindheid en ons-gezindheid werd door die kringen niet aanvaard, dat stond gelijk met Duitsgezindheid. Zelfs intellectuelen zagen het onderscheid niet, en dat er plaats kan zijn voor nuances tussen wit en zwart, joeg hen op stang. Ik vond het een deplorabele geestesgesteldheid dat personen die de toon moeten aangeven zich lieten meeslepen door irrelevante opvattingen.

Goossenaerts noch ik zijn ooit lid geweest van het Vlaamsch Nationaal Verbond — VNV — of van welkdanige andere politieke of parapolitieke formatie. Onze tegenstanders konden het niet geloven: hoe zouden flaminganten als jullie daar kunnen buitenblijven? En toch was het zo, niemand heeft ooit kunnen bewijzen dat het zo niet geweest is tot het eind van de oorlog.

Om aan de bekoring van politieke collaboratie te ontsnappen kwam ik op geen enkele politieke samenkomst. Mijn vrije avonden vulde ik met het vertalen van de Latijnse auteur Horatius, een schrijver naar mijn hart. Het was ook bedoeld als een antwoord op een vriendelijke uitdaging van de Leuvense professor Rufin Schockaert die berijmde vertalingen van Juvenalis en anderen in 't licht zond en ten voordele van Winterhulp verkocht. De literaire waarde van zijn vertalingen kon ik niet hoog aanslaan en ik had geschreven dat ze de smaak hadden van verschaalde wijn. De goede vader Schockaert nam mij dat kwalijk en daagde mij uit iets in dezelfde aard te beproeven. Ik nam de handschoen op, maar dan in proza en niet in karamelleverzen.

Mijn Nederlandse prozavertaling van de *Opera Omnia* van Horatius is na de oorlog verschenen (1954) in de Heliosreeks van Desclée de Brouwer. Er kwam zelfs een tweede uitgave van de *Oden en Epoden*. In de colleges, athenea en gymnasia ging die vertaling van hand tot hand. In de Gentse universiteit lag ze voor de studenten, wanneer Professor P. van de Woestijne, een bekend Horatiusfan, zijn dagelijkse bladzijde Latijn voor de aanstaande doctoren in de rechten vertaalde en inleidde.

Terwijl ik op een ochtend in de urologische polykliniek voor de studenten het dagelijks spreekuur leidde, werd ik door de Gentse burgemeester H. Elias aan de telefoon geroepen. Een lid van de Commissie van de Openbare Onderstand nam zijn ontslag, en of ik zijn plaats wilde innemen. Op mijn vraag of hij gedwongen of vrijwillig ontslag nam, kwam het antwoord dat hij, advokaat F. Duchêne, vrijwillig zijn ontslag nam. Het flitste door mijn geest dat ik op deze plaats iets kon verwezenlijken ten bate van onze patiënten, en ik zegde ja.

Ook dat werd als een onvaderlandse handeling beschouwd. Maar degene die de voorzitterszetel had ingenomen, de C.V.P'er Albert de Neve, wanneer de voorzitter Leboucq was gaan lopen, liet zich na de oorlog in de bloempjes zetten en decoreren. Wij kregen de ezelsstamp.

De fysische gezondheid van zijn medeburgers kon een geneesheer niet onverschillig laten, ook in oorlogstijd niet. Het was evident dat de Duitse bezetter er alles bij te winnen had, dat zijn soldaten niet aan de gevaren van besmettelijke ziekten blootstonden die hen vanuit de plaatselijke bevolking konden bedreigen.

Dat het gevaar vanuit de legers op de autochtonen kon overslaan, was ook niet denkbeeldig. De van het Oostfront meegebrachte vlektyfusluizen legden aan de Belgische grens hun slechte manieren niet af. Dokter A. Miserez uit Denderleeuw, die een konvooi Russische krijgsgevangenen onderzocht, werd slachtoffer van de vreselijke ziekte. Beschouwingen over de collaboratie verzwinden hierbij als zeepbellen, maar dat die flamingant als slachtoffer van zijn beroepsplicht overleed, werd maar schuchter aanvaard.

De tuberculose nam onder de oorlog onrustwekkend toe. De Duitsers waren gruwelijk bang voor de gevolgen, en legden de verplichte aangifte van alle gevallen onder de burgerbevolking op. Moest men die aangifteplicht uit vaderlandse motieven negeren, op 't gevaar af dat ook onze mensen aan de voordelen van de profylactische maatregelen ontsnapten? Muilhelden, komt met uw argumenten voor de dag, we zullen met u gaan discussiëren in een antituberculeus preventorium waar de tuberkelbacillen in de lucht zweven.

Vrouwelijke gonorroeapatiënten waren geïsoleerd opdat ze geen Duitse soldaten zouden besmetten; dat ze daardoor ook de mannelijke Belgen niet meer konden aansteken, was toch geen nadeel. Men maakte onderduims propaganda tegen die verplichte aangifte van de geslachtsziekten. Wanneer voor elke aangifte een geldelijke beloning voorzien werd, bleken er plots zoveel gonorroealijders rond te lopen dat het onwaarschijnlijk voorkwam. Bij nader toezicht bezat geen enkele van de toeslagtrekkende geneesheren het vereiste mikroscoop dat hem moest in staat stellen de bacteriologische diagnose van de ziekte te stellen. Zo iets deed de deur dicht.

Ik gaf lezingen voor de manschappen van de Vlaamse Wacht om ze te wijzen op het gevaar van de venerische ziekten: collaboratie. Mij goed. Ik antwoordde aan de krijgsauditeur die 't mij verweet, dat ik er gaarne een jaar gevangenis voor over had. Hij liet de aanklacht vallen.

Moet ik de reeks eindeloos voortzetten?

Met de intrede van de Russen en de Amerikanen in de oorlog nam de antithese tussen de twee hoornen van het dilemma nog toe, communisme of nationaal-socialisme. De Gentse bisschop Coppieters kon niet kiezen tussen pest of cholera. Zijn diagnose over de aard van de kwaal van het ogenblik was fout, want hij vergat de ergste, de kanker. Van pest en cholera kon men genezen, stierf men niet noodzakelijk; aan de kanker ontsnapte niemand.

Het argument van de minste kwaal bood een uitkomst, geen oplossing.

Bezetting of geen bezetting, een vinger op de pols van de gezondheidstoestand van het Vlaamse volk te houden, was voor mij verdomde plicht.

DE SCHEIDINGSLIJN

Na anderhalf jaar bezetting was de geestesgesteldheid van de Belgische bevolking niet meer die van 1940.

Duitsland was in juni 1941 Rusland binnengevallen, een ommekeer van bondgenootschappen zoals de geschiedenis er meer dan een kan bewijzen. Hier betekende het zoveel als de bezegeling van een langzaam ingeslapen vijandschap tegenover de bezetter.

De grote flaters en tekortkomingen van de eigen regering en de volkswoede van mei-juni 1940 waren met één slag vergeten; degenen die er voordeel bij hadden dat ze vergeten werden, wakkerden het vuur van de vijandschap aan. De vaderlandsliefde kreeg een ander aangezicht en wee hen die aan de waanzinnigheden van mei 1940 en aan de monsterparodie van het Limogesparlement durfden te herinneren. De toekomstige helden bereidden hun stellingen goed voor.

Ook de militaire kaarten lagen anders en ze zouden straks voorgoed uitgespeeld worden, wanneer Amerika, na de vernieling van zijn vloot door de Japanners te Pearl Harbour, in de dans trad.

In België had een aktieve groep vlaamsgezinden de historische Vlaamse strevingen het zwijgen niet opgelegd, vooral niet wanneer het aan geen twijfel onderhevig was, dat de andersgezinden van de gelegenheid gebruik maakten om alles wat vanouds een Vlaamse klank had, eronder te krijgen, desnoods met de medehulp van de bezetter, die in zijn grote onnozelheid de Franssprekenden terwille was. Te Gent bijvoorbeeld mocht *Le Bien Public* verschijnen, terwijl *De Gentenaar* en *Het Volk* het minder gemakkelijk hadden.

Onder de invloed van alles wat zich in het recente hedentijdse afgespeeld had, was de Vlaamse overtuiging bij de nationalistische groeperingen sterk geactiveerd; ze werden zonder het bewust te weten of te willen, de voortzetters van het Activisme uit de Eerste Wereldoorlog, ofschoon Hendrik Elias gewaarschuwd had: geen activisme. Ze werden de ,,zwarten'' genoemd, weldra de ,,collaborateurs'' omdat ze op de steun van de bezetter rekenden om hun doel te bereiken. Aan de andere zijde van de barrikade stonden de ,,witten''.

Er woedde een geniepige, ongenuanceerde opiniestrijd, een koude conflictenkrijg die diepe wonden sloeg in de menselijke verhoudingen, zelfs in dezelfde familie, in hetzelfde gezin.

Zodra Rusland in de oorlog betrokken was, benutten de Duitsers hun eerste militaire successen om in de bezette gebieden manschappen te ronselen voor de oorlogvoering op hun Oostfront. Die successen geleken op een zegetocht die het communisme ging verpletteren. Verdrongen anticommunistische reflexen werden wakker: nu was 't ogenblik gekomen om erop los te gaan, om ongedifferentieerd en onstuimig het ijzer te smeden terwijl het heet was. Honderden lieten zich inlijven. Zoveel duizenden gingen wel vrijwillig werken in de Duitse oorlogsindustrie!

Reimond Tollenaere, Léon Degrelle vertrokken naar het Oostfront. Er werd geschermd met de namen van professor Frans Daels en Hilaire Gravez die aan 't hoofd van een Vlaamse ambulance zouden gesteld worden. Jonge lieden liepen thuis weg om aan het ouderlijk verbod te ontsnappen. Anderen gingen bij gewezen jeugdleiders te rade die afwijzend stonden, maar hun slaap niet konden vinden bij de gedachte dat zij het vuurtje in rustiger tijden aangewakkerd hadden. Van pater Callewaert geraakte het bekend dat hij de Oostfrontneiging niet goed gezind was.

Mijn collega Roger Soenen meldde zich voor 't Oostfront aan; de eeuwige stuntman die hij was vond het een kolfje naar zijn hand; hij was zijn Oostakkerse praktijk beu en zocht het avontuur. Toen hij een Duits uniform moest aantrekken, weigerde hij, met het gevolg dat hij op staande voet werd teruggestuurd. Een week na zijn ophefmakend vertrek, ontmoette ik hem op straat. Hij vertelde zijn wedervaren in geuren en kleuren aan wie 't horen wilde, en zette zijn zinnen op een terugkeer naar de universiteit op de leerstoel waaruit hij in 1933 ontslagen was. Het lukte en met 't nieuw academisch jaar 1941-1942 doceerde hij opnieuw anatomie, en hadden Firmin De Rom en ik, op bevel van hogerhand, het veld moeten ruimen. Soenen was bij de studenten zeer geliefd.

Daels en Gravez vertrokken niet naar 't Oostfront omdat de Duitsers van geen Vlaamse ambulance wilden weten. Daels nam afstand van het ronselen van Oostfrontstrijders vanwege de dubbelzinnigheid van de bezetter ten opzichte van de uitingen van Vlaams bewustzijn die hun oorlogsdoeleinden doorkruisten. Hij zou voortaan, meer dan ooit tevoren, zijn energie toespitsen op de sociale actie en die de minderbedeelden ten goede laten komen.

*
* *

En daar waren ook de studenten.

Hoe zouden zij, de grote en eeuwige wispelturigen, de van nature uit edelmoedigen, stelling nemen in de ideologische moerlemeie van het ogenblik? Dat ze zich rustig gingen houden was niet denkbaar, bakkeleien was veel te prettig. Tijdens de eerste oorlogsmaanden leefden ze nog in de vooroorlogse tradities, maar vanaf 1943 zaten ze volop in de greep van de zwart-witte tegenstellingen en waren ze vergiftigd door haatdragendheid.

Daar ik, uit historische aanhankelijkheid vanuit mijn studietijd, bij de katolieke studentenbeweging een voetje in huis had, lag het voor de hand dat de meest actieve studentenleiders contact zochten en graag een gelijkgestemd hoogleraar voor hun wagen spanden.

Het was Ward Opdebeeck, een student in de rechten die sporen verdiend had in het Gentse studentenmilieu, die mij kwam vragen erevoorzitter te worden van de Vereeniging van Vlaamsche Studenten (VVS), later gewijzigd in Verbond van Vlaamsche Studenten. Van zijnentwege was het een poging tot overkoepeling van de bestaande verenigingen, een poging die aanvankelijk succes kende, maar onder een andere leiding dan de zijne uiteenviel. Vluchtigheid van studentenbrouwsels! Ik aanvaardde op voorwaarde dat de vereniging niet de toer van de Oostfrontwerving zou opgaan, maar uitsluitend Vlaamsgezindheid propageren. Opdebeeck ging akkoord en heeft zijn woord gehouden, want hij weigerde de propaganda voor het Oostfront in *Ons Leven* op te nemen.

Behalve zijn financiële bijdrage behelst de taak van de erevoorzitter van een studentenvereniging dat hij, eens per jaar, op het podium komt en een woordje lost. Dat deed ik op 24 november 1940. Wat ik verteld heb, werd gedrukt en verscheen in mijn verzameling *Op den Uitkijk,* 1940, blz. 31, die elkeen in de Gentse universiteitsbibliotheek kan nakijken.

Dat is nu zevenendertig jaar geleden en over geen enkele volzin moet ik mij in 1978 schamen. De meest nauwgezette tekstontleder zal er geen woord Duitsgezindheid in ontdekken. Ik zegde o.m. letterlijk: ,,Onverfranst, onverduitst was de leus van het Activisme. Ze weze het steeds op onze dagen''. Twee weken later sprak ik tot de eerstejaarsstudenten van het G.S.V. in Huize Mac Leod, en waarschuwde tegen verwildering, luiheid en geslachtsziekten. Het werd mij, zoals al het andere, als collaboratie aangewreven: in oorlogstijd moest men zwijgen.

Meer dan één toespraak heb ik voor de studenten gehouden. Wat een geluk dat men ze in *Op den Uitkijk* kan lezen. Geen betere oratio pro domo dan ze thans te herlezen; ikzelf had het sedert 1950 niet meer gedaan.

Wanneer ik dat nu doe en het allemaal in deze gedenkschriften even oprakel, is het niet met de bedoeling mij na zoveel jaren van Duitsgezindheid vrij te pleiten, maar om aan eenieder de bladzijden aan te wijzen waar men de motieven kan terugvinden die iemands gedragslijn in de jaren 1940 tot 1944 hebben bepaald. Maar wie zal zich in 1977-1978 warm maken om te achterhalen wat L. Elaut bezielde om te spreken en te handelen zoals hij toen sprak en handelde?

Begin april 1941 werd te Gent een Dietsch Studentencongres gehouden; er waren geen deelnemers uit Nederland. In de Aula van de universiteit hield ik op 1 april een lezing over de Gentse universiteit van 1930 tot nu. Er was veel volk. Ik gaf een overzicht van wat zich in die tien jaar had afgespeeld, en pleitte voor de gave Nederlandse geest van de universiteit, want het hoefde geen betoog dat men er nog ver van verwijderd was.

Ik haalde het volgende voorbeeld aan. Ik belde voor een dringende zaak de rector te zijnen huize op. Het klonk: ,,Allo Madame G. écoute'', en op een beleefde vraag in 't Nederlands kwam het antwoord: ,,Je vais appeler mon mari''. Verplaatsen wij ons in verbeelding naar Luik, en stellen we ons voor dat mevrouw van de rector in 't Nederlands antwoordt op in 't Frans gestelde vragen van een collega... Er zou een regeringskrisis op gevolgd zijn. Zoiets mocht in oorlogstijd niet gezegd worden.

Nog andere leerrijke ervaringen werden door mij aangehaald. Toen ik mij in 1933 kandidaat stelde voor een leerstoel en de traditionele beleefdheidsbezoeken aflegde, vroeg de toenmalige deken van de geneeskundige faculteit mij hoever mijn vlaamsgezindheid reikte, of ik vóór of tegen België was, hoe ik dacht over separatisme. Hij vroeg mij niet of ik het vak dat ik wenste te doceren kende. Een ander zei mij vlakaf dat hij mij bevoegd achtte, maar dat ik te veel Daelsgezind was, en dat ze met één Daels genoeg hadden. Een derde zegde mij dat hij mij zeer sympatiek vond, dat ik veel titels had, maar dat hij er toch van overtuigd was dat ik het niet halen zou, omdat te Brussel het wachtwoord gegeven werd alle ekstremistische flaminganten te weren.

Ik eindigde met: ,,Deze Vlaamse universiteit is en blijft het kind van onze zorgen. De universiteit van Gent weze het symbool van de ons allen dierbare, bloedeigen, nationale Vlaamse kultuur. Geen vreemde, geen Duitse, maar Nederlandse, Dietse kultuur, gaaf en onvervalst''. Dat werd als Duitsgezinde propaganda beschouwd, en mocht in oorlogstijd niet gezegd worden; zwijgen was plicht. Precies alsof de geschiedenis ooit gezwegen heeft!

Het ging voort op dezelfde toon, d.d. 21 oktober 1941 in de Aula, in de aanwezigheid van Rector G. De Smet, voor de leden van de Gentse Studentenvereniging. De centrale gedachte van mijn toespraak vind ik in de volgende zinnen weergegeven. ,,De ziel van het Vlaamse volk, geboetseerd door eeuwen van christelijke beschaving, staat heden op de tweesprong: openbloeien in eigen glorie of opgezogen worden in een uitheemse kultuur. Volhouden dat het Franse invloeden zullen zijn, zal niemand. Het zal een Angelsaksische, een communistische of een Duitse stroming zijn, die ons zal aanzuigen. Welke het zal zijn, laat ik aan uw objektief oordeel te bepalen over. En meteen is de keus gedaan en de beslissing klaar. Slechts wanneer wij voldoende zwaartekracht in onszelf bezitten, zullen wij stand houden. Vlaanderen Vlaams te houden is onze, is uw taak. Er is slechts één universiteit in ons land die Nederlands van geest kan zijn. De andere hebben andere ideologieën te dienen; de onze heeft één doel, één betrachting, één taak, één zending: brandpunt en glanspunt te zijn van Nederlandse beschaving; geen Franse, geen Engelse, geen Duitse, alleen Nederlandse''.

Rector G. De Smet nam mij hierna apart en zei: Proficiat man, gij durft nogal. Gedurfd of niet, ik vloog tegen de kaars. Men moet over die dingen zwijgen in oorlogstijd. Maar in de lagere school wordt aan de kinderen wijsgemaakt dat Julius Caesar in het jaar 57 vóór Christus, België is binnengevallen, de Nerviërs verslagen en de Eburonen heeft uitgemoord, en dat die verovering het begin is geweest van de beschaving in onze gewesten. Evenmin heeft de geschiedenis van de Brugse Metten en de Slag van de Gulden Sporen stilgelegen omwille van de oorlog 1940-1944. Gezwegen van de Duitse generaal Blücher die in 1815 te Waterloo met Wellington de genadeslag aan Napoleon Bonaparte heeft toegebracht. Maar: zwijgen in oorlogstijd!

Nog erger heeft men mij verweten te Leuven op 26 maart 1942 te hebben gesproken voor de studenten ter gelegenheid van het Achtste Lustrum van het A.K.V.H. onder praeses Remi Piryns. Dat de academische overheid mijn optreden scheef bekeek, deerde mij niet, zij heeft overigens nooit van liefde voor Vlaanderen overgelopen.

Mijn tema was te Leuven geen ander dan te Gent. Ik betreurde dat de studenten zo weinig vlaamsgezinde activiteiten aan de dag legden. ,,De geesten zijn thans omneveld met allerlei drogredenen; men kijkt zich blind, men luistert zich doof en men praat zich stom over legerberichten uit de vijf werelddelen; men bestudeert atlassen en zet strategische plannen op, ook onder de studenten, maar weinig is men bekommerd om het diep christelijk karakter van Vlaanderen. Dit is het grote tekort in de huidige studentenbeweging, onder de studenten in het algemeen... Lodewijk Dosfel werd geboeid om zijn liefde voor Vlaanderen. Eén Dosfel betekent voor Vlaanderen oneindig meer dan al de Van Zeelands, al de Eyskens... En ik vraag u in gemoede: is er onbaatzuchtigheid onder de studenten om aan Vlaanderen veel Vliebergs en Dosfels te geven?''

Ik heb te Leuven nog veel meer gezegd. Men leze het in *Op den Uitkijk.* Als erevoorzitter heb ik de laatste keer tot de leden van de G.S.V. het woord gericht in de Aula op 14 oktober 1942. Ik kon toen ook niet zwijgen over mijn stokpaardje, de Vlaamse geest van studenten en professoren van de Gentse universiteit. Over de professoren kan men best zwijgen, want de meeste zwijgen ook. Wat de studenten betreft, die zijn stokers van strovuren, plannen- en schuldenmakers, onderafdelingenstichters, principiële stellingenbetwisters.

Een beetje teleurgesteld eindigde ik met de volgende oproep: ,,willen onze studenten aan politiek doen, dat zij dan Frederik de Grote, De Vogué, Huizinga, Max Lamberty, Booker Washington en Geyl ter hand nemen en studeren. Daar zal heel wat meer van in hun geest overblijven en nawerken dan van *Volk en Staat, Le nouveau journal* of *Brüsseler Zeitung.* Daar leert men grootmenselijk neerkijken op de verwaandheid van kleine mensjes. Daar leert men medelijden krijgen met politiserende studenten en meewarig maar tegemoetkomend neerzien op de aan politiek doende professoren''.

Na die lezing kreeg ik een bolwassing van Anton Jacob, die vond dat ik overdreef. Na de oorlog kreeg ik nog een veel grotere bolwassing vanwege de officiële uitzuiveringskommissie van de universiteit. Ook die heren vonden dat ik overdreven had en zij adviseerden: afzetten!

Na 1942 bleef er van een georganiseerde of samenhangende studentenactie te Gent niet veel over. Vlaamsgezindheid sprak de studenten niet meer aan. De enen zaten in de kluwen van groepjes die, luidop of bedekt, met het verzet tegen de bezetter en zijn handlangers, bespiedingswerk op de universiteit verrichtten; de anderen sloten zich aan bij de ,,nieuwe-orde'' groepen. Deze laatste waren in de minderheid.

Van het bestaan van de eersten was ik op de hoogte; ze slaagden er zelfs in een van hun mannen, de Antwerpenaar H. Moons, als vrijwillig assistent van de Urologische Kliniek benoemd te krijgen. Ik had geen bezwaar tegen de aanwezigheid van deze verzetsman, die mij elk uur van de dag op de vingers moest kijken en al mijn woorden optekenen, om ze te gebruiken op het uur van de afrekening. Ik heb hem zijn taak vergemakkelijkt door op zijn rol meer dan eens te zinspelen. Hij was fair tot het uiterste en is op mijn Brussels proces te mijnen gunste komen getuigen. Nutteloos. Mijn eerste assistent, dokter R. Defoort, die mijn opvolger werd op de leerstoel urologie, heb ik afgeraden zich aan te sluiten bij een groep assistenten met verregaande collaborateursneigingen in dezer voege: ,,Jongen, doe dat niet''. Toen hij dit aan een ondervragende rijkswachter na de oorlog verklaarde, heeft men afgezien van de verdere ondervraging over mijn dagelijkse omgang met het wetenschappelijk personeel van mijn universitaire afdeling.

In 1943 en 1944 was er spanning in de studentenwereld toen de opeising tot verplichte tewerkstelling in Duitsland veel eerstejaars boven het hoofd hing. Als decaan heb ik met de andere decanen de houding van rector G. De Smet gesteund, toen hij de lijsten niet aan de Duitsers ter inzage gaf. Tot dramatische incidenten is het gelukkig niet gekomen.

Hoe langer de oorlog duurde, hoe zwaarder zijn materiële, psychische en ideologische componenten op de universitaire kringen drukten. Voedselbeperking, opeisingen, onophoudend luchtalarm, bombardementen bij dag en nacht, jacht op werkonwilligen, aanhoudingen schiepen een kwellende atmosfeer van onveiligheid en vrees. De propaganda via pers, affiches en radio werkte als een wals op de openbare opinie. Men luisterde het liefst naar wat verboden was en dat irriteerde de Duitsers geweldig. Wanneer het in de lente van 1943 bekend werd dat de Russen in de wouden van Katyn bij Smolensk tienduizend Poolse officieren met een nekschot afgemaakt hadden, werd dit feit aangegrepen voor een intense anti-communistische propaganda, maar door de anti-Duitse clans in twijfel getrokken. Dat op het officiële lijkschouwingsrapport de handtekening stond van de Gentse hoogleraar Reimond Speleers, en dat hij over zijn bevindingen lezingen gaf, maakte het rapport in de ogen van de tegenstanders dubbel verdacht.

Katyn bleef een doorn in het oog van velen; inwendig waren zij overtuigd van de echtheid der feiten, doch ze zwegen liefst alles dood. Elke dag bracht ander oorlogsnieuws, en dit gaf de richting aan vanwaar de wind waaide. Ook in het binnenland heerste er geen windstilte in de politiek. Men beet zich wanhopig vast op wankele stellingen. Van enige Vlaamsgezinde studentenactiviteit in die chaos was er geen sprake, nauwelijks wat sociale aktie die aansloot bij Winterhulp en de andere groeperingen die door Winterhulp en de Commissie van de Openbare Onderstand gepatroneerd werden. Maar Winterhulp was ook al verdacht.

De bezetter maakte veel tamtam met de driehonderdduizendste arbeider die vrijwillig naar Duitsland in de oorlogsindustrie was gaan werken, een zekere Nys uit Sint Niklaas. Hij kreeg een gouden uurwerk ten geschenke. Maar zes maand later brak de jacht op werkonwilligen los. Wat er met de Joden gebeurde, was evenmin van die aard dat het de gemoederen kon sussen. Alles wat de Duitsers bij hun intocht van 1940 aan sympathie bij de bevolking gewonnen hadden, was onherroepelijk verspeeld; iedereen begreep dat de wagen op een hellend vlak stond en dat het tot niets diende de remmen te blokkeren. Bergafwaarts rijden zou hij toch.

Enkele andere feiten waarvan ik getuige was of die ik meebeleefde in die demonische tijd waar de mensen als poppen gemanipuleerd werden, moet ik in de herinnering oproepen.

*

* *

Zekere vooruitstrevende karakters onder de echtgenoten van de Vlaamsgezinde docenten en professoren hadden de gedachte opgevat, en doorgedreven, tot het samenbrengen van een vriendinnenkransje met, om de maand en om de beurt bij elk van de leden, een tee- en gezelligheidsuurtje. Hoewel mijn vrouw op zulke kletspartijen niet gesteld was, wilde ze niet afzijdig blijven en deed ze in het begin mee.

Wie de toon aangaf in de onderneming was de echtgenote van professor J. Verschaffelt, een Haagse dame met veel zin voor public relations. Wanneer in november 1939 de Fins-Russische oorlog uitbrak en de Finnen harde klappen kregen, werden hier overal comitees voor hulp aan de Finnen opgericht. Ze kenden sukses en mevrouw Verschaffelt was er als de kippen bij om de professorendames te bewegen tot een breiaktie. In die harde winter zouden de voor hun onafhankelijkheid vechtende Finnen, daar in het Noorden op de Karelische landengte, best wollen kousen en ondergoed kunnen gebruiken. En breien maar.

Op het gevaar af cynisch te zullen zijn, doet het bijna lachwekkend aan, aan dit breiavontuur te herinneren. Anderhalf jaar later lagen de onbestendige menselijke motiveringen en gedragingen helemaal anders en maakte het wisselvallig wapengeluk het bijna noodzakelijk een breiaktie op touw te zetten voor de aftrekkende Russische legers. Zoals het nog anderhalf jaar later de Duitse propagandaminister J. Goebbels noopte een oproep tot de Duitse vrouwen te richten voor een breiaktie ten voordele van de Duitse soldaten die voor Stalingrad lagen te bevriezen.

Op de universiteit zijn er tijdens de oorlog zonderlinge dingen gebeurd, waarvoor zelfs nu nog geen verklaring gegeven wordt, hoogst waarschijnlijk omdat de erbij betrokken personen nog leven en hoge posten bekleden. Waarom mag het deksel van die potten niet opgelicht worden?

Beheerder-opziener Alfred Schoep werd op zeker ogenblik opzij gezet en in zijn plaats kwam, vanuit het Ministerie een te Gent volstrekt onbekende heer Jan Grauls. Na een jaar of zo vertrok hij vanwaar hij gekomen was, en nam A. Schoep weer zijn betrekking op. Van de heer J. Grauls heb ik niet te klagen gehad, hij was meegaand en de klinische afdelingen van de universiteit waar ik voor instond, heeft hij naar best vermogen geholpen. Was hij op de universiteit het ,,oog van Moskou'' of wat? Niemand vertrouwde hem verder dan men hem zag; hij was een sibyllijns heerschap.

Hij is nadien een zeer hoge piet geworden, secretaris van verschillende eerste-ministers en de grijze eminentie van de C.V.P. Voor mij blijft hij een vraagteken. Ik geloof dat niemand van mij zal denken dat ik een vraagteken ben; in alle geval is op al mijn vraagtekens een antwoord gegeven.

In de geneeskundige faculteit werden A. Martens en R. Speleers tot hoogleraar benoemd; in welke voorwaarden heb ik al geschreven. Medekandidaat was professor Jozef Hoet uit Leuven, die naar Gent wenste over te komen en een zeer Vlaamse toon aansloeg; hij kwam mijn steun vragen en zegde er vast op te rekenen. Hij werd niet benoemd. Wanneer, na de oorlog, de leerstoel interne kliniek weer openviel, verscheen J. Hoet opnieuw op 't appel met heel andere argumenten. Het was P. Regniers die met de lauweren ging lopen, en die had in 1940 ook gekandideerd.

Wie in de andere faculteiten tijdens de oorlog benoemd werd, weet ik niet, behalve voor de juridische fakulteit waar de heren Alfons De Vreese, Guido Spanoghe en Edgar Verheyden hoogleraar werden. Dat moet toch geweest zijn met het goedvinden van de Duitsers, of niet? Zijn de heren ergens gaan antichambreren? Ik weet het niet, hoewel Edward Opdebeeck mij ooit verzekerd heeft dat hij een van hen heeft zien buitenkomen uit het bureau van Dr. Franz Petri die van 1940 tot 1944 Referent für Volkstum, Kultur und Wissenschaften beim Militärbefehlshaber in Belgien te Brussel was.

Na de oorlog kregen Alfons De Vreese en Edgar Verheyden de buitenwacht; alleen Guido Spanoghe is gebleven. Waarom hij en hoe, hebben velen zich afgevraagd en vragen het zich nog af. Hij speelde een rol in de commissie-Harmel en werd ondervoorzitter van de Raad van Beheer van de universiteit. Als krijgsauditeur rekwireerde hij tegen H. Elias de doodstraf en kreeg ze; tegen R. Speleers, die hij ook met de doodstraf wilde bestraft zien, bekwam hij van de krijgsraad maar twintig jaar gevangenis; dat affront heeft Spanoghe moeilijk kunnen slikken.

Het satirische weekblad *Rommelpot* schreef te dier gelegenheid een stukje onder de veelzeggende titel: ,,Oude Sp. en jonge Sp.'' om de tegenstelling tussen de oude trouwe flaminganten en de opportunisten van het nieuwe flamingantisme in het licht te stellen. Zelf heb ik Spanoghe nog op mijn levensweg ontmoet; ik zal later vertellen in welke omstandigheden.

Er bestond tijdens de oorlog in het bezette gebied een Deutsche Krankenkasse. Het was een afdeling van een Duits ziekenfonds, waarvan het hoofdkwartier te Düren in het Rijnland gevestigd was. Belgische geneesheren die patiënten behandelden welke in dienst van de bezetter werkten, werden door deze Deutsche Krankenkasse betaald, derhalve met Duits geld, of tenminste met geld waar een Duits reukje aan was. Heel wat collega's en niet van de minste, waren niet vies van dat geld. Ik heb nooit mijn hand in dat potje gestoken en er nooit één frank uit ontvangen. Mijn gewezen chef professor N. Goormaghtigh wel. Toen ik hem dat na de oorlog onder de neus wreef, begon hij te stotteren en heeft hij zich op mij verhaald door mij de laan te helpen uitsturen. Geen enkel geneesheer is ooit vervolgd op grond van zijn werk voor de Deutsche Krankenkasse. Toch vreemd!

Professor F. Dauwe, de internist, was goed op de hoogte van de elektrocardiografie. Daar het militaire ziekenhuis van de Bijloke geen cardioloog bezat, werden de Duitse soldaten voor wie een E.C.G. gewenst was, naar hem verwezen. Hij deed dat werk voortreffelijk en gaf een antwoord. Was dat collaboratie of niet? De klachten die tegen Dauwe werden neergelegd, werden niet aangehouden.

Ik kan zo voortgaan en een rits ongerijmheden van tijdens en na de oorlog opsommen. Tot wat dient het? Er is maar één antwoord: de parabel door Multatuli vooraan in zijn *Max Havelaar* geplaatst en waar Lothario, de man die Barbertje niet vermoord, niet in stukjes gesneden en niet ingezouten had, toch moest hangen omdat hij schuldig was aan eigenwaan.

*
*   *

Ik acht het ogenblik gekomen hier een man ten tonele te voeren wiens naam ik al bij herhaling heb genoemd: professor Frans Daels. Lang niet alles wat hij gedaan heeft, heb ik goedgekeurd en meer dan eens heb ik het in de geneeskundige faculteit en daarbuiten met hem aan de stok gehad; hij was geen gemakkelijk vlot karakter, maar zoals hij van zichzelf meer dan eens zegde, een ,,ambetanterik''.

Doch wanneer men thans, drie jaar na zijn dood, de optelling maakt van wat hij in zijn lang leven (7 januari 1882- 22 december 1974) heeft verwezenlijkt, en dan de proef op de som wil maken en nagaan of bewerking en uitkomst goed zijn, zou het een onrechtvaardigheid zijn, als men niet tot het besluit komt dat Frans Daels een waarlijk uitzonderlijke persoonlijkheid is geweest en een grote invloed heeft uitgeoefend op al de gebieden waar die Vlaamse ,,ambetanterik'' werkzaam is geweest.

In *Wetenschappelijke Tijdingen* (jg. 34, 1975, nr 1) heb ik gepoogd zijn wetenschappelijk œuvre te doorlichten; dit œuvre is maar een deel van zijn levenswerk. Daarnaast staat een hele pyramide van bedrijvigheden waarbij men zich afvraagt hoe het godsmogelijk was dat één mens zo'n berg werk heeft verzet. Wie die berg, met het oog op de aanwezigheid van nuttige ertsen wil prospecteren, wens ik veel moed toe. Ik begin er niet aan.

Zoals ik in de panegyriek op de uitvaart van Frans Daels in de Gentse St.-Pieterskerk op 26 december 1974 zegde, zal het niet gemakkelijk zijn de motieven te achterhalen van de ideologische gedrevenheid die zijn handel en wandel hebben getekend. Een Vlaamse krant heeft die motieven bij zijn overlijden samengevat met de woorden: Frans Daels, de sociaal bezielde Vlaming. Het is juist gezien.

Frans Daels stamde uit een Antwerpse burgerfamilie waar Frans gesproken werd. Hij zegt zelf dat het sociale motieven waren die hem tot flamingant gemaakt hebben. Hij werd vrouwenarts. Alle medische specialismen zijn eerbiedwaardig, maar men moet geen gynaecoloog worden uit gemakzucht: God behoede mijn collega's tegen de vloed van ,,zenuwen en vapeurs'' die hun spreekuur overstromen, ongeacht de hormonale heksenketel waar de inhoud om de vijf jaar verandert.

Daels werd kankertherapeut, de medisch meest ondankbare van alle therapieën. Toen hij in zijn levensavond te Bonheiden in een ziekenhuis opnieuw wat kon werken, werd hij de vluchtheuvel voor veel geneesheren die niet wisten waarheen met hopeloze gevallen, en voor de patiënten die tegen alle hoop in toch bleven hopen. Hij studeerde en experimenteerde er voort, maar was tegen de eisen van de moderne kankervorsing die hem over het hoofd gegroeid waren, niet opgewassen.

Hij capituleerde niet en schreef, met de sublieme naiviteit van de idealist, enkele brochures die als de laatste echo's waren van zijn sociale zin, en die hij meer weggaf dan liet verkopen.

Op zijn negentigste verjaardag werd hem de Albert Schweitzerpenning toegekend ,,voor de diepe sociale inspiratie die zijn wetenschappelijk en geneeskundig werk heeft bezield en voor zijn streven naar een betere verstandhouding binnen de grote mensengemeenschap''. Hij verkeerde in de mening dat er een geldsom aan verbonden was, die hij al dadelijk voor de sociale werking van de studenten bestemde. Het was een hoge bekroning ,,honoris causa'', maar het tekent de man.

Op de eerste oorlogsdag, 10 mei 1940, liet hij de proefdieren van zijn laboratorium doden, omdat het voedsel dat voor de dieren bestemd was, weldra voor mensen zou kunnen aangewend worden en dus nuttiger zou zijn voor de maatschappij. Veel van die dieren waren van grote waarde voor het kankeronderzoek; dokter B. Biltris was woedend en wanhopig omdat de experimentele wetenschap toen moest wijken voor het sociaal eksperimentisme (sic) van Daels.

In de verloskundige kliniek was Daels meer bezorgd om de behuizing, voeding, beddegoed van de vrouwen dan om de baarmoeder. Onder de studenten en de assistenten ging de mop dat Daels niet meer vroeg naar de ,,matrice'' van zijn patiënten, maar naar hun ,,matras''. In zijn polykliniek heb ik hem zelf zien medehelpen aan een bedeling van vijf balen havervlokken; de vrouwen kwamen daar op af en veinsden allerlei kwaaltjes om binnen te geraken. Waar hij die havervlokken vandaan gehaald had weet God.

Daels had aangedrongen bij zijn vriend Germain Lefever, toenmalig burgemeester van Gent, om lid te kunnen worden van een vernieuwde Commissie van de Openbare Onderstand. Hij hoopte zo meer te kunnen bekomen voor de ,,arme vrouwen''. Met de hulp van de C.O.O. ontwierp hij een organisatie voor goedkope wasgelegenheden die grote diensten heeft bewezen.

Het is niet overdreven te beweren dat hij de medische bedrijvigheid van zijn universitaire kliniek en polykliniek overliet aan zijn werkleiders en assistenten teneinde zich meer op de bestrijding van de sociale noden der geringen toe te leggen. Hij werkte voor niets anders meer en verwaarloosde zijn praktijk en zijn wetenschappelijke studie.

Met zijn fiets trok hij 's morgens te zes uur naar het openluchtzwembad Het Strop, was om zeven uur al aan 't werk in de Bijloke of Toevlucht van Maria, en informeerde om negen uur naar de stand van zaken in de gynaecologische kliniek waar de volksvrouwen aanschoven. Op zijn agenda noteerde hij de adressen waar nood was en binnen vierentwintig uur was er een bezoekster van zijn afdeling of van de C.O.O. om te gaan verkennen wat er aan de hand was.

Zelf ging hij vaak op huisbezoek in het Patershol en andere proletarische buurten. Hij stond er bloot aan de schampere bejegening van baliekluivers die eten en brandstof uit zijn handen aanvaardden, maar hem nariepen: ze zullen de zwartzak wel vinden na de oorlog. Het deerde hem niet. Men heeft hem inderdaad gevonden.

Men moge over Frans Daels al vertellen wat men wil, ik antwoord aan zijn verguizers: hij is met al zijn wetenschap, met zijn politieke bemoeiingen en zijn rusteloze aktiviteit niet rijk geworden, hij heeft er zijn have en goed bij verloren, wijs mij een tweede aan die het gedaan heeft zoals hij. Wie dat niet kan heeft alle recht van zwijgen en late het woord aan de krijgsauditeur om tegen hem de doodstraf te eisen, bij verstek.

Staatsbelang en de andere prietpraat verzwindt in het niet, wanneer men het legt naast hetgene Daels alleen door directe mens-tot-mens-coöperatie heeft verwezenlijkt. Hij heeft de sociale werking met de culturele geïdentificeerd. Hij heeft liever de vrouwen geholpen die van hun buik leefden omdat ze uit armoede niets anders te bieden hadden, dan de maatschappij te verontreinigen met loze spreuken en niet afdoende maatregelen. Laat de geschiedenis over Frans Daels spreken, het is nog te vroeg om over hem een definitief oordeel te vellen. Ik wacht dat oordeel af. In wat dezelfde geschiedenis over zijn beschimpers zal oordelen, ben ik zo gerust niet.

In dit twee-bladzijden-relaas heb ik niet gesproken over alles wat ik met eigen ogen gezien heb, vanaf de tijd dat ik te Gent in de geneeskunde studeerde, dat ik met Daels in de schoot van 't Kongres voor Verpleegkunde, Vroedkunde en Sociale Geneeskunde medewerkte, en in de talrijke andere gelegenheden die ik heb meegemaakt, wat hij uit eigen beurs weggaf. Hij veegde de spons daarover, ik hier niet. Hij heeft nooit een student laten zakken wegens onvoldoende obstetrische kennis, maar hij heeft er velen uitgekafferd omdat ze naar zijn mening onvoldoende sociale zin hadden.

Frans Daels had twee grote gebreken. Hij stak zo vol van uitspattende energie dat hij zijn initiatieven niet de baas was, en geen geduld had om te wachten wat ze opleverden. Ze waren nog niet heet van de naald of hij stond al met een ander klaar. Geen assistent, niemand, kon hem bijhouden met het gevolg dat er vaak niets van in huis kwam. Zelf was hij een weergaloos werker, en verkeerde in de mening dat de anderen op het zelfde ritme konden volgen; vandaar de botsingen die onvermijdelijk waren en hem ongewilde vijandschappen op de hals haalden. Gelukkig was hij helemaal niet haatdragend.

Het tweede groot gebrek was een gebrek aan mensenkennis. Wat is die man in zijn leven beetgenomen! Een half vriendelijk woord van iemand maakte van die iemand een vriend die onmiddellijk in vertrouwen genomen werd. Ter illustratie het volgende: Daels stond erop dat professor Fred. Thomas in de Vlaamse Academie voor Geneeskunde opgenomen werd. Alleman schrikte op en vroeg zich af wat daarachter zat: Daels en Thomas, water en vuur, ultra zwart en ultra-wit, gelovig en fanatiek antiklerikaal, Vlaams-nationalist en simulerend Vlaamsvoelend; hoe is het mogelijk? Voor een Vlaamse academie schuift men toch alleen lang vertrouwde vrienden voorop. Thomas werd in alle geval in de Academie opgenomen op initiatief van Daels, in volle oorlog.

De laatste Duitser was nog uit Gent niet weg, of Fred. Thomas ontpopte zich als de grootste inciviekenjager van de universiteit, en riep Daels uit als de verpersoonlijking van het verraad. Van je academievrienden moet je het hebben! Eén voorbeeld uit de vele hoe Daels, door gebrek aan mensenkennis, door pseudovrienden de das werd omgedaan.

*

* *

Nu moet ik het hoofdstuk van mijn activiteit in de Orde der Geneesheren 1941-1944 aansnijden.

De wet van 25 juli 1938 had een Orde van Geneesheren in het leven geroepen. Het waren de socialistische ministers Arthur Wauters en Joseph Merlot die ze boven de parlementaire doopvont hielden. Het uitbreken van de oorlog in 1940 heeft verhinderd dat die orde van wal kon steken, maar er was in de beroepskringen al veel touwtrekken geweest over de aanstaande beleidslichamen van de Orde, die in een geheime stemming door de geneesheren zelf moesten verkozen worden.

De wapens waren in mei 1940 nauwelijks neergelegd of daar trok de voorzitter dokter Pierre Glorieux van het Algemeen Belgisch Geneesherenverbond (A.B.G.V.) al op verkenning om te zien hoe hij het Algemeen Vlaams Geneesheren Verbond (A.V.G.V.), dat een doorn in zijn oog was, een voetje kon lichten en alleman voor zijn om de Orde op stapel te zetten.

Toen, een maand later, dokter Frans Van Hoof, de actieve algemeen secretaris van het A.V.G.V., gedemobiliseerd uit Frankrijk thuiskwam, ontstond er een snelheidswedstrijd tussen de twee beroepsverenigingen om wie het halen zou.

Maar andere, tijdsgebonden, factoren speelden nu mee. Secretaris-generaal G. Romsee en zijn direkteur-generaal voor Volksgezondheid, dokter Willem Libbrecht, richtten hun Orde van Geneesheren op; zij was op een andere leest geschoeid dan die van 1938; o.a. bestond zij uit een Vlaamse en een Waalse Kamer, een spiegelbeeld van 's lands tweeledigheid. Haar bevoegdheid sloeg op heel de activiteit van de gezamenlijke geneesheren, en niet alleen op het naleven van de medische plichtenleer. Tegelijkertijd werd een Orde van Apotekers volgens dezelfde opvattingen in het leven geroepen.

Onmiddellijk ontstond een felle strijd over de persoon van de leider der Orde van Geneesheren. Daels zou het graag geweest zijn. Vele haren rezen te berge wanneer dat vernomen werd. Romsee zelf was er niet voor te vinden, Libbrecht ook niet. Frans Van Hoof die vaste plannen in zijn hoofd had om het sterk geörganizeerde A.V.G.V. in de Orde over te hevelen en het ermede te identificeren, wilde van Daels niet weten. Romsee vroeg het aan professor Joz. Sebrechts, een paling, die natuurlijk neen zegde. Daarna liet hij professor Nolf polsen; die zegde eerst niet neen, maar ging op inlichtingen uit en weigerde tenslotte.

Professor Libbrecht kwam bij mij binnenvallen en bood mij de post van leider der Orde van Geneesheren aan, zogezegd omdat hij mij alleen in staat achtte tegen de inmenging van de Duitsers in te gaan. Ik had volstrekt geen zin en weigerde. Ik wist niets af van medische beroepsaangelegenheden, en had al werk genoeg.

Inmiddels kwam Pater Jos. Bogaerts s.j., proost van de katolieke geneesheren, bij mij aandringen dat ik zou aanvaarden om Daels de pas af te snijden. Dokter J. De Caestecker klampte mij aan om dezelfde redenen. Het bleef neen, hoewel pater Bogaerts in *Streven* al een werkprogramma voor de Orde van Geneesheren uit de doeken had gedaan.

Ten slotte werd dokter Frans Van Hoof aangesteld, maar de Duitsers vonden hem ,,zu klein''. Het werd op gemengde gevoelens onthaald, maar iedereen zag in welke richting de werking van de Orde zou uitgaan. Frans Van Hoof voerde zijn voornemen uit en bouwde de Orde derwijze op dat hij het A.V.G.V. juridisch zelfstandig liet, maar zijn personeel en administratieve structuur in de Orde van Geneesheren inbouwde.

Van Hoof had een administratieve knobbel in zijn hersenen zitten en heeft de Orde van Geneesheren met haar corporatieve tint op een uitstekende wijze tot het einde van de oorlog geleid. Hij vroeg mij deel uit te maken van haar bestuurskader als redactiesecretaris van het *Vlaams Geneeskundig Tijdschrift,* waarop hij alle geneesheren van het Vlaamse land als geabonneerde wilde inschrijven. Ik vroeg raad aan enkele invloedrijke collega's en die vonden het best dat ik een voetje in huis had bij de Orde, zogezegd om kwade invloeden tegen te gaan. Ik ging in op het verzoek van Frans Van Hoof; ver van mij te vermoeden dat het een soort doodsvonnis was dat ik met mijn antwoord ondertekende.

Elke maand was er een samenkomst in het lokaal van de Orde in de Brusselse Ravensteinstraat. Naast Frans van Hoof maakte het bestaande provinciaal dagelijks bestuur van de A.V.G.V.-afdelingen deel uit van het bestuurskader; voor West-Vlaanderen Herman Depla, voor Oost-Vlaanderen Jef Van Caeckenberge, voor Antwerpen Leopold van der Elst, voor Limburg Jef. Rubbens, voor Brabant Edgar van Haelst. Al deze dokters waren, vlak vóór de oorlog, door hun collega's van het A.V.G.V. in vrije verkiezingen als provinciale voorzitters aangeduid.

De oorlogse Orde van Geneesheren kreeg een brede bevoegdheid toegewezen: ondermeer het bepalen der honoreringsmodaliteiten voor de medische prestaties, het opstellen van een deontologische code, het organiseren van een postuniversitair onderwijs, het organiseren en het regelen van de specialistische praktijk, het oprichten van een verzekerings- en pensioenkas voor geneesheren, het beslechten van de geschillen onder geneesheren, optreden als vertegenwoordiger van het artsenkorps in geschillen met derden.

Het toetreden tot de Orde was verplicht en zij stelde ook de bijdragen vast.

Tegen deze verplichting werd in den beginne fel gesputterd, het was dictatuur enz... Maar toen geantwoord werd dat deze verplichting overgenomen werd uit de Wet van 25 juli 1938, viel het protest stil. De jaarlijkse bijdrage was 2000 frank, met tegemoetkomingen voor grote gezinnen. Dat vonden de geneesheren veel, maar toen ze begrepen dat die bijdrage hun op 65 jaar een pensioen van 65.000 fr. in het vooruitzicht stelde, begonnen ze te likkebaarden en ondertekenden met hun twee handen tegelijk de voorgelegde toetredingsformules. Professor P. Van Durme die een weekje te laat kwam met zijn handtekening, vroeg me of ik dit niet kon in orde brengen, wat ik natuurlijk graag deed.

Om de halve maand gaf de Orde een bulletin uit met onderrichtingen en allerlei nieuws. Die gelegenheid werd gretig aangevat om overlijdens, geboorten en huwelijken in de grote geneesherenfamilie wereldkundig te maken. Het laatste nummer draagt de datum van 16 juli 1944. Een Fransgezind Gents geneesheer die de Orde uitspuwde, verzocht mij een laakbaar schrijven vanwege een schurftig schaap onder de collega's, die om chirurgische patiënten bedelde en een fors smeergeld beloofde, in het bulletin te laten afdrukken. Ik deed het, maar van die franskiljon kreeg ik toch de ezelsstamp.

Een van de zeer belangrijke maatregelen door de Orde genomen, was de individuele honorering voor elke medische prestatie. Dit behelsde de afschaffing van de forfaitaire of de zogenaamde pauschalhonorering, die nog tot op zekere hoogte bestond en waartegen de geneesheren jaren lang hadden geageerd. Wanneer de Orde in 1944 werd opgedoekt, heeft men de individuele honorering bewaard, omdat men de wederinvoering van het forfaitstelsel niet meer aandurfde. Wat een gehuichelde discriminatie.

Het stekelig probleem van het specialisme lag chronisch te sudderen op het fornuis van de beroepsverenigingen en veroorzaakte dagelijks veel wrijvingen. Echte specialisten waren toen niet talrijk; sommige geneesheren wilden zich als specialist laten doorgaan omwille van de voordelen, doch tegelijkertijd huisarts blijven en niets van hun beroepsgewoonten prijsgeven, ook omwille van de voordelen.

Teneinde die ongezonde toestand geleidelijk tot een meer rationele sfeer op te trekken, voerde de Orde een systeem in dat na vijf à tien jaar een zuivere situatie zou scheppen. De specialisten moesten bij hun leest blijven, van de huisbezoeken afzien, met de huisartsen volgens deontologische regelen samenwerken, geen steekpenningen geven. Het was mijn opdracht toe te zien of de aanvragen die binnenkwamen, niet met de gestelde normen in strijd waren.

Tot eenieders verbazing doken in het Vlaamse land 555 specialisten op. Het aantal was buitengewoon hoog in 1944; ik heb het goed onthouden en de doorslagen van de gegeven antwoorden zijn bewaard. Er kwamen bijzonder vreemde dingen aan het licht, waarvan ik voordien geen benul had. Een geneesheer vroeg zijn erkenning als specialist, chirurgie en interne geneeskunde tegelijkertijd, voor gynaecologie en urologie. De meeste chirurgen opteerden ook voor gynaecologie en toen hun gevraagd werd of zij ook verlossingen deden, klonk het antwoord neen, tenzij keizersneden. Wat een warboel, wat een onlogische en onhoudbare toestand!

Dokter Alois de Jonckheere uit Kruishoutem, een van de meest gerenommeerde huisartsen uit zijn gewest, wenste erkend te worden als specialist-tandarts; hij voerde aan dat hij bij professor Rubbrecht een cursus tandheelkunde gevolgd had en dat hij als afgestudeerde van vóór 1929 de volledige tandheelkunde mocht uitoefenen. Daarin had hij gelijk, maar dan moest hij eerlijkheidshalve zijn huisartsenpraktijk laten varen. Dat was een ander paar mouwen en daartoe wilde hij zich niet verbinden. Het was het ene of het andere.

Zoals hij waren er velen. Het lag er dik op: omwille van het smeer likt de kat de kandeleer. En van dat Orde-smeer was men blijkbaar niet vies in oorlogstijd, wel van het andere. Geneesheren zijn raadselachtige wezens; voor die toeschouwers althans aan wie de ondergrond van hun houding ontgaat.

Dat de Orde, op initiatief van Frans van Hoof, de strijd tegen de dichotomie van de erelonen aanpakte, zal ten eeuwige dage haar eretitel blijven. Er werd een regeling ontworpen die tegemoet kwam aan de wens naar een rechtmatig aandeel van de huisarts in de chirurgische behandeling van de patiënt. Het dichotomieprobleem en ook de organisatie van het specialisme, kregen onder Minister van Arbeid en Sociale Voorzorg, Gerard van den Daele in 1953 een billijke oplossing; het was dezelfde als degene die door de Orde van 1942-1944 werd uitgedacht; er was trouwens geen andere goede.

Dat deze Orde een open oog had voor andere dan professionele belangen, wordt bewezen door de zorgen die zij besteedde in navolging van het A.V.G.V., aan de aanleg van een uitgebreide bibliotheek van het geschreven opus van de Zuidnederlandse geneesheren sinds de Franse Revolutie. Zij had al een respectabel geestelijk patrimonium verzameld. In 1945 heeft een vliegende bom op Antwerpen een deel van die bibliotheek vernield; wat overbleef viel aan de willekeur van de zuiveraars ten prooi en werd door hen en het Belgische krijgsgerecht verstrooid, God weet waar. Cultuurbarbaren zitten overal, niet alleen in Duitsland.

De Orde van 1942-1944 had ook met veel zware morele problemen te worstelen. Dokters werden door de bezetter voor allerlei opdrachten opgevorderd. Men vroeg aan de Orde om tussenbeide te komen en bemiddelend op te treden. Frans Van Hoof deed dat altijd ten gunste van om het even wie op hem een beroep deed, maar het lukte niet vaak. Wanneer het niet slaagde, kreeg hij de schuld en schoof men hem in de schoenen dat hij een handje had in de opeising.

Een van de meest tragische gevallen was dit met de Gentse geneesheer P. De Bersaques die ook moest vertrekken. Ongevraagd en uit eigen initiatief ben ik toen naar het Duitse kantoor voor arbeidswerving op de Lindelei gaan informeren, waarom dokter De Bersaques opgeroepen werd. Men kon mij geen antwoord geven. De Bersaques wilde niet dat iemand voor hem ten beste sprak en weet de schuld van zijn opeising aan de Orde die daarvoor na de oorlog boeten zou (sic).

Dokter P. De Bersaques dook onder, trok in het geheim naar Frankrijk; hij werd gevat bij een poging om naar Spanje over te steken en naar het kamp van Buchenwald overgebracht, waar hij overleed. Zijn dood verwekte veel opspraak.

In het Orde-proces voor de Brusselse Krijgsraad en het Krijgshof (1947-1950) werd Frans Van Hoof de dood van dokter De Bersaques aangewreven, die hij aan de bezetter zou aangewezen hebben. Van Hoof heeft het altijd ontkend. Dat hij tien jaar gevangenis kreeg voor het geheel van zijn Orde-werking en de zaak De Bersaques, is een bewijs dat zijn rechters niet veel geloofden van die verklikking. Waren zij overtuigd geweest van Van Hoofs schuld, dan was de straf vast zwaarder geweest vanwege een Brusselse uitzonderingsrechtbank die er uit traditie met de grove borstel doorging tegen al wat Vlaams was, tijdens en na de oorlog.

Het organiseren van voortgezet geneeskundig onderwijs, dat de Orde in haar programma toegewezen kreeg, was een hopeloze zaak. Mijn taak was het naar een oplossing te zoeken. Voor het geven van klinische en andere cursussen kwam natuurlijk alleen een universiteit in aanmerking. Wanneer ik te Gent op verkenning ging kreeg ik bijna overal nul op het rekest; we waren al in 1944 en het ging niet goed voor de Duitsers op de diverse oorlogsfronten. Wie zou zich nog verbranden aan een initiatief van de Orde? Ik was niet zo naief de smoesjes te geloven waarom mijn universitaire collega's zich onthielden. Daarenboven kwam een andere factor in aanmerking: wie beschikte over vervoermiddelen om in Gent, Leuven of Brussel lessen te gaan volgen? Dat was de reden waarom de Orde haar opdracht ter zake niet doordreef.

In haar opvatting nopens het voortgezet onderricht voor geneesheren, stak ook het idee dat de geneesheren die zo'n onderwijs met vrucht hadden gevolgd, zouden mogen aanspraak maken op een bijslag op het ereloon. Die gedachte was toen helemaal nieuw en het stemt tot nadenken dat zij in de jaren 1970 opnieuw werd opgevat en doorgedreven. Wanneer er geld te verdienen valt, zijn de geneesheren altijd bereid om mee te doen.

Een andere oorspronkelijke opvatting van Frans Van Hoof bestond erin dat elkeen die de erkenning van specialist wilde verkrijgen, het bewijs moest leveren dat hij tenminste twee jaar in een algemene praktijk had gestaan. Wat een geestelijke en pragmatische verrijking van het specialistenkorps zou het zijn, als deze idee werkelijkheid zou worden?

Een deontologische code heeft de Orde van 1941-1944 niet uitgevaardigd. Haar opdrachten waren zo menigvuldig en zo ingewikkeld, dat de tijd ontbrak om van de code werk te maken. Geen wonder wanneer men bedenkt dat de huidige Orde van Geneesheren meer dan vijf jaar aan haar code heeft gelaboreerd en dat het document thans, in 1978, nog niet geldend en wettig erkend is.

Men mag over de oorlogs-Orde 1942-1944 denken wat men wil, doch de neutrale waarnemer zal akkoord gaan met de uitspraak van iemand die op het proces van 1947-1950 verklaarde: tachtig procent van wat de Orde deed was uitstekend, maar de resterende twintig procent was zo slecht dat zij niet deugde. Op de vraag wat die twintig procent inhield, kwam het antwoord: omdat zij werd opgericht door Romsee en geleid door Frans Van Hoof.

Wanneer dit antwoord de reden was waarom de Orde moest verdwijnen, en haar leidende figuren allemaal veroordeeld werden, geeft dat te denken over de appreciatienormen van de menselijke handelingen. Die handelingen waren goed in zichzelf, zo goed zelfs dat zij, geestelijk en professioneel, valabel zijn gebleven; waarom zou een tijdscoïncidentie ze dan onvolwaardig en onvaderlands maken? Ik ben gerust in de morele kwalificatie van mijn medewerking aan de oorlogs-Orde van 1942-1944.

De rechters van de Antwerpse krijgsraad die de werking en de leiders van de Orde der Apotekers te beoordelen kregen, moeten er ook zo over gedacht hebben, vermits zij alle beschuldigden vrijspraken. Maar Antwerpen is Brussel niet.

*
* *

Aan mijn werkzaamheid als redactiesecretaris van het *Vlaams Geneeskundig Tijdschrift* en van het *Tijdschrift voor Verpleegkunde, Vroedkunde en Sociale Geneeskunde* heb ik geen bijzonder aangename herinnering bewaard. Daarover heb ik vroeger al het een en het ander verteld. Beloften van medewerking genoeg, maar kopij te weinig. Zo iets is zenuwslopend. Gelukkig moest ik mij niets van de administratie aantrekken; dat geschiedde vanuit Antwerpen, waar dokter M. Peremans de grote baas was, hoewel de adverteerders bij gelegenheid ook aan de Gentse bel hingen.

Een groot zorgenkind was het *Tijdschrift voor Verpleegkunde*. Vijftien jaar heb ik er alles opgezet om het leefbaar en leesbaar te maken. Wijlen Leonce Van Damme met zijn goed hart heeft mij goed geholpen, maar meer beloofd dan hij gegeven heeft.

Van rigoristische katolieke zijde kreeg ik geen medewerking, alleen kleinachting. De directrice van de Mechelse Vroedvrouwen- en Verpleegstersschool deed tegenover mij alsof ik Beëlzebub in persoon was, en alles wat uit de Gentse-Vlaamse hoek kwam, was voor haar als ketters te mijden.

De Brugse kanunnik Jozef Brys, die in West-Vlaanderen het Wit-Gele Kruis oprichtte, was niet te spreken over de werking van de Gentse groep (sic) voor de technische en de professionele organisatie van de verpleegsters en vroedvrouwen; het was neutraal en groepeerde vogels van verschillende pluimage, en dus onbetrouwbaar uit katoliek oogpunt. Hij betrouwde zelfs een zo katoliek geneesheer als Rafaël Rubbrecht niet, omdat hij in diens verpleegstersschool te Brugge niets te vertellen had.

Van kanunik Brys kregen Leonce Van Damme en ik ooit een magistrale uiteenzetting te horen over de redenen waarom onze werking uit den boze was. Wij antwoordden hem dat er toch geen katolieke en niet-katolieke geneeskunde en verpleegkunde bestonden, waarop hij ons van onchristelijke verwatenheid beschuldigde. We vroegen hem het verschil tussen een katolieke en een niet-katolieke liesbreukoperatie, en toen ik hem zegde dat er toch geen katolieke en geen onkatolieke lavementen bestonden, waren alle bruggen opgeblazen.

Tijdens de oorlog kwamen daar de zorgen voor het papier bij en de drukker N.V. van de Weghe vond het gemakkelijker bij mij te Gent, dan te Antwerpen zijn nood te klagen. Onder de papierschaarste hadden alle periodieken te lijden; de bezetter bediende liever de drukkers van propagandaschriften en die van zijn handlangers dan de wetenschappelijke publikaties.

Daarenboven was de touwtrekkerij onder deze laatste om aan hun portie te komen, niet altijd voorbeeldig. Nederlandstalige tijdschriften legden het accent op hun groter taalgebied, wat de Franstaligen als een discriminatie en een bewijs van Duitsgezindheid beschouwden. Leuven met professor Richard Bruynoghe aan het hoofd, had het op Gent, d.i. op mij gemunt, omdat ik had laten doorschemeren op het Papieramt dat de Duitsers alles wat Franstalig was voortrokken; wat niets meer dan de waarheid was, want Vöpel, de baas van 't Papieramt, koketteerde met een mondje Frans, en spuwde het Flämische uit.

Teneinde papier te sparen, moesten eerst de advertenties wegvallen, wat protest vanuit die hoek veroorzaakte en een financiële aderlating voor gevolg had. Later moest de omslag het ontgelden; *Het Vlaams Geneeskundig Tijdschrift* zag eruit als een schrale bedelares in haar hemd. Het *Tijdschrift voor Verpleegkunde* met zijn twaalfhonderd lezers moest opgedoekt worden, omdat het niet van vitaal belang werd geacht. Vanwege de geabonneerden regende het klachten, en om hun van antwoord te dienen, ontbrak het papier.

Het gerucht liep dat in het Papieramt de omkoperij een huiselijke deugd was; zelf heb ik het niet geprobeerd, maar dat een van de hoofdbedienden plots naar het Russisch front werd gestuurd, gaf voedsel aan de roddelpraatjes. Over de kwaliteit van het papier zullen we zwijgen.

In 1941 had ik van de verzekeringsmaatschappij Noordstar en Boerhave de beschikking gekregen over een kamer in haar gebouw, tegen een uiterst geringe vergoeding. Tot het einde heb ik daar met een secretaresse het redaktiewerk verricht; dat ging vrij vlot omdat ik heel het documentenbezit vanuit mijn woning daar had laten overbrengen. Wanneer de stad, begin september 1944, enkele dagen onder Duits artillerievuur lag, is op het redactiekantoor een granaat terechtgekomen, die onder de meubelen en de papieren lelijk huis heeft gehouden.

Dat was het treurige einde van de allereerste Vlaamse wetenschappelijke tijdschriften. Ze werden, tegelijkertijd met hun redactiesekretaris, als zondebokken de woestijn ingestuurd. Ik ben nooit meer op het kantoor in het Noordstar-Boerhave gebouw teruggekeerd. Hoe het nadien met de Vlaamse Natuur- en Geneeskundige Vennootschap en met haar bezit gelopen is, weet ik niet precies. Professor Armand Hacquaert heeft zich de hele aangelegenheid als de grote overwinnaar aangetrokken; ik was daarin een grote nul, en van geen tel meer.

DE AVONDDEEMSTERING

De Duitse nederlaag te Stalingrad in februari 1943 was een keerpunt in de Tweede Wereldoorlog. Voorts was maarschalk Rommel door de Engelse generaal Montgomery te El Alamein in 1942 tegengehouden en moest hij zich uit Noord-Afrika terugtrekken.

Hij kwam in het Westen op inspectietocht en liet allerlei defensieve werken uitvoeren. Bomen werden in groten getale omgehakt en de stammen in de grond geplant als hindernissen tegen oprukkende gevechtswagens. Het deed wat belachelijk aan: de spotzieke Vlaming noemde ze de asperges van Rommel.

Wie een fijne neus had, begreep dat de Duitsers een landing van de Anglo-Amerikanen verwachtten en zich te weer stelden. Die landing kwam er begin juni 1944.

Het had allemaal een terugslag op de houding van de bevolking in de bezette gebieden, en een verscherping van de bestaande tegenstellingen voor gevolg. Verzetslieden werden met de dag driester en kogelden de zwarten die hen in de weg liepen als mussen neer. Wapens kregen ze uit de lucht toegeworpen en die werden onderhands als speelgoed doorgegeven aan wie ze wilde. Ook de zwarten wapenden zich en maakten gebruik van hun wapens.

Zware bombardementen vanwege de Anglo-Amerikanen op Duitse doelwitten namen dagelijks toe. Aan onze kinderen bezorgden ze moeilijk te bedwingen angstaanvallen. Tienmaal luchtalarm op één dag was geen zeldzaamheid. Tussen alles door verrichtte men zijn dagelijkse taak. Ik ging naar St.-Vincentius, naar de Urologische Kliniek, gaf mijn colleges, trok om de maand naar de Academie en naar de Orde te Brussel, had mijn handen vol in de Bijloke met het regelen van de stages van de studenten, met de wekelijkse samenkomst van het Dagelijks Bestuur in de Commissie van de Openbare Onderstand.

Dokter René Defoort die inmiddels tot werkleider werd benoemd, was een kostbare medehulp en vestigde zich te Antwerpen als zelfstandig uroloog. Hij slaagde op een minimum van tijd, want wie kon op zulke titels als de zijne bogen? Hij had mij vier jaar in mijn privépraktijk chirurgisch geassisteerd, het verrijkte zijn ervaring en bracht zaad in het bakje. Hij deelde mijn overtuiging niet, maar was fair; in hem bezat ik een goed medewerker. Hij was de enige uroloog die ik gevormd heb, en werd mijn opvolger op de universiteit wanneer ik de bons gekregen had. Hij was een vaardig chirurg en groot werker. Hij stierf in het A.Z. op 30 oktober 1977, zesenzestig jaar oud.

Een van de zwaarste luchtbombardementen op de Gentse agglomeratie was dit in de avond van Paasmaandag 10 april 1944 op de Stationswijk te Merelbeke-Gentbrugge-Melle. Vanuit onze slaapkamer had ik gezien hoe lichtbommen het te treffen doel voor de aanrukkende bommenwerpers aanwezen. We sleurden onze slapende kinderen letterlijk naar de kelder om daar beschutting te zoeken, want niemand wist waar de bommen zouden terechtkomen.

Er vielen op die 10 april 1944, 610 doden onder de burgerbevolking en hele straten werden weggeveegd of platgelegd. 's Anderendaags heb ik de verwoesting gezien; het was een inferno van ruïnes en bomtrechters met rondgeworpen lijken. Een volle neef van mijn moeder, Jules Maertens, lag dood onder het puin van zijn huis. Het bombardement was geen meesterwerk van trefzekerheid, want de twee spoorbanen die het doelwit waren, bleven gaaf, en de treinen van en naar het binnenland konden normaal doorrijden.

Juist één maand later, op 10 mei 1944, werd dezelfde Stationswijk opnieuw met bommen bezaaid. Ditmaal werd beter gemikt en kreeg ook het locomotievendepot zijn part. Er waren weer een zestigtal doden, meestal personen die uit de puinen een voorlopige woonst hadden ineengeknutseld en er zelfs de nacht doorbrachten. De bloemist Armand Thiel die de eerste keer in zijn halfhersteld huis was komen slapen, werd verrast en gedood onder het brandend gebouw.

Tegen de bombardeerders was er stille woede onder de bevolking, maar alles vervaagde naarmate andere krijgsverrichtingen en bombardementen op andere plaatsen bekend werden. St.-Guislain kreeg zijn aandeel, Leuven en Mechelen ook, zonder van de vele minder bekende te spreken. Het was ter gelegenheid van het Leuvense bombardement dat Kardinaal Van Roey een protest liet horen en een beroep deed op de Belgische regering te Londen om die voor het volk zo nadelige luchtbombardementen te doen ophouden: ,,Salus populi suprema lex'', schreef hij toen.

Wanneer de bommen de Leuvense universiteit troffen, verhief de prelaat zijn stem, eerder niet. Het aartsbisschoppelijk protest werd door de bezetter gretig aangegrepen om er de Anglo-Amerikanen van langs te geven, maar ook het verzet beloofde het de kardinaal na de oorlog betaald te zetten. Men legde inderdaad een dossier tegen hem aan, maar dat draaide op een sisser uit.

Ook de Gentbrugse werkhuizen van het staatsspoor kregen hun part van de nachtelijke bomaanvallen uit de lucht, met een mager rendement, maar met veel stoffelijke schade aan de omgevende woningen. Mijn ouderlijk huis deelde in de brokken en op de Brusselse steenweg, de St.-Genoisstraat, Moskou en de Arsenaalwijk was er enorm veel verwoesting. Een aantal doden lagen onder de puinen; bijzonder tragisch was het geval met onze naamgenoot Alfons Elaut die zich met zijn vrouw niet uit zijn kelder kon vrijmaken, zodat ze levend verbrandden; men had ze een kwartier lang horen huilen, zonder dat men ze kon bereiken. Angèle Thienpont, de kostersdochter, die aan de arm van haar moeder uit haar huis wegvluchtte, werd door een bomscherf gedood.

Het toenemend gevaar onder ogen ziend, werd het duidelijk dat men in volle stad veiliger was dan aan de randgebieden, waar de militaire doelwitten voor het Anglo-Amerikaanse ,,area-bombing'' in het wilde niet te tellen waren. We oordeelden het derhalve best dat mijn ouders niet langer in hun Gentbrugse huis bleven en bij ons kwamen inwonen. Zij deden het, doch wanneer na een maand te Gentbrugge geen bommen meer vielen, was de hang naar het eigen thuis zo groot, dat ze naar de Keiberg terugkeerden. Ze bleven er veilig tot op het einde van de oorlog.

De contacten met het ouderlijke huis te Sint-Niklaas werden op de gewone manier aangehouden. Telefoneren was niet gemakkelijk en deden we zo weinig mogelijk, doch de moeder van mijn vrouw bleef haar veertiendaagse bezoek- en proviandgewoonte trouw. De familiechauffeur had de wagen met een soort houtstookketel uitgerust, waardoor het mogelijk werd de motor te doen draaien en een snelheid van vijftig kilometer te halen. Wanneer ikzelf te Sint-Niklaas moest zijn, deed ik het met de fiets, zevenendertig kilometer heen en terug.

Met mijn vrouw en haar zuster hebben we op zekere dag een avontuurlijke uitstap belegd. We hadden twee tandems van vrienden geleend en zouden daarmee naar Sint-Niklaas rijden. Mevrouw De Schrijver met haar dochter Veerle vooraan op een tandem, mijn vrouw en ik vooraan op de andere. Zo gezegd, zo gedaan, vanaf zeven uur op de schitterende zomerochtend van 9 juli 1944. Geen van de vier had ooit met een tandem gereden en het werd onderweg een onafgebroken gekakel over opletten!

Gelukkig was er weinig verkeer op het fietspad, en hadden we de ruimte voor ons alleen. Zonder ongelukken kwamen we om halfelf te Sint-Niklaas, uiterst tevreden over die ongewone prestatie, die toch in onze benen hing.

We brachten aangename uurtjes onder elkaar door; om drie uur in de namiddag werd de terugreis met goede moed aangevat. We hielden enkele rustpauzen en moesten de luchtbanden een paar keer bijpompen. Te Zeveneken was er bomalarm; we reden door onder de bomen, en te Lochristi zagen we, op een graskant langs de baan gezeten, hoe vliegtuigen boven het Gentse havengebied hun lading bommen lieten vallen. Het was benauwend, maar we troostten ons met de redenering dat de haven ver van het stadscentrum gelegen was.

Aan de Potuit te St.-Amandsberg was er een ongewoon geloop van angstige mensen. We hoorden dat de buurt van de Hoge Weg veel geleden had, en enkele personen in het bombardement het leven verloren hadden, maar de havenspoorweg zelf werd niet getroffen.

Bij onze thuiskomst was de huishoudster geweldig opgewonden, zij wilde volstrekt naar de Hoge Weg waar haar zuster woonde, maar kwam gerustgesteld terug. Dat was het eind van onze tandemuitstap naar Sint-Niklaas. We hebben er vaak over gesproken als over een heldhaftige verrichting.

Kort nadien vernamen we uit de Engelse radio dat de Verbondenen met succes militaire doelwitten te Dendermonde hadden bestookt. De Dendermondenaars hadden niets gemerkt, maar het bleek dat de vliegers Lokeren voor Dendermonde genomen hadden. In deze plaats werd in volle stad veel schade aangericht, onder meer aan het karmelietessenklooster dat plat lag.

Belangrijke spoorwegknooppunten, zoals Denderleeuw en de Gentse Snepbrug, werden nooit getroffen; het was opzettelijk bedoeld omdat de Verbondenen die weldra ook wilden gebruiken in hun krijgsplannen. Zo redeneerde de man van de straat. Er werd zelfs rondgestrooid dat de Duitsers die lukrake bombardementen op woongebieden als een schijnvertoning opvoerden, teneinde de bevolking tegen de Verbondenen op te hitsen. Propaganda en antipropaganda tierden als nooit tevoren. De geneesheren waren allerminst immuun tegen de verwarring en verdwazing. Sommige ziekenhuizen waar ze elkaar dagelijks ontmoetten, De Briel b.v., waren echte roddelcentrales waar de kletspraat heksensabbat vierde. Dat was een half kwaad, dat niet van een hoogstaand intellectueel niveau getuigde, doch er werden plannen ontworpen om wie met het cenakel niet ingenomen was, straks een hak te zetten. Ik weet ervan mee te praten.

De Anglo-Amerikaanse landing van 4 juni 1944 op de Franse kusten was geen verrassing; ze deed de enen een grote borst opzetten en de anderen vele toontjes lager zingen. De Duitsers liepen er geweldig zenuwachtig bij. In de Bijloke maakten ze plaats om gewonden te kunnen opnemen. Die waren er al na een paar weken, en een maand nadien lagen ze tot in de gangen. Er kwam een ander Oberarzt aan het hoofd, een zekere dokter Herberger, een gemoedelijke Oostenrijker; hij zei aan wie het horen wilde: ,,Der Krieg ist fertig, la guerre est finie''.

Op 6 juni trouwde mijn werkleider R. Defoort te Wielsbeke met Madeleine Lambrecht, dochter van een grootvlasser uit de Leiestreek, waar de Lambrechts zo talrijk zijn als de bladeren op de bomen. Mijn vrouw en ik waren op de bruiloft. Onderweg moest de chauffeur driemaal halt maken wegens luchtalarm en te St.-Baafs Vijve moest hij een eind zigzagsgewijs rijden over de weg die met mijnen ondergraven was. Er werd toch feest gevierd en de gasten trokken zich van de oorlog niet veel aan. Traditiegetrouw stelde de meester, die ik was, een heildronk in op het geluk van zijn huwende assistent en zijn vrouw, waarvoor hij met een kus van de bruid beloond werd. Gelukkig zijn we in de warme nacht zonder hindernissen thuisgeraakt.

Een week nadien werd mijn gewezen chef, professor N. Goormaghtigh, door de Duitsers aangehouden omdat hij naar de Engelse radio had geluisterd. Men had het waarschijnlijk meer op hem dan op de duizenden andere Engelse-radioluisteraars gemunt, omdat hij met een Engelse gehuwd was. Het pijnigde mij oprecht, omdat ik wist welk gevoelig mens Goormaghtigh was en hoe hij onder die vrijheidsberoving zou lijden. Ik vroeg mij af wat ik voor hem kon doen, maar achtte het verkieslijk niets te ondernemen, daar het door hem en zijn vrouw als een pro-Duitse daad van mijnentwege zou worden beschouwd. Goormaghtigh werd bij de Duitse aftocht op konvooi naar het kamp van Leopoldsburg gezet, doch was kort na de intrede van de Verbondenen ongedeerd weer te Gent. Het verheugde mij zonder voorbehoud.

Half mei had ik mijn laatste klinische college gegeven. Ik eindigde, zoals gewoonlijk, met een compliment en een wens voor de studenten en weet, precies alsof het gisteren was, wat ik hun zegde met een zinspeling op de beroerde gebeurtenissen waarin we leefden: ,,Dames en heren, blijft zelfstandig ons-gezind en verwacht geen heil van Churchill, noch van Hitler, noch van Pétain, noch van Stalin''. Het waren de laatste woorden die ik, als hoogleraar, voor een corona van studenten uitsprak. Ik heb er mij nooit over geschaamd, en doe het nog niet. Ik kreeg het traditionele applaus.

Het afnemen van de examens was mijn laatste professorale daad. De maand augustus was drukkend van pregnante gebeurtenissen. Tot de laatste dag heb ik in de Urologische Kliniek met Zuster Hubertine op de bres gestaan en mij door eenieder op de vingers laten zien; alles wat ik deed en zegde mocht gezien en gehoord worden. Het onweder hoorde ik rommelen in de verte, maar mijn vader heeft mij geleerd niet bang te zijn voor de donder en de bliksem. Ik hield het daarbij en dacht aan de evangelist-geneesheer Lukas: ,,Advesperascit, et inclinata est jam dies'' (XXIV-30).

*
* *

In de laatste week van augustus 1944 heerste in Gent een ware aftochtatmosfeer; de Anglo-Amerikanen rukten snel op vanuit Frankrijk. We vonden in onze brievenbus een naamloos papier: ,,We geven u een vriendenraad, vertrek''. Het was alarmerend, maar we beslisten niet te vertrekken. In de Bijloke zag ik hoe de Duitsers alles en allen oplaadden, tot de doodzieke soldaten toe. Dat moest onvermijdelijk een zware lijdensweg worden, naar het onbekende. De Oostenrijkse directeur van het Krijgslazaret liep er niet ongelukkig bij. Wanneer ik de dag nadien door de gangen naar de Urologische Kliniek ging, was het in de ontruimde ziekenzalen een desolate toestand; in de voorhalle lag de pleisteren Hitlerkop die er vier jaar lang gepronkt had, op de grond aan scherven.

In het militair hospitaal, waar een deel van de universitaire patiënten opgenomen waren, en waar laatstejaarsstudenten hun wachtbeurt vervulden, was het in orde. Terwijl ik van de Bijloke naar Ekkergem ging, reden volgepropte met paarden bespannen Duitse legerwagens, tegen een miserabel traag tempo het stadscentrum in, oostwaarts. Het was ver van de triomfantelijke tocht van mei 1940!

Bij mijn thuiskomst was er een berichtje uit Maria-Horebeke dat twee kilogram boter op het bekende adres op mij lagen te wachten. Het was te verlokkelijk om niet wat risico te nemen. Per fiets ging ik erheen. Het was betrekkelijk rustig onderweg, geen militair gedoe. Te Beerlegem stootte ik op Ward Opdebeeck die verderop van een schuilplaats wist en daar de gebeurtenissen zou afwachten. Te Maria-Horebeke vond ik de twee kilogram boter die ik tegen vierhonderd frank per kilogram mocht meenemen. Het was de hoogste prijs die wij ooit betaalden: meer dan vierduizend frank in de huidige muntwaarde. Om nooit te vergeten. Ik kwam ongedeerd thuis.

September stond voor de deur. Ik ging dagelijks naar St.-Vincentius, want het was ondenkbaar dat ik mijn patiënten in de steek zou laten. Ik moest vaak van de ene hoek van de straat naar de andere hoek springen, om heelhuids tussen gewapende mannen van het Verzet en aftrekkende Duitsers vandaan te komen. Ik had een goede schutsengel, maar mijn vrouw beval terecht: ,,Nu kom je niet meer op straat''.

Op sommige strategische punten zaten Duitse scherpschutters verscholen die elkeen onder vuur namen die het hoofd buiten het raam stak of boven een gordijn naar de aftocht zat te turen. Advokaat G. Vaerendonck op de Keizersvest die zich uit nieuwsgeirigheid te ver had geriskeerd, werd op die manier de schedel stukgeschoten. Ik heb hem gezien toen hij in het lijkenhuis van de Bijloke werd binnengebracht; door één enkele kogel was heel zijn hersenpan letterlijk opengespat.

MEDISCH-WETENSCHAPPELIJKE ACTIVITEIT

Het zou straks blijken dat eind augustus 1944 een punt betekende achter mijn universitaire carrière.

Ik had sedert 1935, toen ik op de leerstoel urologie benoemd werd, mijn beste krachten aangewend teneinde iets op te bouwen waarover ik niet hoefde te blozen. Ik meen dat ik op die negen jaar daarin niet te slecht geslaagd ben. Een urologische kliniek met polikliniek werd uit de grond gestampt.

Niemand zal mij die krachttoer durven te betwisten. De patiënten mochten er zich op verlaten dat ze het beste kregen dat onder oogpunt van diagnose en behandeling te verkrijgen was. Mijn medewerkers hadden daarin hun aandeel, want een klinische hoogleraar heeft wat anders te doen dan alleen maar apodictisch te verkondigen hoe het moet.

Patiënten het allerbeste geven is de eerste taak van het hoger klinisch onderwijs. De tweede taak is de aankomende geneesheren opleiden. De urologie behelst maar een klein deel van de geneeskundige praktijk en het is onbillijk het vak als het nec plus ultra van de totale leerstof te beschouwen. De dertig studenten die jaarlijks op de witte banken van de ,, piste'' naar ons zaten te luisteren, moesten we juist zoveel urologische kennis bijbrengen dat ze zelf hun weg konden vinden in het struikgewas van de gevallen die zich bij hen aanboden.

Het niet zo overvloedig klinisch materiaal dat de Urologische Kliniek te bieden had, heb ik selectief aangewend en voor mijn studenten gedemonstreerd in de mate dat het voor de patiënten niet hinderlijk was. In de twee lesuren die mij wekelijks gedurende één semester toegewezen waren, heb ik zo veel laten zien als enigszins mogelijk was, en op het examen heb ik het niemand lastig gemaakt.

Mijn klinische colleges en vrijdagse poliklinische demonstraties werden druk gevolgd. Het gebeurde dat een nieuwsgierige uit een andere faculteit die op de soms pikante uiteenzetting van een urologisch geval afkwam en op de antwoorden van de ondervraagde patiënten verslingerd was, naar het klinisch college kwam luisteren. Wanneer ik er zo een in de gaten kreeg, vloog hij onmiddellijk de deur uit.

Voor theoretische colleges was weinig tijd beschikbaar; ik heb die altijd met de uiterste zorg voorbereid, en aan die voorbereiding meer tijd besteed dan aan de uiteenzetting zelf. Het woord dat vanaf de kateder klinkt is van groot belang, en indien goed overwogen en goed voorgedragen zal het in de geesten van de toehoorders duurzaam blijven hangen. Napoleon heeft ooit gezegd dat het zwaard en het woord de wereld leiden, maar dat het woord altijd de bovenhand heeft. Studenten leren opereren of cystoscoperen was mijn taak niet, wel ze leren nadenken. Iemand die alleen wil uitpakken met operatieve knapheid om zijn professoraal meesterschap te demonstreren en het woord college verafschuwt waardeer ik niet, want dat is zoveel als de moeilijkste kant van zijn opdracht uit de weg gaan. Hij is niet creatief en daar komt het op aan.

De derde opdracht van de hoogleraar is het bevorderen van de wetenschap door eigen speurwerk en door de kritische analyse van de resultaten der werkmethodes die gevolgd worden in de instelling waarvan hij het hoofd is. Aan de buitenwereld moet hij het bewijs leveren dat er originele ideeën in het milieu ontspringen en vandaaruit hun weg zoeken en bevruchtend werken. Die taak kan een heel leven opeisen en vullen.

Met inachtneming van de omstandigheden waarin de Gentse Urologische Kliniek in 1935 vanaf het nulpunt vertrok en ontzettend veel energie en tijd opeiste om zich een aanvaardbaar uitzicht aan te meten waarin een serene geest en stemming heersen, kan ik met opgeheven hoofd terugblikken op hetgeen op negen jaar werd verwezenlijkt. Met een minimum aan subsidiëring, maar met een maximum van geestelijke inspanning.

Vanuit de pathologische anatomie, de farmacologie en mijn eigen laboratorium in het Anatomisch Instituut, had ik mijn speurwerk op de nier geconcentreerd. Duizenden microscopische preparaten werden vervaardigd en onderzocht, en ik maakte mij op om daaruit een bijdrage te schrijven waarin mijn opvattingen over het aandeel van het nierbekken en de hem omringende structuren, in het ontstaan van zekere vormen van hypertensie, werden verklaard en toegelicht. Over dat probleem had ik reeds enkele fragmentaire studies gepubliceerd.

Al mijn materiaal is op de universiteit ongebruikt achtergelaten. Wat ervan geworden is weet ik niet, mijn opvolger had geen belangstelling voor dat probleem en had andere varkentjes te wassen. Het heeft mij bedroefd dat ik de vruchten van jaren zelfstandig speurwerk niet heb kunnen plukken. Op zijn achtenveertigste jaar, een leeftijd waarop men rijp is om bezonken wetenschappelijk werk te produceren, de laan uitgestuurd worden, betekent de doodsteek voor een heel levensopzet.

Van zo'n vernietigende slag is er geen come-back. Ik heb mij in dat noodlot geschikt. Mijn zin voor wetenschappelijk onderzoek was evenwel niet dood en ik nam mij voor, wanneer de omstandigheden gunstiger waren, elders maar niet anders, een bewijs te geven dat de geest waait waar hij wil.

Het proefschrift van R. Defoort over *Klinische en proefondervindelijke Cystometrie* waarmede hij in 1943 de graad van Geaggregeerde van het Hoger Onderwijs haalde, werd in de Urologische kliniek bewerkt; het was een aanloop voor verder onderzoek op dat gebied.

Met Defoort publiceerde ik in de *Verhandelingen van de Koninklijke Vlaamsche Academie voor Geneeskunde* in 1943 over *Abacteriële Pyurie*. Dit is een virusziekte die tijdens de oorlog opflakkerde bij mannen van 20 tot 45 jaar; zij kwam bijna uitsluitend voor bij personen die in Oost-Europa geweest waren; voordien hadden wij ze nooit gezien; ze tast de urethra, het oogbindvlies en gewrichten aan (syndroom van Reiter), en geneest vlot door de intraveneuze inspuiting van arsenicumpreparaten.

Over de pathogenie van de hoge bloeddruk in de unilaterale nefropatie verschenen bijdragen in 1940, 1941, 1943 en 1944 in verschillende medische bladen; de *Presse Médicale* van Parijs was de laatste, op 4 januari 1945. In het *Vlaams Geneeskundig Tijdschrift* verschenen artikels over enuresis nocturna in oorlogstijd (1943), over de Kliniek, de anatomo-pathologie en de behandeling van penisgezwellen (1942), over het dysembryoom van de nier, over de ectopia vesicae (1942), over ervaringen met de hormonale therapie van de prostata-hypertrofie (1938). In het *Suid-Afrikaanse Tijdskrif vir Geneeskunde* beschreef ik een bijzondere vorm van niertuberculoze. Mijn tweede assistent dokter Jan De Moerloose, behandelde met mij de electrocardiografie en de uremie in de beoordeling van de operabiliteit van de prostata-hypertrofie voor de Koninklijke Vlaamse Academie voor Geneeskunde. In augustus 1944 zette hij het eindpunt onder een bijdrage tot de studie van het beenmerg bij prostatacarcinoom. Die studie verscheen in het *Belgisch Tijdschrift voor Geneeskunde* nr. 5, 1946, als een werk uit de Urologische Kliniek Universiteit Gent, maar zonder vermelding van de directeur, ,,gezien de omstandigheden''. De naam van die directeur had het aangezicht van het tijdschrift kunnen schenden. Met R. Defoort schreven wij een mededeling over de waarde van de hoge rachi-anestesie voor de nierchirurgie die opgenomen werd in het *Journal d'Urologie,* Parijs 1942.

Hoewel deze bijdragen, naast andere, van kleinere omvang, van ongelijke waarde zijn, bewijzen ze dat de Urologische Kliniek geen land van Kokanje was en dat er van de chef een stimulerende werking uitging.

In de Vereniging tot de Bevordering van de Geneeskunde heb ik meer dan een spreekbeurt gehouden, onder meer over de behandeling van de gonorroe met de sulfamiden die sinds 1936 de therapie van deze ziekte onderste boven heeft gekeerd. De actualiteit van de aangelegenheid zorgde voor een grote toeloop van belangstellende geneesheren.

Ik oordeelde dat het onze taak was beproefde verworvenheden naar buiten te dragen, en zo heb ik lezingen gegeven op vele plaatsen in de Vlaamse provincies. De geneesheren van een wat oudere generatie dan de mijne wisten gewoonlijk niet veel af van de urologie, die een volkomen nieuw begrip in hun professioneel gezichtsveld bracht.

In 1943 viel de vierhonderste verjaring van het verschijnen van Andreas Vesalius' *Fabrice*. Ik sprak over de betekenis van het boek in de Koninklijke Vlaamse Academie voor Geneeskunde. Albert Van Driessche liet te dier gelegenheid een monografie over de grote Vlaamse geleerde verschijnen; mijn initiatief was er niet vreemd aan. De Standaard Boekhandel gaf in 1941 het boek *Honderd Groote Vlamingen* uit waarvan ik met August Vermeylen, Robert Van Roosbroeck en L. Grootaers de samenstelling bezorgde. Na de oorlog stonden er scherpslijpers uit het verzet op die van dit boek in mijnen hoofde een daad van Duitsgezindheid maakten, want de woorden Vlaming en Vlaanderen waren in die tijd taboe. Het kostte heel wat moeite om het hun uit het hoofd te praten. De verdwazing heerste als opperste godin in het land van de goede Belgen.

Voor mijn genoegen vertaalde ik in de lange winteravonden van begin 1944 het *Leven van J. Agricola* van Cornelius Tacitus, naar mijn mening een literair juweeltje dat ik niet genoeg bewonderen kon. Met mijn vrouw ging ik elke donderdagavond naar de Kon. Nederlandse Schouwburg waar Staf Bruggen directeur was, en waar de spelers van zijn groep om de week een ander stuk voor het voetlicht brachten. We vonden het een unieke krachttoer, des te meer dat hun talent ons ogenblikken van hoogste artistiek genot verschafte. We denken in onze oude dag met heimwee aan die prestaties terug. Het stuk *Napoleon op St.-Helena* waar Staf Bruggen zelf de titelrol speelde, blijft als een toppunt in onze herinnering staan.

Mijn vrouw noch ik waren blind voor de schaduwzijden van de nare tijd die wij beleefden. We hielpen mild degenen die nood hadden, en waakten er angstvallig op geen vat te geven, door woord of door houding, aan degenen die niet dachten zoals wij over de mensen en hun gedragingen. Hoe zouden we niet begrepen hebben dat men op ons scherp lette? We waren niet zo versuft om niet te merken en aan te voelen dat men de rekening aan het opmaken was, die men ons weldra zou presenteren.

*
* *

In de universitaire kringen ontstond in 1941 wat deining wanneer, op bevel van de bezetter, de Brusselse Universiteit gesloten werd en de studenten op straat stonden. Het is niet van historisch belang ontbloot te herinneren aan de omstandigheden waarin het geschiedde, allerminst omdat het eens te meer bewijst dat wankelmoedigheid niet altijd een ondeugd is, vermits zij de aanloop was waarop kranigheid stoelde.

De Université Libre de Bruxelles werd omwille van de inconsequentie in haar houding ten opzichte van de Vlaamse aangelegenheden, door zekere collaboratiegezinde personen van vrijdenkenden huize, met een ongunstig oog bekeken. Deze oefenden druk uit op de universitaire overheid met het doel een aanvang te maken met de vernederlandsing van de instelling, teneinde de vrijzinnige Vlamingen in de gelegenheid te stellen hun studies te doen in de traditionele geest van de Universiteit.

Er werd trouwens al voor 1940 herhaaldelijk door vooraanstaande vrijzinnigen in die richting aangedrongen. Over dat probleem heb ik met mijn Antwerpse collega dokter M. Peremans meer dan eens gesproken; hij was op dat gebied met mij zeer openhartig en over de houding van zekere Brusselse cenakels absoluut niet te spreken.

Wellicht om erger te voorkomen en onder de druk van velerlei kanten uitgeoefend, stond het universitaire curatorium niet afwijzend tegenover de vernederlandsing, ook niet in volle oorlogstijd. Maar toen de eisenden kwamen aandragen met de benoeming van ongewenst geachte personen, o.m. van Antoon Jacob, steigerde het curatorium en kwam het verzet tegen het hele opzet los. Evenwel niet voordat vanwege de Société Générale de verzekering bekomen werd dat in geval van sluiting, het salaris van hoogleraars en personeelsleden door een zwarte kas zou uitbetaald worden. Op de weigering van de universitaire overheid vrede te nemen met de aanstelling van Antoon Jacob en de anderen, werd de universiteit gesloten en konden de studenten hun studie niet voortzetten.

Daarop besliste de Leuvense rector magnificus, Mgr. Van Waeyenbergh, zekere artikelen van zijn universiteitsreglement op te schorten; aldus werden o.m. de Brusselse studenten niet verplicht die voorschriften na te leven die niet met hun filosofische overtuiging strookten, voorschriften die de katholieke studenten wel gehouden waren na te leven. Zo was men gedurende de oorlog getuige van het feit, dat vrijzinnigen en agnostici studeerden aan een Roomskatholieke universiteit die, ten hunne gerieve, haar streng ideologische principiepen opzij zette. Ik weet niet of de katholieke Alma Mater er in 1978 dezelfde geestelijke mildheid op nahoudt.

De tegen de Université Libre genomen maatregel, werd zonder dralen met gretigheid aangegrepen teneinde de heldhaftigheid van de vrijzinnige en onvlaamse Brusselse universiteit te roemen, nu zij de branie tot op de spits gedreven had. De Gentse hoogleraar Fred. Thomas, die op dat ogenblik nog niet het toppunt van zijn georganiseerde wrevel tegen mij had bereikt en met wie ik de aangelegenheid besprak, hoor ik nog altijd zeggen dat Brussel in heel de wereld blijvend als het briljante centrum van de Belgische wetenschappelijke instituten zou beschouwd worden, de andere universiteiten van het land de loef zou afsteken en dat er nooit of nooit van een gehele of gedeeltelijke vernederlandsing nog spraak zal zijn.

Ik weet dat professor Thomas, en hij niet alleen, diep ongelukkig was en nog is, daar hij moest beleven dat zijn geliefde Université Libre, net zoals de andere Belgische universiteiten, op zeker ogenblik met financiële ondergang bedreigd werd, dat zij thans gesplitst is van boven tot beneden en dat men moet vrede nemen met een Vrije Universiteit te Brussel, de V.U.B.. Dit alles noopt tot nadenken over de broosheid van de menselijke berekeningen. Daartegenover plaats ik de onontkoombare standvastigheid van het Vlaams-nationaal motief, dat sedert een eeuw als de somatische determinant voor heel het vaderlandse gebeuren blijft gelden.

*
* *

Het ligt niet in mijn aard te deserteren, zoals de ratten de boot verlaten als zij aan het zinken gaat. Ik ben opgegroeid in een milieu waar het verantwoordelijkheidsgevoel geen ijdel woord was, ook niet in kleine dingen. Dat gevoel werd aangewakkerd door de spartaanse opvoedingsdiscipline van de jezuïetencolleges van voor de eerste wereldoorlog. Er is zelfs iets overgebleven van de padvindersgeest uit de jaren 1919-1920, en veel meer nog van het morele houvast door een man als E.H. Frans de Hovre meegegeven.

In zake vlaamsgezindheid huldigde ik het beginsel: om alles wat den volke goed is. Waarom zou ik deze spreuk afzweren? Wat in vredestijd goed is voor het volk, is het daarom slecht in oorlogstijd? Alles wat ik gedaan heb, deed ik niet voor mezelf en nog minder omwille van mijn belang. Moet ik daarom boeten? Het weze zo.

Op de dag dat ik deze volzinnen neerschrijf (25 nov. 1977) valt mijn aandacht op de tekst van een lezing gehouden door Fernand Colin, Leuvens emeritus en oud-voorzitter van de Kredietbank, in de zitting van 26 november 1976 van de Koninklijke Academie voor Wetenschappen, Letteren en Schone Kunsten van België (*Meded.* van id. 39, 1977, nr. 1). De titel luidt *De Politiek van Tewerkstelling tijdens de Bezetting*. Het is een historisch document met een behartenswaardige toedracht, vermits het een verhelderend licht werpt op de finaliteit van een pregnant collaboratieverschijnsel uit de tweede wereldoorlog.

Hoe Collin, en een trits rechtsgeleerden van de allergrootsten met hem, in tempore non suspecto, oordeelden over een onbetwiste noodsituatie in oorlogstijd, ten opzichte van het strafrecht, opent een horizont op de wankelbaarheid, de onevenwichtigheid en het subjectivisme van de mening die iemand er over de mening, de intenties en de daden van een ander iemand op nahoudt.

Bedrijfsleiders die, hoe dan ook, bestellingen leverden aan, en orders aanvaardden van de bezetter, waren volgens de letter en de zin van de strafwet, zonder uitzondering strafbaar; de noodtoestand inroepen was een vals uitvluchtsel, want de theorie had geen vaste plaats in het Belgische recht. De appreciatie van die noodsituatie is overigens de rekbaarheid zelf, evenals de theorie dat men tussen twee kwalen met open oog de kleinste mocht kiezen.

Dit alles roept na vijfendertig jaar cynisch-tragische overwegingen in de geest op. Hebben de ekonomische collaborateurs dat niet uitgevonden teneinde aan de repressie, die zij voorzagen, te ontsnappen?

Na het lezen van Collins bijdrage ben ik de overtuiging toegedaan dat deze rechtzinnige man zich van een drukkende plicht heeft willen kwijten, door zijn ervaringen uit 1940-1944, en de manier waarop zij gegroeid zijn, met de erbij horende beschouwingen niet langer onder de korenmaat te willen houden. Zij kunnen thans dienen tot stichting en tot belichting van de zedelijke en juridische motieven die zekere kringen, daar helemaal van boven op de ladder, voorgewend hebben om hun repressiezucht te verantwoorden. Collin schrijft letterlijk: ,,Mij plaagt steeds het pijnlijk gevoelen dat velen die na de oorlog vervolgd en bestraft zijn, zich zeer onrechtvaardig behandeld moeten achten''.

Wat komt deze uitweiding hier te pas, zal men mij vragen; zij hoort bij het hoofdthema van uw collaboratie niet thuis. Mijn antwoord: materiële collaboratie werd niet, of nauwelijks, aangerekend; politieke des te meer. Waar loopt de scheidingsmuur? In het Belgische niemandsland? Wie zal de arbiter zijn in het geschil waar uitgemaakt wordt welke van de twee kwalen de grootste is? De ondervinding heeft geleerd dat het een piepjonge krijgsauditeur te velde was.

INTERLUDIËN

1 september 1944 kan ik als een keerpunt in mijn professionele loopbaan beschouwen. Ik had sinds zeventien jaar een diploma; niet zo denderend veel, maar toch genoeg om met een zekere kennis van zaken te mogen meepraten over veel dingen. Dat ik zou gekraakt worden stond vast, ik had voldoende intuïtief doorzicht om het te beseffen.

Zeventien jaar waarvan nagenoeg elf als professor aan de Vlaamse Universiteit op een kapitaal ogenblik van haar groei. De eerste studentenjaren van de vernederlandsing waren door mijn handen gegaan en stonden als zelfstandige geneesheren in de maatschappij. We hadden meegeholpen om diegenen wetenschappelijk en etisch te boetseren die ons zouden opvolgen. Op het ogenblik dat ik dit schrijf staan zij aan de ploeg, en behoren mijn studiegenoten zelf tot de afgeloste wacht.

Ik heb de laatste mohikanen van de negentiendeeeuwse geneeskunde gekend, zoals ik thans degenen aan het werk zie, die niets meer afweten van wat wij destijds als de bloem van de progressieve geneeskunde beschouwden. Van een professioneel niveauverschil gesproken!

Een uitstapje in die warande mag in deze memoires niet ontbreken.

Negentig of meer procent van de verlossingen hadden vóór vijftig jaar ten huize plaats; bakers hulp ontbrak niet, evenmin als doopsuiker. De oudere huisartsen waren doorwinterde accoucheurs en met de verlostang konden zij wonderen verrichten, al hadden ze soms malheurtjes.

Gevallen van tragisch verlopende kraambedkoorts waren geen zeldzaamheid, ook niet in het gezin van geneesheren en bij mijn naaste buurman. Frans Daels had geen ongelijk, tot het waanzinnige toe te hameren op de anti- en asepsie in de obstetrica. Onze voorzaten in de medicijnen hadden geen sulfamiden en geen antibiotica, ze schrikten er niet voor terug een door maligne streptokokken besmette baarmoeder, met jodiumtinctuur in de irrigator, uit te spoelen.

Fritz de Beule, onze chirurgische leermeester, ging heftig te keer tegen al wie de interne behandeling van de blindedarmontsteking voorstond. Het olympisch debat dat hij dienaangaande voerde met professor M. Ide, de Leuvense medische paus, in de schoot van de Belgische Academie voor Geneeskunde, staat ons nog altijd voor de geest. Niemand betwist thans De Beules standpunt. Het belette evenwel niet dat een van onze jaargenoten zich in het jaar 1932 niet liet opereren, en het met de dood moest bekopen, en dat een ander jaargenoot, die huisarts was op het platteland, in 1959 hetzelfde lot onderging, omdat hij bang was voor de operatie.

Maar hoe geïndiceerd de appendicitisoperatie moge zijn, zij heeft een minder fraaie keerzijde, daar al te handige chirurgen, die op een hoog operatiecijfer gesteld zijn, normale appendixen aan de lopende band uithalen bij om het even wie over buikpijn klaagt. En ze doen dat op een prestigieuze wijze door een driecentimeterlange incisie, waarover ze prat gaan omdat die zo klein is. Er lopen in Gent heel wat personen rond van wie men met zekerheid zeggen kan, op het zicht van hun appendicitislitteken alleen, door wie ze geopereerd werden. Soms zeven op één morgen heeft ie er op die elegante manier van een normale appendix bevrijd. Reken dat ereloon uit. Maar er zijn ook chirurgen uit de school van Fritz de Beule, die systematisch weigeren de eerste de beste blindedarm te opereren.

Dezelfde Fritz de Beule predikte de kruistocht voor de radikale heelkundige behandeling van de borstkanker volgens Halsted, en van de dikke darmkanker. De late vruchten van die kruistocht vindt men tot op heden terug bij de patiënten die ,,met een zakje'' rondlopen en, behalve dat, een actief leven leiden en van een heel andere ziekte sterven.

Met alle vormen van morbide tuberculose hebben we in onze studietijd en onze twintig eerste beroepsjaren veel te doen gehad. Er ging geen week voorbij zonder dat ik zelf een geslachts- of niertuberculose zag. Meer dan honderd nierextirpaties voor tuberculose heb ik verricht van 1931 tot 1944. Dank zij de streptomycine is nu de frequentie van de uro-genitale tuberculose sterk gedaald.

De spoelingstherapie van de gonorroea behoort tot het verleden. Het was niet gemakkelijk aan de patiënten wijs te maken hoe zij moesten tewerk gaan en evenmin die handgreep aan de studenten aan te leren. Alles is nu vereenvoudigd, maar met een chronische ,,morgendruppel'', waar zij niet vanaf geraken, blijven sommige patiënten, ondanks de orale behandeling, ongenadig rondlopen.

De sexuele of penisneurosen zagen we vóór veertig jaar bijna nooit, doch na de laatste oorlog zijn ze ons spreekuur komen teisteren. Ik heb ze ooit als de ,,circulair-longitudinalen'' bestempeld en daarover in de *Annalen van het Noorden,* nr. 3, 1955, mijn opvattingen en therapie uiteengezet. Ik heb deze patiënten bijna nooit kunnen genezen; ze kwamen bij veel geneesheren terecht, en een groot aantal onder hen zijn in een psychiatrische instelling terecht gekomen.

Voor de prostaathypertrofie is de heelkundige behandeling de enige goede oplossing gebleven, al wordt die thans meer en meer instrumenteel per vias naturales, met vernuftige instrumenten uitgevoerd. Wijzelf zijn de transvesikale uitschaling trouw gebleven. De hormone therapie van de goedaardige prostaathypertrofie heeft weinig uitgehaald, wel die van de prostaatkanker die een reële aanwinst, doch geen levensreddende ontdekking was.

Van elke patiënt die men voor chirurgische behandeling toegewezen kreeg, werd dichotomie gegeven, gewoonlijk een derde van het gevraagde honorarium. Sommige dokters waren daar geweldig op gesteld en wanneer de betaling volgens hun zin te lang op zich liet wachten, kreeg men een briefje om eraan te herinneren, zelfs alvorens de patiënt de chirurg betaald had. Het deed zich voor dat de huisarts zelf het chirurgisch honorarium bepaalde, en dat was dan onveranderlijk een cijfer dat deelbaar was door drie. Een bekend geneesheer uit de streek tussen Oudenaarde en Deinze had de gewoonte tijdens de operatie van zijn patiënt even in de operatiekamer te komen kijken en bij het buitengaan, door de vingers van één of twee handen op te steken, te kennen gaf hoeveel het honorarium moest bedragen. Wat ik hier vertel, is geen fantasie; veel chirurgen zullen het bevestigen.

De dichotomie was een weinig eerbaar gebruik. Zij heeft zich uit West-Vlaanderen, waar zij door vader E. Lauwers werd ingevoerd, over heel het land verspreid. Oneerlijke chirurgen gaven tot de helft van hun honorarium aan de huisartsen die met patiënten voor operatie bij hen kwamen.

Van de chirurgische marktdagen heb ik mij altijd afzijdig gehouden. Het Café Belge in de Gentse Lamstraat was indertijd de beruchte vrijdagse ontmoetingsplaats van chirurgen en huisartsen. Een lamentabel schouwspel, door de Gentenaars niet ten onrechte de ,,medische beurs'' genoemd. Als ik mij daar had laten zien tussen pot en pint, dan had ik zeker veel meer werk gehad.

In de jaren 1933, 1934 en 1935 heerste overal in het land een geweldige epidemie van roodvonk, ook onder de volwassenen. Dokter Jozef Bayart, die als hoofdgeneesheer van de kinderafdeling in de Bijloke een enorme ervaring opgedaan heeft, kan daaromtrent veel schrijnende verhalen vertellen; hij had maanden met veertien sterfgevallen in zijn zalen. Ook onder de soldaten vielen slachtoffers en in het militair ziekenhuis van Ekkergem moest de geneesheer-directeur Melchior dringend twee patiëntenzalen laten bijbouwen teneinde de noodzakelijke isolering te kunnen verzekeren.

Twee tragisch-navrante overlijdens uit die stijd staan me voor de geest; dat van een drieëntwintigjarige medisch student, zoon van professor Jules Vernieuwen, die ons de leer van de besmettelijke ziekten onderwees. En dat van de worstelaar, gewichtheffer en krachtmens, de vierentwintigjarige Marcel Panen uit Gentbrugge, die ik goed kende. Hij werd thuis plots ziek, om 14 uur, was om 16 uur al in de Bijloke en overleed om 20 uur aan de gevolgen van een hyperakute scarlatina. Ik heb zijn lijkschouwing bijgewoond, nooit in mijn leven heb ik zo'n atletisch gebouwde man gezien, één enorme spiermassa. Zijn reuzenhart was slap als een natte vod ten gevolge van de buitengewone smethevigheid der hemolytische streptokokken. In alle sportkringen heerste een grote verslagenheid en Marcel Panen kreeg een vorstelijke begrafenis. Op zijn graf op het Gentbrugse kerkhof staat een bronzen borstbeeld dat een idee geeft van de reus die hij was.

Met dokter Bayart heb ik een paar artikelen over de renale roodvonkverwikkeling geschreven. Behalve een korte en minder gevaarlijke opstoot van de scarlatina in het jaar 1939 heeft mijn collega geen roodvonkepidemie meer gekend.

Na de Katynmoord op Poolse officieren, maakte een gelijkaardige ontdekking van massagraven te Winniza in Oekraiene heel wat minder opschudding. De Duitsers vroegen een internationale expertenkommissie om die graven te onderzoeken. Ik bedankte zoals tal van andere Belgische collega's. Roger Soenen ging op 't verzoek in. Na veel gevaarvolle vliegtuigwederwaardigheden kwam hij ter plaatse.

Over zijn bevindingen heeft Soenen aan de Duitsers geen geschreven rapport willen terhand stellen om te verhinderen dat zij daaruit munt zouden slaan voor hun propaganda. Alles heeft hij uitvoerig verhaald in een persinterview aan het weekblad *De Post* (23 november 1969). De graven, die meer dan vierduizend lijken bevatten, dagtekenden uit 1938, ten tijde van de politieke zuiveringen onder Stalin. De slachtoffers waren meestal Oekraïense boeren en landbouwarbeiders die bij de Russen in geen geur van heiligheid stonden, en om hun verzet tegen de heersers van kant gemaakt werden. De lijken werden uit verschillende streken naar Winniza overgebracht en daar begraven. Soenen heeft mij verteld dat hij niet helemaal overtuigd was dat er alleen maar slachtoffers van de Russen begraven lagen. Hij vermoedde dat de Duitsers ook onder de Oekraïeners hebben gemoord en dat een deel van de Winnizagraven op hun rekening konden geschreven worden.

Ten tijde van de communistische heksenjacht in de U.S.A. (Mac Carthy) heeft men Soenen van daaruit grote geldsommen aangeboden voor zijn dossier. Hij heeft geweigerd teneinde te verhinderen dat de documenten zouden gebruikt worden voor anti-communistische propaganda.

Een thans bijna verdwenen gebruik zijn de consulten met hun familiedokters, ten huize van de patiënten. Er ging bijna geen week voorbij of ik werd ontboden. In alle hoeken van Oost-Vlaanderen, tot zelfs in West-Vlaanderen ben ik gekomen, en heb op die manier veel geneesheren leren kennen, vooral degenen welke een zoon hadden die te Gent in de geneeskunde studeerde. Sommige van die consulten waren een ultiem beroep in een verloren zaak waar men alleen maar passief kon toezien hoe een fatale afloop binnen een week te verwachten was; maar er moest een specialist aan te pas komen om andermans diagnose te bevestigen en een prognose uit te spreken.

Voor de meeste consulten was de klinische diagnose, een niertuberculose b.v., vrij eenvoudig, maar dan moest een opname met verder onderzoek uitmaken wat de vooruitzichten op een behandeling waren.

Het was niet altijd gemakkelijk de omgeving te overtuigen da ik onmogelijk de preciese diagnose op staande voet uit mijn mouw kon schudden, maar dat röntgenonderzoek, bacteriologische cultuur en chemisch bloedonderzoek noodzakelijk waren. In 1935 waren die dingen nog niet vanzelfsprekend bij de doorsnee Vlaming. De opname in een ziekenhuis geleek een beetje op een afscheid van de wereld; thans vraagt men er spontaan naar.

Een consult bij een plattelandsgeneesheer was meestal voor hem en zijn vrouw een heel evenement en het is gebeurd dat er een echte receptie wachtte op de hooggeleerde die met die plechtigheid verveeld was en liefst zo vlug mogelijk wilde weggaan. Dit tot grote ontreddering van de dame des huizes. Wanneer dan de studies en het aanstaande examen van zoonlief ter sprake kwamen, en nog meer consulten in het vooruitzicht werden gesteld, was de tribulatie op een kookpunt. De uitslag van dit examen was determinerend voor de waardebepaling van des hoogleraars diagnostische en therapeutische vaardigheid en meteen voor het aantal consulten in de toekomst.

Een episch duel heb ik op zekere dag uitgevochten met professor J. Sebrechts te Brugge over de operatieve indicatie tot nierextirpatie voor tuberculose bij de echtgenote van een Gentse vriend. De vrouw was door Sebrechts met succes geopereerd wegens longtuberculose (hemithoraxplastie op aanwijzing van dokter Louis De Winter), toen men in haar urine tuberkelbacillen ontdekte. Sebrechts concludeerde op grond van een intraveneuze nierfoto dat een van de twee nieren moest verwijderd worden omdat zij door een tuberculeus proces was aangetast. Toen kwam de patiënte met haar man mijn advies vragen. Bij nazicht van de documenten en de uitslag van het urine-onderzoek, gaf ik als mijn mening te kennen dat hier geen niertuberculose in 't spel was, omdat in de steriele kateterurine geen etter kon ontdekt worden. Een uitspraak van mijn Parijse leermeester Legueu ,,Il n'existe pas de tuberculose rénale sans pyurie'' indachtig, was mijn advies: geen nierextirpatie. Sebrechts aanvaardde die stelling niet en vroeg mij of ik de aanwezigheid van tuberkelbacillen in de urine van de vrouw in twijfel trok. Zeker niet, was mijn antwoord, doch die tuberkelbacillen stammen uit een nog niet volledig uitgedoofd longproces; ze komen in de urine terecht en worden gewoon uitgescheiden zonder in de nier een letsel te veroorzaken. Als ze daar een tuberculeus actief letsel veroorzaakt hadden, zou dit met ettervorming gepaard gaan, waarvan men de bewijzen in de urine had teruggevonden.

Sebrechts bleef bij zijn stelling, ik bij de mijne. We lieten aan de patiënte en haar man de beslissing over. Ze kozen voor mijn opvatting en de vrouw werd niet geopereerd. Dat is nu meer dan veertig jaar geleden. De dame genas verder uitstekend van haar longoperatie, ze kreeg nog drie kinderen en met haar man is zij mij dankbaar gebleven.

De hemithoraxplastie zoals zij door Sebrechts werd verricht, is een van de meest indrukwekkende chirurgische ingrepen die ik in mijn leven heb weten uitvoeren. Zij is een van de methodes die destijds opgang maakten in de behandeling van de longtuberculose, methodes die nu verlaten zijn sedert de tuberculostatica in het geneesmiddelenarsenaal hun intrede hebben gedaan. Het was bijna een wanhoopsdaad; zij liet een zware verminking van de borstkas na, en had soms ernstige gevolgen voor de hartwerking, maar kon bogen op een respektabel procent van definitieve genezingen bij degenen welke de operatieshock doorworstelden. Sebrechts toonde met trots een foto waarop al zijn gelukkig-geopereerden, in bloeiende gezondheid, rondom hun chirurg gekiekt staan.

Doelbewust heb ik de strijd aangebonden tegen het onberedeneerd besnijden van elk knaapje dat met een wat nauw uitziende voorhuid van de school met een briefje thuiskomt dat op dit orgaan wijst, en dat op geneeskundige raadpleging aandringt. Het is mijn vaste overtuiging dat er veel ,,garnaaltjes'' besneden worden die geen fimosis zijn. Ik moet hier geen klinisch lesje over het onderwerp geven, maar verwijs naar een bijdrage in de *Annalen van het Noorden,* juni 1953, waarin ik tegen die systematische snijderij mijn standpunt uiteenzet. Moest men de artsen en chirurgen nakijken die zo intensief op garnaaltjes vissen, dan is er geen één op honderd die zelf besneden is en, desondanks, alles gedaan heeft wat met het desbetreffend orgaan in 's mans leven te doen is.

Rond mijn chirurgische operaties heb ik nooit aan geheimdoenerij gedaan; elke dokter mocht zien wat ik deed en hoe ik het deed, van mijn onvolmaaktheden maakte ik geen staats- of familiegeheim en over de resultaten van mijn werk heb ik met eenieder die er naar vroeg, in volle oprechtheid gediscussieerd.

Altijd heb ik evenveel aandacht en zorg besteed aan mijn kosteloos behandelde universitaire patiënten als aan de privé-patiënten die een honorarium betaalden. Een diagnose en een therapie voor minderbegoeden en een andere voor betergestelden acht ik uit den boze en een geneesheer onwaardig. Eenzijdige proefkonijnengeneeskunde heb ik nooit beoefend, en wanneer er risico's aan een nieuwe methode verbonden waren, heb ik die nooit alleen door mijn universitaire patiënten laten dragen, maar ze gelijkelijk over heel mijn specialistische bedrijvigheid verdeeld. Professor H. Handovsky die op zeker ogenblik met een urethrale injectievloeistof van zijn vinding kwam vragen het in de Urologische Polikliniek te proberen, heb ik met zijn verdacht goedje wandelen gezonden. Voor het aggregaatswerk van René Defoort heb ik mijn particuliere zowel als de universitaire patiënten ter beschikking gesteld.

De geneesheren en de familieleden ten hunne laste, heb ik naar lofwaardige gewoonte altijd kosteloos behandeld en nooit één cent honorarium daarvoor gevraagd. Van sommigen kreeg ik een geschenk uit erkentelijkheid, van de meesten een briefje met welgemeende dankwoorden, van anderen niemendal. Voor een zware niersteenoperatie bij zijn zwangere echtgenote heb ik ooit een pond knapkersen van een plattelandsdokter ontvangen, maar operatiekamerkosten en assistent bleven voor mijn rekening. Dokters van wie ik nooit een patiënt zag, kwamen bij mij voor eigen klachten, ze vertrokken na onderzoek zoals ze gekomen waren, maar twee maand later werd ik 's nachts bij een echtgenote geroepen voor een nierkoliek, per huurauto vijfentwintig kilometer van Gent: merci voor 't derangement.

Arme pastoors heb ik nooit iets aangerekend, de rijke wel. Paters en nonnen hebben mij veel gebeden beloofd en ik ben ervan overtuigd dat ik nog véél tegoed heb, van nu tot in het hiernamaals. Ik zal de vruchten van hun welbedoelde devotie goed kunnen gebruiken.

De huishoudster van een pastoor tengevolge van een embolie verliezen, is de zwaarste tegenslag die een operateur kan ontmoeten; de reactie van de eerwaarde is mateloos ongenadig, hij gaat op de meest heftige manier tekeer, hij vergeet de ondoorgrondelijke raadsbesluiten van Gods Voorzienigheid, en zal voor de reputatie van de chirurg zorgen, zegt ie. Als dezelfde beproeving een gehuwd man bij zijn vrouw overkomt, ontmoet men begrip voor alles wat men ten goede gedaan heeft, hij dankt met de tranen in zijn ogen; een pastoor nooit.

Elke specialist die met patiënten uit diverse bevolkingslagen te doen heeft, zal u vertellen dat zijn vlotste verhoudingen niet die zijn met de hooggeplaatsten, en zeker niet met de dragers van een adeltitel. De meest onredelijke eisen en grillen komen uit die hoek, en de slechtste betalers ook.

De meest erkentelijke patiënten, de meest geduldige, de meest lijdzame en de meest begrijpende vindt men in de middenklasse en onder de werklieden, die hebben een dankbaar ontzag voor wat hun geneesheer - en de verplegers - voor hen doet. Voor een rijke doet men nooit genoeg, ontbreekt altijd iets, doet alles altijd pijn, is het bed nooit goed opgemaakt, is de voeding altijd minderwaardig, is de rand van het ondersteekbekken altijd te scherp, rinkelt de telefoon dag en nacht wanneer een darmwindje te lang op zich laat wachten. Tegen het adellijk eisenpaket is er maar één kruid gewassen: het in de haver van het honorarium te mengen. Maar dan is het een jaar wachten op de betaling.

Collega's uit een andere faculteit zijn soms de mening toegedaan dat ze vanzelfsprekend aanspraak mogen maken op een kosteloos advies en vragen voorrang op het privé-spreekuur. Wanneer er zo een, met een bobootje op zijn ,,mannelijkheid'' dat hem ontzettend ongerust maakt, komt binnenvallen, en hij verneemt dat het maar een lokale roodheid van niemendalle is, antwoordt hij opgemonterd, met het onnozelste gezicht van de wereld: ,,ik ben u toch niets schuldig zeker voor uw diagnose?''

Met tientallen heb ik telefoontjes van patiënten ontvangen die vroegen wat hun te doen stond voor wat ze als een verwikkeling van hun toestand beschouwden; ze werden altijd welwillend en met de passende raad beantwoord... zonder vergoeding. Mijn vrouw maakte zich meer dan eens boos op mij wanneer ik een dokter telefonisch raad gaf wat hem te doen stond met een patiënt die hij moeilijk sonderen kon, en die ik geen honorarium aanrekende. Het is ooit uitgelekt dat de huisarts in kwestie namens mij voor die telefonische raadpleging honorarium aanrekende en het aan hem betaalde bedrag zonder meer op zak stak.

Teneinde niet de indruk te wekken dat er in het bonte legertje van de Vlaamse artsenstand niets anders dan vreemde kerels rondlopen, besluit ik onmiddellijk dat het overgrote aantal, de anderen en de beteren, van zulk goed allooi zijn, dat ze voor een sieraad van de maatschappij kunnen doorgaan. Er zijn onder de Vlaamse geneesheren geldwolven, doch de collega's die op wat anders zinnen zijn legio.

Vlaanderens milde zonne zij hun, allen, genadig!

*
* *

Over de examenervaring van elf jaar professoraat zal ik in een notedop wat vertellen.

Mijn leeropdracht viel in het tweede studiejaar en in het zesde studiejaar van de medische opleiding. In het eerste geval waren de studenten al door een voorgaande examenjury uitgedund, en in het laatste geval hadden ze al vijfmaal de examenklippen met succes getrotseerd. Psychologisch en didaktisch beschouwd maakte dat een enorm verschil voor de examinator. In het tweede studiejaar maakten ze voor het eerst kennis met de geneeskundige leerstof, o.m. met de ontleedkunde en de verrichtingsleer. Ik was de mening toegedaan dat ze het bewijs dienden te leveren van een klare voorstelling en van een vlug inzicht in de kern van de dingen die hun in de colleges voorgehouden werden. Daarenboven moesten ze in de praktische oefeningen van de anatomie tonen dat ze goed met de handen terecht konden en zin voor netheid bezaten.

In dat tweede studiejaar was ik tamelijk streng en kon ik een onvergeeflijke stommiteit die geen lapsus was, maar zich bevestigde en herhaalde, niet door de vingers zien. Dan was ik onverbiddelijk. Iemand die een rib voor een kuitbeen nam, een kniegewricht voor een schoudergewricht, een onderste lidmaat voor een bovenste, die hoegenaamd het verschil tussen proneren en supineren niet snapte en in die onwetendheid volhardde wanneer men hem op het goede pad poogde te brengen, werd gesjeesd. Wie op een onderscheiding of meer mikte, moest kunnen bewijzen dat hij de stof in de finesses kende.

De praktische oefeningen in de anatomie zijn voor een toekomstig geneesheer van groot belang, anatomiseren is wat anders dan erop los snijden in dood mensenvlees. Sommige studenten zijn kunstzinnige seceerders, ze werden met veel punten beloond en dat kon zelfs een zwakke theoriekennis goedmaken. Vuile knoeiers die hun preparaat verknoeiden dat hun handen ervan stonken, heb ik laten zakken.

Het zal wellicht verwonderen wanneer ik zeg dat de meisjesstudenten in de snijkamer niet uitblinken door handigheid; de meeste hadden er niet veel verstand van om met mes en pincet om te gaan, ze hanteerden de instrumenten alsof het breinaalden waren en hadden niet de gave van het rustige nette gebaar. Op het theoretisch examen waren enkele jonge dames niet te kloppen; het hoogste kwoteringscijfer dat ik ooit heb toegekend, was voor een dame, doch haar practicum was maar om zo te laten en ik weet dat zij later in haar praktijk nog geen sikkepit verbeterd was.

Wanneer men, na een examenzittijd die meer dan honderd studenten voor de professorale vierschaar brengt, over de antwoorden nadenkt, kijkt men verbaasd neer op de manier waarop een enkele student de leerstof assimileert en over de meest ongerijmde dingen die een enkele andere er koelbloedig uitflapt.

Is het systeem van de individuele ondervraging goed of slecht? Naar mijn mening is het goed, maar correct en billijk oordelen is een zware, uiterst moeilijke taak die men niet moet onderschatten.

Heel anders is het gesteld met het klinisch examen in het zesde studiejaar. De urologie is een klein vak uit een groot geheel en het past niet haar belang te overdrijven en het de studenten lastig te maken. Ik was met weinig tevreden en heb in dat voorlaatste studiejaar nooit iemand laten zakken; dat moesten de grote heren van de chirurgie, de verloskunde en de interne voor hun rekening nemen. En ze deden dat consciëntieus wanneer het nodig bleek te zijn.

Examens hebben ook hun plezierige kanten. Een student meldde zich op zijn beurt aan met zijn naam: De Zutter. Op mijn vraag of die Zutter met een s of een z geschreven werd, antwoordde hij: ,,Met een s, de eerste letter van smeerlap''. Ik lachte mij een bult met de spontaniteit van de jongeman. Op de beraadslaging vertelde ik de mop aan de andere juryleden. Daels die in een goede dag was, kletste van de pret op zijn dijen, maar professor Nysen, de psychiater, vond het antwoord beledigend en zou de man de deur gewezen hebben. De meerderheid stemde voor een onderscheiding, want het examen was uitstekend geweest. De Sutter is thans een oogarts in West-Vlaanderen en doet de zaken daar ook met onderscheiding.

Op een zekere dag moest ik voor de chirurg inspringen in de jury van het laatste jaar. Een sympathieke Westvlaamse knaap wist juist genoeg te vertellen om erdoor te komen. Toen hij aan mijn gezicht merkte dat ik met de punten niet vrijgevig was, vroeg hij: ,,Professor, ge ga gi mi algelik toch nie buzzen zeker, want 'k heb al een huus, e wuf en nen auto''. Hij had er namelijk vast op gerekend dadelijk na zijn geslaagd eindexamen een praktijk te beginnen, en met dat doel al een woning gehuurd en huwelijksplannen gemaakt. Geen enkel examinator is tegen zulke argumenten bestand en ik heb grootmoedig zijn doktersbul ondertekend. Thans is hij gelukkig met zijn wuf in zijn huus, heeft hij reeds meer dan een half trouwboekje volstaan met nakomelingen, en als een waarachtig platlandicus toert hij met de auto rond bij zijn patiënten.

Men weet nooit hoe een dubbeltje rollen kan, en het is gewaagd, op grond van iemands examencijfers, te voorspellen of hij 't ver zal schoppen, of in het leven niet slagen zal. Het Cartesiaanse gezond verstand is, ook voor een medicus, van doorslaggevende betekenis, en dit gezond verstand in examenpunten uitdrukken gaat niet, omdat het een van de imponderabele krachten is die niet te vatten zijn, evenmin als de middenstof die de gehele wereldruimte doordringt.

Anders liep het af met een zekere Dries W. die al drie keer bij mij en de anderen in het zand gebeten had omdat hij volstrekt niets van zijn stof kende. Zijn moeder, een vrouwmens met haar op de tanden, kwam na een examen bij mij onverhoeds met zoonlief binnenstuiven om te vragen waarom ik een ,,piek'' had op haar Dries en hem telkens onbarmhartig wandelen zond.

Niet door haar, doch door zijn driestheid was ik zozeer in mijn wiek geschoten, dat ik de jongeheer, in de aanwezigheid van zijn onversaagde moeder, grofweg de waarheid heb gezegd. Moeder zag eindelijk in dat ze bedot was geweest, waarop ze Dries de huid begon vol te schelden, hem de deur van mijn bureau uitschopte en hem in de gang zijn keurige studentenpet achterna wierp: ,,Wadde gie, verdomse loeder!'' Dries heeft zich nooit meer op het examen aangeboden. Twintig jaar nadien heb ik hem, als tramcontroleur, tussen Oostende en Middelkerke teruggezien; hij herkende mij en zegde: ,,Dag professor''.

Pol Braet was vanaf de eerste dag een van de trouwste bezoekers van de Urologische polikliniek; hij was een typische vertegenwoordiger van wat de Fransen de ,,pondeurs de calculs'' noemen, patiënten die om de twee à drie dagen een steentje uitwateren, met of zonder pijn. Hij bracht die steentjes mee en de zuster heeft ze bewaard tot zij er twee kilo had, en het verder verzamelen opgaf.

Elk jaar gaf ik een college over het geval; Braet was er zeer trots op als demonstratieobjekt te dienen. Hij volgde de les met aandacht en wist welke de voornaamste steensoorten zijn: uraatstenen, fosfaatstenen en oxalaatstenen. Wanneer het eksamen voor de deur stond, kwam hij zijn goede diensten aanbieden om als examengeval aan een student voorgeschoteld te worden.

De examinandus die het geval Braet uitgeloot had, deed zijn uiterste best om tot een diagnose te komen, slaagde daarin min of meer goed. Daarop stelde ik onveranderlijk dezelfde vraag: ,,Noem mij de voornaamste steensoorten''. Voor de meesten liet het antwoord lang op zich wachten; gewoontegetrouw en om de pret opnieuw te beleven, ging ik op afstand de nota's van de examinandus inkijken, terwijl ik Braet aan de verbauwereerde student het antwoord in de oren hoorde fluisteren: ,,Uraten, fosfaten en oxalaten''. En de andere, schuchter maar niet overtuigd, herhaalde: ,,Uraten, fosfaten en oxalaten''. Waarop ik alleen maar kon zeggen: ,,Uitstekend''. Twee mannen waren in de hoogste hemel, Braet en de student.

Twintig jaar lang heb ik Braet in de stad ontmoet. Hij legde altijd steentjes, en kende nog de variëteiten. In de Tentoonstelling van 1958 op de Heizel had hij een baantje van toeziener en pronkte in het mooie uniform. Toen ik op de Vlaamse Dag met mijn dochter Christine vruchteloos een plaatsje op de gereserveerde tribunes poogde te bemachtigen, kreeg Braet mij in de gaten. In een handomdraai had hij het geval opgelost en zaten wij op de derde rij, waar niemand zich om ons bekommerde en wij van een uniek zicht op de hele namiddagvertoning konden genieten.

Op de Gentse Korenmarkt heb ik Braet omstreeks 1970 voor het laatst ontmoet. Hij zag er helemaal niet goed uit: ,,Aan mijn maag, mijnheer de Professor, 't zijn nu geen uraten, fosfaten en oxalaten meer'', gekscheerde de man die blijkbaar met zijn doodskist onder de arm liep.

DE BEVRIJDING

De eerste septemberdagen van 1944 waren echte scharminkeldagen, met veel zielig spektakel, wanorde en gedruis. En een woelige spanning, want men verwachtte de Engelsen; alleen wist men niet waar ze de stad zouden binnenrukken. Duitse gevechtswagens reden af en aan door onze straat en losten een schot waar ze iets of iemand zagen bewegen.

In de Leopoldskazerne bij het stadspark werd gevochten, de mannen van het Verzet waren er de laatste verdedigers aan het buitenborstelen. Van de ochtend tot de avond hoorde men geweerschoten knallen en werden gewonden naar het Militair Hospitaal van Ekkergem overgebracht. Duitse soldaten trokken af, en waar ze een fiets in het oog kregen, sprongen ze erop om zich nog vlugger uit de voeten te maken.

Er was soms een lange stilte waarin niets voorviel. Henri Liebaert, die schuins tegenover ons woonde, maakte ervan gebruik en stak een grote Belgische vlag uit, maar toen een Duitse pantserauto voorbijreed en op de vlag begon te schieten, was hij er als de kippen bij om het vaderlandse symbool naar binnen te trekken. Liebaert was een grootindustrieel van bekende liberalen huize, die in 1940 al vroeg in de weer was om orders voor zijn Deinzese textielfabriek op te halen. Mijn vrouw had hem in juli 1940 lachend en pratend met een hoog militair heerschap uit het textielhuis op de Kalandenberg zien buitenkomen en de Hitlergroet met de opgeheven hand zijnerzijds zien beantwoorden.

In de vroege namiddag van woensdag 6 september 1944 was het menens. Vanaf de Zwijnaardse steenweg reed een kleine Engelse pantserkolonne de stad binnen en kon zonder op verzet te stuiten het stadhuis in bezit nemen. Als een vuurtje liep het rond en als bij toverslag verschenen de vlaggen aan de huisgevels.

Daar wij geen Belgische vlag bezaten, bleef onze gevel kleurloos; voorbijgangers keken naar omhoog alsof ze wilden vragen waarom het symbool van de bevrijding zo lang wegbleef.

Onze buurman, professor P. Van Uytvanck, die twee vlaggen bezat, gaf een exemplaar aan een communistisch vrouwtje aan de overzijde, die evenmin als wij een Belgische driekleur bezat; ze liet dadelijk het doek uit haar raam wapperen. Een overbuurman, die mijn nummer kende, vroeg uitdagend waar mijn vlag zo lang zat. Omdat ik wist dat hij weleer op de vlucht sloeg terwijl ik onder de wapens was, vroeg ik hem waar hij in 1940 gezeten had; hij bleef het antwoord schuldig en droop af.

Heel de namiddag nam de straatdrukte toe; er zat een onmiskenbare gejaagdheid in die de mensen doelloos heen en weer joeg. Julia Verlodt, een bekende kroegmeid van de Blandijnberg, liep trippelend van huis tot huis om geld in te zamelen om de Engelse soldaten met bloemen tegemoet te gaan. Haar ijverige haast was een uiting van de zoveelste ommekeer in de sentimentele allianties onder de verscheidensoortige rassen van onze wisselvallige ondermaanse wereld.

Het driftige straatbeeld kreeg een nog ongewoner uitzicht wanneer met wapens uitgeruste burgers zich tussen de talrijker wordende rondlopers voortspoedden. Het deed komisch maar niet bemoedigend aan toen ik onder hen een oud-patiënt herkende die met een pistoolmitrailleur en een patroontas op zijn schouder voorbijliep, en ik mij voorstelde hoe de held veertien dagen tevoren, met zijn neergelaten broek en opgeheven hemdje beduusd voor mij stond. De man keek me nu uitdagend aan.

Onsamenhangende verhalen deden de ronde, en werden zo maar door de gehaaste voorbijgangers verteld aan wie het horen wilde. Dat het provinciaal gouvernementsgebouw in brand stond, kon men van ver zien; de aftrekkende Duitsers hadden er de dag voordien het vuur aangestoken. Achtergebleven Duitse soldaten werden gevangengenomen en zag men met de handen omhoog door de verzetslieden wegleiden. Aanrukkende militaire voertuigen werden door roekeloze entoesiastelingen bestormd en volgeladen met vlaggenzwaaiers voordat ze verder konden. Vrouwen hingen aan de hals van de Engelsen en maakten het de chauffeurs moeilijk.

Vanop de stoep waren mijn vrouw en ik, met de kinderen en de trouwe huishoudster, de passieve getuigen van de gebeurtenissen die zich voor onze ogen afspeelden. We ondergingen ze tot de avond inviel. Met een vraagteken in ons gemoed over wat de dag van morgen brengen zou, barrikadeerden we ons zoals gewoonlijk in de kelder en de kelderkeuken met matrassen en beddegoed; niemand voelde zich veilig onder het geraas van de vliegtuigen die de lucht doorkruisten en 's avonds en 's nachts lichtraketten uitwierpen.

Hoe intens ook ik in beslag genomen was door de onoverzienbare voorvallen van een zwaargeladen etmaal, en volkomen onbekend met hetgene buiten onze onmiddellijke omgeving gebeurde, gingen mijn gedachten naar de plaatsen van mijn dagelijks werk. Ik nam mij voor 's anderendaags onverschrokken op verkenning te gaan.

Voor ik vertrok werd met *De Gentenaar* in de straat rondgevent; we kochten een exemplaar. Tegen één frank, een ongehoorde prijs voor een krant. We lazen hoe de inname van de stad geschied was door het Queens Own Royal Surrey Regiment, en over de tientallen incidentjes die zich links en rechts hadden voorgedaan.

Een voorafbeelding van wat op komst was, kon men al afleiden uit het protest van *De Gentenaar* i.d. 7 september, omdat E. Anseele junior zich het bewind van de stad had aangematigd (sic) en zijn collega's uitgeschakeld (sic) die onder de bezetting ,,den last der zorg voor de bevolking op zich namen''. Die korte mededeling sprak boekdelen. De houding van Anseele zou trouwens nog jaren als een politieke speelbal het onderwerp uitmaken van felle betwistingen over zijn gedragingen en daden tijdens de bezetting.

Mijn eerste stappen golden de Urologische Kliniek. Ik wilde weten wat er aan de hand was. Zoals gewoonlijk nam ik de weg door de vertrouwde Bijloke, des te meer daar ik in mijn brievenbus zojuist een uitnodiging van directeur M. Carton gevonden had om aanwezig te zijn bij de schikkingen tot overname van de klinische diensten die opnieuw onder het beheer van de Commissie van Openbare Onderstand kwamen. Bij mijn verschijning keek men mij aan alsof ik een wezen uit een ander werelddeel was. De directeur begreep er niets van als ik hem de uitnodiging toonde; het was een vergissing, zegde hij. Hij vroeg mij het ziekenhuis te verlaten, zo niet zou hij mij door de politie laten op straat zetten. Ik verzekerde hem dat het overbodig was en dat ik spontaan wegging.

Het Klinisch Instituut lag verlaten. In de Urologie trof ik Zuster Hubertine aan, die mij een heel verhaal deed over hetgeen voorgevallen was. Vanuit het Militair Hospitaal hadden de wachthoudende studenten aan de Bijloke dringend en herhaaldelijk chirurgen gevraagd om de zwaargewonden te helpen. Niemand was gegaan. Naar dokter Albert Ide, een van de wachthouders, mij later vaak verzekerd heeft, is meer dan een gewonde bij ontstentenis van chirurgische hulp gestorven, in tegenstelling met 1940 toen de overname van de diensten in de andere richting vlekkeloos verlopen was.

Voorts vernam ik van mijn hoofdverpleegster dat professor Fred. Thomas, de gangmaker van het medisch repressieapparaat, als een razende overal zijn bevelen gaf, en o.m. tijdens de nacht de directrice van de provinciale verpleegsterschool naar de gevangenis had opgebracht. Waar haalde hij dat recht vandaan? Het duurde niet lang voor ik begreep dat de heren zich beriepen op hypothetische instrukties van een hypothetisch gezag dat ze niet nader konden omschrijven dan: de Engelsen. Waarschijnlijk beriep E. Anseele zich op datzelfde gezag om zich de macht op het Stadhuis toe te eigenen. Een verontwaardigde zuster Hubertine liet mij door het hek van het Klinisch instituut op de straat.

In St.-Vincentius kon ik mijn patiënten op de gewone wijze verzorgen. Maar uit de gesprekken voelde ik dat er storende invloeden op de alledaagse vriendschapsverhoudingen hun werking aan het uitoefenen waren.

Toen ik naar huis ging heerste er in de stad een ongewone militaire drukte vanwege het rollende oorlogstuig. Op St.-Baafsplein zaten Amerikaanse soldaten op met benzine gestookte vuurtjes hun potje te bereiden. Wat een contrast met de berooide Duitsers en hun archaïsche door magere paarden voortgetrokken boerenwagentjes een week tevoren.

Op de Kalandenberg was er een plundering geweest van de in het Arteveldehuis gevestigde Vlaamse Boekhandel. De acht delen van Guido Gezelles *Volledig Werk*, op Japans kozovellum, lagen stukgescheurd en vertrapt in de goot op een hoop geworpen; een groep verzetslui van het Onafhankelijkheidsfront had deze cultuurverheffende daad opgeknapt, met de bedoeling in het historisch gebouw zijn hoofdkwartier te installeren.

Verzetslieden met een geweer op de schouder liepen meer voor de schijn dan met strikte dienstorders tussen de lanterfanterende met strikjes getooide Gentenaars te paraderen. Regenbuien veegden op tijd en stond de straten leeg en joegen de tot samenscholen neigende groepen uiteen. Belhamels die duidelijk wat anders dan het opjutten van de vaderlandsliefde op het oog hadden en luidruchtig revolutionaire praat verkochten, poogden degenen die er naar luisterden mee te tronen om de huizen van de zwarten en de cafés waar Duitsers kwamen te gaan plunderen en in brand te steken. Ze zegden het luidop maar vonden weinig gehoor.

Toen ik thuis in de St.-Pietersnieuwstraat aankwam was dokter Léonce Van Damme daar met nieuwtjes en zagen we hoe Julia Verlodt, de heldin van de buurt, bezig was het huis van professor Daels leeg te halen. De tandarts Raf. De Wilde, die er ook stond op te kijken vond het afschuwelijk en kon niet aanzien dat het schorremorrie in de stad baas was.

In de verte kwam op St.-Pietersplein een brullende bende achter een Belgische vlag aangolven, waarvan men vermoedde dat ze het op het huis van Daels — en wie weet op het onze — gemunt hadden. Maar toen brak juist zo'n geweldige stortbui uit de hemel los dat de bende, beschutting zoekend, uiteenstoof en zich niets meer aantrok.

We hebben er gelukkig niet meer van gehoord of gezien. Julia Verlodt had ondertussen haar werk in Daels' woning grondig opgeknapt en met de medehulp van gelijkgestemde zielen geroofd wat ze konden meeslepen en kapotgeslagen wat te zwaar was. Allerhande papieren en documenten van het IJzerbedevaartcomité lagen te rapen in de modderige straatgoot.

Kort na de middag vond ik in onze brievenbus een briefomslag van de universiteit met een gestencilde tekst boven de handtekening van R. Goubau, rector: ,,Tot nadere instructie is het u niet toegelaten de universitaire gebouwen te betreden; over uw toestand zal te gelegenertijd door de bevoegde overheid een beslissing genomen worden''

Dat was het eind- en het beginsignaal. Mijn vrouw die een meer klaarziend oog had dan ikzelf, resumeerde de situatie met drie kernachtige woorden: ,,Ge vliegt buiten.'' De weggelopen man van 1940 zat weer, met het hermelijn getooid, in de rectorale zetel.

Stilaan kwamen we te weten hoe het in de haak zat. Oorlogsrector Guillaume De Smet nam de plaats in van beheerder opziener Alfred Schoep, die een identiek bericht als het mijne gekregen had. Het was de eerste officiële bevestiging dat de uitzuiveringsmachine aan het draaien was, en goed het op voorhand vastgelegde plan uitvoerde.

Dokter Henri Fobe, een vrouwenarts, stelde zich sinds jaar en dag aan als de hoofdseinwachter van de naar zijn mening in de universitaire en andere medische milieus ontspoorde toestanden. Door een simpel toeval kwam het ons ter oor dat hij in verstandhouding met zijn vrienden, een lijst opstelde van de geneesheren wie men het betaald zou zetten; ook ik stond op de lijst. We hielden het ons voor gezegd en wisten genoeg. De rest zou volgen.

Er stond ons niets anders te doen dan de gebeurtenissen af te wachten. Middelerwijl ging het straatscenario zijn gang. Zwarten werden in groten getale opgebracht naar de St.-Pieterskazerne. De leden van het Onafhankelijkheidsfront, dat zijn communistische strekking niet onder stoelen of banken stak, maakten van inciviekenjacht (inciviek en incivisme waren nieuwe woorden die zopas in het volksjargon hun intrede hadden gedaan) hun hoofdbezigheid, en gingen zonder onderscheid al diegenen aanhouden die hun aangewezen werden. Op zeker ogenblik zag ik een lading deernen afladen die men uit de Bijloke was gaan halen. Ze vonden het niet onprettig.

Deze in-droeve geschiedenis moet ik hier niet opnieuw uit de doeken doen; ze staat geboekstaafd in de duizenden grote en kleine documenten die dit stuk vaderlandse historie voor altijd zullen bewaren. Het is verre van netjes, wanneer men bedenkt dat een man als Jef Goossenaerts werd gearresteerd, gewoon omdat hij een bekend flamingant was, en dat Léonce Van Damme op het zwarte boekje van Dokter Henry Fobe figureerde, omdat hij lesgever in de Provinciale Verpleegstersschool was.

De geschorste hoogleraren van de geneeskundige faculteit waren: Fr. Daels, L. Van Houteghem, V. Evrard, C. Hooft, L. Elaut. Daels was ondergedoken, Van Houteghem was aangehouden. Evrard, Hooft en ikzelf liepen op vrije voeten. Hooft was door Thomas in persoon van tussen zijn patiëntjes weggehaald, en moest op staande voet zijn universitaire afdeling verlaten, wat er ook met de zieke kinderen mocht gebeuren. In de eerstvolgende weken kwam een schorsingsbevel voor professor K. Heymans, de Nobelprijs, en nog wat later voor professor Firmin Derom. Dit laatste nieuwsje veroorzaakte een Homerische lach, want F. Derom was onder de uitzuiveraars de laatste niet. Hoe het ineenzat zal ik later vertellen. Hoe dan ook waren we in een illuster gezelschap.

Plotseling kreeg de hele stad een benauwende en gevaarlijke beproeving van een andere aard te verduren. De Duitsers hadden zich achter de Verbindingsvaart teruggetrokken en in de huizen verschanst. De verderopgelegen gebieden waren niet bevrijd en van daaruit bombardeerden ze de stad met tussenpozen.

De beschieting die dag en nacht aanhield, en meer op het stadscentrum dan op de uitkanten mikte, maakte in den beginne tal van slachtoffers; een van de allereerste was de kunsttekenaar Max Haché, die op de Botermarkt getroffen werd en kort nadien ter plaatse zelf overleed. De jezuïetenpater E. Joliet werd aan het altaar van de Residentiekerk in de Posteernestraat dodelijk neergesmakt terwijl hij zijn mis opdroeg. Veel gebouwen leden schade door de granaten van de veldkanonnen, waarvan men kon vermoeden dat ze ergens te Evergem of Kluizen opgesteld waren.

Het dak van het koor van St.-Baafs kreeg een voltreffer, gelukkig van geen zwaar kaliber. De boekentoren van de Universiteitsbiblioteek en de voorgevel van het hoofdgebouw der Jozef Plateaustraat kregen er ook een; men kan de sporen thans nog zien. Dezelfde avond kwam een granaat terecht in een kolenstortgat op tien meter van onze woning; steenbrokken werden uit onze huisgevel gerukt en vlogen op de leegstaande bedden van onze kinderen. De glasschade was groot en we moesten een hele dag werken om, zo goed als het ging, de kapotte ruiten met karton of linoleum dicht te maken.

Het heeft een week geduurd voordat de schietende batterij werd ontdekt en tot zwijgen gebracht, doordat de Engelsen verder noordoostwaarts konden oprukken. Door de beschieting werd de woede tegen de Duitsers aangewakkerd, maar de bevolking was ook geprikkeld en ongeduldig omdat het zo lang aanliep vooraleer men de plaats waar het bombardement vandaan kwam, gevonden had.

De beschieting heeft mij niet belet dagelijks mijn patiënten in St.-Vincentius te gaan bezoeken, maar het was een waagstuk door de stad te laveren om heelhuids thuis te komen. Op zeker ogenblik moest ik beschutting zoeken in het Groot Seminarie op de Reep waar de Engelsen een post voor hulpverlening aan gewonde burgers hadden ingericht.

In de vooravond van vrijdag 8 september kwam ons neefje Leo De Schrijver plots met het verheugende bericht dat zijn vader, na een afwezigheid van meer dan vier jaar, thuisgekomen was. We waren allemaal tevreden en onmiddellijk ging ik met hem mede naar de Kwaadham.

Ik wilde een van de eersten zijn om mijn zwager te begroeten en in de vreugde te delen van de moeder en de tien kinderen, die op dit weerzien met bewonderenswaardige liefde en geduld hadden gewacht. We spraken alleen over het gelukkige heden en deden in de sfeer van blijdschap over de veilige terugkomst alsof er van 1940 tot 1944 niets gebeurd was. Over en weer was het één uitwisselen van indrukken over wat ons allen nauwst aan het hart lag, en dat was meer dan genoeg om al het andere te verdringen en te vergeten. Zelden heb ik in mijn leven zulk een kring van overgelukkige mensen samen gezien. Hoog in de lucht gierden de granaten en in een onduidelijke verte was het stampen van geschut te horen; het deerde hier niemand.

Tijdens de volgende dagen was het één scharrelen en een min of meer moeizaam begaan zijn met kleine bezigheden. Bij mijn ouders was alles rustig voorbijgegaan, vader knutselde in de tuin aan zijn tabakoogst en moeder kwam terug uit Den Bos met een fles melk voor St.-Pietersnieuwstraat; de zorg voor de kleinkinderen verliet de lieve mensen geen ogenblik. Over de St.-Niklase familie bereikte ons nog geen nieuws.

Bij E.H. De Hovre was het één commentaar over het grote gebeuren. Mijn schorsing maakte hem kregelig, hij kon het moeilijker slikken dan ikzelf. Afreageren in de studie luidde zijn raad. Hij wist dat ik al maanden rondliep met de gedachte aan een boek over de historische evolutie van het medisch denken; meermaals hadden wij daar samen over gepraat, doch het was nooit verder gekomen dan het verzamelen en het nakijken van bronnen; geen ander letter stond op het papier dan wat ongeordende aantekeningen. Zet u aan het werk, het zal de ergernis temperen!

Ik volgde zijn raad en zette mij aan het werk. Het hield mij geestelijk aktief en vulde de ledige uren van de anders zo gevulde dagen. Met slepende voeten ging ik naar het ziekenhuis waar een onprettige atmosfeer hing; ik werd verzocht geen les te geven in de verpleegstersschool. Op het spreekuur kwamen geen patiënten, men las het krantennieuws, kreeg geen andere mensen over de drempel dan degenen die hun eigen nood kwamen klagen en in hetzelfde straatje zaten als wijzelf.

Terwijl de beschieting de hele bevolking op stang joeg en eenieder zich repte zoals hij kon, werden wij op een late avond fel aangegrepen door een griezelig gevoel, wanneer aan het raam van onze kelderkeuken dat op de straat uitgeeft, werd aangeklopt en door een mannenstem gevraagd werd of de dokter wilde meekomen naar Langerbrugge om daar gewonden te verzorgen. Zonder het raam te openen antwoordde mijn vrouw zeer kordaat dat de dokter weg was, dat ze niet wist waar hij zich bevond en dat hij zeker niet vóór lange tijd zou terugkeren. Van buitenuit werd me niets meer gevraagd. Ik heb op dat moment de koelbloedigheid en het doorzicht van mijn echtgenote bewonderd, en meteen de Voorzienigheid bedankt dat ik de hachelijke dans ontsprongen was.

Het leed geen twijfel dat de man me buiten wilde lokken en het was helemaal niet uitgesloten dat men mij ergens had neergeknald, zoals met zoveel anderen was gebeurd. We waren overtuigd dat ik aan een gevaar ontsnapt was; ik nam mij voor gedurende enkele dagen niet meer op straat te komen, en aan degenen die naar mij vroegen hetzelfde antwoord te laten geven als aan de griezelige kerel die aan ons vensterraam had geklopt.

Een tegenhanger van deze onprettige ervaring beleefde ik kort nadien vanwege dokter Marcel Van de Velde, die bemerkte hoe ik teruggetrokken en onthutst op de Koornmarkt op de tram stond te wachten toen hij heel alleen in de stadsauto van waarnemend Burgemeester Anseele voorbijreed. Hij liet stoppen, wenkte mij en, heel ostentatief, zodat alle gapers het konden horen, riep hij met zijn doordringende stem: ,,Léon, kom mee in de wagen van de burgemeester, ik voer u naar huis, en als er godverdomme iemand iets tegen u durft zeggen, laat ik hem omverrijden''.

Om mijn zinnen te scherpen heb ik in de daarop volgende dagen mijn documentatie verzameld, orde gebracht in mijn notities en een aanvang gemaakt met het schrijven van het boek dat in mijn geest al lang op het getouw stond. Terwijl ik in onze woonkamer ermee bezig was bemerkte ik hoe een van onze naaste buren mij vanuit het raam van een achterkamer in het oog hield, alsof hij zich wilde vergewissen of ik wel degelijk thuis was. Het geeft een akelig gevoel wanneer men zich door een zo vertrouwd iemand bespioneerd ziet.

Het schrijven van het boek is een werk van lange adem geworden. Het heeft meer dan een jaar geduurd eer ik klaar was met een tekst die min of meer door de beugel kon. Lang heb ik de kopij onaangeroerd laten liggen, en slechts veel later opnieuw ter hand genomen voor verbetering en inkorting.

In 1952 is *Het Medisch denken in Oudheid, Middeleeuwen en Renaissance* van de pers gekomen, acht jaar nadat met de redactie begonnen was, op het ogenblik dat Gent onder Duits kanonvuur lag. Het boek verscheen in de Philosophische Biblioteek, telt 310 bladzijden en werd gedrukt op de persen N.V. Drukkerij Erasmus te Ledeberg. Het oorspronkelijk manuscript, in De Vries en Te Winkel, had ik intussen aan de vernieuwde spelling van 1946 aangepast.

REPRESSIE

De veranderlijke tijd staat niet stil, allerminst ten behoeve van een boekschrijvend geneesheer die in de maand september van het jaar 1944 veel van zijn dromen in rook had zien opgaan, maar het gelukkig heelhuids had overleefd.

Mijn gezin, mijn vrouw en drie kinderen, onze ouders waren welvarend. We waren ons bewust dat de beproevingen niet voorbij waren, doch dat het ergste nog komen moest drong tot ons niet door. Dat ergste waren de ontgoochelingen, de teleurstellingen en de versmadingen die te wachten stonden vanwege lieden met wie we in onze dagelijkse handel en wandel onvormelijk omgingen, en vanwege medische collega's met wie ik sinds jaren op ongedwongen voet leefde en samenwerkte aan een gemeenschappelijke taak. Het waren deze laatsten die ons keihard op de hielen zaten en voorgoed wilden uitschakelen. Het woord is niet te sterk.

Wat in het wolfshol dat 's mensen hart is, te broeden ligt, kan alleen hij beseffen die de uitwerking daarvan ondervindt. Het enzym van het broedproces laat zich best verwoorden met de uitspraak van Sofokles: ,,Maar het ergste is de mens''. Daarmee is alles gezegd.

Zo waren de eerste weken en maanden na de bevrijding gekenmerkt door een weergaloze overspanning die niets minder was dan een psychische afwijking. Ze was te vergelijken met de collectieve waanzin die in de jaren dertig de massa had opgezweept met de zogenaamde verschijningen van Beauraing, Onkerzele en Etikhove, en de mensen volkomen uit hun geestelijk evenwicht bracht. Het front van de waanzin is de ergste van alle vuurlinies.

Op enkele dagen was als een kosmische storing uitgebroken, die onder sommige bevolkingslagen grote verwoestingen aanrichtte in de sociaal-morele gehoudenheid van de ene ten opzichte van de andere. Zeldzaam waren zij die zich niet door het verschijnsel lieten op sleeptouw nemen en onafhankelijk bleven denken; wie dit deed, stond op een slecht blaadje en werd afgedreigd.

De dokterswereld was meer dan een andere sociale groep door de funeste ingenomenheid tegen collega's aangevreten. Met professor Paul Regniers leefde ik op gemoedelijke voet, samen met hem verzorgde ik in St.-Vincentius in goede verstandhouding dezelfde patiënten, maar na 6 september 1944 weigerde hij hand en goeiendag; professor Jan Bouckaert had ik destijds voorgedragen voor de Vijfjaarlijkse Staatsprijs, hij had een bijdrage geschreven in het laatst verschenen nummer van wijlen het *Vlaamsch Geneeskundig Tijdschrift,* maar na 6 september 1944 weigerde hij mij op zijn laboratorium te laten werken en vond dat ik maar op mijn duim moest fluiten. Zo'n zaken gingen mijn begrip te boven, bij zoiets stond mijn verstand stil.

Hoezeer in sommige streken het gezond verstand op hol geslagen was, bewijst hetgeen met de Oudenaardse dokter Alfons Leyman is voorgevallen, de meest tolerante man ter wereld, die nooit een vlieg kwaad gedaan heeft, maar wiens eerbiedig en fijnzinnig oordeel over de mensen om hem heen hem als een redhibitoir gebrek werd aangerekend. Toen hij werd opgebracht en een collega voor hem in de bres sprong werd deze door de anderen geblameerd. Wanneer Leyman een paar jaren later overleed, schreden de blamerenden in plechtige kledij en met de hoge hoed op, naast de lijkbaar. Het gaf mij, die zich het gebeurde van 1944 herinnerde, de indruk dat de heerschappen een narrepak hadden aangetrokken om de huichelarij nog beter te doen uitkomen.

Op de universiteit werd de wetenschappelijke activiteit de domper opgezet, teneinde alle krachten op het actuele zuiveringsplan toe te spitsen.

Rector R. Goubau ging voorop, en stelde met een nauwgezetheid die de chemicus eigen is, het dossier samen van degenen die ter verantwoording moesten geroepen worden. Meer dan vier jaar had hij alle frustraties doorgeslikt en was niet in staat een rem te zetten op de psycho-catharsis van de zolang onderdrukte affecten. Het was de enige taak die hij behartigde, voordat hij het reglementaire eind van zijn rectoraal mandaat bereikte.

Professor Gustave Magnel beroemde zich erop heel de oorlog lang de laakbare feiten van de anderen op te tekenen en daarvan een lijst aan te leggen die hij, mooi ingebonden de rector ter hand stelde. In lengte van dagen zullen de historici daarin naar hartelust kunnen putten, om zich een idee te vormen van de geestesgesteldheid en de gedragingen van zwarten en witten.

De klap op de vuurpijl van het werk der universitaire uitzuiveraars was de motie die door de geneeskundige faculteit — andere faculteiten deden het niet — op 25 september 1944 de wereld werd ingezonden (cfr *De Gentenaar* d.d. 29 september). Die motie die o.m. op de stadsmuren werd aangeplakt, komt hierop neer: wij nemen geen vrede met de voorlopige schorsing van Daels, Elaut, Evrard, Hooft en Van Houteghem; wij zullen bij de aanstaande opening van de leergangen aan geen academische bedrijvigheid meer deelnemen, zolang de onwaardigen niet definitief uit hun ambt worden ontzet.

Alleen de professoren Fr. De Beule en A. De Groodt ondertekenden de motie niet. Een vermakelijke toelichting bij die motie mag niet ontbreken. Meer dan een heeft zich verkneukeld in de handen gewreven, wanneer vernomen werd dat professor Firmin Derom op zijn beurt geschorst werd, omdat hij in Duitsland een rondreis had gemaakt. Het feit herinnert een beetje aan het geval van de Gentse Procureur-Generaal A. Remy, die tot de bevolking een oproep richtte tot kalmte en het vermijden van illegale daden, met aankondiging van straffen voor wie er zich niet naar voegde, doch die zes maand later zelf uit het gerechtsapparaat moest verdwijnen.

Met de motie van mijn faculteitscollega's was de kroon op hun ijver gezet en wist eenieder hoe het zou aflopen: zij buiten of wij buiten. Het was maar een kwestie van weken meer.

Omstreeks dezelfde tijd waren de Gentenaars getuige van een indrukwekkende militaire machtsontwikkeling van de Engels-Amerikaanse luchtmacht. Tientallen smaldelen vlogen uren lang noordoostwaarts, waar ergens een belangrijke operatie moest aan gang zijn. Daags nadien vernam men uit de kranten dat bij Arnhem slag geleverd werd. De omvang en de uitslag van de slag van Arnhem werd slechts na de oorlog bekend. Het doel van de Verbondenen was zich een doortocht te banen naar Noordduitsland en het hele Nederlands grondgebied te ontzetten. De slag waaraan de naam van de Engelse maarschalk Montgomery verbonden is, werd door hem verloren en kostte 7800 doden en vermisten.

*
* *

Terwijl zich op de oorlogsfronten geweldige gebeurtenissen afspeelden, waarvan men niet altijd goed op de hoogte was, hernam het leven in de bevrijde gebieden zijn sukkelgang. De voedselvoorziening was met de komst van onze bevrijders niet opgelost: in de maand oktober werd geen vetrantsoen bedeeld, omdat de margarinefabriek te Merksem, die ons tijdens de oorlog van het weinige voorzag, nog in Duitse handen was. Door het militaire zwaar verkeer werden onze wegen hard op de proef gesteld daar men volstrekt geen rekening hield met de voorschriften van de dooibarrelen. De lichtdemping bleef van kracht en de politie hield er streng de hand aan. Het maakte op iedereen een vreemde indruk wanneer op alle aanplakplaatsen en op alle bomen Engelse plakaten verschenen met de aanmaning een obligatie-uitgifte te doen slagen door het aankopen van effecten: oorlog kost geld.

Het verkeer en het reizen naar het binnenland ging enigszins vlotter. Men kon gemakkelijker St.-Niklaas bereiken als men een wagen had; hoewel de benzine op de bon bleef, wist iedereen zich krachtens de nationale vindingrijkheid uit de slag te trekken; er werd een aardige stuiver verdiend zonder de legervoorraad van de bevrijders te sterk aan te spreken. Met de soldaten werd sluikhandel gedreven en de bevolking vaarde er wel bij.

Incivieken werden weken aan één stuk opgebracht en zonder veel vooronderzoek opgesloten waar er plaats was, in fabrieken, scholen, loodsen enz. Aan het gerechtshof reed een legerauto met geweld in op een rij kijklustigen die stonden te reikhalzen om te zien wie binnengeleid werden. Amerikaanse autogeleiders waren roekeloze waaghalzen. Een van de voerlieden van Mevrouw Scheerders' St.-Niklase verkoopafdeling werd naast zijn paard en kar in volle snelheid meegesleept en was op slag dood; een banaal slachtoffer uit de vele.

De dagbladpers hield er de bevolking op de hoogte van hoe het Belgische gerecht zich dapper inspande om het juridisch repressie-apparaat op de been te brengen. Het was een gouden tijd voor advokaten zonder werk. Baantjes van krijgsauditeur werden met milde hand uitgedeeld; pas afgestudeerde doctors in de rechten verschenen in militair uniform en zorgden voor een schilderachtige straatgarnituur. Op 6 oktober 1944 zetelde de eerste krijgsraad te Gent met Robert Dubois als voorzitter en Stevigny als krijgsauditeur, en sprak twee doodvonnissen uit.

De ene verrassing volgde op de andere. Op 28 september 1944 kregen we een nieuwe regering-H. Pierlot met drie communisten o.a. Demany en dokter A. Marteaux. Kamervoorzitter Frans Van Cauwelaert hoorden we in de radio de lof uitbazuinen van de grote staatsman Maarschalk Jozef Stalin. Men kon zijn oren niet geloven. Al de praat over de onmenselijkheid van het communisme was overdreven, beweerde een van mijn behuwdzusters; we slikten het in terwille van de goede familieverhoudingen die ons boven al het andere duurbaar waren. Over mijn geval beweerde een zwager dat de soep nooit zo warm wordt opgediend als ze gekookt wordt.

We leefden in een wereld waarin we bij een toevallige ontmoeting elkander afvroegen of onze kennissen zo en zo, geen ,,last hadden''. Het was de geijkte formule om te informeren naar iemands actuele staatsburgerlijke situatie. In de uitstalramen van de boekhandel verschenen brochures over de repressie van het incivisme. In de Standaard Boekhandel op St.-Baafsplein lag een pak onverkochte exemplaren van F. Foersters *Staatsburgerlijke Opvoeding* in het Nederlands vertaald door F. De Craene en L. Elaut, een zeldzaam geworden uitgave van 1925, voor wie op koopjes uit was. Op één dag was de stapel opgeruimd; wat een geluk.

Personen die op hun vaderlandse houding trots waren, gaven zich een aanzien en lieten het eenieder horen. Wie daarop een uitzondering maakte, was professor Frank Baur. Men wist dat hij zijn scherpe tong onder de bezetting niet in bedwang gehouden had, maar nu legde hij ze evenmin het zwijgen op ten overstaan van de incivieken-jagers, enkele uitzonderingen niet te na gesproken.

Over de zwarten oordeelde hij mild, en voor de verongelijkten heeft hij zijn beurs mild geopend. Het ergerde hem geweldig dat alleen de Gentse Universiteit een campagne van verdachtmakingen voerde, op grote schaal in het openbaar, tegen sommige van haar professoren; geen enkele andere universiteit deed dit, ofschoon die ook haar schurftige schapen had. De Leuvense hoogleraar F. Van Goidsenhoven bestempelde dit typisch Gentse fenomeen als ,,la vengeance des nullités''.

Dat Nobelprijs K. Heymans geschorst werd en van de minister een blaam kreeg omdat hij onder de oorlog naar Berlijn was geweest, deed veler ogen opengaan, en wierp een schril licht op de mentaliteit van hen die de onnadenkende goegemeente naar hun hand zetten. Waarom ging Heymans naar Berlijn, en wat was het resultaat? Hij kon bereiken dat insuline en sulfamiden uit Portugal voor België mochten ingevoerd worden en dat het Belgische Rode Kruis uit Noorwegen 450.000 liter levertraan ter beschikking kreeg. Dank zij deze zendingen heeft de Belgische jeugd in een betrekkelijke goede gezondheidstoestand de oorlog doorstaan. Omdat Heymans daartoe had bijgedragen, heeft het dankbare vaderland hem geblameerd, op initiatief van de Gentse geneeskundige faculteit. De Duitse reis van Firmin Derom had een heel ander doel, en duurde drie weken.

Vrij vroeg na de bevrijding hadden de scholen hun deuren geopend; goed half september konden onze kinderen schoolgaan. Onder de leerlingen was het daar voor de kinderen der zwarten ook niet pluis; de onze werden door het dochtertje van een geneesheer voor V.N.V.ers uitgescholden, de mondgemene scheldnaam bij uitnemendheid (leden van het Vlaams-Nationaal-Verbond).

In oktober 1944 was het een gebeurtenis van een heel andere aard die de geesten een paar maand in spanning hield; ze was hoe veelzijdig en hoe ingrijpend ook door één woord gekenmerkt, de naam van de man die ze uitgedacht en ineengestoken had: Gutt. Gutt was de minister van financiën uit het Belgische oorlogskabinet in ballingschap, dat vanuit Londen het land met besluitwetten op zijn willekeurregime tot het bereiken van politieke doelen had voorbereid.

De willekeur en de politieke doelen daargelaten zat Gutts geldsaneringsplan goed ineen. Het kwam erop aan de geldvoorraad, die in 1940 tot 1944 verdrievoudigd was, te verminderen, ten einde de koopkracht in een schaarsteperiode in te tomen.

Vanaf 9 oktober 1944 werd de wettelijke betaalkracht van de honderd-frankbiljetten en van meer opgeheven, en kon slechts tweeduizend Belgische frank in nieuw geld omgewisseld worden. De rest, ook bank-, postcheck- en spaarkasrekeningen, werden geblokkeerd. Door een systeem van tijdelijke blokkeringen die geleidelijk werden opgeheven ten gerieve van zekere personen en instellingen, was het gehele proces in 1949 voltooid. Het definitief geblokkeerde geld werd omgezet in een gedwongen lening tegen 3,5 procent. Met deze titels kon de belasting op de oorlogswinsten en op het vermogen (5 procent) betaald worden.

Hoe meer ik over Gutts muntsaneringsplan nadenk en zijn verwezenlijking in de praktijk heb meegemaakt, hoe meer bewondering ik opbreng voor de eenvoudige manier waarop het ineenstak en werkte. Ik ben daar altijd rond voor uitgekomen.

De herinnering aan de persoonlijkheid van Gutt is lang in het geheugen van de Belgische bevolking blijven hangen. Hij was het voorwerp van veel spotlust, het geliefde objekt van karikaturisten, moppentappers en liedjeszangers. Geen eindje muur in heel het land of zijn naam stond er, met commentaar erbij, in het krijt op geschreven en zijn kop getekend. De kinderen vonden er genoegen in, hun sneeuwmannen een pakkaat in de hand te geven met de naam Gutt, en in de grote overwinningsstoeten van mei 1945 ontbraken de Guttpoppen niet.

Thans is dat alles voltooid verleden tijd en beperken wij ons tot retrospectieve beschouwingen over de Guttverrichting, die in de archieven van de muntmanipuleerders als de kunstgreep van een onvoorstelbare knapperd (van Joodse origine) zal gememoreerd worden.

Ondertussen draaide in het land de politieke en de repressieve molen op volle toeren voort; er was veel koren te malen en de ijver van de molenaars strekte tot voorbeeld en tot waarschuwing. De krijgsraden velden doodvonnissen aan de lopende band, en de dagbladen van elke strekking maakten onvriendelijke zinspelingen op elkanders houding onder de oorlog. Het was een nooit gezien cynisch steekspel van wederkerige verdachtmakingen. De katholieke kranten *La Libre Belgique* en *De Standaard* spuwden weken aan één stuk venijn naar elkander, tot opeens de eerste de heropgekalefaterde tweede welkom heette in een opgeklaarde atmosfeer. *Vooruit* commenteerde die ommekeer met de opmerking dat Mechelen, gewoon links te trekken en rechts te remmen, omwille van de hogere geestelijke belangen, olie op de golven had gegoten.

Ook de repressiemolen van de universiteit draaide hartstochtelijk. Een Regentbesluit van 7 november 1944 stelde een commissie in, die voorstellen zou doen voor de te treffen tuchtmaatregelen tegen de leden van het onderwijzend personeel die zich onwaardig hadden gedragen tijdens de bezetting. De commissie bestond uit de heren Smetryns, voorzitter van de Rechtbank van Eerste Aanleg, Goormaghtigh, hoogleraar, en F. Sterckens docent, ere-kabinetschef van het Ministerie van Openbaar Onderwijs. Wat daarover te denken? Dat mijn lot op voorhand beslist was, want een van die heren had al publiek verkondigd: ,,Elaut buiten of ik buiten''. Tegen zulke logica was in België geen kruid opgewassen.

Bijna simultaan verscheen in *Vooruit* d.d. 19 november 1944 mijn vaderlands zondenregister, aangedikt met wat onwaarheden en de bedenking dat mijn houding des te laakbaarder werd geacht, daar ik officier van het Belgisch leger was. De verstandhouding tussen de universiteitsdienst en de zeer repressief ingestelde pers was duidelijk.

In de Kamer werd de opheffing gevraagd, en verkregen, van de parlementaire onschendbaarheid van Leo Delwaide die burgemeester van Groot-Antwerpen was geweest: een waarlijk groot misdrijf wanneer men het zo beziet!

Door een besluit van de Opperbevelhebber der Verbonden Legers, generaal Eisenhower, werden de verzetsgroepen ontbonden en mochten zij, op straf, na 18 november geen wapens meer dragen. Dezelfde dag nemen de communistische ministers ontslag uit de regering: het was al de tweede regeringscrisis na de bevrijding.

De verzetslieden achtten zich beledigd door die maatregel en wanneer generaal Erskine op 16 november 1944 aan de Eerste Minister zijn steun beloofde voor de handhaving van de openbare orde, zat het er bovenhands op.

Men stond op twee duim van de burgeroorlog, want op 25 november vochten weerstanders met de gendarmen in de neutrale zone rond de regeringsgebouwen. Een handgranaat die in een Rijkswachtspeleton terechtkwam, werd haastig opgeraapt en naar de betogers teruggeworpen, onder wie 44 gewonden vielen. Het bekoelde de strijdlust van de oproervinken en bewees meteen dat het heilig vuur dat hen bezielde maar een strovuur was. Hun kreet ,,Demany au pouvoir'' was niet uit de lucht, doch bleef zonder gevolg. Hoe dan ook, het waren die mannen die de dans hadden geleid, en het was thans zo gesteld dat de eigen bewindslieden niet achteruit konden, op het risico af dat het volop revolutie werd.

Te Gent veranderde de militaire bezetting van de ene dag op de andere. We zagen Amerikanen van alle huidskleur, Polen, Engelsen, Canadezen. Deze laatste maakten het de hele winter 1944-1945 al te bont. Zij zwommen in de dollars, dronken whisky als water, liepen alle meisjes met condooms achterna, vochten ondereen als beren, daagden politie met hun revolvers uit, sloegen voor de pret alle uitstalramen stuk, rukten alle bellen af; ze verspreidden een echte terreur totdat, eindelijk, de hogere legeroverheid ingreep en de manschappen terugtrok.

*
* *

Heel die drukte en verwarring hebben mijn vrouw en ik tamelijk bedaard over ons laten heengaan onder de leus: het zal koelen zonder blazen; we konden onze gemoedsgesteldheid aan mijn ouders en aan haar moeder mededelen. De nabije en de verre familieleden hebben we met onze tribulaties niet lastig gevallen. Ze hadden overigens met de hunne werk en hoofdbreken genoeg.

De firma Scheerders-Van Kerchove te St.-Niklaas moest zich verdedigen tegen de beschuldiging van economische collaboratie, omdat zij aan de bezetter materiaal geleverd had. Zoals zovele lotgenoten uit haar straatje, beriep ze zich op het rapport van de commissie-A. Galopin, Max-Leo Gérard, F. Collin en ontsnapte aldus aan een rechterlijke vervolging, nadat de Sint-Niklase burgemeester H. Heyman verklaard had dat er op de firma geen smet van kwaad vermoeden kleefde. Over de commissie-Galopin heb ik al mijn mening gezegd.

We gingen met onze kinderen naar Gentbrugge en St.-Niklaas, en oordeelden dat we hun jeugdige geest en gemoed best niet folterden met dingen waarvan ze de toedracht niet begrepen, en dat zij en wij alles te winnen hadden met een ontspannen huiselijke sfeer. Onze oudste ging naar St.-Bavo en zou in 1945-1946 in de humaniora gaan; onze jongen werd in september 1945 in de laagste voorbereidende klas van St.-Barbara ingeschreven; hij had tien jaar voor de boeg. De jongste ging met haar zuster mee naar St.-Bavo vanaf september 1945 en begon de lagere cyclus.

Mijn privé-praktijk was in de eerste bevrijdingsdagen niet veel zaaks, doch vanaf oktober hernamen het spreekuur en de ziekenhuisactiviteiten op het gewone ritme. De vrije uren besteedde ik aan mijn boek over het medisch denken en verveling kende ik niet. Ik wachtte af wat de beruchte uitzuiveringscommissie zou uitspoken en op mijn vraag wat mij nu precies aangewreven werd, kwam op 28 november 1944 een antwoord van rector Goubau, luidend: ,,... heb de eer u te bevestigen dat ik de volgende punten onthouden heb onder deze die men u aangewreven heeft:

1) het manifest van de volksbeweging in augustus 1940 ondertekend;
2) een lezing gehouden op het Dietsch Studentenkongres in april 1941; congres dat in het teken stond van de herdenking van de vervlaamsing der Universiteit Gent, tijdens de vorige Duitse bezetting;
3) een lezing gehouden op het lustrumfeest van het Algemeen Katholiek Studentenverbond te Leuven in maart 1942;
4) van dokter Holm de schorsing verkregen van *Revue Belge des Sciences Médicales;*
5) aanwezig geweest op de ontvangsten ter gelegenheid van het bezoek van dokter Conti, Reichsgesundheitsführer;

6) deel uitgemaakt van de tuchtraad van het Gents Studentenverbond en het gebleven te zijn tot op het einde van de bezetting;
7) lid geweest van de Raad der Kamer der Geneesheren.

Verdere inlichtingen hebben mij doen inzien dat gij als Deken de Heer Speleers niet hebt kunnen ontvangen, daar gij, bij de benoeming van Prof. Speleers, nog geen Deken waart. Wel is mij gezegd geworden dat gij een verklaring van Speleers onderlijnd hebt en goedgekeurd door handgeklap.

Bovendien heb ik vernomen, dat gij lid waart van de Deutsche Akademie sinds 29 september 1942.

Dit zijn de punten die ik in mijn onderzoek heb kunnen vinden. Daar nu de commissie in de uitvoering van haar opdracht een volstrekt recht tot nasporing en onderzoek heeft, is het niet uitgesloten dat er nog andere zaken u ten laste worden gelegd. In alle geval zult ge de gelegenheid hebben vóór de zitting van deze commissie kennis te nemen van alles wat u ten laste wordt gelegd. Het notulenboek van de faculteitsvergaderingen kunt ge raadplegen op het Rectoraat, waar het ter uwer beschikking ligt. Met hoogachting, de Rector''.

Het was tamelijk eenzijdig en het bleek eveneens dat de Rector tal van andere punten had laten vallen die hem zullen aangebracht geweest zijn. Het maakte me niet bijzonder nerveus; ik zou wel zien wat te gelegenertijd bij de uitzuiveringscommissie uit de bus zou komen.

Die uitzuiveringscommissie wilde beginnen te zetelen op 15 december 1944. Doch daar kwam als een spelbreker het offensief van de Duitse maarschalk Von Rundstedt, dat poogde door te stoten in de Ardennen. Heel onverwacht losgekomen kon het aanvankelijk succes boeken, doch het liep dood in de slag van Bastenaken. Het had voor gevolg dat weerom, zoals in 1940, de burgemeester en de officiëlen op de vlucht sloegen, in die mate dat Eerste Minister H. Pierlot in een radiotoespraak alle functionarissen op hun gebiedende plicht wees op post te blijven. In het binnenland sloeg de schrik velen om het hart en een pas benoemd krijgsauditeur uit onze kennissenkring liep als een opgejaagde haas door de straten, zonder uniform.

De commissie oordeelde het opportuun haar werking op te schorten en te wachten op gunstiger tijden. Die kwamen er, maar het gaf een idee van de moed van hen die de staf over ons moesten breken.

Kerst- en Nieuwjaarvierders van het Verzet zaten met een ei op, ze kakelden niet luid toen, op Nieuwjaardag, Duitse vliegers tot boven Gent hun vijand op de hielen zaten. Een kopstuk uit het geneeskundig repressiecircus vierde die dag zijn verloving, maar verloor zijn eetlust en zijn verliefd humeur als hij de machinegeweren in de lucht hoorde ratelen. Wanneer het tij gekeerd was, pronkte de nationale driestheid met de pluimen van de Amerikanen die in de barre decemberdagen de zege bevochten hadden. Het moet op zekere momenten gespannen hebben, want toen we op Kerstmis na een avondfeestje bij de familie De Meester-Jacobs naar huis gingen, werden we aan de Keizerpoort door een Amerikaanse patrouille opgehouden en maar doorgelaten na een strenge controle van identiteitspapieren.

Op dat avondfeestje vernamen we onwaarschijnlijke dingen die zich tijdens de laatste weken voorgedaan hadden. In het noorden van West- en Oost-Vlaanderen waren de Duitsers maar in het begin van november achteruitgedreven tot over de Nederlandse grens in Zeeuws-Vlaanderen. Geneeskundige en chirurgische hulp was er niet veel, ziekenhuizen ontbraken, dokters waren schaars en gewonden met de vleet.

Te Watervliet was dokter Louis Genbrugge dag en nacht in de weer. De brave man stond op de lijst van het Verzet en zou het moeten bekopen hebben, als hij niet gedurende een maand en meer zich te pande had gesteld voor eenieder. Toen het Verzet toch dreigde met hem af te rekenen, moest hij door de bevolking in bescherming genomen worden tegen plunderaars en brandstichters.

Met dokter Eugeen Mattelaer in Knokke, die eveneens met een uitstaande onvaderlandse rekening bij het Verzet in het krijt stond, speelde het zich op dezelfde manier af. Als chirurgisch assistent van dokter K. De Puydt te Oostende, was Mattelaer chirurgisch geschoold en de enige geneesheer in de ingesloten zak onder de kanalen van Zeebrugge en Heist, die opereren kon. Hij had het buitengewoon druk en wanneer het gebied ontruimd werd, kreeg hij van de bevolking een dankbare ovatie.

Het had met beide geneesheren anders kunnen uitdraaien. Hun geval bewijst hoe lichtzinnig over iemand in dagen van repressieve hersenspoeling, dossiers kunnen aangelegd worden, hoe de dweepzucht nopens ideologieën, anderszins rustige gemoederen tot een toestand van krampachtige hysterie kan opjagen.

De oorlog had vanaf het begin aan beide zijden van de door de ideologieën opgeworpen barrikade, tot een ander verschijnsel in de menselijke houdingen en verhoudingen aanleiding gegeven, dat hoewel vanouds bekend en toegepast, onder de dwang van de omstandigheden een sterke uitbreiding had genomen.

De onderduiking was een vaak gebruikt middel geweest om de gedwongen tewerkstelling in Duitsland te ontgaan. Uit een valscherm neergelaten Engelsen en Amerikanen vonden, in verstandhouding met het Verzet, een onderkomen. Door een ver Sint-Niklaas' familielid werd ik op een zeker ogenblik gevraagd een geparachuteerde Engelsman te behandelen, die zich bezeerd had aan een orgaan waarvan de verzorging tot mijn bijzondere bevoegdheid behoorde. Ik aarzelde geen ogenblik, hoewel het een gevaarlijk spel was. Geen haar op mijn hoofd dacht eraan die patiënt of zijn beschermers aan te klagen. In september 1944 waren de rollen omgekeerd en was het nodig onze Vlaamse mensen die zich verbrand hadden en zich niet veilig voelden, tijdens de donkere herfstmaanden en zolang het nodig bleek een schuilplaats te verzekeren. We wisten dat velen ondergedoken waren, ofschoon we niet wisten waar. Van Daels wist ik dat hij zich ergens in West-Vlaanderen ophield en dat hij op uitwijking naar Zwitserland zon; van Ward Opdebeeck wist ik dat ook, van Amaat Bockaert eveneens en ik heb ze beiden in hun schuiloord meer dan eens bezocht.

Op Allerheiligen te negen uur in de avond werd aan onze huisdeur gebeld. Mijn vrouw ging horen wat er aan de hand was. Het was de dochter van Germain Lefever, de Gentse oorlogsburgemeester, oud-algemeen voorzitter van V.O.S., met wie we altijd op vriendschappelijke voet hadden gestaan. Hij was in Gent ondergedoken, kon daar niet langer meer blijven, en of hij bij ons mocht komen, in afwachting dat een andere schuilplaats gevonden werd, want lang op dezelfde plaats vertoeven was niet aangeraden.

Ofschoon het met onze kinderen en met de huishoudster een probleem was, aarzelde mijn vrouw geen sekonde. Een uur later was Germain Lefever daar; vanwege de volslagen duisternis kon hij op straat komen zonder herkend te worden. Hij werd in volle nacht ingekwartierd en we schikten het zo dat de kinderen niets van onze gast afwisten; de huishoudster voelde zich minder gerust en we hadden al de moeite van de wereld om haar kalm te houden.

Twee maand is Germain Lefever bij ons ondergedoken geweest. Niemand wist het, en we deden alsof er niets aan de hand was tegenover om het even wie. Hij was een gemakkelijk, niet veeleisend man; we waren zelf gelukkig dat hij zich een tijdje veilig voelde. Elke avond, wanneer de kinderen te bed waren, kwam hij een paar uurtjes beneden, af en toe kwamen zijn vrouw en zijn dochter op bezoek. Toen zijn typische haardos verwilderd dreigde te worden, heb ikzelf voor kapper gespeeld en de situatie tot zijn en mijn voldoening in orde gebracht. Het was niet altijd karweiloos hem van het nodige te voorzien, maar mijn vrouw was oneindig vindingrijk. In januari 1945 konden we voor hem een ander onderkomen vinden; nog later verhuisde hij klandestien naar een ander adres, waar hij ontdekt werd door de opsporingsbrigade die een andere ondergedokene op het spoor was, doch die op het nippertje over de tuinen en bijgebouwtjes was kunnen ontglippen. Germain Lefever werd door een Brusselse krijgsraad tot de doodstraf veroordeeld; zijn straf werd in levenslang veranderd; hij is in 1951 in vrijheid gesteld. De dame bij wie hij aangehouden werd, kreeg drie jaar omdat ze hem verborgen had.

Het moet zijn dat de inciviekenjagers lont geroken hadden, want ons huis en onze dagelijkse handel en wandel werden weken aan een stuk in het oog gehouden. Verder dan die bespieding is het niet gekomen; de vogel was overigens al gaan vliegen. Toch geeft het een onprettig gevoel wanneer men zich bespioneerd weet.

In St.-Vincentius waren de collega's van een onthutsende neutrale vriendelijkheid; slechts later heb ik geweten wat ze in het schild voerden. Leonce Van Damme, die ongetwijfeld op de hoogte was van hun bedoelingen, hield zich alsof hij van niets wist. Het was zijn goed hart dat hem belette het mij te zeggen.

Half januari kreeg ik van het rectoraat een schrijven dat mij uitnodigde op 31 januari 1945 om 15 uur voor de bijzondere uitzuiveringscommissie te verschijnen. Vooraf kon ik met Professor J. Flachet de procedure van het geding gaan bespreken. Op het afgesproken uur was ik bij hem; hij deelde mij de aangewreven punten nog eens mede, wilde weten hoe ik mij wenste te verdedigen, of ik een advokaat had en wie.

Aan een advokaat had ik niet gedacht. Mijn zwager August De Schrijver raadde mij aan een beroep te doen op meester L. Lagae, een man die bij het gerecht goed aangeschreven stond. Ik richtte mij tot hem en we bespraken de corpora delicti; hij kende voorzitter Smetryns, maar was onwetend over de persoonlijkheid van de twee andere commissieleden, die ik wel kende. Het kwam hem voor dat het een schappelijk gezelschap was. Mijn bezwaar dat professor Goormaghtigh zich publiek tegenover mij uitgelaten en mijn afzetting geëist had, wimpelde hij weg omdat het mijn situatie zou verergeren. Dat vond ik beneden alles vanwege een verdediger. Ik oordeelde nog altijd dat de beste verdediging het offensief was; professor Fritz De Beule had het mij een paar dagen te voren aangeraden.

31 januari 1945 waren allen op post, de commissieleden, professor Flachet als het vijfde wiel aan de wagen, en als secretaris van de commissie Professor G. Spanoghe himself, in uniform van krijgsauditeur. Ik kon het voor mezelf niet anders dan als een zootje sui generis bestempelen. En dat mijn pakje al klaar stond, is mij nooit zo duidelijk gebleken als op dat ogenblik.

Voorzitter Smetryns kon de houding, de woorden en de grijnslach van de strafrechterlijke tribunaalman niet wegsteken; Goormaghtigh die ik al dertig jaar kende, keek naar de zoldering toen hij zijn oud-leerling en beschermeling voor zich zag zitten; hij zou pas later in actie komen; Sterckens heeft zijn mond niet opengedaan; Spanoghe zat te schrijven, en Flachet zat als een uil op een kluit erbij te kijken. Een voor een werden de punten uit de akte van beschuldiging aangevat. Ik mocht alles zeggen wat ik wilde en bewijsstukken voorleggen.

Het Manifest van de Volksbeweging in augusutus 1940 ondertekend. Ja. Op een ogenblik dat elkeen radeloos was, dat de Belgische regering onder het odium van het gebeurde te Limoges bedolven lag, dat de ministers elkander van vaandelvlucht beschuldigden en aan Hitler vroegen of ze mochten in het land weerkeren, dat de gevluchte ambtenaren met ingetrokken staart terugkeerden, dat ik mijn meester Goormaghtigh in mijn laboratorium liet werken en in bescherming nam, dat niemand wist wat komen zou en men van hogerhand geen directieven ontving. Ja.

Lezingen gehouden voor de studenten in 1941 te Gent en te Leuven in 1942. Dat ik er een gehouden had in de aanwezigheid van rector, nu Beheerder-Opziener G. De Smet, wisten de heren niet. Toen ik hun vroeg of zij die lezingen gehoord hadden, was hun antwoord neen, en of ze wisten wat ik precies gezegd had daarop was het ook neen. Doch het feit alleen van gesproken te hebben was taboe.

De schorsing verkregen van de *Revue Belge des Sciencens Médicales.* Alstublieft, Mijnheer de Voorzitter, wat zin voor de waarheid en haar nuances! Ik was redactie-secretaris van het *Vlaams Geneeskundig Tijdschrift* en moest vechten om papier te bekomen, zoals de andere wetenschappelijke tijdschriften trouwens. Toen heb ik de troef uitgespeeld dat ik redactiesecretaris was van het enig Nederlandstalige geneeskundig tijdschrift en dat er daarnaast tal van Franstalige publikaties het licht zagen. Wat de Duitsers daarop beslisten, wist ik niet en dat er meer dan één tijdschrift sneuvelde ondervond ik ook; het *Tijdschrift voor Verpleegkunde en Sociale Geneeskunde,* waarvan ik ook redactiesecretaris was, sneuvelde als gevolg van de papierschaarste. Aanziet u dat, heren, als een reden om de minister te adviseren mij af te zetten, het weze zo, ik kan het u niet beletten.

Trouwens, mijnheer Goormaghtigh, u weet zeer goed hoe het ineenzit. Professor R. Bruynoghe uit Leuven, die redakteur was van *Louvain Médical* en van *Revue Belge,* heeft reden tot zwijgen want hij heeft met de Duitsers onder de oorlog te zijnen huize Bourgogne gedronken; ik zit hier terwijl professor Bruynoghe, Leuvens oorlogsburgemeester bovendien, de grote patriot uithangt en mij met de vinger wijst. Professor Goormaghtigh zegde dat ik het met Bruynoghe zelf moest uitvechten. Wat een pilatusantwoord.

Lid geweest van de Raad der Kamer der Geneesheren. Ja. Maar nooit heb ik een frank ontvangen uit de Deutsche Krankenkasse. Professor Goormaghtigh heeft dit wel.

Aanwezig geweest op de ontvangsten ter gelegenheid van het bezoek van dokter Conti, Reichsgesundheitsführer. Ja. Evenals de rector, de decaan van de geneeskundige faculteit Vlaeyen die voorzat, een toespraak hield en de Duitse wetenschap roemde. Vlaeyen eist nu dat ik afgezet word.

Deel uitgemaakt van de tuchtraad van het Gents Studentenverbond en het gebleven tot op het einde van de bezetting. Ja en neen. Het Gents Studentenverbond was al in 1943 opgedoekt; met Daels heb ik mij verzet tegen de strekking van degenen die voor het oostfront propageerden. Op mijn vraag of men mij één laakbare daad kon aanwrijven die ik als lid van die tuchtraad gesteld had, bleef voorzitter Smetryns en de anderen, inclusis Jos. Flachet, de openbare aanklager, het antwoord schuldig.

Lid geweest van de Deutsche Akademie sinds september 1942. Ja. Evenals een van de rechters uit de Gentse Rechtbank van Eerste Aanleg, de heer Smetryns goed bekend. Tableau. Ik ben in de Deutsche Akademie gegaan omdat haar bestuurder, een Goethefan, een reeks lezingen hield over de dichter en wetenschapsman, voor wie ik een grote verering heb. Dat er te Oxford een Goethesociety bestond, die in 1943 een symposium aan haar naamgever wijdde, wist Goormaghtigh niet. Speleers ontvangen bij zijn benoeming tot hoogleraar. Zelfs de rector had de valsheid van die beschuldiging ingezien omdat ik geen decaan was op het ogenblik van de benoeming. Waarop Goormaghtigh dat ik toch een verklaring van Speleers had onderstreept en goedgekeurd door handgeklap. Goormaghtigh wist niet welke noch wanneer dit geschied was. Waarop ik riposteerde dat zijn verbeelding hem parten gespeeld had. Stilzwijgen over het hele front van de commissieleden.

Het lijstje van de mij aangewreven vaderlandse zonden eindigde met de bedenking dat mijn houding des te laakbaarder werd geacht, dat ik officier van 't Belgisch leger was. Dat vond de voorzitter geen strafbare daad maar alleen een vaststelling. Mijn antwoord. Mijnheer de Voorzitter, dat u zoiets voorleest, bewijst eens te meer de verstandhouding tussen de repressiekringen der universiteit en degenen die in *Vooruit* d.d. 19 november 1944 mijn zonden-register hebben gepubliceerd en daaraan bovengemelde bedenking hebben vastgeknoopt. Ik heb in 1940 mijn plicht van gemobiliseerd officier gedaan, terwijl velen van mijn universitaire collega's op de vlucht gegaan zijn, terwijl ze toch wisten dat ze moesten ter plaatse blijven krachtens de wet op de burgerlijke mobilisatie. Hier wordt dus de regel van de twee maten en van de twee gewichten toegepast. Vraag verdere inlichtingen aan professor Goormaghtigh aan wie ik, toen hij in 1940 voor desertie geschorst was, gastvrijheid heb verleend.

Op de vraag van de voorzitter of ik er nog iets aan toe te voegen had, heb ik neen geantwoord, want dat over mijn lot toch op voorhand beslist was, dat ik deze verdediging als volkomen overbodig en nutteloos beschouwde.

Mijn advokaat is een paar keren tussengekomen om de puntjes op de i's te zetten in een apartje met de voorzitter, in 't Frans. Verder zat hij daarbij voor spek en bonen. Hij vond dat ik mij goed verdedigd had en dat ik de afloop te pessimistisch inzag. Wat een onrealistische kijk op de zaken!

*
* *

De lezer van dit lange verhaal zal waarschijnlijk bij zichzelf denken dat zowel van mijnentwege, als vanwege de overzijde, op de kern van het hele uitzuiveringsgeding waarvan ik de inzet was, niet werd ingegaan, dat het intrinsieke schuldprobleem nauwelijks werd aangeraakt.

Weliswaar werden beiderzijds feiten tegenover elkaar geplaatst die veel weg hebben van hetgeen gehuwden aanvoeren, wanneer ze voor de rechter een proces tot echtscheiding aanleggen: men verwijt elkaar van alles, doch de grond van de zaak berust in laatste instantie op een waarderingsonmogelijkheid van elkanders persoonsgebonden verkeerdheden en ongelijk, en op de aandrift ze tegen elkaar te doen opwegen. Het gelijkt op een congenitaal onafwendbaar aanwrijven van compensatieve beschuldigingen, die schommelen zoals debet en krediet, inschuld en uitschuld, ontvangsten en uitgaven, zoals vraag en aanbod, dat niets oplost en alles laat zoals het was, wanneer de wegen irreversibel uiteengaan.

Mensen zoals een Titus Brandsma of een Maximiliaan Kolbe, die zich konden losmaken uit het adderkluwen van erfelijkheid en milieu, zijn een grote uitzondering; de overgrote meerderheid verhaalt haar ongelijk op een ander; wie wint, is zaak van tijdsgebonden tussengeschillen. Om het rechte oordeel te weten, moet men wachten tot de naald van de weegschaal overslaat naar de kant van het thans onberekenbare getal pi.

*
* *

Het was wachten op de beslissing. Intussen verrichtte ik mijn dagelijkse taak in St.-Vincentius; patiënten kwamen en gingen en ik had het nauwelijks minder druk. Begin maart kwam dokter Alfred Elewaut uit Haasdonk met zijn vrouw op mijn spreekuur binnenvallen. Hij was zojuist uit de gevangenis van Dendermonde vrijgelaten maar mocht niet naar Haasdonk terugkeren. Daar hij ziekte voorgewend had zou hij graag voor onderzoek opgenomen worden. Het kon onmiddellijk maar wegens plaatsgebrek alleen in de gemeenschappelijke zaal. Om het even. Hij bleef drie weken en onderwierp zich aan allerlei onschuldige onderzoeken waarvan ik een geforceerd verslag opstelde dat zijn definitieve vrijstelling voor gevolg had.

Ik had aan het bestuur van het ziekenhuis over het bezoek van de patiënt en over zijn bijzondere toestand niets losgelaten; men vond dat hij buitengewoon goed reageerde op de ingestelde behandeling, weshalve hij en ik van oordeel waren dat hij best zou ophoepelen.

Dokter Elewaut bereikte een hoge leeftijd; hij werd te Haasdonk in 1965 gehuldigd en ik heb hem namens de Orde van Geneesheren, waarvan ik toevallig voorzitter was, in de bloempjes gezet. Het avontuur van 1945 werd in herinnering gebracht, we hebben er hartelijk om gelachen.

IN AFWACHTING VAN HET VERDICT

Het voorjaar 1945 was met gebeurtenissen zwaargeladen. De Duitsers werden overal achteruitgedrongen en de eindverplettering kon niet lang meer uitblijven. Ondertussen vuurden ze vliegende bommen af naar de door hen opgegeven gebieden. Voor Antwerpen en omgeving was het een harde beproeving. De eerste V1-bom die op de stad terechtkwam, kostte het leven aan de bekende Vlaamse jezuïetenpater Joz. Vanopdenbosch. Gent kreeg ook zijn deel. We hoorden op een nacht zo'n ding komen aansnorren en 't plofte neer in de buurt van de Krijgslaan.

Op het binnenlandse front stapelden de moeilijkheden zich voor de regering op, die al aan haar derde crisis toe was. In de medische kringen hoorde men meer en meer de nadruk leggen op de verplichte ziekteverzekeringswet die er door Achiel Van Acker, een Brugs socialistisch volksvertegenwoordiger, vóór oudejaarsavond op een loopje in het parlement was doorgestuurd. Door die wet werd de individuele medische prestatie erkend; vaarwel de forfaitaire betalingen. Het was een winstpunt dat aan de oorlogsorde te danken was, maar niemand durfde het te zeggen.

Achiel Van Acker was een nieuwe ster aan het politieke firmament; hij werd weldra minister en later eerste minister. Wanneer voor de eerste maal zijn stem in de radio te horen was, waren de Westvlaamse dialectologen in de hoogste hemel; zijn Frans was eveneens van een voordien nooit gehoorde onnavolgbare toonaard.

Van de krijgsraden las men dat ze hun handen vol hadden om uit een oerwoud van meer dan driehonderdduizend dossiers wegwijs te worden. Justitieminister Grégoire vroeg en verkreeg een versterkte bezetting van de kaders van het repressie-apparaat. Eén ding stond al vast, dat al degenen die vrijwillig in Duitsland gaan werken waren, vrijuit gingen, terwijl de Vlaamse wachters die zich, ook om den brode, in een avontuur gewaagd hadden, voor de krijgsrechter verschenen en het met jaren gevangenis moesten bekopen.

In die tijd kwamen we te Gent geweldig onder de indruk van het overlijden van het tienjarig dochtertje van dokter Jozef Van Caeckenberghe. Hijzelf zat in het concentratiekamp van Lokeren en mocht slechts na veel tussenkomsten zijn zwaar ziek kind bezoeken, en dan nog maar tussen twee rijkswachters. Toen hij aan de behandelende geneesheer D. Stubbe een consult met dokter P. De Mayer voorstelde, weigerde Dr Stubbe daarop in te gaan omdat hij, een witte, geen uitstaans wilde hebben met dokter De Mayer, een zwarte. Daags nadien stierf Yvonne Van Caeckenberghe.

De tragiek was nog schrijnender, wanneer we zagen hoe op de dag van de uitvaart, dokter Van Caeckenberghe, door dezelfde gendarmes begeleid, aan de kerkdeur werd afgeleverd en naar voor kwam, en na de lijkdienst weer werd opgepikt en geboeid naar Lokeren gebracht.

Wat een soort mensen op de universiteit de plak zwaaiden, leert de ervaring met professor Alfred Schoep. In zijn laboratorium bewaarde hij een unieke verzameling uraniumhoudende kristallen die hij uit Belgisch Kongo meegebracht en als eerste beschreven had. Toen hij deze kristallen, die zijn persoonlijk bezit waren, opvroeg en men de kist openmaakte, bleek deze alleen wat waardeloze keien te bevatten.

Wie anders, dan een academische boef, had belangstelling voor uraniumkristallen, en was op de hoogte van de plaats waar ze zich bevonden?

Geen dag ging voorbij zonder dat wij hoorden hoe in de rangen van de Vlaamse intelligentsia schoonmaak gehouden werd. Personen die van verre noch van nabij bij de collaboratie betrokken waren geweest, werden op hun houding onderzocht, gewoon omdat zij als Vlaamsgezind aangeschreven stonden. Het meest demonstratieve voorbeeld was wel Jef Goossenaerts, wie niemand na maanden onderzoek en meer dan dertig huiszoekingen iets kon aanwrijven; hij werd aangehouden en afgetuigd omdat men niets ontdekte. Dat kon toch niet, zo'n flamingant!

Begin juni kreeg ik van een bediende van de Koninklijke Vlaamse Academie van Geneeskunde van België een doorslagje thuis van het Koninklijk Besluit d.d. 25 mei 1945 dat Daels en mij afzette als lid van het illustere geleerdengenootschap. De rechtvaardiging luidde: ten aanzien van hun houding tijdens de vijandelijke bezetting niet mogelijk voornoemde personen in hun hoedanigheid van lid van voornoemd college te behouden.

Toen ik het las dacht ik terug aan de ontelbare uren die ik van 1936 tot 1939 besteed had aan vergaderingen en voetstappen om de Vlaamse academiën een eervol bestaan te verzekeren en te bevolken met waardevaste leden. Van degenen die ik erin geloodst had, was er geen enkele die nu een kik gaf. Het was de communistische Minister van Volksgezondheid dokter Alb. Marteaux die het afzettingsbesluit ondertekende.

Naarmate het afzettingen, voorlopige en definitieve schorsingen in de bestuursorganen regende, namen het gebrek en de berooidheid toe in vele Vlaamse gezinnen die zonder broodwinner vielen. Met mijn vrouw achtte ik het een gebiedende plicht te helpen, en we hebben het ook gedaan.

We waren er getuigen van hoe een zwervend proletariaat van ontslagenen het land rondtrok met sigaren, halsdassen, linnengoederen, boeken, enz... omwille van den brode. Oscar Dambre, oud-strijder van 1914-1918 en geleerd schrijver over het œuvre van de renaissancedichter Justus de Harduijn, verkocht dameskousen. Vrouwen van geschorste ambtenaren reisden van oost naar west om aan hun waar een stuiver te verdienen. De zieke vrouw van professor Roger Soenen staat mij altijd voor de geest wanneer ik aan die tijd terugdenk. We waren de enigen niet die geholpen hebben, want vele personen zijn op een discrete manier in de bres gesprongen. Er was een breed Vlaams front van solidariteit met de incivieken.

Naast de officiëlen deden tal van personen en ondernemingen uit de buitenambtelijke wereld aan de uitzuivering mede. Een van de meest frappante voorbeelden was dat van Gerard Blaton, hoofd van de verkoopdienst aan de Nederlandse Gist- en Spiritusfabriek te Brugge, die ontslagen werd ondanks zijn groot gezin, en die naar een andere broodwinning moest uitzien. De vrees voor het efemere oordeel van de mensen gaf de doorslag. De ooit bewezen diensten werden van geen tel geacht.

Bij sommige geneesheren was het niet veel beter. Dokter Jozef Stockman, die medewerker was van professor Paul De Backer, moest er aan geloven. Toen dokter Arthur De Heegher uit het Ziekenhuis van de Wetterse Commissie van de Openbare Onderstand voorlopig geschorst werd, vloog dokter Edmond Huyghebaert te vierklauw naar Wetteren en verkreeg dat de vakante plaats, voorlopig, aan hem werd toevertrouwd. Dat voorlopig is definitief geworden.

In het Belgisch Staatsblad i.d. 8 april 1945 verscheen het Koninklijk Besluit van 31 maart 1945 dat de heer Elaut Leon van ambtswege ontslagen werd uit zijn betrekking van gewoon hoogleraar bij de geneeskundige fakulteit te Gent. De verantwoordelijke Minister van Openbaar Onderwijs was de Luikse liberale senator Aug. Buisseret. In het *Liber Memorialis* van de universiteit, uitgave 1960, staat te lezen dat ik op pensioen werd gesteld.

Bij navraag op de Universiteit wist men daarvan niets af; men hield zich aan de termen van bedoeld koninklijk besluit. Tot op heden heb ik geen cent pensioen ontvangen voor elf jaar professoraat.

Ik vroeg aan het rectoraat of ik, met het oog op deze memoires, inzage kon krijgen van het rapport van de Epuratiecommissie van de Universiteit. Rector J. Hoste antwoordde i.d. 12 december 1977: ,,Na verificatie van uw dossier, moet ik u laten weten dat in bedoeld dossier geen enkel spoor van het door u gevraagd rapport te vinden is''.

TOT EN MET DE DROESEM

Dat het op mijn ontslag zou uitlopen, was van in den beginne zonneklaar. Gelet op de conjunctuur van personen, tijd en onderliggende denkbeelden kon het niet anders. Een maand tevoren had een groep professoren al bij het rectoraat en de minister aangedrongen om er spoed achter te zetten. Ze kregen voldoening.

Zodra ik kennis had van mijn ontslag, ging ik bij rector Blancquaert rechtstaand afscheid nemen van de universiteit. Ik verklaarde dat ik mij niet neerlegde bij de onrechtmatig getroffen beslissing en dat ik met alle loyale middelen de aanspraak op mijn professoraat zou blijven verdedigen. Rechtstaand maar op hoofse toon, antwoordde rector Blancquaert: ,,Dat verwacht ik van u. Ik dank u voor wat u voor de universiteit gedaan hebt''.

Beweren dat de afzetting mijn vrouw en mij onverschillig liet, zou niet met de waarheid stroken, doch wij besloten er niet de hele dag bij te gaan piekeren. Velen hadden het slechter dan wij, en ik zou meer dan vroeger alles op de privé-praktijk zetten. Nu bleek hoe wijs het was geweest dat ik nooit de privé-praktijk had opgegeven en heel mijn aktiviteit op de universiteit geconcentreerd.

Met professor Carlos Hooft die ik 's anderendaags ontmoette, besprak ik openhartig de geschapen toestand; hij gaf mij gelijk. Hijzelf was voor één jaar geschorst, mocht op zijn universitaire afdeling niet komen en maakte, zoals ik, van de nood een deugd en dreef zijn privé-praxis op.

Maar ik, ik had buiten de waard gerekend. En die waard waren de gezamenlijke geneesheren van St.-Vincentiusziekenhuis en hun stroman Kanunnik Felix Blaton, Algemeen Direkteur van de Zusters van Liefde, en in die hoedanigheid, de opperheer van het ziekenhuis waar ik, sinds zijn ontstaan in 1929, werkzaam was, en tegelijkertijd leraar aan de eraan verbonden verpleegstersschool.

Het was die verbinding die me fataal was, omdat zij benut werd om mij de buitenwacht te geven. Een van de hoofdredenen waarom in de openbare zowel als in de vrije en de gesubsidiëerde scholen alle verdachte leerkrachten de bons kregen, luidde: zij hebben funeste invloed uitgeoefend op de staatsburgerlijke zin van de jeugd, en om te vermijden dat ze die invloed blijven uitoefenen, moeten zij de school verlaten.

Voor iemand die de zaken doorhad, was het een doorgestoken kaart, maar zij werd aangevat om mij eruit te wippen. Men ging zelfs zover kanunnik Blaton wijs te maken dat de subsidies aan zijn verpleegstersschool zouden gevaar lopen, indien hij mij als geneesheer in St.-Vincentius behield. De man die deze machinatie had ineengestoken was Gezondheidsinspecteur dokter Paul Van De Calseyde, die ook in het Ministerie van Volksgezondheid een voet in huis had en te Gent, in samenhorigheid met de medische maffia, de dans leidde.

De hele opzet was al lang aan gang, maar kanunnik Blaton wilde niets ondernemen zolang de universiteit zich niet uitgesproken had. Inmiddels ging hij het advies vragen aan bisschop Coppieters. Diens advies luidde: ,,U mag het belang van de school niet opofferen aan het belang van dokter Elaut''.

Op een morgen in april werd ik bij kanunnik Blaton ontboden en daar hoorde ik hoe de steel aan de vork zat. De man was verbaasd dat ik van alles wat hij mij vertelde, niets afwist. Heeft men u dat niet gezegd? Neen. Maar het duurt al zes maand. Niemand onder de dokters van het ziekenhuis heeft er met een woord over gerept.

Het besluit was dat ik niet langer in St.-Vincentius mocht werken; mijn patiënten die er waren mocht ik bezoeken tot ze genezen waren; maar u moet zo vlug mogelijk verdwijnen. Het is niet mijn wil maar die van de geneesheren. Zodra de tijden verbeteren mag u terugkeren. Om het kort te maken: een echt pilatusgebaar, de houding van een volkomen willoos werktuig in de handen van een ander die achter de schermen ageert.

Ik mag verzekeren dat ik met lood in mijn schoenen, met zo'n jobstijding naar huis gegaan ben. Nu stortten alle hoop en alle illusies als een kaartenhuisje ineen. Mijn vrouw en ik zaten in de put; we zagen geen uitkomst. Bij haar was het ingehouden toorn, bij mij was het teleurstelling omdat ik, weerom, verschalkt en om de tuin geleid werd door personen die ik geen stro in de weg had gelegd, met wie ik dagelijks collegiaal omging, die de moed ontbeerden het vlakaf te zeggen dat ik in hun weg liep en eruit moest opdat hun pattriotisch gemoed rust zou vinden.

Bij mijn ouders en mijn schoonmoeder hebben we toen begrip en berusting aangetroffen. Bij andere familieleden moesten we niet aankloppen. Goedgezinde collega's vonden het wreed. Vrienden zegden: ,,Gaat er geen eind komen aan die heksenjacht, wordt kanunnik Blaton dan helemaal gek?''

Een paar weken ben ik nog dagelijks naar St.-Vincentius geweest. Men keek er mij buiten. Kanunnik Blaton liet door de hoofdverpleegser zeggen dat ik moest wegblijven en mijn patiënten door een ander geneesheer laten verzorgen. De eerwaarde was verwend door de ogenblikkelijke gehoorzaamheid die kloosterzusters hem krachtens haar eeuwige geloften verschuldigd waren.

Zodra het onder de Gentse geneesheren geweten was dat ik in St.-Vincentius ontslagen werd, was er een die informeerde bij het bestuur of hij mijn plaats kon innemen. Kanunnik Blaton antwoordde neen, omdat de plaats voor Elaut moest openblijven. Daarin was hij een correct man, en hield hij zijn woord. Een chirurg liet onderhands inlichtingen nemen of ik in Gent zou blijven; hij wilde graag ons huis huren. Mijn vrouw reageerde fluks en kordaat met: we blijven.

Het stond vast, we zouden doorbijten. Alle andere oplossingen waren minder goed. Ik was achtenveertig, mijzelf en mijn gezin onttrekken aan het Gentse milieu waar we ingeburgerd waren, kwam ons ongewenst voor; elders opnieuw de strijd aangaan tegen de vereende krachten van de geneesheren-chirurgen die een indringer als de pest schuwden, daartoe ontbrak ons de moed. Ik zou proberen te doen zoals mijn incivieke lotgenoten, de baan optrekken en gaan bedelen, waar ik patiënten kon opnemen en opereren.

*

* *

Terwijl zich dat allemaal rondom mijn onbelangrijk persoontje afspeelde, had zich in Centraal Europa het onafwendbaar noodlot voltrokken, waren Duitsland en het nationaal-socialisme verslagen en was de militaire nederlaag een feit. De triomf werd gevierd en de 8ste mei tot V-dag uitgeroepen. In het Verre Oosten bleef de oorlog woeden, maar dat was zo verre af, dat men het vergat.

De eindzege gaf aanleiding tot een tweede golf van uitspattingen die door de regering zoniet aangemoedigd, dan toch niet verhinderd werd. Er werd opnieuw geplunderd en in brand gestoken. De ongeregeldheden namen toe wanneer de overlevenden uit de

Duitse concentratiekampen bevrijd werden. Veel zaken kwamen toen aan het licht waarvan men nauwelijks een voorstelling had. We lazen het in de dagbladen en vonden het afschuwelijk. Voorzichtigheidshalve hielden we ons terzijde, want ons verschijnen kon als een provocatie beschouwd worden.

Door het stadsbestuur werd een grootse viering op touw gezet, waarvan de hoofdschotel een optocht van alle schoolkinderen zou zijn. Het was op een ideaal zonnige namiddag van de maand mei.

De kinderen marcheerden achter de talrijke muziekkorpsen en manschappen van de Weerstand en zwaaiden met de vlaggetjes van de overwinnende landen. Onze oudste, die elf jaar was, was mede gemobiliseerd. Haar school moest uren wachten voordat de opmars kon aanvangen; de leerlingen van de officiële scholen mochten voorop, die van de vrije scholen sloten de stoet. Ik zie nog altijd hoe de vermoeide en dorstige knapen van St.-Barbaracollege die de rode communistisch vlaggen met hamer en sikkel hadden toegewezen gekregen, afgejakkerd achter de paters en leraars aanliepen, en wanneer de stoet op de Burgemeester de Kerckhovelaan halt hield, hun vlaggen in de brand lieten en er de brui aan gaven. De onze kwam ziek van vermoeidheid en dorst als een wrak naar huis; zij heeft nooit meer in een stoet of processie willen opstappen.

Er werd overal gefuifd en gedronken. Op een avond zagen we, door de gordijnen van onze wachtkamer, hoe een dronkeman bij onze overburen stond gebaren te maken en het in zijn praat op ons gemunt scheen te hebben. Bij goed toezien was het een bloedeigen volle neef van mij, Gustaaf Elaut, die aan het lallen was. We hebben vernomen dat hij zijn familierelaties aan 't uitleggen was geweest, ondermeer dat mijn vader zijn peter was. Hij was het politiek met mij niet eens, en kwam dat nu openbaar aan iedereen kond doen. We zagen hem, toen hij niet veel gehoor kreeg, verder over de straat laveren. Neef Gustaaf, die in 1975 gestorven is, heb ik naar zijn laatste rustplaats begeleid en een bloem op zijn doodskist geworpen als ze in het graf was verzonken.

In de nacht van V-dag ging de telefoon om twee uur in de morgen. Een vrouwenstem vroeg in het Duits, of ik mee de overwinning wilde komen vieren: ,,Sie waren doch Deutschfreundlich''. Ik repliceerde: ,,Ich habe jedoch nicht mit den Deutschen geschlafen wie Sie!'' En sloeg de telefoon dicht.

Of mijn antwoord er de oorzaak of de aanleiding toe was, weet ik niet, maar een paar weken later kreeg ik een geschreven bericht van de directeur der telefooncentrale dat mijn telefoon mij ontnomen werd en dat de verbinding zou afgelegd worden. Kort nadien was het zover. Ik liet door een advokaat een navraag naar de redenen doen maar er kwam nooit een antwoord.

Ik was nu een geneesheer-uroloog-chirurg zonder ziekenhuis en zonder telefoon. Maak dat aan de patiënten wijs die op spreekuur kwamen. En toch bleven ze komen. Er moest naar een oplossing gezocht worden.

De eerste die ervoor instond dat ik werken kon in het ziekenhuis waar hij werkte en mij de hand boven het hoofd hield, was de Sint-Niklase vrouwenarts dokter Jozef De Mot. Hij was een oudstudent van Gent, gewezen assistent van Frans Daels en bijzonder bevriend met Leonce Van Damme. Dank zij hem kon ik ook in het ziekenhuis van Hamme, in dat van Temse, van Beveren en van St.-Gillis Waas bij gelegenheid patiënten opnemen en opereren. In St.-Niklaas raasde de chirurg Jozef De Fauw door de ziekenhuisgangen tegen die zwartzak; de zusters susten hem en niemand heeft me gehinderd. In heel deze aangelegenheid, en ook later nog, is dokter Jozef De Mot te mijnen opzichte een chique meneer geweest.

Dokter Leonce Van Damme, die in het ziekenhuis van Oudenaarde een goed bekende was, zorgde ervoor dat ik daar werken kon. Ik werd door zuster Louise prachtig geholpen. Een patiënte van Vlaamsgezinden huize werd er door mij behandeld; deze vond de geest van de Dames Bernardinen zo uitstekend dat ze haar intrede vroeg; kort daarop ging haar zuster dezelfde geestelijke weg op. Sinds die dag stegen mijn acties op de Oudenaardse beurs; ik kon niets vragen dat ik niet dadelijk verkreeg.

Ook in het andere Oudenaardse ziekenhuis, waar dokter Th. De Meulemeester veertig jaar aan het hoofd gestaan had, was ik welkom. De Meulemeester was uit vrees voor een dreigende Russische inval met zijn voornaamste schilderijen naar Zuid-Amerika vertrokken. Zijn opvolger, dokter André Bouckaert, heeft mij grootmoedig laten werken en mij bij mijn operaties geholpen. Ook zijn hoofdverpleger, de in Oudenaarde alombekende Mijnheer Omer en de zusters-verpleegsters waren één behulpzaamheid. Het heeft me bijna gespeten dat ik, wanneer ik opnieuw te Gent mocht werken, van deze lieve mensen afscheid heb genomen; ik zal ze altijd dankbaar blijven.

Evenmin kan ik vergeten dat ik in de Kortrijkse kliniek van de Budastraat welkom was. Chirurg dokter André Baeckelandt vroeg mij herhaaldelijk zijn urologische patiënten bij hem aldaar te gaan opereren. Met heel de staf van het ziekenhuis onderhield ik de beste betrekkingen; ze zijn jaren blijven aanhouden.

In de ziekenhuizen van Zottegem, Eeklo en zelfs in de St.-Augustinuskliniek te Antwerpen heb ik met het goedvinden van het bestuur mogen werken; geen enkel geneesheer heeft mij daar scheef bekeken.

Door dokter Dierckxsens, een oud-assistent van Sebrechts, die van mijn Gentse ziekenhuisperikelen gehoord had, werd ik gepolst om mijn aandeel op te nemen in de oprichting van een groot ziekenhuis te Ekeren-Antwerpen, door de Zusters Norbertinen van Duffel ontworpen en waarvan de grondvesten al gelegd waren. Ik ging mij ter plaatse rekenschap geven hoe alles ineenzat en wat mijn verhouding zou zijn tegenover de chirurg. Ik zou in een ondergeschikte positie mogen beginnen en na enkele jaren volkomen zelfstandig zijn.

Het opzet lokte mij niet aan. Bovendien zou in de beste omstandigheden het ziekenhuis maar na drie jaar kunnen van wal steken. Wanneer ik thuiskwam en met mijn vrouw de toedracht besprak, was de beslissing gauw genomen. We blijven te Gent op hoop van betere tijden. Wat toen te Ekeren begonnen werd, is thans uitgegroeid tot het prachtige St.-Lukas-ziekenhuis. Ik heb er ooit, op verzoek van de medische staf, een lezing gegeven. Mijn jaargenoot Jan Goovaerts stond er aan het hoofd van de verloskundige afdeling. Het heeft ons nooit gespeten dat we niet ingegaan zijn op het voorstel van dokter Dierckxsens.

Het was natuurlijk geen pretje de baan op te moeten nadat ik sedert 1931 gewoon was mij niet verder dan anderhalve kilometer te verplaatsen om bij mijn patiënten te zijn in een vertrouwd milieu en met vertrouwde personen. Aan wie mij vroeg hoe mijn situatie was na het expulsiebesluit van Kanunnik Blaton gaf ik ten antwoord: die van een handelsreiziger in uro-chirurgie. Het was de letterlijke weergave van de waarheid.

De ergste handicap was natuurlijk het ontbreken van de telefoon. Gelukkig had ik in de verschillende ziekenhuizen waar ik kwam een betrouwbaar en bevoegd collega, die aan elke onverwachte verwikkeling het hoofd kon bieden, en meer dan eens is het gebeurd dat ik na een zware operatie ter plaatse bleef en er de nacht doorbracht. Voor uiterst dringende gevallen kon men van eind 1946 af telefoneren naar mijn buurman dokter Jozef Stockman, maar dat is niet vaak voorgevallen. Uren heb ik op de trein of in een huurauto gesleten op weg naar of van mijn patiënten.

Hoe ongeschikt het voor de meesten ook was zich te laten opnemen in een ziekenhuis dat ver van hun woning gelegen was, zijn in die donkere jaren veel patiënten mij trouw gebleven; zo heb ik personen uit St.-Amandsberg in Oudenaarde en andere in St.-Niklaas behandeld. In de beginne was dat zo, doch na jaren nam mijn praktijk zienderogen af.

Graag had ik in een universiteitslaboratorium gewerkt, doch wie zou het odium met mij delen? Het was wanhopig, tussen al het wanhopige waarvan men dagelijks getuige was en dat zich in het oneindige scheen te vermenigvuldigen.

Mijn boek over het medisch denken was af en lag in de lade, te wachten op een tweede werkbui en op een uitgever. Met mijn vertwijfeling ging ik bij E.H. De Hovre horen of hij mij geen nuttig karweitje kon aan de hand doen, teneinde aan de geestdodende ergernis te ontkomen. Na alles te hebben overwogen wat een uitkomst kon bieden, kwamen we tot het besluit dat ik me aan de studie zou zetten van een vak dat in de lijn lag van mijn opleiding en mijn beroep, de geschiedenis van de geneeskunde. Het bekoorde mij, doch ik was ertegen ingenomen omdat het mij voorkwam als de vlucht naar een hobby, een folkloristisch en doelloos tijdverdrijf. En daarvoor voelde ik helemaal niets, op de leeftijd van achtenveertig jaar. Tot het, na een verkenning van het terrein die weken in beslag nam, vaststond dat op het gebied van de wetenschappelijke studie van de geschiedenis van de geneeskunde in ons land, nog alles te doen was.

De Hovre was, eens te meer, mijn goede geest geweest en ik heb mij aan het werk gezet. De Gentse universiteitsbibliotheek was de schatkamer waar ik putten kon; ik werd een van haar trouwste bezoekers en ben het jaren gebleven. Van hoofdbibliotecaris R. Apers en zijn personeel ondervond ik te allen tijde de grootste tegemoetkoming. In de grote leeszaal had ik mijn vaste plaats en het is nu reeds meer dan dertig jaar dat ik er kom als in een stamcafé. Als een vaste bezoeker heb ik er dagelijks Jan Grauls ontmoet, nadat hij uit de gevangenis vrijkwam en te Gent een schamele broodwinning maar veel vrienden had gevonden.

De tijd die het baantje van commis-voyageur in de chirurgie mij vrijliet, heb ik in hoofdzaak besteed aan het vertalen van teksten van Griekse en Latijnse geneeskundige auteurs, vanaf Homerus tot het begin van de Middeleeuwen. Het liep op tot duizend bladzijden geschreven tekst. Daaruit heb ik een keus gedaan en het is een boek van 439 bladzijden geworden, dat ik bij de Standaard-Boekhandel heb uitgegeven, met het volgend kolofon: ,,Dit boek werd gezet uit de Garamond-letter en in het jaar 1960 gedrukt op de persen van de N.V. Scheerders van Kerchove, Drukkerij en Boekbinderij te St.-Niklaas. De oplage bedraagt vijfhonderd eksemplaren op gevergeerd Antique de Luxe. De eksemplaren zijn genummerd van 1 tot 500. Titel *Antieke Geneeskunde*''.

Door de reiziger van de Standaard-Boekhandel op een prospektietocht in Nederland, werden op één maand 350 exemplaren aan de man gebracht, de overige vonden in Vlaanderen een afzet. De prijs was 400 frank.

Medisch-historische bijdragen van kleinere omvang liet ik in diverse tijdschriften verschijnen waar ze gretig opgenomen werden.

*
* *

Het kon moeilijk anders dan dat ik de gebeurtenissen, ook die welke buiten mijn bereik vielen, belangstellend volgde. Op de universiteit werd mijn werkleider René Defoort tot mijn opvolger op de leerstoel van de urologie benoemd. Ik had liever hem dan een ander.

Daels werd opgevolgd door Firmin Derom, die de verloskunde en de gynaecologie toegewezen kreeg. Het wekte de lachlust op; hij had zijn leven lang op de urologie gemikt en pakte voor de tweede keer naast het doel. Van Houteghem werd opgevolgd door Jean Verbrugge; de Nederlandse taalkennis daargelaten, was het een uitstekende benoeming. De anatomie kreeg een grondige vernieuwing in de persoon van J. Fautrez, uit de Brusselse school van A. Dalcq. De leeropdracht van V. Evrard werd onder de andere titularissen verdeeld. C. Hooft kon na een jaar opnieuw beginnen. Wat er buiten de universiteit gebeurde was het gemeengoed van het beproefde Vlaanderen dat men naar zijn leven stond. Franskiljonie had schoon spel; wie een hond wil slaan zal altijd een stok vinden en achter elke deur stond nu een stok. Leo Vindevogel kreeg eerst levenslang, doch al een goede maand later werd het in beroep de doodstraf en in september 1945 werd hij op de gevangeniskoer zelf terechtgesteld terwijl zijn vrouw en kinderen in de cel zaten: toppunt van patriottisch sadisme.

In de Vlaamse Beweging was er een paus opgestaan die een nieuw licht over Vlaanderen en de Belgische staatsstruktuur zou brengen, Tony Herbert. Hij kwam uit de Vlaams-nationalistische rangen, was ooit te Leuven aan de deur gezet en trad nu vooruit met een plan van reorganisatie van België, waarin woorden als nationale weerbaarheid, dynastie, staatszin, burgerzin en grootheidszin niet uit de lucht waren. Tony Herbert had daarin geen rekening gehouden met de macht van de oude garde, want toen de lakens uitgedeeld werden onder de vorm van politieke mandaten, viel de vernieuwer door de mand, terwijl tal van zijn volgelingen met de brokken gingen lopen. Nadien werd van zijn politieke benaarstiging niets meer vernomen.

Ook onder de politieke partijen was er een nieuwkomer, de Unie van de Democratische Belgen, U.D.B. Haar vader was F. Gregoire, justitieminister die zich al met terechtstellingen berucht had gemaakt, o.m. van Leo Vindevogel. Een andere gangmaker was de Gentse hoogleraar Gustave Magnel, die op veel verzetstitels kon bogen en meende daarmee heel het politieke bestel naar zijn hand te kunnen zetten. Met de verkiezing van 17 februari 1946 waagde de partij haar kansen. Op haar Gentse senaatslijst stonden Firmin Derom en Alb. Bessemans. Te Gent haalde zij tweeduizend stemmen en voor heel het land was het een sisser; de partij bestond alleen op papier en verdween van het toneel.

Het was omstreeks die tijd dat ik getuige was van een tragisch toneel in het ziekenhuis van St.-Niklaas waar ik op een nacht geroepen werd bij de vrouw van Victor Leemans. Nog aangehouden mocht hij tussen twee rijkswachters zijn zwaarzieke echtgenote komen bezoeken. Toen ik er in een ijskoude vriesnacht aankwam zaten de twee bij de ziekenhuisdeur op de wacht. Ik had al de moeite van de wereld om de patiënte te onderzoeken zonder dat de gendarmes naast de gearresteerde erbij stonden. Ik moest een beroep doen op het heilige primaat van de persoonlijke vrijheid van elke patiënt om zich ongehinderd tegenover zijn dokter te kunnen uitspreken zonder de aanwezigheid van eender wie, en met een publiek protest dreigen indien men mij dat zou beletten. Daarop trokken de heren rijkswachters zich terug maar bleven aan de deur van de ziekenkamer om te beletten dat de echtgenoot zou weglopen. Het was een van de meest aangrijpende tonelen van mijn dokterscarrière toen ik aan Leemans mededeelde dat zijn vrouw niet kon genezen en dat zij niet lang meer leven zou. De *Encyclopedie van de Vlaamse Beweging* vat het samen in vijf woorden: ,,Zijn vrouw stierf van ellende''.

In het voorjaar 1946 volgden de sensationele berichten elkander in snel tempo op. In de Kamer zei de Minister van Bevoorrading Kronacker dat er geen verbetering van de rantsoenering te verwachten was.

In februari begon het proces-Edmond van Dieren die in 1940 aan de Auditeur-Generaal Ganshof van der Meersch een symbolische oorveeg had gegeven. Die oorveeg werd als een daad van verklikking geïnterpreteerd en men vroeg voor Van Dieren tien jaar hechtenis. Het proces maakte grote opgang. Het gevelde vonnis werd tot tweemaal toe verbroken en tenslotte werd Van Dieren vrijgesproken nadat hij door diverse krijgsraden tot acht, en zes jaar veroordeeld was geweest: een echt zottenfeest.

Jan Grauls die als burgemeester van Groot-Brussel de taalwetten eerlijk deed toepassen en veel joden uit Duitse handen had gered, kreeg zes jaar en veel miljoenen aan de Belgische Staat te betalen.

Op 16 maart 1946 werd de IJzertoren opgeblazen. Het beste gerecht ter wereld kon de schuldigen nooit vinden, hoewel eenieder ze met de vinger nawees.

Op 12 april 1946 werd August Borms te Etterbeek terechtgesteld. De week daarop greep een Jeugdbedevaart naar de IJzer plaats onder de leus: de schandvlek uit het verleden uitgewist. Een nieuw bedevaartkomite diende zich aan met o.m. Jan Boon, Jef de Schuyffeleer en P.W. Segers. Het belette niet dat de regering een poging deed om de IJzertoren met zijn omgeving te onteigenen, met de bedoeling er een nationaal monument ter herinnering aan alle oorlogsslachtoffers op te trekken. Het opzet verwekte een zulkdanig verzet dat het plan opgegeven werd: de IJzertoren is Vlaanderens eigendom.

In mei 1946 ging ik luisteren naar het proces van pater Callewaert in het onooglijk lokaal van een stadsschool in de Gentse Crevelstraat. In eerste aanleg had de pater zes jaar hechtenis gekregen. Auditeur De Hoon vond het te weinig en vroeg in beroep twaalf jaar. Heel het ideologische zondenregister werd opengelegd, met grote nadruk op de Grootnederlandse gezindheid van de beklaagde. Intussen was voorzitter Haus naar goede traditie ingedommeld, en toen hij wakker werd lagen de twaalf jaar voor de pater klaar. Met de lef die de dominikanen eigen is, had deze laatste verklaard: ,,Wie aan mij raakt, raakt aan Vlaanderen''. Welk krijgsgerecht kon zich zoiets laten welgevallen in 1946?

Rubriekschrijver Karel van Cauwelaert van *Het Volk,* die pater Callewaert verre van goedgezind was, vond het een ongelukkig arrest, want men had inderdaad aan Vlaanderen geraakt.

In het parlement gaf de Minister van Justitie Ad. van Glabbeke een overzicht van de stand der repressie. Op 9 augustus 1946 waren er 590.938 dossiers aangelegd en waren al 102 doodstraffen uitgevoerd. Van de 75.391 dossiers ekonomische collaboratie werden er 71.457 geklasseerd, nadat in het parlement een interpellatie over de ekonomische collaboratie gehouden werd. Met een genereus gebaar werd de spons geveegd; om de regering niet in verlegenheid te brengen hadden de socialisten het allemaal geslikt, zelfs hun grote jurist en humanist Henri Rolin; ze zouden hun verhaal nemen op de politieke collaboratie.

De week daarop vielen te Charleroi tachtig doodvonnissen in een keer. In juli 1946 zaten achttien priesters te St.-Gillis opgesloten omdat zij betrokken waren bij een liefdadige instelling die de gezinnen van de zwarten in hun armoede hielp. Het geld dat zij op zak hadden werd aangeslagen en bij navraag waar het naartoe was, was men het spoor ervan kwijt.

Uit die tijd heb ik nog enkele andere feiten genoteerd.

Emiel van Haver, de St.-Niklase oorlogsburgemeester, kreeg vijf jaar. Voor Philemon Cornelis, de bouwer van de Westwal, vroeg de auditeur de doodstraf en 600 miljoen voor de Belgische Staat. Piet Meeuwissen, leider van de Nationale Landbouw- en Voedingscorporatie, kreeg tien jaar en één miljoen voor de Belgische Staat. Jef van de Wiele krijgt de doodstraf en 80 miljoen voor de Belgische Staat. Voor Cyriel Verschaeve eist de auditeur, professor E. Stubbe, de doodstraf en de Belgische Staat één miljoen. Verwilghen en De Vogel, secretarissen-generaal bij het Ministerie van Arbeid en Sociale Voorzorg worden vrijgesproken. Voor priester Gantois had een Franse krijgsraad, nadat tegen hem de doodstraf gerekwireerd werd, vijf jaar over. In mei 1946 werd de liberale schepen van Aalst, Pierre Cornelis, in zijn huis doodgeschoten, zogezegd omdat hij te veel geheimen kende over ,,verzetslui''.

Men begon eindelijk de schuilkelders die vele openbare pleinen in de stad ontsierden te slopen.

De gemeenteraadsverkiezingen van november 1946 vertoonden een aspect waaraan de na-oorlogse gebeurtenissen niet vreemd waren. Te Antwerpen werd Leo Delwaide die de in 1940 weggelopen Kamiel Huysmans als burgemeester had vervangen, van de C.V.P.-lijst geweerd. Het maneuver werd door een tegenzet beantwoord; mevrouw Delwaide aanvaardde de laatste plaats op de lijst; ze kreeg 41.486 stemmen op haar naam en kwam in de gemeenteraad.

Te Gentbrugge beet de socialistische burgemeester Frans Toch in 't zand, ofschoon hij op het laatste moment de socialistische kabinetschef van Openbare Werken zeer demonstratief naar het deels overstroomde grondgebied van de gemeente had gehaald en mooie beloften voor schadeloosstelling had gekregen.

In de rode burcht Ledeberg viel de anderszins verdraagzame Gaston Crommen door de mand.

Te Gent behaalde de C.V.P. de meerderheid en werd Emiel Claeys burgemeester, in plaats van de liberale franskiljon Van der Stegen. Die Gentse verkiezing had een leuk staartje. Daar er geen Vlaamse lijst voorgedragen werd, gaven de zwarten het wachtwoord op de laatste man van de C.V.P.-lijst te stemmen. Het had voor gevolg dat de volgorde van de verkozen kandidaten overhoop gegooid werd en dat de laatste man van de lijst verkozen werd. Hij was een zekere Emmanuel Janssens; hij beweerde dat zijn aanhangers zo talrijk waren dat zij hem over het hoofd van de anderen naar de gemeenteraad hadden gezonden. Toen de socialisten hem verweten dat hij zijn succes aan de stemmen van de zwarten te danken had, heeft hij dat door dik en dun ontkend. Maar wij die het maneuver hadden ineengestoken, wisten wel beter.

Met Kerstmis 1946 en Nieuwjaar 1947 was er herrie in het parlement over de zogenaamde documenten van Lissabon. De kat werd de bel aangebonden door Paul M. Orban, C.V.P.-senator, die het fijne wilde weten over de betrekkingen die tijdens de oorlog bestaan hadden tussen de Belgische regering te Londen en zekere personen in het bezette gebied. Er werd veel gezegd en nog veel meer verdoezeld. Het liep op niets uit. Maar Orban werd bij de eerstvolgende regeringsformatie met de ministerportefeuille van landbouw bedacht. Omdat ik de heer Orban tamelijk goed kende, had ik de zaak in de pers gevolgd en het mijne over zijn landbouwkundige bevoegdheid gedacht; hij wist op het zicht het verschil tussen een os en een stier niet.

Wat zich in het jaar 1946 op het professionele vlak onder de geneesheren afspeelde is ook het memoreren waard. Zelfs tijdens de oorlog ben ik nooit van zo'n touwtrekkerij getuige geweest. Auto's waren nog niet naar elks believen beschikbaar en in de garages waren de wachtlijsten lang; met allerlei middelen en knepen probeerden de dokters een voorrangskaart te bemachtigen; ze namen het niet nauw met de collegialiteit en werkten met de ellebogen om aan een wagen te geraken.

Penicilline en streptomycine waren niet volop in de handel; op de zwarte markt waren ze te verkrijgen en er werd rijkelijk mee gesjacherd. Ik hield mij buiten de professionele knokpartijen en scherpte mijn ironische ingesteldheid aan zoveel inhaligheid. Het bracht een niet onaangename afwisseling in de sleur van het handelsreizigerberoep dat het mijne geworden was.

De maanden januari en februari 1947 besloten in een uitzonderlijk koude winter. Ik kwam toen veel te St.-Niklaas en hoorde er vertellen dat de Schelde te Temse toegevroren lag. Het was op zo'n ijzige winterdag dat Felix Timmermans te Lier begraven werd.

Op een late avond werd thuis aan de deur gebeld. Het waren twee vrienden van dokter Jozef de Mot die mij kwamen halen om bij de echtgenote van een goedgezinde collega op consult te komen. Ik ging mee maar kon niet zeggen wanneer ik zou terugzijn, en telefonisch verwittigen was onmogelijk.

Ter plaatse werd beslist dat een operatie noodzakelijk was. Het werd aanvaard en de voorkeur van de patiënte ging naar het St.-Annaziekenhuis te Beveren-Waas. Ze werd erheen gebracht en ik volgde in de wagen van dokter J. de Mot. Het was geen onberispelijk vehikel want het kreeg vaak last van puffen en stomen, waarop het voor een wijl stilviel; wanneer koud water bijgevuld was, hernam het tuig zijn dienst.

Tussen St.-Niklaas en Beveren-Waas overviel ons de puf- en stoompartij te middernacht en stonden we volop in het platteland stil, gelukkig vóór een boerderij waar licht te bespeuren was. Ik ging aan het gesloten hek schudden en roepen; het schrikte de waakhonden op waarvan er een blaffend en grollend kwam aangehold. Gelukkig voor mij dat het hek toe was. Na een wijle riep een stem het dier terug, en vroeg ons wat we verlangden.

Water om de motor af te koelen! Maar al de pompen zijn vastgevroren! Het was inderdaad in de open vlakte onbarmhartig koud. Maar ik zal eens kijken of er in de koestal geen emmer onbevroren water staat, was het wederwoord. Het viel mee. De honden werden koest gehouden en met behulp van een trechter en de zaklamp van dokter De Mot, kwam de inhoud van de emmer op de goede plaats terecht. De boer wilde geen vergoeding, sloot het hek en trok haastig naar de stal. Kort daarop schoot de wagen in beweging en bereikte zonder incidenten het ziekenhuis, waar de patiënte al voorbereid was.

Terwijl er alles naar wens verliep, kwam een telefoontje van dokter Eugeen van Cauter uit Hamme, die de hulp van dokter De Mot inriep voor een verlossing. Er werd geantwoord dat we over een goed uur te Hamme in de kraamkliniek zouden zijn, als er niets met de auto voorviel. Er viel niets voor, en we waren om drie uur in de ochtend te Hamme op de afspraak. Dokter De Mot verrichtte er zonder machtsvertoon maar met maestria een kering-uithaling waarvoor ik chloroform toediende. Na afloop en een goede opwarming bracht De Mot mij naar het St.-Niklase station, vanwaar de morgentrein van zes uur mij naar Gent zou boemelen.

In het station was het tamelijk druk. Havenarbeiders drongen rondom de gloeiende kachel en gaven luidruchtig aan hun mening lucht over werk en werkmaten. Toen ze mij tussen de anderen rondom de kachel in de gaten kregen, aan mijn kleding zagen dat ik niet tot de hunnen behoorde, dat mijn vermoeid gezicht en slaperige ogen van niet veel frisheid getuigden, kwamen de schampere opmerkingen los: ,,Die daar heeft zich vannacht met meer dan ene beziggehouden, he mannen''. Het werd mij te gortig en ik kaatste de bal terug: ,,'t Is waar mannen, en moest ge weten wat ik nog allemaal verricht heb, ge zoudt vreemd opkijken''. De luidruchtigheid viel een tijdje stil, waarna ze over een ander onderwerp begonnen. Op de stoptrein heb ik mij op de bank van de coupé waar ik heel alleen zat, uitgestrekt, en ben in de lekkere warmte in slaap gevallen tot in het Gentse St.-Pietersstation. Het lawaai van hard toeslaande deuren maakte me wakker. Te acht uur was ik thuis. Het was een gevulde en bonte nacht geweest.

*
* *

Hoe zwaar ze dagelijks door represaillemaatregelen werden bedreigd, en door de beperking van hun bewegingsvrijheid, o.m. door het invoeren van het bewijs van burgertrouw, werden gehinderd, konden de Vlaamse incivieken aan hun Vlaamse oergesteldheid geen afbreuk doen. Ze zouden een vereniging stichten en een tijdschrift uitgeven.

Ze brachten het *Zwartboek van de Zwarten* op de markt dat een grote aftrek kende en waarop de witten jacht maakten om een exemplaar te bemachtigen. Dat zwartboek is intussen een bezitswaardig objekt voor bibliomanen geworden.

Vervolgens was er het satirisch weekblad *Rommelpot,* dat al met Kerstdag 1945 verscheen onder de hoofdredactie van Daniël Merlevede. Het maakte opgang met zijn oplage van meer dan tienduizend exemplaren. Het stimuleerde de herleving van de Vlaamse Beweging, reageerde tegen de onzinnigheid van de gevoerde repressie en voorspelde dat het met Vlaanderen in België niet gedaan was. Wanneer men dat dertig jaar nadien overdenkt en ziet wat sedert 1945-1949 voorgevallen is, zal niemand ontkennen dat *Rommelpot* juister de toekomst had ingezien dan degenen die de repressie hebben geleid.

Zelf heb ik aan *Rommelpot* actief medegewerkt van de eerste tot de laatste dag. Vaak in hoofdartikels, ongetekend of onder een schuilnaam zoals Jan Stevens, Frans Verschoris e.a. Ik wist niet wie de andere medewerkers waren, en ze wisten het evenmin van mij.

Tegen het weekblad kon het Verzet niet passief blijven en werd de strijd aangebonden met inbeslagnemingen, huiszoekingen en een bomplaatsing op het redactiekantoor. Wegens ,,nadelige invloed op de vaderlandse geest en de wederopvoeding'' werden de hoofdredakteur en de uitgeefster vervolgd, doch tenslotte vrijgesproken. *Rommelpot* heeft het vier volle jaren volgehouden. Over zijn invloed werd in 1976 een licentiaatsverhandeling te Gent bij professor Th. Luyckx voorgedragen door Jozef Roziers. Ik beleef altijd veel genoegen wanneer ik mijn bijdragen over het actuele gebeuren van die tijd herlees. Ik denk eraan als aan een prettige jeugdzonde, zonder een gevoel van berouw, nog veel minder van penitentieplicht.

Een noodzakelijk complement van de repressie was de heropvoeding. Het moeten onvermurwbare illusionairs, om niet te zeggen onverwoestbare onnozelaars geweest zijn, degenen die de gedachte aan een staatsburgerlijke heropvoeding van de incivieken hebben opgevat. Nadat ze zelf van in den beginne, alles wat tot een zinvoller begrip van de echte staatszin kon bijdragen, onherroepelijk verknoeid hadden. Met de heropvoeding wordt volgens het Groot Woordenboek der Nederlandse Taal bedoeld ,,het nieuw opvoeden van personen of groepen die blijk geven niet aangepast te zijn aan het milieu waarin ze moeten leven''. Teneinde de heropvoeding te doen renderen, werden ambtelijke personen op de onaangepaste Belgen afgestuurd; ze waren natuurlijk uit het goede vaderlandse hout gesneden. Allen die met de heropvoeders in contact kwamen, en hun opvoedkundige strategie ondergingen, zijn nooit te spreken geweest over de deugdelijkheid van de gebruikte methoden. Zodra de heropvoeders uit de buurt waren, lachten de heropgevoeden van de pret en staken ze om het meest de draak met degenen die het systeem bedacht hadden.

Heeft de heropvoeding van de incivieken iets opgeleverd? Ik heb mij ingespannen om over de resultaten van die heropvoeding een juiste weergave te krijgen. De antwoorden waren altijd negatief; niemand kon mij inlichten, alles berustte op vermoedens waarvan de somma negatief of twijfelachtig uitvalt. Men had gepoogd een Belgische hersenspoeling te geven, maar met het spoelwater zijn ook de ingrediënten die het moesten doen, weggestroomd.

Terwijl men nog aan het spoelen was, proclameerden de Belgische communisten luidop dat ze de Russen met trommel en vaan zouden inhalen wanneer ze naar het Westen doordrongen.

En heeft de heropvoeding de Vlaams-nationale gedachte uitgebannen? Is ze niet meer dan ooit, gekamoefleerd of niet, tot de hoofdkwartieren van alle politieke partijen doorgewoekerd? De zo gehate leeuwenvlag wappert thans op de rijkswachtkazernes, op het parlementsgebouw en op 11 juli boven op de St.-Baafstoren. De heropvoeding heeft het gevoelen van de doorsnee Belg niet gewijzigd: het is humbug van de vaderlandsliefde een politieke slogan te maken.

Met wijlen professor Theo Luykx, die beter dan wie ook de Belgische na-oorlogse politiek kende, heb ik over de resultaten van de heropvoeding der incivieken meer dan eens gesproken; zijn oordeel luidde kordaat: een sociaal-pedagogische fopperij, een windei, een volslagen mislukking. Meer dan een student heeft hij gepoogd voor het onderwerp warm te maken; na drie maand hebben ze het allemaal, bij gebrek aan ernstige documentatiebronnen, laten steken. Zegt dat al niet genoeg? was zijn reaktie.

*

* *

In 1946 is mij een studie over *Incivisme en Repressie* door Gerda de Bock in de handen gekomen. De dame heeft er academische lauweren mee geplukt die ik haar volop gun. Onder het lezen van de tekst zijn mij enkele volzinnen opgevallen die toen al van een juiste kijk op de hele samenhang van repressie en incivisme getuigden. Zo er een zweem van een waarschuwing inzat, werd die niet gehoord door wie haar horen en begrijpen moest; de verdwazing was te massaal en te diep. ,,Het willen opvoeden van de incivieken tot de eigenlijke vaderlandsliefde is onzin. Door het opdringen van het gevoel dat onnatuurlijk zou zijn, zou men licht het tegenovergestelde resultaat bereiken''. Ik ben het niet die dat schrijft, maar Gerda de Bock, in 1946 (blz. 62). Over de sociale, ekonomische en psychologische gevolgen van de repressie schrijft ze behartenswaardige dingen. Ze heeft o.m. een geweldige hekel aan het ,,Bewijs van Burgertrouw'' (blz. 51).

Hoelang dat ding nog bestaan heeft, weet ik niet precies, doch wanneer ik in 1951 een reispas aanvroeg om naar het Franse urologisch congres te kunnen gaan, kreeg ik van de Dienst voor Wederopvoeding, Reclassering en Voogdij het volgende antwoord: ,,In verband met uw schrijven i.d. 19.5.1951 tot het bekomen van een reispas, deel ik u mede dat de bevoegde overheden ongunstig advies uitgebracht hebben voor het afleveren van een reistitel ten uwen gunste''. Get. B. Jacobs-Coenen.

Ik was dus in dat jaar nog niet genoeg heropgevoed, derhalve ook nog niet gereklasseerd in de samenleving, en stond nog onder voogdij.

Gerda de Bock vertelt enkele staaltjes over incivieke vrouwen die, nadat ze hun straf hadden uitgezeten, niet terug aan het werk konden bij gebrek aan een bewijs van burgertrouw. Vrijkomende gevangenen van gemeen recht kregen dat bewijs wel; het maakt haar kotsmisselijk. Ik zal mij hoeden voor een bespreking van deze academische scriptie en zal ook geen volzinnen uit hun verband rukken, maar sluit mij aan bij wat Gerda de Bock schrijft: ,,Men zal ons waarschijnlijk een té groot meevoelen met de incivieke vrouwen aanwrijven. We stellen ons nochtans op het standpunt van de Staat in welks schoot zij weer moeten opgenomen worden en weer ten dele opgenomen zijn. Het is ALLERNADELIGST voor die Staat een reeks verbitterde burgers te tellen die niets te verliezen en alles te winnen hebben met zich tegen die Staat te keren'' (blz. 53). Er zat iets profetisch in die woorden van 1946.

Bij het nadenken over dit alles, komen mij telkens Goethes woorden voor de geest waar hij de leerling-tovenaar laat zeggen: ,,Ich rief die Geister, werd ich nun nicht los''.

*
* *

Opdat het er niet op zou lijken dat de repressie en haar nasleep mijn leven dermate getekend had, dat er geen plaats meer was voor andere strevingen en voorwerpen van belangstelling, dat mijn gedenkschriften slechts een neerslag zouden zijn van allerhande frustraties en het afreageren van wrokgevoelens tegen personen en toestanden, keer ik terug naar een andere werkelijkheid, al ben ik op de chronologie van het relaas meer dan een jaar vooruitgelopen. Overigens had de repressie aan mij nog al haar tanden niet versleten; ze hield nog veel in petto dat te gelegener ure hier een beurt krijgt.

We hadden onze kinderen niets over onze zorgen verteld; ze begrepen toch de ware toedracht niet. Ze waren Goddank gezond, wilden mee op school. Onze oudste deed haar Plechtige Communie in 1946; grootmoeder Scheerders was op het familiefeest. Mijn vader was er ook, ofschoon hij zesentachtig was. Mijn moeder was vol bezorgdheid over de afnemende krachten van haar man. Ik geloof dat het de laatste keer was dat hij naar St.-Pietersnieuwstraat is gekomen.

Elke week ging ik zaterdags in St.-Niklaas opereren. De assistent van dokter De Mot was ook mijn assistent: 's middags was ik welkom in de Mercatorstraat waar ik telkens mijn schoonbroeder August de Schrijver aantrof. We spraken over familiezaken, bijna nooit over politiek. Onze schoonmoeder was een te fijngevoelige vrouw om wonden te doen bloeden, hoewel ze op sommige ogenblikken haar gemoed liet spreken en tussen vier ogen informeerde of ik nog te Gent niet kon werken.

Zij bracht altijd iets fijns op tafel en verdeelde de inhoud van de zaterdagse mergpijp in twee gelijke delen voor elk van haar schoonzoons.

Het buitengoed te Belsele dat tijdens de bezetting nogal wat beschadigd werd, liet ze opknappen; ze maakte plannen om er de zomer door te brengen, en naar vooroorlogse gewoonte elk van haar Gentse dochters met hun gezin een paar weken op vakantie uit te nodigen.

En dan sloeg het noodlot toe. Op een morgen was ze niet op het gewone uur beneden. De huishoudster vond haar naast het bed, half verlamd en belemmerd op de spraak.

We kwamen in de loop van de ochtend toegesneld en moesten toezien hoe de beroerte snel vorderde. De patiënte viel in de coma, nadat ze nog met enkele bewuste bewegingen te kennen had gegeven dat het in haar hoofd was. Vierentwintig uren is ze bewusteloos geweest en in de vooravond van de tweede dag overleden, 19 juni 1946. Haar kinderen, schoonkinderen en de grootste kleinkinderen stonden rondom het sterfbed. Ze was in haar negenenzestigste jaar. Ze had vier kinderen en zeventien kleinkinderen.

Samen met haar oudste dochter heb ik haar afgelegd. We oordeelden dat niemand beter deze ultieme daad van piëteit tot een moeder kan verrichten dan de kinderen zelf. Geen vreemde heeft haar het laatste gewaad aangetrokken, heur nog overvloedig haar voor het laatst in een koket bekje gekamd zoals zij het zelf graag had, haar de rozenkrans tussen de gevouwen handen gestrengeld. Drie dagen later was ik de laatste van de familie die haar trekken heb aanschouwd, vóór de lijkkist werd dichtgemaakt.

Op de uitvaart gingen de werklieden en de bedienden van de fabriek vooraan in de lijkstoet. Zij werd begraven te Belsele, in het familiegraf, waar grootvader Scheerders zijn echtgenote in 1937 was voorafgegaan. Wanneer we terugkwamen in het vertrouwde huis, werden we er ons van bewust dat we iets goeds en schoons voor altijd kwijtwaren, dat we ons leven naar een ander patroon zouden moeten regelen, want de centrale figuur te St.-Niklaas was er niet meer.

In onze familie hadden we in één week drie doden te betreuren: grootmoeder Scheerders, tante Maria Ingels-Scheerders, de oudste zuster van grootvader Leon Scheerders; de kleine Hilda de Clercq, tienjarig dochtertje van mijn volle neef Leon De Clercq uit de Gentbrugse Bosstraat.

Mijn vrouw heeft diep onder de dood van haar moeder geleden. De zomer die hoopvol was begonnen en zo onverziens door een zware rouw werd onderbroken, hebben de Gentse dochters van grootmoeder Scheerders op het Belseelse buitengoed samen met hun kinderen beëindigd. Twee maand hebben we met ons zeventienen de zon, de kamers en de dis gedeeld.

De kinderen staken een toneelvoorstelling ineen, waar ze in hun naïeve oprechtheid de politieke gebeurtenissen van de dag op de korrel namen. We zaten er voor niets tussen, en wie hun de gedachte ingegeven had, heb ik nooit geweten noch uitgevorst.

Tijdens die vakantie werd te Belsele een nieuwe pastoor ingehaald, de geboren Temsenaar Ad. Poort. Een buitenkansje om met festoenen en vlaggetjes te sieren, en opschriften te maken. Om ter meest werd de rijmkunst beoefend tot, in gemeen overleg, het volgende uit de bus kwam: ,,Pastoor Poort, geboren aan de Scheldeboord, werke onverstoord in dit parochie-oord, en leidde zijn volk stil voort, zoals het hoort, tot aan de hemelpoort''. Iemand wilde erbij voegen ,,en trekke hier aan het langste koord''; maar dit liet men vallen. Voor een pastoor paste tevens een snuifje Latijn met een dubbele zinspeling op de naam van de nieuwe pastoor, hing aan het voorhek het volgende te lezen: ,,Esto Poort ad coeli portum, porta''. Om in de traditie te blijven fietste ik vanuit Belsele, alleen of met mijn vrouw, een stukje van het Waasland af. Zo reden we op een namiddag samen naar Temse, Bornem en Branst, lieten ons door de veerman overroeien naar Drij Goten te Hamme, en keerden vandaar naar Belsele terug. Het was een romantische beleving, te midden de machtige Schelde, op een houten veerboot de overzetter stroomopwaarts te zien laveren alsof het kinderspel was. Ik dacht aan *Le Passeur* van Emile Verhaeren.

Na de lange Belseelse vakantie trokken we naar ons Gents winterkwartier op de Blandijnberg terug, met onze kinderen en onze zorgen, en een beetje geneeskundige praktijk. Het was gedaan met St.-Niklaas. Vrouw en kinderen zouden er maar sporadisch weerkeren. Elk van de vier Scheerderstakken zou zijn eigen leven leiden en, zo al niet uiteengaan dan toch in zekere mate van elkaar vervreemden, omdat de directe kleefstof was weggevallen. Elk had zijn problemen, zijn beroep, zijn levensopvatting. Elk was tevreden met de zijne, had er genoeg aan, zou met die van de andere niet willen ruilen.

In mijn beroepssituatie was niets gewijzigd, behalve een daling van de inkomsten die de fiscus moeilijk kon begrijpen. Ik zette mijn chirurgische reizen naar Oost- en Westvlaamse ziekenhuizen voort, ontving op mijn spreekuur de patiënten die bleven komen, had geen telefoon, zat in de universiteitsbibliotheek op oude Griekse en Latijnse teksten te zwegen, speurde in middeleeuwse handschriften naar de zin van bijna onleesbare woorden, schreef bijdragen voor medisch-historische tijdschriften en artikelen voor *Rommelpot*.

We volgden de actualiteit waar het gonsde van krijgsraden en terechtstellingen, waren omgeven door onbegrip en vijandschap, verzonken tot over de oren in verwachtingen die immer verder van ons wegvluchtten; we konden op de vragen die men ons van bevriende zijde stelde geen antwoord geven. In de samenleving waren we naar een soort niemandsland teruggedrongen, we teerden naar andermans medelijden; velen die ons goed gekend hadden, kenden ons niet meer. We zochten en vonden het met elkaar; er groepeerden zich kernen van uitgestotenen die door een zwijgend eedverbond samenkitten; op een onzichtbare wijze werd een broederband gesmeed.

Ik vroeg mij af wat het voor de toekomst van het land zou betekenen wanneer een groep personen, mannen en vrouwen met hun kinderen, met het onuitwisbare brandmerk van gebrek aan burgerzin in de maatschappij overbleef. Alles had er de schijn van dat men dat schandmerk wou bestendigen. Was het een wijze politiek vanwege de regeerders het daarop aan te leggen, want het ging duidelijk die richting uit? Drie jaar na het einde van de oorlog was het nog niet gedaan met straffen en uitzuiveren; hadden de opperste orkestmeesters dan niets anders te doen? Mijn nietig persoontje en mijn ervaring waren maar een klein schakeltje in dat raderwerk!

Veel zwaarder problemen wachtten op een oplossing. In plaats van op de toekomst te mikken, verspilde men tijd, energie en geld aan dingen die meer dan voltooid verleden tijd waren. Politiek moet toch toekomstmuziek componeren. Zo, volgens de heren die rond de Wetstraat huisden, veel honderdduizenden Vlamingen op grote schaal aan de echte vaderlandsliefde tekort geschoten waren, bij wie lag de oorzaak? Was de gevoerde repressie de beste methode om recidive te voorkomen? Er waren al tekenen genoeg die erop wezen dat het andersom verliep.

Tussendoor zat ik daarover na te denken. Ik kon in mijn machteloosheid om er iets aan te veranderen, niet onachtzaam zijn voor het landswelvaren. Ik lag te vast verankerd, verworteld en vervezeld met de fundamentele waarden van de mens en van de maatschappij waarin ik gewonnen, geboren en opgegroeid was, waarin ik man, echtgenoot en vader geworden was, dat ik er niet uit los kon zonder verraad te plegen tegenover mijzelf. Beredeneerd verraad plegen, een hoger goed prijsgeven voor een klein of een kortstondig voordeel, kwam niet in mij op. Met zoiets wilden ik noch mijn vrouw de toekomst van onze kinderen belasten; we wensten hun andere dingen voor het leven mee te geven en hen tot voorbeeld te strekken, wat het ook kostte. Als wij het niet deden, wie zou het dan doen? Ik wilde mijn volk en mijn land blijven dienen ten prijze van, tot en met de oneer.

*
* *

Terwijl we in Belsele waren, zijn we begonnen aan de boedelscheiding van de nalatenschap tussen de erfgenamen van grootmoeder Scheerders.

Op een voorbeeldige wijze heeft onze zwager August de Schrijver de juridische vormen van de erfeniskwestie voorbereid, ingekleed en tot een goed eind gebracht. Dat we met de St.-Niklase familie bijna dagelijks samen waren, heeft de zaken bevorderd en de vierendeling vereenvoudigd. Geen van de kinderen had de lust of de lef om over een oude kast te zaniken, of elkanders leven te vergallen tot in de lengte van dagen, over de waarde van een hangklok. Voor de schatting van de kunstvoorwerpen deden we een beroep op Walter Vanbeselaere, die het nauwgezet heeft gedaan.

In minder dan zes maand, vóór eind december 1946, was alles geregeld en waren de successierechten betaald. Allen waren tevreden en het erover eens dat we aan onze schoonbroeder veel te danken hadden. Namens de jongste tak van de Léon Scheerders Maria Camilla van Kerchovestam, breng ik hem de erkentelijke hulde voor de manier waarop hij in de hele aangelegenheid de weergaloze bemiddelaar en de verdediger van ons aller belangen tegenover fiscus en registratie is geweest.

NAAR DE BRUSSELSE KRIJGSRAAD

In de laatste week van september 1946 werd het volgende aangetekend vouwbericht thuisbesteld: ,,Pro Justitia. Krijgsauditoraat, bij den Krijgsraad van Brussel, nr 14701/46, 122, Kabinet 53. Elaut Leon Jozef Stephaan, 48 jaar, beroep hoogleraar, wonend te Gent, St.-Pietersnieuwstraat, 124, is uitgenoodigd te verschijnen, drager van zijn eenzelvigheidskaart, vóór den Krijgsauditeur te Brussel, 205, Belliardstraat, den Vrijdag 4 october 1946, om 9.30 uur om onderhoord te worden in de zaak ingeschreven onder nr 14701/46 der notiën van het Krijgsauditoraat. Bij gebreke van vrijwillige verschijning zal hij daartoe gedwongen worden door alle rechtsmiddelen. Brussel den 30.IX.1946. Voor den Krijgsauditeur. De Substituut V. Meganck''.

De substituut ontving mij niet bars; hij keek mij ongelovig en ondervragend aan alsof hij iets meer verwachtte van mijn persoon en mijn houding, wanneer ik zei dat ik zijn oproep beantwoordde. Het ging een uur lang over mijn aandeel in de oorlogsorde van geneesheren; hij liet mijn antwoorden door een griffier opschrijven, las dan een tamelijk getrouwe opname voor die ik moest ondertekenen, verklaarde dat ik te goeder trouw gehandeld had. Hij resumeerde het onderhoud met de mededeling dat ik met zestien anderen voor de Brusselse Krijgsraad moest verschijnen om geoordeeld en gevonnist te worden. Op mijn vraag wanneer dat zou geschieden zegde ie dat het nog dit jaar zou zijn (1946). Het was dan zo laat. Ik ging met die boodschap naar huis waar zij, na alles wat wij al beleefd hadden, niet veel indruk meer maakte. Mijn vrouw was blij dat haar moeder het niet meer beleefde.

Dokter Jef van Caeckenberghe die ook zoiets had thuisgekregen, was er slechter aan toe. Substituut Meganck liet hem aanhouden en te St.-Gillis opsluiten. Wat Jefs aanhouding en mijn vrijheid had bepaald, zal het geheim van Substituut Meganck zijn. Dokter Arthur de Heegher werd niet gearresteerd.

Een paar dagen later kwam een bericht van de Dienst van het Sekwester, dat ons bezit onder bewaring stelde zodat we niets mochten vervreemden zonder toestemming van dit Sekwester. Ook de onkosten van het beheer door het Seskwester zouden ons aangerekend worden. Het was al een heel rijtje: ontslagen als hoogleraar, ontslagen uit de Koninklijke Vlaamse Academie voor Geneeskunde, aan de deur gezet in de St.-Vincentiuskliniek, telefoon ontnomen, naar de Krijgsraad verwezen, bezit onder Sekwester, doch eervol ontslagen uit de reservekaders van het Belgische Leger, les félicitations et les remerciements du Prince Régent.

Met deze erekrans getooid trad de vader van onze kinderen het jaar 1947 in. Van de Krijgsraad hoorde ik geen nieuws. Alleen Frans van Hoof was en bleef opgesloten omdat hem de verklikking van dokter P. de Bersaques werd aangewreven. Substituut Meganck had Jef van Caeckenberghe geïntimideerd door te zeggen dat Frans van Hoof deze verklikking bekend had, wat niet waar was, want van Hoof heeft nooit bekend, ook voor de Krijgsraad niet.

Het jaar 1947 begon in het teken van de gelaten afwachting; niet in dat van de berusting, want deze zou capitulatie betekenen, en die zat er volstrekt niet in. Het oordeel van de medemens moge onbesuisd en roekeloos zijn, even woest en wreedaardig als het area-bombing vanuit een luchteskader op een open stad, we moesten en zouden doorbijten.

Ophefmakende dingen volgden malkander in snel tempo op. Het land zat met de koningskwestie opgescheept om ervan te kotsen. De Waalse federalisten hielden congressen waar het stoof tussen extreem federalisme, annexatie bij Frankrijk en autonomie. In de rangen van het verzet begon het te stinken en verweten de zuiveraars elkaar allerlei patriottische onzuiverheden, o.m. te Ronse. Er waren stakingen in de Limburgse koolmijnen en de oorlogschade bleef de eeuwige twistappel. Het proces-Romsée draaide op volle toeren.

Secretaris-generaal De Winter van het Ministerie van Bevoorrading werd buiten vervolging gesteld. Een eerste daad van rechtvaardigheid ten opzichte van de man die meer dan in welk bezet gebied ook, aan de Duitsers voedsel ten bate van zijn landgenoten heeft onttrokken. Drie jaar na de bevrijding had men het eindelijk ingezien. Maar het leed en de schande die hij intussen ondergaan had, werd van geen tel geacht.

Het proces-Van Dieren kreeg na Brussel een beurt te Gent; hij kwam er nu met drie jaar vanaf, inplaats van de acht jaar die hij te Brussel opliep. Cyriel Verschaeve had te Brugge de doodstraf gekregen; zijn auditeur was de latere Gentse hoogleraar Eg. Strubbe. Filip de Pillecyn kreeg tien jaar en een half miljoen voor de Belgische Staat op verzoek van de beruchte auditeur Marc de Smedt.

In de Senaat wordt gedebatteerd over de afschaffing van het bewijs van burgerdeugd. Hendrik De Man kreeg bij verstek twintig jaar.

Er heerste nog altijd kolenschaarste.

Iemand had uitgerekend dat aan de Belgische Staat een bedrag van 3,9 miljard aan schadevergoedingen werd toegekend.

Voorts de eenvoudige vaststelling dat de drie procureurs-generaal, de drie pijlers waar het rechtsapparaat van de Staat op berust, wegens collaboratie ontslagen zijn: De Stexhe te Luik, Collard te Brussel, Remy te Gent. Als het droge hout al begeeft, wat dan met het groene hout. De memel zit er in.

Inderdaad, in België was de repressie the biggest of the world. Op 1 mei 1947 wordt de nieuwe spelling ingevoerd.

Al deze dingen heb ik mij vaag uit die tijd herinnerd, nadien in de kranten op hun echtheid nagekeken en hier alleen degene vermeld die met de werkelijkheid overeenstemmen.

Tot de Brusselse Krijgsraad zich verwaardigde de zaak van de Orde van Geneesheren aan te pakken, meer dan een half jaar nadat ik voor een Pro Justitia naar Brussel werd geroepen.

Op dinsdag 17 juni 1947 waren de zeventien om veertien uur op het Brusselse Gerechtshof, het enorme Babylonische gedrocht, besteld. Frans Van Hoof, die ik sedert 1944 niet meer ontmoet had, werd geboeid tussen twee rijkswachters binnengeleid in de tamelijk brede zaal met hoge banken voor advokaten en publiek.

Mijn verdediging had ik toevertrouwd aan advokaat Jozef De Meester van de Gentse Balie. De beschuldigden konden met moeite een plaatsje vinden op de eerste bank, links en rechts, vóór de balustrade, met daarachter een imponerende rij meesters in toga, met bef en brede mouwen. Elk van ons had minstens één man ter verdediging aangevoerd, soms twee. Er waren grote tenoren bij. Meester René Victor uit Antwerpen voor Frans Van Hoof, oud-stafhouder en oud-minister Crockaert uit Brussel voor Dossin, Louis Roppe uit Hasselt voor Jos. Rubbens, en andere wier naam ik vergeten heb.

Tussen het verhoog waar straks de rechters zouden zetelen en de beklaagdenbanken, waren tafels voorzien voor de pers. De plaatsen waren al ingenomen. Louis De Lentdecker was er, naast een verslaggeefster van *Le Peuple,* die veel noten op haar zang had, haar collega's tiraniseerde door een hele tafel met mappen en papieren in beslag te nemen. Zij monsterde de zeventien geneesheren één voor één met haar hautaine blik. We hoorden haar peroreren: ,,Voilà un spectacle bien rare, tous ce médecins, ils n'ont pas l'air très méchant''.

Le conseil de Guerre, de Krijgsraad, verscheen na een kwartiertje, met zijn aanhangseltje, de Substituut van de Krijgsauditeur, onze oude kennis, V. Meganck. Een griffier was onopvallend te voren zijn plaats komen innemen op het verhoog. Achter het eerbiedwaardig rechtscollege zat naast de deur een korporaal op jaren, als een ongewapende schutsengel te wachten op bevelen.

Het vijftal dat onze onvaderlandse daden te beoordelen kreeg, telde drie militairen van hoge rang onder wie een kolonel en een majoor, en twee burgerlijke magistraten: de voorzitter Charles van Hal, een Turnhoutenaar zegde men ons, en een gewoon rechter met veel branie in een bunzingblik. De voorzitter zag er een rustige papa uit, hoegenaamd niet boosaardig. Hij begon met de drie militairen de eed af te nemen; onder hen was een zekere majoor Naudts, een Gentenaar, zoon van een geneesheer; hij behoorde dus tot de familie.

Elk van de zeventien werd op zijn identiteit ondervraagd: naam, leeftijd, woonplaats, beroep. We waren allen artsen! Libbrecht was directeur-generaal van Volksgezondheid geweest en ex-hoogleraar. Toen mijn beurt kwam, zegde ik: uroloog. Met dat uroloog wisten de voorzitter en de griffier niet goed weg, en werd mij gevraagd wat urologie is, waarop ik antwoordde dat ik zoiets in het Frans moest definiëren. Zeg maar op! ,,L'urologie est la partie de la médecine qui soigne des vieux curés qui ne peuvent pas pisser, des jeunes juristes qui ne peuvent pas faire l'amour et les anciens militaires qui ont eu une hémoragie''. Men lachte wat simpel doch het bleef daarbij.

Om welke juridische redenen weet ik niet precies, maar de taal van de procesvoering was het Nederlands; er zou in het Frans mogen gepleit worden volgens de voorschriften van de wet op het taalgebruik in rechtszaken. Wie in zijn element was, het kon niet anders, dat was onderzoeksrechter, nu openbaar aanklager, substituut van de Krijgsauditeur V. Meganck; hij alleen straalde van vorstelijke voldaanheid.

De voorlezing van de aanklacht nam veel tijd in beslag. De zitting werd een vijftiental minuten geschorst om op adem en de urologie aan haar trekken te laten komen. Die eerste namiddag was het zó stikheet in de zaal dat de korporaal de ramen moest openen. De perslui namen maar loom nota's, de medische toonschaal ging hun gewoon reporterspetje te boven; er zat niet veel muziek en volstrekt geen sensatie in; de verslaggeefster van *Le Peuple* zei het luidop.

Toen we om achttien uur naar huis gezonden werden en vernomen hadden dat we elke week drie namiddagen zouden terugkeren, en desnoods 's ochtends wanneer de zaal vrij was, drong het tot ons door dat die Brusselse Krijgsraad een zaakje van lange adem zou worden. Jef Van Caeckenberghe en de collega's van Namen en Luik die van treinen meer verstand hadden dan ik, oordeelden het best en goedkoopst een spoorabonnement voor drie maand te nemen. Zo gezegd, zo gedaan. De week daarop reed ik met een treinabonnement naar de Krijgsraad. Het was een goede inval en bovendien een transcendentale ervaring: geabonneerd op de zittingen van een Brusselse Krijgsraad!

We waren ingescheept en moesten varen, wat betekende met een spoorabonnement naar ons werk pendelen.

Elk van ons kreeg zijn tien minuten of meer, ondervraging. Voor mij was het een herhaling van wat ik te Gent in de universitaire uitzuiveringscommissie had doorgemaakt, maar nu wat meer expliciet over mijn activiteit in de oorlogs-Orde.

Frans Van Hoof werd lang en uitvoerig op de rooster gelegd. De verklikking van dokter De Bersaques die voor de Organisation Todt werd opgeëist, nadien vanuit Frankrijk naar Spanje poogde te ontvluchten, gevat werd, naar Buchenwald werd weggevoerd en er aan de gevolgen van een wondbesmetting overleed, werd Frans te laste gelegd. Hij loochende alle schuld, maar de Auditeur zou door een getuige laten verklaren hoe het in mekaar zat. Die zogezegde verklikking beloofde het kroonstuk van het proces te worden.

Ook het geval van Willem Libbrecht was een dikke kluif. In hoeverre was hij de promotor van de oorlogs-Orde geweest? De auditeur liet het zonder veel woorden voorbijgaan, wat hij voor Frans Van Hoof niet gedaan had. Libbrecht kreeg ook een verklikkinkje van een bediende van het A.B.G.V. in de schoenen geschoven.

De Walen en de Brusselaars onder de zeventien werden op hun beurt met hun pakje zonden op de proppen geroepen. We hoorden voor het eerst met wat voor volk de Chambre des Médecins op de boot van de Orde van Geneesheren was scheep gegaan.

Dokter Hiernaux uit Charleroi pakte uit met verzetsdaden, die hij onder de mantel van een zwakke collaboratie gecamoufleerd had; men scheen er geloof aan te hechten. Aan dokter Brasseur uit Solre-sur-Sambre bij Erquelinnes op de Franse grens, een goedzakkige Waal die veel snuggerder was dan hij eruit zag, werd verweten regelmatig de *Brüsseler Zeitung* te hebben gelezen. Hoe zou ik, was zijn antwoord; ik versta geen Duits. Maar u ging elke dag die krant kopen: ja, die kostte niet veel, was zeer dik van papier en verschafte ons het nodige om de kachel aan te maken. Algemeen gelach. De ingedutte kolonel schoot ervan wakker.

Het getuigenverhoor is niet het minst boeiende deel van een proces. In dat van de oorlogs-Orde was er geen afwisseling, geen ernst, geen overdrijving en geen hoogoplopende ruzie tekort.

Hoofdbrok was het verschijnen van dokter Pierre Glorieux uit Brugge, in 1940 voorzitter van de Fédération Médicale Belge, Algemeen Belgisch Geneesheren Verbond (A.B.G.V.) in het Vlaamse landsgedeelte, de mededinger op leven en dood van het Algemeen Vlaams Geneesheren-verbond (A.V.G.V.). Glorieux was de tegenvoeter van Frans Van Hoof, de typische franskiljon tegenover de typische flamingant.

De kern van het twistpunt lag bij het ontstaan van de zozeer betwiste Orde. Professor P. Nolf kwam eerst verklaren dat hij gepolst werd om voorzitter te worden. Hij weigerde. Sebrechts ook. Ik ook; ik was de kandidaat van Libbrecht omdat hij van mening was dat ik kon weerstand bieden aan de Duitsers. Daels kwam niet in aanmerking omdat hij een politiek figuur was. Met Van Hoof werd eerst geen rekening gehouden, bij gebrek aan prestige. Zu klein, oordeelden de Duitsers; tot zij ermee instemden. Glorieux werd door de advokaten van Libbrecht aan de tand gevoeld. Praktisch werd een hele namiddag aan zijn getuigenis en kruisverhoor besteed; hij was geen kat om zonder handschoenen aan te pakken, maar heeft veel van zijn veren gelaten. Het kwam hierop neer dat hij de eerste was die zich dadelijk na het neerleggen van de wapens in 1940 inspande om een Orde van Geneesheren te eisen, ook tijdens de oorlog. Toen die Orde er kwam, was hij ertegen omdat niet hij maar Frans Van Hoof de voorzitter was. Hij onderhandelde met de Duitse dokter Holm, de grote baas in de medische aangelegenheden bij de bezetter, over de Deutsche Krankenkasse en ondertekende namens zijn A.B.G.V. het akkoord ter zake. Op het laatste pakte Glorieux uit met zijn verzetslidmaatschap, nadat hij verklaard had, in politicis de fascistische ideologie te zijn toegedaan. C'est mon droit. Voorzitter Van Hal zegde hierop dat het waar was. Telkens wanneer in het latere debat de naam van P. Glorieux te pas kwam, voegden de advokaten ter verduidelijking eraan toe: ,,Le fasciste''.

Dokter Edm. Gildemyn kwam zeggen dat de meeste Gentse artsen tegen de oorlogs-Orde waren. Een geneesheer die in 1940 zijn patiënten in de steek liet, werd door de auditeur aangezocht hier te komen getuigen.

Toen dokter P. Ascoop uit Eine zegde dat de geneesheren in het Oudenaardse niet zo afwijzend stonden tegenover de Orde, vroeg substituut Meganck met dit getuigenis geen rekening te houden omdat het niet ernstig was, en deed voorzitter Van Hal de getuige ophoepelen. Dokter Jan Lebeer uit Antwerpen die zijn grote bewondering voor het werk van Frans Van Hoof uitsprak, moest zich ook haastig uit de voeten maken.

Te mijnen gunste kwam professor Fritz De Beule zeggen dat ik mij had verzet tegen het geven van voordrachten in de universiteit door Duitse hoogleraren. Professor F. Govaert had gehoord dat ik mij zeer anti-Duits had uitgelaten in aanwezigheid van duitsgezinde kollega's.

Een voorname figuur onder de vele getuigen was le R.P. Hénusse, de befaamde jezuïet-redenaar. Hij sprak ten gunste van dokter Dossin, voorzitter van de Chambre des Médecins en zei letterlijk: ,,Als die man in de oorlogs-Orde stond, was het voor ons het bewijs dat er geen vuiltje aan de lucht was''. Hij droeg zijn getuigenis voor in een taal en op een wijze die Bossuet hem niet zou nagedaan hebben. Voorzitter Van Hal nam zijn baret af om le Père Hénusse te groeten wanneer hij van de getuigenstoel opstond. Dat deed hij voor niemand, zelfs voor professor P. Nolf niet.

Ter bezwaring van dokter Laermans uit Genval kwam een postbode een zulkdanige rits van klaargestoomde aantijgingen voordragen, als een vanbuiten geleerd lesje, dat iedereen begon te lachen en de voorzitter hem deed ophouden.

De voornaamste getuige ten laste van Frans Van Hoof was Mortelmans, een bediende van zijn Antwerps kantoor. Hij verklaarde dat hij een schrijven van Van Hoof aan de bezetter in het Duits vertaalde, waarin de opeising van dokter P. de Bersaques voor de Organisation Todt werd gevraagd. Andere bedienden die de uitgaande brieven van de Orde die door Van Hoof ondertekend werden, moesten tikken, verklaarden dat ze nooit zulke brief hadden gezien of getikt. Allen hadden een kruisvuur van vragen vanwege meester René Victor en van auditeur Meganck te ondergaan. Klaarheid kwam er niet, twijfel des te meer.

Ikzelf was te Gent bij het Arbeitsamt gaan informeren waarom de keus op De Bersaques gevallen was; men wees mij de deur omdat ik vroeg die opeising ongedaan te maken. Wanneer het De Bersaques niet is, zal het een andere zijn, was het antwoord. De Bersaques was kwaad op mij, wanneer hij vernam dat ik die stap gezet had; hij wilde geen voorspraak vanwege de Orde. Hij beweerde dat hij opgeëist werd omdat hij zijn bijdrage aan de Orde niet betaald had. Bij nader inzicht van de boeken kwam het uit dat hij wel betaald had. Auditeur Meganck behield die éne getuige ten laste, de andere wuifde hij weg als niet ter zake dienend. Dokter Herman Claessens uit Dendermonde werd eveneens voor de Organisation Todt opgeroepen. Hij vroeg de tussenkomst van Van Hoof en moest niet vertrekken. Hij betaalde zijn bijdrage zoals honderden anderen. Dokter Henri Tytgat uit Gent kreeg ook een oproep. Hij vroeg aan Dokter J. Van Caeckenberghe om tussen te komen te zijnen gunste. Van Caeckenberghe schreef een brief in de aanwezigheid van Tytgat. Maar deze beweerde klakkeloos dat de brief niet op de post werd gedaan. Maar ik heb u die brief zelf ter hand gesteld om hem naar de postbus te brengen! Ha ja, het is waar, viel het Tytgat toen te binnen. En dat na de eedformule de waarheid te zeggen, geheel de waarheid en niets dan de waarheid!

Dokter Paul Van de Calseyde voelde zich, thans in 1947, vervolgd door de gewezen Orde-mensen die een bom in zijn brievenbus zouden gedeponeerd hebben. Die bom bleek niets anders te zijn dan een geledigd, door kinderen ineengeknutseld met zand en keitjes gevuld sardienenblikje. De militaire leden van de Krijgsraad schoten in een luide lach wanneer zij 't hoorden, en Van de Calseyde stond met de mond vol tanden. Hij wist niets meer te zeggen dan dat hij in den beginne zijn bijdrage niet betaald had. Men toonde hem een van zijn brieven waarin hij letterlijk schreef: nu de wettelijkheid volbracht is, ook van mijnentwege. Tableau! Verontrust om naar de Organisation Todt te gaan werken, was hij nooit geweest.

Een zekere Dokter Proot uit Waregem die wel opgeroepen was, had op een Duits kantoor een papier met het briefhoofd van de Orde zien rondslingeren; hij bracht het in verband met zijn opeising.

Plots een verrassing op 22 juli 1947. De debatten worden tot 16 september 1947 geschorst. Wat was er aan de hand? Auditeur Meganck had nieuwe documenten ter inzage gekregen die nopens de zaak De Bersaques een andere verklaring zouden inhouden. De pers resumeert het op de volgende manier (Het Volk): een vriend van De Bersaques, in feite een opsporingsagent van de Sicherheitsdienst (later door het verzet ter dood gebracht), zou volgens de chauffeur van die vriend De Bersaques aangewezen hebben, omdat hij wist dat de dokter in verzetskringen verkeerde.

Auditeur Meganck wilde de hele zaak uitvorsen en vroeg de schorsing van het proces. Allen waren opgelucht. De auditeur niet het minst. Hij had zijn tennisraket meegebracht en we zagen hem inderhaast naar hygiënischer bezigheden weglopen.

*

* *

Wanneer we op 23 september, met een verlengd spoorabonnement van drie maand, opnieuw naar de Brusselse Krijgsraad pendelden, was de verrassing nog groter. Kolonel Pêtre, een van onze rechters, was tijdens de schorsing overleden; hij was de man die tijdens de zittingen altijd zat te knikkebollen. Een andere kolonel zat nu op zijn plaats en het hele proces moest vanaf het begin hervat worden.

Niemand was opgetogen. Men gooide het tussen de voorzitter, de substituut en de advokaten op een akkoordje. Men zou het wat korter maken, andere getuigen zouden mogen opgeroepen worden, en daar het rekwisitoor en de pleidooien toch nog niet gehouden waren, zou men zonder enige bekorting of hinder zich daarop concentreren.

Heel wat minder getuigen verschenen op het defilé, le Père Hénusse kwam, als een Demosthenes in een brede zwarte mantel gewikkeld, zijn getuigenis ten gunste van dokter Dossin herhalen en de voorzitter nam opnieuw voor hem zijn baret af.

De kroongetuigen tegen en vóór Van Hoof waren er opnieuw. Ook Glorieux. Alles werd tot het alleressentieelste herleid. Dokter L. Brasseur liet een tiental mannen en vrouwen uit zijn dorp aanrukken, zeer eenvoudige luitjes die geen deftig Frans konden spreken en het ook niet verstonden. Niemand begreep een gebenedijd woord van hun plat dialect, een tolk was niet beschikbaar en Brasseur moest zelf de gestelde vragen en de gegeven antwoorden in 't Frans vertalen. Het was een niet onsympatiek spelletje, dat de lachspieren van iedereen op de proef stelde.

Zelf had ik professor R. Goubau gevraagd te komen getuigen over hetgeen tijdens een debat in de geneeskundige academie over de rol van de Duitsers en de voedselschaarste door mij werd verklaard; hij deed het uitvoerig, maar het maakte op de heren geen indruk, hun aandacht was er niet bij.

Toen professor F. Thomas, de medische groot-inquisiteur in het Gentse, op de getuigenstoel verscheen, werden ze als bij toverslag wakker. Voorzitter Van Hal vroeg hem naar zijn mening over zijn universitaire collega Elaut: ,,Had hij een reputatie van duitsgezindheid?'' Thomas: ,,Neen, maar zeer vlaamsgezind, wat voor mij hetzelfde is''. Thomas' bezwaar tegen mij was dat ik door Daels als decaan van de faculteit was voorgesteld, en Daels was het toppunt van het verraad. Ik antwoordde dat een geheime stemming het voorstel van Daels (en van professor O. Rubbrecht) had bekrachtigd met vijftien tegen vijf, waaronder de stem van professor Thomas zelf. Hoe kunt gij dat weten? vroeg de voorzitter. Professor Thomas heeft het mijzelf bevestigd. Thomas zweeg maar hij spuwde zijn gal tegen de oorlogs-Orde uit, al had hij toch zijn bijdrage betaald. Ik wees er de krijgsraad op dat professor Thomas op voorstel van Daels als lid in de Koninklijke Vlaamse Academie voor Geneeskunde was aanvaard. Geen reactie vanwege Thomas.

Terwijl ons proces liep, liep ook dat tegen Secretaris-generaal Schwind. Tijdens het onderbrekingskwartier gingen we daar een blik werpen; er was meer belangstelling vanwege de advokaten en de pers dan bij ons. Ik hoorde de verdediger meester Parent van leer trekken tegen degenen die de wettelijkheid van de Orde der Geneesheren in twijfel trokken. Het besluit tot oprichting van de Orde der Geneesheren werd door Schwind opgesteld overeenkomstig de vingerwijzingen gegeven door de leden van het Verbrekingshof. Als Schwind een misdaad beging door de oprichting van de Orde der Geneesheren, dan zijn de hoogste Belgische magistraten hierin medeplichtig. Ik knoopte het in mijn oren en deelde het mede aan mijn advokaat om er te gelegener tijd gebruik van te maken.

Een aangenaam intermezzo in de reeks van de saaie Krijgsraadzittingen was het huwelijk van ons nichtje Anna De Schrijver met Leo Van Cauwelaert te Belsele op 17 oktober 1947. Het was een prachtige herfstdag, en tot tien uur kon men in de hovingen wandelen als op de heerlijkste zomeravond. Ik had van voorzitter Van Hal een dag verlof gekregen, maar snoepte er twee; niemand had het gemerkt.

Na het getuigenverhoor was het de beurt aan substituut Meganck. Zijn rekwisitoor, dat hij aflas was de saaiste opeenvolging van woorden die ik in de loop van mijn leven heb moeten aanhoren. Twee namiddagen heeft hij met zijn eentonige, accentloze stem, alle aanwezigen tot in den dode verveeld. De zeventien deelgenoten in de enorme zondenballast, kregen voor de rechters, het schaarse publiek en de geeuwende advokaten elk hun part. Van de ene was het groter dan van de andere.

Frans Van Hoof kreeg het reuzenaandeel. De verklikking van dokter De Bersaques werd ondanks alles bewezen geacht. Het bijkomend onderzoek had niets opgeleverd dat zijn eerste stelling kon verzwakken of te niet doen. Hij eiste van de krijgsraad een veroordeling tot twintig jaar hechtenis.

Willem Libbrecht was volgens de auditeur maar een schim, een stroman en een willoos werktuig geweest van vele anderen, die achter de schermen waren gebleven, de scherpe beschuldigingen vanwege de Brusselse hoogleraren Snoeck en De Laet en die van P. Glorieux ten spijt.

Libbrechts verantwoordelijkheid in de hele aangelegenheid werd zeer gering geacht. Wat de verklikking van de F.M.B.-bediende Bruyninckx betrof, die weerhield hij niet omdat zij uit de lucht gegrepen was om de man te bezwaren. De auditeur liet het aan de wijsheid van de krijgsraad over de straf van Libbrecht te bepalen, in zoverre hij een straf verdiende. Het lag er vingerdik op dat hij een vrijspraak voor Libbrecht verwachtte. We vroegen ons eenparig af wat daarachter schuilde.

Voor mijzelf eiste Meganck twee jaar hechtenis; ik was een tweederangsfiguur in de Orde geweest, en had ze alleen wat morele steun geschonken. Wat ik met mijn lezingen te Gent en te Leuven had uitgespookt was maar academisch vuurwerk en mijn invloed was niet groot geweest. Ik had de indruk dat ik tamelijk laag op de waardeschaal van de auditeur aangeschreven stond. Ik hield mij koest en onderdrukte elke reactie tegenover de rechters die elk van ons scherp in het oog hielden wanneer de auditeur zijn strafeis uitsprak. Voorzitter Van Hal schreef zorgvuldig het gevraagde quotum van eenieder op.

Wanneer het afgelopen was maakten we onder elkaar een optelsommetje van het aantal gevraagde jaren: zevenenzestig. Libbrecht glansde; voor Van Hoof had hij meer verwacht, het moest dus zijn dat de auditeur maar zwakjes overtuigd was van de verklikking, anders zou hij zeker meer geëist hebben. Alvorens de zitting geschorst werd, had voorzitter Van Hal aan Meester René Victor gevraagd hoe lang hij voor Van Hoof wenste te pleiten: vier volle zittingen.

*

* *

De pleidooien begonnen op 22 oktober 1947. René Victor behandelde de zaak van de oorlogs-Orde ten gronde, en de zaak-Van Hoof in het bijzonder. De kern van zijn betoog lag hierin: de fundamentele tegenstelling tussen A.B.G.V. en A.V.G.V. die in 1920 ontstaan en in die mate aangegroeid was dat het eerste door het laatste in het Vlaamse land op het punt stond helemaal overvleugeld te worden. Vandaar een vijandschap met alles wat eruit voortvloeide. Over de wettelijkheid van de oorlogs-Orde luidde zijn besluit: het arrest van het Verbrekingshof d.d. 27 januari 1943 nam elke twijfel daaromtrent weg. Hetzelfde werd door meester Parent in het proces van secretaris-generaal Schwind aangevoerd.

Over de zaak-De Bersaques legde meester Victor besluiten neer waarin hij de getuigenis van de bediende Mortelmans over de brief van Van Hoof aan de Duitsers in twijfel trok, en zijn getuigenis tegenover die van de andere bedienden stelde. Hij oordeelde tevens dat het bijkomend onderzoek over de rol van de Gentse verzetslui die De Bersaques hadden aangeklaagd, de hele aangelegenheid niet in het reine had getrokken. Weshalve hij de krijgsraad verzocht de verklikking niet als bewezen te beschouwen en ze Van Hoof niet aan te rekenen.

Het pleidooi van meester René Victor was de juridische hoofdschotel van heel het proces, waar we allen van profiteerden. Nopens de zozeer betwiste wettelijkheid van de Orde was het pleidooi van meester Crockaert die voor Dossin opkwam, een verduidelijking te meer, maar zijn voordracht was niet zo meesterlijk als die van René Victor.

Voordat alle pleiters aan het woord gekomen waren, was een hele maand voorbij. Ze deden elk hun duit in het zakje, met kleur, overtuiging en welsprekendheid. Er waren geslepen en behendige kleppers onder hen, echte advokaten die van alle markten thuis waren, die konden verbloemen en voor alle valstrikken die de auditeur hun spande een uitvlucht en vaak een tegenstootje riskeerden.

Auditeur V. Meganck was tijdens de oorlog lid van een administratieve rechtbank geweest, iedereen wist het, en meer dan een advokaat liet horen dat hij het wist zonder het in zoveel woorden uit te drukken. Voorzitter Van Hal gebaarde dat hij de zinspelingen niet begreep en mijnheer de auditeur keek telkens op zijn neus en reageerde niet. De oude tribunaalrat die meester Crockaert was, schudde van de pret wanneer hij daar een allusie op maakte.

Van advokaat Jozef De Meester die mijn verdediging voordroeg, kan ik niets dan goeds zeggen. Zelf had ik alles pasklaar gemaakt en de bewijsstukken verschaft. Hij vroeg aan de krijgsraad mijn vrijspraak. Toen ik het hoorde, dacht ik bij mezelf dat hij het oprecht meende, maar toch een beetje naïef was. Ik was hem dankbaar voor de inspanning die hij gedaan had. Van de meer dan twintig pleiters die in dit proces van de Orde der Geneesheren achter de balie een bonte bent van beschuldigden hadden verdedigd, was zijn pleidooi zeker niet als het geringste te waarderen.

In de loop van de debatten waren op het opportune moment de burgerlijke partijen met hun eisen voor de dag gekomen.

Voor de Staat was het meester Wintergroen die in het meest afschuwelijke Nederlands dat ik ooit uit de mond van een gestudeerd man heb gehoord en op de meest cynische toon ten bate van de Belgische Staat een paar miljoen vergoeding voor de geleden morele schade kwam eisen. Geneesheren zijn personen met een groot gezag in de samenleving en wanneer ze falen in burgerdeugd vloeit daaruit een groot nadeel voor het land voort, zo luidde de motivering van zijn eis. Voorzitter Van Hal had een soort van afweerreflex als hij die fenomenaal hoge som hoorde.

Het A.B.G.V. vroeg 200.000 frank omdat het inkomsten had moeten derven gedurende een paar jaren. Het Collège des Médecins de Bruxelles had nog grotere eetlust en vroeg 300.000 fr. om dezelfde redenen. Mevrouw de weduwe De Bersaques vroeg één frank morele schadevergoeding bij monde van meester P. De Rycke. Hij pleitte op een indrukwekkende wijze en las ondermeer de afscheidsbrief voor die De Bersaques tot zijn vrouw had gericht voor hij vertrokken was. De pleiter had het minder tegen Frans Van Hoof als de dader van de verklikking dan tegen de Orde der Geneesheren in haar geheel. Met het oog op een mogelijke schadevergoeding in de toekomst was dat niet kwalijk gezien, want aanspraak kunnen maken op het bezit van de Orde was een meer tastbare garantie dan het te doen op het bezit van één man.

De repliek van auditeur Meganck op de pleidooien had niet veel om het lijf, hij handhaafde zijn eis.

Tenslotte vroeg voorzitter Van Hal aan elk van de zeventien of zij nog iets te zeggen hadden voor hun verdediging. We zegden van neen, behalve Frans Van Hoof die herhaalde: ik heb De Bersaques niet verklikt.

De zaak werd voor gehoord verklaard en de debatten gesloten. De uitspraak werd op dinsdag 16 december 1947 vastgesteld. We spoorden naar huis; Frans Van Hoof werd naar de gevangenis van St.-Gillis gebracht, geboeid.

Mijn vrouw was een paar keer met mij naar de krijgsraad meegegaan om het milieu te leren kennen. Telkens ze auditeur Meganck uit zijn schelp zag komen om één van de zeventien iets voor de voeten te gooien, zou zij in een spontane opwelling van vrouwelijke weerbaarheid die man zijn ogen hebben uitgekrabd. Ze kon het spektakel moeilijk aanzien en bleef liever thuis dan zich een hartinfarct te ergeren aan wat ze een hele namiddag moest meemaken.

*

* *

Op 16 december 1947 waren allen present in de lugubere zaal waar we juist zes maand voordien voor het eerst waren binnengegaan. Ook de advokaten waren op post om de voorlezing van het vonnis te aanhoren. Het duurde zowat een half uurtje en we mochten erbij gaan zitten. Voorzitter Van Hal deed het rustig, legde geen nadruk van welverdiend, van veel of van weinig of zo. Toen de auditeur de aanhouding van een paar hooggekwoteerden vroeg, werd daar niet op ingegaan. Alleen Frans Van Hoof was en bleef gearresteerd.

Van de consideranten en overwegende's heb ik niet veel onthouden, en ik heb evenmin pogingen gedaan om een kopie van het vonnis te bekomen. Wel had ik gehoord dat de meeste leiders van de Orde geen nieuwe Ordegezinde mensen waren en dat ze zich alleen op sociaal gebied zeer verdienstelijk hadden betoond. De verklikking van dokter De Bersaques die Frans Van Hoof in de schoenen werd geschoven, bleef hem aangerekend, evenals de verklikking van Bruyninckx, de bediende van het A.B.G.V. ten laste van Libbrecht.
De uitgesproken vonnissen luidden:
Frans Van Hoof, 15 jaar;
Dossin (Chambre des Médecins), 10 jaar;
Watthieu (Luik), 8 jaar;
Libbrecht, 5 jaar;
L. Van Roey (Limburg), 5 jaar;
Laermans (Waals Brabant), 4 jaar;
Elaut, 2 jaar;
J. Van Caeckenberghe (Oost-Vl.), 2 jaar;
G. Yserbyt (ondervoorzitter), 2 jaar;
G. Van Elst (Antw.), 18 maand;
Edg. Van Haelst (Brussel), 18 maand;
A. De Heegher (Gent), 1 jaar;
J. Timmermans (Vl. Brabant), 18 maand;
L. Brasseur (Henegouwen), 1 jaar;
J. Rubbens (Limburg), 1 jaar;
H. Depla (West-Vl.), 1 jaar;
G. Hiernaux (Charleroi), vrijspraak.
De burgerlijke partijen kregen de volgende brokken uit de koek:
Belgische Staat, 100.000 fr., solidair door allen te betalen;
Collège des Médecins de Bruxelles, 65.000 fr.;
Weduwe De Bersaques, 1 frank;
Bruyninckx, 106.000 fr.
Bij W. Libbrecht die op een vrijspraak gerekend had, en door auditeur Meganck zo ostentatief onder de hoede was genomen, kwam de straf van vijf jaar hard aan, des te meer dat hij al een dik jaar gevangenis achter de rug had.

Frans Van Hoof was er het ergste aan toe, hoewel de auditeurseis van twintig jaar op vijftien was teruggebracht; hij zat al meer dan drie jaar vast, en wie weet hoe lang nog. Voordat hij geboeid weggeleid werd, hebben we hem allen stevig de hand gedrukt en kranigheid toegewenst.

Dat we ten eeuwige dage onze burgerrechten verbeurd hadden, sprak vanzelf. Dat was het aroom dat aan deze processen nooit ontbrak.

In het onafzienbare en alle meetbaarheden trotserende vaderlandse repressiedossier, leek het geding van de Orde der Geneesheren wel een zeepbel. Jan met de pet die op sensatie uit was, begreep er niets van waarom daar zeventien geneesheren zaten; de vijfennegentig procent der anderen wisten niet waarover het ging, en de vijfduizend Belgische dokters van toen lapten het hele gedoe aan hun laars; ze volgden het niet in de kranten. De pers zond zelfs haar reporters niet meer naar de debatten. Alleen de dame van *Le Peuple* kwam af en toe even luisteren; als een lonkende sirene zat ze meer de aandacht van de auditeur en de rechters te trekken dan nota's te nemen. Dat ze die aandacht trok maakte haar meer gelukkig dan hetgeen ze van de pleidooien en al het andere kon oppikken.

Het Volk, aan wie het opgevallen was dat het Openbaar Ministerie op een weinig overtuigende wijze zijn strafeis onder woorden had gebracht, blokletterde daags nadien ,,Strenge straffen voor de Orde van Geneesheren''. Het was het blad niet ontgaan dat in de zaak van de Orde der Apotekers, die te Antwerpen voorkwam, het een vrijspraak over de hele lijn was geweest. Maar Antwerpen was Brussel niet.

In de plaats van de zevenenzestig jaar door auditeur Meganck gerekwireerd, kreeg hij eenenzestig en een half jaar. De burgerlijke partijen kregen een totaal van 421.001 frank, in plaats van de gevraagde miljoenen.

Het hele zaakje kwam ons duur te staan, ofschoon het vonnis verklaarde dat een leidende functie in de schoot van de Orde niet strafbaar werd geacht. Wat was er tenslotte strafbaar? Al het andere, incluis de wettelijkheid die door de grote bazen van de rechtskunde aan de oorlogsorde werd toebedacht. En dan komen sommigen verklaren dat het ,,Recht'' een exacte wetenschap is. Die arcana gaan mijn simpel doktersverstand te boven!

Wanneer ik thuiskwam, legden mijn vrouw en ik die twee jaar gevangenis op de hoop bij al het andere. We hebben er onze slaap niet voor gelaten en zouden afwachten of ik voor een tijdje op het pensionaat van St.-Gillis zou geplaatst worden.

Ten einde in de traditie van alle politieke repressiegedingen te blijven werd ons door de advokaten aangeraden beroep tegen de uitgesproken vonnissen aan te tekenen. Omdat zij de geachte meesters die ons hadden verdedigd, niet wilden weerstreven, hebben acht van de onzen erin toegestemd en de vereiste stukken ondertekend.

Persoonlijk had ik liefst neen gezegd; éénmaal was al genoeg, en mijn spoorabonnement was ten einde. Mijn Gentse nest op de Blandijnberg was mij meer waard dan een druk verkeer met het hoofdstedelijke justitiepaleis. En moest ik ooit gaan brommen, tot daar dan aan toe, het zou de meiboom zijn op het gebouwtje van mijn incivisme.

*
* *

Onze nabije en verre familie, onze vrienden in het algemeen reageerden kies en bescheiden, wanneer ze onze wegen kruisten. We lamenteerden niet en gaven laconische antwoorden op hun meewarige vragen. We wisten dat sommigen bij zichzelf dachten: hij heeft wat hij verdient, hij kan ertegen. Ze zetten daarna hun weg voort, want de soep wordt nooit zo warm opgediend als ze gekookt wordt.

Wanneer onze zaak in beroep te Brussel zou voorkomen, en in welke omstandigheden, wist niemand. We waren eind december 1947, en niets zegde dat het niet meer dan een jaar zou aanlopen. Wie de voorzitter van het Krijgshof en de substituut zouden zijn, bleef een open vraag; men zette namen voorop, maar niemand wist er het fijne van.

Noodgedwongen volhardde ik in mijn baantje van inciviek geneesheer, speelde ik handelsreiziger in chirurgische operaties, en in de tussenpozen ging ik voort met de begonnen medisch-historische studie die mij boeide.

Met de kinderen hadden we tijdens de schorsing van ons proces een fijne vakantie aan zee. Te Blankenberge hadden we bij de familie Wieme op de zeedijk een maand volledig pension gehuurd. De kinderen en mijn vrouw genoten van zee, zon en duin, en het weer was de hele maand van de partij.

In de vrije tijd die het beetje praktijk mij overliet, spoorde ik heen en weer tussen Gent en het Noordzeestrand. Celeste, onze trouwe huishoudster, bleef te Gent en hield een oog in het zeil; de telefoon kwelde ons niet en ik verzorgde meer dan ooit mijn vaste spreekuurdagen. Met die eigenaardige situatie waren de meeste patiënten vertrouwd; ze berustten erin, evenals wijzelf, in afwachting van de dingen die komen zouden.

*

* *

Hoe sterk ook de wederwaardigheden waar ik te Brussel aan blootstond geladen waren, ze konden mij niet afhouden van waarnemingen van feiten die zich in het land voordeden, vooral diegene welke verwant waren met wat ikzelf beleefde.

Er werd nog altijd druk heen en weer gepraat over de gebeurtenissen van 1940 en rond het persoontje van de beruchte Ganshof van der Meersch. Door de tussenkomst van Achiel Van Acker werd hij geweerd als voorzitter van de Raad van State. Rik Elias hoorde te Gent in beroep zijn doodstraf bevestigen. Het land schrok van ontsteltenis bij de aankondiging dat te Charleroi op één morgen zevenentwintig ter dood veroordeelden werden terechtgesteld. Er kleefde bloed aan hun handen, maar het kwam toch over als een meedogenloze moordpartij.

De week daarop was er te Brussel een grote betoging tegen de zwakheden van de gevoerde repressiepolitiek.

Een lolletje leek het wel dat Albe bekroond werd met de letterkundige prijs van de Provincie Antwerpen, terwijl hij afgezet werd als klerk van de Koninklijke Vlaamse Academie voor Geneeskunde. Als men geweten had dat hij een aktief medewerker van *Rommelpot* was!

In november 1947 werd Edmond Van Dieren vrijgesproken door het Krijgshof van Luik. Nog een van die gekke bokkesprongen van het subjectivisme der rechtsprekenden. Voor dezelfde feiten kreeg Van Dieren eerst acht jaar, dan vijf, daarop drie jaar en tenslotte ging hij vrijuit. Des te beter voor hem, des te belachelijker voor de poespas van de naoorlogse uitzonderingsrechtbanken.

Te Gent maakte een rede van de gewezen Londen-minister G. Balthazar veel opgang. Het was een afrekening tussen socialistische kopstukken. Balthazar noemde Anseele junior een profiteur van het verzet, en zei dat de repressie niet het werk van Londen was, maar van degenen die in België gebleven zijn. Het docht eenieder dat Balthazar de spijker op de kop had geslagen. Daarna is hij in de schaduw getreden en heeft hij niets meer van zich laten horen.

Kort nadat wij te Brussel onze portie gevangenisjaren hadden gekregen, kreeg Reimond Speleers te Gent zijn part. Substituut van de krijgsraad Eg. Spanoghe die nooit minder dan de doodstraf eiste, kreeg maar twintig jaar op zijn rekest, en de Belgische Staat 250.000 fr. Hij was er zozeer de kluts van kwijt dat hij van verder rekwireren afzag. Het was te dier gelegenheid dat *Rommelpot* in het symboolrijke artikel ,,Oude Sp. en jonge Sp.'' schreef dat de oude flaminganten bereid waren alles voor Vlaanderen te offeren, terwijl de jonge generatie op haar profijt dacht, Vlaanderen gebruikte om er te komen, daarna Vlaanderen liet stikken als ze maar een renderend en veilig baantje konden in de wacht slepen. Speleers zou een begrip blijven in de geschiedenis van de Vlaamse Beweging, terwijl Spanoghe al lang zal vergeten zijn.

*
* *

Gedurende heel het jaar 1948 vernam ik niets over de plannen van het Brusselse Krijgshof. De zomervakantie brachten we opnieuw met heel ons gezin te Blankenberge door. Ik fietste een deel van westelijk Zeeuws-Vlaanderen af, een paradijselijk land met goede fietspaden en nog draaiende windmolens. Een ongewoon beeld in het landschap waren de uitgestrekte in volle bloei staande papavervelden. Voor zijn opiumvoorziening moest Nederland zelf instaan en het was gebleken dat de Zeeuwse polders voor die cultuur uitstekend geschikt waren.

Op zekere dag stapten we allen samen vanaf Cadzand langs de Scheldedijk te voet naar Breskens en aten er bij Antoon Roest de klassieke uitsmijter. Op een donderdag werden we met de boot naar Vlissingen overgezet en bezochten vandaaruit de wekelijkse markt van Middelburg. Het was er echt Zeeuws in markttonelen en in de kledij van de landelijke lieden. Toen ik tien jaar later op een fietstocht met mijn zoon Jan opnieuw te Middelburg op een marktdag kwam, was het tafereel helemaal veranderd en waren de Zeeuwse boeren en boerinnen veel schaarser geworden.

In het begin van 1949 haalde de zaak van dokter Rinchard uit Eigenbrakel de krantenkoppen. Een moordpoging op zijn collega dokter Patte veroorzaakte een sneeuwbaleffect van gangsterstreken, verklikkingen, politieke moorden ten laste van de ,,wonderdoktoor'' zodat *Het Volk* een heel zondagbladnummer over een rotboel van sensationele berichten ermee vulde.

Rinchard was lid van de verzetsgroep Les Affranchis die jarenlang de streek ten zuiden van Brussel terroriseerde; zijn naam werd het symbool van afdreiging en terrorisme. Zoiets hadden de veroordeelden van de oorlogs-Orde toch niet op hun kerfstok.

Eind maart 1949 werden de acht die beroep tegen hun vonnis aangetekend hadden, voor het Krijgshof van Brussel opgeroepen. Het waren Van Hoof, Dossin, Watthieu, Libbrecht, Brasseur, De Heegher, Rubbens en ikzelf.

Voorzitter van het Krijgshof was raadsheer De Cock, een Gentenaar van geboorte, zoon, zegde men ons, van de gewezen chirurgische hoogleraar. Substituut van de Krijgsauditeur was ook een Gentenaar, de beruchte Marc De Smedt. Die jonge knaap-substituut die nog niet droog achter zijn oren was, kende ik al lang. Hij was een St.-Pieterling, zoon van een pleitbezorger uit de Bagattenstraat; zijn moeder was van Ledebergsen huize uit de De Bruykerstam. Hijzelf was een advokaat zonder werk die in het raderwerk van het repressie-apparaat een uitkomst had gevonden om carrière en gauw naam te maken. In de zaken Borms, Martens en De Pillecijn had hij gerekwireerd; het cynisme en de lef waren niet de minste van zijn karaktertrekken. Alles wat vlaamsgezind was, verfoeide hij. Hij was het instrument door de Belgische politiek gebruikt om het de flaminganten eens lekker betaald te zetten.

Hoe onberoerd en schraal-nurks voorzitter De Cock ook in zijn zetel zat, des te meer beweeglijk-triomferend Marc De Smedt op de zijne.

Bij mijn ondervraging wilde jonge Marc weten waar ik gestudeerd had en waarom ik op de Leuvense universiteit in 1919 de buitenwacht gekregen had. Toen ik repliceerde dat ik nooit in Leuven had gestudeerd en al mijn diploma's te Gent had gehaald, vroeg hij of ik niet op de eerste vernederlandste universiteit van 1916-1918 was ingeschreven. Ja, was mijn antwoord, en ik zat er op dezelfde banken met de huidige burgemeester van Antwerpen, met de huidige gouverneur van de provincie Antwerpen, en uw grootoom Cesar De Bruyker was mijn professor. Marc heeft niet aangedrongen en de ondervraging was afgelopen.

In zijn requisitoir vroeg de auditeur voor Frans Van Hoof levenslang; hij zegde zelfs voor hem aan de doodstraf gedacht te hebben. Voor Dossin en Watthieu vroeg hij vijftien jaar, voor de anderen de bevestiging van het eerste vonnis; voor mij eiste hij zes jaar, want ik was de meest gevaarlijke en de meest intellectuele (sic) van heel de hoop; ik sympatizeerde met het V.N.V., was lid van de Deutsche Akademie en sprak op studentenfeesten. Mijn advokaat zei in zijn pleidooi dat drie universiteitsrektoren te mijnen gunste hadden getuigd, en voerde voorts een gamma argumenten aan om mijn vrijspraak te bekomen.

Op zaterdagmorgen 28 mei werd door het Krijgshof arrest geveld. De verklikking van dokter De Bersaques bleef Frans Van Hoof aangerekend; die van de A.B.G.V.-bediende Bruyninckx ten laste van W. Libbrecht viel weg. Verzachtende omstandigheden werden in acht genomen; we hadden allen een menslievende bedrijvigheid aan de dag gelegd, en de belangen van de burgerbevolking gediend, naast die van de Duitsers.
De arresten luidden:
Frans Van Hoof, 15 jaar;
Marcel Dossin, 6 jaar;
Henri Watthieu, 5 jaar;
Libbrecht, 2 jaar;
Elaut, 2 jaar;
Rubbens, 1 jaar;
Leopold Brasseur en Arthur De Heegher werden vrijgesproken. De onmiddellijke aanhouding van Watthieu en Dossin werd bevolen. Jongeheer Marc De Smedt vroeg ook mijn onmiddellijke aanhouding: ik had nog geen dag gezeten en het was maar billijk dat ik ook met de gevangenis kennis maakte. Het Krijgshof ging op het verzoek niet in.
De Belgische Staat kreeg 100.000 fr., door allen solidair te betalen. Mevrouw De Bersaques kreeg 1 fr. morele schadevergoeding, het A.B.G.V. kreeg 65.000 fr. door Libbrecht, Watthieu, Rubbens en Elaut solidair te betalen. Behalve voor Frans Van Hoof was het op een vermindering van de straf uitgelopen.

Ten bewijze van zijn cynisme had Marc De Smedt Luc Van Roey uit Eigenbilzen, die in het vonnis van de krijgsraad vijf jaar had gekregen, laten arresteren. Luc was een reumalijder en op de dag van de uitspraak werd hij God weet waarom naar de zitting opgeroepen, ofschoon hij geen beroep had aangetekend. Had hij juist een aanval van acute polyarthritis en kon nauwelijks bewegen. Pijnlijk strompelde hij, bijna kruipend op zijn vier ledematen, de gerechtszaal binnen, terwijl mijnheer de substituut grijnslachend het mens- en gerechtonterend toneel gadesloeg. Het was om het vermaledijden van de hemel op het hoofd van dit substituutje neer te roepen.

Omwille van de verbreking van één paragraaf uit het arrest, moest ik op 28 november 1949 nog éénmaal voor een Krijgshof verschijnen om mij te horen veroordelen tot de onkosten ten bedrage van 1018 frank.

Met de anderen bleef ik levenslang van alle burgerrechten beroofd. Omdat ik niet wilde dat Frans Van Hoof één frank van de solidaire schadevergoeding aan de Belgische Staat afdroeg, nam ik zijn aandeel voor mijn rekening en betaalde 33.500 frank. Aan het A.B.G.V. betaalde ik 16.500 frank. Mijn part in de gehele schadevergoeding bedroeg vijftigduizend frank (in 1950). Kort daarop ontving ik bericht van de Dienst van het Sekwester dat ik, mits voorleggen van de betaalbewijzen aan de burgerlijke partijen, opheffing van beslag kon bekomen. Ik deed het binnen de kortst mogelijke tijd.

*
* *

Daarmede was over het proces van de oorlogs-Orde van Geneesheren het doek gevallen. Het had zevenenzestig zittingen van de Krijgsraad en het Krijgshof in beslag genomen, en was daarmee het langste uit de repressiegeschiedenis van het Belgisch koninkrijk. Het begon op 16 juni 1947 en eindigde op 28 november 1949.

Frans Van Hoof kwam slechts na zeven jaar uit de gevangenis van St.-Gillis vrij. Hij hervatte zijn huisartsenpraktijk en slaagde onmiddellijk. Hij stierf, achtenzestig jaar oud, bij het ziekbed van een patiënt op 22 december 1965. Ik wijdde aan hem een In Memoriam in *Periodiek* (januari 1966). Hij had voor de beroepseer en waardigheid van het korps der Vlaamse geneesheren alles veil gehad.

Het Algemeen Vlaams Geneesherenverbond dat Van Hoofs levenswerk was, werd opgedoekt. Het bezit van de Orde van Geneesheren dat verschillende miljoenen bedroeg, zou, in opdracht van Minister van Volksgezondheid Alb. Marteaux door het A.B.G.V. geliquideerd worden. Wat na de ontploffing van een Duitse vliegende bom op haar kantoor tijdens de oorlogswinter 1944-1945 overbleef, werd naar de vier windstreken verstrooid. Over de liquidatie van het A.B.G.V. zou ik graag het fijne willen weten. Wie kan mij inlichten?

Het Algemeen Belgisch Geneesherenverbond triomfeerde en voerde voortaan het hoge woord in de medische beroepskringen. Toch kon het geen tabula rasa maken van de realisaties van wijlen haar mededingster, waarvan de meeste gehandhaafd bleven, ondermeer de betaling van de individuele prestaties.

Toen, in de jaren 1960, de syndikale gedachte de geneesherenprofessie binnendrong, kon het A.B.G.V. met de stroom niet mee. Het brokkelde af. Het plande voor 1964 een grootse viering van zijn honderdjarig bestaan, maar moest bij gebrek aan belangstelling en aan centen, liquideren. Het had een kleine twintig jaar voordien het Algemeen Vlaams Geneesherenverbond geliquideerd; Boontje komt om zijn loontje. Het was een pijnlijke operatie, die vooral zijn trotse bedienden duur te staan kwam. Amper veertien jaar na zijn zegetocht van 1945-1950 was het Algemeen Belgisch Geneesheren Verbond met zijn glorieuze pomperijen in rook opgegaan. Het had de tekenen des tijds niet begrepen.

*
* *

Op voorstel van mijn raadsman ondertekende ik een verzoek om genade. Zo bestond de kans dat ik de twee jaar niet zou moeten uitzitten. Het moet zijn dat het genadeverzoek ingewilligd werd, want ik heb geen dag gebromd. Of andere personen te mijnen gunste bemiddeld hebben is mij niet bekend. Degenen die het buiten mijn weten gedaan hebben waren te correct en fijngevoelig dat zij het nooit hebben gezegd, teneinde mij niet aan hen te verplichten. Zij mogen hier vernemen dat ik hen erkentelijk ben.

EEN BIJLUIK

Men kijkt er soms verrast van op, wanneer men vaststelt dat iemand belangstelling heeft voor dingen waarvan men denkt dat ze alleen onszelf aangaan. Het rechtsgeding van de oorlogs-Orde van Geneesheren, wie zal daar zijn slaap voor laten in deze jachtige tijd waar eenieder met zichzelf bezig is en zijn handen vol heeft!

En toch! Zo kwam, kort na de schorsing van ons berucht proces in juli 1947, een hem onbekende man dokter Jef Van Caeckenberghe vinden met een bundel dokumenten, die bij een eerste oppervlakkig inzien, opmerkelijke bijzonderheden bevatten, authentiek aandeden en een nieuw licht konden werpen op de aan Frans Van Hoof aangewreven verklikking van dokter De Bersaques. Wat wantrouwig in den beginne, kwam Jef Van Caeckenberghe met de man, die door oprechte en lofwaardige beweegredenen bleek gedreven te zijn, bij mij aankloppen.

Ook is was verrast door hetgeen ik te zien en te horen kreeg. De bundel werd door ons ingekeken en bevatte o.m. het protocol van een ondergrondse gerechtszitting die te Oostakker in juli 1944 plaatshad, en waar twee leden van een verzetsgroep, ervan verdacht vals spel te hebben gespeeld, in de val waren getrapt.

De stukken van het proces waren genaamtekend door degenen die erbij betrokken waren, hetzij als griffier, hetzij als aanklager, hetzij als beschuldigden. De identiteitskaart van Georges Van Renterghem zat in het dossier. Samen met zijn vriendin, Suzy Kerckhove, werd hij door de verzetslieden ter plaatse geliquideerd, te Oostakker, Invalidenstraat 46, op het ogenblik dat de Duitsers in de buurt op zoek waren naar andere verzetslieden, en gevreesd werd dat het huis zou omsingeld en allen gevangen genomen worden. Ze werden in de tuin begraven, waar hun lijken na de oorlog werden gevonden.

Noch Jef Van Caeckenberghe noch ik wisten goed wat te doen met de lias papieren, want we waren enigszins geremd door alles wat we te Brussel tijdens de voorgaande weken hadden meegemaakt. We beslisten het dagblad *Het Volk* van het dossier in kennis te stellen, wat ik dan gedaan heb. Zelf ben ik met een persman naar Oostakker gegaan, en we hebben samen de plaatsen waar de feiten zich afgespeeld hadden, bekeken.

Uit het dossier was af te leiden dat De Bersaques door Van Renterghem aan de Duitsers werd aangewezen om als geneesheer voor de Organisation Todt te gaan werken. Van Renterghem had dit waarschijnlijk niet op eigen houtje gedaan, doch op aanduiding van een louche vent, die tot een kaartersklubje behoorde waar ook De Bersaques kwam.

Na meer dan dertig jaar vinden Jef Van Caeckelberghe en ik het nog doodjammer dat wij, in 1947, geen fotocopie genomen hebben van die belangrijke stukken uit het ons getoonde dossier. De persoon die het ons toonde heeft ons niet gezegd hoe het in zijn bezit kwam, maar hij wilde het volstrekt kwijt omdat hij 's avonds door de verzetslieden werd aangevallen en bedreigd.

Hoever substituut V. Meganck de inhoud van een dossier dat tot de schorsing van het Ordeproces aanleiding gaf, heeft gekend en uitgekamd om de waarheid te achterhalen, is uit de debatten voor de Krijgsraad niet gebleken. Hij wuifde het allemaal zonder meer weg en hield, om Frans Van Hoof klein te krijgen, halsstarrig vast aan het getuigenis van bediende Mortelmans.

*

* *

De voorstelling van een drama met veel doden, met het corrupte wereldje van het verzet, met een partijdig uitzonderingsgerecht, is daarmee niet af. De bedrijven hebben de stof geleverd tot vier sensationele opstellen in het zondagsnummer van *Het Volk*, d.d. 14 jánuari, 21 januari, 28 januari en 4 februari 1950. Maar een krantenschrijver neemt uit een hem toegespeeld dossier alleen datgene wat hem dienstig is in het opgezette raam van zijn verhaal, en laat het andere weg. De titel van die opstellen luidt: ,,Suzy zocht avonturen''.

Bij het verhaal nog deze toemaat. Het gerecht heeft het dossier dat wij gezien hebben, in handen gekregen en zou de zaak naar het Assisenhof verzenden, daar het over een moordzaak ging. Doch het Krijgsgerecht aan wie de zaak finaal overgemaakt werd, heeft ze in 1949 geklasseerd en aan de betrokkenen ontslag van rechtsvervolging verleend (cf. *Het Volk*).

Het is allemaal veel te lang om het hier uit de doeken te doen. Ik heb de bronnen aangeduid waar men het verhaal in detail kan terugvinden.

Elkeen zal er het zijne van denken. Om Shakespeare te parafraseren besluit ik met Hamlet: ,,There is something rotten in the State of Belgium''. Niet zonder nog even te releveren dat *Het Volk* de informatie voor zijn avonturenverhaal uit dat dossier heeft geput. De wegen van de pers zijn onvoorstelbaar.

Daarmee sluit ik dit bijluik.

MET NIEUWE MENSEN NAAR NIEUWE IDEEËN

Zoals in 1920 de eerste gedachte aan een Vlaamse beroepsorganisatie voor geneesheren te Antwerpen was ontstaan, rijpte in het brein van enkele Antwerpse collega's al in 1944 de gedachte aan een heropnemen van de werking van wijlen het Vlaams Geneesherenverbond, onder een andere naam. Hun geestdrift bekoelde vlug want wie was zo roekeloos en gek mee te gaan op een moment dat het lidmaatschap van het Vlaamse Kruis al voldoende was om op de lijst van de auditeur geplaatst te worden en zijn burgerrechten te verliezen.

Toch werd volhard onder de leus: een verloren veldslag betekent geen verspeelde zege. En dat terwijl het te Antwerpen rammelde van wapengekletter, en vliegende bommen zes maand lang op de stad neerkwamen. Een drietal namen onder degenen die het eerste vuur aanstaken en levend hielden: dokter Robert Roosens, dokter Ger. Renson, dokter G. Van Nueten. Op 2 september 1945 stichtten zij de Vereniging van Vlaamse Geneesheren van België, V.V.G.B. Die naam was een middel om aan veel moeilijkheden te ontsnappen. De ledenwerving was moeilijk, slechts enkele jongeren traden toe; de meeste ouderen lieten zich inlijven bij de Cercle Médical, waar de repressiekoorts heerste.

Een commissie, die in de wandeling ,,de bloedraad'' werd geheten, sprak in een gemotiveerd vonnis sancties uit tegen tal van Antwerpse geneesheren. Ze wilde die door het gerecht laten legaliseren, maar dat lukte niet.

De man die op het kritiek ogenblik het meest moed aan de dag legde en onverschrokken bij nacht en ontij het Vlaamse land afreisde om contacten met de Vlaamse geneesheren te zoeken, om ze opnieuw in een solied beroepsverband onder bovengenoemde naam te verenigen, was dokter Gerard Renson, in die mate zelfs dat hij zijn gezondheid tekort deed. Hij vond een meegaande kern te Gent en te Kortrijk; die van Veurne, Leuven en de Kempen gingen door de knieën en sloten aan bij A.B.G.V. Brussel wilde mee maar in de praktijk kwam er niets van in huis.

Te Leuven zocht dokter Renson naar een voorzitter in de rangen van de hoogleraren. Eugeen Haven was bereid, maar nam zijn woord terug. Professor Jozef Schockaert was moediger, des te meer omdat de Rector Magnificus het goedvond dat hij de stichtende voorzitter werd. Maar in minder dan vierentwintig uren brak tegen Jozef Schockaert zulke hevige reactie vanwege het A.B.V.G. los, dat hij zich verplicht zag ontslag te nemen. Tenslotte was het professor Fr. Fransen uit Gent die het voorzitterschap aanvaardde. Fransen was altijd op het meest gevaarlijke moment de reddende man; denk aan zijn voorzitterschap van het IJzerbedevaartcomité. Het kostte hem een bomaanslag op zijn woning, maar een voetbreed wijken deed hij niet.

In maart 1946 verscheen het eerste nummer van het maandblad *Periodiek*, orgaan van de jonge V.V.G.B. Men zat in de volle repressieterreur en met een tijdschriftje voor de dag komen dat de spreekbuis was van een nieuwe beroepsvereniging van Vlaamse geneesheren en stout genoeg om te beweren dat het nieuwe ideeën op zijn programma inschreef, was toch wel een waagstuk. We zijn nu meer dan dertig jaar later en stellen vast dat de V.V.G.B. en *Periodiek* volop leven al zij het in een andere structuur die zij zelf gewild en zelf uitgebouwd hebben. Het A.B.G.V. is al in 1963 opgedoekt, bij gebrek aan professionele zuurstof, d.i. bij gebrek aan originele ideeën.

Het is gestikt in het conservatisme van zijn leidende figuren die nog dezelfde waren als in 1940. In 1960 werd de naam Vlaams Geneesherenverbond doelmatiger geacht en onder die naam leeft het Algemeen Vlaams Geneesherenverbond uit 1920-1944 nu nog voort. Het is de culturele vereniging van de Vlaamse geneesheren, terwijl zijn professionele werking te gelegenertijd werd overgenomen en ten huidige dage voortreffelijk voortgezet door het Algemeen Syndicaat der Geneesheren van België, waarvan dokter M. De Brabanter de ziel is.

*

* *

Kort na haar ontstaan heb ik mij bij de V.V.G.B. aangesloten met het Gentse Doktersgild dat de oude getrouwen van vóór 1944 in zijn schoot verenigde en een lokale werking op beroepsgebied in stand hield, tot de infrastructuur van de V.V.G.B. en Algemeen Syndikaat zich op een meer aangepaste leest ging schoeien, zonder afbreuk te doen aan de geest van de allereerste beroepsvereniging van de Vlaamse geneesheren die in 1920 te Antwerpen ontstaan was.

Daar het in mijn aard ligt meer met het geschreven dan met het gesproken woord in de Vlaamse en in de medische aangelegenheden mijn man te staan, heb ik de gelegenheid mij door *Periodiek* geboden, gretig aangegrepen om de mening van de bruggeneratie tussen de afgaande en de aantredende geneesheren te vertolken. Ik deed het in verstandhouding met de Antwerpenaren met wie ik contacten onderhield wanneer we op diverse plaatsen samenkwamen en de problemen van de dag vrijmoedig bespraken.

Maar vermits het aan de incivieken verboden was te publiceren, moest ik het wel onder een schuilnaam doen. In *Rommelpot* krioelde het van schuilnamen. Voorzichtigheidshalve heb ik mijn *Periodiek*-proza onder meer dan één naam laten verschijnen: P. Van Breukelen, L. De Jongh, K. Oelbrandt, V. Van op den Bosch, Aug. Commergo, H. Polfliet, G. Beosière.

De andere parochie zag dat de Vlaamse geneesheren opnieuw het hoofd opstaken, ze spuwde vuur en vlam, liet geen gelegenheid voorbijgaan om het de onverlaten betaald te zetten; ze hield ons in de gaten, men kon immers nooit weten wat er uit de bus kwam.

In *Periodiek* behandelde ik de medische actualiteit, de stof ontbrak niet, in het vroede en in het zotte. Het was in de tijd dat Robert Delanotte, ovobioloog uit Menen, van zich liet horen en aan de Leuvense Professor R. Bruynoghe, die hij zijn ,,Cher Confrère'' noemde, voorstelde samen de geneeskunde te vernieuwen. Wat een kans om een uurtje te lachen wanneer Delanotte te Leuven volle studentenzalen lokte en op een grandioze wijze met zijn voeten liet spelen.

Onder de echte discipelen van Eskulaap spookte het op grote schaal om aan een wagen te komen; men betwistte luidruchtig het voorrangsrecht dat de professoren inriepen terwijl ze de huisartsen in de kou lieten staan. We stonden natuurlijk aan de zijde van hen die dagelijks de straat opgingen en zichzelf moesten tevreden stellen met het schrale honorarium dat door de Unie van de Belgische Mutualiteiten in de wettige weddeschaal voorzien was.

Die eerste na-oorlogse jaren waren gekenmerkt door de memorabele strubbelingen tegen het fiscale strookje, een nieuwigheid, door de opeenvolgende ministers van financiën, Eyskens, Liebaert en Van Houtte ingevoerd. Dat strookje was het onvermijdelijk uitvloeisel van de betaling per prestatie. Men was ertegen onder het bedrieglijke voorwendsel dat het papiertje het medische beroepsgeheim in opspraak bracht. De echte reden was dat het de fiscus een middel aan de hand deed om beter de inkomsten van de geneesheren te kunnen nagaan. Wie het anders wilde doen voorkomen was niet rechtzinnig.

Het A.B.G.V. dat toen nog iets te betekenen had, verklaarde de oorlog aan dat fiscale strookje, maar moest tenslotte de duimen leggen. K. Oelbrandt betitelde het vergelijk tussen de bedilzuchtige partijen als een windei. In het vuur van de betwistingen zei Gaston Eyskens in volle parlement een woord dat *Periodiek* in het bijzonder getroffen had en dat tot op heden door de feiten nog niet gelogenstraft werd: het door Achiel Van Acker geïmproviseerde systeem van sociale zekerheid werd vanuit verkeerde berekeningen opgebouwd. Dit woord verdient te branden in vuurrode letters boven alle toegangen tot het Ministerie van Sociale Zekerheid. Men kan mijn beschouwingen daarover lezen in meer dan één nummer van *Periodiek* uit de jaren 1947 tot 1950.

Vanaf 1947 liet de Orde van Geneesheren — de echte — van zich horen. Ze begon haar werking met de verkiezing van haar leden op 14 juni 1947. De uitslagcijfers die *Periodiek* vóór elke andere krant op de kop kon tikken, waren een onbetwistbare openbaring over de mentaliteit van de geneesheren op dat ogenblik. Er was een verbazend groot aantal onthoudingen; vooral in Vlaanderen waren de pak-je-weg stemmers talrijk. Op de 7214 stemgerechtigde geneesheren waren er 2331 onthoudingen of ongeldige stemmen.

In het arrondissement Brugge waren er op 253 geneesheren 146 ongeldige stemmen. Dokter L. De Jongh interpreteerde het op de volgende manier: de grote geslagene is dokter P. Glorieux, de held van het verzet tegen de oorlogs-Orde. Hij had gehoopt als dé laureaat uit de stembus te komen. Hij heeft het nadien nooit meer te Brugge geprobeerd en is zijn heil elders gaan zoeken. Het lag er vingerdik op dat men hem in zijn bloedeigen heimat kotsbeu was.

Te Gent waren het figuranten van het A.B.G.V. die verkozen werden, naast enkele opportunistische meelopers en afwachters. Voorzitter werd dokter J. Cieters uit Wondelgem.

Tijdens het geharrewar op het binnenlandse medische beroepsgebied, werd in Engeland de National Health Service ingevoerd. Het werd hier voorgesteld alsof een immanente dreiging van hetzelfde allooi voor de deur stond. Sommige geneesheren lagen ervan wakker en in de geschriften van A.B.G.V.-huize was het de boeman van de dag. Ik lachte ermee, des te meer dat de voorspellingen van de afschaffing van de N.H.S. na de verkiezingsoverwinning van Churchill en zijn Tories in 1950, faliekant uitkwamen. Geen enkele regering zou het aandurven, vooral in Groot-Brittannië niet, terug te keren naar een betalende geneeskunde, wanneer de man van de straat verwend is aan een kosteloze geneeskunde. En na dertig jaar staat de N.H.S. nog altijd overeind. Men moest in 1950 geen profeet zijn om het te voorspellen. In geen enkel beroep treft men zoveel vergaloppeerders aan als onder de artsen.

Men kan hetzelfde beweren over de dweepzucht in het korps van de geneesheren. Sommige heren dachten met de Orde het instrument in de hand te hebben om degenen die, zoals het heette, van 1940 tot 1944 tegen de veiligheid van de Staat hadden geageerd, de toegang tot het beroep, tijdelijk of voor altijd, te verbieden. Ze vroegen o.m. aan het Hoge Raad van de Orde richtlijnen in die zin te geven. De Hoge Raad liet weten dat elke Provinciale Raad van de Orde daarin vrij kon beslissen, maar ried aan voorzichtig te zijn; het was zoveel zeggen als: niet doen. Het waren Limburgers die in hun koker het middeltje meenden ontdekt te hebben om sommige van hun collega's de pas af te snijden. Limburgers keken tijdens de oorlog ook niet nauw om al wie niet naar hun zin waren, te koelen te leggen. In beide kampen trouwens.

Dokter G. Beosière van *Periodiek* vond dat men maar moest beginnen met de medische deserteurs van 1940 de praktijk te ontzeggen omdat ze de veiligheid van hun patiënten, burgers van de Staat, aan gevaar hadden blootgesteld. Zijn riposte had effect.

De Hoge Raad van de Orde vroeg te bevoegder plekke dat het bezit van de oorlogs-Orde geheel of gedeeltelijk aan de huidige Orde zou toegekend worden. Nooit heeft iemand officieel kunnen te weet komen wat er met dat bezit precies is gebeurd. Voorts heeft de Hoge Raad aangedrongen dat de nog uitstaande bedragen van de Deutsche Krankenkasse aan de Belgische geneesheren zouden uitbetaald worden. De aap kwam uit de mouw: weg met de Duitsers, maar hun geld had geen geur!

Het protest van de Hoge Raad omdat het fiscale strookje zogezegd tot de schending van het medisch beroepsgeheim verplichtte, hield geen steek; het was alleen een masker van ijzerdraad tegen een louter academische schermutseling. Het was al te belachelijk de strijd tegen de vogelverschrikker van het fiscale strookje over die boeg te gooien. Het strookje is nu al meer dan een kwarteeuw ingeburgerd; zelfs de oude garde neemt er vrede mee.

Het is maar goed dat de patiënt weet hoeveel hij betaalt voor een medische raadpleging of onderzoek en dat hij daarvan een kwitantie ontvangt. Dat daardoor het beroepsgeheim geschonden is, gelooft hij niet; hij loopt trouwens met de diagnose van zijn kwaal te koop en hij is bereid die diagnose te laten verzwaren, als hij maar meer van de ziekteverzekering terugbetaald krijgt. De V.V.G.B. ging ervan uit dat de patiënt koning is, en niet de geneesheer. Het kostte moeite dit principe te doen ingang vinden.

Vanaf het einde der jaren veertig kondigde zich de zeer belangrijke problematiek van de organisatie van het ziekenhuiswezen aan, en het sprak vanzelf dat de geneesheren met hun beroepsverenigingen hierin een rol zouden te spelen hebben. Het was een van de redenen waarom de V.V.G.B. haar beroepsactiviteit intensifieerde, als een aparte vleugel van haar activiteit beschouwde, en die vleugel zijn eigen gangen liet gaan. Het is voldoende door het beloop van de feiten gebleken dat het een goede beslissing was die weg op te gaan, want al twintig jaar lang davert het elke week in de kranten van strijdgeruchten waarvan het oude motief, A.V.G.B. tegen A.V.G.V., de diepe ondergrond vertolkt.

Beroepsaangelegenheden zijn eerbiedwaardige dingen, doch van nature laat ik ze liefst aan degenen over die daarvoor in de wieg gelegd zijn, en houd mij aan de theorie van de dingen die zich op medisch vlak afspelen; daar sla ik bij voorkeur het licht- en schaduwspel gade.

Dat de leden van de Provinciale Geneeskundige Commissie voortaan niet meer zouden verkozen maar door de Minister benoemd worden, vond ik wel een beknotting van, maar toch geen aanslag op de zozeer geroemde democratie. Het was de Oostendse liberaal Adolf Van Glabbeke, die deze maatregel bij zijn talrijke andere dictatorsdaden voegde.

Jammer vond ik de verwerping door de Raad van State van een maatregel die door de rectoren Goormaghtigh van Gent en Fredericq van Luik uitgevaardigd, jaarlijks de universiteitsstudenten verplichtte zich tegen longtuberculoze te laten onderzoeken. Die twee rectoren, artsen, wisten goed waarom zij die verplichting oplegden, maar de redelijkheid en de zorg om de gezondheidstoestand van de hele universiteitsbevolking moest het afleggen tegen de juridiciteit. Beklagenswaardige Heer ende Meester

Goormaghtigh! Moest het niet over doodernstige dingen gaan, ik zou gereageerd hebben met: een goed lesje voor u, houd uw handen af van rechtsgeleerden en kijk uit uw ogen voor de wettelijkheid, u heeft het mij destijds ook verweten, maar nu komt Boontje om zijn welverdiend Loontje, het zal u leren.

Andermaal liet de Raad van State van zich horen door een verwerpingsarrest. De Hoge Raad van de jonge Orde van Geneesheren vaardigde in 1950 een code van geneeskundige plichtenleer uit, met voorschriften waaraan elke geneesheer zich moest houden. De voorzitter van de Hoge Raad, N. de Cocquéau de Mottes, raadsheer in het Hof van Verbreking, gaf de code een hooggestemde inleiding mee. Nog geen acht maand later vernietigde de Raad van State deze code krachtens de overweging dat hij niet gegroeid was uit de jurisprudentiële uitspraken van de verschillende Provinciale Raden van de Orde, zoals de wet van 25 juli 1938 het voorschrijft. Door het uitvaardigen van een verplichte code was de Hoge Raad zijn plicht te buiten gegaan. Het was een oorveeg voor de heer Raadsheer van het Hof van Verbreking. Drie maand later is de aartsbrave man gestorven.

Ik schrijf thans 1978. Intussen heeft de Orde in 1975 een andere code uitgevaardigd. Krachtens de voorschriften van de Besluit-Wet van 10 november 1967 moet deze code bij koninklijk besluit goedgekeurd worden. Wat tot op heden nog niet geschied is. De code-geboorte is een zwaar geval, zeker niet een vroeggeboorte. De be- of onberispelijkheid van voorgeschreven gedragsregelen laat ik hier in het midden. Er staat ons in de toekomst nog heel wat gekijf daaromtrent te wachten.

Zoals er in die jaren ook een felle pennestrijd begon gevoerd te worden over de hervorming van het middelbaar onderwijs. Met het oog op de medische studies was een van de eerste hervormingen dat het Grieks als verplicht vak wegviel; het Latijn bleef behouden en is het nog. Het was de Luikse liberaal A. Buisseret die het betrokken besluit voor zijn rekening nam. Met mijn op de klassieke studies ingestelde hersenen kon ik de maatregel niet anders dan betreuren, maar ik gaf er mij rekenschap van dat meer determinerende faktoren dan mijn voorliefde in deze belangrijke aangelegenheid de doorslag moesten geven.

Dat de kindersterfte in 1946-1947 elf procent bedroeg, en tijdens de oorlog, de ongunstige levensvoorwaarden te spijt, maar 6,5 procent, plaatste mijn medisch eergevoel voor een pijnlijk dilemma en mijn wetenschapsobsessie met de rug tegen de muur. Dokter V. Van op den Bosch kon daarover in *Periodiek* niet zwijgen. Evenmin als in de disputen over de dichotomie, het statuut van de specialist en de vraag: waarheen met de militaire hospitalen, wanneer men op een grondige wijziging van onze legermacht aanstuurde.

*
* *

In de voorgaande bladzijden heb ik enkele problemen aangeraakt die de medische professie in het eerste na-oorlogse lustrum bezighielden. Het waren niet de enige, wel waren ze onder de voornaamste. Ik heb vermeld waar de volledige uiteenzetting van mijn standpunt te vinden is. Veel daarvan is thans volkomen verleden tijd en zal geen mens interesseren, maar ik vlei mij met de gedachte dat een gekwetste maar springlevende Vlaamse artsengeneratie een woordje in het naar nieuwe leefvormen in medicis evoluerend tijdsgewricht wenste mee te spreken. En alles wijst erop dat dit woord en deze stem gehoord werden waar het moest, en finaal niet vergeefs zijn geweest.

EEN TUILTJE PERSONALIA

De wereld draait wel voort maar niet op haar eentje, want tussenin is er ook wel het leven van ons persoontje, van de intimi, van de buurtschap, van de familiale en sociale conclaafjes waarin men gevangen zit en waar men niet onderuit komt.

Door de dood van grootmoeder Scheerders waren onze St.-Niklase kontakten op non-actief gevallen, het was de gewoonste zaak van de wereld.

Onze Gentbrugse contacten waren altijd even levendig. Geen week ging voorbij zonder dat iemand van ons gezin meer dan eens binnenliep. Vader ging naar de negentig en ondervond daar de weerslag van; meer en meer werd hij hardhorig, gedachtenloos en soms sufferig. De aanvallen van paroxysmale tachycardie waaraan hij sinds zijn jeugd blootstond, waren meer vreesaanjagend dan gevaarlijk. Zo gebeurde het dat ik door een telefoontje naar huis geroepen werd en dat ik bij aankomst aldaar een man aantrof die mij vroeg wat er aan de hand was omdat ik zo onverhoeds op bezoek kwam.

Moeder verzorgde en betuttelde haar man op een weergaloze manier, en met de medehulp van een dienstvaardige buurvrouw genoot het ouderlijk paar, dat in 1946 zijn vijftigjarig huwelijk met een stille mis herdacht had, van een rustige levensavond die stilaan naar zijn voleinding wegebde. Niet zonder de menselijke miseries en kwaaltjes die met de hoge leeftijd onvermijdelijk gepaard gaan.

Toch kwamen er alarmdagen voor, waarop wij het geraadzaam oordeelden vader te laten bedienen. Onderpastoor Verroken, die vaders lippen- en gebarentaal begreep en door hem goed begrepen werd, was een en al voorkomendheid. Doch na een paar dagen was de kerel weer op de been en ging hij, bij goed weer, een luchtje scheppen in de tuin.

Wanneer het dan opnieuw wat minder goed ging, kwam de onderpastoor er weer aan te pas ,,zo dikwijls als men zoude hervallen wezen'' gelijk de oude catechismus het leerde. Vader vond er het unieke wederwoord voor, wat eens te meer bewees dat de ironie van de Elauts bij hem voortleefde, zelfs ,,in articulo mortis''. Dan zei ie aan de pastoor die kwam vernemen hoe het stond: ,,Men zou zich laten berechten om het plezier niet te missen van al dat groot volk op bezoek te krijgen''

Einde 1950 zagen we in dat de spreuk ,,hoe verder de weg, hoe moeder de man'' bewaarheid werd. De tekenen van seniele dementie namen toe en gingen overheersen; het was niet langer mogelijk vader thuis te verzorgen, en na raadpleging van dokter Karel Van Acker werd hij naar het ziekenhuis Het Strop overgebracht. Hij werd er uitstekend verzorgd en had meer dan eens volkomen lucide ogenblikken waarop hij b.v. de huisaalmoezenier, een gewezen Gentbrugse kapelaan, herkende en met hem over preciese feiten sprak.

Tot opeens de fatale longontsteking met 39° koorts toesloeg, en vader na één dag rustig als een kaarsje uitging in de namiddag van 24 januari 1951. Hij was in zijn eenennegentigste levensjaar en was nauwelijks twaalf dagen in Het Strop geweest.

De uitvaart had plaats in St.-Eligius, zijn Gentbrugse parochiekerk, waarvan hij ,,kerkmeester'' was en tot de opbouw waarvan hij in de jaren tachtig van de verleden eeuw veel had bijgedragen. De pastoor had de zondag voordien op de preekstoel aan die rol van vader herinnerd, en gezegd dat hij het was geweest die met zijn kruiwagen het eerste klokje van St.-Eligius naar het station was gaan afhalen in 't jaar 1887.

Te voet, zoals het de geplogenheid was, volgde ik met de familie en enkele getrouwen de lijkwagen naar het Gentbrugse kerkhof. We gingen door de Schooldreef, door het Keibergse land, voorbij de hofstede van de Kasteelstraat waar een Elaut in 1863 was komen boeren, waar vader zelf geboerd had tot in 1900, waar ik in 1897 geboren ben. Het stoffelijk overschot van vader Gustaaf Elaut werd in het familiegraf bijgezet, een gemetselde kelder die in 1908 werd aangekocht, vlak bij het toegangshek van de gemeentelijke begraafplaats, naast die van Stientje Maertens-Elaut. We hebben er een eenvoudige arduinen kofferzerk laten op aanbrengen met het opschrift: ,,Hier rusten in de Heer ...''

Mijn moeder, die tot op twee weken vóór vaders dood haar man had verzorgd, nam bij ons op St.-Pieters haar intrek, zodra ze alleen viel. Met een bewonderenswaardige gelatenheid, die niets van gemaakte treurnis inhield, verklaarde zij: ,,Ik heb mijn man afgestaan, het is goed dat hij naar de hemel is, alleen spijt het mij dat ik hem zelf niet langer kon verzorgen''. Zij wilde van hem in het lijkenhuis geen afscheid gaan nemen, maar was tevreden met wat wij haar vertelden hoe alles aan het sterfbed, in de kerk en op de begraafplaats verlopen was. Wenen kon ze niet meer, en op de familiesamenkomst na de begrafenis was zij het die het woord voerde en herinneringen uit het verleden ophaalde.

Een testament had vader niet nagelaten en de erfenisregeling liep van een leien dakje. Moeder behield alles in zover de wet het toeliet, volgens de termen van het huwelijkscontract uit 1896.

Wanneer vader begraven was en we aan moeder vroegen of ze bij ons wilde inwonen, was haar antwoord kort en kordaat: ,,Neen, ik heb hier geen lade die de mijne is; ik zou liefst mijn eigen meester zijn''.

Daarop ben ik op zoek gegaan naar een tehuis voor dames op rust. Eerst in de buurt bij de Zusters Apostolinnen, maar er was geen kamer vrij. Dan, als op ingeving, naar St.-Coletastraat bij de Zusters Visitandinnen. Het viel mee: één uur voordien was een hoogbejaarde dame gestorven, de kamer zou na één maand vrij zijn. Ik sloeg dadelijk toe.

We lieten de kamer in orde maken en moeder nam er, als de gelukkigste prinses ter wereld, bezit van op 15 maart 1951. Met enige vertrouwde meubelen was zij er thuis. De andere meubelen hebben wij op de zolder geplaatst, waar onze kinderen hetgeen hun kon dienen hebben weggekaapt en nu als antiek uitstallen.

Moeder is vanaf het eerste uur in St.-Coleta gelukkig geweest. Een mooie tuin was aan de instelling verbonden, waarin zij een groot deel van de dag doorbracht; zij kende elke boom, elke struik, elke kip. Ze volgde het beloop van de jaargetijden, wist hoeveel peren op de Beurré Hardy's stonden, ze verjoeg de katten die in het hooi lagen te slapen, praatte met de tuinman, bad in het kapelletje van St.-Jozef, patroon van de goede dood, wees met haar gaanstok naar het torentje van Het Strop, waar haar man gestorven was en prevelde een schietgebed voor zijn zielezaligheid.

Zo gingen de dagen, weken, maanden, jaren voorbij. Driemaal in de week kwam mijn vrouw haar goededag zeggen, en zondags was heel ons gezin er meestendeels op bezoek. Andere familieleden staken ook het hoofd binnen. Moeder was dan tevreden, maar ze mochten niet te lang blijven. Wekelijks ging ze naar de kerk; haar gebedenboek was geel en kapot beduimeld van godvruchtige lezingen.

Met O.L. Heer lag ze niet overhoop, maar ze onderhield liefst de allerbeste relaties met Gods heiligen. Gerardus lag in de bovenste lade, en met O.L. Vrouw werd een intense devotie onderhouden. Financieel goedgeefs was ze niet; ze verdiende liever haar hemel met te bidden, zoals ze ooit door een vrome vrouw had horen zeggen.

In de wondere kracht van het gebed lag de kracht van haar groot geloof. Ze beschikte over drie soorten van gebeden: gewone, sterke en zeer sterke. Die gradatie had ze in een boek met de schoonste gebeden van de Heilige Alfonsus geput. Wanneer ik met een vervelende zaak in mijn hoofd zat, of een patiënt er moeilijk bovenop kon krijgen, merkte ze dat aan mijn gelaat; ik vroeg dan een sterk gebed aan moeder. Ze werd meermaals verhoord, zodat mijn patiënt genas en ik tot gemoedsrust terugkeerde. Zulke moeder te hebben is een onschatbaar bezit.

Over mijn na-oorlogse kwellingen was ze niet bitter. Ze hoopte en bad dat alles in de plooi zou komen. Dat ik tenslotte een onverhoopte en glorieuze come-back in mijn leven kende, daaraan is wellicht een bovennatuurlijke tussenkomst niet vreemd. De Heer bedient zich van de menselijke goede en minder goede trekken om veel in het ondermaanse recht te zetten.

*

* *

Onze kinderen waren in het begin van de jaren vijftig al mensen met een eigen geaardheid. Onze oudste was zestien. Na een brok secundair onderwijs in het Gentse St.-Bavo plaatsten wij haar op kostschool te Ollignies-Lessen bij de Dames Bernardinnen van Esquermes (Schermers bij Rijsel). Er waren daar veel meisjes uit Vlaamsen huize. De school was ons aanbevolen door dokter en mevrouw Leyman uit Oudenaarde die er een zuster kloosterlinge hadden. Anna was tevreden; ze is er drie jaar gebleven en naar huis teruggekeerd met de geschikte opvoeding waarop het goede gehalte van de ware huisvrouw stoelt.

Zoon Jan zat in 1950-1951 in de vijfde Latijnse op St.-Barbara. De Grieks-Latijnse Humaniora was voor hem als geknipt. De klassen van de voorbereidende afdeling had hij als eerste beëindigd, en in de Humaniora legde hij het aan boord om op dezelfde wijze voort te doen.

Christine zou twee jaar daarop ook de Grieks-Latijnse Humaniora volgen; ze was minder begaafd dan Jan die al spelend leerde, maar ze was vlijtig.

Vakantiereizen maakten we met onze kinderen naar de Ardennen en naar Nederland, maar de maand augustus werd aan zee te Blankenberge doorgebracht. We waren op pension bij de gezusters Wieme op de zeedijk als vertrouwde gasten van het huis, waar we soms bezoek ontvingen van nichtjes en neefjes, tantes en ooms.

In 1951 gingen we voor de afwisseling naar het Zeeuwse Cadzand vlak bij de Belgische grens, op de rand van het Zwin. We waren op pension in het Noordzee-hotel. Het was er minder comfortabel dan te Blankenberge en de Hollandse koffietafel om 12 uur beviel ons maar matig, doch de nieuwheid van het milieu en de heerlijkheid van het Zwin onder een heerlijke zomerzon maakten veel goed. We namen ons voor niet meer naar Cadzand met vakantie te komen. Tenslotte strookte Blankenberge beter met onze smaak; we waren dichter bij Gent, het zandige strand strekte zich verder in zee uit en dat het er druk was, hinderde ons niet, integendeel.

Mijn medische praktijk stagneerde; zij leed onder het uitblijven van de mogelijkheid tot ziekenhuisopname, die mij te Gent ontzegd bleef. Ik had geprobeerd om in de Briel en in de Toevlucht van Maria te mogen opereren, maar botste op een onverbiddelijk neen. Toen ik aan kanunnik Blaton in 1950 ging vragen of hij nog geen eind zag aan mijn chirurgische ballingschap, aarzelde hij, want hij was bang voor herrie bij zijn dokters.

Ik moest dan toch een formidabel gevaarlijk man zijn voor de burgerzin van de leerling-verpleegsters in de aan St.-Vincentiusziekenhuis gehechte school, gaf ik hem ten antwoord. Hij herinnerde zich niet meer dat zulks het officiële motief was geweest, waarom hij mij aan de deur gezet had. Thans waren het de dokters die hij vreesde. Ik zat dus nog altijd op straat, maar een telefoonaansluiting had ik half 1950 weer bekomen; het was wennen aan het ding dat we meer dan vijf jaar gemist hadden.

In 1951 waagde ik het opnieuw bij kanunnik Blaton in de hoop dat het verzet vanwege de geneesheren van zijn ziekenhuis zou verzwakt zijn. Toen ik hem zegde dat een van hen mij toevertrouwd had dat alles zou rustig blijven rondom mijn persoontje en hij blijkbaar te goeder plaats zijn licht had opgestoken, kreeg ik van hem een schrijven d.d. 5 juli 1951 dat ik opnieuw in St.-Vincentius kon werken.

Hij bleef zijn woord gestand dat ik kon terugkeren zodra het onweder voorbij was. Met dank voor die trouw aan een gedane belofte, hervatte ik na zes jaar mijn chirurgisch werk op de plaats waar ik in 1929-1930 begonnen was. Geen enkele geneesheer van het ziekenhuis heeft mij een stro in de weg gelegd. Ofschoon er enkele wijzigingen in het organisatiepatroon werden aangebracht, heb ik mij gauw aangepast. Van les geven in de verpleegsterschool was geen sprake meer. Ik heb er niet om getreurd en liet het aan een ander over.

Als assistent bij mijn chirurgisch werk nam ik dokter Alfons Baudts die een tijdje assistent bij De Beule geweest was. Tot in 1966 heeft hij mij geholpen; toen heb ik het mes voorgoed neergelegd.

Zodra ik opnieuw in St.-Vincentius werken mocht, heb ik in geen ander ziekenhuis meer geopereerd. Ik druk hier mijn erkentelijkheid uit aan hen die mij in de jaren van mijn Babylonische ballingschap asiel verleend hebben. Ik wens niemand, zelfs mijn tegenstanders en vijanden niet, dat zij ooit ondervinden wat ik vanwege de directie van een katholiek ziekenhuis heb moeten ondervinden in de grauwe jaren 1944-1951.

*

* *

De medisch-historische studie waaraan ik mij in die ontmoedigende tijd had vastgeklampt om in mijn geestelijk levensonderhoud te voorzien en niet onder te gaan in de energiedodende beslommeringen, had er mij intellectueel en grotendeels ook psychologisch bovenop gehouden.

Mijn boek over *Het Medisch Denken* werd persklaar gemaakt en het handschrift van de *Antieke Geneeskunde* was tot negenhonderd bladzijden aangegroeid. Er werd in gesnoeid teneinde het binnen behoorlijke grenzen te brengen.

Het Palfijnjaar 1950 verschafte mij de gelegenheid uit te pakken met de stelling die opzien baarde, dat de uitvinding van de verlostang die aan Palfijn wordt toegeschreven, onvoldoende gefundeerd is. In diverse tijdschriften heb ik in dat jaar over de anatoom-chirurg van Kortrijk gepubliceerd, o.m. in *Dietsche Warande en Belfort*.

In 1952 werd de oprichting van een standbeeld van Jan Palfijn overwogen. Initiatiefnemer was emeritus A.J.J. van de Velde, een ontembaar speurder die in de kelder van het Stadsmuseum een in 1889 te Kortrijk afgewezen maquette had ontdekt. Hij slaagde erin het beeld in brons te laten gieten. Het werd betaald met één frank bijdrage van alle Gentse schoolkinderen en een stadssubsidie.

Tegen het plaatsen van dat standbeeld heb ik in de pers bezwaren geopperd, omdat het te Gent reeds het vierde memoriaal was ter eer van Jan Palfijn. Er zijn twee cenotafen uit 1783 en 1784 in St.-Jacobskerk; de eerste is onbenullig, de tweede is echt symbolisch in prachtig marmer van de hand van Karel Van Poucke. In 1930 werd in de voorhalle van het Klinisch Instituut bij de Pasteurdreef een herdenkingsteen voor Palfijn met de titels van al zijn werk geplaatst.

Zonder het grote bronzen standbeeld te Kortrijk van de hand van Thomas Vinçotte te vergeten. Dat maakt reeds vier monumenten. Van het goede te veel dacht ik, en anderen met mij. Professor Fransen stelde voor het beschikbare geld aan te wenden voor het stichten van een Palfijnprijs die origineel medisch-wetenschappelijk werk zou bekronen.

De prijs kwam er niet, het standbeeld wel. Het werd door Koning Boudewijn onthuld op 6 juni 1952 ter gelegenheid van zijn blijde intrede te Gent. Het was een mooi gebaar. Het beeld zelf is dat van een homunculus en imponeert niet. Die ongunstige indruk wordt enigermate verbeterd door het schilderachtige karakter van de plaats en de tuin, tegen de stedelijke kraaminrichting, wat de betekenis van Jan Palfijn ten goede komt.

Vanaf 1950 schreef ik maandelijks in het tijdschrift *Ars Medici* het literaire portret van een vooraanstaand geneesheer. In 1960 werden deze portretten gebundeld in een boek van 350 bladzijden, *Cent Portraits de Médecins Illustres,* onder de naam van Docteur S. Jonas, door Masson te Parijs uitgegeven, maar door mij betaald.

Ondertussen kwam mij een manuscript van de Koninklijke Bibliotheek onder ogen *Van Smeiscen Lede,* dat mij merkwaardig genoeg toescheen om het als onderwerp te nemen voor een proefschrift tot het verkrijgen van de titel van Geaggregeerde van het Hoger Onderwijs in de geschiedenis van de Geneeskunde. Ik was al Geaggregeerde in de Urologie, maar zou het geen buitenbeentje zijn die titel te halen voor een ander vak?

Ik besefte op dat moment niet op wat voor glad ijs ik mij aan het wagen was, maar vroeg per brief aan de toenmalige rector A. Kluyskens of ik mocht promoveren en dingen naar die titel. Prompt kreeg ik antwoord: de vergunning wordt u verleend.

Ik liet de zaak voorlopig rusten, gehaast was ik helemaal niet, ik had al een troef in de hand indien die vermetelheid van Elaut hem euvel zou genomen worden, want in de Gentse geneeskundige fakulteit stond ik in geen geur van patriotistische heiligheid.

Hoewel ik nog altijd door het publikatieverbod geremd was, had ik het toch aangedurfd onder mijn eigen naam wetenschappelijke bijdragen te publiceren. Reactie daartegen ondervond ik niet. Minder gemakkelijk werd het mij gemaakt in mijn hoedanigheid van beheerder der N.V. Scheerders van Kerchove te St.-Niklaas. In deze familiezaak was mijn rol heel gering, zelfs onbetekenend en louter figuratief, als schoonzoon van wijlen de grondlegger van het bedrijf. Ik kwam op de zittingen van de beheerraad, deed er niets anders dan luisteren, ondertekende de verslagen en documenten omdat ik een blind vertrouwen had in degenen die de zaak leidden, en streek het matig presentiegeld op dat aan de beheerders betaald werd. Verder reikte mijn werking en mijn invloed niet.

Maar wie zonder burgerrecht was mocht geen deel uitmaken van de beheerraad van om het even welke maatschappelijke instelling. Zo luidde een van de artikelen van de repressiewetgeving. Ik moest er dus uit, want de beheerraad mocht aan geen kritiek blootstaan.

In de gegeven omstandigheden was dat een vervelende en vriendschapaantastende zaak. Doch herrie schoppen waar vrede heerste onder verstandige lieden was onbezonnen. Er werd aan de onvrijwillig geschapen situatie een mouw gepast: mijn vrouw nam mijn mandaat van beheerder over en we zouden samen de vergaderingen van de beheerraad bijwonen. De maatregel was diplomatisch bedacht, schond niemands aangezicht, hoewel hij in de grond komisch in zijn uitwerking was.

Hoe dan ook, er verscheen een bericht in de Bijlage van het Belgisch Staatsblad van 12 februari 1950 dat de heer Elaut Leon om persoonlijke redenen eervol ontslag had genomen als beheerder van de N.V. Scheerders Van Kerchove's Verenigde Fabrieken te St.-Niklaas.

Die persoonlijke redenen zijn een fantastische uitvinding: ze doen mij altijd denken aan de zoons van Noë die over de naaktheid van hun dronken en slapende vader de mantel van de verdoezeling spreidden. Dat was ook omwille van persoonlijke redenen.

Zes jaar, tot in 1958, heeft het gebarenspel met de burgerrechtloze beheerder geduurd. Ik kreeg in dat jaar mijn burgerrechten terug en mijn vrouw nam op haar beurt, wegens persoonlijke redenen, ontslag uit haar ambt van beheerder. Was dit geen gedroomd onderwerp voor een operette van het opgewekt genre?

Er vielen ook minder prettige zaken te noteren. In oktober 1948 sloeg in onze St.-Pietersnieuwstraat als een donderslag bij heldere hemel het bericht in dat dokter Julien Van Canneyt, hoogleraar in de oogheelkunde, bij een treinramp in Spanje om het leven was gekomen. Julien, de gedienstigheid in persoon, had zojuist in Barcelona een doctoraat honoris causa ontvangen, en keerde in gezelschap van zijn dochter met de nachttrein naar huis terug, toen een scherpe staaf bij een ontsporing door de vloer van de wagon drong en zijn arteria en vena femoralis doorboorde, waardoor hij ter plaatse overleed. Hij was pas drieenvijftig jaar oud.

Dokter Leopold Van Houteghem die de repressietornado had getrotseerd, als hoogleraar in de fysische therapie was ontslagen, bij een auto-ongeval aan de dood was ontsnapt, kon de gevolgen van een zware operatie niet te boven komen. Hij stierf op 4 november 1949 in zijn woning. Hij was maar zevenenveertig jaar. Van Houteghem was een wilskrachtig man die zich nooit gewonnen gaf, vól plannen, tot op zijn doodsbed met spanning de verbouwingswerken van zijn privé-ziekenhuis volgde en de werklieden op de hielen zat. We vergezelden hem tot op het kerkhof van het landelijke Wannegem-Lede waar hij wenste begraven te worden in de Vlaamse aarde van zijn geboortedorp.

Vier dagen vóór hem, op Allerheiligenavond 1949, stierf professor Fritz De Beule, onze hoogleraar in de chirurgie. Tot drie weken vóór zijn dood was hij actief, maar begaf onder de macht van een stenocardie; hij was een week ouder dan negenenzestig jaar; een reus als chirurg en als docent. In een in memoriam in *De Standaard* van 19 november daarop heb ik hem een chirurg bij Gods genade genoemd. Hij zou die dag in zijn collegekamer als emeritus gehuldigd worden. Wanneer hij vernam dat men de hulde wou uitstellen tot hijzelf kon aanwezig zijn, zegde hij aan zijn assistenten: ,,Dood of levend, wat ge voorzien en bedisseld hebt, moet doorgaan''. Zo geschiedde het. De Beule werd in zijn geboortedorp Buggenhout begraven. In zijn auditorium werd een bronzen plaat met zijn typische kop, werk van beeldhouwer Gust Van Den Meersche, geplaatst. Ik schonk hem een plaats in mijn *Eskulaperijen*.

In februari 1949 overleed te Gentbrugge professor Odilon Van Der Linden, achtentachtig jaar oud. Hij doceerde de operatieleer, een vak dat van het huidige leerprogramma is afgevoerd. Ik was tegenover hem met grote dankbaarheid vervuld omdat hij mij in 1923 van een appendiculaire peritonitis had geopereerd. Hij had op het Klein Seminarie van Roeselare de studentenrevolte van Albrecht Rodenbach als getuige meegeleefd; in de verdere loop van zijn leven hield hij zich buiten elke flamingantische bedrijvigheid.

Professor Ferdinand Dauwe die ons de interne propedeuse doceerde, overleed op eenenzestigjarige leeftijd in november 1948. Hij was een wonderbaar man, een afgrond van eruditie en een internist tot in de kleinste vezel van zijn wezen. Hij maakte zelf de diagnose van zijn ongeneeslijke ziekte en ofschoon het duidelijk was dat een chirurgische operatie hem (tijdelijk) kon redden, weigerde hij obstinaat. Hij verkoos te sterven ,,de la main de Dieu, plutôt que de la main des hommes''. Hij was de tegenvoeter van Fritz De Beule; en ze hebben vaak als twee woedende Engelse haantjes tegen elkaar geplukhaard, tot groot jolijt van de studentenschap.

In maart 1952 stierf mijn buurman dokter-radioloog Jozef Stockman, aan de gevolgen van een operatie. Hij liet negen minderjarige kinderen na; hij was een wat jongere studiegenoot en amper negenenveertig jaar. Ik heb hem op zijn sterfbed bezocht en zijn lijkkist begeleid en kon hem, nog vóór hij stierf, mededelen dat er een goede regeling voor de voortzetting van zijn radiologenkabinet getroffen werd.

Dokter Kamiel De Groeve heeft tot tien jaar na Stockmans dood het kabinet bediend en zo mogelijk gemaakt dat het de negen kinderen aan niets ontbrak. Dat ik in de getroffen regeling een nuttige rol kon spelen, maakte me gelukkig en trots. Bij mij en de andere Stockmans-vrienden gold de leus: zolang onze kinderen een boterham hebben, zullen de zijne er ook een hebben.

Wijlen Jozef Stockman heeft mij meer dan eens naar Eeklo gevoerd, waar ik bij de ondergedoken Berten De Poortere geroepen werd. Deze zwaarveroordeelde was opgenomen bij twee eerbiedwaardige dames die een winkel hielden in de Patersstraat. Jef Stockman wist niet wie de ondergedokene was, en waar hij juist vertoefde; hij voerde mij tot op de Eeklose Grote Markt en dan ging ik te voet tot aan de schuilplaats van De Poortere. Wanneer deze te voorschijn is gekomen en zich gevangen heeft gemeld, weet ik niet precies, maar veel jaren is hij op hetzelfde adres gebleven. Onvoorstelbaar.

Een van mijn leermeesters, professor Edgar Tytgat, overleed op 21 mei 1951; hij doceerde de chirurgische ziekteleer, een theoretisch vak waarin hij uitmuntte. Zolang ik hem op mijn levensweg ontmoette, zijn wij het niet eens geweest; hij stond altijd aan de andere zijde van de barrikade; hij wist wat hij aan mij had en ik wist het van hem. In de strijd voor het Gentse Academisch Ziekenhuis was hij een verbeten maar rechtzinnig tegenstander en heeft hij tenslotte, postuum, het onderspit gedolven. In de repressie stond hij niet op de laatste rijen bij de uitzuiveraars; hij had de moed van zijn overtuiging, ging niemand uit de weg, en was bij al dat een eenvoudig man.

Voor Georges Leboucq, onze hoogleraar in de anatomie, heb ik altijd een voorliefde gehad. Hij was een estheet in woord en geesteshouding, en schreef een wondermooi Frans. Bij de vernederlandsing weigerde hij verder te doceren, omdat hij zich daartoe niet in staat achtte. Het was waar en ik vond het een korrekte houding. Anderen deden het niet, en hebben de atmosfeer op de vernederlandste universiteit op zijn minst vervalst, zoniet bespottelijk gemaakt. Zijn vader, Hector Georges Leboucq heb ik gekend; hij was hoogleraar van 1878 tot 1919, een pionier van de vergelijkende anatomie, kende uitstekend Latijn, Grieks en Hebreeuws; in zijn levensavond onderwees hij deze talen in een gereformeerd seminarie. Toen ik jong student en assistent in het Anatomisch Instituut was, kwam Hector Leboucq dagelijks met de jongelui een praatje slaan; hij vertelde over zijn Ieperse jeugd en de vele voorvallen van zijn lang leven. Ik was professor in de anatomie toen hij in 1938 overleed.

Op zijn zevenenvijftigste jaar, op 27 juli 1946, overleed professor Emiel Lauwers, de Kortrijkse chirurg die te Gent de operatieleer doceerde. Hij was een vreemde eend in de bijt, die beweerde altijd het tegenovergestelde van de anderen te doen, maar liet in zijn operatiekamer nooit iemand toe om te kijken wat en hoe hij het deed. Hij was een scherp spotter wanneer zijn slachtoffer uit de buurt was, maar viel nooit zijn chirurgische antipoden frontaal aan. De lijst van zijn publikaties is imponerend.

Heel anders was professor Rufin Schockaert, de Leuvense hoogleraar, vrouwenarts van Oordegemse origine. Een joviaal openhartig man met een enorme manuele vaardigheid en beproefde ervaring. Ik heb hem vaak ontmoet op alle samenkomsten van Vlaamse artsen, in de Vlaamse Academie voor Geneeskunde, op de feesten van Eeklo's college waarvan hij een oud-leerling was. Om mijn genegenheid en bewondering te betuigen schreef ik in *Eikels worden Bomen* (1949-1950) een panegyriek waar ik heel mijn hart heb in gelegd. Toen hij op 15 december 1953 stierf was hij achtenzeventig jaar oud en emeritus van Leuven, waar hij een legendarisch figuur was geworden.

Een bijzonder sympatieke hoogleraar en collega op de universiteit was professor Arthur De Groodt, die vanaf 1926 tot aan zijn overlijden op 29 april 1952 de histologie doceerde. Hij was een van de eerste Nederlandstalige professoren te Gent. Een zachtmoedig man die om zijn inspirerende leertrant bij de studenten gegeerd was. Hij was de stichter van het Vlaams Wetenschappelijk Fonds en de auteur van het *Leerboek der Bijzondere Weefselleer*. Hij baande voor velen de weg naar de Noordnederlandse universiteiten waar hij een gezien man was. Professor C. Hooft heeft in de lofrede over Arthur De Groodt in de Koninklijke Vlaamse Academie voor Geneeskunde zijn leermeester op een sublieme wijze getypeerd als ,,geleerde uit geestelijke behoefte, wetenschapsmens door verstandelijk overwicht, sociaal werker uit noodzaak, ruim gecultiveerd man van zijn tijd, uit begrip voor mens en volk, en vriend door de rijkdom van zijn volle persoonlijkheid''. Hij was negenenzestig jaar oud en behoorde in 1939 tot de vijftien eerste leden van de jonge Vlaamse Academie voor Geneeskunde.

Aan het eind van deze galerij van overleden leermeesters past de unieke figuur van Reimond Speleers die te Aalst op de leeftijd van vijfenzeventig jaar overleed (29 april 1951). Ik heb hem in deze memoires meer dan eens ten tonele gevoerd zodat deze korte regels mogen volstaan. Hij was een geboren Waaslander (Waasmunster) zoals August Borms, Jozef De Belie, Alfred Elewaut, studeerde te Leuven en werd oogarts, ook oorneus- en keelarts, een samenvoeging van bevoegdheden die vroeger meer voorkwam. Hij vestigde zich te Gent en speelde een voorname rol in de Tweede Hogeschoolkommissie, met Lodewijk de Raedt. Professor en waarnemend rector aan de eerste vernederlandste universiteit 1917-1918, daarna oogarts te Eindhoven, en in 1940 terug als hoogleraar te Gent. Hij was politiek actief tijdens de tweede wereldoorlog, kwam in de gevangenis en overleed na een lang lijdensbed in een ziekenhuis te Aalst. Hij was de exponent van de oude generatie die alles veil had voor zijn overtuiging, wiens naam en voorbeeld zullen voortleven zolang de geschiedenis van een Vlaamse Beweging zal gewag maken.

Dit hoofdstuk dat ik als een ,,tuiltje personalia'' heb betiteld omdat er zoveel innigheid in ligt, ook in de nekrologieën, besluit ik op een droeve toon vanwege de dood van Willy Scheerders, de broer van mijn vrouw die, nauwelijks zevenenveertig jaar oud, op 16 november 1951 te Gent overleed. Ik heb hem op zijn pijnlijk ziekbed begeleid en geholpen. Hij liet geen kinderen na; het was, ook voor zijn lieve vrouw, Maria Louise De Belie, de grote droefheid van hun leven.

Niemand te St.-Niklaas draagt nog de Scheerdersnaam want er zijn geen mannelijke afstammelingen uit een sibbe die in Waasland eeuwenlang inheems was, en daar in de negentiende en de twintigste eeuw sporen in het ekonomische en kulturele leven heeft getrokken.

Willy Scheerders had de kentrek van zijn vader, een goed hart en een milddadig man te zijn. Armen en wezen heeft hij geholpen; wat hij zonder vertoon weggeschonken heeft weet geen mens; wat hij voor de verongelijkten van het maatschappelijke leven in alle omstandigheden heeft gedaan, leeft voort in de stille erkentelijkheid van degenen die het hebben ondervonden. Hij was nijverheidsdirecteur in de firma. Wij hebben hem te Belsele in het familiegraf, naast zijn vader en moeder bijgezet. Zijn vrouw blijft sinds zijn overlijden deel uitmaken van onze familiekring.

*
* *

Zodra we, paspoorten vrij, naar Frankrijk konden reizen, snakten mijn vrouw en ik ernaar de vleugels uit te slaan en in het Zuiden een andere lucht te gaan inademen. Lang zat er niet op, maar een weekje kon er gerust af.

We hadden het op de streek van Bourgogne voorzien, niet terwille van de wijn, maar om het landschap, enige steden en plaatsen die we hadden horen roemen of waarover we gelezen hadden. Het geviel dat de meeste van die plaatsen en monumenten in de religieuze geschiedenis met dewelke we vertrouwd gemaakt waren, een belangrijk aandeel hebben gehad.

Het reisdoel was allereerst Vézelay; een dorpje van vijfhonderd inwoners maar met een van de magnifiekste oude abdijkerken die men zich voorstellen kan; de zogenaamde Madeleinebasiliek. Het dorp ligt op een hoogte die de hele vlakte beheerst. Aan de voet van de heuvel ligt het even merkwaardig romaans kerkje uit de dertiende eeuw van Saint Père. De Madeleinebasiliek is de kerk van een oud Benediktijnenklooster. Op de zuilkapitelen is men nooit uitgekeken; het gebouw is zuiver romaans, behalve het gotische koor. De narthex, een afgesloten voorhalle en een kerkje op zichzelf, is rijk aan beeldhouwwerk. Een van de zijkapellen doet nu dienst als parochiekerk, die vanuit een kloostertje van bruine paters bediend wordt. Aan een paar uren heeft men niet genoeg om zijn ogen de kost te geven en al het merkwaardige van de basiliek met het pand en de kapittelzaal te bekijken.

Die abdij uit de dertiende eeuw moet sterk bevolkt geweest zijn, want de basiliek kan wel duizend man bevatten. Men zou toch zo'n grandioos-ruime bidplaats niet gebouwd hebben voor een bezetting van honderd kloosterbewoners. Op een inlichtingenpaneel leest men dat de tweede kruistocht door de Heilige Bernardus zelf vanuit deze basiliek gepredikt werd, en door welke beroemde personen ze ooit bezocht werd. Het gebouw werd in de eerste helft van de negentiende eeuw door Viollet-le-Duc op een onberispelijke wijze gerestaureerd; het nieuwe van de restauratie was er na honderd jaar nog niet af, het wekt de indruk dat het maar vijf jaar geleden is. Dit is een hoogtepunt van de christenheid in de late middeleeuwen in het hertogdom Boergondië. In het restaurant waar we 's middags aten, kon men op een met bloemen beschilderd advertentieschild lezen dat de Belgische Koningin Elisabeth hier ooit gedejeuneerd had; die vermelding heeft onze eetlust niet bedorven. We hebben onthouden dat het lekker was.

Met de wagen lieten we ons dan dwars door een droom van een landschap naar de hoofdstad van het oude Boergondië, Dijon brengen.

Daar op één dag alles bezoeken is onmogelijk. We begonnen met het stadhuis, het oude paleis waar de hertogen Jan zonder Vrees, Karel de Stoute en Filips de Goede geboren zijn. Met die heren hebben wij in de vaderlandse geschiedenis kennis gemaakt; ze zijn bij ons komen oorlogen, plunderen en moorden; en met dat alles, leerde men ons, Vlaanderen groot maken. Het weze zo. Een deel van hun gewezen paleis is nu een museum dat vele kostbare herinneringen aan de hertogen bewaart. In de stad is vooral de O.L. Vrouwkerk met haar eigenaardige voorgevel het zien overwaard.

Natuurlijk hebben we de Chartreuse de Champmol bezocht, een oude abdij, tijdens de Franse Revolutie op enkele merkwaardige restanten na verwoest.

Die restanten zijn een oud portaal waarin een vijftal beelden van Klaus Sluter, de Nederlander die hier voor de rekening van de hertogen kwam werken. En niet te vergeten de zogenaamde Mozesput, boven een waterbron opgetrokken en met vier gebeeldhouwde profetenbeelden als het ware versterkt. Die Klaus Sluter is een fantastische kunstenaar, oerkrachtig. De vier profeten zijn exemplaren van bijbels geweld en spanning. Sluter had het vooral op hun baard gemunt en wat hij aan Mozes zelf als kingarnituur aangemeten heeft, maakt meer indruk dan de twee stenen tafelen. Isaias is met minder bedacht, maar het is nog meer dan het dubbele van wat de meest echte Scheutist te zien geeft. De Chartreuse de Champmol is nu een psychiatrisch ziekenhuis.

Dat het departement waarvan Dijon de hoofdplaats is, de Côte d'Or genoemd wordt, verwondert niemand. Het land is gezegend met vruchtbare grond, met een mild klimaat, het was als voorbestemd om de heimat te zijn van de Grote Hertogen van het Westen. Woorden als Beaune, Nuits St.-Georges, Gevrey-Chambertin, Pommard, Pouilly-Fuissé, hebben een naam die galmt als een klok. In het restaurant Les Trois Faisans kan zelfs een man die stikt van de dorst geen glas bier krijgen; het wijn drinken is er obligaat want wie water vraagt wordt buitengekeken.

We spoorden van Dijon naar Lyon omdat we van daaruit best een paar andere reisdoelen konden bereiken. We zouden de stad bij een andere gelegenheid wel leren kennen. We gingen van hieruit naar Paray-le-Monial. Het was de week vóór Pinksteren en nooit van ons leven hebben we zoveel bloeiende brem gezien, de spoorbermen waren kilometers ver één eindeloze, gele strook en de heuvels waren niet minder als bestrooid met geel-groene vlekken.

Paray bezit een bezienswaardige romaanse hoofdkerk, maar is vooral bekend door het klooster van de Visitatie waar de Heilige Marguérite Marie Alacoque leefde en in 1690 stierf. Die kloosterkerk is een bedevaartsoord vanwaar de godsvrucht voor het H. Hart zich over de wereld begon te verspreiden. De jezuïeten hebben op deze devotie beslag gelegd en er een van de fundamenten van hun apostolaat van gemaakt.

De kerk van het Visitatieklooster is als een duistere spelonk, waar het vol hangt met vlaggen en banderollen die het al schaarse invallend licht van de gekleurde ramen afschermen. Het is er om te stikken van benauwdheid; men loopt om buiten te zijn en lucht te happen. Gelukkig dat de terugreis naar Lyon door de gele brembergen veel goed maakte.

Op een ochtend reden we langs de Rhône naar Ars op een dertig kilometer ten noorden van Lyon, een dorpje van zeshonderd inwoners, wereldvermaard door zijn heilige pastoor. De pastorie, het kerkje met de biechtstoel van de heilige man dwingen tot bewondering. Het was hier armoe troef. Boven dat kerkje is een basiliek gebouwd, een eigenaardige maar uitstekende manier om het kramakke ding voor verval te behoeden.

De bedevaarders brengen welstand in het dorpje, maar men heeft de houten voorwerpen in het kerkje en de pastorie achter een dradenbescherming tegen plundering en kapotsnijden moeten beveiligen, anders was er niets meer van overgebleven. Souvenirjagers zijn echte vandalen; dat ze voorwerpen uit kerken stelen om ze als relikwie te laten doorgaan, vermindert de diefstal niet. Arme pastoor van Ars, dat men u dat nog boven al het andere moest aandoen, u die beker vol bitterheid een eeuw na uw dood nog niet kunnen onthouden!

Voorts liep onze reisroute van Lyon naar Bourg-en-Bresse, vandaar over Mâcon en het P.L.M. spoor naar Parijs waar we ons al halfthuis waanden. Bresse, een landstreek die tamelijk arm aandoet, staat bij alle smulpapen voor de kwaliteit van zijn slachtkippen hoog aangeschreven. Elk pluimdiertje dat een van de plaatselijke slachterijen voor Parijs verlaat, krijgt een volgnummer mee aan zijn poot; de label wordt de gast aan de dis als een bewijs van de autentieke oorsprong ter hand gesteld. Ik heb ooit in de Tour d'Argent, waar ik door de voorzitter van het urologenkongres P. Ertzbischoff op een diner was uitgenodigd, een genummerde Coq de Bresse gegeten. Een met kennis van zaken klaargemaakte Poularde de Bruxelles is even lekker. Ik heb een Gents uroloog gekend die geweldig op de kippen uit Bresse verslingerd was en die met een verzameling van genummerde identiteitsbewijzen van opgesmulde haantjes kon uitpakken.

De reden van onze omweg over Bourg was niet van gastronomische aard. Wij wilden kennismaken met de kerk van Brou, in een buitenwijk van de stad. Ze is een prachteksemplaar van vlammende bloemgotiek uit het begin van de zestiende eeuw, in de ware zin van het woord een complement van het laatgotische gedeelte van het Gentse stadhuis. Het was architect Van Boghen met zijn werkploegen die door Margareta van Oostenrijk, dochter van keizer Maximiliaan en van Margareta van Boergondië, naar Brou werden gehaald, om van 1513 tot 1532 kerk en aanhangend klooster te bouwen.

Margareta van Oostenrijk was gehuwd met Philibert Le Beau, hertog van Savoie, die op vierentwintigjarige leeftijd (1504) overleed. Ter nagedachtenis van haar echtgenoot liet ze dit bouw- en beeldhouwkundig wonderwerk oprichten. Philibert en zijn echtgenote liggen er begraven in mausolea die werden uitgevoerd naar tekeningen van een zekere Jan van Brussel. Ook de gekleurde kerkramen werden volgens Vlaamse kartons uitgevoerd.

We troffen dus in Brou een brok van de meest waarachtige Vlaamse kunstprestaties uit het verleden, met een overwegend Gents aandeel.

Onze eerste na-oorlogse Frankrijkreis was een buitengewone meevaller. We waren opgetogen over alles wat we op die week gezien hadden, en kunnen onze kinderen en vrienden niet genoeg aanraden Vézelay, Dijon en Brou een bezoek te brengen, en wanneer ze dit doen de Pinksterweek te kiezen, wanneer de brem in bloei staat.

VOORT OP RUSTIGER PADEN

Hoewel ik in de registers van de samenleving als een getekende ingeschreven stond, liet ik het niet al te zeer aan mijn hart komen. Mijn vrouw ook niet; wij waren het daarover met elkander roerend eens. Onze individuele inzichten waren derwijze in partituur gebracht, dat we de juiste toon troffen wanneer in positieve of in negatieve zin tegenover ons en onze gezindheid door om het even wie, om het even hoe of om het even waar stemming werd gemaakt. En stemming werd er gemaakt. Onder meer door de Nationale Maatschappij van Belgische Spoorwegen die mij en de andere veroordeelde burgertrouwloze geneesheren, bij beslissing van 10 november 1949 liet weten, dat haar Sociale Kas niet meer tussenkwam in de kosten voor zorgen verleend door artsen en apotekers die enz.; geneeskundige attesten door deze geneesheren afgeleverd zouden als ongeldig worden beschouwd.

We waren, Goddank, onafhankelijke mensen en verlangden het te blijven, ook geestelijk. We hoopten na een lustrum van ontgoochelingen, een decennium van rustige beklijving te mogen tegemoet zien. Zonder onze evennaaste daarom te negeren of door eigengereidheid uit te dagen. Niet elke aandoening, die goed schijnt, moet men aanstonds involgen, en evenmin elk onaangenaam gevoel zodra mogelijk ontvluchten (Nav. III, 11). Waarom zouden wij ons laten verteren door nutteloze kommer? Waarom ons vermoeien met onnodige zorgen? (id. III, 27).

In het diepste van ons gemoed, en zonder ons erop te verhovaardigen, waren wij al degenen, voorouders en opvoeders, dankbaar die het mogelijk gemaakt hadden dat wij van zorgen vrijgevochten waren. Zodat wij, in gelouterde deemoed, konden hopen nog een taakje op te nemen, en wellicht een rol te spelen, want alle echo's van een maatschappelijke roeping waren niet gedempt.

In hoofdzaak legde ik mij op de praktijk toe, die ik als het ware opnieuw moest opbouwen. Ze werd niet wat ze voordien was. Wel kon ik in goede voorwaarden patiënten voor observatie en urologische chirurgie opnemen, maar de stijgende lijn was er niet meer. Wat in kwantiteit was afgenomen, poogde ik op elke manier door de kwaliteit van de zorgen en de eraan bestede tijd goed te maken. Ik vond er veel voldoening in.

Het jaar 1952 bracht het zilveren jubileum van ons doktersdiploma. Hoe zouden de afgestudeerden van 1927 het anders vieren dan met een feestelijk etentje? We kwamen bijeen in de St.-Christophe te Deurle aan de Leie. Niet allen kwamen; de enen waren door ongesteldheid of door dieet verhinderd, anderen vonden het menu te duur, één zat in het verre Luxemburg. Omdat de dames niet mede uitgenodigd waren, durfden een paar gedweeën het vrouwelijk veto niet trotseren.

De meesten waren op post op een heerlijke zaterdagavond in de junimaand. Voor een paar van hen hadden hun op alles bedachte echtgenoten slaapgelegenheid in St.-Christophe besproken; dat was veiliger, want men kon nooit weten hoe manlief zou thuis geraken. We haalden herinneringen op aan diegenen die gestorven waren: Paul Lerno die verdronk in het Dampoortdok, Georges Ronsse die een blindedarmoperatie niet overleefde, Arthur Verdurmen die door de Duitsers gefusilleerd werd. Over de afwezigen die op de uitnodiging niet geantwoord hadden werd in alle braafheid de staf gebroken. Van één wist niemand te zeggen waar hij was of wat hij deed.

De éne aanwezige dame van ons jaar zat te midden van een twintigtal smullende, luidruchtige mannen op middelmatige leeftijd; ze vertelden over hun praktijk, hun gezin, hun gehuwde of huwbare dochters. Schuine moppen kwamen niet te pas, niet uit preutsheid tegenover de vrouwelijke collega, maar omdat ze ervan verzadigd waren, en er niet meer om konden lachen.

Wanneer de rekening te voorschijn kwam, en het totale bedrag door twintig moest worden gedeeld, keek eenieder verwonderd op, tot Jozef Prové die al in onze studententijd als bekwaam provisor op onze schamele beurs had gewaakt, inzage vroeg op de voorgelegde nota. Het bleek toen dat de butler van St.-Christophe het feestvierend gezelschap bij de bok had willen doen. Maar Jef Prové waakte en het kostte elk van ons vijfhonderd frank minder.

Van dit jubileum werden een paar geschreven reminiscenties geboekstaafd, in *De Standaard* van 28 juni 1952, en in de *Cahiers de la Biloque* in de vorm van een Latijnse lofrede op onze leermeesters.

De vrije tijd die mij na de terugkeer in de St.-Vincentiuskliniek ruimer toegemeten was, besteedde ik, intenser dan ooit, aan de studie van de geschiedenis der geneeskunde. Het stelde mij in staat vele bijdragen te publiceren en spreekbeurten te houden, want de onderwerpen ontbraken niet. Ik schreef ook een studie over de *Beenderen van Pieter de Rudder* die op 7 april 1875 op een wonderbare wijze genezen werd voor de Lourdesgrot te Oostakker; ze werd mij gevraagd door professor Leonce van Peteghem van het Groot Seminarie voor het Leuvense tijdschrift *Universitas*. Die anatomisch-medische studie maakte opgang en in 1978 is de vraag naar overname en vertaling nog niet ten einde.

Tussen 1950 en 1960 schreef ik medisch-historische opstellen in *La Revue du Nord, Nederlands Tijdschrift van Geneeskunde, Südhoffs Archiv, Leuvense Bijdragen, Medical History, Janus, Brabantia, Biologisch Jaarboek, Handelingen van de Zuidnederlandse maatschappij, De Gulden Passer, Nieuw Vlaams Tijdschrift, De Vlaamse Gids, Notre Flandre, Wetenschappelijke Tijdingen, Limburg, Diergeneeskundig Tijdschrift, Histoire de la Médecine, Bibliothèque d'Humanisme et Renaissance, Biekorf, Osiris, Pharmaceutisch Tijdschrift voor België, Appeltjes van het Meetjesland,* enz. In de *Annalen van het Noorden* waarvan dokter Alfons Haemers uit Eeklo de actieve spil was, schreef ik elk trimester een artikel over een verdienstelijk geneesheer uit het Noorden, en die ontbraken niet vanaf de zeventiende eeuw: Paschasius Turcq, Benjamin Ingels, Amand de Vos, Pieter Lambiot, Alfons Stockman, Hendrik Willem de Koninck, Judocus de Hoon.

Een anatomisch-klinische les over *'t Garnaaltje,* en een over *De Partij,* kenden zo'n onverhoopt sukses dat de oudere geneesheren uit de streek telkens hun indrukken aan die bladzijden voor de geest roepen wanneer ze mij ontmoeten.

In de *Annalen van de Oudheidkundige Kring van Waas* schreef ik over Filip Verheyen uit Verrebroek, over Favelet uit Kallo, in die van Dendermonde over Pieter Engelbert Wauters, in die van Kortrijk over Gustaaf Verriest, in die van Brugge over Willem Pantin en zijn humanistencenakel, in die van Aalst over de talrijke medische humanisten uit dit gebied, in die van Zottegem over J. Jacquemijns en over De Sperre, de legendarische pastoor van St.-Maria-Latem, in die van Limburg over Louis Willems, voorloper van Louis Pasteur, over Hendrik de Heer en de bronnen van Spa, over Filip Gerinx.

Kanunnik F.A. Janssens uit St.-Niklaas, die naar mijn overtuiging een vergeten bioloog-geneticus van groot formaat was, ontsnapte aan mijn aandacht niet, evenmin als de chirurg-avonturier Jan Pieter Hoebeke uit Zottegem-Brussel-Rio de Janeiro, die in de jaren 1837-1840 zestien keizersneden verrichtte met vijf sterfgevallen, toen in Wenen de sterfte honderd procent bedroeg, ten huize van de patiënten en in wie weet welke omstandigheden!

In het Goossenaertsnummer van *Wetenschappelijke Tijdingen* had ik het over *Filologische Tribulaties met het Laudanum;* in de Katholieke Vlaamse Hogeschooluitbreiding liet ik een monografie over *Het medisch beroepsgeheim en zijn historische ontwikkeling* verschijnen. Het *Pennoen* werd evenmin vergeten met bijdragen over Arthur Claus en de Pater Callewaerthulde van 1956. Het was er mij in al deze geschriften om te doen, oorspronkelijke studies te schrijven en het gebeuren te projecteren tegen de algemene culturele achtergrond, liefst van Zuid-Nederland. Aan medisch-historisch hobbywerk had ik het land.

In het bijzonder heb ik dat willen demonstreren met de figuur van Edward Jacquemijns, zoon van een dorpschirurgijn uit het kleine Verrebroek, die als geneesheer te Luik afstudeerde, in de politieke moerlemeie van 1830 zijn broek verbrandde, vrijgesproken werd, een tijdje aan de jonge universiteit te Gent doceerde, in de industrie terechtkwam, rijk trouwde, een van de grondleggers werd van de Nijverheidsschool en het vakonderwijs, een politieke rol speelde in stad, provincie en parlement, de stamvader was van een familie met een grote en verdienstelijke vaderlandse traditie, maar vooral op schitterende wijze aantoonde hoe men door een op wetenschappelijke gronden steunende actie een dorre streek tot een ekonomisch renderend gebied kon opvoeren.

Dit realiseerde Edward Jacquemijns te Meerle-Minderhout in volle Kempen waar hij de model-boerderij Avenstede in 1855-1856 liet bouwen. Met August de Schrijver had ik het domein bezocht, waar we rondgeleid werden door de vierentachtigjarige heer Alfons De Smedt, oudburgemeester, die nog persoonlijk Edward Jacquemijns gekend had. Wij konden ons ter plekke rekenschap geven van de uitgestrekte onderneming beheerd door de kastelein van Minderhout en voor de bevolking rendabel gemaakt. Mijn studie over Edward Jacquemijns heb ik aan zijn achterkleinzoon baron Emmanuel Rolin Jacquemijns uit Brussel gezonden; hij was ermee in zijn schik en heeft mij in een vleiende brief bedankt. Ook van graaf Maurits Lippens aan wie ik een overdruk van mijn studie zond, kreeg ik antwoord; hij was een overlevende uit de politieke rijschool van Edward Jacquemijns.

Voor het college van Eeklo heb ik altijd een voorliefde bewaard. In het orgaan van zijn oudleerlingenbond *Eikels worden bomen* heb ik over collegefiguren en -gebeurtenissen heel wat geschreven, naast allerlei commentaar bij didaktische aktualiteiten die met de geneeskunde en de opleiding van medische studenten verband houden. In het Latijn heb ik de lof van Eeklo gezongen, en tot veler verontwaardiging mijn maar zwakke waardering voor de poëzie van Karel Lodewijk Ledeganck uitgesproken.

Toen het college in 't jaar 1947 het wegens de oorlogsomstandigheden uitgestelde eeuwfeest vierde, was ik van de partij en heb er de in verzen gestelde feestrede van professor Rufin Schockaert beluisterd. Voor de gelegenheid schreef ik in *Rommelpot* mijn hulde aan de instelling waar ooit Renaat de Rudder leerling was. Het moest in die voor mij beloken tijd onder een schuilnaam, doch menigeen had door wie K. Oelbrandt was. Het stukje heb ik in mijn *Eskulaperijen* overgenomen.

Het proefschrift *Van Smeinscen Lede* voor de academische bevoegdheid Hoger onderwijs in de geschiedenis van de geneeskunde ben ik voorgoed vanaf 1953 beginnen te bewerken, en heb het het jaar daarop bij de geneeskundige faculteit ingediend. Een facultaire commissie kreeg opdracht de inhoud te beoordelen en riep dokter F. Sondervorst, lector in de historia medica te Leuven ter hulp. Na zes maand kreeg ik het manuscript thuis met de wenk de stof op een andere manier te bewerken.

Drie jaar liet ik het liggen en in 1957 stuurde ik het naar de geneeskundige faculteit terug. Met het imprimatur van de commissie ging het naar de drukker, zoals de voorschriften van het koninklijk besluit ter zake luiden. Nu kwam evenwel een andere aap, en welke aap, uit de faculteitsmouw.

Wanneer de professoren het proefschrift hadden ingekeken en zich over de inhoud beraden, ontving ik van decaan J.J. Bouckaert een schrijven, mij meldend dat de verdediging niet kon plaats grijpen daar de faculteit zich niet bevoegd achtte dit examen af te nemen.

Ik ging bij rector P. Lambrechts en argumenteerde dat ik een universitair examen wenste af te leggen waarvan de wet op het hoger onderwijs de beschikkingen bepaalt, dat rector A. Kluyskens mij daarvoor schriftelijk de toestemming had gegeven, dat ik het inschrijvingsgeld betaald had en dus als student van de Gentse Universiteit op de rol ingeschreven was, en dat de geneeskundige faculteit zich niet achter een al te doorzichtige uitvlucht kon verschuilen om mij de pas af te snijden, en niet te ondervragen.

Rector Lambrechts was hoegenaamd niet opgevrolijkt door mijn kordate taal, toen ik hem bovendien mededeelde het daarbij niet te zullen laten. Na een maand zou ik opnieuw een onderhoud bij hem aanvragen om te horen wat er beslist werd. Hij ontving mij niet al te onvriendelijk. Toen ik nog een maand later weer op het rectoraat stond, was hij op de tenen getrapt bij mijn vraag de aangelegenheid aan de Raad van State voor beslissing voor te leggen. Vrienden hadden mij die tip gegeven.

Twee maand later werd het antwoord van de Raad van State bekomen: aan niemand kan het recht ontzegd worden een examen af te leggen waarvoor hij ingeschreven is en waarvoor hij de wettelijke beschikkingen heeft vervuld; in het onderhavige geval bezit de geneeskundige faculteit ipso facto de bevoegdheid het examen af te nemen, en kan zij zich aan die bevoegdheid niet onttrekken.

Het opgerezen dispuut was beslecht, niet zonder een soliede veeg uit de pan voor de geneeskundige faculteit van Gent. Een rectoraal rondschrijven deed aan alle professoren kond hoe zij zich te gedragen hadden. Het antwoord veroorzaakte wat deining omdat het een juridische kwestie opwierp die ook voor de toekomst haar beslag kreeg. Wanneer die kringen vernamen wie en wat erachter stak, trokken zij hun neus op. Ik had een gemakkelijke overwinning behaald, want het was toch al te evident aan welke zijde de wettelijkheid lag.

De verdediging van het proefschrift had plaats op 17 oktober 1958 in het zaaltje van de Akademieraad. Geen enkele hooggeleerde heeft mij gepest, ze waren de vriendelijkheid zelf en alle vragenstellers deden het op een minzame toon. De anti's hadden verstek laten gaan en waren niet opgedaagd.

Een plezierige noot ontbrak niet. Professor J.J. van de Velde pakte uit met een opwerping waarin zin zat, en die hij geput had uit een tekst van ,,Bacon''. Hij zegde niet welke Bacon, want er is Roger Bacon uit de dertiende eeuw en Francis Bacon uit de zeventiende eeuw. De tweede schreef een *Novum Organum* waaruit mijn opponent citaten voorlas die hij onbeschroomd aan de eerste toeschreef. En toen ik bescheiden vroeg welke Bacon hij op het oog had, want dat er twee homoniemen in de wetenschap een voorname plaats bekleden, viel professor J.J. uit de lucht. Hij had mij iets willen laten toedichten aan een auteur uit de dertiende eeuw, tijdgenoot van de auteur van *Van smeinscen Lede,* dat geschreven werd door een auteur uit de zeventiende eeuw.

Professor J.J. van de Velde zegde geen stom woord meer. Zijn collega's gebaarden van niets, maar het auditorium had gesnapt bij wie de flater lag.

Professor J.J. van de Velde, titularis van de cursus medische geschiedenis, verklaarde mij nadien openhartig dat mijn verdediging schitterend was geweest, maar dat hij niettemin neen had gestemd, omdat hij van oordeel was dat een examen over de geschiedenis van de geneeskunde voor de faculteit der letteren afgelegd moet worden. Ik riposteerde even openhartig dat hij het verkeerd voor had, want dat de wet dienaangaande formeel was, en dat ik het gehele geval als een doorgestoken kaart beschouwde.

De openbare les die bij de aggregaatsproef hoort, had plaats op 18 december 1958 in de Aula. De les handelde over ,,de school van Salerno als schakel tussen de scholen van de Oudheid en de eerste Westerse universiteiten''. Volgens een ceremonieel, dat uit de middeleeuwen stamt, verschijnen de professoren in toga. Voor haar man-recipiendus had mijn vrouw een splinternieuwe rok laten maken. Met de kinderen zat zij op de eerste rij in de Aula.

Teneinde mijn les aantrekkelijk te maken gaf ik een overvloed van dia's, en er was geen enkele hapering in de projectie.

Tot mijn en eenieders verbazing zat de Aula stampvol, wat bij zulke openbare lessen nooit voorvalt. Wat zat daarachter? Het gerucht had gelopen dat het verzet tegen mij zou kabaal maken, want het was ondenkbaar dat een inciviek een plechtige academische erkenning zou te beurt vallen. Het verzet kwam niet. Maar Jef Goossenaerts had op de hem eigen wijze alle vrienden uitgenodigd. En die waren in groten getale opgekomen.

Wanneer ik de bul van de pas veroverde graad, met de handtekeningen van de aanwezige professoren, uit de handen van rector P. Lambrechts had ontvangen en de hooggeleerden zich na volbrachte taak terugtrokken, brak in de Aula een ovatie los die ik, uiterlijk onberoerd, maar innerlijk diep gelukkig en dankbaar met de glimlach beantwoordde.

Het was een memorabele dag, die veel goedmaakte van wat in de laatste dertien jaar, zowel binnen als buiten het wereldje van de universiteit, mijn deel was geweest.

De rector heeft mij later bekend dat hij en de medische professoren verrast waren geweest door zo'n gevulde Aula en dat ze de betekenis van de manifestatie best begrepen hadden.

Ze zouden stekeblind moeten geweest zijn als ze het niet gesnapt hadden. In diverse kranten werd op het gebeuren de aandacht gevestigd; ze knoopten er de beschouwingen aan vast die zich opdrongen. Al degenen die aanwezig waren zullen het niet anders begrepen hebben. Mijn vrouw en de kinderen waren tevreden; ze beschouwden het als een eerherstel. Wat het in de grond was, voor ons en de vele vrienden. De universiteit had het niet zo bedoeld.

*

* *

Aan de titel van geaggregeerde was in het verleden de venia legendi verbonden. Die formele bevoegdheid was al lang verloren gegaan, doch door een samenloop van omstandigheden was het niet uitgesloten dat op de titularis een beroep werd gedaan om bij een ontstentenis van de hoogleraar een leeropdracht te vervullen. De Belgische wetgever had daarvoor het ambt van lector bedacht. Het was een opdracht uit noodzaak, jaarlijks door de beheerraad van de universiteit te hernieuwen teneinde continuïteit in het onderricht te verzekeren. Daar er geen salaris aan verbonden was, werd ze als een eervolle taak beschouwd.

Door het overlijden van professor J.J. van de Velde in 1961 was de vrije cursus-F.J. Jonckheere in de geschiedenis van de geneeskunde, die door hem gedoceerd werd, vacant. Ik stelde mij kandidaat voor de opvolging en beriep mij op titel van geaggregeerde in het vak. De universiteit beschikte gunstig. Als lector begon ik een eerste cyclus van twaalf colleges in het academiejaar 1961-1962. In de daaropvolgende jaren werd de bevoegdheid onder dezelfde voorwaarden hernieuwd.

De lessen werden gegeven in het ex-auditorium van de Interne Geneeskunde in de Pasteursdreef. Ik had een twintigtal toehoorders. Gedurende vier jaar heb ik de cyclus gegeven, waarna hij door dokter Alexander Evrard werd overgenomen. De vrije kursus F.J. Jonckheere was door deze Brusselse medicus-historicus met een legaat bedacht en zou jaarlijks twaalf lessen bedragen. Het was een eerste poging om de geschiedenis van de geneeskunde tot een werkelijk en institutioneel vak te academiseren. Een poging waarvan de officiële bekroning nog niet voor morgen schijnt te zijn.

OPNIEUW NAAR ORDE-PERIKELEN

Ditmaal betrof het de onbetwiste Orde van Geneesheren, door de wet van 25 juli 1938 in het leven geroepen.

Die Orde lag mij niet bijzonder na aan het hart, maar het had er de schijn van dat ik door de geest van de Orde werd achtervolgd. In het voorjaar 1954 hadden de verkiezingen voor een nieuw Orde-bestuur plaats. Met het oog op de voordracht van kandidaten belegde het Gentse Doktersgild een samenkomst waarop de aangelegenheid besproken werd. Een grappenmaker schoof mijn naam naar voren. Dat ik geen burgerrechten had, werd van geen belang geacht; wie weet dat, doe het voor de lol. Ik liet mij overreden en mijn naam stond op de kandidatenlijst.

Veel meer aandacht werd aan die verkiezing niet besteed. Ze was bijna uit het oog verloren, toen dokter Jozef Boedts op een late avond van de meimaand opbelde en vroeg of ik al wist dat ik als eerste uit de stembus gekomen was. Natuurlijk wist ik het niet. Wat als een mop bedoeld werd, was nu ernst.

Ik was aan veel gewend, maar deze stunt kwam als een volkomen verrassing; hij was niet berekend. Dat hij het effect had van de steen in een kikkerpoel, werd mij nadien verteld door hen die bij de telling van de stembrieven aanwezig waren. De meesten stonden bedremmeld en vroegen zich af hoe het mogelijk was.

Het bleef er niet bij, want vanwege een groep leden van het Algemeen Belgisch Geneesherenverbond werd bij de voorzitter van de Gemengde Raad van Beroep een klacht tegen de uitslag van de verkiezing ingediend (wet van 25 juli 1938, art. 82). Het mikpunt was de persoon van Elaut, veroordeeld door het Brusselse Krijgshof enz.

Wie die klacht ondertekend had heb ik nooit achterhaald. Na twee weken werd ik op de zetel van de Gemengde Raad ontboden. De voorzitter, een eerbiedwaardig man, magistraat van beroep, te midden van een even eerbiedwaardige krans rechters en geneesheren, las mij de klacht voor en vroeg wat ik daarop te antwoorden had. Alleen dit: dat ik in een geheime stemming van mijn collega's een bijzonder gewaardeerd vertrouwensvotum bekomen had, dat dit voor mij voldoende was, dat ik het oordeel van de Gemengde Raad afwachtte, en dat dit oordeel in niets de morele betekenis van de uitslag der verkiezing kon verzwakken.

Reeds 's anderendaags ontving ik een aangetekend schrijven: de verkiezing van de Orde der Geneesheren, arrondissement Gent, is vernietigd en moet overgedaan worden; de onkosten zijn voor de Provinciale Raad der Orde van Oost-Vlaanderen.

Het was geen verrassing. Het Gentse Doktersgild zond een protestschrijven naar alle geneesheren en nodigde ze uit bij de eerstkomende verkiezingsbeurt hun stem uit te brengen op professor F. Fransen. Wanneer die stemmen geteld waren, stond dokter Reg. de Praetere uit Zaffelare vooraan, onmiddellijk na hem Professor Fransen.

De verkozen kandidaten kozen in hun schoot professor Fransen als voorzitter en Reguul de Praetere als ondervoorzitter. Deze Provinciale Raad van de Orde van Geneesheren bleef tot midden 1959 in functie.

Op het einde van dat jaar hadden nieuwe reglementaire verkiezingen plaats. Ik was weer kandidaat en weer haalde ik de meeste stemmen. Er was weer een klacht uit dezelfde hoek. Ik weer naar de Gemengde Raad van Beroep. Weer dezelfde eerbiedwaardige voorzitter in het midden van zijn even eerbiedwaardig rechtscollege.

Weer dezelfde brief, en weer dezelfde vraag. Maar het antwoord klonk enigszins anders: ik had weer in geheime stemming van mijn collega's een vertrouwensvotum bekomen, doch nu had ik mijn burgerrechten en oordeelde dat mijn verkiezing rechtsgeldig was. Waarop de voorzitter: ,,Dat zullen wij uitmaken. Maar denkt U over voldoende moreel gezag te beschikken om lid te zijn van de Orde van Geneesheren, na alles wat U aangewreven wordt?'' Waarop mijn antwoord: ,,Ik meen van wel, Mijnheer de Voorzitter, en ik vrees geen protest van wie ook. Zie voor een week werd Generaal Speidel tot opperbevelhebber van de verbonden strijdkrachten aangesteld. Hij streed onder Hitler tegen ons. Nu zullen mijn en uw kinderen onder hem straks tegen de Russen vechten. Er was wat protest vanwege wijlen het Verzet; het haalde niets uit. Speidel lunchte gisteren op het paleis met koning Boudewijn. Ik heb niet gehoord dat het Hof van Cassatie of de Raad van State de aanstelling van Speidel verbroken heeft. Hoe zou ik dan de beroepseer van mijn collega's in de schoot van de Orde van Geneesheren niet kunnen hooghouden en verdedigen. Ik ben toch een Belgisch burger zoals elke andere''.

Weer kwam er 's anderendaags een aangetekende brief, ditmaal meldend dat de klacht tegen mijn verkiezing verworpen werd en dat ik op wettelijke wijze tot lid van de Provinciale Orde van Oost-Vlaanderen verkozen was.

Ofschoon die overwinning vlot en gemakkelijk bekomen werd, rezen nieuwe strubbelingen wanneer een voorzitter onder de verkozen leden van de Raad moest aangeduid worden. Zonder dat ik in den beginne sterk op het ambt gesteld was, wijzigde ik mijn mening nadat bleek dat er onder de twaalf geweldig tegen mijn voorzitterschap gekonkeld werd. Ik nam de handschoen op. Dokter Jef de Mot uit St.-Niklaas kon de intriges onderscheppen en het zo aan boord leggen dat ik van zes stemmen op twaalf verzekerd was. Ik liet de kansberekenaars hun gang gaan.

Uitslag van de stemming: zes stemmen voor Elaut, vier stemmen voor Paul Verstraeten, een onthouding. Daar dokter W. Bontinck wegens zijn huwelijksreis uitlandig was, had hij aan de stemming niet deelgenomen. Verrassing voor de anderen.

En weer was er protest. Wanneer Willy Bontinck terug was, verklaarde hij op de eerste gewone samenkomst van de Raad der Orde dat hij tegen het verloop van de voorzittersverkiezing te Brussel beroep had aangetekend; dat hij weigerde te zetelen, zolang ik voorzitter was. Ik vroeg of hij dat schriftelijk wilde ondertekenen. Hij zegde neen. Op vriendelijke toon verzocht ik hem in ons midden te blijven en de vergadering van de Raad bij te wonen. Hij ging niet weg.

De rechters-magistraten van de Orde hadden geen vin verroerd, en het was onmogelijk hun reactie te kennen. Hoe dan ook, de klacht van dokter W. Bontinck liep op een sisser uit. Evenzeer die van dokter P. Bert en van dokter J. de Busschere die verontwaardigde brieven naar de hoge omes van de Orde hadden gestuurd. Te Brussel kwalificeerde men de klachten tegen mijn verkiezing tot voorzitter als ,,des foutaises''. Van medio 1958 tot medio 1965 ben ik Voorzitter van de Provinciale Raad van de Orde van Geneesheren geweest. De eendracht onder de leden van de Raad is tijdens die zeven jaar nooit in opspraak gekomen. In de raadsverkiezingen van 1965 kwam ik voor de derde maal als eerste uit de stembus. Toen heb ik voor het voorzitterschap bedankt. Tot medio 1970 ben ik lid van de Raad gebleven en heb daarna aan een mandaat verzaakt.

Aan mijn ervaringen met de Orde van Geneesheren zal ik een apart hoofdstukje besteden. Ik vrees dat de lezer meer dan genoeg heeft gehad met het eindeloze relaas van mijn Orde-perikelen, die ik dan nog tot een notedop heb herleid.

KRISKRAS VAN 1950 TOT 1960

Dat, zoals een van de presokratische filosofen schreef, het leven een strijd is, en een andere dat alles vloeit en niets bestendig is, had ik van 1944 tot 1951 aan den lijve ondervonden.

Toch lijkt het mij dat met het begin van de tweede helft van de twintigste eeuw, een zekere evenwichtsstand was bereikt. Van waaruit, dacht ik bij mezelf, een nieuw hoofdstuk polemologie zou kunnen geschreven worden. Zojuist had ik de kaap van de drieënvijftig omzeild, en welke man die gezond van lijf en zinnen is, kan op die leeftijd bij de pakken gaan zitten?

Door nietsdoen, leert men kwaad doen, en ledigheid is des duivels oorkussen. Maar door veel te doen, loopt men het gevaar zich te verbranden aan de vuurtjes van het staatskomfoor. En dat had ik ondervonden tot schade van mijn beurs, maar niet van mijn eer. Wij pakten niet uit met wat ons was te beurt gevallen, doch waren er allerminst mee verlegen, en thans, vijfentwintig jaar nadien, minder dan ooit.

Vader had zijn eindbestemming bereikt, en moeder genoot van een zorgenvrije levensavond. Hun zoon voelde zich, met zijn vrouw, aansprakelijk voor het geluk van zijn kinderen en samen richtten ze daarop hun plichtsbetrachting. Dat zij daarvoor alleen instonden, impliceerde niet dat zij elke andere vorm van plichtsbetrachting uit den boze achtten. We wensten ons niet af te zonderen en voor de rest van ons leven te bokken, omdat we verongelijkt werden.

Zoveel dingen speelden zich rondom ons af in dit tranendal dat wij niet onverschillig konden toezien en voor onszelven bekennen dat we burgerlijk dood waren, hoewel dat op papier zo was geboekstaafd.

Het land werd in 1950 door de Koningskwestie fel beroerd en op stelten gezet. Bij een referendum kreeg Leopold III 57,5 procent van de stemmen op zijn hand. Denderend veel was het niet en zijn terugkeer uit Zwitserland was geen blijde inkomst. Het Vlaamse landsgedeelte stemde diametraal anders dan Wallonië. Er brak een opstand uit, er vloeide bloed en in minder dan één week kwam de troonafstand ten gunste van erfprins Boudewijn.

Socialisten en liberalen waren tegen Leopold III. De Christelijke Volkspartij was ogenschijnlijk voor, doch steunde hem zoals een koord de gehangene. Haar leden die koning Leopold door dun en dik trouw bleven, voelden zich bekaaid en gingen geweldig te keer. Doch protest en dreigement met afscheuring vielen, als op ingeving van een geheimzinnige hogere macht, opeens stil.

We waren er getuige van hoe uit alle hoeken van de provincie wagenvrachten bloemen naar Laken werden gestuurd, hoe hartstochtelijk-hysterische manifesten de ether werden ingezonden, betogingen en spreekbeurten werden georganiseerd. Het haalde niets uit, want Vlaanderen mocht niet tegen Wallonië in het harnas worden gejaagd. Dat was de geheime macht die alles stillegde en Leopold III tot de capitulatie dwong. Zelfs professor Frank Baur, door niets of niemand ooit de mond te snoeren en de meest overtuigde Leopoldsgezinde C.V.P.-er, ging door de knieën. Hij werd C.V.P.-senator en daarmee was de Leopoldistische kous af.

Al met al dachten we dat het een kale uitvlucht was geweest en het Leopoldgedoe niets meer dan een storm in een glas reukwater. Vlaanderen vervreemdde van Leopold III en hij van elke belangstelling voor het culturele en ekonomische leven van de provincies waarvan meer dan zeventig procent voor zijn terugkeer had gestemd. Rondom zijn persoon en zijn huis is alles meer Franstalig dan ooit tevoren. Over koninklijke dankbaarheid geen illuzies!

De schoolstrijd: een ander hoogtepunt van de politieke bedrijvigheid in de jaren 1950-1960. Het was veeleer een acute opflakkering van een sluimerend geschil dat de Belgische samenleving al generaties lang onder de huid zat. Zodra de koningskwestie enigszins geluwd was en de Christelijke Volkspartij de volstrekte meerderheid in de verkiezingen van 1950 behaald had, maakte ze van de gelegenheid gebruik om een school- en onderwijsstatuut op te leggen dat de christelijke scholen zeer ten goede kwam.

De vrijzinnigen namen het niet en onder de leiding van de socialist Léo Collard, uit het linkse kabinet Achilles Van Acker (1954-1958), en de ideologische inspiratie van Julien Kuypers, gingen ze de strijd aan en ontwierpen een andere wetgeving die minder gunstig was voor het christelijk onderwijs. Het spel was daarmee op de wagen en de ruzie niet meer uit de lucht. Ze duurde jaren. Vechtersbaas aan katholieke zijde was Theo Lefèvre, voorzitter van de C.V.P.

Heel het politieke en parapolitieke apparaat van de partij werd gemobiliseerd, tot de schoolkinderen toe. De financiële blokkade van de Staatskas werd uitgeroepen; men zou geld van de Spaarkas afhalen, en nog veel meer. Een nationale betoging trok naar Brussel; het moest een krachtmeting op grote schaal zijn. De betoging werd verboden. Men ging toch, heel de hoofdstad stond overeind. Theo Lefèvre werd op de schouders gedragen. De regering verzette zich niet hardhandig. 's Middags hoorden we op de radio Piet Vermeylen, Minister van Binnenlandse Zaken, verklaren dat er in heel Brussel niets te merken was. Ge moet maar durven! Van dat ogenblik af noemde men hem ,,Pietje de Leugenaar''.

Wanneer het duidelijk was dat driekwart van het verzet tegen de Collardwet uit Vlaanderen kwam, sloeg het waarschuwingssein uit de geheime hoge regionen weer aan: de bij uitstek heilige eenheid van het vaderland loopt gevaar, kalmpjes aan. De financiële blokkade werd afgelast en de brave entoesiaste betogers konden uitblazen. Men zou de zaak liever uitpraten.

Lang en fel werd erover gepraat. Intussen volgden ministers van Openbaar Onderwijs elkander op en naderden, als een krachtmeting, de parlementaire verkiezingen van mei 1958. Als enige onder zijn collega's verklaarde de Brugse bisschop E. De Smedt dat stemmen voor de Volksunie zwaar zondig was. Het gevaar van een aanhoudende schoolstrijd obsedeerde hem. Zijn herderlijk schrijven bracht geen vrede, verstrakte alleen maar de standpunten, hoewel het invloed had op het resultaat van de verkiezingen: het vertraagde de doorbraak van de Vlaams-nationalistische partij.

Omdat van beide zijden ingezien werd dat het land door het aanhoudend politieke kabaal niet gediend was, kwam eindelijk het Schoolpact tot stand dat de schoolvrede onder de partijen een vaste basis gaf. Tijdens het parlementaire debat dat tot het pact leidde, was het Frans van der Elst, voorzitter van de zozeer uit Westvlaamse hoek gewraakte Volksunie, die de doorslag gaf en de weg naar de schoolvrede effende. Zonder zijn ,,ja'' op het psychologisch moment zou het Schoolpact er niet gekomen zijn.

Bisschop De Smedt heeft dat nooit gezegd bij al de mooie verklaringen die hij sinds twintig jaar nopens de opportuniteit van zijn beruchte herderlijke brief heeft afgelegd.

Het was de zware zonde van de Volksuniestemmers die het christelijk onderwijs had gered.

*
* *

De parlementaire verkiezingen van 1958 veroorzaakten al bij voorbaat geroezemoes in de kringen van de getrouwe vlaamsgezinde kerkaanhorigen die uit traditie naar de stem van de geestelijke overheid luisteren en haar raad niet gauw in de wind slaan. Dat de hoogste geestelijke overheid dat aanvoelde en uiterst omzichtig tewerk ging om geen slapende honden plots wakker te maken, bewees het rondschrijven van de Kardinaal-Aartsbisschop van Mechelen aan zijn diocesane priesters en kloosterlingen.

Die richtlijnen werden niet tot de leken gericht, en ze mochten zelfs niet aan de leken medegedeeld worden, tenzij deze ernaar vroegen. Hoe gewild van behoedzaamheid getuigend vanwege Kardinaal Van Roey die anders niet gierig was met herderlijke brieven.

Het dagblad *De Standaard* was erachter gekomen en op 13 juni 1957 pakte het uit met de titel: *De Kardinaal en de Verkiezingen*. Op de volgende wijze werden de aartsbisschoppelijke richtlijnen samengevat: 1) Stemmen voor linkse partijen in geweten niet geoorloofd; 2) Dissidentie in geweten niet gerechtvaardigd; 3) Geen onthouding of blanko stem. Nog eens: hoe omzichtig!

Wanneer dan toch 's Kardinaals richtlijnen in de pers verschenen waren, stond niets een eerbiedig maar vrijmoedig commentaar in de weg. Wij en andere katholieken die deze dingen ter harte gingen, werden benaderd met de vraag of daarop geen lekenantwoord gewenst was. Van katholieke leken, die niet ten allen prijze bereid waren voor de éne quasi-officiële christelijke partij, de C.V.P., te stemmen. Dissidentie volgens het secundo der richtlijnen betekende zonder twijfel dissidentie van de C.V.P.

Verschillende priesters zagen graag een lekenantwoord op de richtlijnen tegemoet. Ze waren ook omzichtig en vreesden brandwonden, want die genezen moeilijk en laten meestal hinderlijke littekens na. Met onze bezwaren gingen we bij pater D. Stracke, jezuïet. Ook hij, een trouwhartige en vaste raadsman in gewetensaangelegenheden, zag in dat het nuttig was een standpunt in te nemen dat een houvast zou bieden voor vlaamsgezinde katholieke kiezers in een actuele en prangende aangelegenheid.

Hij aanvaardde dat standpunt, dat vooraf uitvoerig besproken werd, uiteen te zetten en in druk te laten verspreiden. Dr. juris A. De Pesseroey, die van deze dingen verstand en ervaring had, wilde zich gelasten met de praktische uitvoering. Ik zou de tekst bewerken en persklaar maken. Dit hield het voordeel in dat pater Stracke het auteurschap kon ontkennen indien hij daarover lastig gevallen werd. Jezuïetendiplomatie.

Elk van ons deed wat van hem verzocht werd en zo verscheen een monografie van 32 bladzijden onder de titel ,,*Vlaanderen Eerst: Vertoogschrift ten gerieve van de katholieke kiezer van 1958*''. We maakten ons de jezuïetenwijsheid ten nutte door als auteur aan te geven ,,A Testibus''. In de repressietijd hadden geestelijken met naam zich ook van een schuilnaam bediend. Waarom wij nu niet? Het geschrift werd in eerbiedig aandenken opgedragen aan Z.E.P. J. van Opdenbosch s.j., E.H. Dr. O. Spruytte en E.H. W. Noë, die in hun leven dezelfde strijd gevoerd hadden.

Er kwam uit de kerkelijke hoek geen geschreven reactie. Toch vernamen we dat de brochure niet gemakkelijk verteerd werd en in kringen van theologen wat rumoer veroorzaakt heeft. Wat haar strekking zelf betreft, deze werd in de titel geponeerd als ,,Vlaanderen eerst'' en al het andere daaraan ondergeschikt gemaakt. Alles wat ikzelf als mijn mening over koningskwestie en schoolstrijd in de voorafgaande bladzijden heb geschreven werd o.m. als bewijs aangevoerd om aan te tonen dat dissidentie, onthouding of blanco-stem kunnen gerechtvaardigd zijn. Ik wilde mij niet als gewetensgids opwerpen, God spaar mij daarvan, maar ik vermeen over voldoend en door jezuïeten gevormd geweten te beschikken, zodat ik daarnaar mijn houding in politicis kan richten.

Nooit heb ik mij op gladder ijs gewaagd dan met deze brochure over ,,Vlaanderen eerst'', doch ik blijf erbij dat ze het goede standpunt weergeeft, door een gelovig rooms-katholiek ingenomen wanneer het over politiek en godsdienst gaat. De houding van de hogere geestelijkheid ten opzichte van de Vlaams-nationale politiek is, achteraf gezien, niet altijd voorbeeldig orthodox gebleken. Zij was niet vrij van eenzijdigheid want, zoals alle mensenwerk met vooroordelen behept, en de vrucht van het subjectivisme waarin haar maat en wet gelegen is.

Hoe dikwijls heeft ze niet moeten achteruitkrabbelen om gelukkig te zijn met de rechten van wat ze openbaar afgekeurd en verbrand had? Van Schendel heeft ooit geschreven dat daar waar mensen zijn, geharrewar voorkomt, en onder theologen en moralisten, zowel de echte als de would-be, is dat geharrewar het drukst.

Terwijl ik in zo'n geharrewar gewikkeld was, overleed de man die zolang ik hem kende voor mij een levensbaken en een steun is geweest, Eerwaarde Heer Frans de Hovre. Vanaf 1954 verzwakte zijn gezondheid. Hij sukkelde met een progressieve verlamming van zijn bewegingsstelsel, maar zijn geest bleef helder tot de laatste dag. Wanneer hij inzag dat zijn toestand er niet op verbeterde, verkocht hij zijn unieke verzameling pedagogische boeken aan de Leuvense universiteit. Het deerde hem niet bijzonder dat hij er afscheid moest van nemen, want hij was niet aan aards bezit gehecht; hij bewaarde alleen wat tijdschriften waarmede hij zich op de hoogte hield van de actuele problemen.

Zijn levenswerk, het *Vlaams Opvoedkundig Tijdschrift,* had hij in jongere handen overgelaten; hij maakte zich geen zorgen over wat er in de toekomst mede gebeuren zou, hij had getoond tot wat hijzelf in staat was. Een andere moest nu bewijzen wat hij ervan terecht bracht. Elkeen zijn werk, zijn levenstaak. Die van Frans de Hovre was af. Hij liet niets na dan onstoffelijke, geestelijke dingen. Al het andere was spul! Hij is arm gestorven.

Hij overleed, tweeënzeventig jaar oud, op 11 november 1956, in het St.-Jozefsinstituut te Gentbrugge waarvan hij de geestelijke directeur was. Hij werd bijgezet in de grafkelder van de kanunniken te Mariakerke. Frans de Hovre en zijn alter ego in West-Vlaanderen, Alberik de Coene, waren de grondleggers van een vernieuwde pedagogiek in Vlaams België, die geleid heeft tot een herwaardering van het onderwijzersberoep en aldus van de volksschool. Het jarenlang veelvuldig contact met die hoogstaande priester is een van de glanspunten van mijn leven geweest. Ook mijn vrouw schatte hem hoog en hield van hem.

In 1955 overleed mijn professor in de inwendige kliniek, Hektor de Stella. Hij was zesentachtig en heeft zo lang hij kon patiënten behandeld. Hij was een eenvoudig en edel man. Zijn onderwijs was dat van de grote medische geloofswaarheden, sonoor en statig, maar het was hoogtijd dat een ander het overnam. Op zijn uitvaart waren opvallend weinig geneesheren aanwezig, hoewel hij veertig jaar klinisch hoogleraar was geweest, maar even opvallend, zo aan te zien, veel boeren en pachters.

De politieke en burgerlijke rechten die mij na de oorlog werden afgenomen, heb ik begin januari 1958 teruggekregen. Ofschoon ik al tien jaar in mijn situatie van burgerrechtloze als het ware ingeburgerd en in de gevolgen daarvan rustig geïnstalleerd was, raadden vrienden mij aan het nodige te doen om er een eind aan te maken. Jef Goossenaerts argumenteerde: ,,Wie niet op zijn recht staat, komt aan zijn plicht te kort''.

Ik moest een paar keer op het tribunaal komen, hoorde met artikels en alinea's uitpakken en kreeg de absolutie onder de vorm van een bericht, dat ik weer een gewoon Belgisch onderdaan was, mits de gerechtskosten en een honorariumnota van achthonderd frank aan mijn advokaat. Het was niet ingewikkelder dan dat. Ik kon nu weer beheerder worden in de familiezaak te St.-Niklaas, ik mocht meedoen aan de parlements- en gemeenteverkiezingen enz. Het recht van belastingen te betalen werd mij nooit ontnomen.

Dat burgerrecht roept mij een toneeltje te binnen. Op weg naar mijn moeder op St.-Coleta, zag ik voor mijn ogen een autobotsing gebeuren. Een van de chauffeurs vroeg mij of ik wilde getuigen wat ik gezien had. Wanneer ik zegde dat ik dat wel wilde doen, doch dat mijn getuigenis van geen waarde was omdat ik geen burgerrechten had, vloog de man in zijn Gents dialect uit: ,,Wat voor 'n dwaze kloterij is dat nu?''

De remmingen en inhibities die de na-oorlogse verwikkelingen op iemands bedrijvigheid kunnen uitoefenen, hebben mijn zin voor wetenschappelijk werk niet kapot gemaakt noch mij geestelijk klein gekregen. Het bezoek aan de jaarlijkse urologencongressen te Parijs heb ik voortgezet, zodra de verkeersbeperking met het buitenland was opgeheven. Die congressen werkten als een verfrissend bad op de opvattingen en kennis die door een vierjarig wegblijven enigszins verstard waren. Niets werkt meer bevruchtend als het contact met mensen uit actieve geneeskundige centra; zij brengen nieuwe methoden en nieuwe ideeën aan.

Een verrassing was het toen ik mij kandidaat stelde voor een lidmaatschap van de Société Française d'Urologie. Ondanks het peterschap van een paar hooggeleerden werd ik afgewezen op verzoek van de Brusselse en Luikse leden, die, mijn vaderlands nummer kennende, vonden dat ik in een Franse wetenschappelijke vereniging niet thuishoorde. Mijn antwoord was dat van de Vlaamse piot: ontplof. Ik zou wel mijn voorraad van urologische kennis op een andere manier opdoen. En dat heb ik gedaan door een intensifiëring van mijn kontakten buiten het kringetje van de Parijse Société. Het Franse congres ben ik blijven bezoeken en sedert 1955 heb ik er geen gemist.

Helemaal anders verging het met de geschiedenis van de geneeskunde die na de oorlog in alle landen een grote vlucht nam en op een internationale uitwisseling van ideeën en beoefenaars gesteld is. Het milieu is verschillend van dat waar de meeste geneesheren samenkomen en over hun werk besprekingen houden. Zonder elkander te willen kleineren, nemen de medici-historici een airtje van misprijzen aan voor hen die hun schouders optrekken wanneer over de geschiedenis van hun vak gesproken wordt.

De historici staan in het bestel van de geneeskunde op een scheepsdek in de buurt van het stuurhuis waar ze een blik hebben op het kompas en best kunnen merken hoe de vaart verloopt. Het is een bevoorrechte positie op voorwaarde dat ze niet ontaardt in het hobbywerk. De geest die de wetenschapsbeoefening van de medische geschiedenis beheerst, moet dezelfde zijn die de geneeskunde tout court stuwt. En daar is en blijft de patiënt koning.

De voorbereiding van mijn medisch-historisch proefschrift verschafte mij de gelegenheid tot contacten met velerlei vaklieden. Vanaf 1953 bezocht ik de voor- en najaarsvergadering van het Genootschap voor de Geschiedenis van Genees-, Wis- en Natuurkunde, GEWINA, die telkens in een andere stad van Nederland gehouden werd. Het was een buitengewoon interessant milieu waar veel te horen, te zien en op te steken viel.

Ook de Société Française d'Histoire de la Médecine trok mij aan en ik werd er lid van. Eén of twee keer per jaar ga ik naar haar weekendvergadering, waar het kruim van de Franse geneeskundigen elkaar ontmoeten en er lezingen houden over de evolutie en de filosofie van het medisch denken in hun specifieke werkterrein. Die ontmoetingen vind ik zonder onderscheid een geestelijk festijn. Maar men kan er de pit niet van proeven en het rijke aroom niet van opsnuiven, als men niet honderd procent medicus is.

In de nazomer van 1958 heb ik te Montpellier dat congres van het internationaal genootschap voor de Geschiedenis van de Geneeskunde bijgewoond. De heenreis was niet van een zekere sensatie gespeend. Op de nachttrein Parijs, Toulouse, Narbonne, Montpellier moest men zijn spoorkaart en identiteitspapieren aan een vergezellende politieman ter hand stellen en kreeg men ze maar terug bij het afstappen. Er was een parlementsverkiezing op komst en De Gaulle, die een staatsgreep wilde voorkomen, hield de teugels strak. In alle stations stond bovendien een rijkswachterspiket.

De oude universiteitsstad was het trefpunt van een unieke sliert buitenlanders uit alle werelddelen. Opvallend was het grote aantal Russen, die ofschoon zij niet vlot Frans spraken zich bijzonder inspanden om zich in die taal verstaanbaar te maken, en erin slaagden. Zij waren zeer op gesprekken gesteld. Gestadig liepen een paar dames onder de pratenden als twee snuffelende fretten rond om de toon van de gesprekken op te vangen.

Een van de Russen was Vasile Ternovskogo, die de *Fabrica* van Vesalius in zijn moedertaal had vertaald. Hij had een exemplaar bij zich en schonk het aan Piet Boeynaems. Hij zegde mij wat een enorme inspanning hem dat vertaalwerk gekost had en resumeerde het met de bekende spreuk: ,,labor nulli secundus'', een werk zoals er geen tweede bestaat. Het is mij niet bekend dat er ooit iemand anders dan hij het opus majus van de Brusselse anatoom uit 1543 volledig in een moderne taal overgezet heeft.

Hij vroeg mij iets in zijn herinneringsboekje te schrijven, als aandenken aan onze ontmoeting te Montpellier 1958. Wat ik graag deed als: ,,Vliegt de Blauwvoet, storm op zee.'' Ik vertaalde het als: ,,Vive la Liberté.'' De sympatieke man lachte begrijpend.

Behalve de congresmededelingen die over vier dagen verspreid waren, hadden er excursies plaats. We bezochten o.m. de oude duinenabdij Maguelone, reden door een stuk van de Camargue naar Aigues-Mortes, beluisterden een concert in het kasteel van Castries waar het krioelt van historische souvenirs. We vaarden op een van de vele étangs waar oesters gekweekt worden. Het was wijnoogst en we werden overal getracteerd op de fijnste muskaatdruiven die dat jaar bijzonder gelukt en overvloedig waren.

Op het congres hield ik een lezing over *André Vésale a-t-il étudié à Montpellier ?* Het antwoord is negatief, ofschoon in alle Franse werken vermeld staat dat Vesalius daar gestudeerd heeft. Zo ziet men hoe een dwaling kan insluipen, een weg vindt en moeilijk uit te roeien is. In het Vesaliusboek van C.D. Malley uit 1964 komt ze niet meer voor.

Met Piet Boeynaems brachten we van Montpellier een initiatief mee dat ons siert, omdat het spontaan bij ons beiden tegelijkertijd ontstond en vlug tot werkelijkheid groeide. In een van de gesprekken, terwijl we in een typisch eethuisje van de stad waar we ons door een menu met ,,fruits de mer'' hadden laten verleiden, de congresgebeurtenissen oprakelden, liep het uit op de volgende vraag: ,,Zouden wij niet in staat zijn een Nederlandstalig tijdschrift over de wetenschapsgeschiedenis uit te geven?''

De vraag was gesteld en op hetzelfde moment met ja beantwoord. We keken de horizont af naar medewerkers, redaktieraad, financiële mogelijkheden en de honderden andere dingen die bij zo een initiatief om de hoek komen kijken. Zoveel werd toen al beslist dat Boeynaems zich de materiële kant zou aantrekken, wat een grote kluif is, maar waarvan hij meer verstand en ervaring had dan ik. Ik zou schrijven, de kronieken verzorgen, medewerkers zoeken en zo meer. Na onze thuiskomst zouden wij de handen aan het werk slaan.

Als eerste schreef ik E.H. Paul Bockstaele aan, Leuvens hoogleraar in de wiskunde, die al stevige bewijzen van wetenschappelijk historisch werk op zijn gebied had geleverd. Zijn antwoord kwam vlug en geestdriftig ,,Ja''. Ik wendde mij tot professor Paul van Oye van wie ik wist dat hij een lange arm had in de kringen waar de subsidies besproken en uitgedeeld worden, die over een ongewoon uithoudingsvermogen beschikte om altijd op dezelfde spijkers te hameren, die in de Koninklijke Academie wetenschappelijk historisch werk had gepubliceerd en die een Vlaamse naam met degelijke reputatie droeg. Hij ging onmiddellijk akkoord.

Het gevolg was dat met nieuwjaar 1959 het eerste nummer verscheen van *Scientiarum Historia.* We hadden een redactieraad en de abonnementsprijs bedroeg 150 fr. voor vier nummers van 48 bladzijden. Propagandaexemplaren werden uitgezonden en alle mogelijke kringen aangeschreven, waar we voor ons initiatief hoopten begrip te ontmoeten. De voertaal van het tijdschrift was het Nederlands. We aanvaardden bijdragen van om het even wie en in om het even welke taal die de moedertaal van de auteur was. Zo moest een Nederlander niet in het Engels schrijven, maar een Engelsman wel. Van een Vlaming werd verwacht dat hij in het Nederlands schreef, maar een Waal kon gerust in het Frans publiceren.

Het was geen alles overrompelend succes, maar we waren erin geslaagd een voldoend aantal abonnementen in binnen- en buitenland voor onze wagen te spannen, zodat we onze leefbaarheid bewezen door onszelf te bedruipen. We beschouwden het als een meevaller en deden ons best om door de degelijkheid van de bijdragen een hoge standing aan ons tijdschrift te geven. Over de verdere geschiedenis van *Scientiarum Historia* zal ik te gelegenertijd een relaas brengen, wanneer deze gedenkschriften het jaar 1974 zullen bereikt hebben.

*

* *

Dit hoofdstuk heb ik als een ,,Kriskras'' van 1950 tot 1960 beschouwd, en er zit volstrekt geen chronologische volgorde in. Het brengt mee dat ik mag achteruitspringen als mij belevenissen te binnen schieten of documenten in de handen vallen die op de gedragingen van mij en van degenen die ik heb ontmoet een zeker licht werpen dat de tijdsomstandigheden meebrachten.

Na de oorlog werd in het raam van de algemene opbloei van de wetenschapsgeschiedenis een *Comité Belge d'Histoire des Sciences* opgericht. Een van de bezielers was Jean Pelseneer die in de kringen van de Brusselse Université een zekere werkzaamheid aan de dag legde. Dit Comité plande eind oktober 1952 een weekeind over de geschiedenis van de geneeskunde, en vroeg mijn medewerking. Ik aanvaardde en gaf de titel van mijn lezing op.

Ik ontving kort nadien het volgende aangetekend schrijven: ,,*Uccle 17 octobre 1952 — Monsieur le Docteur. Quand j'ai eu l'honneur de vous demander une communication pour notre week-end d'histoire de la médecine, j'ignorais complètement des faits vous concernant et dont je n'ai eu connaissance que ces derniers jours. Ces faits sont d'une gravité telle que je me vois, à mon vif regret, dans l'obligation de vous demander de renoncer participer à notre réunion; ainsi notamment seront évités des incidents que je comprendrai d'autant plus facillement que je suis moi-même ancien prisonnier politique des Allemands.*

La présente lettre mettra, si vous le voulez bien, un terme à nos relations. Veuillez agréer, Monsieur le Docteur, mes salutations distinguées. — Jean Pelseneer. Avenue Winston Churchill 51, Uccle-Bruxelles.''

Op 31 oktober 1952 schreef ik het volgende antwoord: ,,*Hooggeachte Heer. — Uw aangetekend schrijven d.d. 17 oktober 1952 heeft mij, niet helemaal onvoorbereid, bereikt. Het had mij, immers, al van in den beginne verwonderd dat men mij vanuit Brussel om een lezing had verzocht voor een vergadering waar men zulke geestesgesteldheid als diegene die door U wordt aangekleefd, op prijs stelt, en dat U mijn reputatie niet bekend was. Die was toch alom in de lande slecht genoeg dat ze u niet ontsnappen kon.*

Het schrijven dat ik in mijn bezit heb, zal ik als een kostbaar dokument bewaren, opdat mijn kinderen en kindskinderen zouden zien hoe sommige personen in 1952 nog over toestanden van 1944 oordelen. Dat schrijven is naar mijn mening de verloochening van elke objektieve wetenschapsbeschouwing, en derhalve de verloochening van de princiepen door uw Comité Belge d'Histoire des Sciences gehuldigd. Ook uw schrijven zal eensdaags een historisch dokument zijn.

Inmiddels verheug ik mij dat de buitenlandse wetenschappelijke genootschappen een andere geesteshouding dan de Brusselse tot de hunne maken en het op prijs stellen dat ik tot hun kring behoor, ondanks mijn ,,zware'' onvaderlandse houding tijdens de laatste oorlog.

Wat uw hoedanigheid van ,,ancien prisonnier politique des Allemands'' betreft, weet ik andershands dat u toch niet de hulp van zogezegde incivieken hebt geweigerd om tijdens de oorlog uit Duitse gevangenschap vrij te komen.

Voorts zal het mij een gewone eer zijn door uw genootschap te worden geweerd, en voortaan met u of uw vereniging geen uitstaans meer te hebben.

Vlamingen hebben met u en met mij andere dingen te doen. Ze zullen hun eigen weg gaan. Dat hebben jullie toch zelf gewild vermits u ons uitstoot. — Met achting. L. Elaut.''

Die Jean Pelseneer was een raar man. Vermoedelijk is hij een gereformeerde, wat voor mij hoegenaamd geen bezwaar is, doch hij verkondigt bij elke gelegenheid dat de echte wetenschap maar heeft kunnen gedijen in het protestantisme, en dat alleen het protestantisme de gunstige atmosfeer schept voor de wetenschapsbeoefening. Ik ontken volstrekt niet dat het protestantisme een belangrijke kulturele hefboom geweest is, doch om het op de manier uit te drukken zoals Jean Pelseneer het overal verkondigt waar hij verschijnt en aan het woord komt, gaat mijn petje te boven. Overigens geloof ik niet dat men hem en zijn denkbeelden au sérieux neemt. ,,Barre onzin'', riep een Hollander uit, als hij 't hoorde.

Jean Pelseneer achtervolgt mij niet, want hij is daarvoor een te zachtzinnig mens, doch sinds die memorabele brief van oktober 1952, hebben onze wegen elkander minstens tienmaal gekruist ter gelegenheid van wetenschappelijk-historische samenkomsten in Brussel, in Luxemburg, in Leiden, in Parijs, tot zelfs in Gent, o.m. in 1974 ter gelegenheid van het Benelux-Congres der Geschiedenis van de Wetenschappen. Hij heeft mij geen groet geweigerd en ik hem ook niet; hij heeft mij niet aan zijn brief herinnerd, ik ook niet, maar in zijn blik lag er wel iets dat op gecharmeerde onschuld geleek. Niet lang is Pelseneer in het Comité Belge d'Histoire des Sciences actief geweest, want hij is door zijn eigen milieu met algemene stemmen uitgerangeerd.

Zojuist werd het Beneluxcongres der Geschiedenis van de Wetenschappen vernoemd. Het beoogt de bundeling van de activiteiten op dit vakgebied in de Beneluxlanden, en organiseert te dien einde een hedendaagse ontmoeting met een werkagenda, om de drie jaar beurtelings in elk van de drie landen. Er werd gestart in 1958 te Haarlem onder een gunstig gesternte, want er was een algemene deelneming, niet het minst uit het ministaatje Luxemburg.

Sindsdien hebben de Franssprekende Belgen niet veel teken van leven gegeven, behalve dokter F. Sondervorst uit Leuven, die perfect tweetalig is en diegene die altijd de laatste man de laatste zak opgeeft. Vanuit Luik, met professor Marcel Florkin, wiens naam een goede klank heeft, is nooit een blijk van belangstelling te merken geweest. Nederland is hun wellicht te min, zelfs wanneer het congres te Maastricht, op vijftien kilometer van de Cité Ardente plaatsgrijpt, of te Luxemburg dat eveneens in hun buurt ligt. De reden? Ik geloof dat het de Beneluxgedachte is, die hun dwars zit en hun de haren te berge doet rijzen zodra het woord onder hun ogen komt. De Vlamingen zijn, wanneer het erop aankomt, meer ruimdenkend dan hun Waalse landgenoten.

*

* *

De beroepsactiviteit van de uroloog heeft zich tussen 1950 en 1960 kennelijk gewijzigd inzake diagnostiek en therapeutiek. Dit was het gevolg van ontdekkingen op het gebied van de medische grondwetenschappen, van wendingen op het gebied van de sociale hygiëne, van nieuwe aanwinsten op het gebied van de chirurgische techniek; van de doorgedreven specialisatie op het gebied van de hulpwetenschappen, van de vorderingen op het gebied van hospitalisatie en verzorging van de meer comfort eisende patiënten, van de gevolgen der vulgarisatie der geneeskundige wetenschap in het algemeen.

Zo staat het buiten kijf dat de ontdekking in 1941 van de streptomycine, een medikament dat voor de eerste maal in de geschiedenis een praktisch en efficiënt middel tegen de tuberculose was, een omwenteling in de behandeling van de ziekte heeft gebracht. Waar voordien het Albarranse axioma gold van ,,eenzijdige niertuberculose = extirpatie van het zieke orgaan'' werd het helemaal anders zodra men over de streptomycine en haar adjuvantia kon beschikken en ervaring met het heroïsche geneesmiddel opdeed. De extirpatie van een tuberculose nier is zeldzaam geworden, en de frekwentie van de genitale tuberculose is eveneens fel verminderd.

Niet minder hebben de antibiotica de behandeling van de gonorroea gewijzigd. Gedaan met de spoelingen. Maar nu worstelt men met het verschijnsel van de resistentie, de ongevoeligheid van de ziekteverwekkende basteriën tegen de antibiotica. Een verschijnsel dat met de dag toeneemt en ingewikkelder wordt. Dank zij de antibiotica was de gonorroea aan het afnemen, maar ze neemt al enige tijd weer toe. Men vecht op alle wereldfronten met man en macht, het is een adembenemende strijd in open veld en in de loopgraven, en men moet vaak zijn onmacht bekennen.

Ook de behandeling van het prostatisme is nieuwe banen opgegaan. Hier geldt het de wijze van extirpatie van het corpus delicti, want dat de vergrote klier eruit moet, blijft onaangetast als de enige goede therapie gelden.

Heel wat opgang maakte de naam en de methode van T. Millin, een Ierse chirurg die de retropubische extravesikale methode populariseerde (1945). Hij was er de vader niet van: ze was al in Rotterdam in het jaar 1908 door W.J. van Stockum met succes verricht. Op alle vergaderingen en congressen van urologen stond er nu een mededeling over de Millinoperatie op de agenda. Met de Millinoperatie werd nog eens het bewijs geleverd hoe een methode helemaal vergeten geraakt tot een ander chirug ze veertig jaar nadien opnieuw ontdekt, de lauweren van het succes plukt en er zijn naam ziet aan gegeven worden.

De belangstelling ervoor is enigszins afgezwakt, maar de operatietechniek heeft haar voorstanders en haar verguizers.

Tegelijkertijd gingen stemmen op voor de behandeling door middel van een resectoskoop, dat is een vernuftig instrument dat per vias naturales de vergrote prostaat aanpakt en door een diathermiestroom, onder kontrole van het oog, weefselschillen van de klier afsnijdt en ze zo geleidelijk verkleint. De methode was niet jong meer, doch in de jaren 1950-1960 nam ze een grote uitbreiding.

Het is hier de plaats niet om van elke operatiemethode de voor- en nadelen uiteen te zetten; ik wilde alleen memoreren hoe de urologie evolueert en de uroloog elk lustrum voor nieuwe problemen geplaatst wordt. Gelukkig, want de kunst is verheven, maar het verstand van de mensen schrijdt voort, zoals Mozes Maimonides al in 1180 treffend zegde.

Niet te vergeten de nierdialyse, die door de Nederlander W.J. Kolff in 1942 werd gerealiseerd. Zij bestaat erin de giftige stoffen die in het bloed rondstromen en oorzaak zijn van uremisch coma, uit de bloedbaan te verwijderen door middel van een filterproces en daarna het gezuiverde bloed weer naar het bloedvatennet te voeren. Tal van apparaten werden daarvoor bedacht en de methode is thans in de meeste ziekenhuizen een onmisbare therapeutische toevlucht. Zij werd terecht door Kolff een kunstmatige nier genoemd.

De behandeling van urinefistels heb ik altijd als een weergaloze uitdaging aan het chirurgisch kunnen van de uroloog beschouwd. Ik heb er veel geopereerd, veel genezen, maar heel wat niet kunnen genezen, en die hebben mij nachten wakker doen liggen.

Gelukkig had ik een bliksemafleider getroffen in de persoon van de Amsterdamse vrouwenarts en hoogleraar M.A. van Bouwdijk-Bastiaanse. Hij was een leerling uit de Weense school van Schauta-Wertheim die de vaginale operaties op de troon heeft geheven, waarvan zij nog niet vervallen zijn verklaard.

Met dokter Leonce van Damme vertrok ik op een meimorgen om vier uur uit Gent, laadden we te St.-Niklaas dokter Jozef de Mot op en waren we vóór achten te Amsterdam om een van onze patiënten door Van Bouwdijk te zien opereren. In de operatiekamer was daar toevallig de bekende Amerikaanse vrouwenarts Meigs aanwezig. Hij ook kwam zich rekenschap geven van het meesterschap waarmede de Amsterdammer de vaginale operaties uitvoerde.

Minstens een tiental vrouwen heb ik naar Van Bouwdijk-Bastiaanse verwezen, van de moeilijkste gevallen die hier en elders vruchteloos waren behandeld. Ze zijn allen genezen uit Amsterdam teruggekeerd. Ik heb aan die suksessen veel genoegen beleefd.

Meer dan eens ben ik op een avond naar de Nederlandse hoofdstad gereisd, in Krasnapolsky gelogeerd om Van Bouwdijk aan het werk te zien in de Vrouwenkliniek, waar ik in 1928-1929 mijn academisch proefschrift had bewerkt. Wanneer hij emeritus werd, heeft hij zijn chirurgische praktijk in een ander ziekenhuis voortgezet. Op een zekere dag heeft zijn wagen, op de terugweg naar zijn woning, de rechte weg verlaten en is de bestuurder aan zijn einde gekomen.

Wanneer ik in 1945 het St.-Vincentiusziekenhuis moest verlaten, was de lumbale verdoving met percaïne volgens de Sebrechtse methode de onbetwiste heerseres in de operatiekamer. Wanneer ik in 1951 terugkeerde, was zij maar een vage schim uit het verleden meer. De gecombineerde intraveneuze-inademingsnarcose met intubatie van de trachea door een gespecializeerd narcotiseur had het terrein veroverd. Het was veiliger voor de patiënt en voor de opererende chirurg een grote geruststelling. De machine had haar intrede gedaan en de narcose was een hele gebeurtenis op zichzelf, al zo ingewikkeld als de operatie zelf.

Zij riep in mijn geest de herinnering op aan John Lundy, de Australiër die ik in 1929-1930 in de Mayo Clinic aan 't werk had gezien, toen hij daar de nieuwe narcose, die de wereld had veroverd, aan het uittesten was. Wat een afstand: van de open druppelnarcose met chloroform, de eternarcose onder kap, het apparaat van Ombré-danne, de acetyleenmachine, de intraveneuze chloral-sannifene-toediening.

*

*   *

De Gentse Universiteitsbibliotheek heb ik ooit als mijn stamkroeg bestempeld omdat ik er veel uren gesleten heb; zij was mijn laboratorium geworden. Een van de stamgasten was Jan Grauls, die naar Gent was komen wonen, nadat hij zijn gedwongen verblijf te Nokere had verlaten. Hij had hier een schamele broodwinning gevonden en besteedde zijn vrije tijd aan de studie, o.m. van Breughels spreekwoorden en de taalzuivering. Grauls en ik waren jarenlang getrouwe bezoekers van de grote lees- en werkzaal, waar we tussen het studentenvolk tot over de oren in onze papieren verdiept zaten.

Jan Grauls was een trouw kameraad. Hij en zijn vrouw kwamen bij ons aan huis en met deze schitterende causeur hebben we onvergetelijke avonden doorgebracht. Zijn overlijden in 1960 heeft ons diep getroffen. Hoe zwaar hij na de oorlog ook beproefd geweest was, nooit heeft hij er zijn goed humeur bij verloren; hij kon over zijn ervaringen vertellen op zodanige manier dat de vochtigheidsgraad van de rokken der grootste zuurpruim van Vlaanderen het gevaarlijk te verduren kreeg.

Op een heerlijke februarimiddag werd hij op het Campo Santo te St.-Amandsberg ter aarde besteld, alsof de zachte en milde zon deze mededeelzame en opgewekte man tot het laatste wilde vergezellen.

De vrienden van Jan Grauls besloten hem postuum te huldigen. Zes maand na zijn overlijden werd op een academische zitting in het St.-Lucasinstituut door Luc Indestege en pater Max Wildiers op zijn betekenis als taaltuinier en literair-historicus gewezen.

Op initiatief van Jef Goossenaerts werd een fonds aangelegd waarvan de gelden zouden dienen tot het stichten van een Jan Graulsprijs. Er werd meer dan 150.000 fr. opgehaald. Het fonds werd in den beginne beheerd door het Noordstar en Boerhaave-fonds, doch met diens goedvinden werd de hoofdsom in 1974 overgedragen aan de

Koninklijke Academie voor Nederlandse Taal- en Letterkunde te Gent, die de prijs onder haar hoede neemt en hem om de vijf jaar zal uitschrijven en toekennen.

Voor het inzamelen van geld werd gerekend op bijdragen van vooraanstaande Joodse personen en verenigingen. Het comité, waarvan ik voorzitter was, had met dit doel brieven verzonden en gewezen op de veelvuldige tussenkomsten van Jan Grauls bij de bezetter, toen hij in 1942-1944 burgemeester van Groot-Brussel was, om de vrijlating van Joodse inwoners te bekomen, pogingen die vaak succes hadden. Tot onze pijnlijke verbazing werd vanuit die hoek niet de geringste bijdrage ontvangen.

*

* *

In de winter van 1960 hadden mijn vrouw en ik het in ons hoofd gestoken op wintervakantie te gaan; niet om te skiën, maar om kennis te maken met het milieu en intussen van wat hoogtezon te genieten. Omdat Professor C. Hooft ons Arosa als een aangename verblijfplaats in de Zwitserse Alpen aanbevolen had trokken wij daarheen.

Op één dag komt men er per trein niet; men doet best te Zürich te overnachten en vandaar verder te boemelen over Chur tot in het hart van Graubunderland op 1800 meter hoogte. Van het station werden we met de slee naar het hotel gebracht. 't Was al sneeuw wat we in de bergen hadden. Het hotel was een meevaller, met een terras op het zuiden om te zonnen. Daar we onze benen niet op de ski's wensten te breken en het schaatsen veel te lang geleden was om het opnieuw te riskeren, zat er niet anders op dan te wandelen op de uitgestippelde paden in het landschap en het woud. Het is niet onaangenaam maar het steekt vlug tegen.

Met een gehuurde paardeslee en koetsier arden we een hele namiddag hoog in de bergen. We zaten gelukkig warm ingeduffeld want het was bijtend koud en de lucht hing vol sneeuw, op 31 januari 1960. En op één meter afstand achter het paard, was er daarenboven van alles te zien, te horen en te snuiven. Af en toe zagen we een schuwe vos vanuit het ene bos naar het andere over het sneeuwtapijt pijlsnel wegvluchten.

Op vijf dagen hebben we gelukkig twee dagen zon gehad; dan is het heerlijk op het terras te liggen, gewoon te liggen zonder zelfs te lezen. De zon in de bergen is helemaal iets anders dan de zon aan zee. Het was lekker warm, windloos, een lichte deken volstond, en transpireren deed men niet. Er gaat van die zon een fysiologische prikkel uit die aanzet tot herhaald diep ademen en men voelt heus de zuurstofrijke lucht binnenstromen. Dat zijn wel de voor wintersportloze bezoekers van deze oorden aangenaamste geneugten van het hooggebergte.

Maar hoe intens de zonnedagen, zo satanisch vervelend de mistdagen. Zo hebben wij er drie gehad, en dan hebben we hoog en luid gezworen: éénmaal is genoeg, men ziet ons nooit meer op Zwitserse wintervakantie, te Arosa niet, of ergens anders ook niet. Om vijf uur is het donker, dan drinkt men tee en gaat men naar de dansers kijken: rare pret voor mensen op onze leeftijd, maar wat wilt u, er is niets anders te doen, we kunnen toch niet op straat lopen. In de andere hotels zijn het eveneens late-namiddag danspartijen.

Na het avondeten is het weer identiek hetzelfde; heel het hotel dreunt vanaf negen uur van dansmuziek. We zaten weer in een loge te kijken naar wat zich op de vloer en daarrondom afspeelde. Voor iemand die tijd heeft, valt er wel wat te snappen. Hoog- en laaguitgedoste opgesmukte muurbloempjes zitten profijtig uit een onschuldig glaasje water met een strootje een slokje op te zuigen en met verstrooide blik rond te neuzen, tot ze de ogen van een heer in smoking hebben ontmoet, en zijn aandacht gaande gemaakt.

Bij de volgende dans gaat de oude juist gladgeschoren snoeper met charmant-hoofse buiging de dame ten dans nodigen. Ze neemt haar fijne pels af en er is een paartje meer op de vloer. Ze klappen samen in de hand, wanneer de dans even onderbroken wordt en hervatten weldra hun esbattementen. De heer is geen geoefend danser, men ziet op afstand dat hij zich verontschuldigt voor een misstapje, waarop de partner hoogst genadig de excuses en de trap op haar balschoentje in ontvangst neemt, er zelfs uitzinnig gelukkig om is. De ouwe heer nodigt de dame aan zijn tafel en nu drinken zij samen een schaal champagne. Na nog een paar omwentelingen in rozestijl op de dansvloer, en een vrolijk gesprek onder mekaar, keert het paartje niet meer terug naar het tafeltje van de oude snoeper, maar verdwijnen zij samen. We vragen ons niet af waarheen. Ondertussen is het tien uur geworden en is een avond in Arosa voorbij. Hij zou stiervervelend geweest zijn, als we onszelf niet het intermezzo van de danszaal hadden gegund.

We hebben niet geskied, maar zweefden toch met een skilift tot boven mee en hadden daar een zicht op de Alpen. Daar viel plots een brijdikke mist in, gevangen zitten zonder een meter voor zich uit te kunnen zien is nog een andere pret van het hooggebergte. Mijn vrouw kon er beter tegen dan ik die er haast hoorndol van werd. Ik dacht aan het antwoord van Cyriel Verschaeve, toen men hem vroeg wat hij over de bergen dacht: „Ik zou er kunnen in schuppen''.

Tevreden dat we van Arosa konden afscheid nemen, vertrokken we 's morgens om halfacht met de paardeslee uit het hotel, waren te elf uur in Basel en namen daar de Safir die ons om zeven uur 's avonds in het Brusselse Zuidstation afzette. We waren een ervaring rijker en konden meepraten over de wintersport en haar pomperijen, die we aan den lijve ondervonden en bij anderen waargenomen hadden.

*

* *

Men kan van mij niet verwachten dat het professionele en culturele werk van de vader als een boeman het leven van het hele gezin in de verdrukking brengt of veronachtzaamt.

Ik acht mij niet in staat tot zo'n dwingelandij en waar ik ze ooit bij anderen aan het werk gezien heb, is het in 't honderd gelopen. Wie opgroeiende en grootwordende kinderen heeft, mag zich niet van hen, van hun leertijd, van hun tijdverdrijf, van hun ontspanning op afstand houden; dat schept vervreemding en die is niet gunstig voor de opvoeding en een gelukkig huismilieu. Mijn vrouw hield er dezelfde opvatting op na. Niets is verheffender voor een jong mens dan te weten dat hij tot een geestelijk evenwichtige huiskring behoort.

Na de kostschool te Ollignies had onze oudste dochter haar zinnen op de ziekenverpleging gezet. We waren de eersten om haar daarin te steunen en te helpen. Liefst zou ze studeren in de school van de Zusters Cistercienserinnen en Maria Middelares te Gent. Na een jaar voorbereiding werd ze aanvaard en begon in de herfst 1956. Ze slaagde voor alle examens en haalde na drie jaar, in de zomer van 1959, de verpleegstersbul. Zij en wij waren er gelukkig mee. We gingen samen op vakantie te Biarritz, maakten een omweg over Lourdes, de Pyreneeën van Luz, bestegen de Pic du Ger, en reden te paard naar de Cirque de Gavarnie. Daarna kon ze in dienst treden in de Interne Kliniek van professor P. Regniers, afdeling hartziekten, van professor R. Pannier.

Zij heeft de verhuis naar het Academisch Ziekenhuis meegemaakt en werd dan overgeplaatst naar de Afdeling Fysische Therapie van professor H. Claessens, waar ze tot 1967 gebleven is, om daarna naar het ouderlijk nest terug te keren en de ,,oude lui'' die zonder huispersoneel gevallen waren, uit de penarie te helpen. De ,,oude lui'' hebben die daad op prijs gesteld, en ze zullen hun oudste in ,,hunne godvruchtige gebeden indachtig zijn''.

Zoon Jan doorliep de humaniora bij de Gentse jezuïeten met meer branie dan zijn vader, maar een buitengewone wiskundeknobbel had ook hij niet. Hij was geen stilzitter, geen boekenverslinder, maar vooral een op gemeenschap met andere knapen gesteld jong mens. Hij beschikte over een fantastisch talenassimilatievermogen en was gediend door een ongewoon geheugen. Voordragen en toneelspel ineensteken was zijn lang leven.

Na zijn derde Latijnse bracht hij een maand door bij een Franse pastoor te St.-Inglevert, Pas de Calais, en voerde met de knapen van die boerenparochie een zelfgemaakt stuk op dat in *L'Echo du Nord* met lof besproken werd.

Terwijl mijn vrouw en de twee meisjes met vakantie te Blankenberge waren trok ik met Jan op fietstocht. In 1953 naar Frans-Vlaanderen over Hondschote, St.-Winoksbergen, Duinkerke, St.-Pol, Oye, Grevelingen, Kales, Wissant, Cap Griz Nez, Boulogne, St.-Omer, Watten (E.H. J.M. Gantois), Hazebroek, Belle en zo naar Rijsel, waar we onze fiets op de trein naar Gent staken.

In 1954 gingen we naar Zeeland over Filippine, Terneuzen, met de boot naar Hoedekenskerke, vandaar naar Goes, Middelburg, Veere waar we een piepkuiken leerden kennen in de Kampveerse Toren. We zagen Zierikzee, Renesse en keerden huiswaarts door de streek die in de rampzalige overstroming van de St.-Ignatiusnacht 1953 geteisterd werd en waarvan de sporen verre van verdwenen waren. We keerden terug over Bergen op Zoom, Ierseke, Hansweert, Perkpolder, Hulst en St.-Niklaas.

In 1955 ging de tocht door de Antwerpse Kempen, Geel, Kasterlee, over Eindhoven en Weert naar Roermond. Vandaar over Maaseik, Sittard, Geleen naar Maastricht. Van hieruit namen we de trein naar de mergelgrotten van Valkenburg. 's Namiddags weer op de fiets over Zutendaal, Genk, Zonhoven, Beringen, Heppen naar Leopoldsburg. Samen hebben we een bezoek gebracht aan wat er overbleef van het beruchte Kamp van Beverlo. We fietsten over Balen-Neet naar Mol en namen er de trein over Antwerpen naar Gent.

Op elk van deze memorabele fietstochten, die telkens vijf dagen in beslag namen, logeerden we waar we plaats vonden, en hebben onderweg de meest merkwaardige dingen van de streek gezien. Te Cap Griz Nez waren de krijtrotsen van Dover wàar te nemen en hebben we ons overgeleverd aan de geneugten van het pootjebaden rondom de inderdaad grijze klippen van Grizeneze. Te Ekelsbeke waar de IJzer ontspringt, hebben we gemiddagmaald in een dorpsherberg waar alles in 't ,,Vlemsche'' verliep.

Te Westkapelle in Walcheren stonden we op de plaats waar in 1944 de Amerikanen de dijk hebben stukgebombardeerd en waar de zee weer vrije toegang kreeg tot het eiland, zodat de Duitsers verplicht waren hun stellingen op te geven. Vanuit Ierseke hebben we een grote levende kreeft naar huis meegenomen, waar ze welkom was.

Te Mol-Postel hebben we de Norbertijnenabdij en vooral haar rijke biblioteek bezocht. Die avond waren we te Roermond en daar we er niet bepaald fris en voornaam uitzagen, had men ons op de receptie van het Hotel de la Station (sic) liever verloren dan gevonden en zegde men op een hautaine toon dat ze nog juist één kamer eerste klasse met bad vrij hadden. Juist wat we zochten, luidde ons antwoord. De Hollandse superioriteit viel meteen op nul en men drong aan dat we zouden kennis maken met hun ,,gerenommeerd restaurant''. Wat we tot onze grote voldoening gedaan hebben.

Op het einde van zijn Retorika, waarvan Jan met de tweede plaats in de uitmuntendheid thuis kwam, droomde hij van een kennismaking met Engeland. Samen vertrokken we met de boot uit Oostende voor enkele dagen naar Londen, waar we als alle toeristen de klassieke rondgang maakten.

Van daaruit gingen we naar Oxford waar we logeerden in *The Mitra;* we bezochten de meest bekende colleges, reden per wagen naar de Shakespearestad Stratford-on-Avon, Gloucester, Worchester en waren 's avonds te Bristol. Bath, Exeter, Salisbury, Winchester, Stonehenge werden niet vergeten, en in het naar huis gaan Canterbury. Engeland is het vaderland van de gotische katedralen en we hadden op onze reis zeker de mooiste exemplaren van die merkwaardige bouwtrant kunnen bewonderen.

Op de dertigste augustus 1955 trad onze zoon binnen in het noviciaat van de dominikanen te Gent. Het schiep een grote leegte in ons huis, waaruit de luidruchtigheid verdwenen was. Ik bleef over in een uitsluitend vrouwelijke omgeving, voelde mij niet ongelukkig maar in den beginne wat verloren. Mijn vrouw kon er moeilijker aan wennen. Jan is het jaar nadien naar Leuven overgeplaatst.

Onze jongste Christine beëindigde haar humaniora in St.-Bavo in 1958. Ook zij wilde, zoals haar broer, met Engeland kennis maken. We bezochten in Londen wat elke toerist bezocht; we woonden in de Royal Festival Hall een unieke kunstdansavond bij. Na eerst St.-Albans Abbey in 't noorden van Londen te hebben gezien, gingen we nu naar Cambridge en zijn merkwaardige colleges, wilden tegenen prijze de kathedralen van Ely, Norwich en Ipswich links laten liggen, en op de terugreis eens te meer Canterbury.

Op de vooravond van ons vertrek logeerden we in de buurt van Dover op een kasteel dat ooit had toebehoord aan Lord Kitchener, Engels oorlogsminister in 1914-1918, die bij de torpedering van de Lusitania in 1916 het leven verloor. Het was een prachtig landgoed dat tot een hotel was omgevormd. In de hoge en ruime kamers waarde de herinnering aan de edellieden die door de democratie van de twintigste eeuw werden op de vlucht gedreven.

Christine wenste te studeren en psychologisch assistente te worden. Voor haar vonden we de ideale oplossing; de Hogeschool voor Vrouwen in de Antwerpse De Bomstraat, waar de bestuursscepter werd gezwaaid door mejuffrouw Maria Verstraeten, een kwekelinge van Maria-Elisabeth Belpaire. Het was een internaat met aangepaste lessenroosters voor de verschillende afdelingen die er huisden, met colleges op universitair niveau door uitgezochte docenten uit diverse instituten.

Na een volledige cyclus ontving Christine het gewenste diploma en kon ze dadelijk aan het werk in het Medisch-pedagogisch Centrum van St.-Niklaas. Zij is er gebleven tot haar huwelijk in 1966.

Met onze kinderen zijn we meer dan eens op reis geweest. Een vakantie te Spa in 1953 viel bijzonder mee; het weer was mooi, zodat we lange voettochten in de omtrek konden maken. Het dal van de Hoigne hebben we samen van boven tot beneden afgewandeld en blauwzwarte bosbessen gegeten tot onze mond en lippen er blauwzwart van stonden. Een uitstapje in dit deel van de Ardennen met een bezoek aan de grot van Remouchamps zal niet gemakkelijk uit ons geheugen verdwijnen. In het Hotel de Spa was de tafel uitstekend en de waard een vriendelijk man.

Te Parijs hebben we het Louvre bezocht tot de kinderen door hun benen zakten van vermoeidheid en ze van de schilderijen en andere kunstvoorwerpen voor jaren verzadigd waren. De Eifeltoren en het graf van Napoleon in de Invalides strookten meer met hun jeugdige nieuwsgierigheid; het kasteel van Versailles trok hen maar matig aan, terwijl een bezoek aan de Halles en een rondrit in een open koets, des avonds op de Champs Elysées, een onvergetelijk hoogtepunt waren. Jan zat op de bok naast de koetsier en in onze Vlaamse overmoed hebben we samen de Vlaamse Leeuw gezongen.

't Jaar nadien trokken we naar Keulen en het Zevengebergte. We logeerden op de Drachenfels waar we 's avonds praktisch de enige toeristen waren. De zonsopgang boven de in lichte mist gehulde heuvels op een julimorgen was een enig schouwspel, en de Rijn in al zijn statigheid deed ons denken aan Vondels ode ,,Doorluchte Rijn, mijn zoete droom, Vanwaar zal ik u lof toezingen?''. We konden ons ook het reisverhaal van Tony Bergmann in dit landschap voor de geest roepen. Bij het teedrinken op het terras van het Drachenfelscafé, tokkelde een gitaarspeler aria's waar het romantisme afdroop. Hier of nooit!

Een vaart op de Rijn behoorde tot het reisplan. We vertrokken vanuit Mainz op een van de boten die de stroom op- en afvaren, bewonderden de Lorelei en stapten aan wal te Rüdesheim, de pleisterplaats van alle toeristen. Langs de wijngaarden bereikten we het reuzegrote standbeeld van Germania, dat heel het landschap beheerst, en 's avonds maakten we kennis met de rook- en zangatmosfeer van een typische Weinstube. Een bezoek aan de Godesberg met zijn fijn restaurant en een nacht in het Hotel Könighof te Bonn waren het orgelpunt van deze uitstap.

Op nieuwjaarsdag 1958 overleed in het klooster te Viane-Moerbeke een van vaders twee zusters; zij was in 't jaar 1884 ingetreden. Zijn andere zuster overleed er ook, in 1964, na zesenzeventig jaar kloosterleven. Daarmee was de laatste draad doorgesneden die mij nog met dat klooster sinds mijn allerprilste jeugd verbond. Dikwijls ben ik er op bezoek geweest met mijn ouders, alleen, later met mijn vrouw en kinderen. Met de jaarwisseling zond ik mijn beste wensen voor heel het klooster, zover mijn geheugen reikt altijd in dezelfde stijl. en kregen we altijd een brief in dezelfde stijl, en op hetzelfde gelinieerd schrijfpapier, in een losgeweekte omgekeerde enveloppe terug. O eenvoudige zielen aan wie, volgens Christus' acht zaligsprekingen uit de bergrede, het rijk der hemelen zal behoren!

Die twee tante-nonnen, gezusters in het klooster aan de overzijde van de Oudeberg, op een boogscheut van het drieprovincie-punt Oost-Vlaanderen, Brabant en Henegouwen, werden zowat als het decorum van de Elaut-familie beschouwd. De ene was de ziekenzuster, de andere de lampeniste voordat de elektriciteit haar intrede deed, daarna naaister-herstelster in het oudemannenhuis dat bij het klooster hoorde. Op die twee posten hebben ze zonder onderbreking, elk driekwarteeuw van hun leven doorgebracht. Ze waren gelukkig en zouden voor niets ter wereld hun geluk tegen een ander geluk geruild hebben.

Ze konden zich, elk op haar manier over het klooster vrolijk maken. De oudste zegde: ,,Kloosters zijn roosters, men braadt er zonder vet''. De andere: ,,Ik ben niet getrouwd en ik moet van de morgen tot de avond mannenbroeken repareren''. Het enige genegenheidsbewijs dat ze van een bezoekend familielid verwachtten, was voor de ene een kilo snoep, voor de andere een halve kilo snuif. Daarvan konden ze, op een feestdag, heel het zusterenkorps laten medesnoepen en een zekere stand ophouden.

Wanneer ik op bezoek kwam, wist heel het klooster dat neef-dokter er was, en raapte elk lid van de kommunauteit zijn kwaaltjes bijeen, en met de toestemming van moeder-overste kwamen ze op consult. Ze brachten zelf de diagnose mee die een andere geneesheer al gemaakt had: flerecijn, astma, slechte bloedsomloop enzovoort.

En even onbewimpeld luidde de vraag of ik niet maken kon dat ze het wat gemakkelijker zouden krijgen in het kloosterleven. Wat eens te meer bewijst dat alle menselijk vlees zwak is en liefst zijn last op een ander afwentelt, ook al loopt dat mensenvlees in een kloosterhabijt. De natuur eist onverbiddelijk haar recht op, ook, en vooral, als dat recht wederrechtelijk beknot wordt door een hoger recht.

*
* *

In de familie van mijn vrouw hadden we op 28 juni 1960 het afsterven te betreuren van de echtgenoot van haar oudste zuster, Paul Verhaert. Hij stierf plots. Hij was zesenzestig jaar oud, en oudstrijder van de Eerste Wereldoorlog.

Fabrieksdirecteur in de familiezaak bekleedde hij een van de sleutelposities van het bedrijf. Hij was bijzonder op orde en regelmaat gesteld en liet nooit een zaak lang aanslepen. Joviale kerel als hij was, kon ik goed met hem opschieten. Zijn zoon Piet heeft zijn plaats in de zaak onmiddellijk ingenomen en doet het op een even uitstekende manier als zijn vader.

*
* *

Op 30 juni 1960 ging de Kongokolonie voor België verloren en werd dat land onafhankelijk. Het maakte wat ophef in ons land, maar na een week was het al vergeten.

De jaarlijkse IJzerbedevaart maakte onveranderlijk deel uit van onze zomeragenda. Ontelbare malen ben ik er met mijn gezin naartoe gegaan, en het zou erg moeten spannen hebben om afwezig te zijn. Vanaf 1955 was ik lid van het Bedevaartskomitee. We hebben een kleurraam geschonken voor de benedengalerij van de toren en meer dan eens heb ik een oproep gedaan, waar het paste, voor deelneming en voor steun aan het nationaal monument voor de Vlaamse soldaten uit de Eerste Wereldoorlog. In 1960 heb ik er gesproken namens de oudstrijders van 1940.

Even onveranderlijk was mijn deelneming aan de St.-Pietersbandenviering te Oostakker Lourdes op de eerste zondag van oktober. Het was een kerkelijke gedachtenisplechtigheid, een van de vele initiatieven ooit door Jef Goossenaerts genomen, voor de in de loop van het voorbije jaar overleden slachtoffers van de na-oorlogse repressie. De keur van de Vlaamse kanselredenaars hield de homilie, en na de mis was er een bijeenkomst, waar de verbroedering het hoge woord voerde en vaak een optelling werd gemaakt van het aantal jaren gevangenis die hier vertegenwoordigd waren. Een ongewoon en niet onaardig gebeuren!

DE ORDE VAN GENEESHEREN: 1958-1970

Dat ik in 1958 tot Voorzitter van de Provinciale Raad van de Orde der Geneesheren werd verkozen, heeft mijn vrouw bijzonder gelukkig gemaakt. We hebben het, in stilte onder ons tweetjes, als een triomfantelijk eerherstel beschouwd en het zo in ons verder leven meegenomen. Het verschafte ons des te meer vreugde dat wij de feiten niet hadden geforceerd, en het zich allemaal, ondanks veel tegenkantingen, spontaan naar een genoeglijke oplossing had afgewikkeld.

De geschiedenis van de Orde van Geneesheren zal ik niet schrijven. Haar oorsprong en haar wenselijkheid kan men opvolgen tot in de negentiende eeuw. De advokaten hadden hun Orde, waarom zouden de geneesheren geen Orde hebben. De bestaansredenen van de eerste kan men overbrengen naar de tweede; ze zijn even pregnant voor beide vrije beroepen. Ondeugd roept wetten in het leven.

Wanneer dan de Orde van Geneesheren door de Wet van 25 juli 1938 in het leven werd geroepen, was dat in hoofdzaak te danken aan twee opeenvolgende socialistische ministers van Volksgezondheid, Arthur Wauters en Joseph Merlot. De lotgevallen van die Orde heb ik in deze gedenkschriften al voor een gedeelte beschreven.

Het relaas dat volgt is dat van mijn twaalfjarige ervaring als bestuurslid van de Orde in de Provincie Oost-Vlaanderen van 1958 tot 1970, waarvan ik er zeven als voorzitter heb gefungeerd. Die ervaring met één woord samenvatten kan ik niet, doch volhouden dat het altijd wierook en zonneschijn is geweest, is niet mogelijk.

Zoals de zaak het vanzelf meebrengt, vermits de Orde een rechtscollege is dat moet waken op de beroepseerlijkheid en de morele gedragingen van de geneesheren, kan het moeilijk anders dan dat men uitsluitend met de kleine kanten van de beoefenaars der edele kunst en wetenschap der medicijnen te maken heeft.

Ik poneer dat de overgrote meerderheid van de geneesheren er een eerlijke handel en wandel in hun beroep op nahouden. Degenen die op het bankje geroepen worden zijn een kleine groep, en het zijn altijd dezelfden. Voor de provincie Oost-Vlaanderen bedraagt hun aantal niet meer dan vijftig op een totaal van, in die tijd, vijftienhonderd ingeschreven artsen.

Daarnaast is er ongeveer een tiende van het gehele corps dat op de rand van het geoorloofde en het volstrekt niet geoorloofde evolueert, dat speculeert op een kansje om toch maar de grens te kunnen overschrijden. De Belgen zijn daarin onovertroffen en onovertrefbaar. De praktijk biedt bovendien zoveel gelegenheden om onder vier ogen een slagje te slaan waar geen haan zal over kraaien, dat men een allerdeugdzaamst mens moet zijn om de kans te laten liggen. Engelen lopen er niet dik op de aardkorst.

Wanneer ik in 1958 voor het eerst in de voorzittersstoel zat, kostte het nog moeite sommige geneesheren ervan te overtuigen dat ze wettelijk verplicht waren tot de Orde toe te treden om praktijk te mogen uitoefenen. Ze waren de mening toegedaan dat de Orde een soort beroepsorganisatie was, waar men, al of niet, kon bij aansluiten. Ze kwamen met die drogreden voor de dag om hun bijdrage niet te moeten betalen. Nooit ben ik in de val getrapt, want ik kende mijn pappenheimers die er niet voor terugdeinsden de idioot uit te hangen als ze daarmee een paar honderd frank profijt deden.

Met slordige en slechte bijdragebetalers heeft de Orde veel last. Dat het maanden duurt en men met sancties moet dreigen, komt veelvuldig voor. Het betert wanneer men de achterstalligheid flink beboet en de heren verplicht voor de voltallige Raad te verschijnen en ze daarvoor een hele namiddag oproept. Dan schelden ze dat men ze voor zo'n beuzelarij de tijd doet verliezen die men beter aan de patiënten besteedt. Dat het hun eigen schuld is, erkennen ze niet vlot.

Zware vergrijpen tegen de geneeskundige plichtenleer komen niet veel voor. Op twaalf jaar hebben we slechts drie maal met een abortuszaak te maken gehad, waarvan één heel zware van herhaalde criminele zwangerschapsonderbrekingen. Wanneer men de man vroeg waarom hij zo opzettelijk recidiveerde, maakte hij de Raad wijs dat hij geen zwangerschapsdiagnose kon stellen zonder de inhoud van de baarmoeder te gaan nazien. Om omver te vallen, zoveel cynisme en zoveel waanzin. Een expertenrapport wees nochtans op een volledige verantwoordelijkheid.

De voorgebrachte gevallen waren al door de Rechtbank veroordeeld, doch de rechtspraak eiste dat ze voor de Orde werden gebracht, onder de deontologische loep gelegd, en zo nodig met een door de Wet voorziene sanctie bekeurd.

De zwaarste straf die de Orde kan uitspreken is de schorsing van het recht de geneeskunde uit te oefenen. Deze schorsing kan door de gewone rechtbanken niet worden opgelegd. De duur van de schorsing kan levenslang bedragen. Voorbeelden van zulke schorsingen zijn niet frequent, en dan alleen voor onverbeterlijke recidivisten.

Een niet gemakkelijke taak van de Orde is het de dokters aan het verstand te brengen wat tot de wettelijke bevoegdheid van de Orde behoort. Hoe vaak is het niet gebeurd dat een plattelandsgeneesheer komt klagen dat een collega zich in zijn gemeente vestigt en hem daardoor patiënten zou kunnen afsnoepen. Die vestiging is geen tekortkoming aan de deontologie vermits de zon voor iedereen schijnt en het succes van een praktijk afhangt van de persoonlijke kwaliteiten van de geneesheer. Een monopolie willen in stand houden kan door de Orde niet gedekt worden, ook in een ziekenhuis niet. Elke doctor in de geneeskunde heeft recht op praktijk, het geneesherenberoep is een vrij beroep. Broodnijd komt onder geneesheren meer voor dan men denkt; het is een lelijk gebrek.

Jacht op patiënten is even lelijk, en op dat stuk wordt nogal gezondigd tegen de regelen van de eerlijkheid. De controle is niet gemakkelijk en de oneerlijkheid is achteraf meestal onmogelijk te bewijzen. Klaagt de patiënt over ongesteldheid en wil hij een attest van werkongeschiktheid, en krijgt hij het niet van zijn gewone dokter, dan trekt die patiënt bij een ander geneesheer van wie het bekend is dat hij vlot attesten aflevert. Het kost een medisch controleur grote moeite uit te maken wie gelijk heeft, en dan is er nog geen deontologische fout bedreven.

De Orde is hier volstrekt machteloos, want tegen de individuele opvatting van de geneesheren bestaat in die gevallen geen maatstaf van beoordeling. Dat het uitdraait op een verlopen van patiënten is zeker en, als onmiddellijk corollarium, is aan een gekibbel tussen geneesheren (door hun echtgenoten in de hand gewerkt) niet te ontkomen. Sommige geneesheren zijn op dat gebied van een olympische lichtgeraaktheid, die zij levenslang meetorsen. Zij zijn mensen, en de mens is veel meer dan een fysiko-chemisch systeem. Zijn professionele eerlijkheid is niet altijd gemakkelijk kwantificeerbaar.

Doktersattesten die precies de waarheid weergeven zal ik niet als een grote zeldzaamheid bestempelen, maar toch als een niet alledaags voorkomend objectiviteitsfenomeen. Ik heb te veel attesten gezien om van die overtuiging af te zien; het is alsof de dokters een gruwel hebben aan exactheid. Breekt iemand zijn been op een vrijdagavond te twintig uur in een herberg, dan zal het attest luiden dat die man zijn ongeval overkomen is op de terugweg van zijn arbeid, zonder aanduiding van uur of van plaats. Met het gevolg dat de betrokken verzekeringen de politie mobiliseren, dat de advokaten op de proppen komen en het hele geval uitdraait op een geding waaruit de geneesheer niet altijd met propere handen thuiskomt.

Zijn patiënt niet ter wille zijn brengt de geneesheer soms in een lastig parket omdat hij vreest dat hij die patiënt verliest. Dat risico lopen door het gevraagde attest te weigeren, wordt door de rechtgeaarde geneesheren meer dan eens gedaan. Ik heb het altijd als een moedig gebaar beschouwd en nooit mijn waardering onthouden voor de collega die voet bij stek houdt en niet toegeeft.

In een tijd dat de samenleving meer en meer gemedicalizeerd wordt en vooral sociaal-gemedicalizeerd, omdat ze gevangen zit in een ingewikkeld systeem van voorzieningen die niet kunnen overeind blijven zonder medische attesten, is het niet overdreven deze eeuw als die van de medische attesten te karakterizeren. En als slechts één van de duizend afgeleverde attesten onjuist is, is het een koud kunstje door een computer te laten uitmaken hoeveel valse attesten dagelijks afgeleverd worden. Dat deze valse attesten allemaal aanleiding geven tot een klacht bij de Orde, gelooft niemand.

En wie kan bovendien het bewijs leveren dat door de toeneming van de technologische aspecten van de klinische geneeskunde de intrinsieke moraliteit van het medisch beroep in een rationele verhouding staat tot de gedane materiële beleggingen die de samenleving zich getroost om het stelsel van de Rijksverzekering tegen Ziekte en Invaliditeit in stand te houden? Zonder verlies en zonder winst.

Het is een cynische vraag, maar elkeen die in het bestuur van de Orde staat, moet het zich afvragen voordat hij over de gedragingen van een collega een oordeel uitspreekt, of een sanctie treft voor een vastgestelde overtreding.

De volgende gedragslijn is de mijne geweest. Wanneer het ging over een manifeste fout waarvan de gevolgen de samenlevingsstructuren schaden, was ik onverbiddelijk streng. Wanneer het ging over een schoonheidsvlekje op de gevel van de intercollegiale verhoudingen was ik bovenmenselijk clement. En in elke betwisting die niets meer inhield dan het ophouden van prestige en invloed in onze verburgerlijkte stand, heb ik het altijd met veel humor weggewuifd. Men moet toch niet struikelen over gekwetst eergevoel en het als een ongeoorloofde propaganda voor eigen winkel beschouwen wanneer een collega met een hyperbolische stunt uitpakt en iedereen een levensduur van duizend jaar in uitzicht stelt.

Ik zal mijn zienswijze staven met voorbeelden die ik in de Raad van de Orde beleefd heb.

Een chirurg die systematisch alle abcessen die hij te behandelen krijgt, bij het Rijksfonds voor Verzekering tegen Ziekte en Invaliditeit (RIZIV) aanrekent als diepliggende abcessen (waarvoor 500 fr. meer terugbetaald wordt), en waarvan het blijkt dat het niet waar is, verdient in mijn ogen een zware sanctie. Een dokter die meer dan één attest per prestatie aflevert, besteelt de samenleving. Geen compassie. Hij van wie het bewezen is dat hij de benzine voor zijn wagen met attesten voor het Rijksfonds betaalt, is een gemene dief. Geen compassie. Hij die geneesmiddelenmonsters die hij gratis ontving, zelfs tegen een mindere dan de wettelijke voorziene prijs verkoopt, is een sjacheraar. Hij die aan een patiënte met ziekteverlof in Zwitserland een attest opstuurt voor een maand supplementair verlof, zonder haar gezien of onderzocht te hebben, helpt het RIZIV bestelen. Geen compassie.

Hij die op honderd meter van een collega een tweede kabinet opent, is geen ,,fijne meneer'' en zou ik pogen aan het verstand te brengen dat die handelwijze niet edelmoedig en niet passend is, en dat de edelmoedigheid een deugd is die ook de dokters siert. Slechts wanneer het blijkt dat het gezond verstand het niet haalt, volhard wordt in de boosheid, dan nog kan geduldige overreding de zaken recht zetten. Men moet die toestanden niet met de voorhamer willen tekeergaan.

In 1964 gingen de gesyndikeerde geneesheren in staking om zekere eisen kracht bij te zetten. Wat de werkstakende dokters tegen de niet-stakers hebben uitgehaald, liet de eersten niet altijd van hun netste zijde zien. Persoonlijk heb ik niet gestaakt, want de voorzitter van de Orde mag het slechte voorbeeld niet geven. Het werd mij kwalijk genomen. Toch heb ik mij verzet tegen om het even welke sanctie in deze aangelegenheid. De staking is in een modderpoel doodgelopen. Een tweede staking in 1972 is nog eerder verwaterd. Voor een derde staking zal men niemand meer warm maken. De Orde moest in deze louter professionele zaak neutraal zijn.

Omdat de meest serieuze zaak van de wereld nooit volledig van grappige kanten gespeend is, is dat ook met de Orde het geval geweest.

De schoonmoeder van een onbesproken collega nam mij op zekere dag in vertrouwen met de klacht van haar dochter dat de echtgenoot het altijd zo druk had, dat het brave kind dat dolveel van haar man hield, veel alleen zat, dat manlief gierig met zijn liefdesuitingen was wanneer hij 's avonds laat van zijn patiënten thuiskwam. Wat staat de voorzitter van de Orde te doen?

Ik laat aan de lezer het genoegen op de drie gestelde vragen het passende antwoord voor zichzelf te geven.

Dat de geneesheren ook blootstaan aan de bekoringen des vlezes zal niemand in twijfel trekken. Van hun bevoorrechte positie gebruik maken om een katje in het donker te knijpen, is veel erger dan een menselijke zwakheid en verdient een zware straf. Maar wanneer een algemeen gereputeerde rokkenjager met medisch diploma door de veldwachter in een korenveld op heterdaad betrapt wordt, heeft dat een heel andere betekenis op de waardeschaal van de deontologische vergrijpen.

Alle beroepsfouten over dezelfde kam scheren is al te gemakkelijk en volstrekt niet te verdedigen. Een chirurg die een compres in de buik van een patiënt achterlaat en daarvoor een boetstraffelijk kooltje geblazen heeft, moet ie nog vóór de Orde een sanctie oplopen? Er bestaan honderden varianten in de medische verantwoordelijkheid, en de differrentiatieplicht die men altijd moet inachtnemen is een delicate taak die veel kiesheid en begrip vereist. Clementie is er geboden.

In het korps van de geneesheren zijn er vogels van allerlei pluimage. En soms van een onvoorstelbare pluimage.

In een grensdorp tussen Oost- en West-Vlaanderen was er vóór twintig jaar een geneesheer gevestigd die er een duivels genoegen in vond, telkenjare zijn woonplaats naar een andere provincie te verleggen. Het bracht mee dat hij telkenmale onder een andere provinciale Ordejurisdiktie kwam te staan. Hij heeft dat jaren achtereen volgehouden. En daar hij een kerel was die niet in rechte deontologische schoenen liep, heeft de Orde van West-Vlaanderen en die van Oost-Vlaanderen dikwijls met hem te doen gehad. Hij betaalde zijn benzine met ziekenfondsattesten in twee garages die, op tweehonderd meter van elkander, in een andere provincie lagen. Wat een heksenketel dat meebracht, laat ik de lezer gissen. Gelukkig is de vogel sindsdien aan St.-Pieter gaan rekenschap geven van het aantal afgeleverde RIZIV-attesten.

Een ander geneesheer heeft zich tientallen keren laten snappen omdat hij met een perronkaartje van Aalst naar Gent spoorde. Krankzinnig was hij niet. Is het een inbreuk op de geneeskundige deontologie? En die andere die op de terugweg van het ziekenhuis met het jachtgeweer dat in zijn wagen lag een fazant neerknalde die op een akker langs de baan een graantje pikte? En degene die na een fuifpartij in een autobotsing betrokken geraakt, in het ballonnetje moest blazen en bekeurd werd? Ik kan zo doorgaan tot jolijt van de lezer.

De praktijk van de dichotomie heb ik altijd verafschuwd. Ze is thans, expressis verbis, door de Orde als een misbruik gebrandmerkt. Dat ze onderhands nog hier en daar bestaat, is zeker en dat ze bestraft wordt, vind ik een goede zaak.

*

* *

De Orde van Geneesheren stond in het laatste lustrum aan felle kritiek bloot, in die mate zelfs dat men op haar afschaffing heeft aangedrongen. Hoe ik erover denk, heb ik al op verschillende plaatsen en bij verschillende gelegenheden geschreven.

Het is mijn innige overtuiging dat het verdwijnen van de Orde voor het moraliteitsbesef onder de geneesheren inzake hun beroepsethiek een gevoelige slag en een waar verlies zou betekenen. Neemt men alle remmen weg, dan wordt men meegesleept in een ordeloze chaos. Het is niet omdat maatschappijkritikasters vlekjes ontdekt hebben op het blazoen van de Orde dat de hele instelling moet verdwijnen. Moeten de politiek geïnspireerde syndikaten van de kaart geveegd worden omdat zij manifeste flaters begaan?

Dat alle misbruiken door de dokters gepleegd door gewone rechtbanken kunnen berecht worden, is volstrekt niet waar. Krachtens welk wetsartikel zal men het geven van dichotomie van chirurg aan huisarts sanctioneren? En de koopmansverstandhouding tussen geneesheer en apoteker? En de handelsgeest van sommige geneesheren?

Dat de Orde een kastegerecht is dat de kastegenoten a priori in bescherming neemt, wordt door de praktijk van dertig jaar gelogenstraft. De structuur van de relaties tussen geneesheren en de samenleving is zo rijk aan differentiëringen dat men een specialist ter zake moet zijn om de juiste weg te vinden en aan anderen voor te houden. Dat die relaties niet eeuwig strak en onwrikbaar moeten zijn, spreekt vanzelf. Elke poging tot verbetering en loutering in het licht van nieuwe opvattingen in de menselijke verhoudingen juich ik toe.

Als men wenst dat tucht en gebondenheid tot het opvolgen van bepaalde regels die men zelf heeft voorgeschreven, door anderen worden toegepast, moet men ze voor zichzelf aanvaarden en er zich naar schikken. Geen samenleving kan zich zonder discipline en zonder wetten instandhouden. In dat stel van disciplines en wetten hoort de Orde van Geneesheren thuis. Ik aanvaard ze zoals ik het leger, de politie en de belastingen aanvaard. Als een noodzakelijk kwaad? Akkoord!

*

* *

Ik kan van mijn Orde-ervaringen geen afscheid nemen zonder een woord van dank en waardering voor de twee Orde-magistraten, met dewelke ik bijna dagelijks in kontakt was: de heren Lucien Brunin en Edward van Brusselen. Rechters draag ik niet in mijn hart en ik ben in deze een discipel van Platoon, die ook de geneesheren geen goed hart toedraagt. Maar men moet eerst jaren met iemand samenwerken voordat men de roerselen van zijn gemoed peilt. Bij deze magistraten heb ik edelmoedigheid ontmoet en veel begrip voor alles wat er reilt en zeilt in de wereld van de geneesheren, met hun kwaliteiten en gebreken, en ook de mijne.

Met mijn collega's in de Orde kon ik alijd goed over de baan, ook met degenen die mij, voor ik als voorzitter aantrad, een voetje wilde lichten. We hebben dat potje gedekt gelaten. Het was om der waarheidswille en om de geschiedenis recht te laten wedervaren dat de exegese van wat zich toen heeft voorgedaan, hier niet mocht achterwege blijven.

Met Prokureur-Generaal J. Matthijs had ik korrekte relaties die door niets verstoord werden. Met hem heeft de Orde van Oost-Vlaanderen een aktie gevoerd tegen de laksheid van sommige geneesheren in het voorschrijven van pijnstillende middelen. Het drugmisbruik beteugelen behoort tot de bevoegdheid van de rechterlijke macht, maar deze kan niet nuttig optreden zonder verstandhouding met de geneesheren. Om het te verwezenlijken is de Orde goed geplaatst.

Eénmaal is het nodig gebleken een massale aktie te ondernemen waarbij drieëntwintig geneesheren uit één stad betrokken waren. Het was op 23 november 1963 (datum van de moord op John F. Kennedy). Geen enkele is vrijuit gegaan. Sindsdien is men beter uit zijn ogen gaan kijken, wanneer patiënten, echte of gefingeerde, pijnstillende geneesmiddelen vragen. Het verwekken, bevorderen en onderhouden van toxicomanieën is een laakbare praktijk. Dat geneesheren die zich eraan schuldig maken een bekeuring oplopen, zelfs indien zij niet door het gerecht vervolgd worden, vind ik redelijk. Het is een beroepsfout zoals een andere. Zij is des te erger wanneer de voorschriften worden afgeleverd aan derden, zonder dat de patiënt zelf onderzocht werd. Een geneesheer mag zich niet in de doeken laten leggen door sluwerds of simulanten.

Mijn zevenjarig voorzitterschap van de Orde was niet in hoofdzaak een schitterende vergelding voor alles wat mij voordien in dat verband was te beurt gevallen, maar heeft mij de gelegenheid gegeven een blik te werpen op het diorama van de medische praktijk in haar bonte veelzijdigheid, met de moeilijkheden, listen en voetangels waaraan de geneesheren dagelijks blootstaan. Ik meende het allemaal te kennen van uit de specialistische bedrijvigheid die al vijfentwintig jaar de mijne was voordat ik met de Orde van Geneesheren en haar doolhoven kennis maakte. Het was niet waar.

Sedertdien heb ik een beter inzicht verworven in de variatiekaart van de huidige maatschappij en de uiterste gevoeligheid van het kompas waarop de geneesheer moet varen om niet terecht te komen op de klippen. Die klippen zijn: eergevoel, rechtgevoel, redelijkheid, beroepsbekwaamheid. En de standaard van het admiraalschip: de patiënt is koning.

De Orde van Geneesheren is voor mij een weergaloze bron van innerlijke verrijking geweest. Het stemt mij tot een vreugdevol mijmeren wanneer ik aan die ervaring terugdenk en ik begrijp nu ook beter de etiologie van de iatrogene ziekten.

HET IJZER SMEDEN TERWIJL HET HEET IS

Met de jaarwisseling 1959-1960 was ik mijn drieënzestigste jaar ingegaan. Een leeftijd waarop het billijk is een statutum personale en reale op te maken van zichzelf en van degenen met wie, van wie, voor wie men leeft, en levensvooruitzichten koestert.

Met een gevoel van grote dankbaarheid voor de Voorzienigheid kan ik het op de volgende manier resumeren.

Mijn moeder was in haar tweeënnegentigste en gleed met de miseries die een hoge ouderdom meebrengt naar een gelukkige voleinding, waarvoor zij dagelijks bad. Ze kreeg meermaals in de week bezoek, ze was er gelukkig mee en ook met het geluk van ons allen.

Haar pijnlijke status rheumaticus ten spijt genoot mijn vrouw van een betrekkelijk goede gezondheid, maar moest zich voor heel wat dingen in achtnemen om flink te blijven. Zij ging op in de zorgen voor de kinderen en haar man: de koningin van het huis.

De kinderen gingen hun eigen weg, elk volgens zijn aanleg; zij genoten een volledige vrijheid maar bleven, waar ze ook waren, met alle stoffelijke en psychische banden aan het hoofdkwartier van de St.-Pietersnieuwstraat gehecht. Het was hun eigen keus. Mijn vrouw noch ik dachten eraan tegenover hen de dwingeland te spelen.

Ikzelf bewaarde de belangstelling voor alles wat mijn leven had bezield: mijn gezin, mijn praktijk, mijn wetenschappelijk werk, mijn Vlaamsnationalistische overtuiging, mijn universalistische opvattingen en denktrant.

Mijn gezondheid was wat ze sinds dertig jaar geweest was. De drempelverlaging van de koolhydratenuitscheiding verontrustte mij niet, want ik had vertrouwen in de verklaring die bevoegde collega's mij gegeven hadden. Om de vijf jaar liet ik het nakijken en het bleef onveranderd.

Die andere stille doder, de verhoogde bloeddruk, verrichtte al twintig jaar en meer wat zijn taak was; hij schommelde juist beneden de twintig, was tamelijk goed gecompenseerd wat de hart- en longfunctie betreft; ik nam geen specifieke geneesmiddelen en hield mij aan een matige zoutbeperking ... als het zo gelegen kwam.

Het fietsen dat ik zo graag en veel gedaan had gaf ik op. Het werd te gevaarlijk en goede fietspaden waren zeldzaam. Een auto bezat ik niet, en had er geen behoefte aan. Tram, trein en een paar goede benen zorgden voor de verplaatsingen.

De banden met de familie en vrienden werden in eer gehouden, we liepen elkanders huis niet plat, maar bewezen graag dienst. Wie ons voor burgers schold, had niet helemaal ongelijk.

*

* *

Aan de urologische praktijk schonk ik het beste deel van mijn dag. Ik had mijn bezigheid, poogde mijn werk zo goed mogelijk te verrichten; het opereren ging mij nog tamelijk goed af; ik voelde wel de onvermijdelijke sleet aankomen, maar had mijn vaste stijl van diagnosticeren en behandelen. Het was een vaste en onbetwiste waarde, het hoogtepunt dat een man van mijn leeftijd bereiken kon. Het kondigt de avond aan.

Het jaarlijkse urologencongres te Parijs had het effect van een verfrissend bad. Ik volgde het met de kritische zin die past bij de verbale vloed welke op die dagen losgeslagen wordt. Alleen het allerschoonste wordt dan uitgestald, zoals op de Gentse Floraliën. Ik had geleerd achter de coulissen te kijken en daar was meer op te rapen dan op het podium. Desalniettemin zou ik het gehele spektakel voor geen geld van de wereld willen missen hebben.

Het congres dat sinds onheugelijke tijden in het huiselijk-knusse Petit Amphithéâtre van de Ancienne Faculté de Médecine gehouden werd, verhuisde naar de Nouvelle Faculté de Médecine in de Rue des Saints Pères, en bleef dus in het hart van het Quartier Latin. Vanaf 1970 verhuisde het naar het nieuwe Hôpital Necker waar het hart van de urologie voor het eerst geklopt had. Daarna naar het ziekenhuiscomplex Salpetrière-Pitié, en sinds 1975 naar de congressenhall van de Rue Olivier des Serres. Die peregrinatie gaf mij en alle anderen de indruk van een prostitutie der traditionele urologie.

Mijn voorzitterschap van de Orde van Geneesheren vergde nogal wat tijd. Collega's kwamen met klachten en vragen op alle uren van de dag aankloppen. Ik moest op verzoek van het Parket bij huiszoekingen in dokterskabinetten aanwezig zijn en ondervragingen bijwonen. Representaties waren er ook al bij. Op de proklamatie van de nieuwe gepromoveerde dokters was de voorzitter van de Orde aanwezig, het was traditie. Maar toen die voorzitter Elaut was, zaten de hooggeleerden in nesten en wisten ze niet goed wat gedaan met de voor hen ongewenste vogel, die in het milieu geen persona grata was: de traditie volgen of een schandaaltje trotseren. Hunne respectabiliteiten de rector en de decaan hadden al moeten slikken dat ik met de academische eer van een aggregatie was gaan lopen, en ze slikten er deze nieuwe pil dan maar bij. Ik zat tussen de twee heerschappen in toga op de eerste rij en ze dankten mij voor de grote eer van mijn aanwezigheid. Zeven maal heb ik dat gedaan. Zeven is een heilig getal.

Met de blijde inkomst van het koningspaar in 1962, werden de notabelen en hun vrouw naar het stadhuis ontboden en mochten ze van Hunne Majesteiten een handdruk in ontvangst nemen. Sire zegde tegen mij: Dag, mijnheer de Geneesheer.

In de St.-Vincentiuskliniek waar ik in 1945 de bons gekregen had, werd ik voor alle klodden en vodden onder de arm genomen om een eerbare oplossing te vinden. Wat ik telkens gedaan heb. Collega's die in de verlegenheid zaten heb ik nooit in de steek gelaten en voor zover het geen manifeste bedriegerijen gold, de goede weg aangewezen, voor onbezonnenheid behoed, de hand boven hun hoofd gehouden. En meer dan een aan een baantje geholpen. Maar mij ook een goed deel vijandschap op de hals gehaald. Ik heb ze altijd in het zand geschreven. Wanneer de tijd van aftreden gekomen was, heb ik zonder hartzeer de taak en de eer aan een ander overgelaten.

Ik heb gezegd in welke omstandigheden ik mijn hart aan de geschiedenis van de geneeskunde had verpand. Die studie heeft mij veel genoegen verschaft, mij een voordien ongekende wereld geopenbaard en met merkwaardige personen in aanraking gebracht.

In Nederland bestond sinds 1964 een Genootschap voor de Geschiedenis van de Geneeskunde, Wiskunde en Natuurwetenschappen GEWINA, dat in het voorjaar en in het najaar vergaderde in de ene of andere stad. Naar dat voorbeeld heeft professor Paul van Oye hier Zuid-Gewina gesticht. We zijn van meet af meegegaan en hebben gepoogd er iets degelijks van te maken. Het was niet gemakkelijk; veel belangstelling was er niet, en competentie nog minder. Na het overlijden van Paul van Oye in 1970 ben ik voorzitter geworden. Met de secretaris Apoteker Leo van de Wiele die een onovertrefbare ijver aan de dag legt, kunnen wij onze eer kavelen, elk jaar een weekend besteden om op de samenkomst de vruchten van onze opzoekingen mede te delen en aan onze leden een boek, een brochure of overdrukken van gepubliceerde werken te zenden.

Sinds 1955 ga ik tweemaal per jaar naar de GEWINA-vergaderingen en het gebeurt dat een Noordnederlander op Zuid-Gewina een lezing houdt. Vanaf 1960 woon ik de jaarvergadering van de Deutsche Gesellschaft für die Geschichte der Medizin und Naturwissenschaften bij. Mijn vrouw gaat telkens mee, en samen nemen we deel aan de uitstappen. We maakten zo kennis met enkele Duitse steden, waar men anders niet komt: Bamberg, Augsburg, Lübeck, Göttingen, Freiburg, Heilbronn, Nürnberg, Würzburg, Lüneburg, Koblenz enz.

De medici historici van Rijnland en Westfalen hebben in mei 1970 een studieweekend in Gent belegd en met professor Van Oye hebben we het gedaan gekregen dat ze door de universiteit ontvangen en op een eetmaal in St.-Jorishof vergast werden. Ze waren er zeer mee in hun schik en proefden van de Gentse Waterzooi.

1964 was een Vesaliusjaar. In alle landen van de hele wereld werd de vierhonderdste verjaring van het overlijden van de grote anatoom herdacht met akademische plechtigheden; ontelbare bijdragen over zijn persoon en zijn werk zagen het licht. De voornaamste was het boek van de Amerikaan C.D. O' Malley uit Los Angeles. Men kan het leggen naast de standaardwerken van M. Roth uit 1885 en van Harvey Cushing uit 1943. In ons land werd het vereerd met de belangrijke Eugène Baieprijs.

Te Brussel kreeg Vesalius zijn deel in de herdenkingen. Zuid-Gewina die in dat milieu niet bekend is, liet er zijn stem horen met een mededeling van Piet Boeynaems. Voor *Scientiarum Historia* had ik een artikel bekomen van O' Malley, een joviale kerel uit de duizend. Zelf schreef ik een bijdrage over de Franse vertaling van Vesalius' Fabrica door onze professor Jules Verschaffelt. Van die vertaling wisten de Brusselaars niets af. Ze was in 1914 ondernomen, maar moest bij gebrek aan inschrijvingen gestaakt worden. De onverkochte katernen die bij de uitgever vijftig jaar op de afnemers hadden liggen wachten, werden opgediept en voor een spotprijs van de hand gedaan. Het Frans van de Nederlander-Vlaming J. Verschaffelt is van zulke voorname kwaliteit dat gelijk welke Brusselaar of Waal er een puntje kan aan zuigen.

1968 was een Boerhaavejaar; het was driehonderd jaar geleden dat de Nederlandse geneesheer te Voorhout bij Leiden geboren werd. De universiteit had in de plaats van academische drukte er de voorkeur aan gegeven door een selecte keur van wetenschappelijk-historische lezingen haar hoogleraar uit de achttiende eeuw te herdenken. Het was een goed idee en het is over heel de lijn meegevallen.

Het begon met een muzikaal preludium in het kerkje van Boerhaaves geboorteplaats waar zijn vader predikant was, gevolgd door een bezoek aan de pastorie-geboortehuis die ernaast ligt en een boomplanting in de tuin. Burgemeester en wethouders van Voorhout ontvingen ons op het gemeentehuis met de onmisbare kop koffie. We kregen als aandenken een mooi verpakte amaryllisbol mee, met aanwijzingen voor het behandelen om een mooie bloem te bekomen. Mijn vrouw heeft alles nauwkeurig opgevolgd en we werden beloond met een prachtige bloeiwijze.

In de aula van het Leidse Academisch Ziekenhuis kwam een internationaal sprekersteam aan het woord met historische mededelingen over scheikunde, plantkunde en geneeskunde, de drie vakgebieden waarop Boerhaave geschitterd heeft. De dag nadien was er een lezing in de universiteitsaula door de filozoof F. Sassen die Boerhaave situeerde in het tijdsverband dat het zijne was, en van de anatoom J. Dankmeijer die de vraag beantwoordde of het wel paste aan Boerhaave al de lof toe te zwaaien die men hem niet spaarde. Het antwoord was ja, met veel overtuigende argumenten omkranst.

Voor de receptie op het stadhuis had de burgemeester zijn ambtsketen aangedaan en gingen de lakeien in korte pantalon, witte kousen en gespschoenen rond met schenkborden om de gasten een borrel en sigaren aan te bieden. Het slot was het neerleggen van een bloemenkrans op het graf van Boerhaave in de Pieterskerk door Erna Lesky namens de Weense universiteit. Op het sierlint las men de spreuk: Magistro Magistrorum, aan de Meester van de Meesters.

Wanneer Erna Lesky vooruittrad en met enkele woorden het piëteitsgebaar van haar universiteit toelichtte, vroeg elkeen zich af wie die vrouw was met zulke waardige zekerheid in haar optreden. Erna Lesky imponeert niet door haar fysische verschijning, maar uit haar stembuiging, haar woordkeus, haar blik en gebaar komt een geestelijk fluidum dat allen aan de grond spijkert die haar zien en beluisteren.

Het universiteitsmuseum voor de geschiedenis van de wetenschappen had uitgepakt met de schoonste stukken uit zijn archief, bibliotheek en verzamelingen.

Er was een rondrit in Boerhaaves buitenverblijf te Voorhout, nu een protestantse theologenschool. De meeste bomen die er staan werden door hem geplant. Het geheel is van een ware aristocratische distinktie.

De Boerhaaveherdenking heeft mij geweldig aangegrepen. Aan mijn Amsterdamse collega G. Lindeboom die de beste Boerhaavekenner ter wereld is en die aan de Leidse meester meer dan één boek heeft gewijd, heb ik welgemeend mijn dank en bewondering uitgesproken voor het tweedaagse genot dat mij verschaft werd.

Tijdens de Gewina-dagen in Nederland heb ik in de laatste twintig jaar veel interessante mensen ontmoet die in de geschiedenis van de wetenschappen een belangrijke rol gespeeld hebben E.J. Dijksterhuis, R.J. Forbes, W. Boerhaave-Beekman, A. Schierbeek, om ons tot enkele overledenen te beperken, waren hoogstaande en charmante mensen in de omgang. Zij waren geen artsen, maar hun gesprekken waren er niet minder onderhoudend en leerzaam om.

Op de verschillende plaatsen waar vergaderd werd, heb ik mooie en zeldzame dingen gezien. De chirurgijnskamer te Gouda is een unicum van elegantie, op haar bezit is men nooit uitgekeken. Het medisch-farmaceutisch museum te Amsterdam, in volle Wallekenswijk en op een boogscheut van de Wijnand-Fokking borrelkroeg, is het niet minder. Een chirurg die te Harderwijk passeert moet het Museum Dr. C. de Mooy in de Oranjekazerne gaan zien. Deze legerarts (1834-1926) is de ontdekker van de meest eenvoudig-vernuftige heelkundige instrumenten, verbandmateriaal en eerste-hulpsvoorwerpen die de mondiale militaire chirurgie bezit.

Te Haarlem ligt aan weerszijden van het Spaarne een museum waar de verzamelingen van Martinus van Marum te zien zijn, o.m. zijn grote elektriseermachine uit 1802. Zierikzee, Maastricht met de St.-Pietersgrotten, Hoorn met het rijke armamentarium voor de walvisvangst, Amersfoort met zijn goed bewaard ziekenhuis in volle uitrusting uit de achttiende eeuw, Bergen op Zoom met het gerestaureerd Markiezenhof, Gorinchem, en aan de overzijde van de Waal het slot Loeverstein waaruit Hugo de Groot in een boekenkist ontsnapte, Zaandam waar nog een oliemolen en een mosterdmolen draaien.

Wie begrip opbrengt voor historisch inzicht in de geneeskunde en de aanverwante wetenschappen, zal in Nederland veel bronnen van verrijking vinden. Er heerst wel belangstelling voor, doch daar ook is het de eeuwige strijd voor meer erkenning vanwege de officiële wetenschapssatrapen, die met oogkleppen rondlopen in een wereld die openbarst van techniek. Zij worden opgejaagd door het progressisme van het onmiddellijk nuttige en vergeten dat de historische beschouwing het beste voorbehoedsmiddel is tegen het gluipende hartinfarct.

*
* *

In het jaar 1961 heb ik kennis gemaakt met de Association des Sociétés Savantes de France die sinds 1875, om het jaar in een andere Franse stad, een congres inricht waar alle aspekten van het wetenschappelijk leven uit de betrokken streek aan bod komen. Er is ook een historische afdeling en in deze een onderafdeling voor de Histoire des Sciences, waar de geneeskunde een groot deel voor haar rekening neemt. Op een paar uitzonderingen na heb ik alle congressen sinds 1961 bijgewoond: Poitiers, Clermont-Ferrand, Lyon, Reims, Straatsburg, Tours, Rijsel, Nice, Rennes enz.

Het is een merkwaardig milieu waar de fine fleur van de Franse geleerden aan het woord komt en onbeschroomd over de laatste bevindingen vertelt. Die congressen vertonen een sterk lokale kleur, maar ze zijn daarom niet minder belangwekkend, en het loopt er ook vol met belangwekkende figuren. Er zitten wel wat chauvinisten onder hen, en het hyperkriticisme van de Hollanders is er zoek. Het aantal oude vrijsters die men ontmoet zetten het serieuste gezicht van Europa op en dragen de raarst opgetakelde kledij van heel Frankrijk, het is opvallend. Maar hun mededelingen zijn van een zeldzame preciesheid om van te rillen.

Meer dan eens ben ik er met een mededeling opgetreden, te Poitiers, te Lyon, te Clermont-Ferrand. De Fransen luisteren naar mijn kurieus accent, vinden alles merveilleux en remarquable en kunnen hun gasten zo voorstellen alsof het halve genieën zijn. Het ligt er veel te dik op. De recepties op die congressen worden buitengewoon druk bijgewoond en men vraagt zich af waar de gasten vandaan komen. De sluizen van de Franse welsprekendheid staan wijd open en de onderlinge bewieroking viert hoogtij. Alles is er weer remarquable. Men moet uit die overdadigheid weten te kiezen en te keuren, en dan schiet er wel een waardevolle kern over.

Ook met de Société Française d'Histoire de la Médecine onderhoud ik regelmatig betrekkingen. Eén à tweemaal per jaar woon ik haar vergaderingen bij, die telkens op de laatste zaterdag van de maand gehouden worden in de Ancienne Faculté de Médecine. Een opmerkelijk figuur is daar altijd mevrouw Maurice Chevassu, de echtgenote van een bekend Frans uroloog, die ik in 1927 te Parijs aan 't werk heb gezien. Zij is een vinnige oude dame, altijd ,,très entourée'', want elkeen is dol op haar vriendelijke verteltrant.

Op de meivergadering van de Société is het altijd volle bak, ook vanwege leden uit het buitenland. De dag daarop is er een excursie naar een plaats die in de medische geschiedenis een voorname rol gespeeld heeft. Vanaf 1975 wordt ijverig gewerkt aan de restauratie van het musée Dupuytren waar de anatomo-patologische verzamelingen van die chirurg-patoloog (1771-1835) bewaard bleven. Het ligt tussenin de laboratoria van de Ancienne Faculté, en is een parel van een gotisch gebouw, een oude kloosterkapel uit het ancien regime.

Parijs bezit en bewaart een onmetelijke rijkdom aan medisch-historische archivalia in steen en geschrift. Dit is ook waar voor de meeste Franse steden. Het allemaal tot zijn recht laten komen, is een ontzaglijke arbeid. Op de manier en het ritme waarop thans het immense materiaal bewerkt wordt, komt men in geen honderd jaar rond.

*
* *

Mijn vrouw en ik hadden ervan gedroomd ooit de bekende passiespelen van Oberammergau bij te wonen. Doch daar die slechts om de tien jaar plaatshebben, moesten we het gepaste tijdstip afwachten. Het jaar 1960 lukte het. We gingen er einde juli heen, tijdens de vakantie van de kinderen. Bij de Vlaamse Toeristenbond namen we de inschrijvingen en stortten het gevraagde voorschot voor de reis, het hotelverblijf en de plaatsbewijzen. We hadden ons laten vangen aan de propaganda die voor en rondom het gebeuren gemaakt werd.

Wanneer we op het Gentse VTB-kantoor de reiskaartjes gingen afhalen, kregen we te horen dat de plaatskaarten voor de vertoning te Oberammergau en de hotelreservaties op het Verkehrsbüro lagen en dat we die daar moesten betalen, weshalve we een deel van het voorafgestorte bedrag terugkregen.

Te Oberammergau wist men op het Verkehrsbüro van niemendal, en kon men ons niet verklaren wat er haperde. Er was dus geknoeid en de schamele VTB was er de dupe van. En wij, met ons vieren ook. We waren meer dan duizend kilometer ver gereisd om een blauwtje op te lopen. Tenzij besproken plaatsen afgezegd werden, zoals nogal eens gebeurt.

De woorden van de beteuterde bediende waren nog niet helemaal uit haar mond, of daar ging de telefoon, meldend dat er vier plaatsen beschikbaar werden. Was dat nu geen providentiële beschikking? Met de logiesbespreking liep het minder vlot. In heel Oberammergau was geen enkel bed meer vrij. Dan maar getelefoneerd naar de dorpen in de omgeving. Tenslotte konden we terecht te Unterammergau in het gezin van een beeldsnijder. Vermits we de vertoning van de daaropvolgende dag konden bijwonen, was dat ook een oplossing. Wij daarheen.

We kwamen terecht bij nette mensen, die de beschikbare ruimte zo regelden dat de twee meisjes in een groot bed konden slapen, en ik met mijn vrouw op bijeengeschoven sofa's. We maakten van de nood een deugd, maar komfortabel was heel anders. Tot bekroning werden we heel de nacht wakker gehouden door het geschrei van het zieke kindje van het echtpaar. Toen we 's anderendaags te acht uur naar het Spiel te Oberammergau reden, waren we tevreden als landlopers die toch in het droge hadden geslapen.

Het passiespel te Oberammergau is geen groot toneel, wel een imponerende opeenvolging van taferelen die op effect bedacht zijn en op sommige momenten effect maken. Er zitten onder die dorpslieden echte toneelspelers met veel talent. Zo waren de jonge vrouw die Maria uitbeeldde, en de apostel Petrus beslist eerste klasse acteurs. Dat de twintigjarige Maria als moeder van een veertigjarige Jezus fungeerde, moest men er maar als een anachronisme bijnemen.

Het meest spectakulaire tafereel was de verheerlijking van de verrezen Zaligmaker. Stel u een massale mensenpyramide voor, uitgebeeld door al de medespelers, met hun rug naar de toeschouwers toe gekeerd, in weidse en bonte bijbelse gewaden gedrapeerd, waaronder een weelde van een honderdtal vrouwen met witte, blonde, zwarte, grijze en roodkleurige lange neerhangende haren, en dat alles opstijgende naar de top waar de Christusfiguur onder de bundels van de schijnwerpers straalt. Indrukwekkend!

In de morgen wordt gespeeld van halfnegen tot elf, in de namiddag van twee tot vier. We hadden nog een paar uren vrij en maakten van de gelegenheid gebruik om een bezoek te brengen aan de alomgeroemde barokke kerk van Wies, op een tiental kilometer van Oberammergau. Het is inderdaad een uniek monument, een nooit geziene woekering van rokoko-ornamenten waar geen enkele rechte lijn in te bespeuren is. Men vraagt zich af hoe het mogelijk was zoveel superlatieven van overdadige sierselen opeen te stapelen. Zuid-Duitsland is het vaderland van de barok. Tot in het dorpskerkje van het nog geen duizend inwoners tellende Unterammergau, stroomt de barok de bezoeker tegen.

De chauffeur die ons naar Wies bracht, was de apostel Filippus uit het Spiel, een eerbiedwaardige vijftiger met lang haar die veel bekijks had. We waren in 1960 en de lange haren voor mannen hadden Europa nog niet veroverd.

Tevreden verlieten we Oberammergau en kwamen des avonds te Innsbrück aan. We waren verwacht en ten teken van welkom stond in het hotel het warme avondmaal klaar. Nooit hebben we op onze reizen zulk een gastvrij gebaar ondervonden.

*
* *

In 1961 ging onze zomerreis naar Oostenrijk. We maakten kennis met Wenen, met de monumentale Ring, de Prater, de Hofburg, het keizerlijke Schönbrunn en zijn lusthof. Een uitstap in het Wienerwald bracht ons te Mayerling, het beruchte jachtslot waar zich het drama van kroonprins Rudolf en Maria von Vetsera afspeelde. We zagen de plaats waar het gebeurd was; voorts het graf van Vetsera op het dorpskerkhof, dat nog dagelijks een bloemtuil krijgt. We aten Bauernschmaus in de herberg Zum Brunnen waar Schubert vaak kwam en het lied *Der Lindenbaum* heeft gekomponeerd. Die lindeboom staat er nog.

Van Wenen gingen we naar Salzburg waar nooit een dag zonder regen voorbijgaat. Daar ligt in een kloosterpand Paracelsus begraven. Vanuit Salzburg bezochten wij het aristocratische vakantieoord Berchtesgaden. Het adelaarsnest van Hitler in de hoge bergen is praktisch niet te bereiken, maar de bunkers van Göring en de andere nazipotentaten zijn er te zien. Het bezoek aan een zoutmijn met een boottochtje op het ondergrondse meer, een afdaling op de glijbaan en een duizelingwekkende rit met het smalspoortrammetje door de zoutrotsen, behoorden tot de sensaties van de dag. De terugreis door het Vorarlsgebergte en het ministaatje Liechtenstein is indrukwekkend.

In 1962 gingen mijn vrouw en ik met Jan naar Italië: Venetië, Bologna en Firenze waren het reisdoel. Zoonlief kwam geweldig onder de indruk van het San Marcoplein en de gondelvaart door de kanalen, onze gondel kwam in botsing met die waarop de Leuvense rector Van Waeyenbergh zat. Te Bologna bezochten we wat elke toerist bezoekt en te Firenze, de metropool van de Italiaanse kunst, ondergingen we samen het stortbad van schilderijen en Medicigebouwen. Fra Angelico in het San Marcoklooster, waar Savonarola prior was, spant de kroon. Te Fiesole zagen we Franciskanen barrevoets aan 't bedelen, met een baalzak op hun schouders.

We keerden huiswaarts over Lugano, bleven er een paar dagen en voeren op het meer. Het is het kanton Ticino en alles is er eentalig Italiaans; zondags wordt er in geen andere taal gepredikt, ook niet ten behoeve van de toeristen die overtalrijk zijn in augustus.

*
* *

In het rusthuis St.-Coleta waar ze sinds het overlijden van vader in 1951 verbleef, is onze lieve moeder gestorven in de namiddag te 14.30 uur op woensdag 17 november 1962. Op 3 augustus 1868 te Gentbrugge geboren, was ze in haar vijfennegentigste levensjaar. Als een kaarsje is ze uitgegaan; er was geen andere doodsoorzaak dan een afgeleefdheid. Ze had naar haar dood verlangd en verklaarde meer dan eens dat ze van alles voldaan was.

Ze was vervuld van een groot gevoel van dankbaarheid tegenover allen die haar verzorgd hadden, niet het minst tegenover mijn vrouw die haar wekelijks driemaal bezocht. Ze hield dolveel van onze kinderen en volgde met belangstelling hun levensweg. Onze oudste heeft haar helpen afleggen en ikzelf wilde aanwezig zijn wanneer de lijkkist werd dichtgemaakt. Dank u, liefste moeder!

De uitvaart had in St.-Coletakerk plaats, waar een kring van familieleden en vrienden aanwezig was. Moeder werd bij vader bijgezet in het familiegraf op het Gentbrugse kerkhof.

Met moeders dood was weer een tijdperk van mijn leven afgesloten. Tot mijn vijfenzestig voelde ik altijd iets boven mij, want moeder leefde nog. Zij was de oudste van de familie, zij heeft al haar zusters overleefd; we gingen bij haar alsof we naar huis gingen. Nu viel dat huis weg, en ik was de oudste, en thuis dat was de St.-Pietersnieuwstraat. De wekelijkse gang naar St.-Coleta behoorde tot het verleden. Aan onze herinneringen werd een hoofdstuk toegevoegd. Het was een heerlijk hoofdstuk.

*

* *

In het licht van deze herinneringen, ging het leven voort met zijn onderlinge verbindingen en aaneensluitingen. Het leven eist onverbloemd en onverbiddelijk zijn rechten op en houdt geen rekening met de doden. Met zijn doden houdt eenieder hechtingen in stand tot ook die begeven, want tegenover de tijd, de grote overwinnaar, is niets bestand, zelfs de liefde waarvan het heet dat ze blijft bestaan, verzwindt met en in de oneindigheid.

Vanaf 1963 was ik betrokken bij de Stichting-Visser Neerlandia Prijzen, waarvan de toekenning aan het Algemeen Nederlands Verbond was opgedragen, o.m. als steun of waardering aan personen en inrichtingen ten bate van het lichamelijk en geestelijk welzijn, alsmede voor algemeen kultureel werk. Zes jaar achtereen ging ik in het voorjaar naar de zetel van het Algemene Nederlands Verbond in de Surinamestraat te Den Haag, waar een jury de prijzen toekende. Vanaf 1963 kwamen Vlamingen en Vlaamse instellingen voor een prijs in aanmerking.

In de afdeling waar ik iets in de pap te brokken had, heb ik mijn landgenoten niet uit het oog verloren en van de prijzen een vierde ongeveer aan Zuidnederland laten te goede komen. De Stichting-Lodewijk De Raet was een van de eerste begunstigden. Voorts het werk van Licht en Liefde voor blinden, het Dominiek Savio-tehuis voor geestelijk gehandicapten te Gits, het St.-Gregorius-instituut te Gentbrugge voor gehoorgestoorden en het St.-Jozef-instituut te Zwijnaarde voor beroepsopleiding van opvoedbare zwakzinnigen, en nog andere soortgelijke instellingen in Vlaanderen. Ik was bijzonder tevreden dat ik op die plaats iets heb kunnen verwezenlijken. In 1968 ben ik met mijn vrouw op de uitreiking van de Visser Neerlandiaprijs te Scheveningen aanwezig geweest.

In andere afdelingen dan de mijne hebben diverse juryleden aan verdienstelijke Zuidnederlandse personen en instellingen prijzen kunnen toekennen. Om de zes jaren veranderen de jury's van titularis.

*

* *

Een Spanjereis stond reeds lang op ons programma. In 1962 is het ervan gekomen. Met mijn vrouw had ik een klassiek reisplan opgemaakt en zelf onze hotels en andere reservaties besproken. We vertrokken in de meimaand over Parijs, Irun en bleven overnachten in San Sebastian. Vandaar naar Burgos voor een bezoek aan de merkwaardige kathedraal; het was er bar koud. Een lange treinreis op een geweldig slingerende Talgo bracht ons dwarsdoor Oud-Kastilië naar de hoofdstad. We logeerden in het Hotel Plaza waar we bijna de enige niet-Amerikanen waren.

Te Madrid hebben we niet zoveel gezien, behalve het stadsbeeld, het Koninklijk Paleis en het Prado, een rijk museum. De Vlaamse kunst is er goed vertegenwoordigd. Op de Plaza del sol is het in de namiddag volle bak met pratende en rondkuierende Spanjaarden, die blijkbaar niets anders te doen hebben.

We zijn natuurlijk bij een stierengevecht aanwezig geweest. Het was juist San Isidrokermis; publiek en toreadoren waren in goede vorm, de zon was van de partij en in de Plaza de Toros hing een feestelijke stemming. Zes stieren werden de arena ingestuurd, flinke zwartharige knapen van een goede vijfhonderd kilo. Een paard met ruiter tillen ze als een pluimpje op hun horens omhoog, en ze zouden ze over de omheining geworpen hebben als voetknechten met rode lappen de aandacht van het stoere beestje niet naar andere objecten hadden afgeleid. Het publiek dat de trapbanken vult, giert als één bezeten massa, wanneer een bevechter een kunsttoertje uithaalt, maar fluit en huilt van woede wanneer hij een flater begaat. Wat die flaters zijn, begrijpen alleen de kenners. Het geheel herinnert aan onze luidruchtige voetbalvelden bij een belangrijke wedstrijd. De doder die met een steek van de espada tussen de schoften van de stier door, direct naar het hart mikt, geen doel treft en op een been terechtkomt, wordt uitgejouwd en mag zijn matten oprollen. Heel het spel is spektakel en een Spanjaard kan zonder dat spektakel niet leven. We zagen El Cordobes aan 't werk.

De demonstratie van typisch Spaanse dansen kon ons maar weinig boeien; het dansen zit de Spanjaarden in het bloed, het is een dol vertoon; zij worden nooit moe te trappelen op spiegelgladde vloeren en onderwijl op een tamboerijn te slaan of met kastanjetten te klepperen.

Uitstappen naar Avila, het Escuriaal en het gigantische gedenkteken voor de gesneuvelden van de burgeroorlog 1936-1939 in de Valle de los Caidos, stonden op de agenda. Vrienden hadden ons de wenk gegeven een bezoek te brengen aan Santiago de Compostella, het eeuwenoude pelgrimsoord. Die stad ligt in de uiterste Spaanse westhoek in de provincie Galicië, ver van Madrid. We hadden het ervoor over.

Opnieuw op de Talgo, en na een wiegende treinreis van zeven uren waren we ter plaatse. Logies in het majestatische Hotel de los Reyos Catolicos op het grote plein, waar de kathedraal, het stadhuis en het hoofdgebouw van de universiteit gelegen zijn.

We troffen het; het was Hemelvaartdag en grote jaarmarkt. Die jaarmarkt is een enig festijn voor nieuwsgierige toeristen. Het is buitengewoon druk van kopers en verkopers. De koopwaar ligt in open lucht op zeilen op de grond uitgestald en de landlieden brengen in hun karren op stro de nacht door. Varkens worden met een touw aan een achterpoot rondgeleid en te koop aangeboden. De boerinnen zouden elke kijker een big willen aansmeren. Toen ik vroeg wat zo'n diertje van twintig kilo kostte, kon ik er eentje op de kop tikken voor ,,cien pesetas''. Ik had heel wat moeite om het vrouwtje aan het verstand te brengen dat ik alleen op informatie en niet op kopen gesteld was.

Op het stadsplein waren we getuigen van een fantastisch tafereel: op de Hoogdag zag het plein zwart van het volk. Een man in rode korte broek, zamelde met een schaal geld in; hij wilde een van de twee torens van de kathedraal tot aan het kruis aan de buitenzijde beklimmen, tachtig meter hoog en zou het doen als hij genoeg peseta's had opgehaald. Toen hij het nodige quantum bijeen had, gaf hij het aan zijn vrouw in bewaring en vatte zijn taak aan.

Gezwind als een kat klauterde hij, zich steunend en leunend aan de uitsteeksels van de baroktoren naar boven. Na een goede twintig minuten stond hij aan het kruis. Het deed mij duizelen en daar ik last heb van hoogtevrees durfde ik niet goed naar de roodgebroekte klimmer te kijken. Hij kreeg een applaus en kwam dan naar beneden. Dit ging minder vlot en nam meer tijd in beslag.

Daar op de spoorlijn van Compostella naar Madrid maar één Talgostel beschikbaar was, moesten we twee dagen wachten alvorens we de terugreis konden aanvatten. Heel de uitstap had dus vier dagen gevergd, maar we waren buitengewoon tevreden en zouden niet graag onze Compostella-ervaring gemist hebben. Galicië is, in tegenstelling met de rest van Spanje, een heerlijk groen landschap. Men schrijft aan de inwoners de bijzondere gave van een ingeboren sluwheid toe. Het schijnt dat Franco een geboren Galiciër was. Dat hij tijdens de Tweede Oorlog Hitler door zijn neutraliteitspolitiek om de tuin geleid heeft, schijnt dit volkskarakter te bevestigen.

We bezochten ook Toledo en maakten er kennis, meer dan we wensten, met de schilderijen van El Greco. Voorts met het Alcazar dat de duidelijke sporen van zijn belegering uit 1937 droeg en waar zich de meest tragische tonelen van de burgeroorlog hadden afgespeeld: no pasaron.

Te Cordoba waren we bijzonder verrast door de kathedraal, een oude Arabische moskee, in het midden waarvan een renaissancekerk werd opgetrokken. Sevilla kwam ook aan de beurt; de Guadalquivir met zijn uitgedroogd stroombed maakte maar een povere indruk. De oude jodenbuurt, de juderia, is een buitenbeentje met haar patio's en typische bebloemde huisjes.

We keerden terug over Madrid, in één treinreis naar Barcelona. Vandaar over Perpignan, Montpellier, Lyon met de Mistral-express naar Parijs en zo naar Gent. We namen ons voor bij de eerste gelegenheid naar Spanje weer te keren. We waren drie weken weggeweest.

*

* *

Het jaar 1962 was dat van het emeritaat van Corneel Heymans: de Nobelprijswinnaar was zeventig jaar en de wet was op hem zoals op elk ander hoogleraar van toepassing. Hij zou voor de laatste maal in dat jaar zijn colleges geven en dan in het otium cum dignitate treden.

De studentenschap nam als eerste in de rij de gelegenheid te baat om de man te huldigen bij zijn afscheid van de universiteit, waarvan hij, sinds haar bestaan, het schoonste en het roemrijkste sieraad was geweest, na veertig jaar professoraat (1922-1962).

Het K.V.H.V. en het Verbond der Vlaamse Academici zetten de hulde op touw. Men had mij gevraagd te spreken namens zijn oud-studenten in de Aula op 28 februari 1962. Burgemeester, rector, bisschop en twee gouverneurs waren aanwezig. De Aula zelf was tot in de nok gevuld met studentikoze luisteraars, die het op elke goede zet of hoffelijk-boze alluzie uitproestten van de lol; de scheidende hoogleraar en zijn familie hadden het vaak lastig van de intense pret. Heymans heeft mij later verteld dat geen hulde hem en zijn vrouw ooit meer genoegen had verschaft dan die.

Ik heb gesproken uit de volheid des harten en heb nooit zoveel warme genegenheid gelegd in een toespraak als die avond. Professor Albert Lacquet sprak namens de Vlaamse Academici voor Geneeskunde en Karel Godderis, voorzitter van de Vlaamse Academici sprak over de Vlaming Heymans.

Men kan de toespraken letterlijk terugvinden in het *Mededelingenblad van het Verbond der Vlaamse Academici,* VII, nr I, juli 1962.

*

* *

Een andere plechtige hulde waarop ik niet wilde ontbreken was die aan de Vier Groten van Oudegem: Justus de Harduijn (1582-1642) dichter, die er pastoor was, Jef Scheirs (1885-1960) volksschrijver die er geboren werd, Vrouwe Courtmans-Berchmans (1811-1890), schrijfster er geboren en Frans de Hovre (1884-1956) filosoof-pedagoog die er ook het levenslicht aanschouwde.

Vooral deze laatste was het die mij op 7 juni 1962 naar het Denderdorp bracht. Het was landelijk intiem, met een mis, een huldezitting op het gemeentehuis en een stoet met fanfare die telkens een vrolijke aria speelde voor het huis waar de groten werden geboren of gewoond hadden. Het liep niet over van geleerde betogen en academische plechtstatigheid, maar men zag het de inwoners van Oudegem aan dat zij trots waren op de ,,groten'' die ,,Hagem'' een stond uit de vergetelheid hadden doen treden. Ik heb ooit teveel aan Frans de Hovre in mijn leven te danken gehad, om niet mee te doen aan wat zijn geboortedorp als eenvoudig maar oprecht eerbetoon voor hem had bedacht.

*

* *

Het heeft maar een jaar aangelopen voordat ik met mijn vrouw een tweede Spanjereis bedacht. We zouden andere plaatsen bezoeken, want het land, zijn steden en zijn uitzicht hadden ons zozeer bekoord dat wij er meer wilden van zien.

We vertrokken weer in mei, over Parijs en Irun naar San Sebastian waar we nu liefst een paar dagen zouden blijven. De stad stond op dat moment op een kookpunt vanwege Baskische rellen; men voelde zo de geladenheid aan; 's avonds liep de hele bevolking op straat in de oude stad en keek ze de gardevils en andere politiemannen met spottende ogen aan, zonder een woord te uiten. In het hotel waar we logeerden was het betrekkelijk rustig, maar 's nachts hoorden we geweerschoten in de verte. Het meisje dat onze kamer verzorgde was een Vlaamse uit Deinze, die hier getrouwd was en werk gevonden had. Ze wenste niet naar de heimat terug te keren; ze had het hier goed, zei ze.

We maakten een uitstap in het Baskische binnenland en bezochten het plaatsje Zaraus aan zee, waar de Belgische koning en koningin hun vakantie doorbrengen. Buitengewoon koninklijk zag het er niet uit; men toonde ons het koninklijk verblijf, een archaïsche villa met ommuurde tuin, en in de omgevende heuvels een splinternieuw gebouw met rood pannendak.

We reden door het haventje Guataria waar een onmenselijke vislucht om het dorp hing. Niet te verwonderen want er lagen bergen ansjovis op de kade, die daar zo maar uit de boten gelost werden. De tonijn werd met meer zorg behandeld want de bootladingen vertrokken onmiddellijk met vrachtwagens het land in.

Een eind in zee ligt een typische rotsmassa die helemaal het uitzicht en de vorm heeft van een ineengetrokken muis met hoog opgetrokken rug en kleine kop, el raton. Het is een goed gekozen naam.

Met de wiegende Talgo naar Madrid, waar we weer in hotel Plaza logeerden. Van daaruit bezochten we een hele dag Segovia in het Guadarama-gebergte. De stad bezit een intacte Romeinse aquaduct die het water over het dal voert en nog in gebruik is. In een befaamd restaurant onder de aquaduct kan men uitstekend bereide biggetjes eten, die door de kelners niet met een mes uitgesneden, maar met een gewoon bord op zijn kant gescheiden worden; ze zijn zo mals als boter.

We gingen opnieuw met de trein naar Sevilla, omdat het een aangename en geschikte pleisterplaats was; we zagen in het bijzonder de Giraldatoren, het laatste gotische bouwwerk uit het Iberische schiereiland; in volle kathedraal ligt Christoffel Columbus begraven. Tijdens het bezoek aan de kathedraal, hoorden we onze Franssprekende gids er het volgende uitflappen: ,,maintenant nous allons visiter la chapelle du dernier souper et de la sacrée famille''. Ze bedoelde de kapel van het Laatste Avondmaal en van de Heilige Familie. Mijn vrouw moest er geweldig om lachen.

Omdat we bijzonder gesteld waren op het Andalusische landschap waar men ons over verteld had, lieten we ons voor het bedrag van zeshonderd Belgische frank met de wagen naar Granada voeren, een goede tweehonderd kilometer ver, voor een appel en een ei tenslotte. We beleefden er veel genoegen aan; het weer was uitstekend, de wegen goed en niet druk, de Andalusische dorpen, tot onze grote verbazing, net en riant.

Te Granada waren we op Sacramentsdag, in die streek van Spanje een heiligdag. Er was processie en aan de voorbereiding zagen we wel dat het een grote gebeurtenis zou worden. Inderdaad. De hele stad was op de been en het liep er dik van de buitenlieden. Daar het heet dreigde te worden, had men boven de stratera lichte gaasdoeken uitgespannen om de felle zonnestralen te temperen. Vlaggen, pennoenen en kleurrijke doeken hingen aan elke woning.

Die processie was een ongewoon vertoon, het religieuze deel kwam helemaal achteraan, maar wat voorafging was folklore, militaire parade en een stuk wandelende jaarbeurs. Een stoet die vier uur nodig had om door de stad te trekken. Overal waar het Allerheiligste voorbijging gingen de kanonnetjes aan het schieten dat horen en zien verging. De oude bisschop stapte mee op in de processie. Wanneer halt gehouden werd traden twee seminaristen die een zetel droegen uit het gevolg en Zijne Hoogwaardigheid kon een poosje uitrusten, totdat de godsvruchtige gelederen hun mars voortzetten. Zo trok O.L. Heer met zijn musicerende, zingende, commerciële, kanonnerende en biddende begeleiding door de straten van Granada op het feest van Corpus Christi in 1963.

We lieten ons daarna in open koets bergopwaarts naar de Alhambra en de Generalife rijden, twee beroemde bouwwerken, oude versterkingen waarvan de versiering merkwaardig is. Het Leeuwenhof met het peristilium en de fontein, de zaal van de Ambassadeurs zijn typische specimina van de Moorse sier. De tuinen onder de Spaanse zon zijn prachtig, ze worden bevloeid met kristalhelder water dat van de verre met sneeuw bedekte Sierra Nevada in een netwerk van buizen naar beneden stroomt. Men zit hier volop in de herinneringen aan de Moorse bezetting van Spanje. De Alhambrastijl heeft zich in de bouwkunst van deze en andere streken geaffirmeerd; hij is hier geboren.

Daar we treinreizigers zijn, zetten we met de trein onze tocht voort naar Alicante. Driekwart van een dag voor dit trajekt is geen pretje op een Spaanse trein die geen Talgo is, maar men wordt ruimschoots voor zijn geduld beloond door het rijk variërend landschap, waar men niet gauw op uitgekeken is. In de streek van Murcia zijn het onmetelijke bossen sinaasappelbomen, te Elche de palmbomen, voorts een afwisseling van dorre en bebouwde heuvels, met in de verte de witte toppen van de Sierra Nevada.

Alicante ligt aan de Middellandse zee, aan een lang en breed fijnkiezelstrand waar op zondag geen volk te kort is. Langs het strand loopt een twee kilometer lange zeedijk die op een eigenaardige manier met wit-zwarte tegels geplaveid is, onder een heerlijke beboming van vier rijen platanen. De stad zelf was op verschillende plaatsen door oud oorlogsgeweld tamelijk gehavend en in volle opbouw. Het was er warm en op het democratische strand lagen duizenden weekendmensjes te zonnebaden.

Met de trein gingen we naar Valencia, een weinig sympatieke, drukke stad. Van hieruit spoorden we op een namiddag naar Sagunto, bekend uit de oorlog van Hannibal tegen de Romeinen. Sagunto is een verhevenheid, met enkele oude uit de puinstukken opgetrokken pseudo-Romeinse gebouwen en woningen. Onder zich voelt men aan wat zich meer dan tweehonderd jaar vóór onze tijdrekening in een vreselijk beleg door de hardvochtige Puniër heeft afgespeeld. Wat er daar nog in de ondergrond zit, weet geen mens.

De zee ligt op vijf kilometer van de historische stad en heeft zich in de loop van de tijden zover teruggetrokken. Op de enorme puinheuvel is het eenzaam, bijna akelig; men ontmoet er een zeldzame toerist en wat boertjes op een ezel. Men denkt terug aan het verhaal van Titus Livius en aan Hannibal die de Saguntezen hun trouw aan de Romeinse bondgenoten zo bloedig betaald zette.

Valencia-Barcelona deden we met de wagen. Vanuit deze laatste stad bezochten we de bedevaartplaats O.L. Vrouw Montserrat. Het op een hoog rotsenmassief te midden van de Catalaanse vlakte gelegen heiligdom is een imponerend landschap. De plaats zelf met haar kerk is een uiterst verzorgd bedevaartsoord, naar onze smaak met teveel vrome dingetjes opgesierd. In Barcelona is de onafgewerkte Sagrada Familiakerk met haar vier spitse eigenaardige duizelingwekkende hoge torens het bezien waard. Vóór dat bouwwerk zal voltooid zijn kunnen er wel een paar eeuwen verlopen; men was er al meer dan zestig jaar aan bezig.

Van Barcelona keerden wij tevreden terug over Perpignan, Lyon en Parijs naar Gent.

*

* *

Op 6 december 1963 overleed Jef Goossenaerts in zijn tweeëntachtigste levensjaar. Weinig mensen hebben voor de Vlaamse zaak in haar menigvuldige vormen en uitzichten en in alle omstandigheden, zoveel gedaan als deze Kempenaar die in en rondom Gent het grootste deel van zijn leven gesleten heeft. Het zal een schrander cultuurhistorisch vorser ooit beschoren zijn het overvolle leven en vruchtbare werk van Jef Goossenaerts te boek te stellen. Het is al fragmentarisch geschied in velerlei bijdragen en licentieschriften, maar het is wachten op de synthese, en dat zal een heerlijke kluif worden. De documenten zijn er; ze bestrijken een periode van zestig jaar.

Met Jef Goossenaerts had ik vriendschap gesloten vanaf mijn laatste studentenjaren. Hij liep vaak bij ons aan; in alle glorieuze en pijnlijke dagen, lagen onze vreugden, smarten en teleurstellingen niet ver van elkaar verwijderd. Zelden ben ik het met hem oneens geweest.

Goossenaerts' werk gebeurde achter de schermen. Ik geloof niet dat iemand ooit zo idealistisch en realistisch geweest is als hij, nimmer heeft hij zichzelf gezocht. Hij werd op het Campo Santo te St.-Amandsberg begraven.

Nog geen jaar na Jef Goossenaerts overleed pater J.L. Callewaert in Maria Middelares-ziekenhuis te Gent op 25 november 1964. Hij was drie jaar te voren getroffen door een beroerte, waarvan hij nooit geheel herstelde. Ik ging hem om de veertien dagen bezoeken en niets kon hem meer genoegen doen dan het verhaal van alles wat er in Vlaanderen voorviel. Zijn geest bleef helder, maar het spraakvermogen van die predikende dominikaan was zwaar aangetast. Hij heeft zijn beproeving met geduld, maar vaak met tranen van onmacht gedragen.

Enkele dagen voor zijn dood werden in onze gewezen kolonie tien dominikanen door de oproerige Simba's vermoord, onder wie pater P. Dox, een van de Vlaamse IJzersoldaten die als houthakker naar de bossen van de Orne werden verbannen in 1918. Men heeft pater Callewaert het relaas van die moordpartij bespaard, maar over zijn uitvaart hing een zwarte sluier van droefenis.

Tot op het kerkhof te Mariakerke heb ik de lijkkist gevolgd, heb de corona van zijn wit-zwarte ordegenoten horen zingen, en de touwen vanonder de verzonken doodskist zien uittrekken. De pater die het zo dikwijls met de bisschoppen en kanunnikken aan de stok had gehad, werd te rusten gelegd in rulle aarde van de begraafplaats van de paters Dominikanen, op vijftig meter van de bisschoppelijke grafkelder waar ook de kapittelheren worden bijgezet. Tot zelfs na de dood worden seculiere en reguliere geestelijken uit elkaar gehouden.

Bij het verlaten van het kerkhof viel het mij op dat E.H. Felix Vercruysse, in leven brancardier aan de IJzer, later collegesuperior en pastoor-deken te St.-Niklaas, daarna pastoor van St.-Baafsparochie en tenslotte vicaris-generaal van het Bisdom Gent, niet bij de kanunniken in de protserige kapittelkelder heeft willen begraven worden, doch op een eerbiedige afstand daarvan in de aarde tussen de gewone stervelingen ligt.

Felix Vercruysse was betrokken in de strijd die in de jaren dertig tussen de Katolieke Studenten Aktie en A.K.V.S. in Vlaanderen heeft gewoed en waarin pater Callewaert aan de zijde van deze laatste stond en met hen het glorieuze onderspit moest delven voor de bisschoppelijke overmacht. In die strijd heeft Felix Vercruysse uit priesterlijke gehoorzaamheid de bisschoppen gevolgd. In de diocesane hiërarchie heeft hij carrière gemaakt maar op het einde van zijn leven ingezien dat het recht niet altijd aan de zijde van de machtigen gelegen was en dat de krachtmeting tussen K.S.A. en A.K.V.S. voor het geloof van de Vlaamse jeugd catastrofale gevolgen heeft gehad.

Toen hij reeds vicaris-generaal van zijn bisdom was, heeft hij ten aanschouwe van tienduizenden aanwezigen op een IJzerbedevaart te Diksmuide, de mis aan de voet van het vernielde IJzerkruis opgedragen, op dezelfde plaats waar pater Callewaert dertig jaar en meer het traditionele Gebed voor Vlaanderen in de vertrouwde stijl en met de vertrouwde stem had voorgebeden.

Bij de zeventigste verjaardag van pater Callewaert had ik in het Gentse Feestpaleis op 26 april 1956 het woord gevoerd namens de oud-leden van het St.-Thomasgenootschap waarvan hij jaren lang de moderator was geweest. Op deze viering noch op zijn begrafenis was een vertegenwoordiger van de diocesane geestelijkheid verschenen.

Gedurende tien jaar heeft een pater Callewaertkomitee telkenjare, in de maand oktober het overlijden van de geestelijke leidsman op een intieme maar altijd druk bijgewoonde samenkomst te Mariakerke of te Gent herdacht. Pater P.J.A. Nuyens heeft aan zijn medebroeder in de Dominikanerorde een boek gewijd, waarvoor ik een

Woord Vooraf heb geschreven. In die twee bladzijden heb ik onomwonden gezegd wat ik over pater L.J. Callewaert meende te moeten zeggen. Andere bijdragen die mij van velerlei zijde gevraagd werden, liggen in tijdschriften verspreid. In 1978, veertien jaar na de dood van de dominikaan, neem ik daarvan geen halve letter terug.

Een gebeurtenis in enge familiekring die ons veel vreugde verschafte was de priesterwijding en eremis van onze zoon Jan op 26 juli 1964. In de Dominikanenkerk van de Holstraat werd hij gewijd door Mgr. L. De Kesel, hulpbisschop van Gent. Op zijn eremis in St.-Pieterskerk werd gepredikt door zijn prior, pater A.R. Van de Walle. Kort daarop werd hij geassigneerd naar het dominikanenklooster te Oostende, en het jaar nadien overgeplaatst naar het klooster van de Antwerpse Ploegstraat.

Een week na zijn wijding zijn we allen op vakantie vertrokken naar Dinard, een villegiatuurstad in het Franse Bretagne, vlak bij de grens met Normandië. De kinderen hadden graag met die streek kennis gemaakt.

We hadden het getroffen met het weer en de plaats die wij in toeristische folders hadden ontdekt. Het was er niet druk en er waren vele gelegenheden tot excursie. We zaten aan de brede riviermonding van de Rance, met aan de overkant het kapersnest, St.-Malo. Die inham was iets heel bijzonders. Bij opkomende tij ving hij massa's water uit zee op die in de Rance werden gestuwd, en zodra het tij keerde met een sluizensysteem werden opgehouden; daarna liet men de enorme watermassa die op een twaalf meter hoger niveau was komen te liggen, geleidelijk terug naar zee wegvloeien waardoor heel goedkoop ,,maremotorisch'' de elektrische stroom opgewekt wordt die een hele provincie voorziet. Grootse hydraulische werken waren ermee gemoeid geweest en Charles de Gaulle zelf was ze met veel ceremonieel komen inwijden.

We bezochten natuurlijk St.-Malo dat, prachtig gerestaureerd, uit zijn oorlogspuin was herrezen. Chateaubriand die er geboren werd, ligt op een vooruitspringend punt van de vestingswallen begraven. Gewoon om te kunnen zeggen dat we ooit in St.-Malo gegeten hadden, deden we ons te goed aan een lokale dis.

Op een namiddag voeren Jan en ik met de boot naar het eiland Cézambre, niets meer dan een barre rots, die door de Duitsers tot een fameus versterkte vesting van de Atlantikwall was omgevormd, die er nog altijd helemaal kapotgebombardeerd ligt; vanuit de zee en de lucht moet er met duizenden grote projectielen op gebeukt zijn geweest. Het eiland is niet bewoond. Er bevinden zich bij de landingssteigers een drietal loodsen waar men iets kan drinken en prentbriefkaarten kopen.

Op dit eiland werd in 1916 de Belgische legeraalmoezenier Paul van der Meulen verbannen omdat hij het, naar de mening van onze opperbeste legerleiding, te ernstig had opgenomen voor de belangen van de verwaarloosde Vlaamse soldaten aan het IJzerfront. Cézambre was toen een Franse militaire strafkolonie. Nu woont er buiten het toeristenseizoen geen levend wezen, tenzij de wilde schapen die men daar vanuit Sardinië heeft overgeplaatst. Zij gedijen vrij goed en grazen tussen de rotsen, de stukgeschoten bunkers, de kapotte koepels en roestende geschutswrakken.

Vanuit Dinard trokken we met een gehuurde wagen op uitstap naar Mont Saint Michel. Met mijn vrouw waren wij daar al vroeger geweest en we wilden de kinderen een kennismaking met dit Wonder van het Westen niet onthouden. De Rocher de Cancale lieten we links liggen en reden rechtstreeks door een typisch landschap tussen

Normandië en Bretagne naar de oude abdij, die op een rots een paar kilometer in zee gelegen is en die men over een toegangsdijk gemakkelijk bereikt, ook bij de hoogste waterstanden van lente en herfst.

Wanneer de zee de gorzen en schorren niet inneemt, worden de alluviale gronden door honderden schapen begraasd: die leveren de bekende Côtelettes pré-salé. De steil oplopende kalsei die naar de abdijgebouwen van de top leidt, werd gezwind door onze jongelui opgeklauterd; de ouwelui keken liefst onderaan de zee, de zandvlakte en de einder af. Een pastoor toonde ons in de verte Avranches waar de Amerikanen na hun landing in juni 1944 er eindelijk in geslaagd waren de Duitse verdediging te doorbreken en heel het westen te overrompelen.

Na een uur waren de abdijbezoekers terug van hun hoge tocht en gingen we bij La Mère Poulard eten van de omeletten die in grote koperen pannen met veel lawaai en gebaren geroerd en over het open haardvuur gebakken worden. Met zo'n omelet heeft zelfs de hongerige maag van een jongmens haar bekomst.

Op de terugreis naar huis bleven we een paar dagen in Parijs hangen, waar voor oud en jong altijd wat te zien is. In augustus is het in de Franse hoofdstad stil. De personen die men ontmoet zijn in hoofdzaak toeristen; het contrast met het traditionele stadsbeeld is geweldig opvallend, zozeer zelfs dat het het vermelden waard is.

DE SENAAT

In mijn leven heb ik van alles gedroomd. Maar nooit of nimmer van een politiek mandaat.

Meer dan eens heb ik mij scherp te weer gesteld tegen pogingen door vrienden in die zin ondernomen. Ik was zelfs tegen de actieve politiek vooringenomen. Vanaf mijn prilste kinderjaren had ik mijn vader misprijzend horen zeggen dat de politiek een vuile, vieze boel was. Men had gepoogd hem in 1911 op een kandidatenlijst voor de Gentbrugse gemeenteraadsverkiezingen te krijgen, maar hij had Ridder Lefevre de Tenhove die hem kwam polsen, vriendelijk bedankt met de woorden: ,,Al wat ge wilt, heer Ridder, maar dat niet''.

Mijn Vlaams-nationalistische overtuiging had ik nooit onder stoelen of banken gestoken. Elkeen wist het. Ik meende in het dagelijks leven goed over de baan te kunnen met allen die anders dachten dan ik, maar slinkse wegen maakten mij korzelig. Ik had de gewoonte aangenomen te zeggen dat ik maar één vijand had, en dan nog een anonieme: de franskiljon.

Ik volgde wat er in de parlementaire arena voorviel, maakte mij kwaad bloed over de karpersprongen van de heren, maar daarmee was de kous van mijn belangstelling af.

In de meimaand van het jaar 1965 zouden parlementaire verkiezingen plaats hebben. De regering-Theo Lefèvre-Spaak had haar normale wetgevende termijn achter de rug. We zouden zien wie het nu ging halen.

Op een februariavond meldde een telefoontje van collega Jef Hosten, dat ie met Frans van der Elst en Maurits Coppieters op bezoek zou komen. Ik dacht: die komen verkiezingsmunitie halen. Na lang om de pot gedraaid te hebben, kwam het er eindelijk uit: of ze op mij konden rekenen om de eerste plaats in te nemen op de senaatslijst van de Volksunie voor het arrondissement Gent-Eeklo. ,,Mijn vriend Coppieters, zei Frans Van der Elst, marcheert voor de Kamer, en Gerard de Paep voor de Senaat in het arrondissement St.-Niklaas''.

Mijn eerste reaktie was die van mijn vader uit 1911. Al wat ge wilt, beste vrienden, maar dat niet. Ik voel er niets voor op achtenzestig jarige leeftijd mijn rustig leventje met mijn resterende praktijk en mijn studie te gaan ruilen voor de jachtige reizen naar Brussel, mij te mengen in de lokale vergaderingen en cenakels van politieke medestrijders, in de hutsepot van betwistingen die een politiek mandaat noodzakelijkerwijze meebrengt. Zo ongeveer luidde mijn antwoord.

Ik huiverde bij de gedachte dat mij dat allemaal te wachten stond, wanneer ik inderdaad verkozen werd en het ezelsjuk van een parlementair mandaat op mijn schouders zou terechtkomen.

De drie lieten niet af. Ik zou maar juist op de stemmingen in het Parlement moeten aanwezig zijn. Ze vroegen alleen mijn naam. Voor de Gentse arrondissementskeuken stond Leo Wouters in. De Volksunie is in volle opgang, we hebben u nodig om voorgoed door te breken in het Gentse, met u kunnen we dat en met u alleen.

Ik heb mijn vrienden laten vertrekken met één vaste belofte, namelijk over hun voorstel na te denken, mijn vrouw en kinderen te raadplegen en na een maand mijn antwoord te zullen geven aan Jef Hosten of aan Maurits Coppieters.

De belofte heb ik gehouden. Mijn vrouw was niet geestdriftig, maar enigszins gecharmeerd van het verzoek. Ze liet mij vrij en wilde niet op mijn beslissing wegen, maar ze zou het niet prettig vinden als ik ,,gebuisd'' en niet verkozen werd. De meisjes kwamen niet tussenbeide. Samen verlegden we de aangelegenheid naar het eerstkomende bezoek van zoon Jan, die intussen al op de hoogte gebracht werd. Veertien dagen nadien werd alles met hem grondig besproken en de slotsom luidde: het voorstel aanvaarden en u laten voordragen als nummer 1 op de Senaatslijst van de Volksunie te Gent.

Ik deelde de beslissing mede aan Maurits Coppieters, maar vroeg hem niet dadelijk daarmee overal te gaan uitpakken. Adverteren en kiespropaganda maken met een naam, en dan met de mijne, stootte mij tegen de borst.

Weldra leerde ik dat een politiek geëngageerd man daaraan blootstaat en nog aan veel meer. Mijn rug breder maken dan hij al was, bleek het eerste gevolg te zijn van mijn aantreden op het politieke forum. De beslissing was genomen in ons gezin, we hadden vriend noch kraai, en nog veel minder familieleden geraadpleegd. Zij raadpleegden mij ook niet voor het nemen van gelijkaardige beslissingen. Hoe minder personen men daarbij onder de arm neemt, hoe beter, dan moet men hun ook geen rekenschap geven van de gezette stap.

De kiesstrijd verliep tamelijk rustig, en werd vooral met papier gevoerd. Er waren oproepen, programma's, manifesten en beloften. De Volksunie hield één grote kiesmeeting in de eivolle Nederlandse Schouwburg, op de vrijdag vóór de verkiezing van 23 mei 1965. Leo Wouters zette uiteen waarover het in de aanstaande verkiezing in hoofdzaak ging, en had veel bijval. Voor de komische noot zorgde de volkszanger Jef Burm, die met geweldige schlagers uitpakte. Hij had nog meer bijval.

Op een moderne kiesmeeting moet men met argumenten de weifelaars niet overtuigen, die komen overigens niet. Maar men moet geestdrift wekken voor een programma dat weken voordien afgekondigd werd, waar men voor warm loopt. Het succes van een kiesmeeting hangt af van de toeloop en van het entoesiasme dat kan worden opgewekt, door enkele zeer korte maar inslaande toespraken, door het kader, het gezang en het aanstekelijk geroep, niet door de ernstige toon die een kandidaat poogt aan te slaan. Leo Picard was naar onze meeting gekomen om te luisteren naar serieuze dingen. Teleurgesteld ging hij naar huis omdat de Volksunie die avond niets anders dan theater te bieden had.

Daar ik over geen redenaarstalent beschik en evenmin ervaring had van enscenering, kwam ik niet op het podium. Men hield een omhaling en verwachtte dat ik daar mijn duit in het zakje zou doen. Ik had het al voordien gedaan. Een verkiezingskampagne kost veel geld en met een klein miljoen liep men niet ver, ook in 1965 niet.

Vanuit het lokaal Roeland vertrokken de plakkersploegen, want zonder affiches is een verkiezingsstrijd niet denkbaar. Het allemaal ineensteken en maken dat het gesmeerd loopt vraagt een heleboel werk, inspanningen, papier, borstels en pap. Plakkersploegen zijn meestendeels ook knokploegen, die de plakkers van de andere partijen te snel af moeten zijn en de politie kunnen verschalken. Geroutineerde plakkers zijn vindingrijk en kunnen echte stunts uithalen. Ze werken 's nachts en hebben soms heroïsche ontmoetingen. De voornaamste kwaliteit van een goed afficheplakker is over een stel flinke benen en een sterke adem beschikken om snel te kunnen lopen, langs de huizen als dieven weg te sluipen wanneer onraad dreigt. En onraad dat zijn nachtwakers en politieke tegenstanders.

Met deze en tal van andere zaken maakte ik kennis in de weken die aan de verkiezing voorafgingen. De samenstelling van de kandidaatslijst is een van die zaken. Velen achten zich geroepen, doch slechts twaalf worden uitverkoren om op de Kamerlijst, en zes op de Senaatslijst een plaats in te nemen. Het allemaal in orde brengen, de handtekeningen verzamelen, de lijsten op het gerechtshof deponeren, in de lijstenkoppeling voorzien, ervoor zorgen dat het wettelijk en op tijd in regel is om geen blauwtjes op te lopen, is geen routinewerk. Het werd op een uitstekende wijze voor mekaar gebracht door Leo Wouters en de heren die hem en mij te gelegener tijd en plaats met de stukken zagen verschijnen, keken verbaasd op wanneer ze vaststelden dat alles perfect in regel was. Ze waren dat niet gewoon vanwege een scheurlijstpartijtje. Het lag er dubbel en dik op dat zij zo dachten.

Of ik zou verkozen worden, bleef natuurlijk een vraagteken. Er woei een gunstig Volksuniewindje over heel het land en men voorspelde onze partij een zeker succes: optimisten prognostikeerden dat wij ons aantal parlementszetels zouden verdubbelen.

Personen met wie ik dagelijks omging en die zeker niet voor mij of voor mijn partij zouden stemmen, vroegen wat bedeesd weg: ,,Bent U het die op de Volksunielijst staat?'' Alsof ze niet wisten dat ik het was. Ze schrokken enigszins wanneer ik kordaat antwoordde: ,,Ja, natuurlijk, verwondert U dat? Ik hoop dat U voor mij zult stemmen, en zo ge duizend frank aan de fiscus wilt onttrekken, dan mag U ze aan ons verkiezingsfonds schenken. Ze zullen goed besteed worden, ik ben onmiddellijk bereid een kwitantie te schrijven''. Je had het gezicht van de meesten moeten zien bij zoveel vrijpostige dienstvaardigheid.

Van een collega in St.-Vincentiuskliniek heb ik twee blauwe brieven gekregen, met de verzekering dat hij niet voor mij zou stemmen. Ik ondervond toen al dat de politiek geen zaak van ideologieën is, maar een zaak van macht. Macht moet men veroveren en pas daarna zal men over de rest praten.

Nooit heb ik zo'n kalme verkiezingsdag meegemaakt als op de ochtend dat over mijn lot in de stemhokjes beslist werd. Wanneer 's avonds de uitslagen in de radioberichten langzaam doorsijpelden en het bleek dat de Volksunie goede cijfers boekte, ben ik omstreeks tien uur naar bed gegaan en heb daar, zoals gewoonlijk, liggen lezen. Tot de telefoon ging en mijn vrouw kwam zeggen dat men mij in de Roeland verwachtte.

Ik heb mij aangekleed en ben te voet naar het lokaal gestapt, waar het te elf uur volle bak was. De resultaten stroomden binnen, werden op de zwarte borden geschreven; er werd uitgerekend, vergeleken, gejuicht, en vooral gedronken. De tapkastprofeten voorspelden een fantastische overwinning. Op het partijkantoor waar de bestuursleden zaten, heerste een opgewekte stemming. Ja, het was een succes. Men berekende, giste, maar hield de hersenen koel. De lijstaanvoerders werden naar de grote zaal geroepen; ze moesten zich tonen en laten toejuichen. Te middernacht lag ik weerom tussen de lakens en sliep spoedig in. We zouden 's anderendaags wel zien hoe de zaken stonden.

Twee dagen nadien was de uitslag volledig bekend. In het arrondissement Gent-Eeklo behaalde de Volksunie twee kamerzetels, Leo Wouters en dokter Jan Wannyn uit Nevele; één senaatszetel dank zij het spel van de lijstkoppeling, dokter Leon Elaut. Thuis was men tevreden. Gelukwensen stroomden binnen, soms uit de meest onverwachte hoek. In het ziekenhuis kreeg ik van kollega's felicitaties, beleefdheidshalve, en een handdruk met de top van de vingers. Van de personeelsleden met meer overtuiging en van een paar zusters uit ganser harte, mijnheer de senator.

Wat er mij de eerstkomende dagen en weken te wachten stond, wist ik zelf niet. Een officiëel stuk bevestigde mijn verkiezing tot senator. Ik kon moeilijk aan de nieuwe titel wennen en had het gevoelen dat men mij wilde pesten, telkens wanneer men mij aldus aansprak. De derde dag vroeg iemand al mijn steun voor een baantje van loopjongen in het Rijksarchief.

Het toppunt van aanmatiging kwam vanwege een rechter die een promotie verlangde naar het Hof van Beroep. Het was op Hemelvaartdag, te vier uur in de namiddag, viermaal vierentwintig uren na de verkiezing. Ik vergeet het nooit. Het regende pijpestelen, en of ie op mijn aanbeveling mocht rekenen bij de provincieraad waar de kandidaturen gewikt en gewogen worden. Of ik mijn partijgenoten aldaar wilde verzoeken een duwtje in de goede richting te geven. U weet wel, mijnheer de senator, dat ik altijd aan uw zijde gestaan heb en al tientallen jaren uw persoon en uw werk met grote belangstelling gadesla ... enz. Ik heb de goede jongen beloofd dat ik mijn best zou doen. Is het zeker? Ja. Dank U duizendmaal.

Ziedaar het begin van de deelneming in de wetgevende taak die een senator krachtens de constitutie van het Belgische Koninkrijk beschoren is. Het beloofde. Ik zou mij met die taak moeten vertrouwd maken. Het was plicht van staat.

Veertien dagen na de verkiezingen kreeg ik vanwege de Senaat een hele reeks vragen te beantwoorden: burgerlijke stand enz. Ik moest een bewijs voorleggen dat ik Belg was, dat mijn vader het ook was, dat ik geneesheer was, in welk jaar gepromoveerd, door welke universiteit. Welke decoraties ik bezat. Of ik na afloop van deze zittijd wenste gedecoreerd te worden. Ik zond alle gevraagde, door officiële dokumenten gestaafde inlichtingen. Op de laatste twee vragen was het antwoord: NEEN.

Het uitpluizen van de verkiezingsresultaten in het arrondissement Gent-Eeklo bracht een verrassende vaststelling aan het licht.

Op de CVP-senaatslijst werden achtduizend stemmen minder uitgebracht dan op de CVP-kamerlijst. Nu waren achtduizend voorkeurstemmen op mijn naam uitgebracht, zodat de verklaring voor de hand lag dat achtduizend CVP-ers voor mij hadden gestemd. Vanuit CVP-hoek was men tot dezelfde konklusie gekomen en men heeft het mij met spijt bevestigd.

Op de diverse Volksunielijsten werden in het Vlaamse land 360.000 stemmen uitgebracht. In de Kamer veroverden wij twaalf zetels, in de Senaat waren het er zes, die er tenslotte maar vijf werden, zoals ik hierna zal uiteenzetten.

*

* *

Medio maart 1965 had de verkiezing plaats voor de vernieuwing van de Provinciale Raad der Orde van Geneesheren. Ik was kandidaat, doch vast besloten het voorzitterschap aan een ander over te laten; na zeven jaar had ik er genoeg van. Ik werd verkozen en haalde de meeste stemmen, voor de derde achtereenvolgende keer: in 1954, in 1958 en nu in 1965. Dokter Paul Ascoop werd voorzitter, ik bleef gewoon lid van de Raad. Het lokaal dat de Raad van de Kredietbank afhuurde, moesten we kort nadien verlaten en wij betrokken een flat op de Karel de Kerckhovelaan. In 1970 heb ik voor vernieuwing van mijn mandaat bedankt.

Omstreeks dezelfde tijd kreeg ik op een avond een telefoontje van Joos Florquin, TV-medewerker, of ik bereid was voor een ,,Ten Huize van''-rubriek waarvan hij de leiding had en die nu stilaan naar haar honderdste uitzending toeging. Wie hem mijn persoontje in het oor geblazen had, heeft ie mij nooit willen zeggen.

Wie kan zo een aanbod weigeren? Bescheidenheid voorwenden was huichelarij. De voorbereiding en de opname hebben heel wat voeten in de aarde. Men krijgt vooraf Florquin met zijn onmisbare Fons Fraeters en Annie Van Avermaet over de drempel.

Zij hebben aan één dag amper genoeg om notities te maken na een ondervraging die veel weg heeft van een gerechtsverhoor door de BOB.

Op de dag van de opname wordt het huis overrompeld door vijftien mannen die in alle kamers gaan rondneuzen, vingerdikke elektrische kabels aanslepen, alle deuren wagenwijd openstellen en op straat een paar wagens parkeren waar alle voorbijgangers staan op te gapen. Van 's morgens negen, tot 's avonds zes uur. Drie dagen nadien komt een ploeg van twee man nog enkele stukken fotograferen.

Heel de dag van 7 april was er aan besteed en men voorspelde de uitzending voor half mei. Toen Joos Florquin vernam dat ik kandidaat was op de Volksunielijst, vond hij het raadzaam de uitzending tot na de verkiezing uit te stellen. Zij had op 2 juli 1965 plaats. Wat ik geantwoord heb op de gestelde vragen kan men vinden in nr. 4 van de keurreeks *Ten Huize van* door het Davidsfonds in 1968 uitgegeven.

Zoals gebruikelijk stelt Joos Florquin vraagjes aan de dame des huizes, vraagjes die gaan over het karakter van haar man en zo van die deugnieterijtjes meer. Of ik een duchtige bikker en lekkerbek was? Niet bijzonder, mijn man lust alles, hij heeft een goede maag, zelfs worteltjes met soepvlees eet hij graag. Wanneer vrienden en kennissen mij wilden plagen, stelden zij het voor alsof ik thuis niets anders te eten kreeg dan worteltjes met soepvlees.

Drie maand later werd door de Televisie een prijsvraag uitgeschreven over de voorkeur door de kijkers aan de uitzendingen *Ten Huize van* gegeven. Als eerste uit de honderd kwam die over Achiel van Acker uit de bus. Die over mij kreeg nummer elf.

*
* *

Door welke samenloop van omstandigheden ontsnapte in de provincie Oost-Vlaanderen een zetel van provinciaal senator aan de Volksunie, en viel Renaat Diependaele weg?

Dat hij door de provincieraad zou aangeduid worden, hing van een uiterst nipte meerderheid af. Die meerderheid was er, maar de uitslag op het kantje af werd aangevochten en zou maar bekomen geweest zijn omdat Diependaele, beweerde men, omkoperij gepleegd had.

De verkiezing van de provinciale senatoren in Oost-Vlaanderen werd verbroken, en er moest tot een nieuwe verkiezing worden overgegaan. Op de dag van de verkiezing werd door elke partij de laatste man opgetrommeld, want het zou op één stem aankomen. Alleman was present, behalve één Volksunieman, Jan Seghers uit Waasland. Bij de stemming bleek dat één stem ontbrak om Diependaele aan te duiden.

Dat was natuurlijk een geweldige flater vanwege Jan Seghers. Hij was aanwezig geweest op de begrafenis van een politieke medestrijder te Kieldrecht en had de samenkomst van de Provincieraad uit het oog verloren.

In de rangen van de Volksunie heeft die nalatigheid veel kwaad bloed gezet. Men heeft een ereraad aangesteld om uit te maken bij wie de schuld lag. Rik Ballet en ikzelf hebben verschillende personen uit Aalst en uit het Waasland ondervraagd, maar het kwaad was geschied en onherstelbaar. Drie jaar nadien is Jan Seghers van het politieke terrein verdwenen, waarschijnlijk tot zijn grote vreugde. Heel die aangelegenheid had een wrange nasmaak.

Maar ze had ook een nasleep van een andere soort. Op het gerecht waar het dossier met de beschuldiging van omkoperij ten laste van Diependaele werd neergelegd, oordeelde Prokureur-Generaal J. Matthijs dat een politiek misdrijf werd gepleegd, met het gevolg dat Diependaele naar het Assisenhof van Oost-Vlaanderen werd verwezen.

De zaak werd geïnstrueerd en voorgebracht. Frans Baert zou Diependaele verdedigen. Getuigen werden gehoord en ter zitting gekonfronteerd, ze spraken elkander om het meest tegen; de voornaamste getuige aan wie Diependaele tweehonderdduizend frank zou beloofd hebben, vergiste zich in de persoon van Diependaele en praatte zich tot over het hoofd in een diepe put van tegenstrijdigheden. De zaak was eclatant van duidelijkheid, en de uitslag navenant: vrijspraak. Ze had nauwelijks een voormiddag in beslag genomen.

Bij de verkiezingen van 1968 kwam Diependaele opnieuw in de Senaat, als triomfator. Heel de geschiedenis was de puurste komedie en een opgezette fopperij waar de Volksunie het kind van de parlementaire rekening was. Om een politieke tegenstander te nekken is alles geoorloofd. Machtswellust is de politieke deugd bij uitstek.

Ten einde getrouw te blijven aan de initiële opzet en bouwschabloon van deze memoires, t.w. algemene diorama's te tekenen in de plaats van een kroniek te schrijven, ben ik eens te meer op de gebeurtenissen vooruitgelopen.

Derhalve moet ik een eindje achteruit op de kalender om het relaas te brengen van mijn kennismaking met de eigen sfeer van de Senaat.

NAAR HET PALEIS DER NATIE

Ik had me voorgenomen en tot mezelf de waarschuwing gericht: flink op tijd komen, uw ogen de kost geven, alles fijntjes observeren.

Te 2 uur eerste zitting van de Senaat, 10 juni, zeventien dagen na de verkiezing van 23 mei 1965.

Ik had mij bij Leo Wouters, VU-volksvertegenwoordiger, ingelicht waar ik binnen moest. Wetstraat, ijzeren hek, breed voorplein, grote hal, links de trap op, een rode loper. Voor de Kamer is die groen.

Op weg, met de trein, een spoorkaartje tweede klas, uit eigen zak betaald. Brussel Centraal, kwart over twaalf. Eerst iets onder de tand, in het stationsrestaurant. Een frugaal stukje ham met spiegelei. Een kop oxo, een potje yoghurt. Gezet zoals een puit op een wegel de heuvel op, naar de Wetstraat. De Warande of Park; hier werden de Hollanders buitengeborsteld op 26 september 1830.

Enkele spelende kinderen bij de vijver. De banken meestal bezet door kantoormensen die zich in de zon koesteren, een krantje lezen, een boterham uit de vuist knappen of een uiltje vangen.

Een bank opgezocht vanwaar ik het ijzeren hek, het voorpleintje en de middendeur in het oog kon houden. Er zou vooraf, te halftwee, een ontmoeting van de oude met de nieuwe senatoren van de partij plaats hebben, om kennis te maken en enkele zaken te bespreken. Hier nu maar wachten tot het tijd wordt.

Op de andere, leeggebleven, helft van mijn bank komt een heer plaatsnemen: rijzige gestalte, nog niet oud, meer dan beginnende kaalheid, vlinderdasje, handmap waar blijkbaar niet veel in zit: Frans Van Mechelen, nieuw CVP-volksvertegenwoordiger uit Turnhout, van reputatie goed flamingant. Hij had mij niet dadelijk herkend, ik hem ook niet. We waren met onze gedachten niet in het Park, maar binnen het gebouw, achter het ijzeren hek, ,,La boîte d'en face'' zo kreeg het zijn naam van Leopold II.

Intussen al tien maal naar mijn polshorloge gekeken. Halftwee. Kordaat, met de oude familiemap onder de arm, het park uit, de Wetstraat met één wip over, het ijzeren hek binnen, het voorpleintje dat met auto's volgeparkeerd stond door, de openstaande middendeur in. De drempel van het Paleis der Natie was overschreden.

Een wijle voelde ik mij, zowaar, een hele piet geworden. De brede trap met de rode loper; hoeveel treden? Niet goed voor het hart. Een deurwachter aangeklampt, een vriendelijk en gedienstig man. De lift? Daar, mijnheer de senator. Hoe wist die man dat ik senator was? Is het van mijn aangezicht af te lezen? In de lift is alles perfect tweetalig. Uitgestapt op de eerste verdieping. Rode lopers, hoge zuilen, marmeren borstbeelden van gewezen Belgische grootheden, met eentalig Franse onderschriften. In de voorhalle was het ook zo met Boudewijn, graaf van Vlaanderen en Henegouwen, en tal van anderen.

Ik kijk rond; mannen lopen onverschillig voorbij; zijn dat ook senatoren? Opeens vat iemand mij bij de arm: dokter R. Roosens. In een gemoedelijkst Antwaarps ,,Dag collega''. Tweemaal collega nu! Hebt u de andere mannen gezien? Nee. Waar zitten ze? Kom mee naar de koffiekamer, 't is goed halftwee, ze zullen straks wel binnenvallen. Dit hier is de leeskamer. Overal kranten. Ze zien er bepoteld uit. Kijk, daar is Rik Ballet: Dag collega! We gaan zitten, in diepe zetels. Een kop koffie? Hierlangs; ze is goed. Suiker, melk, mijnheer de Senator? Die bedienden hebben een bijzonder instinct dat hen, op afstand, waarschuwt dat wij Nederlands praten.

Daar is senator Dua. Proficiat hoor, dat maakt al vier senatoren op die éne Sint-Pietersparochie te Gent. Wie? U, Van den Daele, Merchiers en ik. En geen dokters te kort in de Volksunie. Ja! Neen!

Met de vrienden heen en weer gepraat, niet zeer aandachtig. De senaatskoffie laat zich drinken. Straks kunt ge bier krijgen, daar in de bar, om het hoekje. In de Kamer krijgen ze geen bier, ze zouden kunnen vechten wanneer de debatten warm lopen. Hier zijn het kalme lieden.

Wanneer begint de vergadering? Zeer stipt om twee uur; kom mee kijken naar de vergaderzaal. Wij mee met onze cicerone. Een halfrond, rode zetels, het presidiumgestoelte, het podium vlak ervoor, enz. in licht mahoniehout, zeer plechtig uitziend, mengsel van allerlei rococo. Rondom de galerij met Corintische zuilen.

Wij zitten op de laatste rij, in het midden, plaats voor zes man. Er liggen papiertjes, met de afkorting VU op onze plaatsen vastgespeld. Velerlei personen lopen in en uit, nieuwelingen die door de ouderen vaderlijk bij de arm genomen worden. We komen hier straks terug. Weer buiten. Ja, dit is ónze deur, die daar leidt naar het podium. Goed rondgeneusd, om in het vervolg niet verkeerd te lopen.

De samenkomst van halftwee had niet veel om het lijf, alleen kennismaken met de atmosfeer van het huis. Hier is de quaestuur. Wat is dat? Regelt de zaken van praktische aard. Daar allerlei gelegenheden: telefoon, telex, briefpapier. Er is een dokterskabinet, op de tweede verdieping; Dokter P. Rubbens, de zoon van wijlen Edmond Rubbens is de parlementsgeneesheer.

In de leeskamer is Rik Ballet in druk gesprek gewikkeld met Victor Leemans. Bekende blikken ontmoeten elkaar. Ha, de vriend Leo, lang geleden, waar is de tijd! Inderdaad, de wereld staat niet stil. Ja, Victor, weet ge het nog? In alle geval proficiat met uw verkiezing. We spreken later nog wel. Natuurlijk.

Plots belgerinkel, aanhoudend, onderbroken, om opnieuw te beginnen. Klokslag twee uur. Uit alle hoeken en kanten komen ze te voorschijn, ze lopen als haastige mieren verward dooreen. Er zit toch een algemene richting in, naar het halfrond.

We nemen onze plaatsen in, vijf man, weldra is de zesde daar. Enkele bekende gezichten: Gerard Van den Daele, Gaston Eyskens: dag mijnheer Elaut, dag mijnheer de minister. Ergens P. Vermeylen; daar de microcefale kop van een gewezen Gents burgemeester. Hier de linkerzijde, daar de rechterzijde. Voor de personen binnen het halfrond is het precies andersom.

Daar komt Omer Van Audenhove binnen, op een applaus vanwege zijn PVV-vrienden onthaald, de triomfator van de laatste verkiezingen. Rondom deelt hij saluutjes uit, met het gebaar van een bisschop die toegestroomde kinderen zegent. Hij ziet er blakend gezond en gelukkig uit.

Ginds kruipt een dikkerd tussen de rijen door naar zijn plaats, kanselier Erhard in het kwadraat. Hier wipt een schooljongen van de ene stoel naar de andere, is hij op zoek naar zijn vader? Het blijkt finaal een senator te zijn, want hij neemt welgevallig plaats op een van de zetels, in het midden.

Er zijn van alle mensentypes onder de gekozenen, ook een paar dames; die houden het midden tussen het Rubensiaanse en het Memlincse type. Voorts grijze heren bij de vleet, kale, maar toch niet zoveel: schone schedels, een rijke keus van dolichocefalen en brachycefalen, er is zelfs een torenschedel, alpinen, pycnici, leptosomen, evidente paranoieden. Nergens een baard te bespeuren. Mageren, dikkerds, mannen in de blokjaren, een paar duidelijke senielen met een kunstig verstopte hoorbril. Hun batterij moet leeg zijn, want ze maken met beide handen een paviljoentje bij hun oren. Anderen maken de indruk pas uit de puberteit te zijn losgekomen. De meesten hebben het eerbiedwaardig buikje van stevige zestigers.

Men vindt er faciëssen in alle toonaarden: bleke, kinderlijk roze, opgezette van de hoge bloeddruk, gerimpelde, gegroefde, ogen met zakjes eronder, dubbele kinnen, bijzienden met dikke brilglazen, wellustige monden, een zeldzaam snorretje of wat ervan overgebleven is; kunstgebitten met nerveuze onderkaken wippen over en weer op tal van zetels.

Een onovertroffen paradijs voor een oculus medicus. Kronkelende arteriae temporales zijn niet te kort, en gelegenheid tot fysiognomie is er te over. Hier is het neusje van de zalm in gekondenseerde dosis aanwezig, als het ware ingeblikt in het cylindervormige halfrond van het Belgisch Senaatsgebouw.

De senatorszetel. Niet van een zekere statigheid ontbloot, berekend voor mensen op jaren die op hun gemak gesteld zijn. In lichtkleurige mahonie, roodfluwelen zitting, rug- en armleuning dito, buitengewoon geschikt voor een middagdutje. Op de rugleuning staat, in het geel, een Belgische leeuw geborduurd, met klauwen en tong uit dezelfde kleur. Voorts is er plaats te over om de benen onder het lessenaartje te strekken. Dat heb ik, natuurlijk, gedaan. En mij meteen, een paar minuten met mijn volle lichaamsgewicht tegen de Belgische leeuw van de rugleuning aangedrukt. Ik heb dan mijn ogen gesloten en aan mijn flamingantisch verleden gedacht.

Op de lessenaar vóór de zetel ligt een map met schrijfpapier en veelkleurige formuliertjes voor aanvraag van documentatie. Er is voorts het stemapparaat, een langwerpig doosje waarop een groen, of rood, of wit lichtje kan aanslaan, naargelang men op een gelijkkleurig knopje drukt bij de naamstemming. Op het stemapparaat is een contactdoos ingebouwd. In het laatje van de lessenaar ligt de luisterhoorn die veel weg heeft van een Helmjoltze oogspiegel, met een lang snoer dat uitloopt op een contactstekker. Zo kan men naar keus luisteren naar de simultaanvertaling of naar de geluidsversterking.

Inmiddels heeft het presidium op het platform zijn plaats ingenomen. Een mij onbekende oude heer met, aan elke zijde, twee jonger uitziende commilitones. Achter het drietal een keur van heen en weer draaiende wapenknechten die liassen papier aanbrengen.

Juist daaronder vooraan, het podium, met aan weerskanten een figurant in korte zwartzijden broek, donkere kousen, gelakte gespschoentjes, donkerblauw wammes met daarop een in het oog springende zilveren ketting, die van rond de hals vertrekkend, bij de buik uitloopt in een blinkend rond schildje. Een creatuur uit de achttiende eeuw, die hier is blijven staan. Men zegt, het zijn de deurwaarders. Zij moeten het presidium tegen handtastelijkheden beschermen. Rondom het podium drentelen nog andere deurwaarders, met of zonder archaïsche attributen.

De voorzitter is een Waal, ééntalig Franssprekend, de oudste in jaren van de eerbiedwaardige vergadering, naam mij onbekend[1]. Hij buigt diep over zijn papieren, zit er met zijn neus op, leest met behulp van een vierkante loep, zoals de archiefratten die gebruiken om middeleeuwse manuscripten te ontcijferen. Zijn stem is bijna onhoorbaar. Af en toe dringt iets tot ons door: loi du ... le Sénat ... Een stem uit de

[1] Zoals later bleek, was het de heer Barzin, lid van de PVV, hoogleraar te Brussel.

socialistische rijen roept: pour les flamands la même chose; de rechterzijde reageert niet, de Volksunie lacht in haar vuist.

Na een kwartier wordt de zitting opgeheven nadat een van de assessoren iets in het Nederlands heeft voorgelezen: onderzoek van de geloofsbrieven. Te vier uur zal de zitting hernomen worden, met het verslag over dat onderzoek en de eedaflegging. Meer dan anderhalf uur werkloosheid voor de boeg.

Het halfrond stroomt leeg op minder dan geen tijd, door alle deuren vlucht men buiten, precies alsof iedereen op hetzelfde moment buikkramp krijgt. Naar de koffiekamer, naar de quaestuur, op zoek naar een doelloze bezigheid.

Een deurwaarder klampt ons aan: naar de quaestuur, meneer de senator, a.u.b. voor uw parlementaire autoplaat. Ik daarheen. Is het voor een plaat met P, vraagt een beleefde bediende. Ik sta te midden een groepje Franssprekenden, en men pikt er mij alleen uit om mij in het Nederlands aan te spreken. Ik bewonder eens te meer het instinct van het senaatspersoneel; ze hebben een fijne neus voor de dingen waarvoor een Brusselaar te stompzinnig is. Sommigen spreken zeer beschaafd; ze draaien hun tong en daar gaat het in een Belgisch Frans: bilingue parfait. Ik denk: minister P.H. Spaak heeft het nooit zo ver gebracht: trop bête pour apprendre le flamand.

't Is hier voor een parlementaire autoplaat, met P, driehonderd frank garantie, krijgt u terug wanneer u de Senaat verlaat. Niet kosteloos, de gewone taks moet betaald worden, alleen maar een speciale plaat voor de parlementsleden, overal voorrang, gemakkelijk parkeren met een P. Wil u dat papier invullen, dan krijgt u de plaat over een paar weken thuis. Wat voor wagen heeft u? Hoeveel paarden? Uw plaatnummer? Er wordt druk aangeschoven, zelfs gedrumd, iedereen geeft uitleg aan iedereen.

Ik sta erbij te dromen. Kan ik u helpen, mijnheer de senator? Ja, voor mij is het een speciaal geval, ik heb geen auto. Grote ogen. Ik rijd met de fiets. Nog groter ogen. Kan ik een parlementaire fietsplaat bekomen? Allergrootste ogen.

Een bedenktijd overvalt de vriendelijke quaestuurbediende. Hij gaat een van zijn superieuren raadplegen. Met zijn drieën staan ze mij te woord; ze hebben voor een jaar of twintig nog zo'n geval ontmoet, vanwege een senator uit de Ardennen, ook Minister Dirikx, en senator Van den Storme; tu sais bien, hein Fernand? We zullen uw geval aan het Ministerie van Binnenlandse Zaken overmaken voor advies, wij kunnen niet beslissen, we hebben geen fietsplaten met P. Intussen zit bedoeld ministerie met een nieuw Volksunieprobleem. Stof voor 't Pallieterke, meent Wim Jorissen.

We dwalen intussen door gangen, leeskamer, schrijfkamer, koffiekamer. Portretten aan de muren van gewezen voorzitters: Graaf Lippens in groot ornaat, een stoere Gentenaar; Gillon ernstig, Struye, Henri Rolin, fijne schilderstukken van Isidoor Opsomer. Even gaan neuzen naar de Kamer. 't Ziet er minder voornaam uit dan in de Senaat, met een groen getaand tapijt op de staatsietrap, voorts grijsgroene muren, en vloeren zonder tapijt. Terug naar de Senaat, in de schrijfkamer een artikel gepend voor het weekblad van de Volksunie. Titel: ,,Na de overwinning''.

Te vier uur rinkelt de bel. Men stoomt naar het halfrond. Er wordt gefluisterd. De heren gluren naar onze rij. We zitten met zes man: Diependaele, Wim Jorissen, Roosens, Ballet, De Paep, ik.

Op het presidentiële podium begint men weer te zaniken. Een verslaggever wordt uit het geleuter geboren, de heer C. de Baeck, Antwerps CVP-er die op de tribune verschijnt om verslag uit te brengen over de senatoriabiliteit van de dames en de heren op de zetels. Krachtige stem, Nederlands en niets dan Nederlands, men weet waar men aan toe is. De verkiezing van de senatoren uit de provincie Antwerpen, rechtstreeks verkozenen en door de Provinciale Raad aangeduiden, wordt geldig verklaard.

Nous passons à la prestation du serment, zegt de man met de vierkante loep; la formule est: je jure d'observer la constitution ... en van een papiertje leest hij, met een Waals accent dat de lachspieren prikkelt: ,,Ik zoueer de grondouet na te leevouen. Veuillez vous lever pendant que vous prononcez la formule''.

De een na de ander staat bij het horen van zijn naam recht en spreekt met opgeheven rechterhand de formule uit. Hij wordt aangekeken; is dat die? Draaiende hoofden, gapende monden telkens iemand opstaat. De ene is al wat vlugger dan de andere, er ligt berusting of geprikkeldheid in het rechtveren en het uitspreken van de eedformule.

Iemand van de linkerzijde wordt aangeroepen. Geen antwoord; opnieuw dezelfde naam, de nekken draaien. Daar zwoegt eindelijk een vriendelijk man uit zijn zetel overeind, hij houdt de armleuning stevig vast, want hij zit als beklemd tussen zijn lessenaartje en zijn zetel. De rechterhand gaat omhoog, met kenbaar Antwerpse tongval zegt de stem: ,,Ik zweer de grondwet na te leven''. En dan ploft de massa in de zetel neer; hilariteit, de man lacht mee.

De eedformules gaan hun gang, in alle toonaarden en in alle stembuigingen, plechtig, verstrooid, onachtzaam, ridicuul. Voor de Provincie Antwerpen niemand in het Frans.

Daarna komt Brabant aan de beurt. Zelfde ceremonieel. Op het podium alles in het Frans. Wim Jorissen: ,,Mijnheer de voorzitter, Brabant is een tweetalige provincie, waarom verloopt dan alles uitsluitend in het Frans?'' Er loopt gemor tussen de zetels, men kijkt boos in onze richting. De voorzitter zegt iets van traduction simultanée. De linkerzijde roept, de rechterzijde gaapt, de enen schokschouderen, de anderen grijnzen. ,,Brabant is een tweetalige provincie'', roept Jorissen. Gebruik uw luisterhoorn, wenkt men, ,,écouteur'', wauwelt in gebroken Nederlands een van de assessoren. De meesten zitten onberoerd, de anderen gnuiven in onze richting en doen alsof er niets gebeurde. ,,L'incident est clos'', orakelt, nauwelijks hoorbaar, de man met de vierkante loep.

Brabantse Walen zweren in het Frans, Brabantse Vlamingen in het Nederlands. Een zeer charmante, fijn uitgedoste heer naast mij, behoudens het gangetje dat onze groep van hem scheidt, spreekt de eedformule uit in het Frans, et puisque je suis Brabançon: ik zweer de grondwet na te leven; ik zin toch ne Brusseleir!'' Men roept bravo. Er is ergens een zeldzame Brabantse kever die het ook in de twee talen doet, maar zonder bravo.

Nous passons maintenant à la Province de la Flandre Orientale.

De verslaggever zegt dat de Senaat een brief van de Minister van Justitie heeft ontvangen, met een klacht overgemaakt door de Prokureur des Konings te Gent, waarin het luidt dat omkoping zou gepleegd zijn door een lid van de Senaat bij zijn verkiezing tot provinciaal senator.

Na onderzoek, en gelet op artikel zoveel van zo en zo, stelt de commissie voor het onderzoek van de geloofsbrieven der provinciale senatoren van Oost-Vlaanderen in beraad te houden, verder te onderzoeken en over één week definitief verslag omtrent de hele aangelegenheid uit te brengen. Indien dit, en dat, en nog wat zou blijken, dan moet de verkiezing van de Oostvlaamse provinciale senatoren overgedaan worden, niet alleen voor de in betwisting geplaatste persoon, maar voor alle provinciale senatoren. Men luistert aandachtig.

Dokter Roossens staat recht, wil iets zeggen. Men roept: ,,Tribune''. Hij erheen. Hij protesteert tegen de brutaliteit waarmede de heer Diependaele door de gerechtelijke politie ondervraagd werd. Geroep. De verslaggever zegt dat de gerechtsdienaars in dit land altijd en overal onberispelijk zijn. De waarnemende Minister van Justitie P. Vermeylen veert recht, en verklaart hetzelfde, hij doet verontwaardigd. Ook Diependaele trekt naar de tribune, zegt dat hij gerust alles afwacht, dat men hem vier uur lang op de rooster gelegd heeft, zijn bank- en andere rekeningen uitgepluisd heeft, hem zijn zakken doen ledigen heeft, zijn brieventas doorsnuffeld heeft enz.

De Voorzitter, die ondertussen door allerlei personen wat in het oor gefluisterd kreeg, vindt dat het lang genoeg geduurd heeft, vraagt de goedkeuring van het verslag. Wie met de inhoud akkoord gaat, sta recht. Precies als een door een galvanische stroom geprikkelde hoop kikkers, veert de hele senaat recht. La contre-épreuve? De Volksunie-mannen staan nu recht. Zes man, een druppel in de zee.

Nieuwe eedafleggingen. Mijn beurt komt, ik zweer de grondwet na te leven. Dokter Beck, CVP uit Ronse en goed Vlaamsgezinde, dokter Cuvelier PVV, exponent van het Franstalige Ronse, zweren allebei in het Nederlands. Na afloop van de Oostvlaamse ceremonie, ga ik als voorzitter van de Orde der Geneesheren van mijn provincie mijn opwachting maken bij dokter Cuvelier. Hij is er zichtbaar door verbaasd. Ik was op dat ogenblik nog voorzitter; mijn mandaat eindigde maar op 30 juni van dat jaar.

Naarmate de eedaflegging vordert, loopt het halfrond leeg. Wat zit men hier trouwens te koekeloeren, terwijl de andere provincies aan de beurt komen? Ik blijf nog wat zitten om het gebeuren en de omgeving af te kijken. Er zweeft een gegons als van een zwingelloods in de Eerste Kamer van het Belgische Parlement; een imker zou beslist wanen dat hier een bijenzwerm hangt. We zitten onder een glazen koepel waarvan de ribben en gebinten met vergulde bloemen en andere ornamentsmotieven zijn getooid, veel stilering is er niet in, maar ik bewonder het uitgespannen evenwicht van het bouwsel.

Rondom het halfrond loopt een galerij voor het publiek; er zit weinig volk in. Corintische zuilen onderschragen de architraven, friezen, dekbalken en kroonlijsten. Aan weerszijden van het voorzittersplatform, maar wat hoger, liggen twee galerijtjes voor de pers, een voor de Frans- en een voor de Nederlandstaligen, maar ze lopen ineen. Ze zijn als op afspraak beurtelings bezet of verlaten. Deurwaarders steken af en toe vanuit het halfrond, op een lange stok, papiertjes met een mededeling tot in het bereik van de persluі. Een primitieve maar buitengewoon snelle manier om de pers, uit allereerste bron, berichten door te geven.

Het sprekerspodium gelijkt op een lessenaar, het reikt een paar voeten boven de begane grond, en een paar voeten beneden de voorzittersplaats. Achter de presidentiële stoep, die men met een zestal treden bereikt, vertoont de muur een in hout gebeeldhouwd Belgisch wapenschild, leeuw, kroon en L'Union fait la Force. Aan beide zijden daarvan, op een uitstaand voetstuk, een witmarmeren beeld; van op mijn plaats gezien moeten het Leopold I en koningin Marie-Louise met haar pijpekrullige haardracht zijn.

Vóór het podium zitten de stenografen die alles opnemen voor het verslag, en daarachter in hun glazen kooien de heren van de simultaanvertaling. Een hele heksentoer om zo maar van het Frans in het Nederlands of andersom, dadelijk te vertalen wat er op het podium of vanuit het halfrond gezegd wordt.

Het systeem werkt niet honderd procent onberispelijk, maar nogal goed. De hele installatie kwam er om die heren ter wille te zijn, die geen Nederlands verstaan, trop bête pour l'apprendre. Nooit maakt een Nederlandssprekende gebruik van de luisterhoorn, die ik niet kan aanzien zonder aan een oogspiegel te denken.

Ik heb het halfrond nog niet volledig beschreven. Op manshoogte boven de zetelrijen zijn de panelen van de muursegmenten beschilderd in de vaag classicisitische stijl van vóór tachtig jaar met roemrijke personages uit de Belgische geschiedenis. Het zijn dezelfde die ik uit de lessen van vaderlandse historie van vóór zestig jaar te Gentbrugge heb leren kennen.

Menapiërs, Nerviërs, Eburonen; dat moeten Clovis en Karel de Grote zijn, Jakob van Artevelde, Filips de Goede die de Gentenaars in 1453 te Gavere verpletterde en de overblijvenden in de Schelde gooide; Keizer Karel met zijn geweldige wijwatervatkin die de Gentenaars in hun hemd zette; er is de dikke Karel van Lotharingen, landvoogd der zuidelijke Nederlanden, gelaarsd en gespoord.

De laatste in de rij is de Rubensiaanse keizerin Maria-Teresia. Ik denk onwillekeurig aan haar hofarts Gerard van Swieten die te Leiden geen professoraat kreeg omdat hij Rooms-katholiek was, daarna te Wenen belandde en o.m. het kinderloze keizerlijke echtpaar een therapeutisch middel aan de hand deed zodat het een vijftienkoppig kroost naliet. Ikzelf zit vlak onder de beeltenis van Keizer Karel.

Op een paar plaatsen, symmetrisch tussen de panelen zit een roostervormig raam, waarvan de gaatjes van ver op die van een biechtstoel gelijken. Men zegt mij dat het de borden zijn waarop bij de elektrische stemming een rood, groen of wit lampje aangaat, wanneer het corresponderende knopje door de stemmer op zijn plaats, ingedrukt wordt. Zo wint men tijd, het vervangt de naamafroeping.

Intussen is men met de eedafneming voortgegaan. De gelederen zijn uitgedund. Wie nog niet aan de beurt kwamen, wachten geduldig. Een tafereel uit Homeros' Ilias schiet mij te binnen als ik de heren op hun plaatsen zie zitten ronddraaien: ,,Om hun ouderdom thans wel rustend van strijd, maar nog kloeke sprekers in de raadskring, op krekels gelijkend, die in het woud op het geboomte gezeten hun stem laten horen. Aldus zaten de leidslieden der Trojanen daar op de muurtoren'' (derde zang vv. 150).

Voor vandaag heb ik genoeg gezien en ga ook maar buiten. Daar loopt Paul Struye tussen de op krekels gelijkende heren. Waar is Elaut hier, hoor ik hem vragen. Ik stel me voor. Een vriendelijk man, doch zonder veel warmte. U bent van Gent? Ja, mijnheer de voorzitter. Waar woont u? Zoveel geneesheren in uw partij, ik ben ook de zoon van een geneesheer. Ja, dat weet ik. Zo gaat het door. Het Gentse jezuïetencollege komt ter spraak. Ik herinner mij dat U primus perpetuus was, mijnheer de voorzitter. Weet u dat nog? Natuurlijk. En die, en die, en Joris van Severen, en Pater Van Hoeymissen, en Pater Bamps enz. U herinnert zich dat alles veel beter dan ik. Een succesrijk mandaat, en als ik u helpen kan, mag u op mij een beroep doen; Gentenaars laten elkaar niet in de steek. Spreekt vanzelf. Dag, mijnheer de voorzitter.

Binnen het halfrond moet het afgelopen zijn. Over een week, opnieuw vergadering. Ik krijg een pak senatoriaal briefpapier met enveloppen in mijn handen gestopt door een deurwaarder. De eerste zitting is voorbij, het is halfzes.

De Volksuniegekozenen komen bijeen in een commissiezaal van de Kamer. Men praat over het geval Diependaele, over de commissieleden, over een mededeling aan de pers, moties, interpellaties. Frans van der Elst ziet er vermoeid en somber uit. We gaan uiteen tot de volgende samenkomst. Wanneer zal er een regering zijn?

*
* *

Een week later, donderdag 17 juni 1965, tweede vergadering van de Senaat.

Te 2 uur geen belgerinkel. We zitten in de koffiekamer, wachtend op de aanvang van de zitting. Niemand uit onze groep weet hoe het verslag over het geval-Diependaele luidt. Daar staat senator A. de Boodt, CVP-er uit Turnhout te mijmeren, heel alleen tegen een tafel aangeleund. Ik had de man vóór een tiental jaren, toen hij minister was, op een studentenvergadering waar hij spreken zou, ontmoet. Ik ga mij voorstellen.

Ha! Ja, professor. Hoe bent u toch in die Volksunie terechtgekomen? Dokter Herman van Hove, uw oud-studiemakker, mijn tandarts, met wie ik over u sprak, schrok zich dood toen hij dat vernam. Hoe is het mogelijk? De vorige regering heeft toch, meer dan een andere, Vlaamse verwezenlijkingen op haar aktief. Maar ze was toch de regering van het Vlaams terreinverlies. Hoezo? Hertoginnedal! Maar er zit in Hertoginnedal meer dan u vermoedt. Nog meer terreinverlies werd er voorbereid, inderdaad! En Théo Lefèvre? Ja, die man heeft ons vijftien zetels gekost, komt nooit meer terug als minister. De groeten aan Herman van Hove, zeg hem dat hij moet bekomen van het schrikken, en dat ik hem over vier jaar, of nog vroeger, in de Volksunie verwacht. A propos, de verkiezing van Diependaele wordt ongeldig verklaard, zo juist vernomen. Niet proper. Alles te herdoen. We zullen zien.

De bel. Men trekt naar het halfrond. Dezelfde voorzitter met de vierkante loep. Aan de orde is de verkiezing van de Oostvlaamse provinciale senatoren. Senator C. de Baeck, verslaggever, krijgt het woord, op het podium. De aangelegenheid is zeer delicaat, discretie past. Veel bedekte woorden, elkeen luistert, men kan een muisje horen lopen. Besluit: de verkiezing van de Oostvlaamse provinciale senatoren voor ongeldig verklaren. Onregelmatigheden, parlementaire onschendbaarheid meteen vervallen. Parket, enzovoort. Misschien over een paar weken op zijn vroegst, kan de Senaat definitief tot zijn samenstelling overgaan.

Diependaele komt op de tribune en vraagt wat er zal gebeuren als hij opnieuw wordt verkozen. De Baeck, verrast, antwoordt: ,,We zullen zien''. Wim Jorissen vraagt welke partij de klacht tegen Diependaele heeft neergelegd. Rik Ballet vraagt of getuigen onder eed gehoord werden. Socialisten roepen: ,,Het gerecht zijn gang laten gaan''.

De voorzitter hamert met een soort stemvork die een schril onaangenaam geluid voortbrengt en door het halfrond snijdt. Men wil Diependaele het spreken beletten. ,,Hij is geen senator'', roepen de socialisten. Mag spreken meent de voorzitter. Mag natuurlijk spreken zegt De Baeck. ,,Mais c'est évident'', repliceert de voorzitter, die met de stemvork werkt.

,,Wordt het verslag goedgekeurd?'' vraagt de voorzitter met de vierkante loep. Opstaan en zitten. Wij blijven zitten. De tegenproef: wij op met ons zessen. Bijgevolg: nieuwe verkiezing van provinciale senatoren in Oost-Vlaanderen.

Men gaat over tot de verkiezing van de gecoöpteerde senatoren. Vierentwintig zetels, vierentwintig kandidaten. Allemaal verkozen.

De gecoöpteerde senatoren zijn meestal oude trekpaarden, naast wat zeldzame nieuwelingen waar de partijen hun hoop op stellen. Er is Gillon uit Kortrijk, een restantje van de gauche libérale, een sluipende schim uit de vorige eeuw; hij legt zijn eed af in het Frans en in het Nederlands. Er is P. Lambrechts, oud-rector van Gent, een allercharmantste heer, met een bovenmoerdijks aksent in zijn stem, pion van de Vlaamse liberalen. Er is P.W. Segers, man bij wiens naam elke rechtgeaarde Vlaming kippevlees krijgt; er is Mgr. Philips, prof te Leuven, concilieëxpert in wie men een toekomstig kardinaal voorspelt, zeer berucht in de strijd van de Katholieke Aktie tegen het A.K.V.S., het oog van het Belgische episcopaat in de politieke onderwereld, een man om op afstand van te blijven, zo koud en sibyllijns doet hij aan. Er is Van de

Kerckhove, voorzitter van de Vlaamse CVP. Er is de Wallingant Dehousse, socialist, prof te Luik; H. Rolin, salonsocialist, een groot jurist zegt men, Gentenaar van geboorte. Dore Smets, rood vakbondsleider in merg en nieren, een figuur dat uit een schilderij van Jeroen Bosch weggelopen schijnt. Er is Elie Van Bogaert, juridisch hoogleraar te Gent, salonsocialist, een vriendelijke jongen, schoonzoon van professor Paul van Oye.

De gecoöpteerde senatoren vertegenwoordigen de meest uiteenlopende rassen uit de politieke fauna: de vakbond, de adel, de wetenschap, de financie, de fiscus, de nijverheid, de Kerk, de middenstand, naast het politieke profitariaat. Het zijn nogal vaak opgevisten die bij de verkiezingen in het zand beten, of die geen kans kregen op een politieke lijst, maar zich konden vooraandringen op de markt waar de politieke mandaten te koop zijn. De gradatie loopt van de meest eerlijke tot de meest lugubere, over middelmatige en ambitieuze.

Volgend punt op de agenda: verkiezing van het bureau. De groepsvoorzitters Leemans, Rolin en Gillon hebben zich op een lijstje op voorhand akkoord verklaard. Niet moeilijker dan dat. Paul Struye met handgeklap verkozen. De anderen ook. Een nauwkeurig gedoseerd stel ondervoorzitters, kwestoren en sekretarissen. Wie ze zijn, weet ik nog niet; dat leer ik wel later. Geen belang zegt Gerard De Paep.

Ambtsoverdracht en accolades op de presidentiële stoep. Struye, in pandjesjas en gestreepte broek, neemt plaats in de voorzitterszetel, krijgt papieren van een man met de borstketting, staat recht en leest wat hij te zeggen heeft af, kent zijn les half en half van buiten. Complimenten voor de waarnemende voorzitter, oproep tot eendracht en goede manieren, veel verenigt ons, niet veel scheidt ons, hetzelfde levenslot hadden en hebben Vlamingen, Walen en Brusselaars sinds eeuwen gemeen, twee kulturen; tal van andere gemeenplaatsen en clichés. De schoolstrijd werd tot eenieders voldoening opgelost, hoe zouden het de Vlaams-Waalse twistpunten niet kunnen? Wat een naïviteit vanwege een man die zeventig is!

Voorzitter Struye die zijn speech in het Nederlands begon ging in het Frans voort, zegt opnieuw iets in het Nederlands, dan weer iets in het Frans. Wie de woorden zou tellen, kwam tot de slotsom dat er misschien een klein batig saldo voor het Nederlands is.

Elkeen is tamelijk tevreden met de voorzitter. Zijn autoplaat is A1; omdat hij wat ouder is dan de voorzitter van de Kamer, Achiel van Acker, wordt hem dat voorrecht toegekend. Hij is er zeer op gesteld. Achiel moet zich met A2 tevreden houden.

De senaat is samengesteld, verklaart de Voorzitter, behalve de provinciale senatoren van Oost-Vlaanderen. Het zal medegedeeld worden aan de Koning, aan de Minister van Binnenlandse Zaken en aan de Kamer.

De agenda is uitgeput, de zitting wordt opgeheven. 't Is halfvier. Het woord vakantie werd enkele keren opgevangen uit de pratende groepen. Maar er is geen regering, drie weken na de verkiezingen. Naar huis tot nadere bijeenroeping.

Op 7 juli 1965 komt de Senaat opnieuw bijeen, met als hoofdbrok op de agenda het onderzoek van de geloofsbrieven der provinciale Senatoren van Oost-Vlaanderen. Daar Diependaele te Gent niet verkozen werd is de zaak eenvoudig; hij is geen kandidaat meer. Drie CVP-ers, twee socialisten en één PVV-er worden aangeduid. Wim Jorissen, onze fraktieleider brengt een gegronde kritiek op de lichtzinnige manier waarop de Senaat beslist heeft de verkiezing van Diependaele nietig te verklaren. Hij haalt voorbeelden aan van identieke toestanden in Limburg (1954) maar daar ging het niet over een Volksunie-senator.

Jorissen had goed te praten en het gelijk aan zijn kant te hebben, hij haalde geen gelijk. De Senaat is in zulke omstandigheden volkomen autonoom in zijn beslissing. De besluiten tot goedkeuring van de verkiezing der zes provinciale senatoren van Oost-Vlaanderen worden bij zitten en opstaan aangenomen. Een bewijs te meer dat de politiek geen zaak van rechtvaardigheid is, maar van macht. Wie die macht heeft, gebruikt ze, onverbiddelijk, teneinde de niet-machtige in het zand te doen bijten.

De parodie had minder dan vijfentwintig minuten geduurd. We werden opnieuw naar huis gezonden. Er is geen regering.

De Volksuniefraktie was vijf leden sterk: Jorissen, Ballet, De Paep, Roossens, Elaut. Vier geneesheren op de vijf. Nogal opvallend, en een bewijs van de onafhankelijkheid die het doktersberoep kenmerkt. Ze zijn geen functionaris van een vakbond, van een ziekenfonds, geen vrijgestelde van een para-politieke beroepsorganisatie. De vertegenwoordigers van deze laatste groepen buigen als een knipmes voor de bevelen van hun lastgevers, en zo zij het niet doen, wordt hun politieke zenuw bij de eerstkomende verkiezingen doorgesneden, is hun inkomen meer dan gehalveerd en gaan ze zich beklagen in het zothuis. Voorbeelden ontbreken niet.

Alle andere partijen dan de C.V.P. keerden ons ostentatief de rug toe. Bij de Vlaamse CVP was er wat nieuwsgierige belangstelling voor de vijf sukkelaars van de Volksunie, men keek onze kant met ondervragende blikken uit: wie zijn die roekelozen? Men had kompassie, maar ze letten met spanning op alles wat die vijf kwelduivels uitrichtten, en in de toekomst bleek dat meer en meer.

*
* *

Op 28 juli 1965 is er een regering, zesenzestig dagen na de verkiezingen van 23 mei: CVP en socialisten: Eerste Minister P. Harmel, Ant. Spinoy Vice Eerste-Minister, P.H. Spaak, Minister van Buitenlandse Zaken. Op 29 juli, in volle vakantieperiode, vergadert de Senaat om de regeringsverklaring uit de mond van de Eerste Minister te aanhoren, in de twee talen, tweederde Frans, het éénderde Nederlands tamelijk fatsoenlijk uit een Waalse mond gedraaid.

Een lange boterham, waaraan men na rustige lezing niet een zekere literaire voornaamheid kan ontkennen. Wat alle leden van de Senaat opviel, in die mate zelfs dat ze hun oren spitsten bij het horen van het woord: onder de grote problemen van de dag zijn de bestrijding van het lawaai en de vrijwaring van de stilte. Het was de eerste maal dat zoiets in het parlement gehoord werd en een regeringsverklaring waardig geacht. De bespreking van de regeringsverklaring zou op maandag 2 augustus 1965 beginnen en 's anderendaags eindigen.

Intussen werden vijftien Senaatscommissies aangesteld. In deze commissies worden de ontwerpen en de voorstellen van wet grondig besproken, bijgeschaafd en in de definitieve vorm gegoten. Daar de Volksuniefractie maar vijf leden telde, werd zij bij de commissiewerking niet betrokken. Wel mogen alle leden van de Senaat de vergaderingen van de commissies bijwonen, zonder recht van stemmen.

Die commissies zijn belangrijke afdelingen; zij beslissen over het lot van vele voorstellen, zij zijn de eerste draaibank waarop de teksten terechtkomen, gevijld, geslepen en gesmeerd worden, van hun bloempjes en bramen ontdaan. Dat onze partij daar niets in de pap te brokken had, was een handicap.

Sommige commissievoorzitters gingen zelfs zover ons de toegang tot de commissies te weigeren. Rik Ballet werd aan de deur gezet van de commissie van Landsverdediging omdat men in hem geen fiducie had en hij zekere aangelegenheden van vertrouwelijke aard zou kunnen aan het licht brengen. Hij protesteerde bij Senaatsvoorzitter Struye, voerde aan dat de communisten in de Kamer in de commissie van Landsverdediging zetelden enz. Hij kreeg gelijk.

Op zekere dag ging ikzelf luisteren in de commissie van Volksgezondheid. Voorzitter De Grauw, een Brusselse PVV-er vond dat het er mijn plaats niet was, en hij wilde mij maar toelaten als de andere leden geen bezwaar hadden; een paar hadden bezwaar, maar ik bleef zitten en beriep mij op het reglement van de Senaat. Geen een gaf nog een kik.

Dat incidentje van niemendal bewees hoezeer wij genegeerd werden; met communisten was men goede vriendjes, maar de Volksunie was erger dan de melaatsheid, volstrekt te schuwen. De senatoren Crommen uit Gent en Van der Bruggen uit Geraardsbergen pontificeerden dat de Volksunie haar hoogtepunt met vijf senatoren overschreden had en dat zij bij de volgende verkiezing zou weggeveegd worden. Waarom moet Elaut hier dan zitten? Edm. Coppens uit Denderleeuw, een van de grote politieke lichten van de CVP, iemand van wie men zich afvraagt hoe hij in de Senaat beland was, was van oordeel dat wij bij de volgende verkiezingen een formidabele post zouden pakken. Mon Coppens werd bij die volgende verkiezingen door zijn eigen partij met groot plezier uitgerangeerd, wij kwamen met twaalf terug.

Dat zijn zo van die parlementaire bloempjes die men in het voorbijgaan plukt en meeneemt.

Op 2 augustus begon de bespreking van de regeringsverklaring, op een maandag; het moest dus spannen, want zoiets gebeurt maar in tijden van nood. Tweeëndertig redenaars kwamen op het podium, van elke partij, van de regeringsgetrouwen en van de oppositie. Ofschoon zij in de regering zaten en de liberalen erbuiten gehouden werden, konden de socialisten hun spijt over het grote liberale verkiezingssucces niet slikken; het waren al te klaarblijkelijk socialistische kiezers die naar de blauwe vleugel van het anticlericalisme waren overgelopen, vooral te Brussel en in Wallonië; zij waren de grote verslagenen.

Een ander rancuneus verliezer was de voorzitter van de CVP, Senator Rob. Van de Kerckhove. Hij had het op de onstandvastigheid van de jeugd gemunt, die geen vertrouwen schenkt aan de beproefde maatschappijstructuren. PVV en Volksunie brengen niets anders dan kritiek en naar hen luisteren de jongeren. De taak van de regering zal bemoeilijkt worden door het electoralisme van deze twee partijen. Twee doornen in de voet van de goede man!

De Volksunieoppositie kwam aan het woord met Wim Jorissen en Rik Ballet. Deze laatste bleek, tot ieders verbazing, een slagvaardig debater te zijn. Zijn tegenstoten op de onderbrekingen waren niet van de poes. Hij geloofde het niet dat we nu twee ministers van Nationale Opvoeding hadden, de Nederlandstalige senator E. van Bogaert is maar de adjunct van de Waal F. Dehousse.

De hoofdschotel van de oppositie kwam van O. van Audenhove, voorzitter van de triomferende PVV. Elkeen moest toegeven dat het een knap stuk politieke welsprekendheid was, zowel in het Nederlands als in het Frans. Van alles wat ik ooit uit de mond van Omer van Audenhove gehoord heb, was dat wel het beste.

De Eerste Minister diende de opponenten van antwoord, al had het in de meeste gevallen maar weinig inhoud. Gerard van den Daele, de eeuwige tegensputteraar, kwam verklaren dat hij nu de regering zijn vertrouwen schonk, omdat het nu de eerste maal was dat er twee Ministers van Openbaar Onderwijs waren, elk met een lokale bevoegdheid. Dat was voorheen nooit het geval geweest; hij had nu op dat stuk volledige voldoening bekomen. Hij oogstte veel handgeklap bij de CVP en socialisten.

De regering bekwam het vertrouwen van de Senaat, meerderheid tegen oppositie. Te halfacht, op dinsdag 3 augustus 1965, werden we naar huis gestuurd tot de tweede dinsdag van de maand november. Drie maanden vakantie voor de boeg.

Met de enkele vergaderingen van de Senaat die ik meegemaakt had, was ik natuurlijk nog niet volkomen ingereden en vertrouwd met de knepen van het huis, maar ik had stof genoeg opgedaan om mij een idee te geven van het mechanisme der parlementaire geplogenheden. Ik kende al de weg in de lokalen en had tal van mensen leren kennen. Het dienstpersoneel van de Senaat was voor iedereen buitengewoon voorkomend, behalve een paar steenezels die met niemand goed over de baan konden en meer dan ooit met de Volksunie op hun neus liepen.

Onze fractieleider Wim Jorissen was een hardhandig diplomaat die zich door geen klein gerucht van de wijs liet brengen. Robert Roosens blonk uit door zijn kennis van het Frans en kon meer dan één heethoofdige Waal of Brusselaar schaakmat zetten wanneer over de betekenis van een Frans woord in een wettekst of motie gediskussiëerd werd. Een van zijn efficiënte tussenkomsten liep over het woord ,,endéans''. Bestaat niet in het Frans, onderbrak hij voorzitter Struye. Hoezo? Een woordenboek kwam erbij te pas. Inderdaad. 't Is Oudfrans zette Roosens recht. Hoe moet het zijn? ,,Dans'' les trois mois. Zo was het. Later is het gebeurd dat men het advies van Roosens vroeg voor een Frans woord of zinsnede.

De Waal Hembye had het in de commissie van Volksgezondheid over het bloed-alkoholgehalte. Hij hield vol dat het ,,alcoholhémie'' moest zijn. Ik had goed te zeggen dat er geen ,,glychémie'' bestond, waarop hij dat er een ,,hémorragie'' was. Inderdaad maar in dit en soortgelijke woorden staat de ,,h'' in het woord vooraan. Toen ik Hembye teksten uit wetenschappelijke boeken toonde, zegde hij boe noch ba. Hij was een te trotse Waal om zich door een Volksunist van de Senaat de les te laten spellen.

Dat zijn zo nog van die parlementaire bloempjes die men plukt en meeneemt. Zij brengen het wetgevend werk niet in opspraak, maar geven een tintje aan de sfeer waarin zekere besprekingen verlopen.

Nog een andere ervaring. Het gebeurt dat personen tijdens de openbare zittingen een senator naar de spreekkamer roepen, voor een informatie of een vraag. Reeds op de tweede dag vroeg mij iemand een onderhoud. Ik stond voor een onbekende dame van omstreeks veertig jaar, die beweerde mij van naam en reputatie te kennen. Zeer vereerd, mevrouw. En hoe zij het moest aan boord leggen om te Straatsburg een proces in te spannen bij het Hof voor de Rechten van de Mens. Ze beweerde tijdens een gynaecologisch onderzoek door een Brusselse hoogleraar ontmaagd te zijn. Ze aanzag dit als een aanslag op haar menselijke persoon en wenste zich op de dokter in rechte te verhalen.

Zij wilde van mij vernemen wat ik van de ontmaagding in de gegeven omstandigheden dacht, en of het wel noodzakelijk was dat de onderzoekende geneesheer zóver moest gaan om tot een diagnose te komen. Op mijn antwoord dat ik de elementen en de redenen van het onderzoek niet kende en mij dus niet kon uitspreken, is de achtbare dame ontstemd vertrokken. Voor wat problemen een senator van de Volksunie zoal kan staan!

*

* *

Op de tweede dinsdag van november, 9 november 1965, kwam de Senaat opnieuw bijeen. Hetzelfde bureau werd verkozen.

Het is niet de bedoeling in deze gedenkschriften mijn parlementaire activiteiten te memoreren en nog veel minder een relaas te brengen van de gebeurtenissen waarvan ik getuige was. Ik zal mij beperken tot het borstelen van enkele taferelen en het in de verf zetten van enkele persoonlijkheden die op mij door hun optreden, hun hoedanigheden of gebreken, een indruk hebben gemaakt. Over de rest lichten de *Handelingen* van de Senaat de weetgierige lezer in.

Voorzitter Struye begon met er zich over te beklagen dat de begrotingen van de meeste ministers altijd te laat ingediend worden. Er komen beloften van beterschap vanop de ministerzetels, maar gedurende negen jaar heb ik hetzelfde liedje gehoord. Hetzelfde geldt voor de vaststelling dat het geld van de begrotingen al gedeeltelijk is opgebruikt vóór de goedkeuring van de wetgevende kamers.

Telkens wanneer een lid van de Senaat overlijdt, brengt de Voorzitter hulde aan de dode die altijd de allercharmantste collega heet te zijn geweest. Degenen die hem tijdens zijn leven voor alles wat lelijk is uitgekafferd hebben, beamen de presidentiële woorden. Het is een goede zaak te kunnen vaststellen dat de dood ook in dit plechtstatige halfrond de zin der woorden relativeert door ze in de lucht te blazen alsof ze zeepbellen zijn.

Iemand naar wie heel de Senaat komt luisteren wanneer hij op het podium verschijnt is de communist Jean Terfve. Hij is een fijn uitgedost heerschap met echte vossenoogjes, met een voorraad papiertjes die hij af en toe inkijkt. Maar wat een spitsvondigheid in zijn aan- en opmerkingen; wat een fijnzinnige correctheid om het te zeggen en het de ministers in te smeren. Met niemands woorden wordt meer geglimlacht, barst men soms in een lachbui uit. In de keus van die woorden ligt er nooit banaliteit, en in zijn oraal debiet nooit opgeblazenheid.

Ik hoorde hem veel liever bezig dan de pompeuze Paul-Henri Spaak. In de omgang is Jean Terfve van een grote bescheidenheid, een echt beminnelijk man. Toen ik in 1965 voor het eerst in de Senaat kwam, waren er vijf communisten; toen ik in 1974 wegging waren ze met twee.

Op 9 november 1965 richtte ik tot de minister van Landsverdediging een verzoek tot interpellatie over ,,het misplaatste en honende vertoon van militaire gevechtsoefeningen op het terrein van de IJzerbedevaart en de geschonden graven van gesneuvelde soldaten uit de Eerste Wereldoorlog, te Diksmuide-Kaaskerke, op dinsdag 28 september 1965''.

Het was mijn eerste optreden in de Senaat. Mijn opponent was Minister van Landsverdediging L. Moyersoen. De interpellatie had plaats op 1 december 1965. Er waren een dertigtal senatoren aanwezig. Ik zegde wat ik meende te moeten zeggen en betreurde ondermeer dat de heer A. De Boodt, die eerst van zin was mede te interpelleren, voor een beuzelarij aan zijn voornemen had verzaakt. Maar hij kon toch moeilijk een Minister-partijgenoot op de rooster leggen. Ik vroeg sancties tegen degenen die de gevechtsoefening op dit terrein hadden bevolen. Ze kregen een bolwassing maar daarmee was de Vlaamse opinie niet tevreden. Een motie van vertrouwen in de regering werd door de meerderheid goedgekeurd en de kous was af.

Van de Voorzitter kreeg ik de gelukwensen voor mijn maideninterpellatie. Gemeend of niet, blijve in het midden, maar hij stemde voor de motie van vertrouwen. Er zijn zo van die paradoxen. In het parlement heeft een paradox een andere betekenis dan daarbuiten. Het woord ,,leugen'' is niet parlementair, het woord ,,onwaarheid'' is het wel. Inhoudelijk zijn ze identiek, maar de klank is anders, het is al; over het aantal en de vorm van de luchttrillingen struikelt een zeker vormelijk fatsoen.

In de diskussie hoorde ik de CVP-er C. de Baeck o.m. verklaren ,,federalisme dat voor mij separatisme betekent''. Dat was in 1965. Waar staat in 1978 de partij van de heer De Baeck?

Alle leden van de Senaat hebben het recht amendementen op wetsontwerpen voor te stellen. Die amendementen moeten door ten minste vijf leden gesteund worden. Het was voldoende dat één van de onzen afwezig was door ziekte om het amendement automatisch te zien vervallen. Wanneer de vijf aanwezig waren liep het anders. Om de Volksunie toch de pas af te snijden wilden sommigen het cijfer vijf tot zes verhogen. Daar dat al te gortig leek, ging het voorstel niet door, nadat de CVP-er Al. Sledsens had verklaard dat hij voor de vijfde man zou zorgen indien die bij de Volksunie ontbrak. Het werd in dank aanvaard.

De heer Flamme, senator uit Henegouwen, was een specialist in de interpellaties over verkeersveiligheid. Vijf jaar na elkaar heb ik hem weten op de tribune komen met hetzelfde onderwerp. Maar in al de discussies daaromtrent was er geen geneeskundige noot te vernemen. Ik heb dan telkens die taak op mij genomen en er de nadruk op gelegd dat het van groter belang is onze jongens en meisjes te leren correct een straat over te steken dan hun wijs te maken hoeveel beroepshoven er in België bestaan. Maar het probleem van de verkeersveiligheid blijft met al zijn bloedige gevolgen actueel, al druipen de zetels en de muren van de Senaat van de goede voornemens om er iets aan te veranderen.

Einde januari 1966 werd het land opgeschrikt door de stakingsincidenten rond de koolmijn van Zwartberg-Genk, die door onbegrijpelijk repressief optreden van de rijkswacht aan twee personen het leven en aan talrijke andere zware verwondingen hebben gekost. De Minister van Binnenlandse Zaken A. Vranckx poogde de schuld daarvan in de schoenen van de Volksunie te schuiven, omdat die om politieke redenen de hele opstandige beweging vanwege stakers en manifestanten zou op touw gezet hebben. Het regende interpellaties en protesten. De rijkswacht had te vroeg gebruik gemaakt van vuurwapens; ze had zelfs geschoten op wegvluchtende stakers die zij in de rug trof, zoals foto's duidelijk aan het licht brachten. Door de behendigheid van Voorzitter Struye werd het debat onderbroken en niet meer hervat.

Op 2 februari 1966 had een oratorisch spektakel plaats tussen Gerard Van den Daele en Minister Spaak van Buitenlandze Zaken over de taalkennis van de heer Vanden Bosch die tot ambassadeur te Londen werd benoemd zonder Nederlands te kennen, zodat hij een Nederlandssprekende Belg niet kan te woord staan. De harde Van den Daele had natuurlijk honderdmaal gelijk, maar de aalgladde Spaak wist het zo te draaien dat hij nog toejuichingen kreeg van de CVP.

Het was de eerste en ook de laatste maal dat ik Spaak in zijn element zag. Nog het zelfde jaar verdween hij van het politieke terrein en lieten zijn partijgenoten hem in de steek. Gerard Van den Daele zou vier jaar later dezelfde weg opgaan. Men was hem in de CVP kotsbeu. Toch bleef hij zijn partij trouw en heeft ze niet de rug toegekeerd, zoals Spaak het met de zijne deed.

's Anderendaags hield ik een interpellatie over ,,de ophitsende taal van de burgemeesters uit de Voerstreek in een proclamatie aan de bevolking, na de incidenten die er zich voordeden op zondag 19 december 1965''. Er was zelden zoveel herrie in de Senaat als voor die aangelegenheid. Heel de Voerproblematiek kwam op de proppen, alle partijen kwamen met hun zegje op het podium. De CVP-er Baltus voerde het hoge woord, maar voor burgemeester Ulrici van Moelingen die in bedekte woorden op een affiche medeburgers uitgenodigd had zich te wapenen tegen Vlaamse betogers in de Voer, was er nauweliks een woord van afkeuring vanwege de Minister van Binnenlandse Zaken. Baltus kreeg vanwege zijn partijgenoot Sledsens een veeg uit de pan: als hij in de Voer slaag heeft gekregen is het zijn eigen schuld; wat moest hij daar gaan doen, hij is van Aubel en dat ligt buiten de Voer.

Ook Zwartberg kwam ter sprake met een uitgebreid en gedocumenteerd relaas van de gebeurtenissen door Jorissen, die werden uitgelokt door het bericht van sluiting van de mijn. De arbeiders waren ongerust en radeloos. Dit verklaart alles. De brutaliteit van politie en rijkswacht was ongehoord: kijk op de foto's. Minister Vranckx heeft tenslotte zoete broodjes gebakken.

Tijdens het Vatikaans Concilie was Mgr. Philips nogal vaak afwezig uit de Senaat; niemand nam het hem euvel. Einde maart 1966 nam hij terug zijn plaats in en werd door allen verwelkomd. Deze prelaat kwam maar eens per jaar op het podium en werd graag beluisterd: hij sprak Nederlands en eindigde met een woordje Frans. Met wat hij zegde kon elkeen akkoord gaan en er waren nooit scherpe politieke kanten aan. Hij was het type van de saaie theoloog; iedereen mocht hem, maar vluchtte zijn gezelschap. Toen ik mij eens, in een korte tussenkomst, liet ontvallen dat ik niet altijd met de bemoeiïngen van de moeder-oversten van de ziekenhuizen kon instemmen en dat deze eerbiedwaardige vrouwen er bijzonder autoritaire methodes op nahielden, juichte Monseigneur opvallend, en alleen, toe. Wanneer ik er, zonder kwaad inzicht, bijvoegde dat zij moeilijk te bevredigen waren, schoot heel de Senaat als op een teken van Mgr. Philips, in een luide lach.

Sindsdien zocht hij bij voorkeur mijn gezelschap op en hadden wij tijdens de ijle uren lange gesprekken. De CVP-ers waren blij dat ze hem niet moesten te woord staan; ze lieten hem het liefst aan mij over. Na 1968 was hij geen senator meer en maakte geen priester nog deel uit van de Hoge Vergadering.

Op 10 februari 1966 nam de regering-Harmel ontslag. Ze was gestruikeld op een onenigheid met de socialistische ministers over een weinig belangrijk detail in enige ziekenhuizen. Ze had het zes maand en dertien dagen uitgehouden. Tot een initiatief van grondwetsherziening had zij het niet gebracht.

Anderhalve maand later, op 29 maart 1966, waren we op het appel om de regeringsverklaring van de nieuwe ploeg te aanhoren. P. Vanden Boeynants, Eerste Minister, Willy De Clercq, Vice Eerste Minister. De socialisten waren niet van de partij: omkering van het bondgenootschap, het meest normale verschijnsel in de Belgische Wetstraat. De roden zullen nu, op hun beurt, op de nek van de blauwen zitten.

De nieuwe regering zou een grondwetswijziging voorbereiden en de volgende verkiezingen zullen de taak aan het volgende parlement opdragen. Het was een bekentenis dat de mot in de structuren van de unitaire staat zat, en dat men niet ontkwam aan de stromingen voor meer zelfstandigheid vanwege Walen en Vlamingen. Gedurende twee jaar zou men niet praten over Vlaams-Waalse aangelegenheden en zichzelf het stilzwijgen daarover opleggen. Dat bestand werd door onze vriend Rob. Roosens met kracht van argumenten geweldig aangevallen.

De bespreking van de begroting van Sociale Voorzorg op 27 april 1966 verschafte mij de gelegenheid mijn mening te zeggen over de verhouding geneesheer-patiënt, namelijk over de ,,colloque singulier''. Ik kreeg het aan de stok met de Waalse socialist uit Charleroi Remson, die woedend was omdat ik herinnerde aan de uitspraak van een vakbondsleider uit Wallonië tijdens de artsenstaking van 1964: ,,Alle dokters zijn bandieten, behalve de mijne''. Minister Placied de Paepe was niet minder verontwaardigd omdat ik volhield dat de bedienden van de Verzekering tegen Ziekte en Invaliditeit, wanneer zijzelf ziek zijn aandringen op en de geneesheren verlokken tot onregelmatigheden. Ik bleef erbij omdat ik de ervaring had. Remson nam het niet dat ik hem verweet een lans te breken voor een geprefabriceerde artsenintegratie in het reuzencomplex van de sociale zekerheid. Meer dan twaalf jaar nadien blijf ik op hetzelfde standpunt staan; die twaalf jaar hebben mij zoveel rijker aan ervaring gemaakt.

Enkele malen hadden wij het genoegen prins Albert, die krachtens de Grondwet lid van de Senaat is, in ons midden te hebben. Hij kwam dan een papiertje aflezen over buitenlandse handelsbetrekkingen; hij begon in het Nederlands en ging voort in het Frans of andersom.

De schikking van de plaatsen in het halfrond maakten in 1970-1974, dat de Prins vlak in het midden van de Volksuniefractie zat, tussen Gerard de Paep en Lode Claes. Wanneer er gestemd werd, toonde De Paep hem hoe het moest geschieden. Die stemmingen golden dan precies altijd zaken waarover algemene eensgezindheid bestond, b.v. het goedkeuren van handelsverdragen met Argentinië of Finland. Het was niet denkbaar dat de Prins zich zou verbrand hebben aan een stemming over netelige problemen van de binnenlandse politiek.

De bespreking van de begroting van Volksgezondheid bracht mij op 9 juni op het podium. Ik vroeg aan Minister Hulpiau alles in 't werk te stellen om het tekort aan verpleegpersoneel in de ziekenhuizen te verhelpen door in de scholen voor jongens te ijveren dat meer mannen het verplegersberoep zouden kiezen dan nu het geval is. En wanneer komt er een nieuwe wet op de Orde van Geneesheren? De wet van 25 juli 1938 was verre van slecht, maar moet na meer dan twintig jaar worden aangepast en aangevuld. Ik kreeg veel mooie beloften. Wat de wet op de Orde betreft, zij kwam er door een besluit van 10 november 1967, doch is in 1978 nog niet van toepassing verklaard.

Op 22 juni werd een wet besproken over de politie op het wegvervoer met o.m. bepalingen betreffende de opsporing van het alcoholgehalte in het bloed. Met Rik Ballet had ik een amendement ingediend dat de hoogste grens op 1 gr. alcohol per liter legde. Verslaggever H. Rolin vroeg 1,5 gr. per liter. Wij trokken ons amendement in, na belofte dat na twee jaar alles zou herzien worden. Dit is geschied met het gevolg dat de hoogste grens naar 0,80 gr. per liter werd verlaagd. Wij hadden het dan toch in 1966 bij het goede eind gehad.

Bij de stemming over de opportuniteit van de vestiging van SHAPE in België heeft de Volksunie neen gestemd, zoals de meeste socialisten. We waren van oordeel dat België door de vestiging een diminutio capitis ondergaat en zich met een hypotheek belast, waardoor het minder geschikt is om zijn rol van bemiddelaar te spelen.

De laatste begroting die ter bespreking komt is meestal die van Nationale Opvoeding en Cultuur. Met die begroting was in 1965 veertig miljard gemoeid. Voorts was er de vaststelling dat slechts één derde daarvan ten goede komt, wat het hoger onderwijs betreft, aan Nederlandssprekenden; ik hield een pleidooi om geleidelijk te komen naar een veertig-zestig verhouding, zoals het in het leger met de Nederlandstaligen gesteld is. Van de 275 miljoen die door de vier fondsen voor wetenschappelijk onderzoek wordt uitgegeven, gaat slechts één vierde naar de Nederlandstalige cultuur. Het moest eens te meer onderstreept worden, daar waar het hoorde. Ik gaf ook mijn mening te kennen over het onderwijs van de oude talen, en over het statuut van de universiteiten, vooral van de twee vrije die hun boekhouding aan het Ministerie moeten voorleggen maar in 1966 nog die van 1963 niet hadden voorgelegd; die twee trekken als twee handen op één buik het laken naar zich toe; zij vinden altijd elkander, hoe ver hun ideologie van elkander ook verwijderd is.

Op de vooravond van de vakantie was er in de Senaat een zekere spanning en veel sentimenteel romantisme in de toespraak van een paar tenoren, Gillon en Piet Vermeylen. Het ging over een wetsvoorstel tot regeling van het taalgebruik in het hoger onderwijs. Wat te Leuven en in heel het land zo pas gebeurd was, lag vers in het geheugen en op de maag van een aantal politici met slechte spijsvertering.

Verroken had in de Kamer in dat wetsvoorstel het hoger onderwijs in heel het land op het oog, incluis Leuven. Met het gevolg dat Leuven zou moeten vernederlandsen, vermits het in het Nederlandstalig gebied ligt. Vandaar de herrie, die bij de ouderen zoals ik, de strijd voor de vernederlandsing van Gent in de herinnering riep.

In de Kamer was het wetsvoorstel niet in overweging genomen. Het werd door Karel van Cauwelaert en Sledsens op 28 juni 1966 voor de Senaat gebracht, en voor inoverwegingneming op de agenda van 6 juli geplaatst. Volksunie en Vlamingen uit de CVP drongen aan, Walen en Franssprekende CVP naast een bonte fauna anderen waren tegen. Men wilde de inoverwegingneming verdagen en op de lange baan schuiven: eenheid van het land, goede Belgen, en de andere zoethoudertjes waren niet uit de lucht.

Een eerste stemming luidde: niet verdagen. De stemming over de inoverwegingneming, nadat opnieuw alle sentimentele en patriottische registers werden opengetrokken, en nadat Piet Vermeylen in het strijdperk was getreden om de Franse afdeling van Leuven in die stad te behouden (jawel !), luidde 79 voor en 79 tegen. Derhalve werd de inoverwegingneming niet aangenomen. Terfve stemde voor, mgr. Philips ook, Vlaamse socialisten voor, liberalen allen tegen, Eyskens voor, Houben en Struye onthielden zich, de platbroeken, Rolin was tegen.

De Senaat ging na deze blunder met vakantie op woensdag 6 juli 1966 te 20.50 u. Het zou mij de gelegenheid verschaffen na de vakantie tot de aanval over te gaan en het verworpen wetsvoorstel opnieuw aanhangig te maken. (cfr. Parl. Stukken, Senaat, 1966-1967, nr. 35). De inoverwegingneming kwam er toen door, de geesten waren al wat klaarziender geworden. We werden naar huis gezonden en zouden op de tweede dinsdag van november 1966 weer present zijn voor nieuwe wetgevende arbeid.

*
* *

Mijn eerste parlementaire zittijd was achter de rug. Ik had vele redenen om tevreden te zijn over de ontplooide aktiviteit. Het was heel wat anders dan hetgeen Frans van der Elst gevraagd had, toen hij op die februariavond van 1965 mij verzocht kandidaat te zijn op de Senaatslijst. Ik was tenslotte heel blij dat ik geen profiteur was geweest, dat ik mijn parlementair mandaat ernstig had opgenomen. Ik had geen parlementaire fietsplaat, maar reed desondanks met het oude trouwe ijzeren paard naar het ziekenhuis. Het zou niet lang meer duren, het werd te gevaarlijk en ik zette dan maar het ros op stal, voorgoed.

Ik zag in dat het best zou zijn de urologische praktijk stilaan naar haar voleinding te laten gaan, in de eerste plaats het chirurgisch mes neer te leggen en, zoals men zegde, in schoonheid te sterven. Het heeft mij geen moeite gekost. Maar ik wilde niet helemaal alles stopzetten. Ik had mijn beroep zo lief gehad en wenste te allen prijze en zo lang mogelijk het contact met de patiënten en het ziekenhuis te bewaren. De drukte nam zienderogen af, ik liet de dingen op hun beloop, ik was negenenzestig en de ,,avond was nabij''.

De laatste operatie die ik verricht heb was een prostaatextirpatie op 9 september 1969. Het was symbolisch voor de praktijk van een uroloog. Onderzoekingen en spreekuur gingen in een getemperd ritme voort. Zo bleef er leven in de brouwerij en vervreemdde ik niet van alles wat mijn leven vier decenniën zin had gegeven en nuttig gemaakt.

Goedschiks of kwaadschiks was het baantje van senator meegevallen en was ik het karweitje gaan ter harte nemen. Het milieu boeide mij en met collega's uit de andere partijen had ik leren goed opschieten en met hen openhartig over het werk van alledag praten. We waren met 167, zonder uitzondering 167 vogels met een eigen pluimage; geen een geleek fysisch, noch psychisch, noch geestelijk op de andere. Jeroen Bosch, Breughel en James Ensor hadden daar hun palet en hun penselen kunnen botvieren om ze allemaal met hun eigenaardigheid op het doek te konterfeiten.

Te beginnen met de kroonprins. Vanaf zijn dertigste jaar legde hij een buikje aan, liep rond als een hond in een kegelspel, gaf niet de indruk het poer te hebben uitgevonden, en in zijn gesprekken stak niet veel leven.

Henri Rolin, het grote juridische orakel van de Senaat en de trots van de socialistische partij was een fijne mijnheer, maar van een harde en meedogenloze soort. Wanneer de Kroonprins verscheen, kwam hij altijd op het podium om de brave jongen keiharde dingen te zeggen. Al die buitenlandse reizen met het doel onze handelsbetrekkingen te bevorderen gaan te eenzijdig naar onbesproken landen; waarom niet naar de landen van het oostblok, er zijn daar ook voordelen voor België te halen; bovendien is daar geen tekort aan toeristische merkwaardigheden, de jeugd kan er veel leren, enz. Of de knaap voor wie het bedoeld was, het snapte bleek nergens uit, maar Rolin liep hem niet in het vizier; hij was een razend antimonarchist en kon dat niet wegstoppen.

Ten tijde van de oorlog in Vietnam moest Amerika het vanwege Rolin ontgelden. Ik heb hem zien wenen toen hij het over de slachtoffers van het Amerikaanse interventionisme had. Hij was dan ontzettend bitter en spaarde niemand. Zijn redevoeringen begon hij meestal in het Nederlands, maar de grote koek was in het Frans. Heel vaak beloofde hij dat het een korte toespraak zou worden, maar bleef dan toch meer dan een half uur aan 't woord. Het was altijd het horen waard wat hij zei. Hij was fraktieleider van de socialistische groep; in het begin van de namiddagzitting deed hij gewoonlijk een dutje op zijn zetel, doch schoot wakker op het psychologisch moment. Wanneer hij in het parlement bleef eten, ging hij nooit bij de snoepers die zich te goed deden aan uitgelezen spijs en drank à la carte, maar kwam in het demokratisch hoekje een zuinig stukje peuzelen met een pint bier. Geboren Gentenaar vertelde hij graag van zijn Gentse voorzaten.

Zonder het aldus te bedoelen heb ik hem eens geweldig op stang gejaagd. In *Dietsche Warande en Belfort* was er een mooi artikel verschenen over Hendrik de Man, uit de pen van Gust de Muynck. Ik gaf hem het bedoelde nummer ter lezing, doch des anderendaags kreeg ik een brief van vier bladzijden op mijn maag, in het keurigste Nederlands, met een diatribe tegen H. de Man. Ik wist niets af van de vijandschap tussen die twee vooraanstaande socialisten. Rolin wilde van mij weten wat ik dacht van zijn brief en liet mij niet gerust voordat ik hem gelijk gegeven had. Hij noemde De Man een perfide kerel, die het socialisme ontzettend veel kwaad had berokkend, daarenboven een collaborateur van het eerste uur en een slipdrager van Leopold III. Hij was onverzoenlijk. Het stak schril af met zijn bewondering voor Jeanne d'Arc die hij als een kranige vrouw vereerde. In de grond was hij een deïst en goedgeefs voor de kleine man. Hij was ooit voorzitter van de senaat geweest en liet zich nog altijd graag als Mijnheer de Voorzitter aanspreken. Dat beetje ijdelheid misstond hem niet en werd hem graag gegund.

Een rare vogel onder de socialisten was Hubert de Groote, burgemeester van Houthulst; een rijk man die van de CVP naar de socialisten was overgelopen. De socialisten noemden hem ,,onze kasteelheer'' en zij wisten waarom. Hij was berucht geworden ten tijde van de dynamitering van de IJzertoren in 1946. Onder de senatoren was hij degene die op de meeste decoraties kon bogen. In het Biografisch Handboek van de Senaat nam de opsomming een hele bladzijde in beslag. Hij heeft nooit zijn mond geopend in de Senaat en ik geloof ook niet tegen één van zijn partijgenoten of de anderen. Hij zat als een zwijgende monoliet op zijn plaats en drukte op het stemknopje zoals zijn rode broeders. Volgens het grillige spel van de verkiezingsuitslagen slingerde hij van de Kamer naar de Senaat en heeft dat twintig jaar volgehouden.

Een mij sympathieke socialist was Frans Block, provinciaal senator voor Antwerpen en burgemeester van Hemiksem, een echt volksmens, minzaam, met een natuurlijk sprekerstalent begaafd, die voor de intellectuelen eerbied opbracht en zei met zijn eenvoudig gemoed tegen hen niet op te kunnen. Aan tafel nam hij altijd een kruikje wijn, omdat hij dat in zijn armoedige jeugd niet had gekend en nu wilde bewijzen dat de socialisten de werkman hadden in staat gesteld het wel te kunnen. Hij zag de tijd tegemoet dat zijn Hemiksemse vrienden het ook zouden kunnen, evengoed als hijzelf. Hij keurde het af dat zoveel lieden hun vakantie in Spanje doorbrachten; hij zou daar nooit of nooit de voet willen zetten, want het was steun verlenen aan het Francoregime dat hij verfoeide. Nooit een cent voor dat land. Terwijl hij zo verontwaardigd te keer ging, verorberde hij twee Valencia-appelsienen. Ik maakte er hem lachend attent op, en sindsdien heeft hij de vruchten niet meer bekeken. Wat hij op de tribune, twee keer per jaar over openbare werken in zijn arrondissement vertelde, was het gezond verstand zelf, maar het reikte niet hoger dan het streekbelang. Hij kwam vaak mijn raad vragen voor kleine kwaaltjes; mijn dokter is een allerbraafst man, maar ik had toch graag uw advies. Frans Block geloofde diep in het socialisme, dieper dan de meeste van zijn buren op de senaatszetels.

Een socialist van heel ander slag was de burgemeester van Belœil, Jean Dulac, een vakbondsafgevaardigde, provinciaal senator van Henegouwen, een echt Waals haantje, vooral wanneer hij een pint op had. Dit was na vier uur in de namiddag altijd het geval. Dan zat hij zo rood als een koolvuur op zijn zetel te razen en op de tegenstanders te schelden, zodanig dat zijn partijgenoten hem in het oog hielden en intoomden om erger te voorkomen. Hij sprak een mondje Nederlands en stelde zich dan voor als de burgemeester van Schoonoog, maar het was om tegen alles wat Vlaams was zijn Waalse duivel los te laten. Op zekere dag had een zojuist benoemde ambtenaar die Dulac nog niet kende, hem als ,,Mijnheer de Senator'' aangesproken. Daarop was Schoonoog in een vlaag van Waalse woede ontstoken en eiste dat de brave ambtenaar op staande voet ontslagen werd. Wat die driftkop tenslotte van de Voorzitter verkregen heeft ondanks lang soebatten.

Een ander onhebbelijk socialist was Jef Ramaekers, een Mechelaar, een schreeuwer die het op de bankiers en speciaal op Lode Claes gemunt had, die zijn anticlericale reflexen niet de baas kon, rancuneus en zonder enige zin voor humor. Tijdens een bespreking had hij de vaccinatiemethode tegen de pokken verward met die tegen de kinderverlamming en de rode hond. Voor een leek in de geneeskundige zaken is dat geen oneer, maar toen ik hem in de gang tegenkwam en glimlachend op zijn vergissing wees zonder daar veel belang aan te hechten, hulde hij zich in een wrokkig stilzwijgen en heeft hij mij nooit meer bekeken en nog minder een woord gegund.

Jef is in 1977 Minister van Nationale Opvoeding geworden nadat hij in de gemeenteraadsverkiezingsnacht van oktober 1976 al een coalitieakkoord met de Volksunie had gesloten op voorwaarde dat hij burgemeester van Mechelen kon worden. Het zou gelukt zijn als zijn partij daar geen stokje had voorgeschoven. Om hem te troosten voor de teleurstelling kreeg hij de belangrijke post van het Openbaar Onderwijs. Hij is een speelbal van zijn eigen heerszucht, van zijn kabinetschef Colenbunders en tot veel dingen bereid om er te komen. Hij is er trouwens gekomen. Geen zwaargewicht in het politieke ijkwezen.

Uit een heel ander socialistisch hout gesneden was Georges Housiaux, provinciaal senator van Luik, een charmant man, die in zijn gesprekken overliep van vriendelijkheid, en als hij een glaasje op had, niet ophield mij Monsieur le Professeur te noemen, en ongelooflijke blauwe bloempjes op iemands mouw wist te spelden. Wanneer hij op het podium verscheen was hij een stekelige spotter aan het adres van zijn tegenstander en kon hij leuke aanmerkingen maken; dat hij soms flaters verkocht en niet altijd goed wist wat hij eruit flapte, nam men erbij. Rolin die naast hem zat, kon het dan altijd rechtzetten. Housiaux zegde dat de Volksunieleden zijn beste vrienden uit heel de Senaat waren, n'est-ce pas, Monsieur le Professeur?

De Oostendse socialistische schepen van financiën, dokter Raym. Miroir was een medisch collega zoals honderd andere en senator van zijn arrondissement. Met deze vlotte gesprekspartner had ik het eens over de politieke activiteit van een geneesheer die in de praktijk stond. Hij wilde weten hoe ik het aan boord legde om de twee te combineren, want hijzelf kon moeilijk zijn praktijk verzorgen; zij leed onder zijn politiek werk, en dat kon hij niet velen. Hij was een van de grote absenteïsten van de Senaat; hij verscheen slechts wanneer belangrijke stemmingen plaatshadden en was daarna de pijp uit. Hij was lid van de Commissie van Volksgezondheid, maar is daar nooit verschenen, tot grote ergernis van zijn partijgenoot P. Falize die een ijverig man was.

Van 1965 tot 1968 kon men elke namiddag getuige zijn van een leuk tafereeltje op de eerste rij van de socialistische fractie. Daar zaten naast elkander, Rolin, Vermeylen, Dehousse, Remson en Harmegnies. Het was een grote uitzondering als ze niet alle vijf, scheefgezakt in hun zetel, zaten in te dutten. Het duurde niet zo heel lang, maar het was een onvergetelijk spektakel, overigens begrijpelijk voor personen van hun leeftijd. Harmegnies was een onverbiddelijk en onverbeterlijk onderbreker; hij kon zijn mond niet houden en moest op elk moment de redenaars iets tussen de benen gooien. Soms waren er goede zetten bij. Hij was burgemeester van Dour en heeft meer dan dertig jaar in de Senaat gezeteld.

Samen met de CVP-er August de Boodt uit Turnhout werd Harmegnies terwille van dat dertigjarig jubileum op een zekere namiddag plechtig in de bloempjes gezet met toespraken en een receptie in de salons van de voorzitter. Kort nadien werden ze allebei door hun respectievelijke partijen op non-actief gesteld. Harmegnies kon er zich in schikken, De Boodt volstrekt niet; hij waande zich onmisbaar en dacht dat de algemene regel niet op hem toepasselijk was. Hij vertoonde weliswaar geen sporen van fysische veroudering, maar ophoepelen moest hij; anderen drongen aan en wilden op hun beurt senator worden. De brave man was erg ongelukkig omdat de plooi die zijn leven genomen had nu weggestreken werd uit het kleedje van zijn dagelijkse handel en wandel, hoe heerlijk dat ook geweest was.

De politiek is hardvochtig, kent geen mededogen en ook geen of weinig erkentelijkheid; het veld ruimen en daarmee uit.

Nu ik toch al enige figuren uit de Senaat getekend heb, zal ik ermee doorgaan, al moet ik op de tijd wat vooruitlopen, maar het schilderij kan wel wat anachronismen en anti-anachronismen verdragen.

Het FDF (Front démocratique des Francophones), de partij van Franssprekende Brusselaars, deed zijn intrede in de Senaat in 1965, juist zoals ik. Hun partij had maar één gekozene, André Lagasse, juridisch professor te Leuven. Hij had van zijn rector Mgr. Descamps gelukwensen gekregen met zijn verkiezing. Het onthouden waard! Lagasse was het type van de onverzoenbare bekrompen Brusselaar, die geen Vlaming kon uitstaan en door alles wat Vlaams luidt onmiddellijk onhandelbaar gemaakt. Hij kon een debat uitlokken, maar joeg dan al de anderen tegen zich in het harnas. Sikkeneurig als hij was, kon hij niet lachen met de meest lollige situaties.

Maurice Bologne, een oud serviteur van de Waalse gedachte, was een sympatiek man, een scherpe dialecticus en vaak goedlachs; een Vlaming maakte hem niet korzelig. Hij stamde uit socialistischen huize en zijn vader was ooit minister geweest. Hij voelde zich beter thuis in de kringen van het middelbaar onderwijs dan in een politieke arena. De Waalse dialecten en plaatsnamen kende hij uitstekend en hij heeft daarover een goede monografie geschreven. Hij vond dat Vlaanderen met het reuzenpart van alles wat België bezat, was gaan lopen en dat Wallonië het arme broertje was.

René Bourgeois, een Waal uit Virton die te Brussel atheneumprefect werd, was een offensief FDF-er, vlakaf bekennend dat hij systematisch alles wat Vlaams was te Brussel ging buitenwalsen om er een Franse stad van te maken. Als schepen van onderwijs te Koekelberg, is hij volop daarmee bezig. Een voor de Brusselse Vlamingen funest man, des te meer dat hij in onderwijszaken buitengewoon onderlegd was.

Marcel Thiry, Luiks senator van het Rassemblement Wallon, was gedurende zes jaar de fijnst gecultiveerde man van de Senaat, de verpersoonlijking van de francité, Vast-Sekretaris van de Académie de Langue et de Littérature Française, een grote mijnheer, vol distinctie en minzaam, die niemand met zijn woord pijn deed, nooit de Vlamingen kwetste, maar alles wat Frans was ophemelde. Als men hem een compliment maakte met een verkregen onderscheiding was hij daarvoor ,,très sensible'' en repliceerde hij met een compliment. Tussen zijn woelige collega's zat hij altijd even waardig en gedistingeerd zonder dat één aangezichtsspier verroerde.

Jean Fosty, provinciaal senator van het FDF voor Brabant, had met de Vlamingen al een eitje te pellen gehad toen hij na de oorlog een betoging bij het IJzermonument organiseerde, als eerherstel voor de schande door dat monument aan het Belgische vaderland aangedaan. Hij leefde uitsluitend in het verleden en teerde op de daden van het verzet en tutti quanti, zonder oog voor de toekomst. Politiek was voor hem de verheerlijking van heldendaden die een kwarteeuw oud waren; hij had zijn zakken vol met lidkaarten van allerlei vaderlandse verenigingen, van invaliden, van résistants enz. Hij vroeg mij eens hoeveel ik er hem kon tonen. Trots zegde ik: ,,Geen enkele, en ook geen enkele decoratie, maar dat ik de littekens van mijn vaderlandse daden op mijn buik droeg en als hij die wilde zien, dat ik bereid was voor de demonstratie''. Hij schrok zodanig en zegde: ,,Merci, je vous crois''. Hij snapte niet dat ik hem voor de aap hield. Toen hij op een zekere middag op het podium aan het opsnijden stond over het Franssprekende Brussel en zijn grote patriottische burgers, riep ik hem toe dat hij

Manneken-pis vergat. Het lokte een reuzenlach uit, doch Fosty vond het maar een flauwe grap.

Bij de FDF-ers zat de niet onbevallige dame Angèle Verdin-Lenaers, een geboren Antwerpse, moeder van negen kinderen, senator van het arrondissement Brussel, die graag aan het woord kwam, dan telkens met grote gratie naar het podium schreed, aandachtig beluisterd werd en nooit banale dingen vertelde. Zij had het eens aan de stok met Eerste Minister Eyskens die haar een vriendelijk verwijt maakte zich te hebben laten verleiden door de lokspiegel van het FDF; het was ad rem. Kort na de verkiezingen van 1974 heeft zij het FDF verlaten en is zij naar de rangen van de Parti Social Chrétien teruggekeerd. Met de senatoren van de Volksunie sprak zij Nederlands. De Sociale Voorzorg was haar geliefd thema. Voor de radikale antivlaamse standpunten van haar partijgenoten was zij niet te vinden; zij rondde de scherpe hoeken af en zegde dat met een vrouwelijke galanterie aan het adres van de mannen die aan haar lippen hingen.

Onder de PVV-ers werd de hoofdvogel afgeschoten door Hilaire Lahaye uit Ieper, die volgens het grillige spel van de verkiezingsuitslagen van de Kamer naar de Senaat was geschommeld en in deze laatste quaestor was. Iedereen riep hem aan met zijn voornaam en wie een borrel lustte, kon daarvoor altijd bij hem op de quaestuur terecht. Hij was weleer berucht geweest door het indienen van een wetsvoorstel dat ertoe strekte de hanegevechten toe te staan en het is gebeurd dat een guit ergens een hanegekraai nabootste wanneer Hilaire op de tribune kwam. Hij kon er de ongelofelijkste dingen uitflappen en hoewel hij tussen de meest antiklerikale kleppers zetelde, zeer vrome praat vertellen; hij ging er prat op een praktiserend gelovige te zijn en destijds ten gunste van het Schoolpact te hebben gestemd. Het summum van het antikonformisme dat ik hem horen debiteren heb, was ter gelegenheid van de bespreking van de wet over de begraafplaatsen in 1971. Hij was tegen de afschaffing van de eeuwigdurende grondafstand en pakte uit met een urenlange opsomming van uit de Bijbel geputte teksten. Er was geen historicus of exegeet die het hem nagedaan had. Iedereen kronkelde van de pret bij het commentaar dat hij ten beste gaf. Hij goochelde met uitspraken van koning David en de profeten, en hoe meer men het uitproestte, hoe meer hij er kracht achter zette. Men vroeg zich af waar hij het vandaan gehaald had, maar het lekte uit dat hij de dokumentatiedienst van de Senaat een paar weken onder druk had gezet om hem in te lichten. Hilaire kwam voor alles en nog wat op het podium, maar nooit kende hij het dossier ten gronde. Het kon hem niet schelen dat men hem op een flater betrapte, hij maakte er zich met een zijsprong vanaf.

Sedert 1932 zetelde Robert Gillon in de Senaat als liberaal en PVV-er van Kortrijk. Hij was ooit voorzitter van de Senaat en behoorde tot het taaie ras van de antiklerikalen en onvlaamsen; strikt Belgisch georiënteerd, sprak hij altijd Frans op het podium, maakte het nooit lang en in verband met de buitenlandse zaken verdedigde hij zeer zinnige standpunten. Altijd sprak hij op archaïsche toon over de Haute Assemblée, nooit anders dan over een Honorable Collègue. Toen hij in 1971, op zevenentachtigjarige leeftijd afscheid nam uit de Hoge Vergadering, deed hij dat met een toespraak voor de vuist, waar hij pleitte voor de integratie van China als volwaardig deelgenoot in alle internationale betrekkingen. Het was verre van banaal en niemand had het hem kunnen nadoen. Hij kreeg veel meer dan een beleefd applaus.

In 1968 verschenen in de PVV-fraktie Basile Risoupolos, Brusselaar van Griekse origine, zoon van een moeder uit Antwerpen, intelligent en buitengewoon goed bespraakt in de twee talen, maar Brusselaar in hart en nieren. Hij kon niet aanvaarden dat men iemand tot tweetaligheid verplichtte om in de hoofdstad naar een openbare betrekking te dingen. Hij was en bleef de exponent van het allerzuiverste politieke liberalisme maar sprak met zijn Vlaamse collega's uit hoffelijkheid.

Wie dat niet deed en nog liever zou doodgevallen zijn dan het te doen, was de PVV-er Alb. de Muyter, zoon van de fameuze ballonreiziger die ook zo een balorig Brusselaar moet geweest zijn. Het misprijzen voor alles wat een Vlaamse klank of tint had, kon men zo van heel zijn gemelijk voorkomen afscheppen.

Jean Collin, PVV-er uit Brussel was van een heel andere makelij, een echt Ketje in taal en manieren. Hij was in de Senaat gekomen ter gelegenheid van de overwinning van zijn partij in 1965, was in 1968 ondanks haar nederlaag teruggekeerd omdat hij een kapitaalkrachtig man was. Wanneer een belangrijke bouwonderneming waarvan hij de grote baas was, overkop ging, maakte hij ook een politieke buiteling. Hij was o.m. burgemeester van Faux-les-Tombes waar hij een machtig kasteel bezat en elkeen aan zich verplichtte, tot de pastoor toe. Hij was een jouissante prater in zijn Brussels dialect, die graag kontakten met onze groep zocht en gekscheerde met al degenen die het te ernstig opnamen, maar betrouwbaar wanneer het over politiek ging. Dan beet hij door, met het onnozelste gezicht van de wereld. Wanneer hij failliet gegaan was, deed hij zich als een arme sukkelaar voor: ,,'k En hem giene rooie duit ne mei''. Arme Jean Florian Collin! Niemand hechtte geloof aan zijn klagen, allerminst zijn politieke vrienden.

Mevrouw Godinache-Lambert, PVV-senator van de provincie Luxemburg, was een vriendelijke verschijning van wie iedereen de smaakvolle jurken bewonderde. Zij wist het en zorgde telkens dat er variërende gelegenheid tot bewondering was. Zij was een hereboerin, vlijtig als een bietje voor alle taken in de Commissie van Volksgezondheid en Gezinszorg en waarlijk ongelukkig als een van haar altijd goedbedoelde voorstellen afgeketst werd. Tegen de leden van het Rassemblement Wallon kon zij als een echte furie uitvaren en zat dan letterlijk te dansen van verontwaardiging. Ze deden haar soms gaan uit duivels plezier om haar tot tranen toe te tergen: ,,Ils sont diaboliques, de vulgaire méchanceté, n'est-ce pas docteur'' was haar wederwoord tot mij, haar buurman.

Een kruidje-roer-mij-niet, zo beschrijft men best de Brusselse PVV-er Norbert Hougardy, kittelorig tot het hysterische toe als het over vaderlandse en militaire aangelegenheden ging. Met Oktaaf Verboven, die veel meer van legerzaken afwist dan hij, kwam het niet zelden tot een Olympisch bekvechten. Het Brussels Vlaams dialect waarin Hougardy met onze fractieleden omging, was onbetaalbaar, want hij was een prater en kon niet stilzitten. Hij had allerlei kwaaltjes en vroeg mijn raad, maar hij volgde hem nooit op, en dan sputterde hij maar ,,teigen die dokteurs, die niks kenne en van niks verstand hemme''.

Ook in de CVP waren er onvergetelijke typen. Een onder hen was Oktaaf Verboven, gewezen burgemeester van Westerlo en provinciaal senator voor Antwerpen. Hij had twintig jaar in de Kamer gezeten en stelde zijn parlementaire bedrijvigheid, die intens was, uitsluitend in het teken van de ,,moeder bij de haard''. Hij was geen man met fluwelen handschoenen, maar met een Kempische voorhamer en dat is niet weinig zeggen. Hij heeft het weten aan boord te leggen dat artikelen van de dienstplichtwetten gewijzigd werden en hij is de vader van de wet van 7 juli 1966 die gunstmaatregelen invoerde ten voordele van de gezinnen met zware kinderlast.

Wanneer hij met een bundel papieren onder zijn arm naar het podium trok, trilde het halfrond van zijn vastberaden stap, en vermoeid was hij nooit; hij wist waarover hij sprak. Iedereen ging bij hem te rade teneinde de juiste weg te kennen om iemand van militaire dienst vrij te krijgen indien daartoe de mogelijkheid bestond. Op het Ministerie van Landsverdediging had hij zijn mannen, die hem over alles inlichtten. Wanneer hij iemand onderbrak, was het niet van de poes en zijn buren moesten soms hard aan zijn jas trekken om hem tot bedaren te brengen. Met hem had ik ooit een kijfpartij over de IJzerbedevaart, maar nadat wij enkele maanden later elkaar op de bedevaartweide ontmoet hadden, was hij het vergeten en konden wij het goed met elkaar stellen, in het teken van de ,,moeder bij de haard''. Na zes jaar heeft zijn partij Oktaaf bedankt voor bewezen diensten en hem zijn onverslijtbaar temperament te Westerlo laten botvieren.

Geneesheren waren er in de Senaat in overvloed, maar dierenartsen niet veel. Ik heb er twee gekend, de Duitse Waal, PVV-schepen te Sankt-Vith, Johann Louis, en A. Mondelaars. Deze laatste was CVP-senator van het arrondissement Hasselt-Tongeren en burgemeester te Bree, waar hij als een tiranniek alleenheerser aangeschreven stond. Eén keer per jaar kwam hij op het podium en sprak met kennis van zaken over mond- en klauwzeer, gevaar van hondsdolheid en, onvermijdelijk, over de uierziekte en haar gevolgen. Dat laatste onderwerp schiep in het halfrond een zekere hilariteit, want Mondelaars had de tic met zijn grote handen over zijn borststreek te wrijven telkenmale hij het woord ,,uier'' uitsprak. Dat duurde zo een half uur in de aanwezigheid van rechtsgeleerde dames en heren die van uiers en spenen niet veel benul hadden.

De PVV-dame Marguerite Jadot die aan 't zwijgen een broerje dood had, kon het niet harden en ging buiten, terwijl de CVP-juffrouw Gisele Wibaut onbeweeglijk bleef alsof zij niets begreep, terwijl iedereen haar in het oog hield en Mondelaars onvermoeid doordraafde met de uiers en de kunstmatige inseminatie. Te vijf uur precies vertrok Mondelaars naar Bree en liet hij de Senaat voor wat hij was; valabele medesprekers had hij niet, en het andere kon hem geen snars schelen.

Landbouwers zaten er wel in de Senaat; ik heb er een tiental gekend, waaronder zelfs de Minister van Landbouw Héger, die ook doctor in de rechten was.

De Limburgse CVP-er Max Smeers en onze Willy Persyn, burgemeester te Wingene hadden meestal enkele uren op hun bedrijf gewerkt en de stallen uitgemest voordat ze zich naar de hoofdstad begaven om aan politiek te doen. De CVP-er Maurits van Damme, provinciaal senator voor West-Vlaanderen en burgemeester van Vinkem was honderd procent landbouwer. Hij voelde zich temidden de werkliedenafgevaardigden van zijn partij niet thuis. Ze komen ons in de Westhoek zeggen hoe we het moeten doen; dat ze ons gerust laten, we kunnen die wettenstellers missen als tandpijn, en ze kennen er niemendal van. Zo ongeveer reageerde hij. Hij zat op zijn plaats met schalkse oogjes het gebeuren te bekijken en heel het gebouw had mogen invallen zonder dat hij verpinkte. Na drie jaar had hij genoeg van de Senaat, en zijn partij van hem.

Overlopen is een weinig sympatiek woord. Ook in de politiek zijn er vaandelvluchtigen die van partij veranderen zoals van een hemdje. Zij doen dat niet zozeer om ideologische redenen, maar omdat ze vrezen van hun partijbestuur de bons te zullen krijgen, niet graag hun parlementair baantje verliezen en het dan bij een andere proberen waar ze meestal niet onwelkom zijn. De burgemeester van Houthulst Hubert De Groote en Angèle Verdin hebben we al vernoemd.

De CVP-er Ancot uit Brugge, een advokaat met soliede juridische naam maar geen Vlaams uitblinker werd gewaar dat zijn haring in de Breydelstede niet meer braadde en ging naar de PVV. Het succes van die partij in 1965 was ook zijn succes, maar haar nederlaag in 1968 was ook zijn nederlaag en betekende zijn verdwijning van het politieke toneel.

Anders verliep het Carlos de Baeck, CVP-senator van het arrondissement Antwerpen tot in 1968. Daar hij door zijn partij een plaatsje naar achter op de lijst van de kandidaten was verschoven en hij vreesde niet verkozen te worden, probeerde hij zijn geluk bij de PVV. Hij werd gecoöpteerd omwille van zijn juridische naam, maar in 1971 pakte hij naast een mandaat. Carlos de Baeck was de verdediger van August Borms geweest voor de krijgsraad, en hoorde niet graag dat men hem daaraan herinnerde.

Van onze eigen Volksuniefractie wil ik maar twee mannen in de verf zetten.

Wim Jorissen, senator van het arrondissement Mechelen-Turnhout was leraar en de ziel van onze fractie. Een reus van een kerel, Limburger uit Haspengouw, molenaarszoon en als dusdanig groot werker en uitgeslapen van aard. Hij kende de knepen van het politieke vak, was op de hoogte van alles, sprak iedereen aan, kon moeilijk zwijgen en nam geen blad voor de mond. Met Frans van der Elst had hij de Volksunie uitgebouwd tot wat ze geworden was. Hij schudde wetsvoorstellen uit zijn mouw en kende de dossiers uit verleden en heden. Hij kon roepen als het nodig was, maar ook diplomaat zijn.

Hij liet zich door de voorzitters Struye of Harmel niet imponeren. Al de eentalig Franse opschriften in het Parlement werden op zijn aandringen tweetalig gemaakt. In de koepel boven het halfrond van de Senaat waren de wapenschilden van de Belgische provincies als stucornamenten met een Frans onderschrift ingewerkt. Jorissen bracht het zover dat na één jaar bv. Flandre Occidentale en Limbourg al in West-Vlaanderen en Limburg muteerden. In de voorhalle van het parlement werd Thierry d'Alsace, comte de Flandre, tegelijkertijd Dirk van de Elzas, graaf van Vlaanderen.

Wim Jorissen nam het op voor het dienstpersoneel van de Senaat, dat vanuit de hoge regionen van het huis enigszins getirannizeerd werd. Voorzitter en quaestoren hadden niet veel op met de trouwe serviteurs en permitteerden zich tegenover hen zaken die zij elders en bij anderen zouden gelaakt hebben. Wim was hun beste advokaat en wist het zo te bepalen dat iedereen tevreden was.

Een onovertroffen meester op het parlementaire arbeidsveld was Maurits van Haegendoren, eerst gecoöpteerd en nadien provinciaal senator van Brabant. Hij was historicus-archivaris en had naam gemaakt als voorzitter van de Lodewijk de Raetstichting. Geen man was inzake cultuurbeleid zo bevoegd als hij. Zijn beroep vergemakkelijkte hem het bijeenbrengen van een documentatie zoals niemand er een bezat. Die gegevens bewerkte hij met een weergaloos gemak tot originele monografieën, en hij beschikte daarbij over een vlotte pen. Op het podium was hij door niets of niemand uit zijn lood te slaan en zijn geheugen over cijfers, datums en feiten liet hem evenmin in de steek. Meestal was hij als eerste en laatste man op zijn plaats, en nooit heeft hij gespijbeld. Grote en kleine initiatieven in de culturele sektor heeft hij op zijn actief, zaken waaraan niemand dacht kwam hij op het spoor en heeft hij rechtgezet.

De Cultuurraad voor de Nederlandse Cultuurgemeenschap die in 1971 van wal stak, schiep voor M. van Haegendoren een nieuw arbeidsgebied dat hij niet onbewerkt liet.

Ik heb het betreurd en als een werkelijk verlies voor de parlementaire werking van de Volksunie beschouwd, dat de hakbijl van de leeftijdsgrens Maurits van Haegendoren uit de Senaat heeft verwijderd. Ik wil aanvaarden dat iedereen zijn kans moet krijgen en dat niemand onmisbaar en onvervangbaar is, maar de geesteskracht van Van Haegendoren was verre van uitgeput, en wat hij na 1977 realiseerde, draagt nog altijd het juveniele karakter dat al zijn daden, binnen en buiten de politiek, sinds 1925 heeft gekenmerkt.

*

* *

Dat ik geen andere leden van de Senaat heb geportretteerd dan degenen die ik heb vernoemd, wil niet zeggen dat mijn verf opgebruikt is, of dat de heren de verf niet waard zijn, maar ik kon ze niet allemaal een beurt geven. Het wil ook niet zeggen dat ik de gekonterfeiten hoger aansla of meer minacht dan de anderen. Ik heb alleen het *Biografisch Handboek* van de Senaat uit de jaren 1965 tot 1974 genomen en, op goed valle het uit, van enkele exemplaren uit een mij bekende fauna, een portret getekend, gevleid of niet.

Het is nu de hoogste tijd dat ik andere dingen vertel.

PORTUGALREIS EN LEUVENSE IJDELHEID DER IJDELHEDEN

In onze twee Spanjereizen waren mijn vrouw en ik zozeer door de landschappelijke en artistieke schoonheid van het Iberisch schiereiland bekoord, dat we het plan opvatten ook Portugal te bezoeken zodra zich een gunstige gelegenheid voordeed.

In mei 1966 namen wij de kans waar. Het parlementaire werk brandde op een klein pitje, men zat tot over het hoofd in de bespreking van de begrotingen, de Volksunie stemde natuurlijk tegen en op een stem onder of boven kwam het niet aan. Wim Jorissen, onze fractieleider zegde: ,,Ga maar, indien wij u volstrekt nodig hebben, zullen wij u roepen''. Het reisplan was zorgvuldig voorbereid en weg waren we, op zondag 15 mei.

Parijs, San Sebastian, Salamanca en verderop. In deze oude Spaanse universiteitsstad hebben we een dag vertoefd en de voornaamste gebouwen bezocht. Het logies was niets bijzonders, maar we hadden een pracht van een zicht op een archaïstische schoorsteen waar een ooievaar zijn nest had gebouwd en met vier jongen lag. Het was een mooi schouwspel de ouders met hun buit te zien aanvliegen en het gevecht gade te slaan van de nog niet vleugelvaardige jongen om een kikker of een aal uit de bek van de vader te bemachtigen. Het was een idylle. Minder idyllisch was het onder dat nest te passeren en te ontsnappen aan de excrementiële stortvloed die van boven op een vriendelijke maar onvoorzichtige omhoogkijker neerkwam. Dan waren de genegenheid en de bewondering voor de ooievaar ver te zoeken. De schoorsteen zelf, het onderliggende dak en de gevel droegen de sporen van deze abundantia alvi.

Een ander ooievaarspaar had zijn tenten opgeslagen op een schoorsteen van het dominikanenklooster, maar daar zat moeder te broeien en hield vader een oogje in het zeil van op een andere plaats. Broeder portier riep met verliefde stem de vogels aan en voederde ze in de kloostertuin.

In de Middeleeuwse aula minor van de universiteit hebben we op de antieke zitplaatsen (echte of nagebootste) even plaats genomen; ze waren verre van comfortabel, niets meer dan een balk of een keper. Arm zitvlak van de filosofen die hier naar commentaar op Aristoteles of Averroës zaten te luisteren. De patio's waren wel merkwaardig. In de dominikanenkerk bevond zich het graf van Don Juan van Oostenrijk, maar het blijkt dat meer dan een stad en meer dan een kerk of kloosterpand de ware graftombe opeisen van die natuurlijke zoon van Keizer Karel, landvoogd van de Nederlanden en overwinnaar van Lepante. Er is nog een ander Don Juan van Oostenrijk die ook landvoogd van de Nederlanden was. Welke van die twee te Salamanca begraven ligt, laat ik in het midden.

We moesten 's morgens om vijf uur uit de veren om de trein naar Portugal te halen. In het hotel was geen mens wakker en naar het station komen was een hele onderneming. Het grenstrajekt tussen Spanje en Portugal op een kronkelende spoorlijn van slechte kwaliteit (in 1966) was een trieste slakkengang. De bergen en valleien waren wel schoon, maar ze verloren veel van hun aantrekkelijkheid vanop die moeizaam voortsukkelende internationale trein. Vóór de middag waren we in Coimbra, Portugals oudste universiteitsstad. Het was een echte opluchting. We waren geweldig geïmponeerd door de splinternieuwe academische gebouwen, op een kleine hoogvlakte bij de stadsrand gelegen. Er was veel geld aan gespendeerd, de campus was prachtig en de laboratoria die wij bezochten waren modern uitgerust. De studenten lopen hier in een keurige kledij die ze van de gewone man onderscheidt. Buiten Engeland is Coimbra de enige plaats in Europa waar aan die traditie wordt vastgehouden. Salazar was ooit hoogleraar te Coimbra en heeft zijn Alma Mater niet vergeten.

In de volkskwartieren is het netjes en archaïstisch. Onder een open wandelportiek stonden we plots voor een open lijkkist, waarin een oud vrouwtje kraakwit opgebaard lag, tussen voorbijgangers en spelende kinderen, in afwachting van de uitvaart. Dat was daar een oude gewoonte die ons vreemd deed opkijken: 's lands wijs, 's lands eer.

Coimbra ligt op een paar uur sporen van Fatima, een enige gelegenheid om de bedevaartplaats een bezoek te brengen. Het heiligdom bevindt zich een vijftal kilometer van het station; men komt er met de bus door een afwisselend vruchtbaar en dor landschap, waar tal van eigenaardige windmolens draaien en de vrouwen met volgestapelde korven op hun hoofd huiswaarts trekken. Kleurrijk is hun kleding nooit, altijd even zwart als hun haar; donkere huidskleur herinnert aan het mediterrane ras en zo te zien zijn ze aan handenarbeid gewoon. De mannen nemen het gemakkelijker, ze zitten op hun muilezels, laten de vrouwen sjouwen en gedragen zich als de heren van de schepping.

We waren te Fatima op 20 mei, de verjaring van de verschijningen die daar in 1916 plaatshadden. Er was een enorme volksmassa aanwezig. De meeste bedevaarders waren te voet van over grote afstanden uit Iberië naar hier gekomen. Ze keerden met de trein of met hun huifkarren naar huis terug. Ze waren meest volksmensen; in hun zwarte klederen zaten ze langs de stoepen na volbrachte vrome plichtsplegingen, terwijl op het hectarengrote plein vóór de kerk, de aanroepingen tot O.L. Vrouw en de antwoorden doorgingen.

Nooit of nergens zijn mijn vrouw en ik van zoveel publieke devotie getuige geweest, en waar de priesters, paters en bisschoppen de tientallen invocaties tot de Moeder Gods vandaan haalden was ons een raadsel. Er was Portugees, Spaans, Frans, Duits en Engels te horen. Nog meer indrukwekkend was het schouwspel van honderden vrouwen en mannen die op hun blote knieën over het grote plein, een halve kilometer ver naar de basiliek toekropen. Echt kruipend en luidop biddend, de armen omhoog en met rammelende rozenkrans.

Tot bloedens toe kropen ze over de harde tegels. Sommigen hadden doeken en lederen kappen onder hun knieën gebonden om de gevolgen van het kruipen minder traumatisch te maken. Het godsvertrouwen van de eenvoudige zielen was bewonderenswaardig en aandoenlijk.

Van Coimbra spoorden we noordwaarts naar Porto. Deze stad is heuvelig en ligt aan de oevers van de Douro die tussen met wijngaarden begroeide heuvels stroomt. Het is een handelsstad waar alles op de wijnexport is gericht. We bezochten een van de talrijke stapelplaatsen waar honderdduizenden flessen op verzending te wachten liggen. Men toonde ons flessen die meer dan een eeuw geleden gebotteld werden en waarvan de inhoud genietbaar was. Niet van die, maar van de recente jaren liet men ons drinken, het was een koppig goedje.

Om aan de zwoele wijnlucht van Porto te ontsnappen, lieten we ons met de wagen een dagje rondtoeren in het heerlijke Braganza, helemaal in het noorden van Portugal, een met een milde zon gezegende licht heuvelende landstreek, waar het groen de overhand heeft. Grote steden liggen er niet, maar vele riante dorpen waarvan de straten begrensd zijn door huizen als zovele patio's, waar de druiven in bloei staan.

Er waren dat voorjaar grote werken aan de gang want de staatsleider kwam in de herfst op bezoek en er werd een net van brede wegen aangelegd die alle samenliepen op de hoge heuvel van Boum Jesu. Dit monument beheerst de hele streek en is van verre te zien. Het is een bedevaartsoord en een toeristische trekpleister. De terugreis naar Porto liep langs Douro. Meer dan ooit gaven we er ons rekenschap van in een Pais de Vinho te zijn. Er moet in de wereld fantastisch veel port gedronken worden.

In één ruk van Porto naar Lissabon. Behalve enkele monumenten in de Moorse bouwstijl met zijn overdadige versieringsmotieven zoals in het Hieronimietenklooster en de Belemtoren die een eindje in het water van de stroom staat, is men te Lissabon gauw op de halfmiljoenstad uitgekeken. De majestatisch brede Taag domineert alles. Men laat zich naar de overzijde brengen naar een formidabel Christusbeeld. Vlakbij is dat beeld niet mooi, maar op een paar kilometer is het indrukwekkend in de heldere lucht van de zonnige middag, met aan zijn voet het botenverkeer naar en van de haven vlak in het hart van de Portugese hoofdstad.

Een autorit in het binnenland staat altijd op onze reisagenda en zouden we voor niets ter wereld willen missen. Voor een civiele prijs konden we gedurende een hele dag kennis maken met het hinterland van Lissabon op het schiereiland tussen Taag en Oceaan. Behoudens de plantengroei en de teeltwijze die anders zijn dan de onze, is het landschap bestrooid met vele buitenverblijven, als zovele kleine paleisjes waarvan men enkele kan bezoeken. De meeste hebben Versaillestuinen en Trianons in miniatuur en verrukkelijke verzamelingen zilverwerk en porselein, en ze worden op uitstekende wijze onderhouden. We bezochten er ook een brouwerij met een bijzondere vorm van schoorstenen met draaiende kappen.

De gidsen weten het te schikken dat men voor een etentje terechtkomt in Cascaïs en Estoril, twee mondaine plaatsen aan zee. In de buurt toonde men ons de villa waar ex-koning Umberto van Italië woont. De man wist waar hij heerlijk de last van de ballingschap ietwat kon verlichten.

Twee dagen later keerden wij daar vanuit Lissabon met een lokaal treintje terug. Het strand, de casino en de eetgelegenheden waren overrompeld door een massa dagtoereisten die ons deden denken aan het strand van Middelkerke.

Vanuit Lissabon vertrokken we over Noord-Spanje, door de kronkelende dalen van Fuentes de Onoro, over Salamanca tot Medina del Campo, het grootste spoorwegknooppunt van Iberië. Van daaruit met de auto door een stuk Oud-Castilië naar Valladolid; op de tocht van een kleine honderd kilometer gaat het door een schier onbewoonde landstreek waar de hoeven in de dorpskom liggen en de akkers van daaruit met ossen en muilezels bewerkt worden. Zeer vruchtbaar is de streek niet en men vraagt zich af hoe de boerenbevolking aan de kost komt. Voor jagers wel een paradijs, want nooit hebben we zo'n kladden patrijzen gezien als daar. Behalve het architecturaal wonder van een oud dominikanerklooster dat nu een universiteitsgebouw is, is men op Valladolid gauw uitgekeken. Er is nogal wat industrie.

Het was ons afscheid van het Iberische schiereiland dat in onze geesten een goede en schone herinnering naliet. We waren heel blij het gezien te hebben. Spanjaarden zijn vriendelijke lieden, bovenmate spraakzaam. Het kost wel moeite zich aan hun dagritme aan te passen; vóór vier uur in de namiddag zijn ze schier niet te bewegen en vóór negen uur 's avonds is in de eetgelegenheden aan geen schotel te geraken. Al bij al liet Portugal op ons een betere indruk na dan Spanje. Die twee samen maken een onmetelijk deel uit van het Europese territorium; men moet er doorgereisd hebben om zich daarvan rekenschap te geven.

*
* *

De thuiskomst was één verrassing. In die drie weken had zich in de politiek een onverwachte aardverschuiving voorgedaan.

We waren op 15 mei vertrokken met de bisschoppelijke verklaring over Leuven in onze maag, gedagtekend vrijdag 13 mei. De zin luidde ongeveer als volgt: ,,De politiek moet haar handen van Leuven thuishouden; wij zijn daar de baas, de anderen moeten er zich niet mee bemoeien. Leuven wordt niet gesplitst, en wie er niet wil komen studeren, ga elders''.

Het waren overjaarse denkbeelden, waaraan een waarde wordt gehecht niet in overeenstemming met zijn inhoud.

We vernamen niet zonder genoegen dat de hele jeugd uit hoger en secundair onderwijs, met hun leerkrachten aan het hoofd, op straat was gekomen en luidruchtig tegen de oekaze van Hunne Hoogwaardigheden in een gebaar van unaniem verzet had geprotesteerd. Wat voordien nooit te zien was geweest en onmogelijk werd geacht.

Het was aan geen twijfel onderhevig dat zo'n spontane reactie vanwege de Vlaamse jeugd niet zonder gevolgen zou zijn op de Vlaamse politieke gedragslijn in de eerstvolgende weken. Wat de bisschoppen in hun beruchte brief en zijn bekendmaking via radio en televisie hadden beoogd, was een pressie uitoefenen niet van godsdienstig-morele, maar van loutere politieke aard. En dat nam Vlaanderen niet langer meer. Heel Vlaanderen sympatiseerde met het verzet. Men zou de taalhomogeniteit van Vlaams Brabant en dus ook van Leuven handhaven; men aanvaardde geen exterritorialiteit voor Walen en Franssprekenden in Vlaanderen. Meer en meer vergleed het probleem naar het politieke vaarwater en daar in zou het beslecht worden.

Wanneer ...

NAAR DE VOLTOOIING

door Jan Elaut

Wanneer ...

Wanneer vader die woorden neerschreef was het 14 maart 1978, geen drie weken vóór zijn dood. Slechts veertien maanden voordien was hij aan deze gedenkschriften begonnen en hij had er ieder vrij moment aan besteed. Hij was gehaast en werkte jachtig door, als kon hij voorvoelen dat hij niet klaar zou komen. Hij die altijd vroeg naar bed ging, werd door moeder soms bij middernacht betrapt, druk bezig met zijn memoires. Hij is inderdaad slechts tot 1966 gekomen.

Moeder, onze familiekring en enkele mensen die de uitgave van dit geschrift ter harte gaat, hebben erop aangedrongen dat dit levensverhaal zou worden voltooid. Dit willen wij proberen, met veel liefde en piëteit. Wij beogen geen volledig relaas te geven van vaders activiteiten gedurende de laatste twaalf jaar van zijn leven.

Deze bladzijden willen slechts in grove trekken een beeld ophangen van wat hem deze jaren bezighield: op politiek, kultureel, medisch, historisch en familiaal vlak.

1966. De strijd om ,,Leuven Vlaams'', daar was vader aanbeland.

Nadat einde juni het wetsvoorstel-Verroken in de Kamer en enkele dagen later het voorstel Van Cauwelaert-Sledsens in de Senaat, beide tot regeling van het taalgebruik in het universitair en hoger onderwijs, niet werden in overweging genomen, had vader met enkele partijgenoten op 25 november opnieuw bij de Senaat een voorstel van wet ingediend, waardoor het Nederlands in het Nederlandse taalgebied de enige voertaal zou worden van het universitair en hoger onderwijs.

Op 8 december werd de inoverwegingneming van dit voorstel behandeld in de Senaat. Na een hevig debat waarin de Franstaligen van de verschillende partijen en alle liberalen zich tegenstanders verklaarden omwille van de lieve taalvrede, werd het wetsvoorstel-Elaut met een krappe meerderheid in overweging genomen (78 voor, 73 tegen, 3 onthoudingen) en verwezen naar de Commissie van Nationale Opvoeding. Het was een morele overwinning voor de kleine Volksunie en hoewel vader zich goed bewust was van de betrekkelijke betekenis van dit gebeuren, was hij er toch zeer gelukkig om. Hij noteerde in de rand van de Parlementaire Handelingen van 8 december 1966: ,,Quod is dies honestissimus nobis fuerat in Senatu. Cicero Famil. I, 2''.

Vijfendertig maal heeft hij in de Senaat het woord genomen, meestal over medische aangelegenheden of problemen met een medisch-sociaal aspect.

Ieder jaar opnieuw kwam hij op de tribune bij de bespreking van de begroting van Volksgezondheid.

Nu eens vroeg hij meer aandacht voor de bejaarden: steun aan de gerontologie, betere behuizing en bezigheidstherapieën voor de derde leeftijd, erkenning van mannelijke bejaardenverplegers, dan weer hield hij een vurig pleidooi voor de herwaardering van de huisarts en kloeg hij over het steeds toenemend aantal specialisten. In 1972 waren slechts 1/3 van de Belgische geneesheren omnipractici en wilden 80 procent van de afgestudeerden zich specialiseren. Hij stelde voor iemand eerst als specialist te erkennen na tien jaar praktijk.

Eén van zijn stokpaardjes was de herziening van het statuut van de Orde van Geneesheren en de code van de geneeskundige plichtenleer. In de bijna negen jaar dat hij in de Senaat zetelde, heeft hij de opeenvolgende Ministers van Volksgezondheid daarover aangepakt.

Eens vroeg hij dat de minister in deze code zou doen inschrijven dat de dokters de taal van hun patiënten dienen te kennen.

Tweemaal interpelleerde hij een Minister van Volksgezondheid, in 1967 de heer Hulpiau en in 1973 de heer De Saeger, over de ,,ongehoorde taaltoestanden in de Brusselse ziekenhuizen''. Hij wees hierbij op het onmenselijke van de verhouding tussen een patiënt en een arts die elkanders taal niet verstaan.

In 1971 pleitte hij voor een hernieuwde campagne voor inenting tegen poliomyelitis en in 1972 diende hij een wetsvoorstel in tot invoering van de verplichte inschrijving van de bloedgroep (en rhesusfaktor) op de identiteitskaart.

Ook voor het onderzoek naar de immuniteit tegen rubeola (rode hond) bij de vrouwelijke bevolking en een eventuele verplichte inenting vroeg hij meer dan eens aandacht.

Hij is eens hard van leer getrokken — er werd zelfs melding van gemaakt in de Nederlandse pers — tegen het misbruik van geneesmiddelen en noemde de Belgen de grootste medicijnenslikkers en -verspillers van Europa, vooral de vrouwen. In dit verband stak hij een vermanende vinger op naar de jongere dokters. Toonde hij zich bezorgd over het lot van de bejaarden, dan was zijn bekommering om de komende generatie niet minder groot.

De daling van het geboortecijfer noemde hij dramatisch en tijdens zijn allerlaatste rede in de Senaat op 28 november 1973 zei hij: ,,Ik vind dat wij ons eigen protoplasma — ons eigen vlees en bloed — moeten sparen. Als wij voortgaan met het invoeren van vreemd protoplasma, waar gaan wij dan naartoe?''

En verder een staaltje van een senatoriaal duel met een vrouwelijke socialistische collega.

Elaut: ... Zullen wij het geboortecijfer verder laten aftakelen? Men zal hier de slogan van de Dolle Mina's ,,Baas in eigen buik'' opwerpen.

Mevrouw Nauwelaerts-Thues: Zij hebben het recht dit te eisen!

Elaut: Mevrouw, als U uw sexgenoten enkel aanziet als plezierige sexmachientjes, dan beklaag ik de komende generaties.

Mevrouw Nauwelaerts-Thues: De mannen zien dat misschien wel zo. Wij niet!

Elaut: Ik heb een oplossing voor de mannen van uw partij. Dat zij zich allen laten steriliseren en de zaak is in orde. (gelach)

Dat vaders optreden wel eens een zeker effect had, bewijst zijn interpellatie op 24 juni 1969 tot de Minister van Volksgezondheid over een uitspraak van prins Albert betreffende de unitaire structuur van het Rode Kruis. De prinselijke voorzitter had de scheiding tussen de nationale gemeenschappen (m.a.w. de splitsing naar taalcriteria) in de schoot van het Rode Kruis strijdig genoemd met het wezen van deze instelling.

Dat nam vader niet en hij profiteerde van de gelegenheid om de franskiljonse geest in de hogere regionen van het R.K. aan te klagen.

Enkele dagen nadien reeds werd hij benaderd door een topfiguur van het Rode Kruis, die hem probeerde te sussen en sprak over de bezorgdheid van de prins over de interpellatie.

Nauwelijks een paar jaar later werd de prins die eerst geroepen had: splitsing nooit!, de heraut van de splitsing, zoals vader geamuseerd opmerkte in volle Senaat op 28 februari 1973.

Vaders toespraken waren altijd goed voorbereid en flink gedocumenteerd. Sinds 1968 was hij lid van de Commissie voor Volksgezondheid en menig minister heeft zijn competentie en goede raad gewaardeerd en openlijk erkend. Maar zijn belangstelling bleef niet beperkt tot medische en Vlaamse zaken. Zo heeft hij het ooit eens naar aanleiding van de begroting van Openbare Werken gehad over de verzuring van de Scheldeoevers tussen Gent en Oudenaarde. ,,Als uroloog ben ik specialist in afwateringsproblemen'' zei vader, wat een daverend gelach uitlokte.

Tegen Karel Van Cauwelaert hield hij een pleidooi voor het behoud van het onderwijs van het Grieks, dat hij belangrijker noemde dan het Latijn voor de vorming van de geest. ,,Het Concilie heeft het Latijn afgeschaft, laten wij niet ook het Grieks afschaffen!'', gooide hij ertussendoor.

Naar aanleiding van de sluiting van een textielbedrijf te Gentbrugge, vroeg hij aandacht voor de crisis in deze typisch Gentse sector en verklaarde vooraf zich een paar weken verdiept te hebben in vele textielpapieren: textirama's, textielforums etc. Zoals in de meeste van zijn toespraken kon hij het niet nalaten in zijn betoog een stukje geschiedenis ten beste te geven. Hier klom hij zelfs op tot Jacob van Artevelde!

Het hoeft ons dan ook niet te verwonderen dat, wanneer minister Vermeylen in 1971 een beperking van het geschiedenisonderricht in het Middelbaar Onderwijs in het vooruitzicht stelde, vader hiertegen heftig protesteerde en met veel liefde de magistra vitae in bescherming nam.

Een Uilenspiegelstreek was zeker vaders amendement bij de Begroting van Dotatiën voor 1972 om de dotatie van vier miljoen frank aan prins Karel te schrappen. Hij vond deze dotatie niet meer verantwoord gezien de financiële karpersprongen van de prins, bekend geraakt o.a. door het proces tegen O. Allard, en hij insinueerde zelfs dat overbrenging van grote vermogens naar het buitenland aan belastingontduiking deed denken. De prins heeft kort nadien ,,uit eigen beweging'' afgezien van zijn dotatie. Naar wij ons herinneren heeft hij die echter na een paar jaar opnieuw aangevraagd, zodat de besparing van enkele miljoenen uit de Staatskas — dank zij vaders initiatief — niet lang heeft mogen duren.

Op 7 december 1971 zou de ,,Cultuurraad voor de Nederlandse Cultuurgemeenschap'' voor de eerste maal bijeenkomen.

Als oudste in jaren van de Vlaamse parlementsleden moest vader de vergadering openen en voorzitten tot aan de verkiezing van de definitieve voorzitter. Enkele dagen tevoren kwam Kamervoorzitter Achilles Van Acker naar hem toe. Deze was de tweede oudste in het parlement en had graag zelf bij deze historische gebeurtenis gepresideerd. Daarom vroeg hij aan vader: ,,Zoe gi da wel keunen?''. Waarop vader gevat: ,,Zo goed als gi''.

Vader deed het in ieder geval anders.

Geflankeerd door de twee jongste Kamerleden verklaarde hij de zitting voor geopend en ging verder: ,,Ik richt mij tot de heren, en tot de heren alleen. Ik ben geboren op 26 december 1897. Is er iemand ouder? (gelach). Ik dacht wel dat ik de oudste was, maar ik wilde het toch kontroleren. Zeker is zeker! (verkiezingsslogan van de CVP, noot van ons) (gelach). Aan de dames hier aanwezig heb ik het niet willen vragen, want tot ons genoegen en tot hun geluk zijn zij allen nog zeer jong''. (herhaald gelach).

Dan gaat hij ernstig verder: de culturele autonomie ,,is een uitvloeisel van meer dan honderd jaar Vlaamse Beweging, waarvan men al meer dan eens beweerd heeft dat zij ten dode was opgeschreven of een vals probleem is, maar die ondanks alles haar historische evolutie voltrekt. De geschiedenis zet nooit een stap achteruit. Alle tekenen wijzen erop dat een gebeurtenis zoals deze, waarvan wij in het verleden de bewerkers waren en vandaag de tenuitvoerleggers zijn, zich onder een nog krachtiger impuls en in een versneld tempo in al haar gevolgen zal laten voelen en intussen zal voortduren.

Persoonlijk prijs ik mij gelukkig dat mij de grote eer beschoren werd deze vergadering te mogen voorzitten. Ik zie daarin de affirmatie en de bekroning van een leven dat reeds van vóór de eerste wereldoorlog, in 1910, bij de strijd voor de nationale en dus totale ontwikkeling van het Vlaamse volk betrokken was''.

Daarop volgde de verkiezing van het bureau en was vaders voorzitterschap uit. Intussen had hij toch van de gelegenheid gebruik gemaakt om te zeggen wat hem op het hart lag.

Het verslag maakt melding van het feit dat de pas verkozen voorzitter R. Vandekerckhove L. Elaut zou omhelsd hebben. Vader heeft er in de marge categoriek ,,niet waar!'' bijgeschreven en deze woorden zelfs geparafeerd.

Wij willen dit politieke hoofdstukje afronden met enkele gegevens over vaders politieke loopbaan.

Hij werd een eerste maal verkozen tot senator voor het arrondissement Gent-Eeklo op 23 mei 1965. Het juiste aantal stemmen hebben we niet gevonden. Bij de verkiezingen van 31 maart 1968 werd hij opnieuw verkozen en wel met 7.595 voorkeurstemmen. Een zeer behoorlijk resultaat, als men bedenkt dat bij diezelfde verkiezingen L. Tindemans 16.191 en H. Schiltz 18.538 voorkeurstemmen behaalden. Het was lang vóór de hoogkonjunctuur van het naamstemmen, zoals wij die kenden bij de laatste verkiezingen.

Voor de verkiezingen van 1971 moest dr. Leo Wouters verhuizen van de Kamernaar de Senaatslijst. Vader stond hem vrijwillig zijn eerste plaats op de lijst af, met het gevolg dat hij niet meer verkozen was.

Hij werd echter nationaal gecoöpteerd op 3 december.

Op 10 maart 1974 was hij geen kandidaat meer.

Hij wist dat hij zijn beste krachten voor Vlaanderen had ingezet. Dit blijkt ook uit de tafelrede die hij hield als voorzitter van het feestbanket bij de viering van 20 jaar Volksunie te Antwerpen op 13 oktober 1974: ,,Zullen de jongeren zoveel bereiken als wij met onze schrale middelen gedaan hebben, maar met veel mystiek en een groot geloof?''.

De Vlaamse Televisie kwam hem thuis een paar vragen stellen ter gelegenheid van zijn afscheid uit het parlement. De eerste vraag luidde: ,,Wat is uw grootste desillusie bij dit afscheid?''. Zonder aarzelen kwam het antwoord: ,,Dat de wetgever nog geen eind gemaakt heeft aan de gevolgen van de repressie''. En hij voegde er een tweede ontgoocheling aan toe: ,,Ten allentijde heb ik mij binnen en buiten de Volksunie tegen legalisatie of liberalisatie van abortus uitgesproken. En zal het blijven doen. Op grond van geneeskundige en Vlaamsnationale motieven. Aan die heb ik genoeg om mijn standpunt te verdedigen. Wanneer de heer Pierson in november 1973 een wetsvoorstel voor liberalisatie in de Senaat indiende, was de Volksunie de enige partij die ... van meetaf aan verklaarde de liberalisering te zullen verwerpen. Toen is er niemand, ook niet in de rangen van de CVP, opgestaan om te laten horen dat zij tegen abortus waren. 't Is om er een godverdomme tegenaan te gooien!''.

*
* *

Daarmee was vaders rol in het Paleis der Natie uitgespeeld.

Negen jaar lang was hij naar Brussel gespoord en op het eind begon het voor de toch zesenzeventigjarige wel te wegen. Hij had zich goed thuisgevoeld in de Senaat, maar was blij nu opnieuw meer tijd te hebben voor zijn medisch-historische studie, zijn gezapig gangetje naar de Sint-Vincentiuskliniek, zijn bescheiden dienstbetoon met raad en daad in honderd en een aangelegenheden. Moeder zei wel eens: ,,Vader is een echt informatiebureau!''.

Het zou echter niet lang duren of vader moest weer de trein op naar Brussel. In januari 1975 werd hij benoemd tot lid van de Staatscommissie voor de Ethische Problemen.

Deze commissie, opgericht op 13 december 1974, kreeg van de regering de opdracht: ,,Met het oog op te nemen beleidsmaatregelen een wetenschappelijk gefundeerd advies uitbrengen inzake contraceptiva, het vraagstuk van de abortus, de herziening van de desbetreffende strafwetgeving, het probleem van het anonymaat van de moeder en dit van het in anonymaat geboren kind''.

Het ligt niet in onze bedoeling het werk van deze commissie, die meer dan een jaar vergaderde en waar vader trouw aan deelgenomen heeft, uitvoerig te beschrijven. Wij willen alleen bondig weergeven welke standpunten hij er heeft ingenomen en verdedigd.

Inzake de contraceptiva heeft vader als enige het rapport van de commissie verworpen. De redenen waarom hij niet kon instemmen met de beleidsadviezen die aan de regering werden voorgesteld, heeft hij uiteengezet in een minderheidsnota, gedateerd 29 juni-1 juli 1975.

Hij kon niet aannemen dat de schooloverheid in alle onderwijsnetten en op alle onderwijsniveaus verplicht zou worden te zorgen voor sexuele opvoeding, informatie over en motivatie van geboorteregeling door contraceptiva incluis ... Als men de contraceptieve methoden in deze opvoeding integreert, zoals de commissie adviseert, loopt zo'n opvoeding rechtstreeks uit op het propageren van die methoden.

Hij betreurt dat de sociaal-opvoedende waarde van de sexuele continentie volkomen wordt veronachtzaamd of bejegend als verouderd en achterhaald en waarschuwt voor het gevaar de contraceptie te gaan propageren als een sociaal instituut waar niet aan te tornen valt.

Hij vindt het onbegrijpelijk dat men het contraceptiebeleid wil loshaken van het demografisch beleid en noemt het advies van de commissie betreffende contraceptie onwetenschappelijk wanneer het geen rekening houdt met de demografische consequenties. Voorts verzet hij zich tegen de vrije verstrekking (zonder doktersvoorschrift) van orale contraceptiva.

Hij besluit dat naar zijn mening niets in de bestaande wetgeving moet gewijzigd worden en dat ,,zoals de situatie t.o.v. de contraceptiva thans ligt, het recht van ieder burger op eerbiediging van de individuele vrijheid en het persoonlijk geweten verzekerd is''. Tot zover de korte weergave van vaders minderheidsnota.

Wat nu het probleem van de abortus betreft, was hij radikaal tegen een wijziging van de bestaande wetgeving. Hij vreesde dat daardoor de eerbied voor het menselijk leven onvermijdelijk in het gedrang zou komen.

Zoals bekend werden door de commissie twee rapporten ingediend inzake abortus. De groep van de 13 adviseerde een tamelijk verregaande liberalisering. Ook met het advies van de 12, dat aandrong op een grote omzichtigheid bij een eventuele wijziging van de abortuswetgeving, was vader allesbehalve gelukkig. Toch stemde hij erin toe het rapport van de 12 te ondertekenen omdat hij verwachtte dat het grondig onderzoek van alle feitelijke gegevens waarvan het rapport de resultaten onder ogen brengt, de wetgevers niet kon oriënteren naar liberalisering van abortus.

Vader heeft heelwat brieven gekregen in verband met deze problematiek. Felicitaties om zijn houding maakten hem gelukkig en brieven met vraag om steun aan anti-abortusakties en -petities kregen steeds een bemoedigend antwoord. Toch heeft hij nooit deelgenomen aan manifestaties en heeft hij na zijn werk in de commissie — de besluiten werden officiëel neergelegd op 21 juni 1976 — over zijn standpunten niet meer gepubliceerd of in het openbaar gesproken.

EEN LAATSTE KRISKRAS

Wij verlaten het politieke forum en keren terug naar het dagelijkse leven. Veel bondiger dan vader zelf het zou gedaan hebben, willen wij kriskras door de laatste tien-twaalf jaar van zijn leven gaan om enkele gebeurtenissen te memoreren die aan deze jaren kleur hebben gegeven.

Op 3 september 1966 leidde vader zijn jongste dochter naar het altaar in de Sint-Pieterskerk voor haar huwelijk met Carlos Bockaert uit Knesselare. Christine had in haar jeugd gezworen nooit met een dokter te zullen trouwen, maar had tenslotte toch haar hart verpand aan een zoon van Eskulaap. Deze had een gynaecologische praktijk te Blankenberge.

Vader vond het niet onaardig een man méér in de familie te hebben en hoewel hun specialiteit zich op een verschillende kunne toespitste, waren bij elk familiebezoek de medische gesprekken niet uit de lucht.

Na een jaar verhuisden ze van Blankenberge naar Gent en hier werd op 1 augustus 1967 Hilde Bockaert geboren. Vader was voor de eerste maal grootvader. De eerste telg van de nieuwe generatie bracht een nieuwe lente en een nieuw geluid in het grote huis aan de St.-Pietersnieuwstraat, tot innige vreugde van oma en opa.

Op 26 december 1967 werd vader zeventig jaar.

Hij wilde niet gevierd worden omdat, naar hij beweerde, er in Vlaanderen al genoeg aan personencultus gedaan werd. Toch stemde hij erin toe dat wij een bundel van zijn eigen artikelen en toespraken zouden uitgeven. Wij zochten stukken en stukjes bijeen over de meest uiteenlopende onderwerpen en hijzelf bedacht de titel ,,*Eskulaperijen*'', waaraan wij om publicitaire redenen de ondertitel ,,Mijmeringen van een arts'' toevoegden.

De bedoeling van de uitgave was dat schitterende bladzijden proza, vol humor en rake typeringen van mensen en dingen, die over meer dan twintig jaar en her en der verspreid lagen in tijdschriften, kranten en feestbundels, niet zouden verloren gaan.

*
* *

Vader droomde er reeds lang van ooit eens terug naar Amerika te gaan, vooral om er de Mayokliniek te Rochester weer te zien, waar hij in 1929-30 had gewerkt. Daar moeder opzag tegen een boot- of vliegtuigreis was het er nooit van gekomen. Tot in 1970 het plan groeide dat vader en zoon samen de overtocht naar de States zouden ondernemen.

Op 2 augustus 1970 vertrokken we met een Jumbojet van Panam uit Zaventem via Amsterdam naar New York. Vader, die nooit gevlogen had, voelde zich dadelijk thuis in de lucht en was algauw verdiept in de lectuur van een pocket over nierdialyse. In de eerste-klasseafdeling zat een beroemde medepassagier: de jazzkoning Duke Ellington; wij echter hadden ons plaatsje in de democratischer toeristenklasse, niet-rokersafdeling; daar had vader wel voor gezorgd! Van onze Amerikareis hebben we samen een dagboekje bijgehouden, waaruit ik enkele herinneringen zal ophalen.

Te New York aangekomen namen we voor vier dagen onze intrek in het bekende

Waldorf-Astoria Hotel. ,,We verkwisten niet, maar als we iets doen, doen we het goed'' zei vader.

Wanneer vader in een hotel aankwam — dat hadden we al jaren meegemaakt — was zijn eerste bekommering telkens te informeren naar de voltage voor zijn scheerapparaat. Dat was ook nu gebeurd, maar in onze hotelkamer op de zesentwintigste verdieping aanbeland was hij diep ongelukkig omdat de Europese stekker niet paste in het Amerikaanse stopkontakt. Met een ,,adaptor'', voor anderhalve dollar te verkrijgen bij de receptie, was het onheil vlug afgewend.

We deden aan sightseeing in New York, georganiseerd met de Greyline of op eigen houtje. Toen vader er eens alleen op uittrok hoorde hij Vlaamse liederen weerklinken in het Rockefeller Center. Het was de Schola Cantorum uit Aalst die er een zangconcert gaf in open lucht. Hij maakte er kennis met de consul-generaal van België, schoonzoon van Herman Vos.

Vader noteerde verder over die wandeling: ,,Fifth Avenue tussen 10 en 12 is merkwaardig, onvergetelijk: een internationaal verzamel- en wandeloord van alle rassen, modellen, types en kledijen''.

Op 6 augustus reden we per trein in een zeer comfortabel parlour-rijtuig naar Washington D.C.

Na een eerste rondrit door de groene, heuvelige stad en een uitstap naar Mount Vermont met het buitenhuis van George Washington bezochten we 's anderendaags de Amerikaanse Senaat. Dankzij vaders legitimatiepenning van de Belgische Senaat hoefden we niet aan te schuiven en konden we, begeleid door een hostess vanop de tribune een blik werpen op de Hoge Vergadering. Vice-president Spiro Agnew zat naast de Stars and Stripes half te dommelen in het gezelschap van een vijftal senatoren, terwijl een zesde een speech ten beste gaf.

Vader kon het niet laten aan de gastvrouw te vertellen dat de Belgische Senaat toch mooier was!

Terwijl we de graven van John en Robert Kennedy bezochten op het Arlington-kerkhof werden soldaten begraven die gesneuveld waren in Vietnam. Er klonken kanonschoten en we zagen een kist op een affuit, getrokken door zes witte paarden, gevolgd door een zwart paard met op de rug een paar laarzen, achterwaarts gekeerd. Een dikke neger in gala-uniform dirigeerde de militaire muziekkapel.

In het hotel zocht vader de hotelarts op voor een voorschriftje. Zij maakten een gezellig praatje over geneeskunde, strijd tegen drugs en het groeiend banditisme tegen artsen. Besluit van het gesprek: honorarium 10 dollar in plaats van 15, omdat het voor een collega is.

Via New York vlogen we dan naar Buffalo voor een bezoek aan de Niagara Falls. Op zaterdagavond diende vader de mis in het kerkje van de Scalabrini Fathers. Hij had geen jas bij, dan maar in zijn bretellen! En hij lette erop vooral op het juiste moment met de bel te rinkelen.

Bij ons avondlijk bezoek aan de Amerikaanse oever van de watervallen hoorden we plots tussen de wonderful's en de fantastic's van de Amerikanen een Vlaamse vloek weerklinken. Een groepje Vlaamse onderwijzers, op terugreis van een congres in Montreal, deden luidruchtig kond dat zij dorst hadden en vader trakteerde ze met een pint. Het gesprek liep over Frans De Hovre, het Tijdschrift voor Opvoedkunde en de Volksunie.

Na een verblijf van twee dagen in Chicago vlogen we op 12 augustus naar het eigenlijke doel van onze reis: Rochester Minnesota en de Mayokliniek.

In de Convair 580 van North Central Airlines die ons van Chicago naar Rochester vloog, was het dadelijk te merken dat we ons naar een ,,medische'' stad begaven. Meer dan de helft van de passagiers waren patiënten: mensen in gipsverband, met brandwonden en allerlei handicaps.

Zodra vader voet aan land zette te Rochester was hij niet meer te herkennen: zijn gezicht straalde van opwinding en hij rende naar een taxi om zo gauw mogelijk zijn geliefde Rochester weer te zien. Wel te begrijpen na veertig jaar!

Vader ging dadelijk in de oude Plummer Building (1927) op zoek naar de afdeling urologie. Deze was echter verhuisd naar de splinternieuwe Mayo Building (1969) waar de blaas- en nierziekten, zeventien hoog, over een halve verdieping beschikten. Daar vond hij de lijst van de huidige en gepensioneerde dokters. Dokter Braasch, zijn leermeerster, leefde nog!

In de lift ontmoetten we dokter Filip Brown jr. met wiens vader, thans op rust, vader had gewerkt.

Dan naar West Center Street 908 waar vader op kot was geweest. Het huis stond er nog in dezelfde staat. De huidige bewoner zat op de stoep en we kwamen gauw tot een hartelijk gesprek.

's Anderendaags ging vader neuzen in de medisch-historische afdeling van de Mayobiblioteek. Eén van de bibliotecaressen was de dochter van wijlen dokter Frank Mann, één van vaders leermeesters. Er werd een afspraak gemaakt voor een bezoek aan Mrs Mann die zelf nog ooit op bezoek gekomen was bij ons thuis te Gent.

Vader had ook dokter Braasch opgebeld en 's namiddags gingen we hem even opzoeken. De drieënnegentigjarige rijzige figuur kwam zelf openmaken. Het was een blij weerzien: herinneringen werden opgehaald, Braasch vertelde dat hij een zoon-chirurg had te Boston, waar hij Sir Anthony Eden, de Britse ex-eerste minister voor de derde maal had geopereerd. Tot afscheid schonk hij vader een portret met opdracht.

's Avonds bezochten we dokter en Mevrouw Filip Brown sr. Mrs Brown die haar heup gebroken had in Palma de Mallorca had het hoge woord. Filip Brown bracht ons zelf terug naar het hotel in zijn klein wagentje.

Vader was gelukkig om het weerzien van zoveel oude bekenden.

In het Methodist Hospital woonden wij een operatie bij, uitgevoerd door dr. Symmonds. Vader noteerde hierover: ,,Hysterectomie voor glad myoom. Flink, maar moet wegens bloeding de twee hypogastrica's afbinden''. Daarna doen we de ronde van het katholieke St.-Mary's. Vader heeft het met sister Antoine over ziekenhuisproblemen, over roepingen en over abortus.

Te Rochester zijn we nog tweemaal op een etentje geïnviteerd. Bij de familie Zirbes, de bewoners van vaders vroegere studentenverblijf in West Center 908, waar vader moet vertellen over Mr and Mrs Wood, het huis en zijn bewoners.

De laatste dag van ons verblijf in de Mayo City kwamen Mrs Mann en dochter Ruth ons oppikken in het hotel en reden we langs het Mayo Wood waar eens het instituut van Frank Mann stond met de pussycats, naar het zomerverblijf van de Manns te Simpson, een Ierse nederzetting. Het huis met prachtige tuin lag in een landschap van bossen, lage heuvels en maïsvelden. Hier eindigde Frank Mann zijn leven. Hij had er een grote hoeve met farmer.

Mrs Mann ging er prat op dat alles wat op tafel kwam uit eigen tuin kwam, op het chicken na. Weer werden herinneringen opgehaald en zowel Roosevelt, Ike, Kennedy als Johnson kregen een veeg uit de pan.

Ons verblijf van vijf dagen te Rochester liep ten einde.

Vader liep nog even langs het oude stationnetje en het bronzen standbeeld van de Mayostamvader.

Adieu, Rochester. Het was hier goed, niet in het minst vanwege de hartelijke Amerikaanse gastvrijheid.

In vogelvlucht overlopen we nog onze volgende pleisterplaatsen.

Salt Lake City met zijn zoutmeer en Mormonentempel. Van hieruit een vijfdaagse rondreis per bus door Nationale Parken en canyons en een — helaas te kort — bezoek aan de Grand Canyon.

Commentaar van vader: ,,Nu heb ik rotsen genoeg gezien voor de rest van mijn leven!''

Over Denver met de Pikes Peak en het graf van Buffalo Bill, en Saint Louis terug naar New York waar we zouden inschepen op de *France* voor de terugtocht naar Europa.

De laatste dag maakten wij te New York nog een massale vrouwenbetoging mee op Fifth Avenue. Tussen de duizenden vrouwen met slogans voor vrijheid van abortus, ,,baas in eigen buik'', enz. liep er één man met een plakkaat: ,,I loved my wife this morning, she enjoyed it!''.

Op 27 augustus stapten we aan boord van de *France*. De overtocht was buitengewoon rustig en vader heeft bijna de hele tijd op het dek in een transatlantieker gelegen met zijn boekje over nierdialyse.

Het was een prachtige reis waar ik vol dankbaarheid aan terugdenk.

*

* *

Daarna is vader nog meerdere malen met moeder naar Duitsland getrokken voor het jaarlijkse congres van de geschiedenis der geneeskunde. Tot vlak vóór zijn dood correspondeerde hij met collega's die hij daar ontmoet had.

Ook het urologencongres te Parijs bleef hij tot het einde bezoeken in het gezelschap van moeder en zijn dochter Anna.

Intussen ging vader rusteloos door met schrijven.

Er waren zijn medisch-historische bijdragen voor allerlei binnen- en buitenlandse tijdschriften en encyclopediëen. In de nagelaten papieren vonden we een nog niet beantwoorde brief van een professor uit Teheran, die hem een bijdrage vroeg over Avicenna.

Voor zijn geestelijk troetelkind ,,Scientiarum Historia'' bleef hij jarenlang zorgen samen met o.m. dr. Piet Boeynaems. Hij schreef zelf en zocht naar schrijvers zowel hier als buiten de landsgrenzen.

Vijftien jaar had het tijdschrift met veel moeite zichzelf kunnen bedruipen maar in 1973 werden de drukkersrekeningen te zwaar en moest het verschijnen worden gestaakt.

Hij bezorgde ook aan het weekblad *Wij* van de Volksunie geregeld kopij. Ten minste tien jaar lang liet hij jaarlijks een vurige oproep verschijnen tot deelneming aan de IJzerbedevaart te Diksmuide; meestal besloeg deze een hele bladzijde met een mengeling van historie en actualiteit.

Omwille van zijn politiek mandaat had hij ontslag moeten nemen als lid van het IJzerbedevaartcomitee, maar zodra hij senator-af was nam hij daar zijn plaats weer in.

Hij heeft ook enkele jaren in de politieke tribune van de radio een Kerst- en

Nieuwjaarsboodschap vanwege de Volksunie gebracht. Telkens besloot hij met een hartstochtelijke oproep tot verzoening door amnestie.

Voor zijn opzoekingen bleef vader de Gentse universiteitsbibliotheek trouw. Als verpozing onder het studiewerk zorgde hij door zijn grimassen en andere geestigheden wel eens voor jolijt onder de studentenbevolking; bij voorkeur had hij het op de porren en vrijende paartjes gemunt.

Met het oog op de herdenking van dr. F.A. Snellaert bij het eeuwfeest van zijn overlijden op 3 juli 1872 te Gent, werd in 1970 een Snellaert-comité opgericht. Dr. G. Schmook werd voorzitter van het werkcomité, prof. A. van Elslander en dr. L. Elaut ondervoorzitters en prof. A. Deprez secretaris.

Deze laatste stelde een ,,Kroniek van Dr. F.A. Snellaert'' samen, verschenen in 1972. Van die tijd dateert niet alleen vaders trouwe vriendschap voor de auteur van deze kroniek, die hij met raad en daad bijstond bij de samenstelling ervan, maar ook zijn verering voor de grote Kortrijks-Gentse geneesheer, literair-historicus en flamingant die Snellaert geweest is. Hij behoorde nl. tot de oprichters van het genootschap ,,De Tael is gantsch het Volk'', in zijn tijdschrift ,,Kunst- en Letterblad'' drukte hij het Vlaams Petitionnement af, het eerste Vlaamse eisenprogramma (1840), organiseerde het eerste Nederlandse Kongres in 1849 en was de opsteller van het verslag der Grievencommissie in 1859.

Hij mag terecht beschouwd worden als één der vaders van de Vlaamse Beweging. Geneesheer, schrijver, historicus en flamingant: dit moest een man zijn naar vaders hart!

Het Snellaertcomité is ook na de viering van 1972 blijven bestaan als een informele vereniging; vader bleef ondervoorzitter en hield er enkele lezingen, o.a. over de geschiedenis der Gentse ziekenhuizen.

Reeds jaren was hij bezig met de historie van de ziekenhuizen der Arteveldestad. Hij trok er op uit met Walter de Mulder en nicht Godelieve De Schryver om alles te laten fotograferen wat met het onderwerp te maken had.

In 1976 verscheen bij Story-Scientia een monografie van zijn hand: ,,Het Leven van de Gentse Ziekenhuizen vanaf hun Ontstaan tot Heden'', geïllustreerd met talrijke foto's.

Mijn uittreden uit de dominikanenorde en neerleggen van het priesterambt in 1973 is vader zeer zwaar gevallen. Maar hij heeft samen met moeder vanaf het eerste ogenblik geholpen en toen de dispensatie uit Rome was aangekomen heeft hij mijn aanstaande vrouw, Chris Van Croonenborch uit Borgerhout, met vaderlijke genegenheid in de familie opgenomen. Haar vak, de sociologie, was wel niet zijn stokpaardje, maar zij werd weldra het voorwerp van zijn guitige plagerijen. Wij huwden te Antwerpen op 20 december 1973.

Op 24 oktober was Nele Bockaert, het tweede dochtertje van Christine geboren. Zij werd de oogappel van grootvader en zoals hij met Hilde gedaan had, nam hij haar weldra op schoot en zegde haar een vingerrijmpje op uit zijn eigen kinderjaren: Bouwe, Bouwe zijne knape, lange rape, Pier de kneut en korte korte kneut.

*

* *

Zo naderen we stilaan de laatste levensjaren van vader.

Na zijn vertrek uit de Senaat en het beëindigen van zijn werkzaamheid in de Ethische

Kommissie, kon hij het wat rustiger nemen. Maar zijn pen rustte niet. In het grote huis, onder de hoede van moeder en van Anna, die als een schutsengel voor haar ouders zorgde, bracht hij vele uren door aan zijn schrijftafel. Hij begon met het schrijven van deze memoires pas op 6 januari 1977 en een goed jaar later vonden wij twaalfhonderd bladzijden manuscript.

,,Nulla dies sine linea'' was voor hem werkelijkheid.

Zijn laatste boekje verscheen een paar maand vóór zijn overlijden bij de Nederlandsche Boekhandel. Het was de VVA-monografie *,,Een Epos. Het Gentse Akademisch Ziekenhuis''*.

Nog éénmaal is zijn naam vóór zijn dood in de krantekoppen gekomen: in het najaar 1977 naar aanleiding van de Egmontperikelen.

In zijn hart was hij eigenlijk niet gelukkig met dit politieke compromis, maar hij had een onverwoestbaar vertrouwen in Frans Van der Elst, die het mede ondertekend had.

Hij twijfelde of het misschien toch niet een vooruitgang voor Vlaanderen betekende en hij wilde — man van het gegeven woord als hij was — trouw blijven aan zijn partij, niet slaafs of kritiekloos maar toch trouw.

Bovenal was hij zoals steeds bekommerd om de verdeeldheid in de Vlaamse Beweging. Wij hebben ooit gezien dat hem tranen in de ogen kwamen wanneer er sprake was van flaminganten die elkaar kleinzielig bekampten. ,,Wanneer gaan ze nu eens ophouden met ruziemaken onder elkaar, zo geraken wij er nooit!'' riep hij dan uit. Zijn laatste openbare politieke daad was dan ook de zogenaamde oproep Elaut-Wildiers. Samen met mr. Frans Wildiers lanceerde hij op 11 oktober 1977 een oproep waarin ongerustheid werd geuit over de verdeeldheid die het Egmontpakt verwekte in de Vlaamse Beweging, werd gepleit voor overleg en samenwerking en voor het verlenen van politieke armslag aan de ondertekenaars van het akkoord.

Toen prof. Derine vader benaderde om steun voor de anti-Egmontaktie, wou hij eerst niet op het schrijven antwoorden. Nadat ik hem erop gewezen had dat Derine toch een verdienstelijke man was voor de Vlaamse Beweging, zou hij hem toch een antwoord sturen. ,,Ik zal hem schrijven dat ik geen enkele brief meer onderteken, want dat mijn houding toch verkeerd geïnterpreteerd wordt'', zei vader. Hij voelde zich gedesoriënteerd en was het touwtrekken blijkbaar beu.

In diezelfde oktobermaand werd vader in de Gentse Sint-Pietersabdij, samen met zijn promotiegenoten uit 1927, door de Orde van Geneesheren gehuldigd om hun vijftigjarig doktersjubileum. Zijn vriend dokter Roger Soenen was een paar dagen voordien overleden en vader nam ook de herinneringsplaket van zijn jaargenoot in ontvangst. Namens de collega's dankte hij voor de bewezen eer.

27 augustus 1977 had hem een groot geluk gebracht: toen werd onze zoon Gorik Elaut geboren. Grootvader Elaut had een stamhouder gekregen.

Op 26 december hebben we in de intieme familiekring vaders tachtigste verjaardag gevierd. Niemand kon vermoeden dat het de laatste keer zou zijn dat wij vader op tweede Kerstdag in de bloempjes zetten.

Moeder werd op 9 februari 1978 zeventig jaar en op 5 maart brachten we te Antwerpen meer dan veertig familieleden bijeen voor de viering van ,,Onze Ouders 150 jaar''.

Enkele dagen later is vader onwel geworden. Wat eerst slechts een voorbijgaande ongesteldheid scheen te zijn, zou toch ernstiger worden. Maar vader bleef rondlopen aanvankelijk, zelfs schrijven ... en wou van geen dokter horen.

Na twee weken werd hij steeds zwakker, kwam niet meer buiten en op Paasmaandag

27 maart is hij voor het laatst te been geweest. Eindelijk stemde hij erin toe een collega bij zijn ziekbed te halen. Nog steeds geen alarm.

Tot op 1 april 's avonds vader geweldige ademnood kreeg en besloten werd hem naar Sint-Vincentius, ,,zijn'' ziekenhuis over te brengen.

Toen de ziekenwagen over de Koornmarkt reed richtte hij zich op om door het raampje te zien hoever men al gekomen was.

Zuurstof bracht verlichting en toen wij in de late avond bij vader aankwamen, straalde uit zijn ogen een vredig geluk. Ha Jan! Nu had hij de zijnen allemaal bij zich. Hij wist toen zeker dat hij stervend was.

Zelf vroeg hij een priester te roepen en hij ontving het sacrament der zieken met een zalige glimlach. ,,Tot in de hemel, kinderen'' zei hij en was gelukkig. Hij had veel pijn en ademde moeizaam.

Terwijl moeder even de kamer uitwas zegde hij: ,,Op mijn doodsbericht alleen: geneesheer-uroloog, schrijver, hist..., geen rouwbrieven sturen, maar een aankondiging in de bladen van de Standaardgroep, Gazet van Antwerpen en Het Volk''.

Ten minste tien jaar vóór zijn dood had hij met mij besproken welke academische en andere titels op zijn overlijdensbericht moesten vermeld staan. We hadden dan samen gevonden dat ,,politiek veroordeelde'' zeker niet mocht ontbreken, dat dit evenveel waard was als ,,politiek gevangene'' en dat een veroordeling door de ,,justice de rois nègres'' als een eer kon beschouwd worden. Bij die gelegenheid had hij ook gevraagd dat de woorden uit de psalm ,,Confitemini Domino quoniam bonus'' op zijn doodssantje zouden staan.

Pas na de begrafenis heb ik beseft dat hij gedurende zijn laatste dagen had nagedacht over de ijdelheid der ijdelheden — Thomas a Kempis was één zijner lievelingsauteurs — en voor zichzelf besloten had dat alle eretitels mochten wegvallen en onder zijn naam alleen dat moest staan wat hij geworden was door hard werken: geneesheer-uroloog, schrijver, historicus.

Die laatste nacht heeft hij bijna niet geslapen. Hij bekeek de ingewikkelde medische apparatuur, de vele slangetjes en draden, en fluisterde: ,,Wat een theater!''. Rond middernacht zeiden we hem dat het zomeruur op 2 april in voege ging. ,,Neen'', antwoordde hij, ,,officieel eerst te 1 uur. Ik zal straks mijn horloge wel juist zetten''.

Toen het morgenlicht de kamer binnendrong begon hij rustiger te ademen en sprak over de bloemen in de tuin van de Sint-Pietersnieuwstraat.

Hij maakte grapjes met de verplegenden en de collega's die even binnenliepen en volgde zelf de evolutie van zijn toestand zeer bewust.

,,Hebt u ooit een lavement gekregen?'', vroeg hij, ,,dat wens ik de ergste franskiljon niet toe!''.

Het waren zijn laatste woorden. Vol humor, gevat en mild.

Zijn sterven was zoals zijn leven. Misschien nog bewuster, nog schoner.

Op 7 april hebben wij vader ten grave gedragen, met de leeuwevlag op de lijkbaar, met Latijnse gezangen en Vlaamse melodiëen, zonder toespraken, zoals hij het graag gewild had.

Pastoor De Schepper hield een korte, gevoelige homilie waaruit wij deze woorden aanhalen.

,,Het zou een kunstenaar moeten zijn om in korte houwen en genuanceerde trekken het werk en de glans van Gods Geest en goedheid te kunnen gestalte geven in het portret van Professor Elaut. Een portret dat in alle bescheidenheid toch niet verdoezelt de kracht van zijn geest, die zich op zoveel gebieden van het geestesleven heeft geopenbaard, in zijn medische wetenschap, in de geschiedenis, als schrijver, als humanist, niet verdoezelt de kracht van zijn Vlaamse overtuiging die hij heel zijn leven door vanuit de rechtschapenheid die hij in zijn opvoeding meekreeg, heeft beleefd en uitgedragen, ook door de kwade dagen van de zwaarste beproeving, niet verdoezelt de kracht van zijn christen-zijn die de onderbouw vormde van zijn hele leven en hem roekeloos en kwetsbaar maakte als een kind, maar dan ook door alles heen hem de schalksheid, de humor en de pientere vreugde gaf.''

Na het *In Paradisum* en *De Vlaamse Leeuw* hebben we vader te Gentbrugge naast zijn vader en moeder te ruste gelegd.

Mogen wij deze memoires besluiten met de tekst van vaders gedachtenisprentje waarin wij hebben getracht uit het diepste van ons wezen neer te leggen wat vader voor ons is geweest.

Vader, dank u voor alles.
Wat hebt gij ons niet gegeven vanuit uw groot hart,
uw heldere geest, uw diep geloof.
Gij waart een schat van een man, een schat van een vader.

Jaren geleden hebt gij gevraagd dat deze woorden
op uw doodssantje zouden staan: ,,Mijn lieve vrouw
die mij zoveel tedere genegenheid hebt geschonken
en die zoveel op genegenheid gesteld waart,
u wijdde ik mijn laatste dankbare gedachte''.

Mijn lieve man, dank voor uw tedere genegenheid,
voor uw stille aandacht, in goede en kwade dagen,
zevenenveertig jaar lang.

Vader, dank voor het leven dat gij uw kinderen
hebt voorgeleefd, voor uw eenvoudige grootheid,
uw milde rechtlijnigheid, uw goede rechtvaardigheid.
Vergeef ons dat wij in zoveel onder uw maat bleven.

Vader, dank omdat gij zo'n goede dokter waart,
strikt in uw wetenschap, streng en vrijgevig
(,,Onze Lieve Heer zal mij wel betalen'').

Vader, dank omdat gij uw volk zo hebt liefgehad.
Gij hebt ervoor gevochten, geleden, geweend en
gevloekt wanneer het werd verdrukt of zichzelf
door broedertwist verkleinde.

Vader, dank voor uw humor.
Gij hebt de mensen zoveel geplaagd
omdat gij ze zo graag hebt gezien.

Vader, dank voor uw geloof.
Gij wist dat gij zonder Hem niets waart,
het geloof van uw moederke is het uwe gebleven.

Vader, dank voor uw sterven waarin gij uzelf zijt gebleven,
voor de blijde lach van uw laatste uren.

Vader in de hemel, dank voor zo'n vader.

Jan Elaut 21 september 1978